3122   5-24-73

HISTOIRE DU CHRISTIANISME

HISTOIRE DU CHRISTIANISME
des origines à nos jours

sous la direction de
JEAN-MARIE MAYEUR, CHARLES (†) et LUCE PIETRI,
ANDRÉ VAUCHEZ, MARC VENARD

tome V

APOGÉE DE LA PAPAUTÉ
ET EXPANSION
DE LA CHRÉTIENTÉ
(1054-1274)

sous la responsabilité de
ANDRÉ VAUCHEZ

avec la collaboration de
JERZY KŁOCZOWSKI, AGOSTINO PARAVICINI BAGLIANI,
MICHEL PARISSE, EVELYNE PATLAGEAN
et le concours de
JEAN-MARIE MARTIN

DESCLÉE

Collaborateurs du tome V

Jerzy Kłoczowski, professeur à l'université catholique de Lublin.
Agostino Paravicini Bagliani, professeur à l'université de Lausanne.
Michel Parisse, professeur à l'université de Nancy II.
Evelyne Patlagean, professeur à l'université de Paris X-Nanterre.
André Vauchez, professeur à l'université de Paris X-Nanterre.
avec le concours de
Jean-Marie Martin, directeur de recherche au C.N.R.S.

© 1993, Desclée
Dépôt légal : avril 1993
ISBN : 2-7189-0573-5

Avant-propos
par André Vauchez

L'échéancier éditorial de l'*Histoire du Christianisme* fait que ce tome V, consacré à la période qui s'étend de 1054 à 1274, paraît près de deux ans après le tome VI, où a été traitée la fin du Moyen Âge (1274-1449). Il va de soi que le présent ouvrage s'inscrit dans le droit fil du précédent, ne serait-ce que parce que, parmi ses cinq auteurs, deux avaient déjà participé au tome VI et qu'il a été conçu et rédigé dans une perspective identique. Comme tous les volumes de la collection, il vise en effet à offrir une vue d'ensemble aussi complète que possible — sans prétendre pourtant à l'exhaustivité — de l'histoire des Églises et des communautés religieuses qui se sont réclamées du christianisme à une époque donnée. Cette étude se veut d'abord scientifique et a été menée dans une optique non confessionnelle, ce qui n'exclut pas de la part des auteurs une attitude de sympathie pour son objet. Simultanément, ce livre voudrait permettre aux lecteurs qui le souhaiteraient de développer des recherches sur telle ou telle question qui les intéresserait plus particulièrement grâce aux nombreuses références bibliographiques figurant dans les notes ainsi qu'à la fin de chaque chapitre et du volume.

L'*Histoire du Christianisme* ayant une visée spatiale coextensive à son objet et étant destinée à être traduite dans diverses langues européennes, les auteurs se sont efforcés de donner à la bibliographie un caractère international : ils ont eu également le souci d'y faire figurer les travaux les plus récents, compte tenu de leur valeur scientifique et de leur pertinence, sans exclure bien entendu les ouvrages classiques. Mais, comme nul ne saurait prétendre à l'omniscience et que les historiens sont largement tributaires de la richesse des bibliothèques qu'ils fréquentent, il pourra se produire que tel ou tel ouvrage ou article, qui aurait dû être mentionné dans ce livre, n'y figure pas. Que leurs auteurs et nos lecteurs veuillent bien ne pas mettre ces inévitables lacunes au compte d'un quelconque parti pris, mais les attribuer seulement à l'incapacité où se trouvent aujourd'hui les spécialistes eux-mêmes de maîtriser complètement une production historique qui, dans de nombreux pays, se développe à un rythme vertigineux.

Dans le présent volume, nous nous sommes efforcés — comme dans les précédents — de présenter le christianisme dans toute sa diversité, en faisant une place aussi large que possible aux Églises orientales et slaves. Mais l'ampleur des développements qui ont été consacrés à la chrétienté byzantine dans le tome VI et la place considérable qui sera faite à l'Orient dans le tome IV, de prochaine publication, nous ont conduits à mettre ici l'accent de façon prépondérante sur l'Occident chrétien. Ce choix ne trouve pas seulement sa justification dans des considérations d'ordre éditorial, mais aussi dans la réalité historique. La période qui fait l'objet de ce volume a été en effet profondément marquée par la montée en puissance d'une chrétienté latine qui jusque-là faisait assez piètre figure face à son homologue grecque. À partir du XIIIᵉ siècle, l'Occident semble avoir inversé à son avantage les termes de la relation qu'il entretenait depuis des siècles avec l'Orient, cependant que l'empire byzantin se réduisait à la façon d'une peau de chagrin sur le plan territorial. Aussi nous a-t-il paru logique d'accorder une attention toute particulière à l'histoire de l'Église romaine, à l'analyse de ses structures et de leur évolution, aux courants spirituels qui l'ont animée et à ses initiatives missionnaires ou autres. Cela n'implique nullement que nous soyons demeurés insensibles au rayonnement des autres communautés chrétiennes, en particulier orientales, ou que nous entendions réduire l'histoire du christianisme à celle de la papauté. Mais il paraît difficile de contester que la période qui s'étend entre le milieu du XIᵉ et la fin du XIIIᵉ siècles se caractérise principalement par l'intensification et l'aboutissement — partiel sans doute et provisoire — des efforts déployés par l'Église romaine pour faire de la société médiévale une chrétienté unifiée sous son impulsion et sa direction.

J'ajouterai pour finir — *last but not least* — que le présent volume est le résultat d'un véritable travail d'équipe. Si je tiens à souligner ce fait, ce n'est certes pas pour me dégager des responsabilités qui incombent au maître-d'œuvre, mais bien pour rendre à mes collaborateurs, qui se sont comportés en véritables amis, un hommage qu'ils méritent pleinement. Chacun d'entre eux a rédigé sa contribution en toute indépendance et liberté, mais nous avons dès l'origine mené en commun une réflexion qui a porté aussi bien sur le plan d'ensemble de l'ouvrage que sur l'harmonisation de ses diverses parties. Au moment où le terme tant attendu se rapproche et où semblent s'apaiser les vicissitudes qui marquent fatalement la genèse d'une collection de cette ampleur, je tiens à leur dire publiquement toute ma gratitude pour la qualité de leur travail et pour le soutien sans faille que j'ai toujours trouvé auprès d'eux.

Paris, le 24 juillet 1992.

Introduction

Occident et Orient en 1054
par Michel Parisse et Evelyne Patlagean

Aux yeux des historiens, deux dates ont marqué l'année 1054, le 13 avril avec la mort du pape Léon IX, et le 16 juillet avec le dépôt sur l'autel de Sainte-Sophie de la bulle d'excommunication du patriarche de Constantinople. Ces dates eurent cependant un destin bien différent. La première a frappé les contemporains, car le pontificat qui prenait alors fin prématurément avait constitué un progrès considérable dans l'exercice du pouvoir pontifical et la prise en main de la chrétienté occidentale ; à distance en revanche, la disparition du saint pontife s'inscrit discrètement dans la longue durée de la réforme de l'Église au xie siècle. La seconde date a produit un effet inverse : elle n'a laissé aucune trace dans l'esprit des Occidentaux et des Orientaux du moment, tandis que les historiens ont pris l'habitude d'admettre qu'elle a sonné le début du schisme, pas n'importe lequel, celui des églises chrétiennes, la coupure entre Rome et Constantinople, au point que l'emploi du mot *schisme*, sans autre précision, ne pouvait plus dès lors désigner que cette coupure-là. Dans un ouvrage qui entend étudier parallèlement l'histoire du christianisme occidental et oriental, l'année 1054 prend donc un relief particulier.

Toutefois une attention excessive portée à une date ou à un événement contient en elle-même un danger, celui qui consiste à créer artificiellement une coupure là où la continuité est attestée. L'action de Léon IX fut une phase, un moment dans un processus de réforme engagé bien avant lui et poursuivi sans hésitation au-delà même du pontificat de Grégoire VII. Même si d'aucuns sont parfois tentés de parler de « réforme léonine » pour ne pas laisser à Grégoire VII l'exclusivité de la rénovation de l'Église occidentale, on ne peut accepter de multiplier encore les phases dites réformatrices dans la vie séculaire des chrétiens. Quant à l'ambassade du cardinal Humbert auprès de Michel Cérulaire et à sa fâcheuse issue, elle s'inscrit dans la longue durée d'une mésentente permanente, plus ou moins vive, et d'une rupture plusieurs fois ajournée. Il importe donc bien de ne pas accorder une importance excessive au choix qui a été fait pour le point de départ de ce volume. Puisque néanmoins les nécessités de l'exposé imposent une telle décision, elle suggère naturellement un examen distinct des conditions générales de la situation politique, sociale, économique et religieuse au milieu du xie siècle, puisqu'aussi bien la démonstration qui suit prendra appui sur elle, mais bien entendu de façon distincte pour l'Occident et l'Orient.

I. LA CHRÉTIENTÉ OCCIDENTALE AU MILIEU DU XIᵉ SIÈCLE
par Michel PARISSE

Le siècle qui s'écoule autour de l'an Mil est considéré par les historiens de la plupart des pays occidentaux comme un moment où les changements de structures furent particulièrement sensibles. L'héritage franc n'était plus qu'un souvenir et la féodalité, comme on dit communément, implantait un peu partout ses pratiques et son système de gouvernement. L'Occident chrétien présentait au milieu du XIᵉ siècle plusieurs facettes. Le cœur en était constitué par les royaumes qui étaient issus de l'empire carolingien, définitivement défunt en 888, mais maintenu dans les esprits pendant plusieurs décennies encore. L'autorité carolingienne avait pu s'exercer de la Frise au duché de Bénévent, de la frontière musulmane espagnole à la frontière slave. Puis, à l'intérieur de cet espace, le pouvoir s'était réparti entre de nombreux États, à l'intérieur desquels des gouvernements princiers se constituaient. La géographie politique de l'Europe occidentale chrétienne se prête à plusieurs types d'analyses.

La première est attentive à la taille et à l'influence des États. Ici deux unités supérieures s'imposent : le royaume de France et l'Empire. Si le premier semblait être une marqueterie de régions qui se voulaient indépendantes (duchés et comtés de Flandre, Normandie, Bretagne, Champagne, Bourgogne, Aquitaine), il n'en était pas moins tenu en main par un roi dont nul ne contestait la légitimité et dont la dynastie était bien implantée. Si les princes français contemporains du roi Henri Iᵉʳ (1031-1060) ont eu le sentiment de garder l'initiative, si les historiens daubent volontiers le « roi de Paris » dont ils contestent la liberté d'action, il n'en reste pas moins que sa situation était solide, et le bilan de l'action politique et religieuse d'un Robert le Pieux, dans un royaume déjà bien peuplé, fut loin d'être négligeable. La place importante qu'il tenait alors était cependant quelque peu dévalorisée par rapport à celle de l'empereur. Depuis Otton Iᵉʳ en 962, le roi allemand, qui s'intitulait roi des Romains, était aussi en théorie ou en pratique empereur, se considérant comme l'autorité suprême d'Occident face au basileus et contestant la prétention analogue du pape. Territorialement parlant, l'empereur n'exerçait son autorité que sur les duchés germaniques (Bavière, Souabe, Saxe, Lotharingie) et l'Italie du Nord, mais comme il était en contact permanent avec les Slaves à l'est et avec les Musulmans et les Byzantins au sud, il se tenait aussi pour le défenseur privilégié de la chrétienté romaine. Il ne fait pas de doute qu'aux yeux de Rome, au milieu du XIᵉ siècle, l'empereur et le roi de France représentaient les deux personnages clés de la vie politique en raison de l'espace qu'ils contrôlaient et des peuples qu'ils gouvernaient. Le monde chrétien comprenait aussi des États et des principautés en marge des deux grands. Une frange au nord de l'Espagne avait définitivement marqué les limites de la progression musulmane. Les États du pape avoisinaient les duchés lombards (Spolète et Bénévent) et une Italie du Sud en proie à de nombreux changements, puisqu'une poignée de chevaliers normands venaient d'en chasser les Byzantins. La chrétienté avait gagné beaucoup de terrain en Europe centrale et de la Poméranie au Frioul se succédaient des duchés ou des royaumes de conquête récente (Pologne, Bohême, Hongrie, Carinthie). Des missions

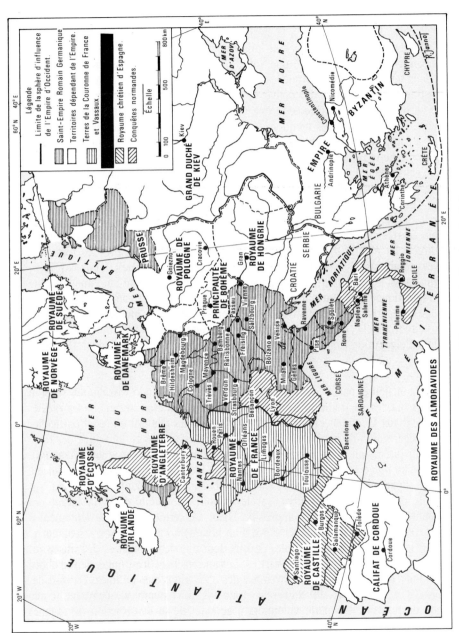

Carte politique de l'Europe à la fin du XIᵉ siècle.

carolingiennes avaient établi le christianisme dans les pays scandinaves que le roi Cnut avait réunis pour un temps. Les Îles Britanniques, qu'on aurait pu croire éloignées de tout, avaient subi les coups de boutoir victorieux du souverain danois, avant de revenir sous l'autorité d'un roi saxon. Là le christianisme avait une grande ancienneté ; bien plus, la ferveur irlandaise continuait de laisser de nombreuses traces sur le continent où Colomban avait le premier tracé une voie. Les chrétiens scandinaves n'avaient qu'à peine deux siècles d'âge, tandis que les peuples bordiers de l'Empire venaient enfin de se constituer une structure diocésaine et métropolitaine.

Une seconde analyse ne recouvre que partiellement les zones distinguées dans la première. Elle fait cette fois mention de la géographie et de la tradition romaine et conduit à considérer trois Europes. Une Europe méditerranéenne comprend les deux péninsules italienne et ibérique et la partie méridionale de la France ; elle se caractérise par une géographie du soleil, aux terres sèches et aux ressources inégales, et aussi par un attachement étroit, au moins théorique, à l'esprit des institutions de l'empire romain disparu. On y a vu se développer un commerce plus précoce, une féodalité originale, un sens plus fort de l'autorité souveraine, une société où les chevaliers ne sont pas écartés des villes. Une Europe d'entre Loire et Elbe associe les héritiers les plus directs du monde franc. La christianisation y a suscité des évêchés forts, des abbayes nombreuses, avec notamment beaucoup de monastères féminins ; on y remarque aussi une sensibilité plus grande au droit oral et à la coutume, une féodalité très pragmatique, une autorité souveraine qui doit tout à l'élection. Une Europe orientale et septentrionale de christianisme récent, où le réseau monastique est encore lâche, voire très lâche, où les pratiques païennes n'ont pas entièrement disparu, que les distances éloignent de Rome et du souverain pontife, où le système féodal n'a pas de place.

Dans la majeure partie de l'Occident, les pratiques féodo-vassaliques se sont répandues. Certes, la tradition du lien entre les hommes était ancienne, ses racines remontaient aux Germains et aux leudes de Clovis ; mais elle prit un relief particulier dans la vulgarisation du lien vassalique et dans le développement du régime des fiefs. La fidélité jurée, qui avait autrefois lié le roi franc à ses compagnons (*comites*), devenait d'un usage courant à tous les niveaux de la société et assurait l'obéissance à l'autorité supérieure et son service ; elle se prêtait nécessairement devant Dieu, sur l'Évangile et les Saintes Écritures, sur les reliques de saints dont on faisait des surveillants, ou des interprètes, auprès de Dieu. Ce serment fit place lentement à l'hommage, qui définissait la dépendance d'un homme à l'égard de son « seigneur ». Ces liens imposaient des droits et des devoirs dont une des meilleures définitions fut donnée par un évêque, Fulbert de Chartres. Les anciens bénéfices, qui étaient d'abord des bienfaits, devinrent des fiefs, astreints à des obligations bien définies. En cascade, l'autorité s'exerçait ainsi du souverain jusqu'aux plus humbles détenteurs d'une parcelle de pouvoir. On parle volontiers à ce sujet de la construction de régimes politiques en forme de pyramides, s'élevant depuis les basses couches de la société jusqu'au souverain. La conséquence la plus importante en était la rupture du lien direct qui unissait autrefois le roi ou l'empereur avec ses sujets. Dorénavant des écrans existaient à plusieurs niveaux entre le peuple et le détenteur de l'autorité suprême.

La période des invasions avait pris fin depuis longtemps déjà. Au Lechfeld, en 955, les Hongrois furent définitivement repoussés; les « Sarrasins » ont dû, en 972, abandonner leur dernière place de la Garde-Freinet et se réfugier dans les îles. Des contre-attaques étaient engagées. Les marches orientales de l'Empire mordaient largement, on l'a dit, sur l'espace slave; c'était l'empereur qui avait « fait » les rois de Pologne et de Hongrie; les chrétiens romains réduisaient la marge qui les séparait de leurs frères orthodoxes établis dans les Balkans et en Russie. L'arrivée de chevaliers normands au sud de l'Italie et leur ambition de repousser les Byzantins allaient dans le sens de la politique romaine. En Espagne, les attaques contre les principautés musulmanes étaient encore seulement le fait d'actions locales. Il convient de distinguer ce qui était volonté de dilatation de la chrétienté vers l'extérieur, d'une part, et pacification interne, d'autre part. Des entreprises princières, telles que celles des comtes d'Anjou tentant d'abattre leurs voisins de Blois, des résistances passagères contre le souverain, comme celles des Souabes ou des Saxons contre l'empereur, des initiatives individuelles violentes des bâtisseurs de seigneuries et de châtellenies n'empêchaient pas que dans l'ensemble la paix fût installée. Pour la maintenir fermement, il fallut des mesures spectaculaires contre les initiatives individuelles; elles furent prises à la fin du Xe siècle dans les conciles qui entendaient imposer la « paix de Dieu » et traduisaient justement le souci qu'avaient les princes ecclésiastiques et laïques de favoriser la reprise économique.

Partout, avec des caractères propres aux conditions géographiques et aux traditions sociales de chaque région, se manifestaient des initiatives dans l'établissement des nouveaux pouvoirs. Celui-ci se traduisait par la construction de châteaux, l'érection de tours, la reprise d'anciens *oppida*, le relèvement de murailles antiques, car le site fortifié était par excellence le centre du pouvoir féodal. Les cités épiscopales et les grands monastères n'échappaient pas à cette « mode ». En outre les campagnes bougeaient : un regroupement des habitations s'opérait en beaucoup d'endroits, diminuant le nombre des hameaux au profit des villages, favorisant la constitution de la paroisse (*incastellamento* italien, « encellulement » français). La poussée démographique, favorisée par la diminution des famines et des conflits militaires, favorisait à son tour la productivité et provoquait le lent remplissage des villes jusque-là encore au large dans leurs murailles. Les nombreuses et soudaines fondations d'abbayes, de chapitres et de prieurés à la fin du Xe et au début du XIe siècle firent partie des premières manifestations du progrès économique.

La société évoluait avec la diversification des strates et de ses groupes. Longtemps on avait distingué seulement les libres et les « *servi* ». Sous ce dernier mot il fallait comprendre les esclaves, mais la situation de ces derniers s'était sans cesse améliorée. Sauf exception, les historiens ont convenu de désigner du nom de serfs le groupe de ceux qui ne jouissaient pas de la totale liberté. Par une regrettable erreur, on a confondu généralement serfs et paysans, pour la raison que la paysannerie constituait la majorité de la masse servile. Mais, déjà, de nombreuses catégories de personnes avaient acquis une situation juridique intermédiaire, généralement assez floue, mais suffisamment nette toutefois pour qu'on ait eu alors le sentiment qu'elles n'étaient plus serves sans être pour autant libres. À la différence de l'Empire où la définition rigoureuse de la liberté empêchait quiconque n'était pas libre d'acquérir, sans la volonté du maître, un soupçon de liberté, la France a vu le nombre des hommes privés de liberté, disons des serfs, sans cesse diminuer jusqu'à disparaître en certains endroits. Parler d'une société encore esclavagiste pour cette époque, sans préciser très exactement les nuances et les limites de l'expression, risque de faire croire à la reproduction ou à la continuité de la situation antique. Cette amélioration sensible de la condition juridique des plus pauvres en France n'avait pas fait pour autant disparaître les oppositions de la vie sociale ; la différence se faisait entre les nobles et les autres, là où dans l'Empire on parlait encore et seulement des libres et de ceux qui ne l'étaient pas. L'évolution politique et économique du XIᵉ siècle favorisa le gonflement des groupes intermédiaires. Il y eut, d'un côté, les soldats professionnels, de plus en plus nombreux au fur et à mesure que les châteaux et les seigneurs augmentaient en nombre et en besoins, ce furent les chevaliers placés au service des grands ; d'un autre côté, les marchands, les artisans, les manœuvres commencèrent à peupler les bourgs et les villes naissants. Le phénomène était depuis longtemps bien connu, la poussée démographique l'accentua.

Quelles étaient la position de l'Église et sa situation dans ce contexte ? Le livre d'Aloys Schulte *Adel und Kirche* avait bien posé la question de l'emprise noble sur l'Église ; le titre d'un volume d'une histoire de l'Église en français, *L'Église au pouvoir des laïcs* d'H. Amann, exposait le problème encore plus crûment. Il est de fait que l'Église carolingienne et post-carolingienne, française, allemande, italienne ou anglaise, faisait partie intégrante de la société, que la vie religieuse se confondait avec la vie quotidienne, que les prélats étaient des agents du souverain au même titre que les grands laïcs, que les abbayes étaient maîtresses de biens terrestres comme les ducs ou les comtes, que l'avenir des enfants se décidait à poids égal pour l'Église ou le siècle. Toute modification du contexte se trouvait nécessairement intégrée par le monde religieux.

L'empereur et les rois étaient les véritables chefs de leurs églises, même si bien des évêchés et des abbayes leur échappaient. L'empereur disposait d'un impressionnant réseau d'églises dites impériales dont il nommait ou contrôlait au moins les titulaires, dont il exigeait de lourds services et qui représentaient autant de points d'appui pour son gouvernement. Le roi de France disposait d'un bon quart des évêchés de son royaume et de quelques-unes des plus puissantes abbayes. Hors de leur domaine d'action directe, l'initiative appartenait aux grands princes, quelquefois même à de simples comtes. Il en était de même dans les pays slaves ou anglo-saxons, car Rome n'avait pas encore manifesté la prétention d'intervenir dans la vie des églises des différents États.

L'Église entra dans la féodalité. Pour défendre ses biens terrestres, il fallait aux évêques, aux chanoines, aux abbés et aux moines, aux abbesses également, faire construire des châteaux, entretenir des armées, commander aux paysans, ramasser de l'argent et des revenus en nature, servir le roi, entrer dans le jeu des liens d'homme à homme, s'aliéner même. L'Église donnait des biens en bénéfice, puis en fief pour acquérir des vassaux dont elle recevait l'hommage. Les princes ecclésiastiques tenaient du roi en fief leur évêché, leur patrimoine monastique, juraient fidélité, devaient assurer des devoirs vassaliques. Devant les ambitions croissantes des petits seigneurs locaux et des grands, il était nécessaire de défendre l'exercice de la seigneurie banale ; en Empire, les seigneurs qui, sous couvert de protection, se voulaient maîtres des patrimoines ecclésiastiques, durent se contenter d'être avoués, c'est-à-dire protecteurs, et presque aussitôt il fallut déterminer avec précision ce que seraient leurs droits en même temps que leurs devoirs pour contrôler et surtout éviter des empiètements qui conduisaient toujours à la substitution du pouvoir laïque au pouvoir ecclésiastique. Dans le même temps, on voyait les serfs et les serves échapper aux excès des Grands laïques en se donnant à cens aux saints patrons des églises, et l'Église elle-même affirmer son emprise sur les paysans de ses terres.

Les archives des établissements ecclésiastiques permettent bien de suivre l'essor du groupe intermédiaire entre les nobles/libres et les autres. Certaines chroniques des monastères ou des évêchés allemands mettent en scène ces chevaliers qui accompagnent les prélats dans leurs voyages, les artisans qui produisent leurs chefs-d'œuvre artistiques, les marchands qui sont envoyés au loin pour chercher des objets précieux, les domestiques du quotidien, les paysans qui s'élèvent dans la hiérarchie (*censuales*). Elles nous offrent ainsi le reflet d'un mouvement général qui a ses répercussions dans la vie religieuse, car le nombre de ceux qui pouvaient devenir prêtres, parce qu'ils jouissaient de la liberté, croissait singulièrement au moment où les paroisses et leurs dessertes s'organisaient ; les vocations religieuses, les demandes d'une place au monastère connaissaient le même destin, il fallait y faire face. L'exclusivité nobiliaire ne pouvait plus s'exprimer de la même façon. Les conséquences furent considérables pour le destin de l'Église régulière.

L'Église avait été et était encore le relais culturel indispensable ; elle seule formait des individus à la lecture et à l'écriture. Le temps n'était pas encore venu, loin de là, où l'on verrait un autre que le chapelain ou le curé du cru donner des leçons aux enfants des nobles. C'étaient donc nécessairement des chanoines ou des moines qui se tenaient auprès des détenteurs du pouvoir pour donner des conseils, prendre des notes, tenir des comptes, écrire des lettres. L'essor des châtellenies de l'Ile-de-France ne put se passer d'une floraison de « collégiales », comme l'a étudié J.F. Lemarignier. Et ce n'est pas une surprise de constater que le milieu le plus dynamique économiquement fut aussi celui où les chapitres ont prédominé. L'Église assurait aussi le relais de l'économie. Inutile de revenir sur tout ce qui a pu être dit à ce sujet pour toutes les époques du Moyen Âge. Rappelons seulement que c'étaient les églises qui thésaurisaient les premières, qui disposaient de surplus à vendre, achetaient les vêtements précieux, mettaient des pièces de monnaie en circulation. L'afflux de population à la fête annuelle du saint attirait les marchands, suscitait la création d'une foire (*feria*), qui se perpétuait ensuite dans le marché hebdomadaire. Pour l'époque qui nous retient, il importe de noter que les lieux d'échanges se situaient le plus souvent aux portes des monastères, qu'ils fussent en campagne ou à la périphérie des villes. Les revenus des ventes et des achats, du change des monnaies, du contrôle des poids et mesures, une part du tonlieu ou du péage, usurpés par les uns, concédés aux autres par le souverain, allaient grossir les rentrées en nature et en argent provenant du temporel. Tout cela se transformait en objets du culte ou en deniers. Le fait était à ce point patent que, simultanément ou presque, les fondateurs de châteaux situés aux endroits économiquement et stratégiquement importants manquaient rarement de leur adjoindre une abbaye, un prieuré ou un chapitre.

L'Église sentit tôt le besoin de secouer la gangue dans laquelle elle se trouvait engluée. Si certains de ses membres s'en trouvaient bien, si au total elle tirait plutôt bénéfice de cette situation, il fut aussi des hommes et des femmes pour trouver que leur liberté de pensée et d'action s'en trouvait excessivement limitée. Les restaurations bénédictines successives étaient des manifestations de la gêne ressentie ; elles rejetaient l'abbatiat laïque, tentaient de récupérer les biens donnés en bénéfice, de rejeter l'avouerie laïque, refermaient les portes des cloîtres au nez des parents des moines ou des grands. Chaque tentative de cette sorte, prolongée par un regain de ferveur religieuse, obtenait un certain écho, mais la lourdeur des pratiques était telle que l'élan s'essoufflait rapidement et qu'après une génération, parfois moins, les gains étaient perdus. Ainsi s'expliquent les sursauts successifs de quelques maisons pourtant dynamiques. Même Cluny, dont l'ardeur monastique et le désir d'exemption animèrent les premiers abbés, ne put faire autre chose que bâtir à son tour un véritable empire, qui imprima sa marque dans la société et l'économie. Plus encore que les moines, les évêques étaient mêlés à la vie du siècle. Ces prélats étaient des princes, certains plus que d'autres certes, mais dans l'ensemble, riches ou pauvres, ils étaient autant hors de l'Église qu'au-dedans. S'ils s'en défendaient, il leur fallait vivre en moines pour manifester profondément leur vocation. Les prêtres, autrefois pris parmi les serfs affranchis du maître, les évêques et les abbés nommés par le roi, les moniales recrutées parmi les filles des nobles, souvent celles qui étaient pauvres ou laides, les églises, les monastères, certains évêchés cédés, vendus, hérités, partagés : l'Église qui prétendait régenter les âmes et les esprits, n'était pas maîtresse de ses gestes et de ses décisions.

Le mouvement de réaction a commencé tôt, on l'a dit déjà, avec les moines. Il se poursuivit de différentes manières. On vit des gens du peuple clamer contre les défauts des prêtres et rejeter certaines pratiques au point d'être considérés comme hérétiques ; des moines et des clercs firent état du manque de régularité des uns, de la vie simoniaque et nicolaïte des autres, au grand dam des canons des synodes et des conciles. L'intention était belle, la réalisation n'était pas commode. Les appels de Nil de Rossano, de Romuald, de Jean Gualbert furent entendus ; l'érémitisme, l'ascèse, le rejet de l'argent, la condamnation des abus faisaient leur chemin. Pour qu'existe une église régulière dégagée nettement de l'environnement laïque, il fallait défendre une autre conception du monachisme, créer de nouveaux ordres bien distincts des anciens bénédictins. La prédominance écrasante du Cluny de cette époque, qui développait avec quelque succès une réflexion ecclésiologique nouvelle, ne permettait pas de voir la nécessité d'une nouvelle évolution. Les groupes de Camaldoli et de Vallombreuse montraient néanmoins la voie.

Les papes du début du XIe siècle, même ceux que l'histoire a tant décriés, ont ouvert la voie de la lutte contre la simonie et le nicolaïsme, qui déparaient le clergé séculier aux yeux des réformateurs. C'est Léon IX qui fit le plus pour agir dans ce sens, et c'est pour cela qu'on l'a encensé. Il est venu en personne à Reims pour corriger les évêques du puissant royaume de France ; il est allé à Mayence pour siéger aux côtés de l'empereur, dont il partageait bien des vues quant au rôle de l'Église dans le siècle ; il est allé en maints endroits tenir des conciles où il répétait les mêmes injonctions ; il a ouvert la porte de nouvelles négociations avec les frères chrétiens d'Orient. Malgré ses idées réformatrices, il était encore un homme sorti de l'Église d'Empire, où l'on admettait l'intervention de l'empereur dans la vie des clercs et des moines. Les changements commençaient à se faire sentir, mais l'évolution était lente. Le clergé séculier était en train de naître, avec des prêtres de paroisses en charge de leurs autels et du soin des âmes de leurs paroissiens, en liaison directe avec des évêques qui se cléricalisaient aussi. L'Église émergeait lentement, commençait de couper un à un les liens qui l'unissaient au monde séculier. Elle acquérait peu à peu sa liberté, parce qu'il s'était trouvé des moines et des clercs pour la réclamer plus fort que jamais, parce que les conditions politiques, sociales et économiques la rendaient plus que jamais nécessaire, si l'Église voulait assurer pleinement son rôle.

En fait la question de la liberté de l'Église était une notion ancienne, mais le sens qu'elle avait était assez divers. Dans l'Empire, la liberté des abbayes était celle que garantissait le souverain et qui se traduisait au vrai par son contrôle et sa protection. Elles se trouvaient libres d'agir dans les limites de la volonté royale, et se trouvaient surtout libérées de toute entrave ou intervention des autres laïcs. Quant à Cluny qui prétendait tant avoir sa liberté, il s'agissait là encore d'être affranchi de la seigneurie éventuellement exercée par un laïc ou un ecclésiastique ; du roi de France il n'était pas ici question. À son tour, Rome envisagea l'établissement d'une *libertas romana* dans la mesure où le pape se substituait alors à l'empereur et, offrant à sa manière la liberté aux églises, leur assurait du même coup sa protection et son contrôle. En tout cas, tout rattachement direct d'une église au Siège apostolique était une manière de gagner sa liberté, au moins vis-à-vis de l'environnement séculier. Au temps de Léon IX qui fut le premier à parler de *libertas romana*, on était encore loin du but recherché, mais le processus de libération était bel et bien engagé.

BIBLIOGRAPHIE

Bibliographie générale

G. DUBY, *Les trois ordres ou l'imaginaire du Féodalisme*, Paris, 1978.
J. FRIED, *Die Formierung Europas, 840-1046*, Munich, 1991.
H. JAKOBS, *Kirchenreform und Hochmittelalter, 1046-1215*, 1984.
E. HLAWITSCHKA, *Vom Frankenreich zur Formierung der europäischen Staaten- und Völkergemeinschaft, 840-1046*, 1986.
J.-P. POLY et E. BOURNAZEL, *La mutation féodale, X^e-XIIe siècle*, Paris, 1991[2].

Collections

Studi gregoriani per la storia di Gregorio VII e della Riforma Gregoriana, 13 vol., Rome, 1947-1989.
Miscellanea del centro di studi medioevali, La Mendola, 1959-1992, 12 vol., Milan, 1962-1992.

Ouvrages concernant la période

F. BARLOW, *The English Church, 1000-1066. A Constitutional History*, 1966.
M. BOYE, « Die Synoden Deutschlands und Reichsitaliens von 922-1059 », *ZSRG.K*, 18, 1929.
H. E. COWDREY, *The Cluniacs and the Gregorian Reform*, 1970.
G. DUBY, *La société aux XIᵉ et XIIᵉ siècles dans la région mâconnaise*, Paris, 1953.
J. GILCHRIST, *Simoniaca Haeresis and the Problem of Orders from Leo IX to Gratian*, Vatican, 1965.
H. HOFFMANN, « Gottesfriede. Treuga Dei », *MGH.SRI*, 20, 1964.-
R. KAISER, « Bischofsherrschaft zwischen Königtum und Königsmacht », *Pariser Historische Studien* 17, 1981.
J. LAUDAGE, *Priesterbild und Reformpapsttum im elften Jahrhundert*, 1984.
B. SZABO-BECHSTEIN, « Libertas ecclesiae », *SGSG*, 12, 1985.
G. TELLENBACH, *Libertas. Kirche und Weltordnung im Zeitalter des investiturstreites*, 1936.
G. TELLENBACH « Die westliche Kirche vom 10. bis zum frühen 12. Jahrhundert », Die Kirche in ihrer Geschichte, 2, F1, Göttingen, 1988.
Vescovi e diocesi in Italia nel Medioevo (sec. IX-XIII), Padoue, 1964.
J. WOLLASCH, *Mönchtum des Mittelalters zwischen Kirche und Welt*, 1973.

II. LA CHRÉTIENTÉ ORIENTALE AU MILIEU DU XIᵉ SIÈCLE
par Evelyne PATLAGEAN

L'année 1054 ne marque pas une coupure dans l'histoire générale de l'Église de Byzance. Toutefois, le milieu du XIᵉ siècle offre une césure acceptable dans l'histoire politique, sociale et culturelle de la chrétienté grecque, et il peut ouvrir ici la période que la Quatrième Croisade terminera en 1204[1].

Politiquement, l'Empire se trouve alors entre deux grandes dynasties. Celle des « Macédoniens », commencée par Basile Iᵉʳ en 867, se prolonge par les femmes jusqu'en 1056, parce que la légitimité par naissance impériale a poussé des racines désormais profondes dans la pratique et dans l'opinion. Elle s'éteint à cette date en la personne de Théodora, fille de Constantin VIII, dont sa sœur Zoé et elle-même avaient hérité l'empire. Les Comnène, d'autre part, sont en marche vers le trône, qu'ils atteignent une première fois avec Isaac Iᵉʳ (1057-1059), auquel succède Constantin X, de la famille concurrente et alliée des Doukas. La fin du IXᵉ siècle a jeté les

---

1. Retenons ici parmi les histoires générales de Byzance : L. BRÉHIER, *Le monde byzantin*, 3 vol., coll. « Évolution de l'Humanité », Paris, 1947-1950, rééd. Paris 1969-1970, avec suppl. bibliogr. par J. GOUILLARD ; G. OSTROGORSKY, *Histoire de l'État byzantin*, tr. fr. J. GOUILLARD, Paris, 1976 ; *Cambridge Medieval History*². IV. *The Byzantine Empire*², J. HUSSEY, éd. : 1. *Byzantium and its neighbours* ; 2. *Government, Church and civilization*, Cambridge, 1966-1967. Sur les hommes, les sources et les institutions de l'Église grecque, H. G. BECK, *Kirche und theologische Literatur im byzantinischen Reich*, Munich, 1959, demeure le guide indispensable, à compléter, pour l'hagiographie, par la *Bibliotheca Hagiographica Graeca*³ (cité comme *BHG 3*), F. HALKIN, éd., 3 vol., Bruxelles, 1957, suivie d'un *Auctarium* (1969) et d'un *Novum Auctarium* par le même auteur (1984).

fondements de la société laïque telle que nous la découvrons au milieu du XIᵉ siècle. Le faîte en demeure accessible à ceux que porte en avant la fortune des armes, au Xᵉ siècle encore. Mais en même temps, au fur et à mesure que des lignages accèdent à l'illustration, ils tendent à se définir, à s'allier entre eux, et à maintenir les positions acquises à proximité du souverain. Certaines de ces parentèles montent assez haut pour rencontrer et viser la dignité millénaire du pouvoir impérial. Elles s'appuient sur des bases provinciales qui demeurent mal connues. Les plus notoires ont eu comme matrice l'est de l'Anatolie, aux confins arméniens, et on les retrouve essaimées, aux XIᵉ-XIIᵉ siècles, à travers les provinces, jusqu'en Italie méridionale. Au XIᵉ, les tentatives de grands généraux, d'origine récente ou non, attestent encore la vitalité du système. En tout état de cause, la richesse de l'État et des particuliers est avant tout assise sur la terre et sur le produit des paysans qui la travaillent, et qui vivent dans leur écrasante majorité en villages. Mais la reprise urbaine s'est manifestée à Byzance aussi, aux lendemains de l'avancée arabe, et à l'époque même où Léon VI (886-912) déclarait caduque l'antique organisation municipale héritée de Rome : la coïncidence pourrait n'être pas fortuite. Les laïcs de la société citadine comptent des représentants de la puissance publique avec leur personnel, des artisans, des marchands, des propriétaires fonciers. Ce ne sont plus des « citoyens » mais des « habitants » (*oikêtores*). Thessalonique demeure la première des villes de province, la deuxième ville de l'empire. Éphèse et Trébizonde, Corinthe et Athènes, Ohrid ou Bari, sont quelques-uns des noms que l'on retrouvera dans les pages qui suivent. Mais le hasard d'un document fait aussi bien surgir Antalya sur la côte d'Asie Mineure, ou Tyane, au cœur de l'Anatolie.

Constantinople porte les mêmes traits, à une échelle qui suffirait à la rendre singulière si elle ne l'était déjà par sa dignité impériale, par la résidence du souverain, l'activité du palais, l'administration centrale de l'empire et de son Église. Il faut ajouter à cela l'essor intellectuel du XIᵉ siècle. En 1045, Constantin IX Monomachos a créé une école de droit, dont la direction est confiée à Jean Xiphilinos, et une école de philosophie, à la tête de laquelle est placé Michel Psellos : la philosophie proprement dite, couronnement de l'étude des sept arts libéraux, y est celle de Platon et d'Aristote, mais aussi, et beaucoup, celle du néo-platonisme[2].

Tel est le laïcat de l'Église grecque à cette date, et telle la société où celle-ci recrute ses clercs et ses moines, et au sein de laquelle se déroulent ses carrières. À sa tête le patriarche de Constantinople, ou patriarche œcuménique[3]. La compétence symétrique des deux figures du pouvoir suprême à Byzance obéit toujours, en ce milieu du XIᵉ siècle, à la célèbre formulation de l'*Epanagogè* de Basile Iᵉʳ[4] : à l'empereur « les lois prises par les anciens » (II, 6), au patriarche « les décisions des anciens, des Pères, et des conciles » (III, 5) ; « la paix et le bonheur des sujets dans leur âme et leur corps

---

2. J. M. HUSSEY, *Church and learning in the Byzantine Empire 867-1185*, Oxford-Londres, 1937 ; W. CONUS-WOLSKA, « Les écoles de Psellos et de Xiphilin sous Constantin IX Monomaque » in *TMCB*, 6 (*Recherches sur le XIᵉ siècle*), Paris, 1976, p. 223-243 ; P. LEMERLE, *Cinq études sur le XIᵉ siècle*, Paris, 1977, p. 193-248 (« Le "gouvernement des philosophes" : l'enseignement, les écoles, la culture »).

3. J. DARROUZÈS, *Recherches sur les* offikia *de l'Église byzantine*, Paris, 1970.

4. *Epanagogè, passim, Jus Graeco-Romanum*, éd. P. et I. ZEPOS, Athènes, 1931, t. 2, p. 241-243.

résident dans la bonne entente et l'accord complet de l'empereur et du patriarche »
(III, 8). Effectivement, à l'instar de l'empire implicitement universel, le patriarcat de la
capitale est œcuménique, étendu implicitement aux chrétientés naissantes, et il se
présente, lui aussi, comme un pouvoir central appuyé sur un appareil administratif, et
sur un organe de décision, le synode, que l'empereur a le droit de présider, et où
siègent des évêques et, le cas échéant, de grands serviteurs de l'État. La similitude
structurelle des deux appareils est indiquée par le fait que le même terme d'*archôn*
désigne les délégués de la puissance publique et ceux de la puissance patriarcale.
Néanmoins, la symétrie avec le pouvoir politique n'est qu'apparente. L'administration
patriarcale de Constantinople n'est pas le centre d'un appareil d'empire, mais celle de
la Grande Église, Sainte-Sophie ; les métropoles provinciales conservent une large
capacité de s'administrer, comme d'ailleurs une partie des églises et des monastères.
D'un autre côté, le patriarche se trouve face à l'empereur dans un rapport de forces
historiquement variable, mais où le dernier mot revient tout de même au pouvoir
impérial, on le verra. Les archives patriarcales sont en principe perdues pour cette
période, mais quelques procès-verbaux et beaucoup de décisions du synode ont été
préservés, dans des compilations à l'usage des juges laïques ou ecclésiastiques, et dans
les commentaires des canonistes du XIIe siècle, Theodoros Balsamon surtout[5]. Les
rapports avec l'empereur font que l'historiographie et la législation impériale comptent
aussi parmi nos sources[6]. Les sceaux, nombreux, apportent une documentation sur les
personnes, les fonctions, la chronologie[7]. Enfin, la géographie ecclésiastique est
attestée encore par les « listes hiérarchiques » (*taxeis*), qui dressent le classement des
métropoles, suffragants, et archevêchés du patriarcat. Ces notices ont malheureusement été transmises par une tradition textuelle de type littéraire, sans mise à jour
administrative régulière, comme si on leur avait conféré la dignité d'un monument de
référence, et non l'efficacité d'un dispositif pratique. Cela dit, elles permettent
néanmoins une esquisse historique du mouvement des évêchés[8].

L'Église des moines exerce une primauté spirituelle incontestée depuis la restauration définitive des images en 843. Son statut a fait l'objet d'une mise au point au concile
de Nicée II en 787[9]. L'ouverture d'un monastère reste subordonnée à une autorisation
épiscopale, et à la présence d'au moins trois moines. Il peut être indépendant, et son
recours éventuel est alors précisé, ou bien épiscopal, impérial, ou encore propriété
d'un particulier, ou d'un autre monastère ; son règlement (*typikon*) lui est propre, en ce
sens qu'il n'y a pas d'ordres monastiques à Byzance[10]. Il advient toutefois que des

---

5. Références dans *Regestes des actes du patriarcat de Constantinople*, vol. I. *Les actes des patriarches* : fasc. III, V.
GRUMEL, *Les regestes de 1043 à 1206*, s. 1., 1947 ; fasc. IV, V. LAURENT, *Les regestes de 1208 à 1309*, Paris, 1971 ; fasc. II et
III, *Les regestes de 715 à 1206²*, rev. et corr. par J. DARROUZÈS, Paris, 1989. Cité ci-après comme *Regestes* n°... (1ʳᵉ
édition).

6. Cf. H. HUNGER, *Die hochsprachliche profane Literatur der Byzantiner*, 2 vol., Munich, 1978.

7. Notamment ici V. LAURENT, *Le corpus des sceaux de l'Empire byzantin*, t. 5, *L'Église*, 1-3, Paris, 1963-1972.

8. J. DARROUZÈS, éd., *Notitiae episcopatuum Ecclesiae Constantinopolitanae*, Paris, 1981.

9. Éd. couramment utilisée : K. RHALLES-M. POTLES, *Syntagma kanonon*, (6 vol., Athènes, 1852-1859), t. 2,
p. 555-646 (canons seuls, avec commentaires médiévaux). On peut consulter P. DE MEESTER, *De monachico statu juxta
disciplinam byzantinam*, Vatican, 1942.

10. E. HERMAN, « Ricerche sulle istituzioni monastiche bizantine. Typika ktetorika, caristicari e monasteri "liberi" »,
in *OrChrP*, 6 (1940), p. 293-375, offre sur ce point un exposé encore substantiel.

monastères voisins se groupent en une confédération soumise aux mêmes normes : c'est le cas du Mont-Athos, dont les *typika* du xe siècle s'adressent à l'ensemble des établissements de la Sainte Montagne[11]. Tel *typikon* peut, d'autre part, rencontrer assez de succès pour servir de modèle par la suite à d'autres établissements, tel celui de Notre-Dame-Bienfaitrice (Theotokos Evergêtis) de Constantinople, composé vers 1054[12]. Enfin, un *typikon* comporte un règlement et une liturgie, et le succès peut toucher l'un des deux : le *typikon* liturgique dit de Saint-Sabas (Palestine), d'origine semble-t-il stoudite, est ainsi une base de la liturgie monastique byzantine[13].

Le ixe siècle avait été marqué par le renouveau du couvent de Stoudiou, dans la capitale, sous l'impulsion de son higoumène, Théodore le Stoudite, mort en 826. Ce dernier laissait des constitutions et des catéchèses qui se réclamaient de la tradition vénérée de Basile de Césarée, mais proposaient en réalité un modèle propre, dont la tradition textuelle et les *typika* d'autres monastères attestent la longue et ample diffusion, au-delà même des frontières politiques, en Russie kiévienne par exemple. La règle et l'histoire du Stoudiou illustrent le développement du monachisme citadin. Surtout, le Stoudiou affirme, en ville et hors les villes, le resserrement de l'ascèse entre les murs d'un cloître, dans le sein d'une communauté, et dans la soumission disciplinaire et pénitentielle absolue au père spirituel, qui est normalement l'higoumène : les Stoudites sont en cela pilotes de leur époque, certes, mais parce qu'ils en interprètent les tendances profondes[14], et nous les retrouverons au xie siècle. La forme semi-communautaire de la laure subsiste : la Megistê Lavra inaugurée à l'Athos en 963 en est un illustre mais rare exemple[15]. Et l'on continue de rencontrer les figures dissonantes, ermites, reclus, stylites, souvent reconduits par le récit hagiographique aux normes cénobitiques. Demeurent aussi, on le verra, ces moines errants que les conciles s'évertuaient toujours à proscrire.

La carte du monachisme grec est donc, au milieu du xie siècle, cénobitique, sauf exceptions. On y distinguera toutefois les établissements des villes, ceux des campagnes, et ceux qui reproduisent, formellement au moins, le modèle antique du « désert », car la signification religieuse et sociale en est évidemment différente. En Asie Mineure, la grande région des viiie-ixe siècles avait été l'Olympe de Bithynie, et elle demeure vivante. Le Mont-Galêsios, près d'Éphèse, est devenu un centre monastique illustré par la figure du stylite Lazaros, mort en 1053[16]. Au Mont-Athos, habité sporadiquement par des solitaires et de petits groupes d'ascètes depuis le milieu du ixe siècle, la vie cénobitique prend son essor vers la fin du siècle. Un moine venu de l'Olympe de Bithynie, Euthymios le Jeune, exerce à ce moment une profonde

---

11. Éd. classique de Ph. Meyer, *Die Haupturkunden für die Geschichte der Athosklöster*, Leipzig, 1894. On cite maintenant l'édition de D. Papachryssanthou, *Actes du Protaton*, Paris, 1975.

12. Éd. P. Gautier, « Le typikon de la Théotokos Evergétis » in *REByz*, 40 (1982), p. 5-101.

13. Éd. A. Dmitrijevskij, *Opisanie liturgičeskih rukopisej...* I. *Typika*, Kiev, 1895, fasc. III, p. 1-508. Cf. Beck, *Kirche u. theol. Literatur*, cit., p. 253.

14. E. Patlagean, « Les Stoudites, l'empereur et Rome : figure byzantine d'un monachisme réformateur », in *Bisanzio, Roma e l'Italia nell'alto Medioevo*, SSAM, XXXIV, Spolète, 1988, p. 429-460. Sur l'histoire générale de ce couvent essentiel, cf. R. Janin, *La géographie ecclésiastique de l'Empire byzantin*, 1. *Le siège de Constantinople et le patriarcat œcuménique*, 3, *Les églises et les monastères*, Paris, 1969, p. 430-440.

15. Voir l'introduction aux *Actes de Lavra*, t. 1, Paris, 1970, P. Lemerle, A. Guillou, N. Svoronos, D. Papachryssanthou, éd., p. 13 et suiv.

16. *Vie de Lazare le Galésiote*, AA. SS. Nov. III (1910), col. 508-588, et cf. *BHG 3*, 979-980e.

influence[17]. Le premier privilège impérial en faveur de la péninsule remonte à 883[18], et sa délimitation à un acte impérial de 943[19]. Le Xe siècle est celui du développement décisif, et de la mise en place du conseil de la confédération monastique athonite, présidé par le « premier » (*prôtos*). En 972, la Sainte Montagne a reçu de Jean Ier Tzimiskès un *typikon* de facture stoudite[20]. Bien que ce texte sauvegarde les différentes catégories de moines, le cénobitisme s'affirme dans les générations suivantes. Au milieu du XIe siècle, la plupart des couvents existent déjà, y compris ceux des Amalfitains[21], des Géorgiens[22], et des Russes[23]. En 1045, le *typikon* de Constantin VIII Monomachos atteste la prospérité économique de la péninsule, ses forêts, ses bateaux, son activité commerciale[24]. Une autre confédération se trouve au mont Latmos (ou Latros), en arrière de Milet : l'higoumène des couvents de Kellibaron et Stylos en est l'archimandrite (*mandra* « bercail ») ou « premier »[25]; nous retrouverons ces moines à la fondation de Saint-Jean de Patmos. Le couvent de Nea Moni de Chio est distingué par Constantin VIII[26]. Enfin, en Sicile et en Italie méridionale, le mouvement monastique, qui a pris son essor, là aussi, aux VIIIe-IXe siècles, est remonté avec la reconquête byzantine et la pression arabe, de Sicile en Calabre et en Pouille, et jusqu'aux portes de Rome, où l'abbaye grecque de Grottaferrata a été fondée par Nil de Rossano, mort en 1004[27].

Il reste à dire les limites territoriales de la chrétienté grecque au seuil de notre période. Mais on sait qu'un territoire de cette époque ne se définit pas seulement dans les termes linéaires d'un tracé ponctué de forts et de postes de douane. Celui que nous allons étudier se définit par le credo et par le rite, par l'obédience religieuse, et par la soumission politique. Or, ces différents contours ne se recouvraient pas dans la réalité comme ils sont censés le faire dans le principe. Notre point de départ pour la géographie du patriarcat est un « ordre » (*taxis*) du Xe siècle, destiné à rendre une

---

17. Sur l'histoire du monachisme athonite, bonne mise au point de D. Papachryssanthou, *Actes du Protaton*, cit., p. 3-164. Beck, *Kirche u. theol. Literatur*, cit., p. 218-222. C.Korolevskij, « Athos », in *DHGE*, 1,Paris, 1931, col. 54-124.

18. *Actes du Protaton*, cit., n° 1.

19. *Ibid.*, n° 6.

20. *Ibid.*, n° 7.

21. P. Lemerle, « Les archives du monastère des Amalfitains au Mont-Athos », in *Epet. Hetair. Byz. Spoud.*, 23 (1953), p. 548-566; A. Pertusi, « Monasteri e monachi italiani all'Athos nell'alto medioevo », in *Le millénaire du Mont-Athos, 963-1963. Études et mélanges*, 2 vol., Chevetogne, 1963-64, t. l, p. 217-251.

22. Cf. *Actes d'Iviron.*, t. l, Paris, 1985, J. Lefort, N. Oikonomidès, D. Papachryssanthou, éd., coll. H. Métréveli, p. 3-91.

23. Cf. *Actes de Saint-Panteleemon*, Paris, 1982, P. Lemerle, G. Dagron. S. Ćirković, éd., p. 3-19.

24. *Actes du Protaton*, cit., n° 8.

25. Th. Wiegand, *Der Latmos* (*Milet III*, 1), Berlin, 1913.

26. Documents dans *Acta et diplomata graeca Medii Aevi sacra et profana collecta*, F. Miklosich, I. Müller, éd., (6 vol., Vienne, 1860-1890), t. 5 (1887), p. 1-8. Cf. E. Vranoussi, « Les archives de Néa Moni de Chio. Essai de reconstitution d'un dossier perdu », in *BNGJ*, 22 (1976), p. 267-284.

27. D'une bibliographie, on s'en doute, considérable, nous détacherons ici S. Borsari, *Il monachesimo bizantino nella Sicilia e nell'Italia meridionale prenormanne*, Naples, 1963; M. Scaduto, sj., *Il monachesimo basiliano nella Sicilia medievale. Rinascità e decadenza sec. XI-XIV* (1947)², Rome 1982. Sur le progrès des recherches, E. Patlagean, « Recherches récentes et perspectives sur l'histoire du monachisme italo-grec », in *RSCI*, 22 (1968), p. 146-166; P. Corsi, « Studi recenti sul monachesimo italo-greco », in *Quaderni medievali*, 8 (déc. 1979), p. 244-261; S. Borsari, « Il monachesimo bizantino nell'Italia meridionale e insulare », in *Bisanzio, Roma e l'Italia nell'alto Medioevo*, cit., p. 675-700.

place aux métropoles occidentales après la reconquête byzantine. Il a constitué la base du reclassement qui s'est imposé jusqu'à la fin du XIIe siècle. On le lira dans la version du cod. Paris. Coislin 209, postérieure à 1054 puisque Rome s'y trouve au dernier rang des patriarcats, et Constantinople au premier, mais de peu puisque le manuscrit lui-même est daté des Xe-XIe siècles[28]. On y compte 31 métropoles anciennes, des métropoles nouvelles au nombre de 13 pour l'Occident et 7 pour l'Orient, des archevêchés enfin, la « Bulgarie », Chypre, et, en Italie méridionale, Rossano et Otrante. Cette dernière région comportait traditionnellement deux métropoles, Reggio di Calabria et Santa Severina. En Pouille, où l'empreinte grecque est moins forte, Byzance érige en archevêchés dans la première moitié du XIe siècle Siponto, Trani, Bari, Brindisi, Tarente. Ces décisions sont soumises à l'agrément du pape, qui est refusé pour Lucera. L'épiscopat demeure, sauf exception, de recrutement latin[29].

L'empire a connu pour sa part une extension maximale sous Basile II, mort en 1025. Trois additions stratégiques sont toutefois postérieures à son règne : la côte orientale de la Sicile (1038-1043), le district frontière d'Ani, le long de la rivière Araxe (1045), Édesse et Samosate (1052). Byzance porte en revanche sur ses flancs des zones sensibles séculaires, l'Italie méridionale avec la Sicile, les régions balkano-danubiennes, et la bande allongée du Caucase au Taurus. Du côté balkanique, Byzance a écrasé dans sa province bulgare le soulèvement de Pierre Deljan (1041), mais elle subit les passages répétés du Danube par les Petchénègues, peuple de cavaliers turcs païens. Les États chrétiens de la région balancent diplomatiquement entre l'Église de Constantinople et celle de Rome. La Hongrie magyare reste une pointe avancée de l'influence exercée par le christianisme grec, bien que le roi Étienne Ier (1000-1038) ait choisi Rome. Le Caucase était entré dans le XIe siècle sous la forme de deux pays chrétiens, l'Arménie et la Géorgie, avec une même structure féodale, des dynasties apparentées, et des Églises indépendantes et vieilles déjà de plusieurs siècles, monophysite celle des Arméniens, en communion avec Constantinople celle des Géorgiens. Après l'annexion d'Ani par Byzance en 1045, le roi d'Arménie est contraint à l'abdication, et le pays éclate. La Géorgie a trouvé une cohérence politique, au contraire, sous le règne de Bagrat IV, commencé en 1027. Mais les Turcs Seljukides ont pénétré en Arménie en 1048, et leur progrès sera un élément essentiel de la seconde moitié du siècle[30]. En Italie méridionale et en Sicile enfin, Byzance s'est battue contre les Arabes, ennemi désormais traditionnel. Elle a pris Messine en 1037, Syracuse en 1040, Bari une fois encore en 1051[31]. Mais l'adversaire normand passe au premier plan, car les Normands ont fait des progrès politiques et territoriaux décisifs entre 1040 et 1050.

Ainsi, la carte de la chrétienté grecque et celle de l'empire d'Orient ne coïncident pas. D'un côté, la jeune chrétienté russe de Kiev demeure province du patriarcat de

28. Notice n° 9, éd. DARROUZÈS, *Notitiae*, cit., p. 88 et suiv.

29. D. GIRGENSOHN, « Dall'episcopato greco all'episcopato latino nell'Italia meridionale », in *La Chiesa greca in Italia dall' VIII al XVI secolo*, 3 vol., Padoue 1972-73, t. 1, p. 25-43.

30. C. CAHEN, « La première pénétration turque en Asie Mineure », in *Byzantion*, 18 (1948), p. 5-68.

31. J. GAY *L'Italie méridionale et l'Empire byzantin depuis l'avènement de Basile Ier jusqu'à la prise de Bari par les Normands (867-1071)*, Paris, 1904, conserve son utilité. Voir aussi V. FALKENHAUSEN, *Untersuchungen über die byzantinische Herrschaft in Süditalien vom 9. bis ins 11. Jahrhundert*, Wiesbaden, 1967.

Constantinople[32] ; de même, les patriarcats chalcédoniens d'Alexandrie, Antioche et Jérusalem, auxquels le synode continue de nommer des titulaires en union dogmatique avec Constantinople, où ils passent du reste tout ou partie de leur mandat[33] ; de même encore, les moines grecs du Sinaï, et des antiques couvents de Terre Sainte, comme Saint-Sabas, qui subsiste jusqu'à nos jours. En revanche, l'empire inclut des populations non grecques, et non conformes à l'orthodoxie du centre, et cela dans des régions stratégiques, Arméniens de Cappadoce, de Sébaste à Césarée[34], Syriens de Mélitène et de ses environs[35], dont l'Église parallèle est l'accusée d'un procès synodal en mai 1030[36]. On verra plus loin la question prendre de l'ampleur, comme celle des Latins, mercenaires et marchands, qui n'en est qu'à ses débuts au milieu du siècle.

Les Juifs enfin mènent une vie devenue de plus en plus difficile dans l'empire à mesure que se fortifiait, depuis le VIIe, et surtout le IXe siècle, l'équivalence romanité (grecque) / chrétienté (grecque également). Le Xe siècle a restauré toutefois la légitimité restreinte qui constituait leur statut traditionnel, et qui n'empêchait pas de prévoir les conversions individuelles. Les Juifs vivent à Constantinople bien sûr[37], mais aussi dans les provinces, où les documents les signalent, Thessalonique, Antalya, Chio, ailleurs encore[38]. L'Italie méridionale est un foyer séculaire de leurs communautés, à Oria surtout, à Bari, Otrante, Tarente. Le Rouleau d'Ahima'az, chronique généalogique composée vers 1054, éclaire la culture et les relations régionales et internationales d'une lignée de notables d'Oria[39]. Ces communautés de Byzance, qui s'expriment en grec et en hébreu, ont des liens d'obédience avec les académies rabbiniques de Jérusalem et de Bagdad[40], et des ouvertures, commerciales et culturelles en même temps, sur la Méditerranée chrétienne et musulmane et les espaces accessibles à partir d'elle[41]. La politique religieuse du calife al-Hakim a provoqué au début du siècle une vague d'immigration venue d'Égypte. Surtout, la première moitié du siècle apporte au judaïsme byzantin l'installation massive de Karaïtes d'Égypte et de Palestine, dont la présence est désormais un trait particulier de sa physionomie[42].

---

32. Outre DARROUZÈS, Notitiae, cit., A. POPPE, « The original status of the Old-Russian Church », in APH, 39 (1979), p. 5-45.

33. En dernier lieu, G. FEDALTO, « Le liste patriarcali delle sedi orientali fino al 1453 », in Riv. studi bizant. e slavi, 1 (1981), p. 167-203 (à l'exclusion des patriarches latins).

34. G. DEDEYAN, « L'immigration arménienne en Cappadoce au XIe siècle », in Byzantion, 45 (1975), p. 41-117.

35. G. DAGRON, « Minorités ethniques et religieuses dans l'Orient byzantin à la fin du Xe et au XIe siècle : l'immigration syrienne », in TMCB 6 (1976), cit., p. 177-216.

36. Regestes, no 839.

37. D. JACOBY, « Les quartiers juifs à Constantinople à l'époque byzantine », in Byzantion, 37 (1967), p. 167-227.

38. Documents cités et traduits dans J. STARR, The Jews in the Byzantine Empire (641-1204), Athènes, 1939, qui reste le meilleur exposé d'ensemble.

39. Chronicle of Ahimaaz (The), tr., introd., notes de M. SALZMAN, New York, 1924.

40. Cf. pour le carrefour d'Italie méridionale, R. BONFIL, « Tra due mondi : prospective di ricerca sulla storia culturale degli Ebrei nell'Italia meridionale nell'alto Medioevo », in Italia Judaica, Rome, 1983, p. 135-158.

41. Voir dans Gli Ebrei nell'alto Medioevo, SSAM, XXVI, Spolète 1980, les exposés de T. LEWICKI, « Les commerçants juifs dans l'Orient islamique non-méditerranéen aux IXe-XIe siècles », p. 375-399 ; E. ASHTOR, « Gli Ebrei nel commercio mediterraneo nell'alto medioevo (sec. X-XI) », p. 401-464 ; A. GIEYSZTOR, « Les Juifs et leurs activités économiques en Europe orientale », p. 489-522.

42. Z. ANKORI, Karaites in Byzantium. The formative years, 970-1100, New York-Jérusalem, 1959.

BIBLIOGRAPHIE

Principaux recueils et répertoires de sources

Archives de l'Athos, t. I², Paris 1970. 16 vol. parus, Paris, 1946-1990.

J. DARROUZÈS, éd., *Notitiae episcopatuum Ecclesiae Constantinopolitanae*, Paris, 1981.

A. DMITRIEVSKIJ, *Opisanie liturgečeskih rukopisej hranjaščihsja v bibliotekah pravoslavnogo Vostoka* (manuscrits liturgiques des bibliothèques de l'Orient orthodoxe), Kiev, 1895-1901.

F. DÖLGER, *Regesten der Kaiserurkunden des östromischen Reiches*, t. 2 (1025-1204), t. 3 (1204-1282), Munich, 1924-25.

J. GOAR, *Euchologion sive Rituale Graecorum*, Paris, 1647, ² Venise, 1730 (repr. anast. Graz, 1960).

J. GOUILLARD, « Le Synodikon de l'Orthodoxie : édition et commentaire », *TMCB*, 2 (1967), p. 1-316.

A. GUILLOU, éd., *Corpus des actes grecs d'Italie du Sud et de Sicile. Recherches d'histoire et de géographie*, vol. 1-6, Vatican, 1967-1980.

F. HALKIN, éd., *Bibliotheca Hagiographica Graeca*³, Bruxelles, 1957; *Auctarium*, 1969; *Novum Auctarium*, 1984.

V. LAURENT, *Le corpus des sceaux de l'Empire byzantin*, t. 5, *L'Église*, 2 vol, 1 vol. de supplt., Paris, 1963-1972.

J. MATEOS, *Le typikon de la Grande Église. MS Ste-Croix nº 40, (xᵉ siècle)*, 1. *Le cycle des douze mois*, 2. *Le cycle des fêtes mobiles*, Rome, 1962-1963.

Ph. MEYER, *Die Haupturkunden für die Geschichte der Athosklöster*, Leipzig, 1894.

F. MIKLOSICH, I. MÜLLER, éd., *Acta et diplomata graeca Medii Aevi sacra et profana collecta*, 6 vol. Vienne, 1860-1890.

Regestes des actes du patriarcat de Constantinople (Les). 1. *Les actes des patriarches*. Fasc. II et III. *Les Regestes de 715 à 1206*, par V. GRUMEL; ² par J. DARROUZÈS, Paris, 1989. Fasc. IV, *Les Regestes de 1208 à 1309*, Paris, 1971.

Synaxarium Ecclesiae Constantinopolitanae, H. DELEHAYE éd., Bruxelles, 1902 (*Propylaeum ad AA. SS. Novembris*)

K. RHALLIS, M. POTLIS, éd., *Syntagma tôn theiôn kai hierôn kanonôn*, 6 vol., Athènes, 1852-1859 (cité comme RP).

P. et I. ZEPOS, éd., *Jus Graeco-Romanum*, Athènes, 1931, t. 1, *Imperatorum leges Novellae*.

Études

H. G. BECK, *Kirche und theologische Literatur im byzantinischen Reich*, Münich, 1959.

Chiesa greca in Italia dall'VIII al XVI secolo (La). Atti del convegno storico intereccleiale, Padoue, 3 vol., 1972-73.

J. DARROUZÈS, *Recherches sur les* offikia *de l'Église byzantine*, Paris, 1970.

V. GRUMEL, *La chronologie* (Traité d'études byzantines, I), Paris, 1958.

H. HUNGER, *Die hochsprachliche profane Literatur der Byzantiner*, 2 vol., Münich, 1978.

R. JANIN, *La géographie ecclésiastique de l'Empire byzantin. 1. Le siège de Constantinople et le patriarcat oecuménique*. III. *Les églises et les monastères*, Paris, 1969.

R. JANIN, *Les églises et les monastères des grands centres byzantins (Bithynie, Hellespont, Latros, Galèsios, Trébizonde, Athènes, Thessalonique)*, Paris, 1975.

S. N. TROÏANOS, « Hê ekklêsiastikê diadikasia metaxu 565 kai 1204 », *Epet. tou kentrou ereunês tês historias toû hellên. dikaiou tês Akadêmias Athênôn*, 13 (1966), p. 1-146.

(Les histoires générales de Byzance sont indiquées dans la bibliographie en fin de volume).

PREMIÈRE PARTIE

Les rapports du Spirituel et du Temporel
Évolution et remise en cause
(1054-1122)

CHAPITRE PREMIER

Une chrétienté impériale : Byzance
par Evelyne PATLAGEAN

I. L'EMPIRE BYZANTIN DE 1054 À 1122

Après le coup d'essai d'Isaac Comnène, le pouvoir semble tenu par les Doukas, Constantin X (1059-1067), puis Michel VII (1071-1078). Entre les deux, Romain IV Diogène (1068-1071) assure sa légitimité par son mariage avec la veuve de Constantin X, et de même Nicéphore III Botaneiatês (1078-1081) épouse la veuve de Michel VII. Celle-ci adopte Alexis Comnène, époux d'Irène Doukas, qui s'empare du trône en 1081. Il règne jusqu'à sa mort en 1118, et il a pour successeur son fils Jean II (1118-1143). Toute la compétition s'est déroulée en fait sur fond de péril militaire. La deuxième moitié du XIe siècle voit une modification des équilibres nationaux, politiques, et donc religieux, à l'orient de l'empire, en raison des progrès des Turcs Seljukides[1]. La couronne géorgienne réussit à leur tenir tête, et même à constituer autour d'elle-même des chefferies satellites ; l'invasion mongole en aura seule raison. En Arménie, en revanche, les Seljukides prennent Ani en 1064. Parcourant l'Asie Mineure entre 1060 et 1070, ils infligent à Byzance en 1071 la défaite de Manzikert, qui achève de leur livrer l'Arménie, et leur ouvre l'Anatolie. La Cappadoce est à eux en 1074, et l'issue traditionnelle des Arméniens pour l'émigration ou l'exil se trouve ainsi coupée. L'aventure arménienne s'infléchit alors vers la Syrie-Mésopotamie. Le gouverneur byzantin de Mélitène et Germanikeia était en 1071 un Arménien, Philaretos Vahram. Il fit sécession après Manzikert, et l'immigration arménienne vint alors renforcer, face à l'Islam, cette zone toujours sensible. Philaretos Vahram étend son autorité sur Édesse (1077), puis sur Antioche (1078), et donc sur la Cilicie. On se rappelle l'importance de la diaspora arménienne à Mélitène et Édesse depuis la reconquête du Xe siècle. Les Seljukides prennent en 1080 l'Arménie côtière, et en 1085 Antioche. Une autre chefferie arménienne s'est installée cependant en 1080 dans le Taurus : la Petite Arménie. Une dimension arménienne vient donc renforcer la

---

1. Outre la *CMH²*, t. 1 (*Byzantium and its neighbours*), Cambridge, 1966, voir ici C. TOUMANOFF, « The background to Mantzikert », in *Proceedings XIII internat. congr. Byzant. studies*, Oxford, 1967, p. 411-426 ; Sp. VRYONIS jr., *The decline of medieval Hellenism in Asia Minor and the process of Islamization from the eleventh through the fifteenth century*, Berkeley U. Pr., 1971 ; J. GAY, *L'Italie méridionale et l'empire byzantin depuis l'avènement de Basile Ier jusqu'à la prise de Bari par les Normands (867-1071)*, Paris, 1904.

particularité traditionnelle du front chrétien monophysite de Syrie-Mésopotamie[2]. Les Turcs sont intervenus dans la lutte entre Michel VII et Nicéphore III, et se sont fait alors reconnaître des conquêtes récentes, Cyzique, et Nicée, prise en 1081. Mais leur commandement unique (1086) éclate. Byzance trouve bientôt en face d'elle deux adversaires, Malik Danišmend à Sivas (Sébaste), et Qilij Arslan à Konya (Iconium), tous deux se disputant d'ailleurs Mélitène.

La première croisade, dont il sera question à propos des rapports de Byzance avec l'Église latine[3], modifie pour sa part la carte confessionnelle de l'Orient. L'expédition passe par l'Asie Mineure, et apporte son concours à Byzance, qui recouvre ainsi l'ouest de l'Anatolie. Nicée est reprise aux Turcs en 1097, Antioche et Édesse leur sont aussi enlevées, mais au profit de chefs de guerre latins qui s'en font les princes en 1098. Antioche reçoit dès lors un patriarche latin, sans que Byzance renonce à y maintenir un patriarche grec[4]. Le traité de 1108 lui reconnaît d'ailleurs un droit sur la ville. En d'autres termes, ce n'est pas là l'histoire de corrections à un tracé de frontières, mais d'un enchevêtrement d'obédiences souvent combinées, où le poids des confessions et de leurs hiérarchies n'en est que plus grand.

En Hongrie, le roi Salomon (1063) regarde vers l'empire d'Occident, et, renversé, se tourne vers son beau-frère Henri IV. Son successeur, Géza, est au contraire garanti par Byzance, qu'il appuie dans les Balkans. La croisade augmente encore l'importance du royaume hongrois, qui en détient la route terrestre, et prélude à son rôle capital au XIIᵉ siècle. Alexis Iᵉʳ marie donc son fils Jean à la fille du défunt roi Ladislas, qui prend le nom grec d'Irène (1104). Plus à l'ouest, la recherche de formes étatiques indépendantes balance entre Rome et Constantinople. La Zeta, après s'être constituée en territoire, est gouvernée par Mihailo (vers 1050-1081), qui obtient le titre de roi sans doute de Grégoire VII. Après lui, Constantin Bodin (1081-vers 1101) conquiert la Rascie et la Bosnie, et nomme leurs chefs. Mais cet ensemble ne tient pas, et requiert le soutien de Byzance. La Rascie s'appuie alors sur la Hongrie, à partir de 1100, dans son effort de séparation. De leur côté, les Normands prennent Bari en 1071, et, en 1081, Robert Guiscard, duc de Pouille et de Calabre, s'empare de Corfou, puis de Durazzo, qu'Alexis Iᵉʳ reprend en 1083. La première croisade fouette durablement l'appétit normand, puisque Bohémond débarque en Grèce en 1107. D'autre part, les circonstances ont conduit Alexis Iᵉʳ à concéder des privilèges aux républiques maritimes, Venise en 1082, Pise en 1111[5]. Il en résulte des implantations de paroisses latines ici ou là, d'enclaves même à Constantinople[6]. Amalfi a sans doute obtenu des concessions analogues au XIᵉ siècle[7]. Le recrutement suivi de mercenaires occidentaux,

---

2. On consultera encore utilement H. F. TOURNEBIZE, *Histoire politique et religieuse de l'Arménie depuis les origines des Arméniens jusqu'à la mort de leur dernier roi (l'an 1393)*, in *ROC*, 7-10 (1902-1905), *passim*, publié en 1 vol., Paris, 1910.

3. Ci-dessous p. 352 et s.

4. Cf. G. FEDALTO, *La Chiesa latina in Oriente*, t. 2, Vérone, 1976, p. 40-41 ; V. GRUMEL, *La chronologie* (*Traité d'études byzantines*, 1), Paris, 1958, p. 446-450, mise à jour de G. FEDALTO, « Le liste patriarcali delle sedi orientali fino al 1453 », in *Rivista di studi bizantini e slavi*, 1 (1981), p. 178 et suiv.

5. R. J. LILIE, *Handel und politik zwischen dem byzantinischen Reich und den italienischen Kommunen Venedig, Pisa und Genua in der Epoche der Komnenen und der Angeloi (1081-1204)*, Amsterdam, 1984.

6. Cf. R. JANIN, *La géographie ecclésiastique de l'Empire byzantin. 1. Le siège de Constantinople. III. Les églises et les monastères*, Paris, 1969, p. 569-593 *passim*.

7. M. BALARD, « Amalfi et Byzance (xᵉ-xiiᵉ siècles) », in *TMCB*, 6 (1976), p. 85-95.

anglo-saxons notamment, ouvre lui aussi des églises latines[8]. Jean II Comnène mène à l'est et sur les Balkans une politique de maintien et de reconquête. En 1122, il remporte une victoire définitive sur ces Petchénègues païens dont son père n'avait pu venir à bout; la victoire est placée sous les auspices d'une icône célèbre, la Vierge Guide (Hodigitria)[9]. Jean II Comnène bat les Serbes en 1123, les Hongrois en 1124. Mais il y a une note à payer en conséquence aux républiques maritimes, d'où les privilèges accordés aux Génois en 1117 et 1120, et l'installation des Vénitiens dans l'archipel en 1124-25, et à Modon en 1125[10].

Telle est, sommairement indiquée, la trame de chronologie politique de la chrétienté grecque après 1054 et jusqu'en 1123. C'est une chrétienté impériale, par la compétence traditionnellement reconnue à l'empereur, suivant le modèle constantinien, mais aussi, et avant tout, par une conscience de soi dans laquelle l'empire universel et sans fin de la romanité demeure inséparable de l'orthodoxie de Constantinople. Cette profession de continuité n'épuise, bien entendu, nullement l'histoire réelle de la chrétienté grecque de ce temps. Elle en est toutefois un ingrédient essentiel. En conséquence, si la théologie elle-même constitue sans nul doute un discours savant, ses propositions sont en voie de définir une identité d'un type que l'on osera dire national, face aux chrétiens latins d'un côté, arméniens et syriens de l'autre.

La chrétienté grecque est gouvernée par l'empereur et son patriarche, appuyés sur le synode permanent de la Grande Église. Elle se répartit en trois états : moines, clercs, laïcs.

II. DES MOINES, DES CLERCS, DES LAÏCS

1. Primauté du modèle monastique

Une première perspective sur ces états est ouverte par l'hagiographie, pourvoyeuse de modèles. Une bonne dizaine de *Vies* représentent cette période, plus un éloge de Nicolas, higoumène du couvent de la Belle-Source au mont Olympe, par Psellos[11]. Leur mise en tableau montre que, si les auteurs ne sont pas tous des moines, le modèle monastique y conserve une priorité absolue. On peut observer toutefois que la *Vie de*

---

8. Cf. p. ex. J. Shepard, « The English and Byzantium. A study of their role in the Byzantine army in the later eleventh century », in *Traditio*, 29 (1973), p. 53-92.

9. Nicetas Choniates, *Historia*, éd. J. A. van Dieten, Berlin, 1975, p. 15/88 et 19/90. Cf. Janin, *Géographie ecclésiastique* 1, III, cit., p. 203.

10. Encore utiles F. Chalandon, *Essai sur le règne d'Alexis Ier Comnène (1018-1118)*, et *Les Comnène. Études sur l'Empire byzantin au XIe et au XIIe siècles, II 1-2. Jean II Comnène (1118-1143) et Manuel Ier Comnène (1143-1180)*, Paris, 1912.

11. Éd. P. Gautier, « Éloge funèbre de Nicolas de la Belle Source par Michel Psellos moine à l'Olympe », in *Byzantina* (grec), 6 (1974), p. 9-69; trad. allemande et important commentaire par G. Weiss, « Die Leichenrede des Michael Psellos auf den Abt Nikolaos vom Klöster von der Schönen Quelle », *ibid.*, 9 (1977), p. 221-322. Nicolas, moine au couvent de Stoudiou sous Basile II, puis fondateur du couvent de la Belle-Source, mourut peu avant 1055, date du séjour de Psellos à l'Olympe.

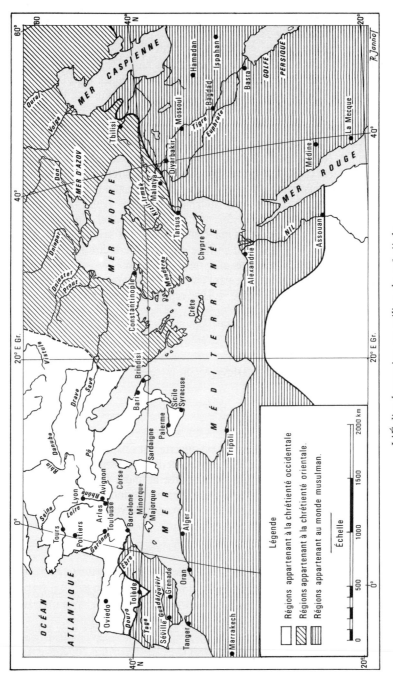

L'Église byzantine au milieu du XIe siècle

(d'après *Atlas d'histoire de l'Église. Les Églises chrétiennes hier et aujourd'hui*, éd. H. Jedin et al., éd. fr. J. Martin, 1990, p. 31).

Cyrille le Philéote[12] développe dans une longue première partie le thème de la sainteté laïque. La sainteté féminine n'est pas réellement représentée : la *Vie de Marina de Scanion* en Sicile (m. 1062) consacre sa première partie à un récit d'ascèse individuelle, avec voyage aux Lieux Saints, qui emprunte au vieux thème de la femme déguisée en moine, mais réduit le déguisement à un expédient romanesque[13]; la *Vie d'Irène de Chrysobalanton*[14] s'attache à montrer que cette abbesse a les vertus d'un abbé. Une seule *Vie* d'évêque, d'autre part, sauf erreur, et en Italie méridionale, celle de Lucas d'Isola Capo Rizzuto[15]. Le reste est consacré à des moines. On signalera, pour son importance, celle de Lazare au Mont-Galèsios, près de Milet[16], en observant qu'il s'agit d'un stylite, et donc d'un modèle ancien. Enfin, la *Vie de Syméon le Nouveau Théologien* (m. 1022), composée après 1054, par Nikêtas Stêthatos, son disciple[17], est une œuvre hors de pair, chef-d'œuvre capital pour appréhender non seulement cette figure si importante, mais tout le courant « spirituel » du monachisme grec.

2. LA DISCIPLINE DES LAÏCS : LA NORME ET LA PRATIQUE

Au milieu du XIe siècle, la discipline religieuse des laïcs est déjà fixée. Elle a réglé le baptême, depuis longtemps conféré à l'entrée de la vie − au quarantième jour selon une décision patriarcale prise vers 1094[18]. Elle a veillé au choix des parrains, interdit cette fonction aux moines[19]. Elle a réglé le mariage, compté les degrés de parenté par le sang, l'alliance ou le baptême qui l'empêchent, limité à deux les remariages après un premier veuvage, tiré les fiançailles vers une validité quasi matrimoniale, admis des séparations de conjoints et des divorces[20]. En fait, les tribunaux synodaux sont encore saisis de questions sur la licéité d'unions projetées, voire déjà célébrées et consommées, parce qu'une parenté semble faire difficulté. De telles consultations n'étaient pas toujours innocentes, il va sans dire. Sous le patriarcat de Jean VIII Xiphilin (1064-1075), deux parties s'opposent ainsi autour d'un mariage présenté comme un projet, que les uns veulent poursuivre et les autres rompre[21]. Mais la réponse qui le déclare impossible en raison du septième degré d'affinité, interdit en 1066, révèle que Marie réside en fait déjà chez Michel, ce qui était courant d'un côté comme de l'autre. Ancienne, la tendance à la validité quasi matrimoniale des fiançailles exprime donc non seulement la doctrine ecclésiastique du mariage, mais la pratique dont on vient de voir un exemple. En 1066, les interdits pour cause de fiançailles sont déclarés

---

12. Éd. trad. E. Sargologos, *La Vie de saint Cyrille le Philéote moine byzantin († 1110)*, Bruxelles, 1964.

13. Éd., trad. G. Rossi Taibbi, *Martirio di S. Lucia. Vita di S. Marina*, Palerme, 1962.

14. Éd., trad. comm. J. O. Rosenqvist, *The Life of St. Irene abbess of Chrysobalanton*, Uppsala, 1986.

15. Éd., trad. G. Schirò, *Vita di Luca Vescovo di Isola Capo Rizzuto*, Palerme 1954 (mort en 1114).

16. *AA. SS. Novembris* III, 508-608 (mort en 1053).

17. Éd., trad. I. Hausherr, G. Horn, *Vie de Syméon le Nouveau Théologien (949-1022)*, par Nicétas Stéthatos, Rome, 1928.

18. *Regestes* nᵒ 972¹.

19. Cf. R. Macrides, « The Byzantine godfather », in *Byzantine and Modern Greek studies*, 11 (1987), p. 139-162 (ici p. 144).

20. Cf. en général, J. Dauvillier, C. De Clercq, *Le mariage en droit canonique oriental*, Paris, 1936.

21. *Regestes* nᵒ 903.

identiques à ceux que provoque le mariage[22], et l'on tend d'ailleurs à bénir les deux en même temps[23]. En 1081, un tome patriarcal récapitule les dispositions relatives à la limite du septième degré de parenté ou d'affinité, au concubinage stable, au rapt, et au viol[24]. En 1084, Alexis Ier déclare l'âge des fiançailles identique à celui du mariage, quatorze ans pour les garçons et douze pour les filles, soit le seuil de nubilité du droit romain, l'âge de sept ans pour les deux sexes n'autorisant plus que de simples accordailles, puisqu'il marquait selon l'Église l'accès à la responsabilité[25].

Si l'on passe de la norme à la pratique, les mêmes faits se formulent comme une tendance marquée à choisir l'alliance à la limite d'une parentèle étendue, à unir des impubères, garçons et surtout filles, à instaurer une cohabitation aussi prompte que possible. Le concubinage proprement dit demeure, semble-t-il, comme dans la loi justinienne, la conséquence d'une inégalité sociale. La pratique de la fraternité volontaire persiste bien que l'Église l'ait interdite, au point que de nombreux livres de prières de la période comprennent un rituel d'affrairement à l'église, avec jonction des mains : l'exemple est significatif des contradictions intégrées qui font de la chrétienté grecque une société historique, c'est-à-dire vivante[26]. Et l'on conclura ici que le réseau des parents de toutes sortes en demeure la cellule fondamentale, encore une fois à tous les niveaux sociaux.

3. Diversité des situations cléricales

L'entrée des laïcs en cléricature est subordonnée à une condition conjugale adéquate : sous-diacres, diacres et prêtres doivent être déjà mariés, en premières noces pour les deux conjoints, et ne peuvent se remarier s'ils sont ou deviennent par la suite veufs ; le prêtre dont l'épouse commet l'adultère doit la renvoyer[27]. En revanche, le sacerdoce n'est pas interdit aux eunuques[28]. L'étude des curés (*papas*, plur. *papades*) a été négligée jusqu'ici pour cette période. Les décisions synodales ne concernent pas seulement leur discipline sexuelle et matrimoniale, mais aussi leurs rapports sociaux, litiges avec des évêques, célébrations de complaisance de mariages non canoniques. En outre, les documents d'archives attestent leurs patrimoines modestes, leurs situations villageoises et familiales[29]. L'édit réformateur d'Alexis Ier, adressé en 1107 au patriarche et au synode, est un témoignage trop peu exploité sur les curés de paroisses urbaines ou rurales, dont l'empereur condamne la moralité et l'instruction insuffi-

---

22. *Ibid.*, n° 896, confirmé en 1067 (*ibid.* n° 897).

23. *Ibid.* n° *995[9], qui le prescrit (attribué à Nicolas III, 1084-1111).

24. *Ibid.* n° 919.

25. Cf. E. Patlagean, « L'enfant et son avenir dans la famille byzantine (IVe-XIIe siècles) », in *Annales de démographie historique* 1973 (*Enfant et sociétés*), p. 85-93.

26. Cf. n. 35, *ibid.*, p. 466.

27. *Regestes* n° 883 (entre 1043 et 1058), 972[7] (vers 1094), 982[25] (vers 1105).

28. P. ex. dans un couvent de femmes comme Notre-Dame Pleine-de-Grâce, cf. P. Gautier, éd., « Le typikon de la Théotokos Kécharitôménè », in *REByz*, 43 (1985), 708, et ailleurs. Voir aussi l'éloge de l'état d'eunuque par Théophylacte d'Ochrida, in P. Gautier, éd., *Theophylacti Achridensis Opera*, Thessalonique, 1980, notamment p. 296, 318, et ailleurs.

29. Un exemple : *Actes de Lavra* I, éd. P. Lemerle, N. Svoronos, A. Guillou, D. Papachryssanthou, Paris, 1970, n° 53 (1097).

santes[30]. La même note résonne dans l'hagiographie monastique, où elle est du reste traditionnelle, témoin le dialogue entre Cyrille le Philéote et un prêtre séculier[31]. En revanche, les clercs des grandes églises comme Sainte-Sophie sont depuis des siècles des rentiers privilégiés. Le développement de l'appareil patriarcal met alors entre leurs mains des charges rétribuées, rendues plus lucratives encore par la tendance au cumul *avec des fonctions civiles, justice ou médecine, et à la vénalité*[32]. Ce même développement place le clergé de la capitale dans une proximité du pouvoir qui en fait un acteur politique[33].

En conséquence, les évêques ne sont pas recrutés parmi les popes, mais parmi les moines, ou parmi les fonctionnaires de l'empire, et, de plus en plus au XIIe siècle, du patriarcat œcuménique. L'accès à l'épiscopat implique depuis toujours la séparation d'avec l'épouse, qui doit alors entrer au couvent. En fait, une bonne partie des évêques sont passés par le cloître. Leurs attaches familiales n'apparaissent pas toujours, puisqu'ils sont désignés par leur siège, et non leur patronyme. On discerne seulement la fréquence de la parenté oncle/neveu. Un Theophylaktos, archevêque de Bulgarie depuis 1088/89 après avoir été « maître des rhéteurs » au palais, est un exemple de carrière comme il s'en trouvera des quantités au XIIe siècle[34].

III. LE PATRIARCAT ŒCUMÉNIQUE

1. FONCTIONNAIRES ET SERVICES

La carte du patriarcat de Constantinople n'est pas sans bouger aux XIe-XIIe siècles. Tout d'abord, des évêchés peuvent être promus au rang de métropoles, dix-sept au total entre 1066 et 1082[35]. Une telle promotion est une décision synodale, mais parfois aussi une mesure impériale, mal reçue : le patriarche Nicolas III (1084-1111) se fait ainsi l'écho des protestations des métropolites, privés dès lors d'un de leurs suffragants[36]. Le mouvement est durablement ralenti au début du règne d'Alexis Ier. Le cas de la Sicile et de l'Italie méridionale est particulier[37]. La Sicile musulmane n'avait pas d'épiscopat. Mais lorsque les Normands prirent Palerme en 1072, un

---

30. P. GAUTIER, « L'édit d'Alexis Ier Comnène sur la réforme du clergé », in *REByz*, 31 (1973), p. 166-201 (ici p. 186, 198).

31. *Vie de Cyrille le Philéote*, cit., ch. 37 (p. 154 et suiv.).

32. J. DARROUZÈS, *Recherches sur les offikia de l'Église byzantine*, Paris 1970, p. 79-86.

33. Excellente étude de V. TIFTIXOGLU, « Gruppenbildungen innerhalb des konstantinopolitanischen Klerus während der Komnenenzeit », in *ByZ*, 62 (1969), p. 25-72, à la suite de H.G. BECK, « Kirche und Klerus im staatlichen Leben von Byzanz », *REByz*, 24 (1966), p. 1-24.

34. Cf. P. GAUTIER, « L'épiscopat de Théophylacte Héphaistos archevêque de Bulgarie. Notes chronologiques et biographiques », in *REByz*, 21 (1963), p. 159-178.

35. Cf. J. DARROUZÈS, éd., *Notitiae episcopatuum Ecclesiae Constantinopolitanae*, Paris, 1981, p. 122-123.

36. *Regestes*, n° 938, 1084.

37. D. GIRGENSOHN, « Dall'episcopato greco all'episcopato latino nell'Italia meridionale » in *La Chiesa greca in Italia meridionale*, t. I, Padoue 1972, p. 25-43.

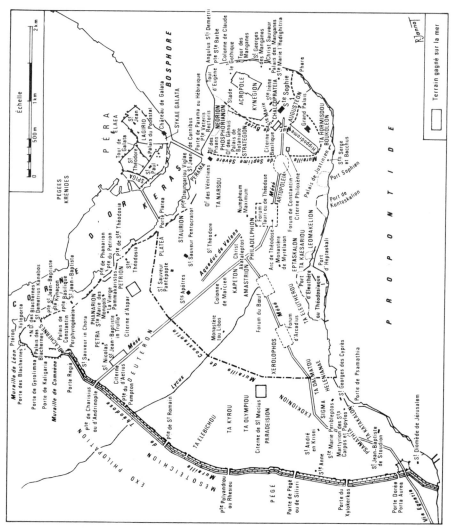

Plan de Constantinople.

bonhomme se présenta à eux comme « l'archevêque » de la chrétienté locale subsistante. Les progrès des Normands modifient la situation siège par siège dans le sud de la péninsule. On discerne là leur exigence politique d'une part, l'objectif de la papauté de l'autre, qui est alors l'obédience romaine de l'épiscopat méridional, et non une latinisation imposée du rite grec, enfin, et avant tout peut-être, le poids local des populations de langue et de civilisation grecques. On sait la très longue durée de ce dernier facteur. Néanmoins, inéluctablement, l'Église grecque d'Italie commence à se détacher de Constantinople, tandis qu'elle se retrouve dans la région en position minoritaire.

Dans la capitale

L'appareil de l'Église épiscopale est identique à Constantinople et dans les ressorts provinciaux, mais c'est évidemment le patriarcat de la capitale que nous connaissons le mieux, alors que sa place culminante, et la proximité de l'empereur et du palais le rendent tout de même dans une certaine mesure singulier[38]. Les fonctionnaires (*archontes*) du patriarcat occupent leur charge indépendamment de leur degré de cléricature. Les empereurs tendent à nommer directement les plus importants d'entre eux, ce qui peut même introduire des civils dans les services. Telles sont les données. Le décret impérial de 1094 fait une mise au point de l'organisation[39]. Il place en tête le *chartophylax* ou conservateur des actes, représentant du patriarche, rédacteur de ses actes, détenteur de son sceau, et intermédiaire officiel entre lui et son clergé. Nous connaissons par leurs réponses canoniques des titulaires de la charge pour cette période. Ensuite viennent les « maîtres » (*didaskaloi*), seuls habilités à enseigner la foi chrétienne. Ils sont mentionnés pour la première fois dans la seconde moitié du XIe siècle comme une hiérarchie enseignante en rapport avec le patriarcat. Le décret de 1094 les place dans l'appareil de celui-ci. L'édit de 1107 atteste, ou peut-être décide, un développement nouveau de l'institution en leur conférant un statut officiel[40]. C'est la première loi qui mentionne des *archontes* pour le « service » (*diakonia*) de l'enseigne-ment. On distingue le « maître du Psautier » et le « maître de l'Évangile ». Ce service n'existe que dans la capitale, où un enseignement supérieur profane avait été officiellement organisé, on s'en souvient, au milieu du XIe siècle.

Le *grand économe*, administrateur du temporel, est de tradition un prêtre ; avant les Comnène, il était nommé par l'empereur, et pouvait appartenir au laïcat ; en tout état de cause, c'est un juriste de métier, qui trouve là une fin de carrière. Les pieux établissements échappent du reste à sa compétence, car ils sont gérés par un autre *économe*, qui est un fonctionnaire impérial. De plus, métropoles, paroisses même, monastères par autorisation épiscopale, ont leurs propres économes, en sorte que le grand économe est essentiellement chargé du temporel de Sainte-Sophie, dispersé il est vrai dans tout l'empire. Le *sakellarios*, contrôleur général des finances (*sakellê*, « bourse »), apparaît sous le patriarche Nicolas III (1084-1111), et il est alors

---

38. Ce qui suit d'après J. Darrouzès, *Recherches sur les offikia*, cit., p. 44-107.
39. P. Gautier, « Le synode des Blachernes (fin 1094). Étude prosopographique », in *REByz*, 29 (1971), p. 213-284.
40. Gautier, « Édit d'Alexis Ier », cit., p. 193.

administrateur des monastères de la capitale, appuyé sur l'*archôn* des monastères; le patriarche tend à déléguer des exarques en province pour remplir cette fonction. Le *skevophylax*, « gardien du trésor », et notamment des vases liturgiques, est nommé par l'empereur; pourtant, on n'en connaît pas de laïc. Le *sakelliou*, « trésorier » proprement dit, reprend à la fin du XIe siècle un titre alors disparu de l'administration civile.

2. LE SYNODE ET L'EMPEREUR

Le patriarcat œcuménique remplit une fonction de justice et de décision canonique. Le *chartophylax* a le pouvoir d'émettre des actes. Le « premier procureur » (*protekdikos*) préside un tribunal ecclésiastique, qui siège à Sainte-Sophie avec des attributions traditionnelles, for interne, affaires d'asile, libération d'esclaves. En revanche, le synode « permanent » (*endêmousa*) est de fait une exclusivité du siège de Constantinople, et un instrument décisif de son autorité face aux provinces, à l'étranger, et même à l'empereur, qui pourtant le préside de droit, mais qui est censé reconnaître lui-même l'autorité spirituelle conférée au patriarche par l'ordination. La composition du synode varie selon les séances. Il comprend normalement des *archontes* de la Grande Église et des métropolites de province, des délégués de la puissance publique, voire l'empereur en personne dans un procès d'hérésie. Son assemblée n'est devenue stable qu'aux Xe-XIe siècles, et la plus ancienne mention des comptes rendus de séances quotidiennes remonte à 1071. Le goût de l'épiscopat de province pour le séjour de la capitale, signalé sous les Comnène, et la pression turque croissante en Asie Mineure ont pu renforcer l'assiduité des membres. En tout état de cause, la compétence dogmatique, disciplinaire et administrative du synode tend à réduire d'autant le champ des bureaux patriarcaux, celui du *chartophylax* en premier lieu.

Les fonctions du synode

Le synode se constitue en tribunal, en juridiction arbitrale, et en réunion conciliaire, saisie de questions qui portent aussi bien sur des projets de mariage mis en cause par des liens de parenté, on l'a vu, que sur des points de dogme. Il élit la hiérarchie épiscopale. Les électeurs, dont le patriarche ne fait pas partie, retiennent trois noms parmi les candidats, le patriarche choisit, ou l'empereur, s'il s'agit de ce dernier. Le choix est notifié à l'élu, et suivi de sa consécration, avec lecture de sa profession de foi. L'empereur convoque le synode en cas de vacance patriarcale, et conserve une compétence d'appel. Cette organisation se retrouve dans les métropoles provinciales, dont les titulaires répondent, eux aussi, à des consultations canoniques, tel Élias, métropolite de Crète entre 1120 et 1130[41]. Ces réponses viennent grossir le corpus du droit canon grec. On se demande alors si le patriarcat de Constantinople exerce un

---

41. Élias de Crète, Réponses à Dionysios, in *PG* 119, 985-997.

contrôle central. En premier lieu, on vient de le voir, le droit d'enseigner la foi lui est normalement réservé, ce qui fonde l'un des chefs d'accusation contre les hérétiques. Ensuite, le patriarcat dispose d'une bibliothèque, où l'on puise pour les controverses, et d'un dépôt d'archives. Il conserve ainsi les professions de foi requises de l'empereur, comme des patriarches, des évêques, et en général des clercs, pour lesquels elles tiennent lieu du serment qui leur est interdit. Les professions hérétiques y sont également déposées, à condition d'être signées, ou du moins autographes, puisqu'elles dressent l'état exact des erreurs reconnues par les accusés repentants. La Grande Église diffuse ses normes, on l'a vu, par le *Synodikon de l'Orthodoxie*, par son synaxaire, et son recueil de prières ; mais tous ces monuments admettent des variations provinciales, attestées par la richesse de la tradition manuscrite.

Le rôle de l'empereur

La singularité capitale de l'Église grecque demeure le rôle dirigeant de l'empereur. Constantin avait été le treizième apôtre, chargé des peuples encore païens que ses victoires allaient convertir, et Alexis Ier apparaît encore en cette qualité dans un éloge qui lui est adressé[42]. La compétence dogmatique personnelle du souverain était allée s'affirmant au fil des siècles, et s'était vraiment marquée au VIIIe siècle, avec le grand iconoclaste Constantin V. Elle prend le plus grand relief sous les Comnène, Alexis Ier et Manuel Ier particulièrement. L'empereur n'est-il pas au surplus, et nettement depuis le Xe siècle, le maître de tout savoir ?[43] Aussi est-il de sa fonction d'inculquer la bonne doctrine, et d'essayer d'abord la persuasion sur les hérétiques, avant qu'ils ne soient traduits devant le tribunal synodal. C'est d'ailleurs lui qui déclenche l'enquête, convoque le synode et prend les décisions pénales[44]. Le caractère familial du pouvoir impérial sous les Comnène se retrouve ici aussi. Le frère d'Alexis, Isaac, est son auxiliaire indispensable et compétent dans les affaires d'hérésie. Anne Comnène décrit le couple impérial étudiant nuit et jour la parole divine[45]. L'impératrice avait, selon elle, une prédilection pour Maxime le Confesseur, qui partage avec le Pseudo-Denys l'intérêt d'Isaac Comnène[46], alors que ces deux auteurs comptent, d'autre part, au nombre des références du courant spirituel, qui procède alors du Nouveau Théologien, et qui est pourtant suspect. Cela veut dire que l'histoire doctrinale du siècle reste à préciser, ce que nous ne pouvons entreprendre ici. Ajoutons que l'empereur peut jeter le poids de son autorité doctrinale dans la balance politique : on le verra vaincre ainsi

---

42. Éd. P. GAUTIER, « Le discours de Théophylacte de Bulgarie à l'autocrator Alexis Ier Comnène (6 janvier 1066) », in *REByz*, 20 (1962), p. 93-130.

43. Cf. E PATLAGEAN, « La civilisation en la personne du souverain. Byzance, Xe siècle », in *Le Temps de la Réflexion*, 4 (1983), p. 181-194.

44. Voir les affaires de la période, ci-dessous p. 452 et s.

45. Anne Comnène, *Alexiade*, cit., V-IX 3.

46. Cf. C. STEEL, « Un admirateur de saint Maxime à la cour des Comnènes : Isaac le Sébastocrator », in F. HEINZER, C. SCHÖNBORN, éd., *Maximus Confessor*, Fribourg 1982, p. 365-373.

l'opposition suscitée dans le clergé par sa réquisition des garnitures précieuses des icônes pour ses dépenses de guerre, en 1082 et 1087[47].

Notre connaissance de l'épiscopat de province est bien inférieure pour cette époque à ce qu'elle peut être dans le cours avancé du XIIe siècle. Quant au réseau des paroisses, nous l'apercevons, à Constantinople ou Thessalonique, lié au vieux découpage en quartiers : l'édit réformateur de 1107 le montre[48]. Mais la recherche reste à faire, dans les villes comme dans les campagnes; elle est faisable, et elle toucherait la question essentielle du rôle des moines dans le soin des âmes.

Constantin Ier s'incline devant les icônes de saint Pierre et de saint Paul que le pape Sylvestre, situé à sa droite, tient dans sa main.
Bras supérieur d'une croix en argent avec dorure et nielle,
Constantinople, 1057-1058
(Dumbarton Oaks, Washington).

---

47. Cf. GAUTIER, « Diatribes de Jean l'Oxite », in *REByz*, 28 (1970), p. 5-55.
48. GAUTIER, « Édit d'Alexis Ier », cit., p. 193-228.

IV. LE MONACHISME

I. LES FORMES ET LES ENTRÉES

Le monachisme demeure à dominante cénobite depuis le IXe siècle. L'érémitisme n'a pas disparu pour autant, puisqu'il explique, en partie au moins, les habitats rupestres d'Italie du Sud[49] et de Cappadoce[50], et pas davantage les moines errants, que l'Église s'évertue à condamner[51]. Le couvent reste l'horizon constamment présent de la vie et de la mort laïques et cléricales. Les sources ne font plus aux entrées enfantines, dont le seuil est fixé à dix ans par la tradition, la place qui était la leur dans les textes de l'Antiquité tardive. On n'en est pas surpris, compte tenu de l'importance que revêtait au contraire, on l'a vu, la recherche précoce des alliances. D'un autre côté, la pratique de recevoir la tonsure et l'habit au lit de mort est courante[52]. Mais beaucoup quittent le monde avant cet ultime moment. Les uns choisissent un monastère qui les accueille, le cas échéant avec une suite et un régime spécial[53]. D'autres érigent leur propre maison en monastère privé, ou bien fondent un monastère qui sera leur sépulture, et le lieu de la commémoration familiale[54]. Michel Attaleiatês et l'impératrice Irène Doukas, déjà citée[55], y prévoient la prise d'habit de parents. Le grand *domestikos* Gregorios Pakourianos, condottiere géorgien au service d'Alexis Ier, fonde en Thrace, en 1083, le monastère de Petritza Bačkovo pour la commémoration des siens et plus tard de lui-même, et la prise d'habit de compatriotes et compagnons d'armes en nombre fixé[56]. Evêques et patriarches sont souvent attachés à un couvent qui sera leur retraite et leur sépulture. Michel IX Kêroularios édifie ainsi le monastère des Neuf Cohortes[57], Nicolas III Grammatikos un monastère du Précurseur[58]. Il ne faut pas oublier enfin la fonction de réclusion des couvents, qui se referment, pour un temps ou pour toujours, sur les empereurs déchus, Michel VI en 1057, Michel VII en 1078, sur les ambitieux

---

49. Cf. A. PRANDI, « Elementi bizantini e non bizantini nei santuari rupestri della Puglia e della Basilicata », in *La Chiesa greca in Italia*, cit., 3 (1973), p. 1363-1375.

50. Ex. dans L. RODLEY, *Cave monasteries of Byzantine Cappadocia*, Cambridge, 1985, p. 184 et suiv.

51. Ci-dessous, p. 457.

52. Un exemple : l'épouse d'Eustathios Boïlas, veuf lorsqu'il teste (P. LEMERLE, « Le testament d'Eustathios Boïlas (Avril 1059) », *Cinq études sur le XIe siècle byzantin*, Paris, 1977, p. 21-40).

53. P. ex. *Actes de Lavra* I, n° 34, A. 1065 : le moine-prêtre Jacob de Kalaphatou fait une donation de ses biens à l'higoumène de Lavra en échange de son entretien avec deux hommes et trois moines. Il tourne ainsi l'interdiction de posséder, tandis que la présence des trois moines définit en fait un monastère privé au sein de Lavra.

54. Cf. J. Ph. THOMAS, *Private religious foundations in the Byzantine Empire*, Washington D.C., 1987 ; vue d'ensemble de C. GALATARIOTOU, « Byzantine ktetorika typika : a comparative study » in *REByz*, 45 (1987), p. 77-138.

55. Éd. P. GAUTIER, « La Diataxis de Michel Attaliate », in *REByz*, 39 (1981), p. 5-143 ; « Typikon de la Théotokos Kécharitôménè », cit. ci-dessus n. 28.

56. Éd. P. GAUTIER ; « Le typikon du sébaste Grégoire Pakourianos », in *REByz*, 42 (1984), p. 5-145. Cf. P. LE-MERLE, *Cinq études sur le XIe siècle*, cit., p. 113-191.

57. JANIN, *Géographie ecclésiastique*, cit., p. 111.

58. *Ibid.* p. 418.

écartés[59], les épouses veuves, adultères, ou désireuses de rompre[60], et les hérétiques[61].

Tout cela ne rend certes pas compte de la masse des entrées. De plus, comme à toute
époque, nous ne discernons pas si le caractère majoritairement masculin que ce
monachisme présente dans nos sources traduit la réalité, ce qui est démographique-
ment possible, ou, pour une part au moins, l'état de notre documentation[62]. De même,
le relief pris par les élites sociales dans les documents de fondation et de donation
correspond aux moyens décisifs qui sont les leurs sur le plan culturel, financier, et
même fiscal, on le verra plus loin. Un échantillon de sceaux de la capitale pour cette
période[63] atteste ainsi des moniales appartenant à des familles aristocratiques, sans
que nous sachions d'ailleurs à quelle étape de leur vie elles ont pris le voile : Comnène
(n° 1475-1476), Dalassênè (n° 1472), Choirosfaktria (n° 1473), Senacherina (n° 1477).
En vérité, la forme monastique elle-même, dans ses motifs et dans ses manifestations,
relève de la civilisation chrétienne commune. Les moines constituent un ordre (*taxis*),
un groupe social, dans la mesure où cet ordre jouit d'un statut privilégié qui le définit
en contrepartie de son rôle médiateur, et enfin ils forment un milieu, économiquement, socialement, culturellement divers. Dans le même dernier quart du XIe siècle,

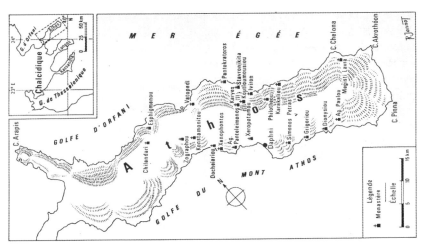

Monastères du Mont-Athos au XIIe siècle.

---

59. P. ex., Joannis Scylitzae, *Synopsis Historiarum*, éd. I Thurn, Berlin 1973, p. 384, 420.

60. Cf. le cahier de décisions (*Peira*) du juge Eustathios (milieu du XIe siècle), éd. P. et I. Zepos, *Jus Graeco-
romanum*, t. 4 (Athènes 1931), XXV, 32 et 4 respectivement. Ces dispositions remontent en fait au droit justinien.

61. Ci-dessous p. 456.

62. Cf. D.F. Abrahamse, « Women's monasticism in the Middle Byzantine period : problems and prospects », in
ByF, 9 (1985), p. 35-58.

63. V. Laurent, *Le corpus des sceaux de l'Empire byzantin*, t. 5. *L'Église*, première partie : 1. *L'Église de
Constantinople*, A. *La hiérarchie*, Paris, 1963.

Nikêtas Stêthatos, disciple inspiré du Nouveau Théologien, meurt higoumène du couvent de Stoudiou; le patriarche Jean d'Antioche dénonce la corruption de la vie monastique, ouverte au monde par les gestions laïques dont il sera question plus loin[64]; et le Mont-Athos est troublé par un scandale sordide, qui se prolonge jusqu'en 1105, une affaire où sont impliqués des moines de la Sainte Montagne, et des bergers vlaques à leur service, accusés de leur avoir procuré leurs propres femmes, déguisées en jeunes garçons pour tourner l'interdiction d'entrer[65].

2. FONDATIONS ET RESTAURATIONS

Du côté balkanique deux fondations sont à signaler, l'une en Thrace, déjà citée, le couvent de Bačkovo, fondé en 1083 par le guerrier géorgien Gregorios Pakourianos[66], l'autre en Macédoine, le couvent de Notre-Dame de Pitié (*Eleousa*) à Stroumitza, fondé en 1080 par l'évêque du lieu[67]. En Sicile, la conquête normande apparaît comme le point de départ d'une restauration, au témoignage du moine Gregorios, du monastère de San Filippo in Val Demenna (ou de Fragalà), dans son testament de 1096/97[68]. Saint-Nicolas de Casole près d'Otrante est fondé ou restauré par Bohémond Ier, duc de Tarente et d'Antioche, à des fins de commémoration lignagère, en 1098/99[69], et la Nea Hodigitria (ou Patir) de Rossano par le moine Barthélemy de Simeri entre 1101 et 1105[70]. L'ordre normand permet, d'autre part, la restauration des valeurs cénobitiques, c'est-à-dire stoudites. L'influence du Stoudiou marque alors fortement le monachisme grec du Mezzogiorno[71], comme en témoignent tant les textes copiés dans la région que la facture même des manuscrits. De son côté, le monachisme latin se fait sa place. Sainte-Marie de Messine, fondation bénédictine de Roger Ier, serait la restauration d'un établissement grec[72]. Une maison analogue, la Trinité de

---

64. Éd. P. GAUTIER, « Réquisitoire du patriarche Jean d'Antioche contre le charisticariat », in *REByz*, 33 (1975), p. 77-132, cf. ci-dessous p. 44 et suiv.

65. Lettre d'Alexis Ier aux moines de l'Athos, éd. Ph. MEYER, *Die Haupturkunden für die Geschichte der Athosklöster*, Leipzig, 1894, p. 163-168. Sur les Vlaques, M. GYONI, « La transhumance des Vlaques balkaniques au Moyen Âge », in *BySl*, 12 (1951), p. 29-42.

66. Cf. ci-dessus n. 56.

67. Typikon et documents édités par L. PETIT, « Le monastère de Notre-Dame de Pitié en Macédoine », in *Izvest. Russk. Arkheol. Inst. v Kpole*, 6, p. 1-153, et séparément, Sofia, 1900. Voir V. LAURENT, « Recherches sur l'histoire et le cartulaire de Notre-Dame de Pitié à Stroumitsa. À propos d'un acte patriarcal inédit », in *EOr*, 33 (1934), p. 5-26.

68. Éd. V. von FALKENHAUSEN, « Die Testament des Abtes Gregor von San Filippo di Fragalà », in *Okeanos* (Mél. I. Sevčenko), Cambridge (Mass.), 1983, p. 174-195. La date de 1105 est donnée par A. PERTUSI, « Rapporti tra il monachesimo italo-greco e il monachesimo bizantino nell'alto Medio Evo », in *La Chiesa greca in Italia*, cit., t. 2, p. 473-520. Voir du même, « Aspetti organizzativi e culturali dell'ambiente monacale greco dell'Italia meridionale », in *L'eremitismo in Occidente nei secoli XI e XII*, Milan, 1965, cit., p. 382-434; L.R. MÉNAGER, « La "byzantinisation" religieuse de l'Italie méridionale (IXe-XIIe siècles) et la politique monastique des Normands d'Italie », in *RHE*, 53 (1958), p. 742-774; 54 (1959), p. 5-40.

69. Cf. T. KÖLZER, « Zur Geschichte des Klosters S. Nicola di Casole », in *QFIAB*, 65, (1985), p. 418-426.

70. Ajouter à la bibliogr. ci-dessus, W. HOLTZMANN, « Die ältesten Urkunden des Klosters S. Maria del Patir », in *ByZ*, 26 (1926), p. 328-351.

71. J. LEROY, « La réforme studite », in *Il monachesimo orientale*, Rome, 1958, p. 181-214; T. MINISCI, « Riflessi studitani nel monachesimo italo-greco », *ibid.*, p. 215-233.

72. Cf. A. GUILLOU, *Les actes grecs de S. Maria di Messina. Enquête sur les populations grecques d'Italie du Sud et de Sicile (XIe-XIVe s.)* et L.R. MÉNAGER, *Les actes latins de S. Maria di Messina (1103-1250)*, Palerme, 2 vol., 1963.

Mileto, en Calabre, présente durant le premier siècle de son histoire un temporel composé à peu près uniquement d'établissements byzantins anciens[73]. Et l'on pourrait multiplier les exemples[74].

L'événement le plus important de l'histoire monastique au cours de cette période est la fondation de Saint-Jean de Patmos, en 1088, par le moine Christodoulos[75]. Né en Bithynie, celui-ci est d'abord moine à l'Olympe, puis au mont Latmos, ou Latros, en arrière de Milet. Les couvents y sont organisés en une confédération, que préside l'higoumène des couvents de Kellibaron et Stylos. Christodoulos exerce cette fonction. Puis, il quitte la région, où la pression turque se fait sentir d'ailleurs, en raison de différends avec le patriarcat, et entre les moines cénobites et les ermites. Il s'installe successivement dans les îles de Cos, Lêros, et enfin, pour de bon, Patmos. Sa règle présente un caractère réformateur. Les premiers documents relatifs au temporel du nouvel établissement manifestent la sollicitude que celui-ci inspire à l'empereur Alexis I[er][76] et à sa mère, Anna Dalassêna[77]. Au total, les fondateurs sont alors soit des laïcs ou des évêques, qui rassemblent eux-mêmes les moines de la nouvelle fratrie, soit des moines, qui doivent alors résoudre la question du temporel. Ajoutons que les églises des monastères remplissent le cas échéant une fonction paroissiale : c'est manifestement le cas à Bačkovo.

3. LES TEMPORELS MONASTIQUES

L'essor des fondations monastiques après 1050, explicable à première vue par la place des moines dans la société grecque, résulte en même temps d'un ensemble de motivations économiques et sociales telles que cette société pouvait les concevoir[78]. À Constantinople, la « maison impériale » (*basilikos oikos*) de Saint-Georges des Machines de Guerre (*Mangana*), entièrement renouvelée par Constantin IX vers 1050, offre à l'examen de Paul Lemerle un exemple parfait des « nouvelles unités économiques » de ressort impérial qui caractérisent la période[79]. Il montre de même les ressorts économiques de la fondation privée que le juge Michel Attaleiatês établit pourtant pour le repos de son âme, et la commémoration des siens et de lui-même, sous le vocable du Christ-Miséricordieux, et qui consiste en un hospice constitué de

---

73. L.R. MÉNAGER, « L'abbaye bénédictine de la Trinité de Mileto en Calabre à l'époque normande », in *BAPI*, n. s. 4-5 (1958-1959), p. 1-94, pl.

74. Cf. L.R. MÉNAGER, « La "byzantinisation" religieuse de l'Italie méridionale (IXe-XIIe s.) et la politique monastique des Normands d'Italie », cit.

75. Voir maintenant *Eggrapha Patmou*, 2 vol. Athènes, 1980 : 1. E. BRANOUSI, éd., *Autokratorika* (historique des années 1088-1093, p.*3-*58) ; 2. M. NYSTAZOPOULOU-PELEKIDOU, éd., *Dêmosion leitourgôn*.

76. *Eggrapha Patmou*, cit., n° 6, A. 1088.

77. *Ibid.*, n° 52, A. 1089.

78. Inventaire par J. DARROUZÈS, « Le mouvement des fondations monastiques au XIe siècle », in *Recherches sur le XIe siècle*, cit., p. 159-176. Listes de documents : R. JANIN, « Le monachisme byzantin au Moyen Âge, commende et typica (X^e-XIVe s.) », in *REByz*, 22 (1964), p. 5-44 ; C. GALATARIOTOU, « Byzantine ktetorika typika : a comparative study », *ibid.*, 45 (1987), p. 77-138.

79. P. LEMERLE, *Cinq études sur le XIe siècle*, p. 272-278.

deux maisons, sises l'une dans la capitale, et l'autre à Rodosto, marché du grain de Thrace[80].

Les temporels de monastères sont documentés non seulement par l'acte de fondation et ses annexes, inventaire des biens (*brebion*) et privilèges reçus, mais ensuite par les actes de donation, d'achat, les litiges de bornage, les inventaires fiscaux[81]. Les donations sont justifiées par le salut cherché et l'expiation des péchés, dans les testaments en particulier. Il arrive du reste que ceux-ci soient faits par des personnes qui se disposent elles-mêmes à embrasser l'état monastique, tel Genesios fils de Falkon, qui teste en 1076 au moment de se faire moine à Saint-Barthélemy de Tarente, et lègue ses biens, partie à des parents, et partie à cet établissement[82]. On voit toutefois des moines donner leurs immeubles dans une transaction aux termes de laquelle le couvent où ils entrent leur assure un certain train de vie[83]. La règle de l'absence de possessions est encore moins claire, évidemment, là où un propriétaire érige son bien en monastère[84]. Enfin, les grands couvents comme Lavra font fructifier leur temporel par une véritable gestion économique, avec des aspects commerciaux. Les immunités impériales apportent une contribution en quelque sorte négative aux finances monastiques, et cela, sauf exception citadine, sans la contrepartie de l'assistance qui justifiait les privilèges de la haute époque. Les privilèges accordés à des bateaux de Lavra sont significatifs[85]. De plus, la concession directe de revenus fiscaux à un monastère, comme à d'autres privilégiés, devient courante sous les Comnène[86].

La primauté spirituelle des moines jette ainsi les bases d'une activité économique privilégiée par l'afflux assuré de ressources et par les immunités fiscales. Il n'en faut pas plus pour expliquer que les mêmes chrétiens soucieux de leur salut trouvent désirable le statut dont jouissent les biens monastiques. Il y a là moins une contradiction qu'une cohérence. Reprenons l'exemple déjà cité de la fondation d'Attaleiatès[87]. Libre de toute emprise ecclésiastique ou laïque, elle demeurera un élément inaliénable du patrimoine familial pour le fils et la descendance directe du fondateur. Dans le cas où celle-ci viendrait à s'éteindre, le monastère restera maître de lui-même. Les « dépenses pour l'âme » (*psychika*) pourront suivre l'accroissement éventuel des biens. Une fois ces dépenses assurées, les moines percevront un tiers des

---

80. Cf. P. LEMERLE, *ibid.*, p. 99-112. Le document a été édité depuis par P. GAUTIER, « Diataxis de Michel Attaliate », cit.

81. Cf. p. ex. J. LEFORT, « Une grande fortune foncière aux Xe-XIIIe siècles : les biens du monastère d'Iviron », in *Structures féodales et féodalisme dans l'Occident méditerranéen (Xe-XIIIe siècles). Bilan et perspectives de recherche*, École française de Rome, 1980, p. 727-742. J. LEFORT, N. OIKONOMIDÈS, D. PAPACHRYSSANTHOU ont édité depuis les *Actes d'Iviron*, I (1985), II (1990) ; à suivre.

82. Éd. G. ROBINSON, *History and cartulary of the Greek monastery of S. Elias and S. Anastasius of Carbone*, Rome, 1928-1930, *Cartulary*, n° 58-59.

83. P. ex. *Actes de Lavra* I n° 34, A. 1065, cit., où l'on note que le moine donateur a le pouvoir de révoquer sa donation antérieure.

84. Exemples d'Italie du Sud réunis par A. GUILLOU, « La classe dei monaci-proprietari nell'Italia bizantina (sec. X-XI). Economia e diritto canonico », in *BISI, Archivio Muratoriano*, 82 (1970), p. 159-172.

85. Pour cette période, *Actes de Lavra* I, n° 55, A. 1102.

86. Cf. H. GLYKATZI-AHRWEILER, « La concession des droits incorporels. Donations conditionnelles (exemples de donation d'un revenu fiscal ou non sous les Comnènes et les Paléologues) », in *Actes du 12e congrès internat. d'études byzantines*, Belgrade, 1964, t. 2, p. 103-114.

87. Cf. ci-dessus n° 139.

revenus, et l'héritier deux tiers. Un inventaire des biens montre des terres, des immeubles urbains, des loyers; des immunités ont été accordées au fondateur.

Les *charistikarioi*

L'essor de certaines entreprises monastiques, l'ambivalence de certaines fondations laïques se manifestent dans le même temps où se développe une gestion laïque des temporels monastiques. Celle-ci prend la forme d'une « donation en grâce » (*charistikê dôrea*) concédée à titre viager par la puissance publique à un laïc dénommé dès lors *charistikarios*[88]. Michel Psellos par exemple cumule ainsi des concessions, dans la région de l'Olympe où il se fera moine[89], et peut-être dans l'Hellespont[90]. Cette responsabilité peut être confiée à un couple, voire à une femme. Le sceau de la moniale Maria Glabaina[91] la montre dans cette position − pour le couvent où elle vit? La formule pouvait être profitable pour les moines eux-mêmes, et, comme l'a fait observer Paul Lemerle, elle remettait en circulation une partie de la richesse qui tendait à se concentrer, pour les motifs culturels suggérés plus haut, au profit des couvents plus que des églises. Toutefois, son efficacité était en fait aléatoire, et surtout elle contribuait à brouiller la démarcation entre laïcat et monde monastique, au point de déchaîner la colère du patriarche Jean d'Antioche déjà cité. Son réquisitoire sur ce sujet, composé entre 1085 et 1092[92], est animé du même souffle réformateur que sa protestation contre les confiscations de trésors d'Église opérées, on l'a vu, par Alexis Ier. Le *charistikarios* était censé encaisser l'excédent de revenus produit par sa bonne gestion, une fois assuré le fonctionnement prévu par le règlement de fondation, et il est aisé d'imaginer les abus qui pouvaient s'ensuivre. En outre, à l'instar des empereurs eux-mêmes, les *charistikarioi* plaçaient à l'occasion dans les couvents qui leur étaient confiés des « frères laïcs », simples preneurs de rente. L'institution aggravait de la sorte la tendance des moines des couvents fortunés, dans la capitale notamment, à vivre en rentiers privilégiés.

Une charité liturgique

D'autre part, un groupe de documents où l'influence du *typikon* de l'Evergêtis est parfois littérale montre combien la prière des moines et la commémoration des défunts

---

88. Cf. P. LEMERLE, « Un aspect du rôle des monastères à Byzance : les monastères donnés à des laïcs, les charisticaires », in *Académie des Inscriptions et Belles-Lettres. Comptes rendus* 1967, p. 9-28 ; H. AHRWEILER, « Le charisticariat et les autres formes d'attribution de couvents aux Xe et XIe siècles », in *Zbornik radova Vizant. Instit.*, 10 (1967), p. 1-27. Voir aussi J. DARROUZÈS, « Dossier sur le charisticariat », in *Polychronion* (*Festschr. ... F. Dölger*), Heidelberg, 1966, p. 150-165.

89. PSELLOS, *Lettre* 29, éd. K. SATHAS, *Mesaiônikè Bibliothèkè* 5, Venise-Paris, 1876 p. 263-265 ; *Lettres* 38, 125, 140, 202, éd. E. KURT-F. DREXL, Milan, 1941.

90. PSELLOS, *Lettres*, éd. SATHAS, cit., p. 265, 456-457.

91. LAURENT, *Corpus des sceaux*, cit., n° 1336.

92. GAUTIER, « Réquisitoire du patriarche Jean d'Antioche », cit.

prennent alors le pas sur la dépense charitable dans l'œuvre de salut des laïcs[93]. Le nombre des personnes que l'on assistera, pauvres, vieillards, malades, semble le plus souvent fixé, dans les *typika* conservés, en fonction non point de revenus assignés mais d'une référence scripturaire : ainsi s'expliquent les douze vieux pauvres de l'hospice d'Attaleiatês à Rodosto, et même les vingt-quatre moniales de la Pleine-de-Grâce. Certes, il est prévu de distribuer à la porte les reliefs de la table monastique, outre des quantités, elles aussi, fixes, et les couvents ont des services d'assistance (*diakoniai*). Certes encore, nous n'avons pas les documents relatifs à deux fondations impériales dont l'assistance était l'objet : l'hôpital général sous le vocable de saint Paul, restauré et amplifié par Alexis Ier Comnène[94], et, auparavant, la fondation de Michel IV (1034-1041) à l'intention des pauvres et des prostituées[95]. Mais en somme les revenus monastiques ne semblent pas obérés par cet ordre de dépense.

4. Les biens des églises et les revenus des clercs

Le tableau des biens de l'Église des évêques est en grande partie différent, et cela pour plusieurs raisons. La plus matérielle est l'état de notre documentation. Si nous avons conservé pour cette période des décisions synodales et législatives en la matière, nous manquons cruellement de ces documents d'archives malgré tout disponibles pour les biens monastiques contemporains. L'inventaire (*brebion*) des biens de la métropole de Reggio di Calabria, dressé vers 1050[96], les documents de Notre-Dame d'Oppido, voisins dans le temps[97], demeurent à ce jour des exceptions. Nous n'avons rien de semblable pour l'Église d'Athènes, dont le synode examine les intérêts dans sa séance du 20 avril 1089[98], ni pour Thessalonique. D'autre part, les revenus cléricaux diffèrent des revenus monastiques dans leur principe même. Les charges sont vénales. Les clercs titulaires (*embathmoi*) ont droit au traitement de leur grade (*bathmos*), à la différence des surnuméraires (*perissoi*)[99]. Les évêques perçoivent quant à eux un *kanonikon* du clergé et des laïcs de leur diocèse, mais aussi des clercs pour leur ordination, ce qui peut ouvrir la voie à la simonie. Isaac Ier puis Alexis Ier précisent les montants licites[100] et les divers sens du terme sont mis en ordre dans une déclaration synodale de 1086[101]. Les clercs étaient de plus des rentiers de leur Église, et subissaient de ce fait l'attraction

93. Cf. E. PATLAGEAN, « Les donateurs, les moines et les pauvres », *Horizons marins, itinéraires spirituels (V-XVIIIe siècles) (Mélanges M. Mollat)*, Paris, 1987, p. 223-231. Présentation du dossier par R. VOLK, *Gesundheitswesen und Wohltätigkeit im Spiegel der byzantinischen Klostertypika*, Munich, 1983.
94. Anne Comnène, *Alexiade*, cit., XV, VII, 4-9. Commentaire de LEMERLE, *Cinq études*, cit., p. 283-284.
95. PSELLOS, *Chronographie*, éd. E. RENAULD, Paris, 1926, IV, 36.
96. Éd. A.GUILLOU, *Le brébion de la métropole byzantine de Région (vers 1050)*, Vatican, 1974.
97. Éd. A. GUILLOU, *La Théotokos de Hagia-Agathè (Oppido) (1050-1064/65)*, Vatican, 1972.
98. *Regestes* n° 952.
99. DARROUZÈS, *Recherches sur les* Offikia, cit., p. 83-84.
100. *Jus Graeco-Romanum* I, IV, 1 et 27.
101. *Regestes* n° 942.

interdite des églises riches. Puis, la tradition constantinienne accordait aux clercs et aux églises des privilèges que Theophylaktos s'emploie à défendre pour son archevêché de Bulgarie[102]. Enfin, il y a tout de même des points communs entre les deux patrimoines. Les évêchés peuvent être attribués en bénéfice[103]. Ils peuvent posséder des monastères, comme n'importe quelle personne physique ou morale. Les contestations foncières entre évêchés et monastères, entre monastères eux-mêmes, ou entre les uns et les autres et des laïcs, se rencontrent souvent. Pour ne prendre ici qu'un exemple, une décision impériale de 1060 confirme que Saint-André, monastère succursale (*metochion*) de Lavra à Thessalonique, est à l'abri de la gourmandise du métropolite[104]. Cela dit, répétons-le, la piété grecque du temps semble bien porter ses dons aux couvents plus qu'aux églises. Le déséquilibre de la documentation risque toutefois d'accentuer à nos yeux cette préférence certainement réelle. Les progrès des Turcs en Asie Mineure, après 1071 notamment, s'ils ne sont pas sans effet sur les couvents, comme le montre la fondation de Patmos, affectent surtout la situation et les revenus des évêchés, dans la mesure où ils perturbent de diverses manières la population chrétienne, et les chrétiens grecs surtout[105] ; sans être indemne, la chrétienté syriaque établit néanmoins avec l'envahisseur un *modus vivendi* plus durable.

Les églises paroissiales

Les églises paroissiales sont en principe titulaires de leurs revenus, qui comportent le *kanonikon* du desservant, des offrandes uniques ou récurrentes, enfin le cas échéant des rentes. L'église privée existe. Le bâtiment, et les objets précieux qu'il contient, icônes et livres, fait partie du patrimoine. On le voit dans l'inventaire de la donation impériale faite à Andronic Doukas par son parent Michel VII en 1073[106]. Paul Lemerle a étudié le statut des deux églises domaniales d'Eustathios Boïlas dans le testament fait par celui-ci en 1059[107] : l'une est associée à la sépulture de famille, l'autre non. La première a une dotation appropriée, la seconde est pourvue de livres, d'objets précieux, et d'un clergé qui reçoit un traitement ; le prêtre en est le fils d'une « servante » de Boïlas, qui lui a donné une épouse et fait conférer le sacerdoce. Lemerle souligne l'ambiguïté d'un statut qui reconnaît la propriété de ces églises aux héritiers de Boïlas, mais oblige en même temps ceux-ci à ne rien décider sans l'accord de leur clergé. Enfin, des églises indépendantes faisaient l'objet de tentatives d'appropriation. L'interdiction d'aliénation faite aux évêques et aux higoumènes par le concile de Nicée II inspirera de longs commentaires aux canonistes[108]. On citera ici un procès noté dans le cahier du juge Eustathios Romaios vers le milieu du XIe siècle[109].

---

102. Voir p. ex. sa lettre à Nicéphore Bryennios, gendre d'Alexis Ier (Théophylacte d'Achrida, *Lettres*, éd. P. GAUTHIER, Thessalonique, 1986, n° 96, p. 482-493).

103. P. ex. l'évêché de Maroneia est donné ainsi à l'archevêque de Lemnos (*Regestes* n° 991, entre 1084 et 1111), puis au patriarche de Jérusalem, venu à Constantinople (*ibid.*, n° 1004, 1117-1118).

104. *Actes de Lavra*, cit., I, n° 33.

105. VRYONIS, *Decline of Hellenism*, cit.

106. *Eggrapha Patmou*, cit., I, n° 1.

107. LEMERLE, *Cinq études*, cit., p. 61-63.

108. Nicée II, cc. 12-13, RHALLIS-POTLIS, *Syntagma kanonon*, cit., t. 2, p. 592-615.

109. *Peira*, cit., XV 8.

Une commune rurale porte plainte au sujet de l'église du village, dont des particuliers se sont emparé, ou, en d'autres termes, se sont approprié les rentrées. Le juge décide que les donations d'objets précieux et les offrandes appartiendront à l'église seule ; que, du reste, un quart reviendra à l'église, c'est-à-dire à ses prêtres, et trois quarts à ceux des villageois qui ont ce privilège ancien, et qui se les partageront comme auparavant ; quant au *prôtopapas*, si on le prend en flagrant délit de détournement, il perdra la gestion des biens sans être déchu du sacerdoce.

V. PEUT-ON DISCERNER UN MOUVEMENT RÉFORMATEUR ?

Des prêtres mariés, des églises privées, des temporels monastiques confiés à des laïcs, des clercs et des moines rentiers, le tout-puissant empereur présidant le synode, et, d'un autre côté, l'éminence reconnue aux moines par la chrétienté grecque, autant d'ingrédients pour un mouvement de réforme ; et celle-ci, pourtant, n'a pas eu lieu, elle était même impossible si du moins on la définit, à partir de l'histoire de l'Occident latin, en termes grégoriens. Il vaut tout de même la peine d'y regarder de plus près.

1. LA REVENDICATION MONASTIQUE

La situation avait été singulièrement comparable dans les deux empires au IXe siècle. Byzance présentait alors, indiscutablement, l'activité d'un monachisme lecteur du Pseudo-Denys et réformateur, qui revendiquait face à l'empereur et à son patriarche non seulement la liberté mais la primauté, et usait en ce sens de l'appui pontifical. Ce mouvement avait son centre au cœur de l'empire grec, à Constantinople, au couvent de Stoudiou[110]. Au milieu du XIe siècle, la position du Stoudiou entre Rome et Constantinople n'est plus la même, et peu importe ici. Ce qui demeure intact en revanche, c'est la revendication de la primauté monastique, exprimée alors par Nikêtas Stêthatos, auquel le cardinal Humbert de Silva Candida reproche en termes cinglants de manquer de ce fait à la *cœnobitalis disciplina*. L'empereur Constantin IX ne défend du reste pas Nikêtas lorsque les envoyés de Rome réclament le feu pour ses écrits anti-latins. La *Vie de Syméon le Nouveau Théologien* déjà citée maintient en fait la même doctrine, mais transposée dans le registre mystique, hors d'atteinte du pouvoir impérial et patriarcal. L'autorité y est garantie par l'inspiration directe de l'Esprit Saint, sans investiture ni contrôle de la hiérarchie. Ce courant spirituel du monachisme grec avait certes des racines anciennes. Ses auteurs de référence, le Pseudo-Denys, Maxime le Confesseur, sont lus dans le cercle familial d'Alexis Ier Comnène. Pourtant, cette évasion stoudite n'est-elle pas l'aveu, à ce moment, d'un tournant sinon d'une défaite chez les champions de la primauté monastique ? De renoncer à l'emporter dans

---

110. PATLAGEAN, « Les Stoudites, l'empereur et Rome... », cit.

les faits, la revendication du monachisme spirituel ne perdait pas en vigueur, elle devenait au contraire insaisissable, entièrement libre, et donc vraiment subversive. Mais ses représentants, désormais relégués sur des marges déjà suspectes, avant d'être plus tard poursuivis, ne pouvaient plus jouer le rôle réformateur qu'ils avaient ébauché au ixe siècle[111]. Regardons alors d'un autre côté.

2. PATRIARCHES ET EMPEREURS

Les rapports de l'empereur et du patriarche constituent la spécificité de l'Église grecque médiévale, et une clé de son histoire. Depuis le début du ixe siècle, les patriarches étaient tantôt de grands serviteurs de l'État, avec une carrière laïque derrière eux, tantôt, au contraire, des porte-parole de l'intransigeance monastique. Constantin III Leichoudès (1059-1063), auparavant premier ministre de Constantin IX, et Jean VIII Xiphilin (1064-1075), auparavant *nomophylax* (« gardien de la loi ») et directeur de l'école de droit ouverte en 1045, appartiennent au premier type[112]. Le patriarche Kosmas Ier (1075-1081) peut-être au second : en 1078, il dépose le prêtre qui a béni le mariage en troisièmes noces de Nicéphore Botaneiatês avec Marie, épouse de l'empereur détrôné Michel VII Doukas[113], puis il exige le couronnement d'Irène Doukas, épouse d'Alexis Ier Comnène[114], après l'avènement duquel il se retire[115]. Mais c'est peut-être aussi une fidélité aux Doukas. Son successeur, Eustratios Garidas (1081-1084), est le seul de cette période à porter, à notre connaissance, un nom déjà illustre au xe siècle[116], en accord avec l'esprit politique du temps.

Michel Ier Kêroularios (1043-1058) est en revanche la figure singulière d'un futur qui a tourné court. Il a fait partie d'un complot contre Michel IV, mort en 1042, à la suite duquel il a été exilé[117]. Il est revenu du couvent où il était entré pour monter sur le trône patriarcal, et l'illustration de sa famille ne semble pas antérieure à cet avènement. Constantin X Doukas est marié à sa nièce, et lui-même est un intime d'Isaac Comnène[118]. Il joue un rôle décisif dans l'arrivée au pouvoir de ce dernier en 1057, parce qu'il a le peuple de Constantinople à sa main. Isaac élève alors ses neveux à des positions dont ils seront précipités lors de sa chute[119]. Mais, appuyé toujours sur le clergé et le peuple de Sainte-Sophie, il prend face à l'empereur une attitude de partage du pouvoir impérial, qui se termine par son exil (1058), et la préparation d'un procès rendu inutile par sa mort (1059). Qu'il ait invoqué face à l'empereur la *Donation de Constantin*, au témoignage de Balsamon du moins, voilà qui éclairerait

---

111. Voir ci-dessous, p. 454 et s.

112. Cf. LEMERLE, *Cinq études*, cit., p. 202-206.

113. *Regestes* n° 910.

114. Anne Comnène, *Alexiade*, III, II, 6-7.

115. *Regestes* n° 920.

116. Jean Garidas, domestique des scholes au moment où Constantin VII assume le pouvoir (Theophanes Continuatus, éd. I. BEKKER, Bonn, 1838, p. 392).

117. Skylitzès, *Synopsis Historiarum*, cit., p. 412/77 et suiv.

118. Michel Attaleiatès, *Historia*, éd. I. BEKKER, Bonn, 1853, p. 56.

119. On trouve pourtant sous Alexis Ier un Constantin Kêroularios (DÖLGER, *Regesten* n° 1054), et son fils aîné Michel, qui occupe en 1082 la haute charge militaire de grand *drongarios* (*ibid.*, n° 1082).

d'un certain jour la rupture de 1054 avec Rome[120]. Kêroularios aurait, d'autre part, fait rayer des diptyques de la commémoration liturgique le nom de Théodore le Stoudite, et l'higoumène de Stoudiou en aurait appelé à l'empereur, qui l'aurait fait rétablir[121]. Peut-être faut-il voir dans cet épisode mal connu la même revendication pontificale de primauté du patriarcat. Quand Isaac Ier fait déposer Kêroularios, le pouvoir impérial reprend clairement le dessus. Pourtant, l'affirmation de ce dernier face à l'Église, et les résistances de celle-ci, ne s'arrêtent pas là.

3. Les réquisitions d'Alexis Ier

En 1081, puis en 1087, Alexis Ier Comnène procède à des réquisitions d'objets précieux appartenant à l'Église, en raison des besoins financiers de la guerre. Deux voix d'évêques s'élèvent alors dans une tentative d'opposition. Le premier est certes passé par le cloître, mais lorsqu'il prend la parole il est Jean patriarche d'Antioche, et non plus un « simple particulier » (idiôtês), désignation remarquable de sa situation antérieure[122]. Élu patriarche d'Antioche — pour l'éloigner ? — avant septembre 1089, Jean se trouve bloqué dans la capitale assiégée par les Petchénègues en 1091, et participe à la réunion d'urgence convoquée devant le péril par l'empereur. Il rappelle alors le pillage qui avait accompagné la prise du pouvoir par Alexis en 1081, et les préjudices infligés au temporel de l'Église par ce dernier et sa famille, au mépris des dispositions des empereurs précédents. Il établit clairement un rapport avec les revers essuyés par Alexis Ier depuis son avènement. C'est dans le même contexte d'ailleurs qu'il adresse au même Alexis le discours déjà cité sur les charistikai dôreai, dont les abus sont imputables à l'empereur, puisque c'est lui qui procède aux attributions[123]. Jean devait revenir à Constantinople après sa démission du siège d'Antioche en 1100, dans un monastère qui est sans doute celui des Guides (Hodêgoi), propriété du patriarche d'Antioche. Mais il s'enfuit peu après, et une attaque véhémente contre ses confrères témoigne à nouveau de son écœurement[124]. Il ne semble pas avoir encouru de disgrâce, car il participa peut-être aux rencontres de 1112 avec Pierre Grossolano.

Léon métropolite de Chalcédoine s'éleva, lui aussi, contre la réquisition des objets sacrés en 1082. Il invoqua la théorie de l'image pour condamner le fait de battre monnaie avec les garnitures précieuses des icônes, et il accusa sur ce point le patriarche Eustratios Garidas. Le parti impérial réplique en distinguant l'image, seule vénérable, de la matière dont elle était faite. Dès 1086 Alexis Ier condamna l'attitude de Léon à l'égard du patriarche, puis sanctionna le fait principal par sa déposition[125], et, vers 1089, l'exila[126]. En 1092, Léon comparut devant le synode, présidé par l'empereur qui

120. Cf. F. Tinnefeld, « Michael I. Kerullarios, Patriarch von Konstantinopel (1043-1058) », in JÖB, 39 (1989), p. 95-127, ici p. 107.
121. Skylitzès, Synopsis Historiarum, cit., p. 412/77 et suiv.
122. Gautier, « Diatribes de Jean l'Oxite », cit. p. 19/27.
123. Gautier, « Réquisitoire du patriarche Jean d'Antioche », cit.
124. Gautier, « Jean V l'Oxite patriarche d'Antioche. Notice biographique », in REByz, 22 (1964), p. 128-157.
125. Regestes n° 939-941.
126. Regestes n° 955.

avait avec lui son frère Isaac[127]. Alexis exposa en citant ses sources la bonne doctrine de la distinction entre image, matière, et prototype. Le concile acquiesça, et Léon se soumit, condamnant avec l'empereur des passages fautifs de ses propres écrits ; il fut rétabli peu après[128].

4. LE SOUVERAIN COMME RÉFORMATEUR

En fait, un essai de réforme de l'Église, au sens le plus littéral, passe alors par ce même souverain qui, au nom de l'intérêt public, avait enlevé à celle-ci ses trésors. Il n'y a pas là une contradiction, mais deux applications différentes du pouvoir impérial dans l'Église grecque. On a vu Alexis saisi de l'affaire des Vlaques, ce scandale de mœurs au Mont-Athos qui se conclut vers 1105. Et l'on a déjà cité son projet de « redressement » de l'Église promulgué en 1107[129]. Reprenons-le ici d'ensemble : tout y est. L'empereur envisage d'abord une inspection minutieuse du clergé en exercice. Les distinctions habituelles, « en fonction », c'est-à-dire salarié, ou « surnuméraire », prêtre ou non, ne seront pas prises en compte, car il s'agit avant tout de battre le rappel de tous ceux qui ont à la fois le *logos* et le *bios*, « la parole qui instruit et les bonnes mœurs » (p. 187/27). Ceux qui ne satisferont pas à ces deux exigences n'auront accès ni aux charges des services patriarcaux, ni à l'épiscopat, et seront rayés du registre des clercs du patriarcat, à l'exception des gens très âgés. On recrutera en revanche selon les critères ainsi posés un corps d'« instructeurs » (*didaskaloi*). Le projet les investit d'une mission d'inquisition dans les « quartiers » (*geitoniai*) de la capitale, avec un droit de regard sur les laïcs, et même sur les moines. Ils auront une tâche de prédication publique, et ils devront découvrir ceux qui vivent dans l'erreur et les corriger, non sans alerter, le cas échéant, l'autorité patriarcale, ou même impériale. Enfin, les « pères spirituels » devront leur être connus, afin d'éviter que les confessions ne soient entendues non par des pasteurs mais par des « loups », c'est-à-dire des hérétiques. Ce corps sera une pépinière pour le sacerdoce, fonction aujourd'hui injustement décriée, note l'empereur. Il se préoccupe, d'autre part, des paroisses rurales, où il faut qu'à nouveau les prêtres « éclairent le peuple et transmettent à tous le message orthodoxe ». Recruter de tels prêtres ne sera pas au début chose facile. Alexis exhorte d'ailleurs les évêques à reprendre les visites pastorales sur le modèle des apôtres, et leur rappelle que le *kanonikon* leur est versé à cette fin.

Nous ne pouvons apprécier les suites pratiques de ce document extraordinaire, mais il jette le jour le plus précieux à la fois sur l'état de l'Église à sa date, et sur la conception que l'empereur Comnène se fait du bon fonctionnement de celle-ci, et de sa propre autorité réformatrice. Les réponses de son contemporain, l'ancien *chartophylax* Nicéphore, traitent également de la qualité sacerdotale nécessaire aux confesseurs, et

---

127. *Regestes* n° 967.
128. *Regestes* n° 968 ; cf. P. STEPHANOU, « La doctrine de Léon de Chalcédoine et de ses adversaires sur les images », in *OrChrP*, 12 (1946), p. 177-199.
129. GAUTIER, « Édit d'Alexis Ier Comnène », cit.

des cas de disqualification des prêtres[130]. Alexis tourne aussi son attention vers la réforme monastique, à travers son soutien à Saint-Jean de Patmos, et par un projet[131].

VI. L'ORTHODOXIE IMPÉRIALE ET LES MINORITÉS

Chrétienté, orthodoxie, romanité sont depuis le VIIe siècle, et même à vrai dire depuis le IVe, une seule et même expression de la conscience de soi, indissolublement religieuse et politique, de Byzance. Cette dernière doit dès lors, comme l'Occident, faire ses comptes avec ses juifs, et avec ses hérétiques, dont il sera question dans un autre chapitre. Byzance présente en revanche, au regard de la chrétienté latine, l'originalité d'enclore des isolats tout aussi chrétiens, et pourtant hétérogènes dans leur langue comme dans leur confession, les Arméniens et les Syriens jacobites, auxquels s'ajoutent en certains points, et surtout à Constantinople, des Latins en nombre croissant. De plus, et c'est encore une différence, l'avance turque en Asie Mineure, au travers des chrétientés minoritaires précisément, ouvre un chemin à l'Islam, qui commence dès lors dans la région les progrès séculaires que l'on sait. L'*euchologion* de la Grande Église, tel qu'il fut copié en 1027 (cod. Paris. Coisl. 213), présente déjà le tableau de l'orthodoxie centrale face à ses minorités, avec sa collection de formules d'abjuration prévues pour divers hérétiques, dont des dissidents comme les Arméniens, et, d'autre part, pour les juifs et les musulmans. Cette collection continue d'être diffusée, et se retrouve dans des recueils canoniques du XIIe siècle[132].

1. ARMÉNIENS ET SYRIENS

Localement, la reconquête du Xe siècle et l'avance turque au XIe avaient grossi considérablement la migration arménienne[133], et rendu aux Syriens jacobites une importance marquée[134]. En effet, la région de Mélitène (Malatya) ajoutait, pour Constantinople, une valeur stratégique plus que jamais actuelle à la configuration religieuse allogène. Or, l'avance turque fit éclater l'hostilité des minorités chrétiennes à l'égard de l'empire[135]. Les Arméniens se déchaînent avec violence contre les Grecs, par exemple lors du sac de Sébaste (Sivas) par les Turcs en 1059. Manzikert sonne

---

130. Éd. P. GAUTIER, « Le chartophylax Nicéphore. Œuvre canonique et notice biographique », in *REByz*, 27 (1969), p. 159-195.
131. DÖLGER, *Regesten*, n° 1076 (1081 ou 1096 ou 1111), cf. Balsamon, RHALLIS-POTLIS, *Syntagma kanonon*, t. 2, p. 634[21]-636.
132. Sur ce manuscrit et ses suites, J. GOUILLARD, « Les formules d'abjuration », in Ch. ASTRUC et al., « Les sources grecques pour l'histoire des Pauliciens d'Asie Mineure », in *TMCB*, 4 (1970), p. 187-188.
133. G. DEDEYAN, « L'immigration arménienne en Cappadoce au XIe siècle », in *Byzantion*, 45 (1975), p. 41-117.
134. G. DAGRON, « Minorités ethniques et religieuses dans l'Orient byzantin à la fin du Xe et au XIe siècle : l'immigration syrienne », in *TMCB*, 6, cit., p. 177-216.
135. Ce qui suit d'après VRYONIS, *Decline of medieval Hellenism*, cit. p. 92 et suiv.

même l'heure des chefferies arméniennes locales, aux dépens de l'appareil et de l'aristocratie grecs : l'État créé en Cilicie par l'Arménien Philaretos en jouant de toutes les composantes régionales le montre bien. Vu de Constantinople, le problème géopolitique semble appeler des solutions confessionnelles autoritaires, auxquelles s'efforce Constantin X Doukas. Les non-chalcédoniens sont frappés d'expulsion à Mélitène en 1063. La même année, un synode ordonne de brûler les livres des Syriens et des Arméniens [136]. Le métropolite syrien jacobite de Mélitène, convoqué dans la capitale avec son clergé, est condamné et exilé en 1064 [137]. Vers 1066, un Arménien, d'ailleurs non mandaté par son Église, collabore toutefois à la mise au point d'un formulaire d'union, à proposer cas par cas [138]. La persuasion est en effet un axe de la politique byzantine à l'égard des dissidences religieuses. Alexis Ier est dans son rôle d'empereur en composant un écrit contre les Arméniens [139], auxquels son hérésiologue

Sacre d'un évêque, Paris, ms Syriaque 112, f. 68 v-6 (B.N.).

---

136. *Regestes* n° 891.
137. *Ibid.*, n° 893.
138. *Ibid.*, n° 895.
139. Éd. A. PAPADOPOULOS-KERAMEUS, *Analekta Hierosolumitikès Stachuologias*, I, Saint-Pétersbourg, 1891, p. 116-123.

attitré, Euthymios Zigabênos, consacre un chapitre de sa *Panoplie Dogmatique*, l'un de ceux qu'il a, semble-t-il, composés lui-même, et non simplement compilés[140]. Vers 1114, Nikêtas Stêthatos, mort higoumène de son couvent de Stoudiou entre 1075 et 1092, écrit lui aussi contre les Arméniens[141]; or, le couvent était proche du pouvoir impérial, en dépit des difficultés soulevées par le courant spirituel. Puis, vers 1114, l'affaire d'Eustratios de Nicée est déclenchée par ses traités à l'intention des Arméniens sur les deux natures du Christ, dont l'orientation paraît suspecte[142]. Toutefois, il faut achever le tableau en soulignant que les Arméniens abandonnent leur confession nationale lorsqu'ils s'intègrent à la classe dirigeante grecque[143]. Et rappeler que les Géorgiens, eux aussi guerriers au service de Byzance, sont en revanche d'emblée dans son orthodoxie, comme en témoignent l'existence de leur monastère au Mont-Athos[144], et le *typikon* de Pakourianos (1083), qui a néanmoins obtenu le droit de léguer, parmi ses parents et ses gens, même aux Arméniens[145].

2. L'AVANCÉE DE L'ISLAM

À l'Est toujours, nous voudrions voir plus clair dans la situation de l'Islam comme confession. Les chrétiens non grecs s'installent plus aisément dans le régime assigné aux minorités religieuses en pays musulman. La chrétienté grecque présente un autre cas, et d'autres réactions. Nous avons mentionné déjà la rupture des cadres, l'exode des moines et des évêques. Qu'en fut-il des gens ordinaires, nous ne le savons pas assez. Spiros Vryonis a soutenu que la dislocation de tout le système social laissa précisément les Grecs d'Asie Mineure sans défense contre la religion des conquérants. La suite de l'histoire en apporte certes des preuves, mais à très long terme. On peut noter toutefois que la figure du « néo-martyr », si chère par la suite à l'hellénisme sous domination turque, apparaît dès le XIe siècle, en la personne de Theodoros Gabras (1098)[146]. Quant au pouvoir central, il semble à cette date faire entrer l'Islam dans ses schémas traditionnels d'apostolat impérial. L'éloge prononcé pour l'Épiphanie fait état, en 1088, des conversions effectuées par Alexis Ier sur la frange musulmane de l'Asie Mineure[147]. L'orateur, le maître des rhéteurs Theophylaktos, futur archevêque d'Ohrid, souligne à ce propos la qualité d'« apôtre » du souverain. Euthymios

---

140. Cf. G. PODSKALSKY, « Euthymios Zigabenos », in *TRE*, X, 3/4 (1982), col. 557-558.
141. Nicétas (sic) Stethatos, *Opuscules et Lettres*, éd. J. DARROUZÈS, « Sources Chrétiennes » 81, Paris, 1961, p. 11-12.
142. *Regestes* nº 1003 : jugement synodal du 26 avril 1117, cf. DÖLGER, *Regesten* nº 1273. Sur l'affaire, voir ci-dessous p. 458.
143. Cf. l'importante étude prosopographique et historique d'A. P. KAZHDAN, *Armjane v sostave gospodstvujuščego klassa Vizantijskoj Imperij v XI-XII vv.*, Erevan, 1975, notamment p. 142; du même, « The Armenians in the Byzantine ruling class predominantly in the ninth through twelfth centuries » (avec bibliographie), in T. SAMUELIAN, M. STONE, éd., *Medieval Armenian culture*, Chico, CA 1983, p. 439-451.
144. *Actes d'Iviron*, cit., p. 3 et suiv.
145. GAUTIER, « Typikon du sébaste Grégoire Pakourianos », cit. Cf. LEMERLE, *Cinq études*, cit., p. 158-159.
146. Cf. A. BRYER, « A Byzantine family : The Gabrades, c. 979-c. 1653 », in *UBHJ*, 12 (1970), p. 175 et n. ; « A Byzantine family : the Gabrades : an additional note » (with St. FASSOULAKIS, D.M. NICOL), *BySl*, 36 (1975), p. 39.
147. Éd. P. GAUTIER, « Le discours de Théophylacte de Bulgarie à l'autocrator Alexis Ier Comnène (6 janvier 1088) », in *REByz*, 20 (1962), P. 93-120 (ici p. 114).

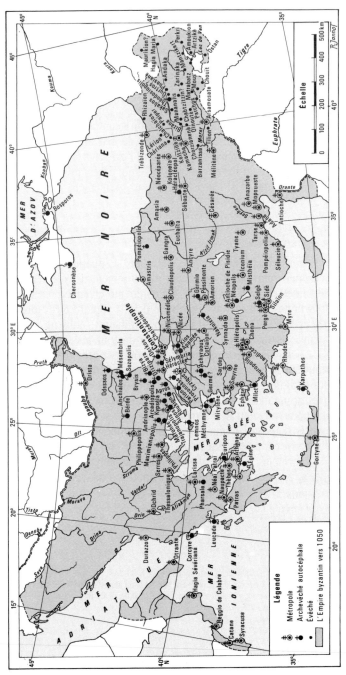

Islam et chrétienté à la veille de la première croisade
(d'après *Atlas zur Kirchengeschichte*, Herder, 1987, p. 43).

Zigabênos, l'hérésiologue officiel, a composé un entretien avec un musulman de la région de Mélitène[148].

3. ISOLATS HÉRÉTIQUES

Les dissidences subversives elles-mêmes, dont il sera question dans un autre chapitre, semblent parfois se présenter aussi, à première vue, en îlots diasporiques. Tel est le cas des « Manichéens » de Philippopolis (Plovdiv) selon Anne Comnène[149]. Elle rapporte que la ville leur était à peu près tout acquise, au grand dam des quelques « chrétiens » subsistants ; que l'hérésie ne cessait de s'étendre aux environs, et que son assise avait été renforcée par « un autre fleuve », des Arméniens, et un autre encore, des Syriens jacobites. Mais ces « Manichéens » eux-mêmes tirent en réalité leur origine d'un isolat ethnique et sectaire à la fois, puisqu'ils descendent des Pauliciens d'Asie Mineure que Jean Ier Tzimiskès (969-976) avait déportés en Thrace, afin de vider leur réduit arménien en tirant du même coup profit de leurs qualités guerrières sur une frontière sensible. Alexis Ier fait alors en faveur de l'orthodoxie un effort peut-être lui aussi stratégique. Il s'emploie en personne à ramener les « Manichéens » par la persuasion ou par la force, et le soulèvement qui en résulte (1084) apporte une fois de plus la preuve de leur facilité à s'entendre avec l'ennemi voisin contre le pouvoir central. Le témoignage d'Anne Comnène, que nous avons suivi, semble donc éclairer les rapports entre confession et nation. En fait, s'il est correct d'opposer « chrétiens » et « Manichéens », il semble en revanche impropre de parler à propos de ces derniers de diffusion d'une « hérésie », épaulée par des Arméniens et des Syriens jacobites. La contradiction s'évanouit si l'on sait que ces « Manichéens » sont des Pauliciens, désignés par un terme approximatif et traditionnel, selon l'usage de la littérature savante[150].

4. LES JUIFS

La réduction des juifs à la norme, c'est-à-dire au christianisme grec de Constantinople, est un objectif aussi ancien que spécifique[151]. La formule d'abjuration attestée à partir du cod. Paris. Coisl. 213 déjà cité, et daté de 1027, documente à la fois les usages des juifs, et ce que les clercs en savaient, peut-être par des convertis au christianisme[152]. Les rédacteurs semblent notamment au fait du clivage entre Rabbanites et

148. *PG* 131, 20-38.
149. Anne Comnène, *Alexiade*, cit., XIV, VIII, 7.
150. Voir ci-dessous p. 453-454.
151. Sur les Juifs dans l'Empire au XIe siècle, voir bibliographie citée plus haut, Introduction, p. 22-23.
152. Textes publiés par F. CUMONT, « Une formule grecque de renonciation au judaïsme », in *WSt*, 24 (1902), p. 462-472, et par S. KRAUSS, « Eine byzantinische Abschwörungsformel », in *Festskr. ... D. Simonsen*, Copenhague, 1923, p. 134-157. La question est à reprendre, cf. G. DAGRON, « Le traité de Grégoire de Nicée sur le baptême des Juifs », in *TMCB*, 11 (1991), p. 355 et n. 211.

Karaïtes, adhérents et adversaires de la tradition rabbinique, qui partage à cette époque le judaïsme byzantin. L'hagiographie fait écho. Un pèlerin occidental a entendu conter à Constantinople l'histoire du bon juif Abraham, trop vertueux pour ne pas finir par le baptême, motif du reste traditionnel[153]. Nous ne pouvons évidemment apprécier l'importance effective des conversions au christianisme. La Geniza du Caire a du reste préservé le témoignage de démarches contraires. La célèbre autobiographie du prosélyte d'origine normande Obadiah contient le récit de la conversion d'André, archevêque de Bari, effectuée vers 1070 : il l'accomplit à Constantinople, avant de se réfugier en Égypte[154]. S.D.Goitein explique ce mouvement, perceptible dans les documents de la Geniza, par une attente eschatologique, et donc, en fin de compte, comme « an inner-christian affair »[155]. La synchronie de la majorité chrétienne et de la minorité juive, deux communautés bien distinctes mais non étanches, apparaît dans un autre document de la Geniza, une lettre adressée à Fustat d'une communauté de l'empire, à l'automne 1096[156]. L'ébranlement eschatologique de la première croisade s'y répercute dans un mouvement d'espérance messianique imminente, renforcé par un afflux de juifs de Rhénanie, et traduit par la suspension des activités, le jeûne, la pénitence, l'attente du départ. La lettre montre parfaitement que juifs et chrétiens vivent à cet égard dans un même monde.

BIBLIOGRAPHIE (1054-1123)

Sources

(outre les titres cités ci-dessus p. 23).
Eggrapha Patmou : 1. *Autokratorika*, E. VRANOUSI, éd. ; 2. *Dêmosiôn leitourgôn*, M. NYSTAZOPOULOU-PELEKIDOU, Athènes, 1980.
G. ROBINSON, *History and cartulary of the Greek monastery of St. Elias and St. Anastasius of Carbone*, 2 vol., Rome, 1928-30.
ZEPOS, *Jus Graeco-Romanum*, t. IV (*Peira Eustathiou tou Rhômaiou*).

Études

F. CHALANDON, *Essai sur le règne d'Alexis Ier Comnène (1081-1118)*, Paris, 1900.
J. GAY, *L'Italie méridionale et l'Empire byzantin depuis l'avènement de Basile Ier jusqu'à la prise de Bari par les Normands (867-1071)*, Paris, 1904.
P. LEMERLE, *Cinq études sur le XIe siècle*, Paris, 1977.
L. R. MÉNAGER, « La "byzantinisation" religieuse de l'Italie méridionale (IXe-XIIe s.) et la politique monastique des Normands d'Italie », in *RHE*, 53 (1958), p. 742-774 ; 54 (1959), p. 5-40.
Recherches sur le XIe siècle, TMCB, 6 (1976).

---

153. MERCATI, « Santuari e reliquie Constantinopolitane », cit. ci-dessous p. 351 (version du XIIe siècle), p. 145-149.
154. État de la critique du texte dans N. GOLB, « Notes on the conversion of European Christians to Judaism in the eleventh century », in *JJS*, 16 (1965), p. 69-74.
155. S.D. GOITEIN, *A Mediterranean society. The Jewish communities of the Arab world as portrayed in the documents of the Cairo Geniza*. 2. *The community*, Berkeley — Los Angeles — Londres, 1971, p. 308-309.
156. Éd. A. NEUBAUER, in *JQR*, 9 (1897), p. 26-29, cf. D. KAUFMANN, « A hitherto unknown Messianic movement among the Jews, particularly those of Germany and the Byzantine Empire », *ibid.*, 10 (1898), p. 139-151.

Chapitre II

L'Église romaine de 1054 à 1122 : réforme et affirmation de la papauté

par Agostino Paravicini Bagliani

I. LA SUCCESSION DES PAPES

De la mort de Léon IX (1054) à la mort de Calixte II (1124), c'est-à-dire en 70 ans, dix papes se sont succédé ; certains d'entre eux (Nicolas II, Alexandre II, Grégoire VII et Pascal II) se trouvèrent confrontés à des antipapes, sept au total[1].

Papes et *antipapes*	Date de l'élection	Fin du pontificat
Léon IX (Bruno Hugonis)	1048, décembre	1054, 19 avril
Victor II (Gébhard)	1055, mars	1057, 28 juillet
Étienne IX (Frédéric)	1057, 22 août	1058, 29 mars
Benoît X (Jean)	*1058, 5 avril*	*1060, avril*
Nicolas II (Gérard de Florence)	1058, décembre	1061, 27 juillet
Alexandre II (Anselme de Lucques)	1061, 1er octobre	1073, 21 avril
Honorius II (Cadalous de Parme)	*1061, 28 octobre*	*1071/72*
Grégoire VII (Hildebrand)	1073, 22 avril	1085, 25 mai
Clément III (Guibert de Ravenne)	*1080, 25 juin*	*1100, 8 septembre*
Victor III (Didier)	1086, 24 mai	1087, 16 septembre
Urbain II (Eudes de Lagery)	1088, 12 mars	1099, 29 juillet
Pascal II (Rainier)	1099, 13 août	1118, 21 janvier
Théodoric	*1100, septembre*	*1102*
Albert	*1102, février*	*1102, mars*

1. En italique dans le texte du tableau qui suit.

Silvestre IV (Maginulfus)	1105, 18 novembre	1111
Gélase II (Jean de Gaète)	1118, 24 janvier	1119, 28 janvier
Grégoire VIII (Burdinus)	1118, 8 mars	1121 (?)
Calixte II (Gui de Vienne)	1119, 2 février	1124, 13 décembre

1. ÉTIENNE X (1057-1058)

Lorsque le pape Victor II mourut, à Arezzo, le 28 juillet 1057, Hildebrand était déjà de retour à la cour pontificale. Selon le chroniqueur Léon d'Ostie[2], le nouvel élu, Frédéric de Lorraine, abbé du Mont-Cassin et cardinal-prêtre du titre de Saint-Chrysogone, aurait vainement essayé de se soustraire à l'élection en proposant d'autres noms, parmi lesquels celui d'Hildebrand. Obligé d'accepter, Frédéric est finalement élu pape sous le nom d'Étienne X (Saint-Pierre-aux-Liens, 2 août 1057; sacré le 3 août en la basilique de Saint-Pierre au Vatican). Cette élection revêt de l'importance à plus d'un titre : le choix même du candidat, frère de Geoffroi de Lorraine, seigneur de la *Tuscia* grâce à son mariage, marquait le désir d'autonomie par rapport à la cour du roi de Germanie. L'élection s'était déroulée sans le traditionnel assentiment du roi; il est vrai qu'Henri IV était encore mineur et que le droit de confirmation de l'impératrice Agnès, une femme, était contestable (Pierre Damien); un pas vers l'émancipation de l'élection du pape du contrôle impérial venait néanmoins d'être franchi qui conduira deux ans plus tard à la promulgation du décret de l'élection pontificale par Nicolas II (1059)[3]. Une source allemande[4] affirme que l'approbation royale fut donnée après l'élection, bien qu'elle ait eut lieu *rege ignorante*. Il est probable que la mission allemande, dont le nouveau pape chargea Hildebrand[5] quelques mois après son élection, était liée au désir du pape d'éviter une rupture avec l'Empire[6]. Que la mission, délicate, ait été confiée à Hildebrand, montre bien à quel point le nouveau pape l'entourait de son estime. Humbert de Silva-Candida devint chancelier, Pierre Damien fut créé cardinal d'Ostie. La cohésion du groupe des réformateurs permit à la papauté de s'affirmer dans la voie de la *libertas Ecclesiae*. Le programme de réforme morale (lutte contre la simonie, législation du mariage) fut poursuivi avec détermination et des liens étroits furent établis avec Anselme de Lucques (le futur Alexandre II), le protecteur des patarins milanais. Déjà en 1057, Ariald et Landulf, les promoteurs de la *pataria* avaient trouvé un appui total auprès du pape, qui avait envoyé Hildebrand et Anselme de Lucques comme légats en Lombardie (novembre-décembre 1057).

---

2. *Chronica monasterii Casinensis*, éd. H. HOFFMANN, *MGH.SS*, XXXIV, 1980, p. 353.

3. V. plus loin, p. 60.

4. *Annales Altahenses*, ad a. 1057, p. 54.

5. « Apostolica legatione functus. » *MGH.SS*, VII, p. 246.

6. Le but de la légation n'est indiqué que de manière très sommaire par les sources; d'autres hypothèses ont été fournies par les historiens modernes à son propos. G.B. BORINO, « L'arcidiaconato di Ildebrando », *SGSG*, 3, 1948, p. 494 et suiv., lie le voyage d'Hildebrand à la vacance du duché de Spolète et à la marche de Camerino, que le roi attribua l'année suivante à Geoffroi de Lorraine.

Au printemps 1058, d'après plusieurs témoignages, généralement considérés comme irréfutables[7], parmi lesquels il faut même mentionner une lettre de Pierre Damien[8], Étienne X, se sentant proche de sa fin, aurait fait jurer solennellement aux (cardinaux-)évêques, au clergé et au peuple romain, qu'en cas de vacance du Siège apostolique, ils devaient attendre le retour d'Hildebrand pour procéder à l'élection du nouveau pape.

2. L'ANTIPAPE BENOÎT X (1058-1059)

À la mort d'Étienne X (Florence, 29 mars 1058), profitant peut-être de l'absence d'Hildebrand, une importante faction de l'aristocratie romaine, conduite par le comte de Tusculum, Grégoire, le comte de Galéria, Gérard et quelques membres de la famille des Crescenzi, élirent pape le cardinal-évêque de Velletri, Jean, qui fut intronisé le 5 avril et prit le nom de Benoît X[9]. L'objectif était clair : reprendre le contrôle du Siège apostolique dont l'aristocratie romaine avait été évincée depuis l'élection de Léon IX.

3. NICOLAS II (1058-1061)

Informé des événements sur le chemin du retour, Hildebrand réunit aussitôt les cardinaux-évêques qui s'étaient opposés à l'élection de Benoît X et fit élire pape l'évêque de Florence, Gérard, qui prit le nom de Nicolas II. Une délégation, qui avait été envoyée pour obtenir le consentement royal, rencontra le roi le 12 juin et ordonna à Geoffroi de Lorraine d'accompagner le nouvel élu à Rome avec une escorte armée.

La cérémonie d'intronisation de Nicolas II n'eut lieu que le 24 janvier 1050, après un dur conflit armé. Benoît X se réfugia finalement dans le château de Passarano, près de Tivoli, puis dans le château du comte de Galéria, Gérard, l'un de ses principaux partisans. Il fut finalement fait prisonnier quelques mois plus tard (mai-juin 1059). Selon les *Annales Romani*, il aurait été dépossédé de ses parements pontificaux et privé des dignités ecclésiastiques lors d'un procès et aurait vécu à Saint-Agnès, à Rome, jusqu'au pontificat de Grégoire VII, soit au moins jusqu'en 1073 ; selon Léon d'Ostie, au contraire, il aurait été excommunié et obligé de vivre à Sainte-Marie-Majeure ; selon Bonizon de Sutri, enfin, il aurait admis ses fautes *ex propria confessione* et aurait été dégradé de son ordre épiscopal[10].

L'opération de conquête du château de Galéria avait été conduite par Hildebrand lui-même, à l'aide de 300 chevaliers normands qu'il était allé personnellement chercher à Capoue auprès du nouveau maître de cette principauté, le normand Richard, comte

7. BORINO, « L'arcidiaconato », p. 488 n. 64.

8. Ep. III, 4, *PL* 144, col. 292 A ; *Die Briefe des Petrus Damiani*, éd. K. REINDEL, II, Munich, 1988, p. 193 n° 58.

9. Ce nom renouait avec la tradition ; reconstitution biographique récente : O. CAPITANI, « Benedetto X, papa », dans *DBI*, VIII, Rome, 1966, p. 366-370.

10. *Ibid.*, p. 369.

d'Aversa. À ces tractations prit part, très probablement, le nouvel abbé du Mont-Cassin, Didier, qui était en très bons rapports avec les princes normands et que le pape Nicolas II avait créé cardinal-prêtre du titre de Sainte-Cécile au mois de mars 1059, et nommé délégué pour la réforme des monastères de l'Italie méridionale.

Le synode de 1059 : le décret d'élection pontificale

Au mois d'avril 1059, Nicolas II put célébrer à Saint-Jean du Latran un grand synode réformateur, au cours duquel il promulga le célèbre décret concernant l'élection du pape qui porte son nom[11]. Ce décret se fondait sur l'idée centrale qui assimilait les cardinaux-évêques à des métropolites[12], auxquels d'anciennes traditions canoniques avaient reconnu un droit d'ingérence déterminant dans l'élection de l'évêque. Le décret de Nicolas II (1059), dont la paternité a été l'objet d'une longue controverse[13], prévoit une procédure en trois phases : les cardinaux-évêques commencent la discussion et font participer ensuite les cardinaux-prêtres, le reste du clergé et le peuple acclament. En cas de limitation fondamentale de la liberté d'élection par les Romains, l'élection papale peut être effectuée en dehors de l'*Urbs* en y associant certains clercs religieux et laïcs. Le décret de 1059 ne signifie pas volonté de rupture avec l'Empire. Le droit de confirmation impériale subsiste entièrement. La finalité du décret était surtout de nature ecclésiologique[14]. Par la création d'une « instance hiérarchique suprême »[15], il devait permettre à un cercle restreint d'électeurs d'élire une personne qui n'aurait pas nécessairement appartenu auparavant à l'Église romaine, dans des circonstances exceptionnelles même en dehors de Rome, ainsi que garantir le transfert du pouvoir à un élu qui n'aurait pas encore été intronisé à Rome.

Complexes, les problèmes liés à la tradition textuelle sont loin d'être résolus. Le décret de 1059 est arrivé jusqu'à nous sous deux formes textuelles distinctes, qui avaient été appelées autrefois, l'une « papale », l'autre « impériale », mais qui méritent d'être désignées, plus justement[16], la première comme « authentique », la deuxième comme « falsifiée ». Il s'agit dans les deux cas, sur le plan formel, de

---

11. Édition critique, avec mise en parallèle des deux versions du décret : D. Jasper, *Das Papstwahldekret von 1059. Überlieferung und Textgestalt*, Sigmaringen, 1986, p. 98-119. Travaux récents : H.-G. Krause, *Das Papstwahldekret von 1059 und seine Rolle im Investiturstreit*, Rome, 1960 ; F. Kempf, « Pier Damiani und das Papstwahldekret von 1059 », *AHP*, 2, 1964, p. 73-89 ; W. Stürner, « Das Papstwahldekret von 1059 und die Wahl Nikolaus II », *ZSRG.K*, 59, 1973, p. 417-419 ; D. Hägermann, « Untersuchungen zum Papstwahldekret von 1059 », *ZSRG.K*, 56, 1970, p. 157-193 ; J. Ziese, *Wibert von Ravenna. Der Gegenpapst Clemens III. (1084-1100)*, Stuttgart, 1982 ; W. Stürner, « Das Papst-wahldekret von 1059 und seine Verfälschung. Gedanken zu einem neuen Buch », *Fälschungen im Mittelalter*, II, Hannover, 1988, p. 157-190 ; H. Fuhrmann, « Papst Gregor VII. und das Kirchenrecht. Zum Problem des Dictatus Papae », dans *La Riforma Gregoriana*, I, 123-49.

12. « Puisque l'Église romaine ne peut avoir à cause de son primat aucun métropolite au-dessus d'elle, les évêques cardinaux fonctionnent sans doute *vice metropolitani* ».

13. L'on s'accorde aujourd'hui à attribuer un rôle fondamental à Pierre Damien, qui y a peut-être participé directement ou indirectement par l'inspiration de ses lettres : Kempf, « Pier Damiani und das Papstwahldekret von 1059 », p. 73-89.

14. Il s'agit d'une interprétation qui rencontre un certain consensus depuis quelques années seulement. Auparavant, notamment chez les historiens allemands, prévalait une lecture plus politique du décret. Pour une discussion approfondie des thèses historiographiques v. Jasper, *Das Papstwahldekret*, p. 18.

15. *Ibid.*, p. 86 et suiv.

16. *Ibid.*, p. 3.

constitutions synodales qui ne présentent pas de variantes importantes dans les protocoles du début et de la fin, dans la *narratio* et les formules de sanction. Les divergences concernent avant tout les personnes ayant droit à l'élection.

Dans le décret authentique, l'élection appartient aux cardinaux-évêques, tandis que les autres cardinaux, le clergé et le peuple de Rome ne jouent plus qu'un rôle complémentaire. Cette version contient aussi le célèbre « paragraphe royal », qui reconnaissait au roi Henri IV un droit de regard sur l'élection pontificale, valable aussi pour ses successeurs, sous réserve d'approbation du Siège apostolique.

Dans la version falsifiée, tous les cardinaux apparaissent comme électeurs, sans aucune différence entre les ordres ; par contre, les droits du clergé et du peuple de Rome sont éliminés. De plus, le roi de Germanie se voit accorder les mêmes droits que les cardinaux, dans le cas d'une élection en dehors de Rome. La version falsifiée cite nommément des cardinaux appartenant aux trois ordres ainsi que le sous-diacre Hildebrand, le futur Grégoire VII. La version authentique n'indique que les noms des cardinaux-évêques ; celui d'Hildebrand n'y figure pas. À propos de la datation de la version authentique on hésite entre janvier 1076, date à laquelle les évêques allemands déclarèrent à Worms leur désobéissance à Grégoire VII, et les années 1090, époque à laquelle les différences institutionnelles entre cardinaux-évêques et les autres ordres s'estompent. Pour certains, la version falsifiée aurait été motivée par le désir de légitimer l'élection (1080) et l'intronisation (1084) de l'antipape Clément III (Guibert de Ravenne) ; dans ce cas, les auteurs du faux devraient être recherchés au sein du groupe de cardinaux « guibertins »[17]. Pour d'autres, ce texte aurait été produit entre la mort de Grégoire VII et l'élection de Victor III (mai 1086), par des cardinaux-prêtres et diacres favorables au parti du roi. Selon D. Jasper, qui a pu prouver, entre autres, qu'Hildebrand n'a pas signé le décret de l'élection pontificale de 1059, la version falsifiée serait née au printemps 1076 lors des grandes controverses opposant Henri IV et Grégoire VII ; elle n'aurait pas eu pour objectif de niveler les ordres cardinalices (ce problème ne se serait posé ni à son auteur ni aux évêques allemands réunis à Worms) mais plutôt d'assurer la participation du roi à une élection pontificale devant permettre de remplacer Grégoire VII. « Manifestement, pour l'auteur du faux, le "paragraphe royal" de la version authentique n'exprimait et ne garantissait pas de manière assez précise le droit du roi en matière d'élection pontificale »[18].

Le concile de 1059 fut aussi appelé à débattre du problème de la vie en commun du clergé : Hildebrand se prononça contre l'adoption de la règle d'Aix-la-Chapelle par les clercs vivant en commun, à cause de la marge excessive que celle-ci consentait à l'administration des biens privés des différents clercs et, il faut le souligner, par l'inspiration par trop laïque de cette règle, imposée autrefois par Louis de Pieux. Nicolas II se limita à proposer une révision de l'*Institution* d'Aix-la-Chapelle ; le

---

17. « Nuovo su Gregorio VII? Riflessioni su un problema storiografico "non esaurito". » C'est la conclusion à laquelle aboutit STÜRNER, « Das Papstwahldekret von 1059 und seine Verfälschung », p. 189, après avoir analysé l'ouvrage de JASPER, *Das Papstwahldekret*.

18. *Id.*, *Das Papstwahldekret*, p. 88. L'examen de la tradition textuelle de la version falsifiée suggérerait en outre que l'auteur du faux doit être recherché en Italie.

synode recommanda aux chanoines de retourner à l'usage du dortoir et du réfectoire en commun [19].

Papauté et Normands

L'investiture de Robert le Guiscard en tant que duc de Calabre, de Pouille et de Sicile, et de Richard, comme prince de Capoue, eut lieu vraisemblablement à Melfi, à l'occasion du voyage entrepris dès le mois de juin 1059 par le pape Nicolas II dans le sud de l'Italie, en compagnie de plusieurs cardinaux et d'Hildebrand lui-même, au cours duquel, après une visite à l'abbaye du Mont-Cassin, il célébra deux synodes réformateurs, à Bénévent, et le 23 août, à Melfi, où il répéta la condamnation de la simonie et du concubinat du clergé. Les princes normands jurèrent d'être fidèles à l'Église romaine et aux souverains qui avaient inspiré le décret d'élection de 1059. Cet acte devait marquer le début d'une nouvelle alliance entre la papauté et les Normands, destinée à rompre les équilibres politiques traditionnels dans le sud de l'Italie, et à fournir à la papauté les moyens d'une autonomie plus marquée face à la cour allemande [20].

4. ALEXANDRE II (1061-1073) ET L'ANTIPAPE HONORIUS II (CADALOUS DE PARME)

L'alliance avec les Normands devait se révéler décisive pour le parti réformateur, à la mort de Nicolas II, survenue à Florence le 27 juillet 1061. Les cardinaux-évêques, les seuls habilités d'après le décret de 1059 à participer à une élection pontificale, étaient tous des réformateurs [21] : le groupe, soudé, fut influencé par le puissant archidiacre Hildebrand, qui suggéra l'élection de l'évêque de Lucques comme successeur du pape Nicolas II, désirant sans doute imposer un candidat proche du programme réformateur, acceptable à la cour impériale et capable de ménager les intérêts de Geoffroi de Lorraine. À l'élection prirent part les cardinaux-évêques rassemblés en dehors des murs de Rome, le 30 septembre 1061 ; pendant ce temps, l'abbé du Mont-Cassin négociait l'aide armée normande, grâce à laquelle le nouveau pape put faire son entrée à Rome où il fut consacré le lendemain, 1er octobre. L'élu prit le nom d'Alexandre II. Quelques jours après, le 7 octobre, le comte Richard de Capoue s'engageait à respecter le décret d'élection de Nicolas II.

---

19. C.D. FONSECA, « Gregorio VII e il movimento canonicale : un caso di sensibilità gregoriana », *Benedictina*, 33, 1986, p. 11-23 ; G. PICASSO, « Gregorio VII e la vita canonica : clero e vita monastica », dans *La Riforma Gregoriana*, I, p. 163.

20. J. DEÉR, *Das Papsttum und die süditalienischen Normannenstaaten (1053-1212)*, Göttingen, 1969 ; *Id.*, *Papsttum und Normannen. Untersuchungen zu ihren lehnsrechtlichen und kirchenpolitischen Beziehungen*, Cologne et Vienne, 1972.

21. Biographie récente complète : T. SCHMIDT, *Alexander II. und die römische Reformgruppe seiner Zeit*, Stuttgart, 1977 ; pour un jugement général de ce pontificat, v. aussi l'excellente analyse de C. VIOLANTE, « Alessandro II, papa », *DBI*, II, Rome, 1960, p. 176-183.

Alexandre II avant le pontificat

Anselme de Baggio, descendant d'une famille de la noblesse milanaise[22], était une personnalité riche en expériences multiples. Adolescent, il avait été envoyé, vers 1045, étudier dans le monastère du Bec, auprès duquel Lanfranc de Pavie avait ouvert une école : cette période de sa formation permit sans doute au futur pape de se familiariser avec les nouvelles idées de réforme. Peu après, peut-être dans les années 1048-1050, le jeune Anselme, qui n'était pas encore prêtre, vécut à la cour d'Henri III, *tamquam domesticus et familiaris*. Les liens qu'il put tisser avec les milieux de la cour, grâce aussi à ses relations familiales — l'un de ses parents ayant été *missus* du roi Henri IV à Milan en 1064 — facilitèrent son ascension ecclésiastique. Dès sa rentrée à Milan entre 1054 et 1055, facilitée par le rapprochement entre la noblesse milanaise et l'empereur, il fait partie de l'entourage de l'archevêque Gui de Velate, qui l'ordonna prêtre vers 1055-1056 et l'amena avec lui à Goslar (mi-septembre 1056), où eut lieu une rencontre solennelle entre l'empereur et le pape Victor II. L'empereur le fit nommer à cette occasion[23] évêque du plus important évêché de la Marche de Toscane, Lucques, non pas, comme on l'a longtemps cru, pour éloigner un réformateur inquiet et gênant et contenter ainsi l'archevêque de Milan, mais plutôt pour placer un homme de confiance capable de contrôler le trop puissant duc Geoffroi de Lorraine. Il retourna deux fois à Milan, en qualité de légat pontificat : à la fin de 1057, avec le diacre Hildebrand, pour aider et contrôler à la fois le mouvement contestataire et réformateur des Patarins, et recherches des moyens pour enrayer la très grave crise qui avait affecté le clergé milanais, simoniaque et concubinaire; puis en 1060-1061, en compagnie du cardinal-évêque d'Ostie, Pierre Damien.

L'élection d'Alexandre II : l'ouverture du schisme

Sur un point, le décret de 1059 n'avait pas été observé lors de l'élection d'Alexandre II. Les électeurs avaient en effet négligé de demander la confirmation de l'empereur. La noblesse romaine, conduite par le comte de Galéria, n'avait pas perdu l'espoir d'une revanche et ne manqua pas de contester l'élection, en adressant une délégation en Allemagne, pour offrir au très jeune Henri IV les insignes du patriciat romain, lui donnant le droit d'intervenir dans l'élection pontificale. Pour arbitrer ce conflit, l'impératrice régente Agnès convoqua un synode à Bâle, au cours duquel le chancelier impérial Guibert fit élire pape l'évêque de Parme, Cadalous, malgré l'opposition de certains évêques et grâce à l'appui décisif de l'épiscopat lombard. Cadalous prit le nom d'Honorius II (28 octobre 1061)[24].

Entré à Rome au mois d'avril de l'année suivante, il prit possession de Saint-Pierre, tandis que son adversaire se réfugia au château Saint-Ange. La situation évolua rapidement : l'archevêque de Cologne, devenu régent — l'impératrice Agnès s'était retirée à Fruttuaria — avait réussi à s'emparer du très jeune Henri IV et à convoquer

---

22. SCHMIDT, *Alexander II*, p. 1-10.
23. *Ibid.*, p. 34-54.
24. *Ibid.*, p. 104-134.

un concile pour déterminer qui était le pape légitime. Malgré l'intervention de Pierre Damien, qui écrivit pour cette occasion sa *Disceptatio synodalis*[25], le concile, tout en étant plutôt favorable à Alexandre II, ne prit aucune décision.

En avril 1062, lors d'une cérémonie solennelle au Latran, Alexandre II, qui avait pu rentrer à Rome, après un long séjour dans sa ville natale où il s'était réfugié, grâce à l'appui de Geoffroi de Lorraine et des ducs normands, condamna Cadalous, et confirma les décrets antisimoniaques et disciplinaires de Nicolas II[26]. Dans cette première intervention officielle, Alexandre II montra son désir de poursuivre avec rigueur et cohérence le programme réformateur de Nicolas II. Au mois de mai cependant, Cadalous, après avoir réuni un concile à Parme pour excommunier son rival, s'empara une nouvelle fois de la cité léonine et du château Saint-Ange, à la tête d'une armée lombarde. Sa victoire fut cependant de courte durée : pratiquement prisonnier de son protecteur, le préfet de la ville Cencius, Cadalous vit son influence s'affaiblir rapidement.

Pour résoudre le schisme, l'archevêque de Cologne, Annon, prit en 1064 l'initiative de réunir un concile à Mantoue, ville qui faisait partie des territoires contrôlés par la comtesse de Canossa. Alexandre II y participa, mais évita de soumettre la confirmation de son élection à une autre autorité que celle des cardinaux qui l'avaient élu; il n'accepta pas le jugement du concile mais fut d'accord pour jurer, de son plein gré, qu'il était sans péché de simonie, ayant été élu contre sa volonté par ceux qui, d'après les anciens usages romains, en avaient le droit. De ce fait, Alexandre confirma la validité du décret de Nicolas II en matière d'élection pontificale, sans pour autant se plier à l'exigeance d'une reconnaissance royale. Le concile de Mantoue déclara Honorius II déposé et l'excommunia. Si le schisme ne se termina officiellement qu'à sa mort (1072), il est certain que, depuis 1064, l'obédience de ce dernier était de fait limitée au seul diocèse de Parme.

Le programme réformateur

Soumis à des humiliations successives, Alexandre II se montra à plusieurs reprises homme de principes ferme, sachant recourir avec adresse à l'argumentation juridique[27]. L'habileté avec laquelle il avait réussi à faire respecter le décret de Nicolas II en matière d'élection pontificale mit en lumière une intransigeance et une fermeté indiscutables en faveur du programme réformateur de la papauté. À aucun moment, Alexandre II ne tenta de remplacer les membres du groupe réformateur romain par des personnes venant de son diocèse ou d'ailleurs. La réflexion et la politique du pape reposèrent entièrement sur ce groupe romain, soudé par un esprit de collaboration peu fréquent et conduit par la très forte personnalité d'Hildebrand. Sur un plan général, son action semble avoir été guidée par une conception très haute de l'autorité pontificale et par la volonté opiniâtre de resserrer les liens entre Rome et les évêques :

---

25. Petrus Damiani, *Disceptatio synodalis*, éd. L. von Heinemann, *MGH.LL*, I, Hannover, 1891.

26. Interdiction aux ecclésiastiques de cumuler des bénéfices et d'accepter l'investiture de laïcs sans autorisation de l'ordinaire ou du métropolite, aux fidèles d'assister aux célébrations de prêtres concubinaires...

27. Fuhrmann, « Papst Gregor VII », *passim*.

c'est pour cette raison qu'il décida de ne plus conférer le pallium à un prélat absent[28] et qu'il décida d'envoyer — pour la première fois de manière aussi systématique — des légats du Siège apostolique dans les différents États d'Europe occidentale, jusque dans les pays du Nord (Danemark, Norvège). Hugues Candide alla en Espagne combattre la simonie. En introduisant le rite romain en Aragon, il contribua à éliminer la liturgie locale mozarabe. Les Églises catalane et aragonaise entraient dans une plus grande dépendance de Rome et s'engageait à payer un cens annuel régulier. Seule la Castille restait étrangère à ce rapprochement : au printemps de la même année, le roi d'Aragon, Sancho Ramirez, vint à Rome pour recommander à saint Pierre son royaume et sa personne. Face aux évêques, et même à des métropolites puissants comme Sigefried de Mayence, Hermann de Bamberg et Annon de Cologne, qu'il cita à Rome parce que suspects de simonie, son action fut ferme. Godefroid, archevêque simoniaque de Milan, fut déposé, Hugues, évêque intrus de Chartres, destitué.

Aux yeux d'Alexandre II, le resserrement des liens avec Rome devait concerner également les puissances laïques. En 1066, le pape soutint les revendications de Guillaume, duc de Normandie, à la couronne anglaise, rendue vacante par la mort du roi Édouard le Confesseur (5 janvier 1066), en lui envoyant l'étendard de saint Pierre. La papauté, inspirée là aussi par Hildebrand, à l'encontre de plusieurs cardinaux[29], prenait date pour l'avenir, ayant pour objectif lointain la mise en place d'un programme réformateur au sein d'une Église — l'anglo-saxonne — qui se trouvait décidément dans une situation disciplinaire et morale particulièrement grave.

En 1063, Alexandre II avait envoyé le *vexillum sancti Petri* au duc normand Roger, vainqueur de la bataille de Cerami contre les Musulmans de Sicile : mais le concile de Mantoue devait manifester au grand jour que les progrès continus de l'expansion normande en Italie du Sud ne pouvaient qu'inquiéter la cour allemande, ainsi que les milieux romains eux-mêmes, notamment à cause des nombreuses attaques normandes contre les institutions monastiques dépendant directement du Siège apostolique. Le concile célébré à Melfi le 1er août 1067 et la consécration de la nouvelle église du monastère du Mont-Cassin[30], en la présence de l'abbé Didier et de nombreux évêques des diocèses de Campanie et des Pouilles étaient de toute évidence destinés à resserrer les liens entre Rome et l'Italie du Sud, en vue de favoriser la progression de l'esprit réformateur.

Lucidité politique et fermeté dans l'action semblent donc avoir été deux caractéristiques de l'action d'Alexandre II, qui préparait ainsi le terrain à son successeur, Grégoire VII. Ces traits se manifestent particulièrement dans la politique menée par ses deux légats, Rambaldus et Gérald, en Espagne, pour une nouvelle croisade contre les Sarrasins. Les accords[31] prévoyaient que les nouvelles terres conquises aux infidèles appartiendraient au Siège apostolique et que les seigneurs les tiendraient comme vassaux *ex parte Sancti Petri*.

---

28. *JL* 4507, 4529.

29. Selon le témoignage explicite du futur Grégoire VII : *Das Register*, éd. Caspar, VII, 23 : lettre à Guillaume du 24 avril 1080.

30. Analyse de l'iconographie dans le ms. Vat. lat. 1202, v. B. Brenk, *Das Lektionar des Desiderius von Montecassino. Cod. Vat. Lat. 1202. Ein Meisterwerk italienischer Buchmalerei des 11. Jahrhunderts*, Zurich, 1987.

31. *Das Register Gregors VII*, I, 6-7.

Ferme sur les principes, il n'interdit pas pour autant de manière absolue l'investiture des bénéfices ecclésiastiques de la part des laïcs, pourvu qu'elle fût autorisée par l'évêque ordinaire ou le métropolite ; d'où l'intérêt accordé aux rapports entre Rome et des métropolites de l'importance d'un Annon de Cologne, et peut-être, encore plus, d'un Gervais de Reims.

Toute l'action politique du pape poursuivit de fait l'objectif d'une collaboration étroite, efficace, entre autorité laïque et ecclésiastique : d'où l'approbation des nominations d'évêques faites par Guillaume le Conquérant, jugées responsables et inspirées par la qualité intellectuelle et morale des candidats. Guillaume se prêta à la collaboration avec Rome, en sollicitant l'envoi de trois légats, qui, après l'avoir couronné roi (4 avril 1070), déposèrent l'archevêque de Cantorbéry, Stigand, au concile de Winchester, dans l'octave de Pâques. Celui-ci fut remplacé par l'ancien maître d'Alexandre II, Lanfranc de Pavie. Mais, là où le soupçon de simonie existait, sa réaction fut violente, notamment envers les conseillers d'Henri IV qui lui avaient proposé des investitures épiscopales simoniaques et arbitraires. Excellent connaisseur des milieux de la cour allemande, Alexandre II joua envers Henri IV la fermeté et la conciliation à la fois, n'hésitant pas, lors du concile romain de carême 1073, à confirmer, sur proposition du tout-puissant Hildebrand et de l'impératrice Agnès, le chancelier impérial Guibert, l'un des plus farouches soutiens de Cadalous, dans sa fonction archiépiscopale de Ravenne.

Aux yeux d'Alexandre II, dans l'Empire aussi la réforme ne pouvait avancer que sur la base d'une collaboration avec l'autorité laïque. En 1069, la réaction de Rome face au projet d'Henri IV de faire annuler son mariage avec sa femme Berthe fut sévère. Au concile de Francfort, convoqué pour traiter de ce problème, le légat pontifical, Pierre Damien, fut intraitable : Henri IV dut s'incliner, craignant de rencontrer le refus du pape à lui accorder la couronne impériale.

Dans plusieurs secteurs de la vie ecclésiastique, malgré le schisme, la réforme avait pu avancer. La papauté avait acquis une forte conscience d'elle-même et put, grâce à l'envoi de légations, s'ingérer toujours plus dans le gouvernement des Églises locales. L'intervention romaine, considérée comme plus apte à arbitrer conflits et différends locaux, était souvent demandée par les évêques ou monastères eux-mêmes, qui pouvaient être du rang d'un Sigfried, archevêque de Mayence, ou d'un Annon, archevêque de Cologne. Le rayonnement du programme réformateur incluait de nouvelles contrées (Espagne), souvent lointaines et encore très peu christianisées comme la Scandinavie, l'Europe centrale et orientale. Cette œuvre d'évangélisation devait servir la formation d'un clergé indigène, ainsi que l'expansion de la liturgie romaine, et renforcer la discipline. Dans les régions où l'influence romaine n'avait pas encore pu pénétrer, elle devait s'appuyer sur la collaboration des forces politiques.

5. Grégoire VII (1073-1085)[32]

Hildebrand avant son pontificat[33]

Les témoignages biographiques à propos de l'origine, la date de naissance et la première période de la vie du futur Grégoire VII proviennent de sources polémiques ou apologétiques qui ont fait l'objet de nombreuses discussions. Peu de résultats apparaissent comme certains.

Hildebrand n'est certainement pas né à Rome, puisque le pape lui-même affirme seulement y avoir été éduqué ; de sa famille, d'origine toscane et d'un niveau social vraisemblablement moyen[34], nous ne connaissons de sûr que le nom du père : Bonizon ; même la localité indiquée dans le *Liber pontificalis*[35] n'a pas encore pu être identifiée. L'allusion à Soana est tardive et incertaine : elle apparaît pour la première fois dans la *Vie de Grégoire VII* rédigée au XIIe siècle par le cardinal Boson[36].

Sa date de naissance est vraisemblablement antérieure à 1029 si, comme le voulait la norme, il n'avait pas plus de vingt ans au moment de son ordination au sous-diaconat. Il dut arriver très jeune à Rome[37]. Le témoignage de Paul de Bernried[38], selon lequel ses parents l'auraient confié *in pueritia* à son oncle maternel, abbé du monastère de Sainte-Marie de l'Aventin, et qu'il aurait eu comme maîtres Laurent, archevêque d'Amalfi et Jean Gratien, archiprêtre de Saint-Jean-devant-la-Porte-latine et futur Grégoire VI, resté isolé. À Rome il put parfaire son éducation au Latran[39].

Une vive discussion s'était engagée à propos d'éventuels liens de parenté entre Grégoire VII et la famille romaine d'origine juive des Pierleoni[40]. De tels liens sont aujourd'hui considérés comme tout à fait invraisemblables. Hildebrand reçut les ordres mineurs *non libenter*[41], mais il s'agit d'une affirmation qui obéit à une tradition

---

32. Meilleures mises au point : G. Miccoli, « Gregorio VII, papa », dans *BSS*, VII, Roma, 1966, col. 293-378 ; G. Fornasari, « Del nuovo su Gregorio VII ? Riflessioni su un problema storiografico "non esaurito", *StMed*, 3a s., 24, 1983, 315-353 ; I.S. Robinson, « Pope Gregory VII (1073-1085) », *JEH*, 36, 1985, p. 439-485 (bibliographie divisée en sections).

33. L'examen des ossements du pape a révélé qu'Hildebrand, d'une constitution alpino-méditerranéenne (et non lombarde), a été très bien nourri dans sa jeunesse (= couche sociale paysanne élevée ?), mais fut soumis à une intense activité physique, caractérisée par une surcharge de poids ; son alimentation d'origine végétale est quatre fois supérieure à la moyenne ; Hildebrand-Grégoire VII n'a cependant pas été entièrement végétarien ; son alimentation comprit viande et poissons ; cf. G. Fornaciari-F. Mallegni, « Il regime di vita, e il quadro fisico-clinico di Gregorio VII », *Rassegna Storica Salernitana*, n.s., 2, 1985, p. 31 et suiv. ; id., « La ricognizione dei resti scheletrici di S. Gregorio VII : risultati antropologici, paleopatologici e paleonutrizionali », dans *La Riforma Gregoriana*, I, 399-416.

34. Walon de Metz l'appelle « virum de plebe » dans une lettre adressée au pape lui-même, dans Watterich, I, p. 470 ; plus tardif, mais analogue, le témoignage de Guillaume de Malmesbury, dans *MGH.SS*, X, p. 474 : le pape est défini *deprecabilis parentelae*.

35. *LP*, II, p. 282 : « de opido Raovaco ».

36. *LP*, II, p. 360.

37. *Das Register Gregors VII.*, I, 39 et *ibid.*, III, 10a.

38. Paul de Bernried, *Gregorii papae VII vita*, éd. Watterich, I : « ad instructionem liberalis scientiae et compositionem moralis disciplinae ».

39. *Das Register Gregors VII.*, III, 21.

40. *Annales Pegavienses*, *MGH.SS*, VI, p. 238. Les différentes hypothèses ont été discutées par G. Marchetti-Longhi, « Ricerche sulla famiglia di Gregorio VII », *SGSG* 2,1947 ; cf. Miccoli, « Gregorio VII, papa », p. 294-295.

41. *Das Register Gregors VII.*, VII, 12a.

rhétorique ancienne. Chapelain papal au moment de la déposition de Grégoire VI, il le suivit dans son exil à Cologne[42].

Déjà à l'époque de sa jeunesse, Hildebrand avait désiré se faire moine[43], mais ce n'est qu'après la mort de Grégoire VI (20 décembre 1046) qu'il prit l'habit monastique, à Cluny, si on peut faire confiance aux affirmations de Bonizon de Sutri[44] et de Brunon de Segni[45]. La question a été longtemps controversée[46]. Toujours selon Bonizon, sa première rencontre avec le pape Léon IX aurait eu lieu en janvier 1049 à Besançon, au moment où le nouveau pontife était en train de se rendre à Rome pour son intronisation[47]. Toujours est-il qu'Hildebrand fut appelé par Léon IX à rejoindre l'équipe de ses collaborateurs dont faisaient déjà partie Humbert de Silva Candida et Frédéric de Lorraine. Peu après son arrivée à Rome, Léon IX nomma Hildebrand œconomus et cardinal-sous-diacre de l'Église romaine[48] et lui confia la charge de rector de l'abbaye de Saint-Paul entre mai et novembre 1050[49]. Il est probable qu'à Saint-Paul, le monastère qu'il aima le plus [50] et dont il reprit peut-être la direction après la mort d'Airaldus, Hildebrand ait continué à séjourner jusqu'à son ascension au pontificat. L'adhésion d'Hildebrand à la vie monastique ne peut être mise en doute : dans un privilège du 10 mars 1078, le pape appelle saint Benoît *pater noster*[51]. Cet intérêt « apparaît de temps en temps dans ses lettres », mais il est difficile de « présenter Grégoire VII comme étant exclusivement monastique »[52].

Avant la mort de Léon IX (19 avril 1054), Hildebrand fut envoyé comme légat en France, où il présida un concile à Tours pour résoudre le conflit qui opposait Geoffroi Martel, comte d'Anjou, à Gervais, évêque du Mans, et pour discuter les théories eucharistiques de Bérenger de Tours. Celui-ci venait d'être condamné par les synodes de Rome et de Verceil en 1050, et de Paris en 1051. Hildebrand se borna à soumettre à l'archidiacre d'Angers une profession de foi relativement simple dans les termes, lui demandant de se rétracter à propos d'affirmations concernant la présence réelle[53]. La solution de la question bérégarienne fut remise de fait à plus tard.

Hildebrand était en France lorsque Léon IX mourut. Fut-il plébiscité par le clergé et le peuple pour être envoyé en Allemagne traiter avec Henri III du choix du nouveau

---

42. *Das Register Gregors VII.*, I, 79.

43. *Das Register Gregors VII.*, III, 10a.

44. Bonizo ep. Sutrinus, *Liber ad amicum*, V, éd. E. DÜMMLER, *MGH.LL*, I, 1891, p. 587 : « *Cluniacum tendens, ibi monachus effectus est.* »

45. Bruno ep. Signinus, *Libellus de symoniacis*, c. 2, éd. E. SACKUR, *MGH.LL*, II, 1892, p. 547 : « *Illis autem diebus erat ibi monachus quidam Romanus, Ildeprandus nomine, nobilis indolis adolescens, clari ingenii sanctaeque religionis.* »

46. G.B. BORINO, « Quando e dove si fece monaco Ildebrando », dans *Miscellanea Giovanni Mercati*, V, Cité du Vatican, 1946, n. 76.

47. *MGH.LL*, II, p. 548 : « *non secundum canonicam institutionem, sed per secularem et regiam potestatem Romanam ecclesiam arripere vadis* ».

48. V. *infra*, p. 98.

49. G. SPINELLI, « Ildebrando "Archidiaconus ac sancti Petri Rector" », *Benedictina*, 33, 1986, p. 61-78.

50. *Das Register Gregors VII.*, I, 52.

51. SANTIFALLER, *Quellen und Forschungen*, I, p. 167-170, n° 150.

52. FORNASARI, « Del nuovo », pp. 324-325, qui révise d'anciennes positions historiographiques, plus favorables au « monachisme » de Grégoire VII (I. SCHUSTER, « Dove Ildebrando, il futuro Gregorio VII, professò la vita monastica », *ScC*, 78, 1950, p. 52-57 ; G.B. BORINO, « Note Gregoriane 1., Ildebrando non si fece monaco a Roma », *SGSG*, 4, 1952, p. 40-452). V. maintenant aussi PICASSO, « Gregorio VII e la vita canonica », p. 151-154.

53. O. CAPITANI, « Per la storia dei rapporti », p. 114 et suiv.

pape[54]? Toujours est-il que Gébhard d'Eichstätt fut élu pape sous le nom de Victor II au mois de septembre 1054 et qu'il donna son consentement à l'empereur seulement au mois de mars de l'année suivante. Étienne X l'envoya à nouveau en Gaule en qualité de légat pontifical. Les synodes de Chalon-sur-Saône et de Lyon qu'il présida étaient tous destinés à la lutte contre la simonie. Six évêques coupables furent déposés. À Lyon, l'évêque d'Embrun, accusé de simonie, invité par le légat à réciter le *Gloria Patri et Filio et Spiritui Sancto*, fut incapable de prononcer les deux derniers mots, ce qui fut considéré comme l'aveu que le prélat avait péché contre le Saint-Esprit[55].

L'élection de Grégoire VII

Deux types de sources nous renseignent sur l'élection de Grégoire VII : le protocole de l'élection par lequel débute le registre du pontificat et les quatre premières lettres de ce même recueil, qui ont été écrites par le pape lui-même au lendemain de son élection (22 avril 1073). Le protocole[56] ne dit rien sur le tumulte qui, au moment de la sépulture d'Alexandre II, se serait élevé parmi le peuple des fidèles pour acclamer pape Hildebrand qui, chargé, en sa qualité d'archidiacre, de gouverner l'Église romaine pendant la vacance du siège, avait ordonné un jeûne de trois jours (21 avril). Soutenue ouvertement par le cardinal-prêtre Hugues Candidue, l'élection aurait été approuvée par le clergé de Rome, en la présence des cardinaux-évêques et des abbés. L'intronisation eut lieu en l'église Saint-Pierre in Vincoli[57]. La contradiction entre ces sources tient à leur nature différente : le tumulte populaire n'ayant aucune signification juridique propre, le protocole omet d'en parler. Rapide, l'élection rendit inutile toute tractation préliminaire des cardinaux-évêques[58]. Même au plus fort du conflit avec les évêques allemands, les assemblées de Worms et de Brixen ne mettront jamais en doute la légalité de la procédure à Rome ; elles insisteront sur le fait que, contrairement à la tradition, le consentement du roi n'avait pas été requis. De fait, Grégoire VII communiqua son élection[59] aux évêques, abbés, rois et princes, mais non au roi Henri IV.

Au début de son pontificat (premiers mois de 1073), les relations entre la papauté et les Normands demeurèrent tendues, du moins avec Robert Guiscard, dont la menace sur les terres de l'Église romaine était constante. Le neveu de Guiscard, Robert de Loretello, avait du reste repris ses incursions, arrivant jusqu'à Ortona. Une rencontre avec Robert n'eut finalement pas lieu. Grégoire VII pouvait néanmoins compter sur la fidélité de quelques princes normands, avant tout Landolf, prince de Bénévent et Richard, prince de Capoue ; ceux-ci lui renouvelèrent leur serment de fidélité le

---

54. Selon les témoignages de Bonizon de Sutri et de Léon d'Ostie... La tradition hagiographique postérieure a sans doute exagéré l'importance du rôle joué par Hildebrand, d'autant plus que Benzon d'Albe atteste que la délégation était composée aussi d'Humbert de Silva Candida et de Boniface, cardinal-évêque d'Albano, qui doivent être considérés comme les chefs naturels de la mission, plus âgés qu'Hildebrand.

55. Borino, « Quando et dove », n. 26.

56. Voir plus haut, n. 59.

57. *Das Register Gregors VII.*, I, 1.

58. Voir plus haut, p. 60.

59. *Das Register Gregors VII.*, I, 1-4.

12 août et le 14 septembre. Le pape espérait résoudre le problème normand en lançant un appel à la croisade qui aurait permis de libérer l'Église romaine à la fois de tous ses ennemis et de porter de l'aide à l'empereur de Byzance, menacé par les Turcs. Interpellés, le comte de Bourgogne Guillaume, Raimond de Saint-Gilles, Amédée II de Savoie[60] et Geoffroi le Bossu[61] ne donnèrent pas de suite aux instances du pape, pourtant réitérées[62]. Celui-ci dut se limiter à excommunier Robert Guiscard lors du concile du Latran du mois de mars 1074[63]. L'excommunication fut renouvelée au synode romain de 1075 et étendue à son neveu Robert de Loretello[64]. Paradoxalement, c'est le conflit avec Henri IV qui poussera plus tard le pape à se rapprocher de la maison de Hauteville[65].

Le concile de carême 1074

Dès le début de son pontificat, Grégoire VII voulut mettre en œuvre une collaboration efficace entre évêques, fondement d'une vaste et profonde œuvre de réforme. Le premier concile réformateur, convoqué à Saint-Jean du Latran entre le 9 et le 17 mars 1074, était dicté par le souci d'élaborer des décisions communes de réforme, notamment contre les simoniaques[66]. Les prêtres concubinaires sont éloignés de tout ministère ecclésiastique ; ils doivent s'abstenir de la célébration de la messe. Le concile ne se prononcera toutefois pas sur la nature des sacrements administrés par ces prêtres, ce qui est une autre preuve de la relative modération avec laquelle, au début de son pontificat, Grégoire VII avait décidé d'avancer dans la voie de la réforme, en excluant les mesures les plus radicales.

L'ouverture du pape vers l'épiscopat ne semble pas avoir atteint l'objectif escompté : malgré la pauvreté des sources, l'application des décrets conciliaires semble avoir rencontré de très grandes résistances : dans le royaume franc, les évêques se montrèrent peu enclins à accepter les principes de la réforme ; dans le royaume anglo-normand, les décrets conciliaires auraient été réservés au clergé mineur. En Allemagne, la légation pontificale, la seule pour laquelle nous ayons des informations, fut accueillie, à Nuremberg (avril 1074), avec tous les honneurs par le roi Henri IV, disposé à jouer les bons offices avec les évêques allemands. Le pape réussit à convaincre le roi de prendre la croix[67]. L'hostilité grandissante des évêques à accepter l'autorité d'un concile national, présidé par des légats romains, et la résistance acharnée du clergé mineur à accueillir les décrets réformateurs du concile romain, demeurèrent invaincues.

---

60. *Das Register Gregors VII.*, I, 46.
61. *Das Register Gregors VII.*, I, 72.
62. *Das Register Gregors VII.*, II, 37.
63. *Das Register Gregors VII.*, I, 85a.
64. *Das Register Gregors VII.*, II, 52a.
65. Grégoire VII se déclarait disposé à accorder le pardon dans une lettre à l'évêque d'Acerenza : *Das Register Gregors VII.*, III, 11.
66. La polémique sur la date a été résolue par Borino « I decreti di Gregorio VII contro i simoniaci e i nicolaiti sono del sinodo quaresimale del 1074 », *SGSG*, 6, 1959-61, p. 277 et suiv. ; de manière plus générale : R. Somerville, « The Councils of Gregory VII », dans *La Riforma Gregoriana*, p. 33-53.
67. *Das Register Gregors VII.*, II, 30 et 31.

Le concile de carême 1075

Faisant fi de la forte résistance rencontrée, le concile réformateur, qui se réunit au Latran pendant le carême de 1075 (24-28 février), ne se contenta pas de renouveler les décrets contre les prêtres simoniaques et concubinaires, menacés maintenant d'excommunication en cas de transgression. Ce concile se transforma en assise judiciaire et lança des condamnations contre un grand nombre d'évêques[68]. Il confirma aussi l'excommunication de Robert Guiscard et de son neveu.

Le décret le plus lourd de conséquences fut celui contre l'investiture laïque[69], que nous pouvons reconstruire à partir de la lettre écrite par le pape à son légat en France, Hugues de Die, le 12 mai 1077[70]. Grégoire VII lui ordonnait de convoquer un concile. À toute autorité séculière il devait être interdit, sous peine d'excommunication, de « faire don » d'un évêché ; les métropolites n'auraient pu, sous peine de déposition, consacrer une personne ayant reçu un tel évêché. C'était la première fois que l'Église romaine intervenait dans la question de l'investiture laïque au niveau ecclésial le plus élevé, le décret dit de Nicolas II[71] ne concernant en réalité que les églises mineures[72].

Le conflit avec l'Empire

Le décret de 1075 contre l'investiture laïque n'avait pas dans un premier temps suscité de réactions de la part d'Henri IV, qui s'était du reste déclaré prêt à soutenir les objectifs de la réforme et avait accepté d'entamer des tractations[73]. Grégoire VII avait même loué, le 20 juillet 1075[74], le zèle du roi dans sa lutte contre simoniaques et concubinaires. Le roi envoya à deux reprises des légats à Rome pour traiter des questions en suspens et pour manifester sa volonté et sa révérence envers saint Pierre et le pape[75]. Au même moment, le pape reçut une lettre de la part de Béatrice et de Mathilde, lui faisant part du désir du roi de voir les tractations secrètes transformées en négociations publiques. Le pape fit connaître avec dureté son refus[76]. Peut-être craignait-il que cette manœuvre fût destinée à poser sur la table des négociations le problème de la couronne impériale. Ce qui est certain, c'est que le roi tendait à la constitution et au renforcement en Italie d'une *Reichskirche* qui lui serait absolument fidèle.

Plusieurs nominations d'évêques allèrent dans ce sens : une diète réunie à Roncaglia par le comte Evrard fit élire le sous-diacre milanais et chapelain du roi Tédaldus, nouvel archevêque de Milan, bien qu'Atton et Geoffroi fussent encore en vie ; les

---

68. En Italie : Guillaume de Pavie, Cunibert de Turin, Denis de Plaisance ; en Allemagne : Liémar, Werder de Strasbourg, Henri de Spire, Hermann de Bamberg ; pour la France *infra* p. 103-107.

69. Sur la question de savoir s'il fut réellement promulgué au cours de ce concile, v. BORINO, « Il decreto di Gregorio VII contro le investiture », p. 329 et suiv.

70. *Das Register Gregors VII.*, IV, 22, p. 333 et suiv.

71. Voir plus haut, p. 60.

72. BORINO, « L'investitura laica », p. 345.

73. *Das Register Gregors VII.*, III, 3, 5, p. 251.

74. *Das Register Gregors VII.*, III, 3.

75. *Das Register Gregors VII.*, III, 5, p. 252, 257.

76. *Das Register Gregors VII.*, III, 5.

évêchés de Fermo et de Spolète, alors vacants, furent donnés à deux fidèles du roi, inconnus de Grégoire VII. Le pape réagit en se défendant d'avoir innové avec le décret sur l'investiture laïque[77] et invita le nouvel archevêque à Rome[78]. Ferme, voire véhément, le ton n'était pas encore celui de la rupture. Les événements se précipitèrent la nuit de Noël 1075. Cencius, le fils du préfet Étienne, s'empara de la personne du pape pendant la messe, dans la basilique Sainte-Marie-Majeure. Le pape réussit cependant à se libérer. Il s'était agi d'un geste isolé, dû à l'initiative personnelle du jeune romain, qui s'inscrivait dans un contexte de croissante effervescence et de rapports de plus en plus exacerbés avec la cour allemande.

Peu après, le 24 janvier 1076, une assemblée d'évêques allemands, réunis à Worms, en la présence et sur instigation du roi, déclara le pape indigne de ses fonctions pontificales et lui refusa dorénavant toute obéissance. Les évêques reprochaient à Grégoire VII son ingérence dans les affaires diocésaines et son mépris pour la dignité épiscopale. Les Romains étaient invités à procéder à une nouvelle élection[79]. La réponse ne se fit pas attendre. Le synode du Latran du 14 février approuva à l'unanimité la déposition et l'excommunication du roi, décrétées par le pape, et délia les fidèles du serment de fidélité. Le synode prononça aussi plusieurs suspensions et excommunications, notamment contre l'archevêque de Mayence Sigfried, les évêques lombards et plusieurs évêques français, accusés d'avoir désobéi à l'Église romaine.

Tout en étant très ferme sur le fond, Grégoire VII était disposé à pardonner et à tenter une réconciliation avec le roi[80]. La lettre qu'il écrivit le 25 août 1076 à Hermann de Metz[81] constitue, après le *Dictatus papae*, la plus importante esquisse doctrinale concernant les rapports entre le *regnum* et le *sacerdotium*. Le pape soutient que le pouvoir de lier et de dissoudre, donné *principaliter* à saint Pierre, comprend aussi les rois, sans quoi ils seraient exclus de l'Église et donc du Christ. Si le Siège apostolique a, par la volonté divine, le pouvoir de juger des choses spirituelles, il le peut à fortiori des choses séculières. La dignité royale n'est pas supérieure à celle de l'évêque pour la simple raison que la première naît de la *superbia* humaine, tandis que la deuxième a été instituée par la *pietas* divine. Le Siège apostolique doit pouvoir réprimer les mauvaises actions de ceux qui sont appelés les *membra Antichristi* — qui préfèrent leurs propres intérêts à ceux de Dieu — par opposition aux *membra Christi* — qui obéissent à la volonté de Dieu et à ses commandements. Cette lettre, déterminante pour comprendre la mise en place des doctrines théocratiques médiévales, ne se base que sur un nombre restreint d'*auctoritates*[82] : c'est la confirmation du fait que la très haute conception que Grégoire VII avait de la dignité pontificale ne s'appuyait que partiellement sur un travail théorique systématique.

---

77. *Das Register Gregors VII.*, III, 10, p. 266.
78. *Das Register Gregors VII.*, III, 8 et 9.
79. *MGH, Const*, I, p. 106 et suiv.
80. *Das Register Gregors VII.*, III, 6, 15; IV, 1.
81. *Das Register Gregors VII.*, IV, 2.
82. Saint Ambroise, Pseudo-Isidore, quelques lettres, des références historiques...

Canossa

Une très grande assemblée du royaume se tint le 16 octobre à Tribur. La politique de ceux qui voulaient offrir à Henri IV la possibilité de se rétracter prévalut. Dans une *promissio* destinée au pape, et dans un *édictum* adressé aux princes, le roi s'engageait à soutenir la politique pontificale. Les décisions furent de fait ajournées à une nouvelle assemblée du royaume, qui aurait dû se tenir à Augsbourg le 2 février 1077 avec la participation du pape. Celui-ci partit de Rome entre novembre et décembre, après avoir demandé aux princes allemands l'envoi d'une escorte qui l'accompagnât au-delà des Alpes. Mais le roi, craignant une entente entre le pape et les princes, trop dangereuse pour l'avenir de la royauté salienne, tenait à tout prix à rencontrer Grégoire VII avant que celui-ci ait pu toucher le sol allemand. Parti de Spire, où il s'était rendu à des fins de pénitence, en compagnie de sa femme Berthe et de son très jeune fils Conrad, le roi prit le chemin du royaume de Bourgogne, ne pouvant traverser les cols alpins contrôlés par les princes de l'Allemagne du Sud[83]. Le mont Cenis lui fut ouvert par sa belle-mère, la marquise Adélaïde de Turin, contre un grand nombre de donations.

Surpris par la nouvelle de l'arrivée prochaine d'Henri IV en Italie, Grégoire VII, qui était déjà arrivé à Mantoue, se retira à Canossa, un château fortifié et très bien défendu, au sud-ouest de Reggio Emilia, appartenant à la comtesse Mathilde. Henri IV s'installa également dans un château, propriété de Mathilde (Bianello), où il entreprit, semble-t-il, des négociations avec le pape, grâce à la médiation de l'abbé Hugues de Cluny, parrain du roi. Ces contacts n'eurent cependant aucun succès.

Le roi arriva finalement à Canossa le 25 janvier, le jour de la Conversion de saint Paul, pieds nus, en habit de pénitent. Pendant trois jours, il demeura devant les murs du château pour implorer le pardon du pape. Grâce à l'aide de plusieurs hauts personnages ecclésiastiques[84] et laïques[85], le roi fut finalement admis en présence de Grégoire VII qui, après avoir obtenu le serment écrit du roi qu'il accepterait l'arbitrage du pape, et qu'il apporterait tout son soutien à l'action du pape en vue de résoudre les conflits avec les évêques allemands, soit à travers des procès, soit par une large action de paix, souleva le roi qui gisait devant lui en forme de croix, le libéra de toute censure ecclésiastique et le réintégra dans l'Église, en présence des évêques Werner de Strasbourg, Bourchard de Bâle et Bourchard de Lausanne. Lors de la célébration eucharistique qui suivit, Grégoire VII donna personnellement la communion au roi.

Le roi fut-il réintégré dans sa royauté[86]? L'absolution de Canossa ne signifiait nullement que le roi retrouvait une pleine réintégration en tant que roi. Henri IV fut néanmoins traité par la suite comme tel par le pape, même si Grégoire VII déclara en

---

83. Rudolf de Rheinfelden, Welf de Bavière, Berthold de Carinthie, chefs de l'opposition.
84. L'abbé de Cluny Hugues, les évêques Eberhard de Naumburg-Zeit et Grégoire de Verceil.
85. Les comtesses Mathilde de Canossa et Adélaïde de Turin, le marquis Azzo d'Este.
86. A. Fliche, « Grégoire VII, à Canossa, a-t-il réintégré Henri IV dans sa fonction royale ? », *SGSG*, 1, 1947, p. 373-386 ; H.-X. Arquillière, « Grégoire VII, à Canossa, a-t-il réintégré Henri IV dans sa fonction royale ? », *ibid.*, 4, 1952, p. 1-26.

1080 qu'à Canossa il n'avait pas réintégré le roi dans sa dignité royale[87]. L'excommunication d'Henri IV était une mesure apte à séparer un pécheur obstiné de l'Église. C'est surtout pour cela qu'Henri IV, à Canossa, fut réintégré dans la communion ecclésiale, sans pour autant que le pape fût obligé de restaurer en même temps sa dignité royale.

Par sa pénitence à Canossa, Henri IV avait réussi à éliminer le danger d'une entente entre le pape et l'opposition princière en Allemagne et à gagner du temps pour la reconquête de la couronne. Le roi avait toutefois permis au pape de s'ériger de manière éclatante en juge des princes laïques et des grandes affaires temporelles, un droit qui allait de soi pour Grégoire VII, mais qui rompait avec la doctrine des deux pouvoirs, d'origine gélasienne[88], sur laquelle avait reposé la direction de la *res publica christiana* pendant presque six siècles.

Le synode de 1078

Le problème allemand retint à nouveau l'attention du synode romain du 19 novembre 1078 qui confirma les traditionnels décrets réformateurs et exigea que l'action des légats romains ne fût pas entravée. Au mois de février 1079, un nouveau synode romain tenta de trouver une solution définitive au problème du royaume : plusieurs légats importants (Pierre Igneus, cardinal-évêque d'Albano, Uldricus, évêque de Padoue) furent chargés de préparer le *colloquium*[89]. Les continuelles tergiversations du roi incitèrent le pape à prononcer le 7 mars 1080 devant le concile réuni au Latran[90] une deuxième excommunication d'Henri IV[91].

Grégoire VII canoniste

Grégoire VII ne fut certes pas un canoniste ou un légiste à la manière des papes des XIIe et XIIIe siècles, rompus aux nouvelles techniques intellectuelles qui ont complètement transformé l'enseignement et la pratique du droit aussi bien civil que canonique[92]. Il serait absurde de juger un pape qui a vécu plusieurs générations avant Gratien, selon une méthode de pensée et d'analyse juridiques, propre à la scolastique.

---

87. K.F. MORRISON, « Canossa : a Revision » *Traditio*, 18, 1962, p. 121-148 ; v. aussi J. VOGEL, *Gregor VII. und Heinrich IV. nach Canossa. Zeugnisse ihres Selbstverständnisses*, Berlin-New York, 1983.

88. R. BENSON, « The Gelasian Doctrine : Uses and Transformations », dans *La notion d'autorité au Moyen Âge. Islam, Byzance, Occident*. Colloques internationaux de La Napoule, Paris, 1982, p. 13-44.

89. Grande assemblée du royaume qui aurait dû permettre au pape de présenter avec vigueur et autorité ses idées sur la suprématie du Siège apostolique.

90. *Das Register Gregors VII.*, VII, 14a, p. 483 et suiv.

91. L'excommunication d'Henri IV (1080) était souvent apparue aux historiens comme étant définitive, par rapport à la première, considérée, comme provisoire. En vérité, les deux décrets d'excommunication utilisent les mêmes termes, la seule variante concernant, dans la deuxième, la reconnaissance de Rodolphe, et il est difficile d'admettre que les deux excommunications aient été considérées comme différentes aux yeux du pape ; cf. MORRISON, « Canossa », *passim*.

92. À ce propos, les positions des historiens ont été très diverses : J. HALLER, *Das Papsttum. Idee und Wirklichkeit*, II, 1965, p. 266, supposait une étude intense du droit de la part du pape ; P.S. LEICHT, « Il pontefice S. Gregorio VII ed il diritto romano », *SGSG*, 1, 1947, p. 93 et suiv. montre, au contraire, à l'aide de graphiques, l'absence de connaissances de droit romain de la part du pape ; aux affirmations de W. ULLMANN, *The Growth of Papal Government in the Middle Ages*, 1970 (3e éd.) allant dans le sens contraire, a répondu avec finesse J. GAUDEMET, « Regards sur l'histoire du droit canonique

Telle quelle, la querelle historiographique sur la culture juridique de Grégoire VII[93] mérite d'être abandonnée. Elle a le mérite de montrer à quel point la période classique du droit canon a fourni aux historiens le critère pour juger des capacités ou aptitudes juridiques[94]. Une réhabilitation récente présente Grégoire VII comme un canoniste tout à fait honorable pour son temps[95]. Aucun indice documentaire ne prouve cependant qu'Hildebrand ait reçu une formation de juriste; dans ses lettres, le pape ne recourt pas à des argumentations juridiques d'une densité particulière; à ses yeux, le discours juridique en lui-même était relativement secondaire; Grégoire VII ne condamne pas la tradition canonique, mais n'hésite pas à fonder un nouveau droit, voire même à procéder à des remaniements tendancieux des anciens textes, dont il transforme souvent le sens afin de le soumettre à ses visées politiques et ecclésiologiques[96].

Dictatus papae

Dans le Registre des lettres de Grégoire VII ont été insérées, sous le titre de *Dictatus papae*[97], 27 propositions concernant des privilèges, prérogatives et fonctions de l'Église de Rome[98]. Ce texte figure entre deux lettres du 3 et 4 mars 1075, mais son élaboration remonte probablement au début du pontificat : encore archidiacre, Hildebrand avait demandé à Pierre Damien de lui composer un recueil canonique sur les privilèges de l'Église romaine et de son évêque[99]. La présence de sentences concernant les légats et le droit du pape à déposer les évêques, même absents, pourrait faire supposer une date d'élaboration postérieure au concile de carême 1074[100].

La question de la nature et de la fonction du *Dictatus papae* est l'une des plus controversées de l'histoire de la réforme grégorienne. Selon la thèse, proposée d'abord

antérieur au décret de Gratien », *SDHI*, 51, 1985, p. 88 et suiv.; v. aussi FORNASARI, « Del nuovo su Gregorio VII? », p. 331 et suiv. et *id*, « Pier Damiani e Gregorio VII : dall'ecclesiologia "monastica" all'ecclesiologia "politica?" », dans *Atti del V Convegno del Centro di Studi Avellaniti*, 1981, p. 151 et suiv.; *Id.*, « "Iuxta patrum decreta et auctoritatem canonum". Alla ricerca delle fonti della dottrina teologica e canonica di Gregorio VII », dans *Chiesa, diritto e ordinamento della "Societas christiana" nei secoli XII e XII, La Mendola, IX*, Milano, 1986, p. 445-46.

93. ARQUILLIÈRE, « Grégoire VII, à Canossa, a-t-il réintégré Henri IV dans sa fonction royale? », p. 19 et suiv.
94. MORRISON, « Canossa », p. 19.
95. J. GILCHRIST, « Gregory VII and the Juristic Sources of his Ideology », *STGra*, 12, 1967, p. 3-37.
96. FUHRMANN, « Papst Gregor VII. », 140 : « Gregor gibt zuweilen den Texten, manchmal durch erhebliche Veränderungen, einen neuen, einen zugespitzten und mit seinen Ausschauungen übereinstimmenden Sinn. »
97. Ce qui signifie « texte écrit par le pape ».
98. Édition critique du *Dictatus papae*, dans *Das Register Gregors VII.*, II, 55a, p. 202-208. Études importantes : E. SACKUR, « Der "Dictatus papae" und die Canonessammlung des Deusdedit », *NA*, 18, 1893, p. 135-153; G.B. BORINO, « Un'ipotesi sul "Dictatus papae" di Gregorio VII », *ADRSP*, 67, 1946, p. 237-252; K. HOFMANN, *Der Dictatus papae Gregors VII. Eine rechtsgeschichtliche Erklärung*, Paderborn, 1933; *id.*, « Der "Dictatus papae" Gregors VII. als Index einer Kanonessammlung? », *SGSG*, 1, 1947, p. 533 et suiv.; S. KUTTNER, « Liber canonicus. A note on "Dictatus papae" c. 17 », *SGSG*, 2, 1947, p. 400 et suiv.; W. ULLMANN, « Romanus Pontifex indubitanter efficitur sanctus : Dictatus papae 23 in Retrospect and Prospect », *SGSG*, 6, 1959-61, p. 229-264; SCHRAMM, *Kaiser, Könige und Päpste*, IV, 1, p. 58; J.T. GILCHRIST, « Canon Law Aspects of the Eleventh Century Gregorian Reform Programme », *JEH*, 13, 1962, p. 21-38; *id.*, « Gregory VII and the Juristic Sources of his Ideology », *STGra*, 12, 1967, p. 3-37; FUHRMANN, « Papst Gregor VII. », p. 123-49.
99. *Opusculum V*, dans *PL* 145, c. 89 et suiv.
100. MICCOLI, « Gregorio VII, papa », col. 329.

par E. Sackur[101], reprise ensuite par G.B. Borino[102], il ne s'agirait ni d'une série d'affirmations, ni de l'énonciation d'un programme pontifical, mais plus simplement de l'*index* d'une petite collection canonique (non terminée ou par la suite perdue), ayant pour but de rassembler les textes de la tradition canonique se référant aux droits du pape, à ses prérogatives face aux Églises de la chrétienté latine. Il est vrai que la majorité des 27 propositions du *Dictatus papae* correspondent à des *capitula* que l'on trouve dans la plus importante collection canonique de la réforme grégorienne, dite des 74 titres, dont la compilation remonte aux années 1051-1073[103].

Malgré d'amples recherches[104], il n'a pas été possible de trouver pour chacune des affirmations du *Dictatus papae* des témoignages exacts relevant de la tradition canonique. Les idées émises étaient courantes parmi les premiers réformateurs[105], mais l'ensemble de ces propositions correspond néanmoins à une « nouvelle, inhabituelle et très efficace plate-forme d'action et d'intervention[106] ». Le document n'était du reste apparemment pas destiné à la publication et il ne semble pas avoir connu une diffusion quelconque. Plus tard, on rencontre des parallèles avec des passages du *Dictatus papae*, mais pas de citations[107]. Il n'a du reste jamais fait l'objet de critiques de la part des contemporains. D'autre part, la plus forte interdépendance textuelle existe avec les lettres de Grégoire VII lui-même, ce qui prouve bien que ce document porte la marque personnelle du pape[108]. La manière, percutante, dont les 27 sentences sont formulées, et le fait qu'elles aient été insérées dans le Registre des lettres de Grégoire VII, dont le caractère de produit original de la chancellerie pontificale semble pouvoir être pris en considération[109], prouvent, une fois de plus, la prise de conscience, de la part de ce pape, de la complexité et de l'étendue du champ de compétences réservées à l'évêque de Rome.

Le *Dictatus papae* ne semble pas suivre un ordre *a priori* systématique. La première sentence constitue néanmoins le fondement des prétentions de la papauté médiévale à une juridiction spéciale : l'Église de Rome[110] a été fondée directement par le Christ ; elle ne peut donc errer (XXII) et ceux qui ne sont pas avec elle sont dans l'erreur (XXVI). Le pape lui-même ne peut être soumis à un jugement d'homme (XIX), ses sentences ne sont pas révocables (XVIII), il est le seul à avoir une juridiction

---

101. SACKUR, « Der "Dictatus papae" und die Canonessammlung des Deusdedit », p. 135-153.

102. BORINO, « Un'ipotesi sul "Dictatus papae" di Gregorio VII », p. 237-252 ; *id.*, « Der "Dictatus papae" Gregors VII. als Index einer Kanonessammlung ? », p. 533 et suiv.

103. GILCHRIST, « Canon Law Aspects », p. 21-38 ; *id.*, « Gregory VII and the Juristic Sources of his Idéology », p. 3-37.

104. HOFFMANN, *Der Dictatus papae.*

105. GILCHRIST, « Canon Law Aspects », p. 21-38 ; *id.*, « Gregory VII », p. 3-37. Notamment dans les œuvres d'Humbert de Silva-Candida, les *Diversorum patrum sententiae*, etc.

106. MICCOLI, « Gregorio VII, papa », col. 338.

107. H. FUHRMANN, « "Quod catholicus non habeatur, qui non concordat Romanae ecclesiae". Randnotizen zum Dictatus Papae », dans *Festschrift für H. Beumann zum 65. Geburtstag*, éd. K.-U. JÄSCHKE-R. WENSKUS, 1977, p. 286 et suiv. et R. SCHIEFFER, « Rechtstexte des Reformpapsttums und ihre zeitgenössische Resonanz », dans *Überlieferung und Geltung normativer Texte des frühen und hohen Mittelalters*, éd. H. MORDEK, 1986, p. 56 et suiv.

108. FUHRMANN, « Papst Gregor VII », p. 146.

109. La question a été l'objet de très nombreuses discussions (excellent résumé : MICCOLI, « Gregorio VII, papa », col. 361 ; v. maintenant H. HOFFMANN).

110. Considérée comme distincte des autres églises apostoliques.

universelle (II), à pouvoir « créer » du nouveau droit (VII); il peut déposer ou absoudre des évêques, même absents (III), il peut envoyer des légats présider des conciles même si leur grade hiérarchique est inférieur à celui des évêques présents (IV); il a droit à toute une série de « privilèges d'honneur » (II, VIII, IX, X, XI, XXIII). L'universalité de son rayon d'action ne s'arrête pas au domaine ecclésiastique : la sentence qui énonce que le pape peut déposer l'empereur (XII) et délier les sujets du serment de fidélité (XXVII) sera lourde de conséquences politiques[111].

Le *Dictatus papae* présente une étonnante parenté avec la série de sentences qui porte le titre *He sunt proprie auctoritates Apostolice Sedis*[112]. La découverte de nouveaux témoignages manuscrits[113] a montré que ces sentences, produites sans doute en Italie centrale, doivent être antérieures aux années 1123-1124; la thèse selon laquelle ce texte serait lui aussi sorti de la plume de Grégoire VII ne rencontre cependant pas l'unanimité[114]. Le *Dictatus papae* d'Avranches a laissé tomber les articles (5, 8, 9, 23) qui touchent aux rapports entre le pape et l'empereur; mais, en général, ses affirmations sont plus amples et possèdent un vocabulaire différent du *Dictatus papae* de Grégoire VII, ce qui laisse penser que le premier est né en-dehors de la chancellerie pontificale[115].

ℓ *Le texte du* Dictatus papae[116]

I   ˙Quod Romana ecclesia a solo Domino sit fundata.

II   Quod solus Romanus pontifex iure dicatur universalis.

III   Quod ille solus possit deponere episcopos vel reconciliare.

IV   Quod legatus eius omnibus episcopis presit in concilio etiam inferioris gradus et adversus eos sententiam depositionis possit dare.

V   Quod cum excommunicatis ab illo inter cœtera nec in eadem domo debemus manere.

VI   Quod absentes papa possit deponere.

VII   Quod illi soli licet pro temporis necessitate novas leges condere, novas plebes congregare, de canonica abbatiam facere et e contra, divitem episcopatum dividere et inopes unire.

VIII   Quod solus possit uti imperialibus insigniis.

---

111. V. encore KUTTNER, « Liber canonicuş », 1947, p. 400 et suiv.; W. ULLMANN, « Romanus Pontifex indubitanter efficitur sanctus; Dictatus papae 23 in Retrospect and Prospect », *SGSG*, 6, 1959-61, p. 229-264; P.E. SCHRAMM, *Kaiser, Könige und Päpste*, IV, 1, Stuttgart, 1970, p. 58; L. MEULENBERG, « Une question toujours ouverte : Grégoire VII et l'infaillibilité du pape », *Aus Kirche und Reich. Studien zu Theologie, Politik und Recht im Mittelalter für F. Kempf*, Sigmaringen, 1983, p. 159-172.

112. Elles furent publiées en 1891 par S. Löwenfeld sur la base d'un manuscrit d'Avranches; cf. J. JACQUELINE, « À propos des "Dictatus papae", les "Auctoritates Apostolice Sedis" d'Avranches », *RHDF*, s. 4, 34, 1956, p. 573 et suiv.

113. H. MORDEK, « Proprie auctoritates Apostolice Sedis. Ein zweiter Dictatus papae Gregors VII », *DA*, 28, 1972, p. 105-132; M. WOJTOWYTSCH, « "Proprie auctoritates Apostolice Sedis". Bemerkungen zu einer bisher unbeachteten Ueberlieferung », *DA* 40, 1984, p. 612-621. V. maintenant aussi FUHRMANN, « Papst Gregor VII », p. 127-149.

114. Cette thèse, reprise récemment par H. Mordek, a été combattue par F. KEMPF, « Ein zweiter Dictatus Papae? Ein Beitrag zum Depositionsanspruch Gregors VII », *AHP*, 13, 1975, p. 119 et suiv. Résumé des arguments in WOJTOWYTSCH, « Proprie auctoritates », p. 612-621.

115. FUHRMANN, « Papst Gregor VII », p. 147.

116. *Das Register*, éd. CASPAR II, 55a, p. 202-207.

VIIII Quod solius pape pedes omnes principes deosculentur.
X   Quod illius solius nomen in ecclesiis recitetur.
XI   Quod hoc unicum est nomen in mundo.
XII   Quod illi liceat imperatores deponere.
XIII   Quod illi liceat de sede ad sedem necessitate cogente episcopos transmutare.

Christ nimbé remettant les clefs à saint Pierre,
Méditations de saint Anselme, manuscrit sur parchemin
n° 70, folio 69
(Bibliothèque de Verdun).

XIV — Quod de omni ecclesia quocunque voluerit clericum valeat ordinare.

XV — Quod ab illo ordinatus aliis ecclesiae preesse potest, sed non militare; eo quod ab aliquo episcopo non debet superiorem gradum accipere.

XVI — Quod nulla synodus absque precepto ejus debet generalis vocari.

XVII — Quod nullum capitulum nullusque liber canonicus habeatur absque illius auctoritate.

XVIII — Quod sententia illius a nullo debeat rectractari et ipse omnium solus rectatare possit.

XVIIII — Quod a nemine ipse iudicari debeat.

XX — Quod nullus audeat condemnare apostolicam Sedem appellantem.

XXI — Quod maiores causae cuiuscunque ecclesie ad eam referri debeant.

XXII — Quod Romana Ecclesia numquam erravit nec imperpetuum scriptura testante errabit.

XXIII — Quod Romanus pontifex, si canonice fuerit ordinatus, meritis beati Petri indubitanter efficitur sanctus testante sancto Ennodio Papensi episcopo et multis sanctis patribus faventibus, sicut in decretis beati Symmachi papae continetur.

XXIIII — Quod illius precepto et licentia subiectis liceat accusare.

XXV — Quod absque synodali conventu possit episcopos deponere et reconciliare.

XXVI — Quod catholicus non habeatur, qui non concordat Romane Ecclesie.

XXVII — Quod a fidelitate iniquorum subiecto potest absolvere.

Traduction française[117]

1 L'Église romaine a été fondée par le Seigneur seul.

2 Seul, le pontife romain est dit à juste titre universel.

3 Seul, il peut déposer ou absoudre les évêques.

4 Son légat, dans un concile, est au-dessus de tous les évêques, même s'il leur est inférieur par l'ordination, et il peut prononcer une sentence de déposition.

5 Le pape peut déposer les absents.

6 Vis-à-vis de ceux qui ont été excommuniés par lui, on ne peut entre autres choses habiter sous le même toit.

7 Seul, il peut, suivant l'opportunité, établir de nouvelles lois, réunir de nouveaux peuples, transformer une collégiale en abbaye, diviser un évêché riche et unir des évêchés pauvres.

8 Seul, il peut user des insignes impériaux.

9 Le pape est le seul homme dont tous les princes baisent les pieds.

10 Il est le seul dont le nom soit prononcé dans toutes les églises.

11 Son nom est unique dans le monde.

12 Il lui est permis de déposer les empereurs.

13 Il lui est permis de transférer les évêques d'un siège à un autre, selon la nécessité.

14 Il a le droit d'ordonner un clerc de n'importe quelle église, où il veut.

---

117. H.-X. ARQUILLIÈRE, *Grégoire VII*, Paris, 1934, p. 130-132.

15 Celui qui a été ordonné par lui peut gouverner l'église d'un autre mais non faire la guerre; il ne doit pas recevoir d'un autre évêque un grade supérieur.

16 Aucun synode ne peut être appelé général sans son ordre.

17 Aucun texte canonique n'existe en dehors de son autorité.

18 Sa sentence ne doit être réformée par personne et seul il peut réformer la sentence de tous.

19 Il ne doit être jugé par personne.

20 Personne ne peut condamner celui qui fait appel au Siège apostolique.

21 Les *causae maiores* de n'importe quelle église doivent être portées devant lui.

22 L'Église romaine n'a jamais erré; et, selon le témoignage de l'Écriture, elle n'errera jamais.

23 Le pontife romain, canoniquement ordonné, est indubitablement par les mérites de saint Pierre établi dans la sainteté, au témoignage de saint Ennodius, évêque de Pavie, d'accord avec de nombreux Pères comme on peut le voir dans le décret du bienheureux pape Symmaque.

24 Sur l'ordre et avec l'autorisation du pape il est permis aux sujets d'accuser.

25 Il peut, en dehors d'une assemblée synodale, déposer et absoudre les évêques.

26 Celui qui n'est pas avec l'Église romaine n'est pas considéré comme catholique.

27 Le pape peut délier les sujets du serment de fidélité aux injustes.

L'antipape Clément III (Guibert de Ravenne)[118]

Descendant de la famille noble des Correggio, apparentée avec les Canossa, Guibert, né entre 1020 et 1030, était très lié à la cour impériale. Grâce à l'appui de l'impératrice Agnès, régente pendant la minorité du futur Henri IV, il assuma la charge de chancelier impérial (depuis 1058) et d'archevêque de Ravenne (de 1073 à 1100). Présent au synode de Sutri (janvier 1059) qui devait confirmer la déposition de Benoît X, il porta le soutien de la cour impériale à la confirmation de l'élection de Nicolas II, qu'il suivit à Rome en compagnie de Geoffroi de Lorraine, marquis de Toscane. Par sa médiation, l'empereur obtint la reconnaissance du *ius et honor imperii* dans l'élection pontificale, inscrite dans la version « impériale » (ou « falsifiée ») du décret de 1059[119]. Placé au cœur des rapports conflictuels entre la cour impériale et le siège de Rome, Guibert apporta, après la mort de Nicolas II, en tant que chancelier impérial, son soutien le plus ferme à l'évêque de Parme Cadalous, élu (anti)pape Honorius II au synode de Bâle. Grégoire VII finit par le déposer, en 1078, de la charge d'archevêque de Ravenne. L'excommunication fut confirmée en 1080 peu avant qu'un synode, réuni à Brixen, fréquenté par une trentaine d'évêques d'obédience impériale, l'eût élu pape sous le nom de Clément III (25 juin 1080).

---

118. O. CAPITANI, « Per un riesame dei "falsi ravennati" », *ADSPR*, n.s., 22, 1971, p. 21-41; L. SCHMUGGE, « Codicis Iustiniani et Institutionum baiulus. Eine neue Quelle zu Magister Pepo von Bologna », *Ius Commune*, 6, 1977, p. 1-9; P. FIORELLI, « Clarum Bononiensium Lumen », *Per Francesco Calasso*, Roma, 1978, p. 413-459; I. STUART ROBINSON, *Authority and Resistance in the Investiture Context*, Manchester, 1978; C. DOLCINI, « Clemente III », *DBI*, XXVI, Rome, 1982, p. 181-189.

119. KRAUSE, « Das Papstwahldekret von 1059 », p. 88; CAPITANI, « Per un riesame dei "falsi ravennati" », p. 21-41; cf. *supra*, p. 60.

Henri IV dut assiéger Rome pour introniser le nouvel élu (au Latran, le 31 mars 1084) mais repartit aussitôt pour l'Allemagne. Sans protection, Clément III fut obligé de quitter la ville éternelle à l'annonce de l'arrivée de l'armée normande, conduite par Robert Guiscard. Il ne revint à Rome qu'en 1087, pour empêcher l'accès à Saint-Pierre à son rival direct, l'abbé du Mont-Cassin Didier, élu pape sous le nom de Victor III, en 1086. Malgré l'appui de l'empereur et de nombreux autres souverains (Hongrie, Angleterre), son autorité ne fit que décliner, surtout après l'avènement d'Urbain II (1088). Il réussit toutefois à réunir en 1098 un synode de « guibertistes » et à s'opposer, en 1099, à l'élection de Pascal II : son rôle fut cependant de moins en moins déterminant, jusqu'à sa mort, survenue à Civita Castellana le 8 septembre 1100.

Jugé longtemps comme personnage pâlot, instrument docile aux mains de l'empereur, Clément III a fait l'objet d'une sorte de réhabilitation historiographique. Homme de culture, il aurait recherché, non l'affrontement mais le consensus avec l'Empire pour faire passer des idées de réforme, dont on ne peut pas affirmer qu'il ait été moins épris que les partisans de la politique pontificale. Son action à Ravenne en faveur de la *vita communis* des chanoines de sa cathédrale reste significative à cet égard. L'image négative dont Clément III a souffert était largement due au fait qu'un grand nombre de textes produits par la littérature polémique anti-grégorienne lui avaient été attribués[120]. Or, le *privilegium minus* semble avoir été écrit par l'entourage d'Henri IV[121] et la *Defensio Henrici IV Regis* serait plutôt une pièce fabriquée par la chancellerie impériale en Italie[122]. Même la participation directe de Guibert à la rédaction « impériale » du décret d'élection pontificale de 1059 ne s'appuie sur aucun fondement solide[123]. Il faut, par contre, attribuer à Clément III la fabrication, entre 1090 et 1100, du faux privilège d'Hadrien Ier à Charlemagne, attestant que, grâce à la *lex regia de imperio*, le pape, en accord avec le clergé et le peuple romain, avait attribué à l'empereur le droit d'élection papale et les droits d'investiture aux évêques avant leur consécration.

La mort de Grégoire VII[124]

Au moment où Henri IV avait commencé sa marche vers Rome, Grégoire VII, que treize cardinaux avaient abandonné au début de 1084, bloqué au château Saint-Ange, fut libéré par Robert Guiscard, duc des Pouilles et de Calabre. Le 27 mai 1084, le pape put entrer solennellement au Latran. Mais les désordres et les pillages l'obligèrent à

---

120. Pour un résumé de la question, v. DOLCINI, « Clemente III », p. 183 et suiv.

121. CAPITANI, « Per un riesame dei "falsi ravennati" », p. 42 affirme en outre que la participation active de Guibert à la rédaction de ce document semble incertaine ; dans les milieux « guibertistes », le « privilegium minus » était cependant connu et utilisé comme arme polémique contre Grégoire VII : v. DOLCINI, « Clemente III », p. 183 et suiv.

122. STUART ROBINSON, « Authority », p. 75-83 ; Pierre Crassus n'en serait pas l'auteur, qui devrait plutôt être identifié avec le « Petrus fidelis » nommé dans le prologue ; l'identification avec le professeur de droit Peppo, avancée par P. Torelli, doit être acceptée avec réserve ; cf. DOLCINI, « Clemente III », p. 183.

123. KRAUSE, *Das Papstwahldekret*, p. 98, 272 : « Salvo debito honore et reverentia dilectissimi filii nostri Heinrici, qui in presenti rex habetur et futurus imperator Deo concedente speratur, sicut iam sibi mediante eius nuntio Longobardie cancellario W. concessimus, et successorum illius, qui ab hac apostolica sede personaliter hoc ius impetraverint. »

124. BLOCH, *Monte Cassino in the Middle Ages* ; COWDREY, *The Age of Abbot Desiderius. Montecassino* ; I.S. ROBINSON, « Monte Cassino in the Central Middle Ages », *JEH*, 42, 1991, p. 259-282 (bulletin critique très bien informé).

quitter la ville et à se réfugier d'abord au Mont-Cassin, puis à Salerne, où il fixa finalement sa résidence. Vers la fin de l'année, il y tint un synode pour renouveler l'excommunication contre Henri IV et Clément III (qui put célébrer les fêtes de Noël 1084 à Saint-Pierre au Vatican). C'est dans l'exil, à Salerne, que Grégoire VII s'éteignit le 25 mai 1085. Il aurait prononcé sur son lit de mort des mots devenus célèbres — « J'ai aimé la justice et haï l'iniquité, et c'est pour cela que je meurs dans l'exil » (*Dilexi iustitiam et odio habui iniquitatem, idcirco morior in exilio*)[125] —, qui révèlent sa très haute conception du programme réformateur auquel il avait consacré sa vie, comme aussi la conscience aiguë de son échec immédiat.

Le testament de Grégoire VII

D'après son « testament », écrit vraisemblablement par un membre de son entourage après la mort du pape et conservé dans deux traditions différentes[126], Grégoire VII, interrogé, sur son lit de mort, par les évêques et cardinaux romains présents à Salerne, sur la personne qu'il aurait aimé voir lui succéder, indiqua dans l'ordre les noms d'Anselme, évêque de Lucques, d'Eudes, évêque d'Ostie, et d'Hugues, archevêque de Lyon. À la question de savoir quelle attitude il fallait adopter en ce qui concerne les excommuniés, le pape mourant aurait précisé qu'Henri *dictus rex* et l'archevêque Guibert de Ravenne — l'antipape Clément III —, ainsi que leurs conseillers, auraient dû donner pleine satisfaction canonique aux évêques et aux cardinaux de leur volonté de réintégrer l'Église ; il voulut toutefois absoudre et bénir tous les autres, pour autant qu'ils reconnaissaient le pouvoir spirituel du pape, vicaire de saint Pierre.

6. VICTOR III (1086-1087)

L'une des deux traditions du testament de Grégoire VII — la collection de Hannover — précise que l'élection du futur pape aurait dû se faire selon les normes canoniques. Le successeur de Grégoire VII ayant été finalement l'abbé du Mont-Cassin Didier, la chronique de ce monastère substitua son nom à ceux des trois prélats désignés par le « testament » de Grégoire VII et prétendit que l'élu avait été désigné par son prédécesseur. Cette désignation aurait été faite trois jours avant la mort du pape, à la suite de questions posées par les évêques et les cardinaux, en présence de Didier. Au cas où il eût été impossible d'élire Didier, le pape aurait recommandé que l'élu fût choisi parmi les évêques. Depuis longtemps suspect[127], le récit de la chronique du Mont-Cassin à propos de l'élection de Victor III, est le résultat d'un collage de textes

---

125. *Vita Anselmi ep. Lucensis*, 38, ed. WILMANS, *MGH.SS*, XII, p. 24 ; Paul de Bernried, *Gregorii papae VII vita*, chap. 110, éd. WATTERICH, I, p. 540 ; *Codex Udalrici*, 71, éd. JAFFE, *Bibliotheca rerum Germanicarum*, V, Berlin, 1869, p. 144.
126. Une collection de lettres, de Hanovre, éd. *Briefsammlungen der Zeit Heinrichs IV., MGH.B*, v. 75-76, n° 35 ; et — seulement le début — dans la chronique d'Hugues de Flavigny : morceau de parchemin inséré dans le manuscrit autographe, écrit de la main même de l'auteur : *MGH.SS*, VIII, p. 466.
127. A. FLICHE, *La Réforme grégorienne*, II, Londres-Paris, 1925, p. 164-165.

d'origines diverses, vraisemblablement postérieur à 1086, c'est-à-dire à la mort même d'Anselme de Lucques[128].

Dans un premier temps, il ne semble pas qu'il ait été question d'une candidature de Didier à l'élection pontificale. L'abbé du Mont-Cassin participa en tout cas de très près aux tractations. À la Pentecôte 1085 (6 juin), il rencontra — dans son abbaye ou dans les environs — l'évêque Hubaldus de Sabine et un certain Gratien qui venaient de Rome, en présence des princes normands Jordan de Capoue et Rainulfe de Caiazzo, qui se déclarèrent prêts à servir l'Église romaine. Il les renseigna sur les conversations qu'il avait eues avec Grégoire VII à propos de la succession pontificale[129]. Didier, doyen des cardinaux-prêtres, apparaît comme l'exécuteur des dernières volontés du défunt pape plutôt que comme son bénéficiaire[130].

C'est de Rome, autour de la fête de Pâques 1086 (5 avril), que partit finalement l'initiative de résoudre le problème de la succession papale. Une assemblée d'évêques et de cardinaux, comprenant peu de prélats de l'Italie du Sud, invita Didier, ainsi que les évêques et cardinaux romains qui résidaient avec lui au Mont-Cassin à les rejoindre. D'après le récit de la chronique du Mont-Cassin, le nom de Didier ne fut pas prononcé au début. Le soir même, le parti grégorien, réuni en l'église Sainte-Lucie près du Septizonium, au pied du Palatin, désigna à l'unanimité Didier comme pape. À la suite du refus de celui-ci, l'assemblée se dispersa. Le matin de Pentecôte, les cardinaux-prêtres et évêques ayant pris acte de son refus réitéré, déclarèrent vouloir élire le candidat de son choix. Après avoir consulté le préfet de Rome, Cencius, Didier indiqua le prélat que Grégoire VII avait désigné à la deuxième place l'évêque d'Ostie Eudes. Un cardinal ayant protesté avec véhémence contre cette désignation, la considérant canoniquement invalide, Didier fut porté tumultueusement à l'église Sainte-Lucie où il fut élu ; il prit alors le nom de Victor.

Les sources semblent coïncider sur un point : au centre de cette élection se trouvait le parti grégorien de Rome même, soutenu par la noblesse romaine. Les bons rapports ayant existé entre le préfet de Rome Cencius et le futur pape sont confirmés par la découverte d'un reliquaire contenant des reliques de saint Matthieu que l'abbé du Mont-Cassin avait envoyé à Cencius pour être placé sur l'autel majeur de l'église des Saints-Côme-et-Damien, près de la forteresse des Frangipane sur la Via Sacra[131].

Il est difficile de reconstruire avec certitude la suite des événements, le récit[132] de la chronique du Mont-Cassin étant souvent obscur. Les raisons qui ont poussé Didier à ne pas accepter l'élection pontificale semblent résider dans le fait qu'il voulait que l'Église romaine puisse agir en toute indépendance, à partir d'une assise unitaire : deux conditions qui n'étaient pas réunies, surtout à cause de la forte pression exercée par le préfet impérial Wezilo, envoyé à Rome par le duc Roger des Pouilles et sa mère Sichelgaita, pour imposer la consécration de l'archevêque Alfanus II de Salerne,

---

128. COWDREY, *The Age of Abbot Desiderius*, Appendix VII, p. 251-256.

129. Deusdedit, *De ecclesie ordinatione*, dans *Collectio canonica.*, éd. V. WULF VON GLANVELL, *Die Kanonessammlung des Kardinals Deusdedit*, I, Paris, 1905, III, 288-289, p. 395-396.

130. COWDREY, *The Age of Abbot Desiderius*, p. 186.

131. BLOCH, *Monte Cassino in the Middle Ages*, p. 212-217.

132. V. analyse détaillée dans COWDREY, *The Age of Abbot Desiderius*, app. VII.

refusée par le Siège apostolique. Forcé de quitter Rome quatre jours (27 mai) seulement après son élection, Wezilo ayant rassemblé une force militaire sur le Capitole, Didier décida de retourner au Mont-Cassin. À Terracina, il se libéra des insignes pontificaux qu'il refusa de porter plus longtemps. Au Mont-Cassin, il fut l'objet de multiples pressions afin qu'il revienne à Rome. Les évêques et cardinaux romains auraient convaincu le prince Jordan de Capoue de réunir une forte armée, mais Didier l'en aurait dissuadé. Pendant toute cette période, intraitable dans son refus de devenir pape sous une contrainte quelconque, Didier développa une activité fébrile pour essayer de rétablir une unité d'action entre Normands, Lombards, parti grégorien et Mathilde de Canossa, avec laquelle il entretint un échange de lettres par l'intermédiaire de certains cardinaux. Contrairement à de plus anciennes positions historiographiques, Didier aurait agi en tant que grégorien convaincu, pour servir les intérêts de l'Église romaine et non seulement comme représentant d'une abbaye − le Mont-Cassin − dont le prestige récent était son œuvre même[133].

La succession pontificale fut finalement réglée à Capoue, à la mi-carême (autour du 7 mars 1087), en la présence du prince Jordan qui invita aussi le duc Roger des Pouilles. L'unité des Normands semblait rétablie. À Capoue, Didier apparut comme pape « désigné » (*electus*). La pression conjointe des princes normands et du parti grégorien incita finalement Didier à confirmer son élection le jour des Palmes (21 mars 1087) en acceptant de reprendre les insignes pontificaux.

Hugues de Lyon présente une chronologie et une lecture très différentes des événements. L'assemblée de Capoue aurait été convoquée pour procéder à une nouvelle élection, et non pour confirmer une ancienne décision. Dans sa première lettre à la comtesse Mathilde, écrite à Capoue à la fin du mois de mars 1087, après l'acceptation définitive de la tiare de la part de Didier, Hugues lança contre le nouveau pape deux accusations de taille : Didier aurait promis à Henri IV, déposé, de l'aider à obtenir la couronne impériale, et aurait mis en cause la validité de l'élection de Grégoire VII, en affirmant qu'elle avait eu lieu à la suite d'un tumulte et non par la grâce de Dieu. Hugues signale avoir entendu ces choses au Mont-Cassin de la bouche de familiers de l'abbé et de Didier lui-même. Didier serait donc « une personne dont l'infâmie aurait dû lui interdire d'être élu pontife romain », d'autant plus qu'il avait été excommunié par le pape Grégoire VII et était resté soumis au ban pour plus d'une année[134].

Calomnieuses dans la forme, les accusations portées contre Victor III par l'évêque de Lyon, déçu dans ses ambitions pontificales, contiennent néanmoins une part de vérité. Cette dernière information semble plausible. L'abbé du Mont-Cassin rencontra vraisemblablement Henri IV à Albano à la fête de Pâques 1082. Il avait à ce moment-là de bonnes raisons pour apporter son soutien à Henri IV, de crainte que l'hostilité du roi ne devienne un trop fort danger pour les possessions territoriales de son abbaye. Il est, d'autre part, probable que la réconciliation avec Grégoire VII ait eu lieu une année après, le 3 décembre 1083, lors d'une rencontre au monastère cassinien

---

133. Pour l'iconographie du Vat. lat. 1202 v. B. BRENK, *Das Lecktionar des Desiderius von Montecassino. Ein Meisterverk italienischer Buchmalerei des 11. Jahrhunderts*, Zürich, 1986.
134. COWDREY, *The Age of Abbot Desiderius*.

de Rome, Sainte-Marie in Pallara, dont parle un libelle de propagande impériale, le *Iudicium de regno et sacerdotio*[135].

Le pontificat de Victor III ne dura de fait que quatre mois, de sa consécration (9 mai 1087) jusqu'à sa mort, survenue le 16 septembre. Le jour même de sa consécration, les reliques de saint Nicolas arrivèrent à Bari (9 mai 1087). Deux ans plus tard, Urbain II confirma l'intérêt de la papauté pour ce saint, en consacrant personnellement le reliquaire à Bari[136]. Contrairement à une vision historiographique bien établie, Victor III ne fut pas inactif, et poursuivit énergiquement l'œuvre de réforme, en se considérant comme l'exécuteur des dernières volontés de Grégoire VII[137]. Deusdedit lui dédia sa collection canonique[138].

7. Urbain II

Eudes descendait d'une famille noble, dont les possessions se situaient à Binson, dans la Marne. Son père était un vassal des comtes de Champagne de la maison de Blois-Chartres. Il était peut-être seigneur de Lagery. Eudes lui-même est probablement né à Châtillon-sur-Marne ou dans l'un des domaines de son père (Lagery ou Binson). Né autour de 1035, il aurait eu environ 50 ans au moment de son accession au pontificat, ce qui correspond au témoignage d'Ordéric Vital, qui le définissait alors de *aetate mediocris*[139]. Destiné très tôt à l'état clérical, il fit ses études à l'école cathédrale de Reims[140], sous la direction de Brunon de Cologne, le futur fondateur de la Grande Chartreuse, si l'on en croit une ancienne tradition historiographique[141].

Nommé archidiacre de Reims, sans doute[142] sous l'épiscopat de Gervais (15 octobre 1055 — 4 juillet 1067), il se fit, après sa mort, moine à Cluny, où il est prieur déjà en 1070. À Cluny, Eudes resta une dizaine d'années[143]. Ce fut une période d'intense activité et d'approfondissement religieux, qui ont dû marquer durablement le futur pontife. L'étape clunisienne le mit directement en contact avec les grandes questions de la politique ecclésiastique à un niveau européen. C'est à Cluny, sous l'abbatiat d'Hugues, qu'Eudes vécut l'éclosion du conflit entre le pape et l'empereur. Les grands traits de son activité pontificale — la marque monastique de sa politique ecclésiastique, l'intérêt tout particulier qu'il porta à l'Espagne, la mise en place d'une politique de

---

135. G.A. Loud, « Abbot Desiderius of Montecassino and the Gregorian Papacy », *JEH*, 30, 1979, p. 321.

136. F. Nitti di Vito, « La traslazione delle reliquie di San Nicola », *Iapigia*, 8, 1937, 295-411 ; v. aussi G. Scalia, « Il carme pisano sull'impresa contro i Saraceni del 1087 », dans *Studi di filologia romanza offerti a Silvio Pellegrino*, Padova 1971, 565-625 et H.E.J. Cowdrey, « The Mahdia Campaign of 1087 », *EHR*, 92, 1977, p. 1-29.

137. Cowdrey, *The Age of Abbot Desiderius*, p. 213.

138. Éd. Wulf Von Glanvell, *Die Kanonessammlung des Kardinals Deusdedit*, I.

139. Ordericus Vitalis, *Historia ecclesiastica*, pars 3, livre VIII, chap. 7, éd. Chibnall, IV, Oxford, p. 166.

140. Hermann de Tournai, dans *MGH.SS*, XIV, p. 320.

141. Dom Th. Ruinart, *Vita B. Urbani II*, dans *Ouvrages posthumes de Dom J. Mabillon et de Dom Th. Ruinart*, III, Paris 1724, et *PL* 151, col. 12-13 ; cf. Becker, *Papst Urban II.*, I, p. 31. Ce qui est certain, c'est qu'Urbain II tenta pendant plusieurs années de retenir à Rome Bruno, qui devait sans doute exercer sur lui une grande fascination.

142. La fixation chronologique de cette fonction pose des problèmes, puisqu'il est difficile de dire si le futur pape est identique à l'archidiacre Eudes qui est attesté pour la période qui va de 1050 à 1067.

143. 1070-1080 : Pour les attestations documentaires v. Becker, *Papst Urban II.*, I, p. 42 et suiv. ; dernière attestation : 19 février 1078.

croisade ainsi que la réforme administrative de la curie romaine — furent en très grande partie forgés à Cluny, où il exerça des fonctions administratives parmi les plus importantes de l'époque.

La dernière attestation de son priorat date de la fin du 1079 et coïncide avec un voyage à Rome qui avait pour but de défendre les intérêts de Cluny[144]. À cette occasion, Eudes rencontra pour la première fois le pape Grégoire VII, qui le retint vraisemblablement à Rome pour l'ordonner évêque d'Ostie au début ou au courant de 1080[145]. Après avoir été le principal collaborateur de l'archevêque de Reims et de l'abbé de Cluny, Eudes devint ainsi l'un des conseillers intimes de Grégoire VII[146].

Agissant sans doute sur ordre du pape, qui voulait savoir si Henri IV était prêt à lui remettre l'antipape Clément III et à accepter l'absolution[147], Eudes rencontra Henri IV pour la première fois à Albano, à la fête de Pâques 1080. Légat en Allemagne après le synode de Salerne (fin 1084), il ne semble pas avoir participé à la première élection de l'abbé Didier (Rome, 24 mai 1086). Tout d'abord opposé à l'abbé du Mont-Cassin, il soutint finalement Victor III après son élection définitive à Capoue le 21 mars 1087, ce qui amena le nouvel élu à le remercier publiquement trois jours avant sa mort (16 septembre 1087) et à le recommander comme son successeur aux cardinaux et évêques réunis autour de son lit de mort.

L'élection d'Eudes à la papauté eut finalement lieu à Terracine à l'unanimité, à la troisième séance, le 12 mars 1088. Le choix du nom — Urbain — est peut-être en relation avec le jour de la mort de Grégoire VII, le 25 mai, la fête de saint Urbain, qui l'avait justement désigné comme son éventuel successeur[148]. La consécration eut lieu le même jour.

8. Pascal II

Né à Bieda[149], le jeune Rainier, fils d'un certain Crescentius et d'Alfatia, descend d'une famille aux origines obscures. Il entra jeune dans un monastère bénédictin,

---

144. Ce procès opposait Cluny à l'évêque de Mâcon et fut arbitré définitivement au mois de février 1080 par Pierre Igneus, évêque d'Albano envoyé en Bourgogne par Grégoire VII en hiver 1079/1080.

145. Il est possible qu'Eudes participa, en tant qu'évêque d'Ostie, au synode romain de Pâques 1080 (7 mars), au cours duquel Grégoire VII excommunia Henri IV.

146. Orderic Vital va sans doute trop loin lorsqu'il affirme que le pape aurait choisi Eudes comme son conseiller particulier (*Historia ecclesiastica*, pars II, livre IV, chap. 17, éd. Chibnall, IV, Oxford, 1969, p. 300), ce qui semble pourtant correspondre à l'affirmation du cardinal schismatique Bennon, qui appela ironiquement Eudes, « pedissequus » de Grégoire VII (*MGH.LL*, II, p. 375).

147. Sander, p. 112. La prise de contact avec le camp impérial ne lui fut en tout cas jamais reprochée, contrairement à ce qui se vérifia pour le futur Victor III, également présent à Albano ; cf. Becker, *Papst Urbain II.*, I, p. 58.

148. *Ibid.*, p. 96. Tous les cardinaux-évêques, ainsi qu'un représentant pour chacun des deux autres ordres cardinalices, ont participé à cette élection, ce qui marque l'ascension de ces deux ordres. L'ordre des diacres était représenté par l'abbé du Mont-Cassin Odérisius qui n'en faisait pas partie !

149. Le lieu de sa naissance a été longtemps controversé : C. Servatius, *Paschalis II. (1099-1118). Studien zu seiner Person und seiner Politik*, Stuttgart, 1979, p. 1-6 (meilleure biographie récente, fondée sur une critique complète des sources). Sur Pascal II, v. aussi les importantes études de G.M. Cantarella, *La costruzione della verità. Pasquale II, un papa alle strette*, Roma, 1987.

peut-être Vallombrosa[150]. Guibert de Nogent lui reproche une formation intellectuelle insuffisante[151]. Son habileté administrative fut cependant remarquée très trop : âgé seulement de dix-neuf ans, il fut chargé par son abbé de suivre les affaires de son monastère à la curie romaine[152]. Grégoire VII le nomma abbé de Saint-Laurent-hors-les-murs, puis, peut-être après la deuxième excommunication d'Henri IV au synode de carême 1078, cardinal-prêtre de Saint-Clément. Ces deux nominations semblent indiquer que Rainier avait embrassé les idéaux de la réforme. Albéric († 954) avait fait appel aux clunisiens pour peupler cette abbaye romaine. Mais nous ne savons pas s'ils y étaient encore au moment où Rainier devint abbé. Il est cependant raisonnable de penser que, même s'il n'était pas lui-même clunisien, il fut proche de ce mouvement monastique[153].

L'activité de Rainier sous Grégoire VII et Victor III (1073-1087) nous est inconnue. Il réapparaît dans les sources lors de l'élection d'Urbain II à Terracina (8-12 mars 1088), en qualité de « représentant de la fraction ascendante des cardinaux-prêtres »[154]. C'est d'ailleurs sous ce pape, envers qui il a gardé une fidélité sans faille, que Rainier accomplit l'une des plus importantes missions de son cardinalat : une légation en Espagne (fin 1089-1090), au cours de laquelle il dut résoudre plusieurs affaires importantes : la démission de l'évêque d'Iria (Compostelle) sur pression du roi Alphonse VI de Castille et de Léon ; la réorganisation de l'archevêché de Tarragone et l'organisation ecclésiastique dans les régions libérées par la Reconquista.

Urbain II mourut le 29 juillet 1099 dans la forteresse des Pierleoni. L'influence de la fonction impériale et des partisans de Clément III était encore forte à Rome, ville dans laquelle même un pape aussi puissant qu'Urbain II était en danger. Sa dépouille dut être transportée à Saint-Pierre par un détour, le château Saint-Ange étant encore aux mains de ses rivaux. L'élection de son successeur eut lieu le 13 août 1099 à Saint-Clément, l'église presbytérale de Rainier. Les modalités et le poids des différentes factions cardinalices ne nous sont pas connues. Ce qui semble certain, c'est que le nouveau pape fut élu à l'unanimité[155]. Rainier choisit le nom de Pascal, peut-être en souvenir de Pascal Ier (817-824), le pape qui avait « assuré à la papauté une souveraineté dans les États pontificaux garantie par la protection impériale »[156]. La prise de possession du Latran eut lieu le même jour, un samedi.

Pour légitimer une élection contestée par les partisans de l'antipape Clément III, le *Liber pontificalis* fournit des informations précises sur les phases du rituel. C'est même la première fois qu'un texte — la *Vita Pascalis II* — décrit de manière précise les différents sièges sur lesquels le nouvel élu doit prendre place (devant la portique, dans

---

150. Ordericus Vitalis, *Historia ecclesiastica*, X, 1, éd. M. Chibnall, le définit : « *vallis Brutiorum monachus* », ce qui peut signifier Vallombrosa.

151. Guibert de Nogent, *De vita sua*, III, 4, éd. E.-R. Labande, *Guibert de Nogent. Autobiographie*, Paris, 1981, p. 288 : « *Erat enim minus quam suo competeret officio litteratus* » ; sur le sens du mot *Litteratus*, cf. le commentaire à la n. 4.

152. *LP*, III, p. 143.

153. Servatius, *Paschalis II.*, p. 13.

154. *Ibid.*, p. 17.

155. Le pape lui-même l'affirme dans la lettre annonçant son élection (*JL* 5807) ; v. aussi le *LP*, III, p. 143.

156. Servatius, *Paschalis II.*, p. 37.

l'abside de la basilique et à l'entrée du palais) et nous indique certains gestes rituels (l'attribution de la *ferula*, par ex.).

Au moment de l'élection de Pascal II, la situation politique de la ville de Rome était précaire. Le château et le pont Saint-Ange se trouvaient aux mains des partisans de l'antipape. Pendant tout son pontificat, Pascal II dut conduire des guerres à Rome et dans le patrimoine de Saint-Pierre. À plusieurs reprises, il tenta de convaincre Henri V de l'aider à retrouver les anciennes possessions de l'Église romaine[157]. À l'intérieur de la ville, Pascal II put s'appuyer sur les Pierleoni. En signe de reconnaissance, il créa cardinal l'un des fils du chef de cette famille, Pierre (le futur Anaclet II). En 1116, après la mort du préfet de la ville, Pierre, le pape voulut lui donner comme successeur un Pierleoni, une décision qui poussa définitivement les Frangipani, les grands rivaux des Pierleoni, dans le camp impérial.

Pascal II réussit finalement à chasser l'antipape Guibert-Clément III et à le rendre inoffensif. Ses deux successeurs, Théoderich d'Albano (1100-1102) et Albert de Silva Candida (1102), furent emprisonnés et condamnés à la vie cloîtrée. Un troisième antipape, Maginulfus (Silvestre IV), vécut sous la protection du marquis Werner d'Ancône mais fut poussé à abdiquer en 1111, par Henri V. En tant que cardinal, Rainier ne s'était pas occupé des affaires de l'Empire. Lorsqu'il fut élu pape, il n'avait donc, apparemment, aucune expérience en la matière. Pascal II continua d'abord la politique de son prédécesseur et ne voulut faire aucune concession dans la question des investitures. À ce propos, il prit une position clairement négative dès le début de son pontificat. Le 3 avril 1102, lors du synode du Latran, le pape prononça l'excommunication contre l'empereur. Aux yeux du pape, ce n'était pas le schisme qui était responsable de la situation de l'Église, mais l'investiture des laïcs, permise par empereurs et rois. Le pape s'opposa fermement aussi au roi d'Angleterre : il n'était pas prêt à reconnaître les « habitudes normandes » des souverains anglais[158].

Henri V, qui ne désirait pas aller trop loin, promit de prêter un serment d'obéissance et de condamner la politique ecclésiastique de son père. Cela dit, le roi se conduisit comme un rebelle, ce qui suscita une réaction prudente de la part de la papauté. Pascal II renonça même à une résolution trop rapide de la question des investitures. Le renversement politique tant souhaité par la papauté n'eut pas lieu. Le 22 octobre 1106, le pape célébra un synode à Guastalla qui avait pour but de régler les rapports entre l'Église et l'Empire[159]; la présence d'un nombre très peu élevé de participants ne permit cependant pas d'obtenir un quelconque résultat. Cet insuccès ne put que renforcer la position d'Henri V, quelques mois après la mort de son père (7 août 1106).

Après le synode, Pascal II se réfugia en France. Un pacte fut signé à Saint-Denis (30 avril-3 mai 1107) entre la curie romaine et le roi de France. À la mi-mai, le pape reçut une délégation allemande à Châlons, mais n'accepta pas ses propositions. Les

---

157. *JL* 6295; cf. SERVATIUS, *Paschalis II.*, p. 78 n. 146.

158. C. SERVATIUS, « Zur Englandpolitik der Kurie unter Paschalis II », dans « *Deus qui mutat tempora* ». *Menschen und Institutionen im Wandel des Mittelalters. Festschrift für Alfons Becker zu seinem fünfundsechzigsten Geburtstag*, Sigmaringen, 1987, p. 440-445.

159. *JL* 6076.

différentes positions se durcirent, comme le montrent les décrets conciliaires de Troyes (Ascension 1107), de Bénévent (1108) et de Rome (1110), qui prescrivaient que toute personne ayant été introduite par un laïc dans un office ecclésiastique perdait sa dignité et était excommuniée. Une telle sanction frappait également l'auteur de l'investiture.

Le samedi 4 février 1111, dans l'église Santa Maria in Turri, à l'entrée de l'*Atrium* de Saint-Pierre, les délégués du roi signèrent un accord avec le pape[160]. Le roi s'engageait à renoncer, le jour de son couronnement, à l'investiture ; le pape aurait alors ordonné la restitution des régales (villes, duchés, marquisats, comtés, monnaies, péages, marchés, et ainsi de suite) à l'empire. En contrepartie, les églises devaient être libres, avec toutes leurs donations et possessions.

Le 9 février, le roi, à Sutri, prêta le traditionnel serment, en la présence d'une délégation pontificale : il garantissait à Pascal II son office, sa liberté et la sauvegarde de sa sécurité personnelle, à la condition que le pape accomplisse ses obligations le dimanche prochain, 12 février. Ce jour-là, au matin, selon les prescriptions du cérémonial, Pascal II se rendit à la rencontre du roi qui descendait du Monte Mario avec sa suite pour se diriger vers la cité léonine.

Un tel contrat ne pouvait constituer la base d'une paix durable entre le *regnum* et le *sacerdotium*. Au sein du collège des cardinaux, une opposition ferme s'organisa en tout cas contre les concessions faites par le pape à l'empereur, à tel point que Pascal II semble avoir pensé à démissionner au cours de l'été 1111. Il est vrai que lors du synode du Latran de l'année suivante, le pape abandonna toute initiative aux pères synodaux. À cette occasion, il prononça publiquement une confession de foi « *ne quis de fide ipsius dubitaret* »[161]. Le synode révoqua le « pravilège » de 1111[162] mais ne réexcommunia pas l'empereur. Une telle décision fut cependant prise par les prélats franco-bourguignons réunis en synode à Vienne, sous la présidence de l'archevêque Gui (16 septembre 1112)[163]. Pascal II confirma ces décisions, sans mentionner explicitement le décret d'excommunication. Dans les années qui suivirent, le pape ne prit aucune initiative particulière en ce qui concerne le problème des investitures. Même lors du synode du Latran de 1116 (6-11 mars) il n'excommunia pas l'empereur, tout en refusant de révoquer la sentence d'excommunication qui avait été promulguée par les cardinaux-légats. Lorsque l'empereur descendit en 1116 en Italie pour prendre possession des biens de Mathilde de Canossa († 24 juillet 1115), les négociations échouèrent à nouveau. L'empereur occupa Rome au printemps 1117 et fit couronner impératrice sa femme Béatrice, en la fête de Pentecôte, par l'archevêque de Braga, le futur antipape Grégoire VIII (1118-1121). Au mois de mars 1116, lorsque Pascal II voulut nommer préfet de la ville le fils des Pierleoni, une révolte des Romains le força à quitter la ville. Le pape se réfugia à Bénévent, en abandonnant Rome à Henri V et à ses partisans et ne put y rentrer que le 14 janvier 1118. Quelques jours plus tard il

---

160. *Annales Romani*, dans *LP*, II, p. 338 ; Encyclique du roi, dans *MGH.Const.* I, 137-139 n° 83-86.

161. *MGH.Const.* I, 571 n° 399.

162. « Privilegium illud, quod non est privilegium, sed vere debet dici pravilegium... per violentiam Henrici regis extortum » (*MGH.Const.* I, 572 n° 399).

163. U.-R. BLUMENTHAL, *The Correspondence of Pope Paschal II and Guido of Vienne. 1112-1116*, dans *Supplementum Festivum. Studies in Honor of Paul Oskar Kristeller*, New York, 1987, p. 1-11.

mourut, le 21 janvier. Il fut enseveli en la basilique du Latran; son tombeau a disparu[164].

Opiniâtre, Pascal II n'était pas un diplomate chevronné. Son mérite principal fut celui d'avoir désiré une solution définitive du problème des investitures. Ses décisions, irréalistes, apportèrent néanmoins une certaine clarification et ouvrirent le chemin à de futurs accords. Obstiné, il rechercha une collaboration avec le collège des cardinaux, qu'il contribua à rendre international, dans l'esprit de la réforme. Il montra un intérêt certain aux pays situés aux frontières de la chrétienté (Espagne, Italie du Sud, Scandinavie, Hongrie).

9. GÉLASE II

Fils de Jean Coniulo[165], Jean naquit à Gaète entre 1060 et 1064. D'anciennes traditions historiographiques l'ont identifié, à tort, avec un membre de la famille Caetani. Le cardinal-évêque Jean de Tusculum était peut-être son oncle, ce qui expliquerait sa rapide ascension romaine. Au Mont-Cassin, où il eut comme maîtres l'abbé Didier et Albéric du Mont-Cassin, il rédigea plusieurs Vies de saints d'une très grande qualité littéraire[166]. À Rome, Jean de Gaète est attesté dès 1088 comme sous-diacre. Au cours de la même année, il reçut le diaconat. Créé cardinal-diacre de Sainte-Marie in Cosmedin avant le 30 novembre 1101[167], il fut nommé, au plus tard le 1er juillet de l'année suivante, à la tête de la chancellerie pontificale, qu'il contribua à réorganiser de fond en comble. Après les événements de 1116, il se retira au Mont-Cassin, mais à la mort de Pascal II, il fut élu pape sous le titre de Gélase II (24 janvier 1118), en l'église Santa Maria in Pallara[168].

Les soldats de l'empereur, conduits par Cencio Frangipane, pénétrèrent dans l'église et entraînèrent Gélase dans une tour voisine de l'Arc de Titus, pour donner à Henri V, alors occupé au siège de Vérone, le temps de revenir à Rome. Le pape fut néanmoins délivré et conduit au Latran. L'arrivée de l'empereur (1er mars) l'incita à s'embarquer précipitamment vers Gaète. Gélase II n'ayant pas accepté de ratifier le privilège des investitures octroyé par Pascal II, Henri V fit procéder le 8 mars à l'élection du cardinal Maurice Bourdin, archevêque de Braga, qui prit le nom de Grégoire VIII.

Gélase II fut sacré à Gaète le 9 mars; un synode, réuni à Capoue, excommuniait l'empereur et son antipape (7 avril). La réponse d'Henri V fut immédiate : il se fit couronner empereur, à Saint-Pierre, le 2 juin, par son antipape, mais dut quitter peu après la ville de Rome à cause de troubles. Le 5 juillet, Gélase réussit à rentrer dans

---

164. I. HERKLOTZ, « *Sepulcra* » e « *Monumenta* » del Medioevo, Roma, 1985, p. 91-92.

165. *Annales Romani, LP*, II, p. 347; cf. P. FEDELE, « Le famiglie di Anacleto II e di Gelasio II », *ASRSP*, 27, 1904, p. 399 et suiv.

166. D. LOHRMANN, « Die Jugendwerke des Johannes von Gaeta », *QFIAB*, 47, 1967, p. 355-455; H. BLOCH, « Monte Cassino's teachers and library in the high middle ages », dans *SSAM*, XXI, Spoleto, 1972, p. 600 et suiv.; F. DOLBEAU, « Recherches sur les œuvres littéraires du pape Gélase II », *AnBoll*, 107, 1989, p. 65-127, 347-383.

167. HÜLS, *Kardinäle*, p. 231-232.

168. C.G. FÜRST, « Kennen wir die Wähler Gelasius II? Zur Glaubwürdigkeit des Kardinalsverzeichnisses in Pandulfs "Vita Gelasii" », dans *Festschrift Karl Pivec*, Innsbruck, 1966, p. 69-80.

Rome en secret, mais l'opposition violente des Frangipane l'obligea à s'embarquer d'abord pour Pise, puis pour Gênes, et finalement pour Marseille (fin octobre). En France, il fut reçu avec honneurs et put rencontrer Louis VI à Maguelone. À Vienne, il célébra un concile (janvier 1119), dont les actes sont perdus. Un autre concile aurait dû se tenir à Reims pour traiter des affaires de l'Église avec l'Empire et de la réforme. Peu de temps après, à Mâcon, se sentant malade, il se fit transporter à Cluny, où il mourut le 28 janvier 1119. Avant de mourir, il avait indiqué comme son successeur, d'abord, Conon, évêque de Palestrina, puis, sur son refus, Guy de Bourgogne qui sera élu pape sous le nom de Calixte II.

10. CALIXTE II[169]

Fils de Guillaume, comte de Bourgogne, et apparenté par sa mère aux ducs de Normandie, Guy naquit probablement vers le milieu du XIe siècle[170]. Probablement encore jeune, il devint en 1088 archevêque de Vienne[171]. Avant 1100, il ne semble pas s'être distingué sur le plan politique et ecclésial. Lors de la légation dont il fut chargée, en 1100, par Pascal II, auprès du roi d'Angleterre il se heurta à Henri Ier Beauclerc et à saint Anselme de Cantorbéry. Ce n'est qu'après les affaires du privilège des investitures de Pascal II (1111-1112) que Guy joua un rôle de premier plan. Le prouvent deux lettres (mars et juin 1112) de Pascal II[172] à l'archevêque de Vienne : dans la première, Guy est appelé *apostolicae sedis vicarius*, ce qui n'est peut-être qu'un titre ; le pape l'invitait à réunir un concile, qui se tint effectivement à Vienne au mois de septembre en présence de plusieurs évêques. Des ambassadeurs d'Henri V y produisirent des lettres très conciliantes ; mais l'assemblée déclara « sous la dictée du Saint-Esprit... hérétique toute investiture donnée par une main laïque », refusa, une fois encore, le privilège accordé par Pascal II à Henri V et excommunia le roi. Le pape était invité à confirmer les décisions conciliaires. La lettre envoyée à Rome par l'archevêque Guy était respectueuse dans la forme, mais ferme dans la substance[173]. Pascal II accepta de ratifier ce qui s'était fait à Vienne le 20 octobre 1112[174].

Dans les années 1115-1117, Guy réapparaît comme légat pontifical, mais le détail de ses activités nous échappe. À la mort de Gélase II, les cardinaux d'Ostie et Préneste, qui avaient accompagné le pape en exil, choisirent, à Cluny, le 2 février, l'archevêque de Vienne Guy comme pape[175], le préférant à l'abbé de Cluny

169. E. JORDAN, « Calliste II », dans *DHGE*, XI, Paris, 1942, col. 424-38 ; G. MICCOLI, « Callisto II, papa », dans *DBI*, XVI, Rome, 1973, p. 761-768.

170. B. BLIGNY, *L'Église et les ordres religieux dans le royaume de Bourgogne aux XIe et XIIe siècles*, Grenoble, 1960, p. 71-72.

171. R. LAUXEROIS, « Guy de Bourgogne, un archevêque de Vienne devenu le pape Calixte II », dans *Évocations*, 5, 1988, p. 1-10.

172. U.-R. BLUMENTHAL, *The Correspondance of Pope Pascal II and Guido of Vienne. 1112-1116*, dans *Supplementum Festivum. Studies in Honor of Paul Oskar Kristeller*, éd. J. HANKINS-J. MONFASSANI-F. PURNELL, Binghamton, 1987, p. 1-11.

173. *PL* 163, col. 465.

174. *JL* 6330.

175. S.A. CHODOROW, « Ecclesiastical politics and the ending of the Investiture Contest : The papal election of 1119

Ponce[176]. Guy se fit aussitôt (9 février) couronner dans la cathédrale de Vienne sous le nom de Calixte II : une telle rapidité contredit ce que raconte l'un de ses biographes, le diacre romain Pandulphe[177], d'après lequel il se serait débattu et n'aurait rien voulu accepter avant le consentement des Romains. Il reste que, dans les semaines qui suivirent, le nouvel élu reçut six lettres d'adhésion de la part du cardinal Pierre de Porto (qui écrivit « aux cardinaux et autres clercs ou laïcs qui avaient suivi le pape Gélase » et déclarait avoir réussi à obtenir l'adhésion des cardinaux restés à Rome), des cardinaux-prêtres, des cardinaux-diacres, de « tous les cardinaux de Rome à tous les évêques, abbés et fidèles », des évêques de Sabine et d'Albano, enfin, de tous les cardinaux de Rome à tous les cardinaux de Cluny, pour attester, que réunis le 1er mars, avec toute la population de Rome, clercs et laïcs, ils avaient ratifié l'élection de Calixte. L'unanimité n'était cependant pas complète. Les cardinaux-prêtres soulignèrent le fait que l'élection n'avait pas suivi l'ordre prescrit par l'Église romaine[178] et les cardinaux Crescentius de Sabine et Vitalis d'Albano demandèrent au pape de convoquer un concile pour traiter des problèmes de la paix et de la liberté de l'Église. Il est vrai que même les membres modérés de la curie romaine souhaitaient un pape capable de s'assurer l'appui du roi de France et de s'opposer à Henri V et aux puissantes familles romaines. La conduite du concile de Vienne de la part de Guy de Vienne, et ses relations familiales avec Henri V offraient une réelle garantie pour le succès d'une telle politique. Ce n'est pas un hasard, si, lors de l'élection de Guy de Vienne, les sources contemporaines mirent l'accent sur le pouvoir de sa famille et sur ses relations de sang avec le roi de Germanie[179].

Incité par le conseil reçu lors de son élection, Calixte II convoqua un grand concile à Reims pour l'automne 1119, consacré à la recherche d'un compromis avec le roi de Germanie. En attendant, le pape entreprit un voyage dans le sud-ouest de la France ; à Toulouse, il présida un concile destiné à adopter des mesures contre la simonie et la dispersion des biens ecclésiastiques. Le concile excommunia tous ceux qui « condamnent le sacrement du Corps et du Sang du Seigneur, le baptême des enfants, le sacerdoce et les autres ordres ecclésiastiques, ainsi que les pactes des mariages légitimes »[180] : des accusations qui semblent viser Pierre de Bruis et ses compagnons, et, en général, toute forme de prédication itinérante. C'est dans cette perspective qu'il faut comprendre le refus du pape de renouveler à Norbert de Xanten la *licentiam praedicandi ubique in forma apostolorum*[181]. En été 1119, Calixte II continua son périple français à travers Périgueux, Angoulême, Poitiers, Laon, Fontevrault, Angers, Tours, Orléans ; en octobre, il rencontra le roi Louis VI à Étampes[182]. Quelques jours

---

and the negotiations of Mouzon », *Speculum*, 46, 1971, p. 613-640 ; M. STROLL, « Calixtus II : A Reinterpretation of his Election and the End of the Investiture Contes », *SMH*, 3, 1980, p. 3-53.

176. STROLL, « Calixtus II », p. 19 et suiv.

177. WATTERICH, II, p. 115.

178. JAFFE, *Bibliotheca*, V, p. 349.

179. STROLL, « Calixtus II », p. 19-24.

180. MANSI, XXI, c. 225.

181. G.G. MEERSSEMAN, « Eremitismo e predicazione itinerante dei secoli XI e XII », dans *L'eremitismo in Occidente nei secoli XI e XII*, Milan, 1965, p. 177 et suiv.

182. *JL*, p. 786.

plus tard, il fut rejoint à Paris par Guillaume de Champeaux, évêque de Châlons-sur-Marne, et par Ponce, abbé de Cluny, qu'il avait envoyés auprès d'Henri V pour lui soumettre les bases d'un compromis : l'interdiction de l'investiture par l'anneau et la crosse était maintenue ; le roi était assuré du maintien des liens traditionnels avec les évêques, sous la forme d'un serment de fidélité. Les deux messagers du pape, ainsi que le cardinal-évêque d'Ostie Lambert, et le cardinal-diacre Grégoire de Saint-Ange rencontrèrent une nouvelle fois le roi à Metz et à Verdun. Une double déclaration prévoyait le renoncement aux investitures de la part d'Henri V, et la promesse d'une paix réciproque. Entre-temps, le 20 octobre, lors de l'ouverture du concile de Reims, Calixte II prononça un discours pour informer les nombreux archevêques et évêques présents de son désir d'extirper l'hérésie simoniaque et des négociations avec le roi allemand. Deux jours plus tard, le 22 octobre, le pape se rendit à Mouzon pour rencontrer le roi[183]. Mais la présence d'une armée de trente mille hommes fit surgir des doutes ; le pape se réfugia dans un château du comte de Troyes ; puis, le roi ayant réclamé un délai, il rentra subitement à Reims. Le concile procéda alors à la promulgation de toute une série de canons et se termina, en la présence du roi de France, par l'excommunication d'Henri V. Parmi les canons figurait l'interdiction de l'investiture, par les mains des laïcs, d'églises et propriétés ecclésiastiques, ainsi que des évêchés et des abbayes. Le concile répéta en outre la condamnation du concubinage du clergé ; un autre canon abolissait tout droit héréditaire dans la transmissions des dignités ecclésiastiques. Après Reims, Calixte II rencontra en novembre, à Gisors, le roi d'Angleterre, Henri Ier Beauclerc ; en décembre, il canonisa à Cluny l'abbé Hugues ; le 3 juin de l'année suivante, il entrait à Rome et fut intronisé solennellement dans la basilique Saint-Pierre. Aussitôt après, il alla en Italie du Sud rechercher l'aide des Normands. Retourné à Rome, il fit saisir son rival, l'antipape Bourdin, qui s'était réfugié à Sutri. Le 23 avril il le fit promener à travers les rues de Rome, sur un chameau, en en tenant la queue.

En Allemagne, à la diète de Goslar (janvier 1120), l'épiscopat s'était rangé du côté du pape : même Brunon, archevêque de Trèves, encore lié à l'antipape Bourdin, fit acte de soumission à Calixte II. Une autre diète, à Würzbourg (29 septembre)[184], décida d'envoyer l'évêque de Spire et l'abbé de Fulda prier le pape de réunir un concile « où le Saint-Esprit aurait décidé ce que les hommes n'arrivaient pas à résoudre »[185]. Des propositions concrètes devaient servir à débloquer la situation. Le 19 février, Calixte II reçut les ambassadeurs à Bénévent et adressa au roi une lettre d'un ton nouveau, presque amical, se terminant sur une menace : « Si tu obéis aux flatteries et aux suggestions perverses des fous qui veulent te gouverner, et si tu ne rends pas à Dieu et à son Église l'honneur qui leur est dû, nous aurons soin de pourvoir aux besoins de l'Église, avec l'aide des hommes religieux et sages, et non sans inconvénients pour toi, car nous ne pouvons pas rester plus longtemps dans la situation actuelle. » Une nouvelle légation partit pour l'Allemagne, pour participer à une nouvelle diète prévue pour le 29 juin à Würzbourg. Cette diète n'étant pas parvenue à

---

183. M. STROLL, « The Struggle Between Guy of Vienne and Henry V », *AHP*, 18, 1980, p. 97-115.
184. *MGH.Const.* I, p. 158.
185. Ekkehardus, *ad an.* 1121, WATTERICH, II, p. 258.

un accord, un concile général fut alors convoqué à Mayence pour le 8 septembre, qui se tint en réalité à Worms, très probablement sur la demande expresse du roi, cette ville lui étant restée fidèle. Le roi lui-même paraît avoir hésité au dernier moment, mais finit par venir avec une suite très nombreuse d'ecclésiastiques et de laïcs. La négociation fut longue, minutieuse[186], et parfois violente. Le 23 septembre 1122, les deux partis aboutirent à un accord : Henri V renonçait à l'investiture avec anneau et crosse, et garantissait l'élection canonique et la libre consécration dans toutes les églises du royaume; il rendait en outre les biens et les *regalia beati Petri* en sa possession et s'engageait à favoriser la restitution de tous les biens ecclésiastiques et laïcs usurpés au cours de la guerre. Le roi recevait en revanche l'assurance que, dans les pays germaniques, les élections des évêques devaient se tenir en la présence du roi; en cas de conflit, le roi, après avoir entendu l'avis du métropolite et des autres évêques de la province, s'engageait à appuyer la *sanior pars*. Le roi investirait l'élu avec le sceptre. Dans les autres parties de l'Empire, l'investiture aurait lieu six mois après la consécration. Toute intervention royale était exclue dans les territoires dépendants de l'Église de Rome. Ces déclarations furent souscrites par Henri V et les légats pontificaux; puis le cardinal-évêque d'Ostie réintégra le roi au sein de l'Église, sans aucune cérémonie pénitentielle particulière. Dans une lettre du 13 décembre 1122, le pape donnait officiellement son accord. Le concordat de Worms avait été rendu possible par la présence d'un pape qui était lié par des relations de sang à Henri V. La lutte pour la *libertas Ecclesiae* avait porté ses fruits; devenant l'autorité sur laquelle les évêques pouvaient s'appuyer en cas de litige, la papauté jouera désormais de manière incontestée un rôle décisif et central.

Deux ans après avoir célébré la victoire de la papauté par un concile (Latran I, 18 mars 1123), Calixte II mourut à Rome le 13 ou le 14 décembre 1124[187].

II. LA NAISSANCE DE LA « CURIE ROMAINE » (XIᵉ SIÈCLE)[188]

1. LES CARDINAUX

Le terme de *cardinalis* a posé beaucoup de problèmes d'interprétation. Selon M. Andrieu et S. Kuttner, *cardinalis* est un attribut à accorder aux évêques, prêtres et diacres qui prêtent leur service à une église étrangère pour laquelle ils n'avaient pas été consacrés, mais dans laquelle ils avaient été incardinés. Pour G. Fürst, au contraire, ce titre désignait tous ceux qui offraient leur service à l'église épiscopale. Cette dernière

---

186. *Ibid.*, dans WATTERICH, II, p. 149.
187. Voir *infra*, p. 180-182.
188. K. JORDAN, « Die päpstliche Verwaltung im Zeitalter Gregors VII. », *SGSG*, 1, 1947, p. 111-135; D.B. ZEMA, « Economic Reorganization of the Roman See during the Gregorian Reforme », *SGSG*, 1, 1947, p. 155-175; J. SYDOW, « Cluny und die Anfänge der apostolischen Kammer. Studien zur Geschichte der päpstlichen Finanzverwaltung im 11. und 12. Jahrhundert », *SMGB*, 63, 1951, p. 45-66; *id.*, « Untersuchungen zur kurialen Verwaltungsgeschichte im Zeitalter des

interprétation apparaît comme plus plausible, les clercs cardinaux présents dans de nombreux diocèses d'Italie, de France, d'Allemagne et d'Angleterre étant des clercs qui participent au culte liturgique à côté de l'évêque. Le titre de *cardinalis* renverrait donc à leur appartenance au clergé cathédral[189]. Ce qui est certain, c'est qu'à partir du XIᵉ siècle, la seconde interprétation correspond à la nouvelle conception de l'Église : les cardinaux de la papauté réformatrice sont à la disposition du pape, *cardo et caput* de l'Église universelle. Entre Léon IX et Pascal II, ces trois groupes de cardinaux, représentant le clergé de la ville de Rome, deviennent le principal instrument du gouvernement pontifical de l'Église et le support institutionnel de la conception ecclésiologique, selon laquelle la papauté devait être considérée comme épiscopat universel[190]. Le processus de renouvellement du cardinalat était pratiquement terminé sous Alexandre II ; Grégoire VII, en effet, n'y a pas vraiment pris part, bien qu'il ait contribué par son action à préparer d'ultérieures réformes, qui seront menées à bien par Urbain II et ses successeurs dans le cadre de la réorganisation bureaucratique et administrative de la curie romaine[191].

2. LES CARDINAUX ROMAINS

À Rome existaient trois groupes de cardinaux : les cardinaux-évêques (*episcopi cardinales*), présents aux synodes romains avant le milieu du XIᵉ siècle, titulaires d'abord de sept, puis de six diocèses situés dans le voisinage immédiat de Rome : Ostie, Albano, Palestrina, Porto, Silva Candida, Gabii (plus tard Labicum, puis Tusculum) et Velletri (plus tard Sabina). Leur principale tâche était d'assurer un service liturgique hebdomadaire au Latran. Les cardinaux-prêtres (*presbyteri cardinales*), responsables des églises titulaires attestées à Rome depuis le IVᵉ siècle, ainsi appelés parce qu'ils prêtaient leurs services liturgiques aux quatre basiliques patriarcales de Saint-Pierre-au-Vatican, Saint-Laurent-hors-les-Murs, Saint-Paul-hors-les-Murs et Sainte-Marie-Majeure, étaient, autour de 1100[192], au nombre de sept par basilique, pour un total de vingt-huit. Les cardinaux-diacres (*diaconi cardinales*) — répartis en sept diacres palatins et douze diacres régionaux — lisaient l'évangile au Latran et dans les églises stationnaires de Rome. Les sept diacres palatins descendaient des plus anciens sept diacres régionaux, qui avaient à l'origine des charges caritatives dans les sept régions de Rome. Les douze diacres régionaux sont attestés dès le milieu du Xᵉ siècle, à la suite de la nouvelle subdivision de Rome en douze régions. Le nombre des cardinaux-diacres fut fixé autour de 1100 à dix-huit.

Reformapapsttums », *DA*, 11, 1954/55, p. 18-73 ; R. ELZE, « Das "Sacrum palatium Lateranense" im 10. und 11. Jahrhundert », *SGSG*, 4, 1952, p. 27-54.

189. M. ANDRIEU, « L'origine du titre cardinal dans l'Église Romaine », *StT*, Cité du Vatican, 1946, p. 113 et suiv. ; S. KUTTNER, « Cardinalis : the history of a canonical concept », *Traditio*, 3, 1945, p. 129 et suiv. ; C.G. FÜRST, *Cardinalis : Prolegomena zu einer Rechtsgeschichte des römischen Kardinalskollegiums*, München, 1967.

190. L. PELLEGRINI, « Cardinali e curia sotto Calisto II », dans *Raccolta di studi in memoria di S. Mochi Onory*, II, Milan, 1972, p. 507-549.

191. C.G. FÜRST, « Gregorio VII, cardinali e amministrazione pontificia », dans *La Riforma Gregoriana*, p. 17-31.

192. *Descriptio sanctuarii Lateranensis ecclesiae*, éd. VALENTINI-ZUCCHETTI.

Les cardinaux-évêques

Léon IX, tout en agissant au sein des structures existantes, décida peu après son élection de nommer évêques des diocèses situés dans le voisinage de Rome, des personnes de confiance (Jean de Porto, Humbert de Moyenmoûtier). Victor II, Étienne X et Nicolas II firent de même (Pierre Damien, Boniface d'Albano). À partir de ce pontificat, et pendant un demi-siècle, les cardinaux-évêques (que certaines sources appellent « évêques du Latran »[193]) constituent le groupe le plus important dans l'entourage immédiat du pape. Ils abandonnent le service hebdomadaire liturgique au Latran pour prendre part activement au gouvernement de l'Église. Les cardinaux-évêques furent recrutés dans de différentes parties de la chrétienté et purent assumer un rôle déterminant dans les activités réformatrices de la papauté, d'autant plus qu'ils faisaient tous partie des milieux réformateurs[194]. Définis « les sept yeux du rocher » (*Ézéch.* 3, 92) ou les « sept étoiles » (*Apoc.* 1, 16) par Pierre Damien, les cardinaux-évêques reçurent la confirmation de leur nouveau rang à l'occasion de la promulgation du décret d'élection pontificale de Nicolas II[195].

Les cardinaux-prêtres

Si le décret de 1059 prévoyait pour les cardinaux-évêques un rôle déterminant dans l'élection papale, c'est qu'ils étaient à l'époque les seuls en mesure de garantir une telle élection. La nécessité d'asseoir leur pouvoir au sein de l'Église romaine conduira Guibert et Urbain II à donner encore plus de poids aux cardinaux-prêtres. Le schisme de Guibert a été l'occasion décisive d'une prise de conscience de la part des cardinaux de leur importance. Urbain II a été contraint de suivre la même politique que Guibert. L'acquisition par les cardinaux-prêtres de leurs prérogatives dans l'élection papale s'est faite lentement, probablement à cause de leur grand nombre (28). Lors de l'élection d'Urbain II (1088), seul un cardinal-prêtre y participa comme représentant de tous les autres. Lors de l'élection de Pascal II (1099), leur participation est complète[196]. Le recrutement international des cardinaux-prêtres est moins grand que pour les cardinaux-évêques ; significative est leur représentation des différentes régions de l'Italie[197].

193. Hüls, *Kardinäle*, p. 5.
194. À propos de la politique de recrutement des papes réformateurs, v. Kuttner, « Cardinalis », p. 173 et Fürst, *Cardinalis*, p. 102 ; il est vrai que tous les réformateurs n'ont pas été cardinaux-évêques : Hildebrand, Frédéric de Lorraine ; cf. Hüls, *Kardinäle*, p. 3-5 ; pour le pontificat de Pascal II, v. Servatius, *Paschalis II*, p. 42-45 ; en général, v. aussi J.F. Broderick, « The Sacred College of Cardinals : Size and Geographical Composition (1099-1986) », *AHP*, 25, 1987, p. 7-71.
195. Voir plus haut, p. 60.
196. Sur les cardinaux-prêtres, en général, v., p. ex., Hüls, *Kardinäle*, p. 5-14.
197. Servatius, *Paschalis II.*, p. 52-53.

Les cardinaux-diacres

Les cardinaux-diacres sont présents dans les souscriptions des privilèges pontificaux depuis 1095, ce qui est un signe indiscutable de leur importance. Depuis le pontificat d'Urbain II, il y eut fusion définitive des diacres régionaux et des diacres palatins dans l'ordre des cardinaux-diacres.

Depuis le début du XIIe siècle, le collège des cardinaux est définitivement organisé en trois groupes. Leurs anciennes fonctions liturgiques sont transférées – sous une autre forme – à la chapelle papale, les cardinaux ayant désormais surtout des charges liées au gouvernement de l'Église romaine. La collaboration entre le pape et le collège des cardinaux trouvera une expression concrète dans la constitution du consistoire[198].

3. LE CONSISTOIRE

La pierre angulaire de la curie romaine postgrégorienne fut sans doute le consistoire, l'institution au sein de laquelle le pape discutait avec les cardinaux des problèmes les plus importants touchant au gouvernement de l'Église. Le terme lui-même signifiait à l'origine l'endroit où les conseillers de l'empereur tenaient leurs délibérations, puis le conseil impérial lui-même, et entra en usage bien après l'existence effective de l'institution. Urbain II donna au consistoire une impulsion déterminante, en lui réservant la discussion des questions de l'excommunication de l'empereur, de rois et d'évêques, d'élections épiscopales litigieuses, de problèmes d'exemption ou d'organisation diocésaine, qui avaient été traitées, encore sous Grégoire VII, au synode romain. Le prestige du consistoire alla de pair avec le renforcement progressif du collège des cardinaux comme membres du Sénat de l'Église et collaborateurs exclusifs du pape en matière d'administration de la justice, et avec l'élargissement de l'ancien synode romain, qui sortit de son rôle relativement provincial pour devenir le noyau des grands conciles œcuméniques des XIIe et XIIIe siècles. Ce n'est certes pas un hasard si l'usage des souscriptions des cardinaux devint plus fréquent à partir, justement, du pontificat d'Urbain II : un indice supplémentaire de l'importance croissante des cardinaux, comme le notait déjà la satire de Garsias de Tolède[199].

4. ORGANISATION ADMINISTRATIVE DE LA CURIE ROMAINE

Les abus contre lesquels luttaient les réformateurs étaient dans une très large mesure de nature économique, notamment en ce qui concerne l'aliénation de propriétés et de revenus ecclésiastiques au profit de seigneurs laïcs, considérés comme l'une des principales causes de l'appauvrissement d'institutions religieuses et du déclin de la discipline et de la morale. Une papauté aussi fermement décidée à diffuser son

---

198. Sur les cardinaux-diacres, en général, v., p. ex., HÜLS, *Kardinäle*, p. 14-44; pour le pontificat de Paschal II, v. SERVATIUS, *Paschalis II.*, p. 55-57.

199. J. SYDOW, « Il "consitorium" » dopo lo Scisma del 1130 », *RSCI*, 9, 1955, p. 165. et suiv.

programme de réforme se devait de mettre en œuvre, au sein même du gouvernement central de l'Église, une réforme administrative, ayant comme objectif de lui assurer des ressources propres. Une réforme administrative de l'Église romaine était devenue nécessaire non seulement parce que les revenus, dans Rome, avaient été accaparés pendant les ixe-xe siècles par les barons romains, en particulier par les comtes de Tusculum, mais aussi et peut-être surtout par le fait que les membres des grandes familles romaines, peu touchés par les idéaux de la réforme, continuaient d'occuper les poste-clés de l'administration romaine dont le noyau et siège étaient *le sacrum palatium Lateranense*. Les *judices palatini de clero* : l'*arcarius*, le *sacellarius*, le *primus defensor*, l'*adminiculator*, le *vestiarius*, le *vicedominus* étaient tous des familiers des comtes de Tusculum, les maîtres de la papauté jusqu'à un passé tout récent. Henri II avait libéré la papauté de la domination des comtes de Tusculum, mais il ne leur avait pas enlevé les offices lucratifs du Siège apostolique[200].

5. Genèse de la Chambre apostolique

La décision du pape Léon IX de nommer Hildebrand *œconomus* et cardinal-sous-diacre[201] marque une rupture face à la tradition de la noblesse romaine et innove en ce qui concerne le titre[202]. Le choix était habile. Sous l'administration d'Hildebrand, les revenus pontificaux connaîtront un accroissement considérable. C'est en tout cas ce que fait supposer le fait que, peu de temps après son élection, Nicolas II confie à Hildebrand la charge des biens temporels de Rome, en le nommant archidiacre de l'Église romaine : une fonction importante, qui avait été, elle aussi, détenue jusqu'ici par des membres de l'aristocratie romaine. Ce n'est certes pas une coïncidence si la première liste des propriétés et des revenus de l'Église romaine[203] remonte au pontificat de Grégoire VII[204].

Sous Grégoire VII, des progrès importants ont été réalisés sur le plan de la réorganisation de l'Église romaine : le contrôle des intérêts temporels a été centralisé, des comptes réguliers ont été introduits. Les propriétés de l'Église sont défendues par une amorce de législation pénale[205]. On ne peut cependant pas parler d'une réorganisation fondamentale, l'administration restant dans l'ensemble sous l'autorité de l'archidiacre.

Se référant à des modèles laïques et français, notamment clunisiens, Urbain II modifia radicalement la structure de l'administration pontificale en posant les

---

200. Elze, « Das "Sacrum Palatium Lateranense" im 10. und 11. Jahrhundert », p. 27-54.

201. Paul de Bernried, *Vita Gregorii VII*, c. 13.

202. Le titre d'*œconomus* a-t-il été emprunté à l'administration de Saint-Paul-hors-les-Murs, dont Hildebrand était alors le recteur ?

203. Il s'agissait de possessions territoriales concédées par des souverains laïques, tributs versés par des nations, tributs dus par des princes individuellement en vertu de relations vassaliques, autres sources de revenus.

204. Environ 400 possessions — le plus grand nombre — ont été identifiées comme la propriété du Siège apostolique avant le xie siècle (de Hadrien II à Grégoire V). Une vingtaine de possessions ont au contraire été assurées à l'Église romaine par les papes Léon IX, Alexandre II et Grégoire VII.

205. Un décret du synode de Rome de 1078 (*Das Register Gregors VII.*, VI, 5b) est lancé contre ceux qui usurpent les propriétés de Saint-Pierre.

fondements d'une organisation « curiale », destinée à un grand avenir. C'est en effet sous ce pontificat que le terme de *curia* est attesté pour la première fois et que les mots de *camera* et de *capella* constituent des réalités administratives concrètement saisissables[206]. Ancien clunisien, Urbain II emprunta à Cluny non seulement un nouveau terme pour désigner l'organe financier du Siège apostolique, mais semble avoir utilisé la *camera* clunisienne pour la réception et le transfert des cens, revenus et donations[207]. C'est à Cluny qu'Urbain II alla chercher le premier *camerarius* du Siège apostolique, Pierre. Encore sous Pascal II, la chambre clunisienne collaborait intimement avec l'administration financière romaine. Sous Calixte II, celle-ci avait même une « filiale » à Cluny. Ce n'est qu'après le départ de Calixte II en Italie que les liens entre la *camera* apostolique et Cluny ont cessé d'exister[208] et que la chambre agit comme institution autonome[209].

6. Chapelle et chancellerie

L'adoption du modèle de curie pris à l'Empire ne fut qu'un épisode de la longue *imitatio* impériale de la part de la papauté. L'introduction de nouvelles formes d'organisation ne signifia pas pour autant une rupture complète avec le passé. Elle a plutôt coïncidé avec la récupération d'anciens organismes romains. Une récupération souvent inattendue, comme dans le cas des sous-diacres romains entrés dans la chapelle papale, dont le modèle est certainement d'origine germanique[210]. Les transformations radicales se firent graduellement et avec lenteur. Un collège de chapelains du pape n'est pas attesté avant le pontificat d'Urbain II[211]. Son importance s'accrut considérablement sous Pascal II, qui choisit un grand nombre de chapelains ayant exercé auparavant de hautes fonctions au sein de la chancellerie comme *scriptores* ou *notarii* palatins, pour en faire des cardinaux[212].

Urbain II réorganisa aussi la chancellerie. La direction en fut confiée au docte diacre Jean de Gaète, un moine du Mont-Cassin, le futur pape Gélase II[213]. Des nouveautés transformèrent cette institution séculaire[214]. Dans les lettres pontificales, l'usage de la *rota* et du monogramme (*Benevalete*) s'affermit définitivement. C'est également le cas pour les bulles de plomb elles-mêmes. Sous Benoît III (855-858), avait été introduit l'usage d'écrire le nom du pape sur les bulles de la chancellerie pontificale; deux siècles

---

206. Le mot de *camerarius* est attesté seulement sous le pontificat d'Urbain II, mais le terme de *camera* est plus ancien. On le trouve déjà dans un document de Jean X du mois de mars 921 : « camera nostra Lateranensis »; il figure ensuite dans divers documents pontificaux du xie siècle.

207. Urbain II écrit à l'archevêque Lanfranc de Canterbury d'envoyer le denier de Saint-Pierre anglais, sinon à Rome, du moins à Cluny : *JL* 5351.

208. Les deux *camerarii* attestés en 1123 semblent être des Italiens : Guido et Alfanus.

209. Sur l'évolution administrative de la curie romaine au xie siècle, v. la bibl. citée à la n. 188.

210. J. Fleckenstein, *Die Hofkapelle der deutschen Könige*, 2 vol., Hannover, 1966.

211. R. Elze, « Die päpstliche Kapelle im 12. und. 13. Jahrhundert », *ZSRG.K*, 36, 1950, p. 145-204.

212. Servatius, *Paschalis II.*, p. 63.

213. V. plus haut p. 91-92.

214. L'ancienne curiale romaine est abandonnée au profit de la minuscule de chancellerie; cf. P. Rabikauskas, *Die römische Kuriale in der päpstlichen Kanzlei*, Rome, 1958.

après, sous Victor II (1055-1057), sur le recto figure pour la première fois saint Pierre, auquel, du ciel, la main du Christ présente la clef; sur le verso, la figure de Rome (*Aurea Roma*) est entourée du nom du pape (au génitif) : *Victoris papae II*. Dans la bulle transformée par Pascal II, les images des Apôtres sont gravées entre une croix et les lettres SPA (*Sanctus Paulus*) et SPE (*Sanctus Petrus*); sur le verso, le nom du pape, au nominatif, est accompagné du numéro correspondant : la bulle pontificale avait désormais atteint une forme définitive, destinée à rester pratiquement la même jusqu'à nos jours[215].

BIBLIOGRAPHIE

Sources

J.M. WATTERICH, *Pontificum Romanorum... vitae*, 2 vol., Leipzig, 1862.
Liber Pontificalis, éd. L. DUCHESNE, 3 vol., Paris, 1886-1892.
S. LÖWENFELD, *Epistolae pontificum Romanorum ineditae*, Leipzig, 1885.
J. PFLUGK-HARTTUNG, *Acta pontificum Romanorum inedita*, 3 vol., Tübingen-Stuttgart, 1880-1896.
Libelli de lite imperatorum et pontificum saec. XI et XII conscripti, 3 vol., *MGH.LL*, 1891-97.
Das Register Gregors VII, éd. E. CASPAR, *MGH.ES*, II, Berlin, 1920-1923.
L. SANTIFALLER, *Quellen und Forschungen zum Urkunden- und Kanzleiwesen Gregors VII*, 1. Quellen, Urkunden, Regesten, Cité du Vatican, 1957.
Conciliorum oecumenicorum decreta, éd. J. ALBERIGO, Cl. LEONARDI, et alii, Bologne, 1973.

Travaux

H.-G. KRAUSE, *Das Papstwahldekret von 1059 und seine Rolle im Investiturstreit*, Rome, 1960.
A. BECKER, *Papst Urban II.*, 2 vol., Stuttgart, 1964.
O. CAPITANI, « Gregorio VII, papa, santo », dans *BSS*, VII, Rome, 1966, p. 294-379.
P.E. SCHRAMM, *Kaiser, Könige und Päpste*, IV, Stuttgart, 1970.
R. HÜLS, *Kardinäle, Klerus und Kirchen Roms*, Rom, 1977.
I. STUART ROBINSON, *Authority and Resistance in the Investiture Context*, Manchester, 1978.
U.R. BLUMENTHAL, *Der Investiturstreit*, Stuttgart, 1982.
G.M. CANTARELLA, *Ecclesiologia e politica nel papato di Pasquale II. Linee di una interpretazione*, Rome, 1982.
J. ZIESE, *Wibert von Ravenna. Der Gegenpapst Clemens III. (1084-1100)*, Stuttgart, 1982.
H.E.J. COWDREY, *The Age of Abbot Desiderius. Montecassino, the Papacy and the Normans in the Eleventh and Early Twelfth Centuries*, Oxford, 1983.
J. VOGEL, *Gregor VII. und Heinrich IV. nach Canossa. Zeugnisse ihres Selbstverständnisses*, Berlin, 1983.
B. SZABO-BECHSTEIN, *Libertas Ecclesie. Ein Schlüsselbegriff des Investiturstreits und seine Vorgeschichte 4.-11. Jahrhundert*, Rome, 1985.
D. JASPER, *Das Papstwahldekret von 1059. Überlieferung und Textgestalt*, Sigmaringen, 1986.
G.M. CANTARELLA, *La costruzione della verità. Pasquale II, un papa alle strette*, Rome, 1987.
La Riforma Gregoriana e l'Europa. Congresso Internazionale, Salerno, 20-25 maggio 1985, I, Rome 1989 (*SGSG*, 13).
H. TOUBERT, *Un art dirigé*, Paris, 1989.

---

215. *Ibid.*, p. 122; SERVATIUS, *Paschalis II.*, p. 62.

Chapitre III

Les pouvoirs chrétiens face à l'Église
La querelle des investitures et ses aboutissements
par Michel Parisse avec le concours de Jerzy Kłoczowski

Les cinquante années qui précèdent le concile de Latran I sont marquées par une intense réflexion sur la question des rapports entre l'Église et les États. Les solutions proposées, les hypothèses formulées circulent d'un pays à l'autre, les œuvres des théoriciens sont lues dans les pays voisins, les légats transportent les idées; aussi un exposé des événements et une présentation des hommes de cette époque pourraient-ils se faire à l'échelle de toute la chrétienté; mais les pratiques diffèrent d'un royaume à un autre, les réactions et les intérêts des hommes aussi. C'est pourquoi une analyse État par État peut également être conduite, car elle permet de mieux caractériser l'évolution et la politique de chacun des pays engagés dans ce qu'on appelle partout la Querelle des investitures. La France, le royaume anglo-normand, l'Empire dans sa partie allemande et l'Italie seront donc vus successivement. L'Espagne, préoccupée de reconquête, et les pays du Nord, de chrétienté récente, qui occupent alors dans l'histoire de cette période une place plus discrète, seront étudiés dans un autre chapitre.

I. EN FRANCE : UNE ROYAUTÉ ACCOMMODANTE, DES LÉGATIONS ACTIVES, DES THÉORIES CONCILIANTES

Les historiens ont souvent cru bon de souligner combien les premiers rois capétiens étaient contenus dans un domaine étroit entre Senlis et Bourges et démunis de pouvoir. Le souverain français serait ainsi toléré par les siens et non point maître de son royaume[1]. C'était là une vision grossière dont l'histoire de l'Église au xie siècle dénonce la fausseté et dont on commence à faire justice. Le Capétien est roi, prince sacré et respecté, jouissant de l'estime des clercs et des autorités princières; il exerce

---

1. Une telle image a été diffusée par A. Luchaire dans son étude sur « Les premiers Capétiens », de l'*Histoire de France*, de E. Lavisse, 1901, t. II, part. 2, p. 200-210. Une présentation plus juste du pouvoir royal est donnée par G. Duby, *Histoire de France*, vol. 1, éd. Larousse, Paris, 1970, t. 1, p. 259 et par R. Fossier, *Le Moyen Âge*, Paris, t. 2, p. 140.

une souveraineté légitime sur l'ensemble du territoire où son nom est connu et cité. Le domaine royal en fait un des plus riches princes de France, et nul n'a autant que lui d'évêchés et d'abbayes sous son contrôle[2].

La France est néanmoins multiple. Il y a d'abord le Sud et le Nord, où les pratiques, les institutions et la société sont différentes. L'Aquitaine, l'Auvergne, le Languedoc constituent de grands ensembles où la tradition romaine a laissé des traces profondes et où le roi, il est vrai, est souvent mal accepté. La Bourgogne, la Champagne et la Picardie ont beaucoup de points communs avec l'Ile-de-France, terre du roi ; on le vérifie, entre autres choses, par la carte des évêchés royaux de Henri Ier. La Normandie, assez autonome et bientôt unie à l'Angleterre, la Bretagne, presque coupée du continent, ont une histoire et une évolution particulières.

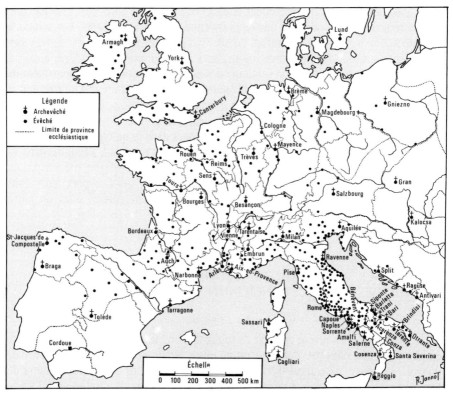

L'Église en Occident vers 1120
(d'après *Histoire des saints et de la sainteté chrétienne*,
Le Livre de Paris, Hachette, 1986, p. 39).

2. Un tableau et un inventaire des évêchés et des abbayes relevant du roi figurent dans l'étude de F. Lot, *Études sur le règne de Hugues Capet et la fin du xe siècle*, Paris, 1903, p. 222-232.

Le pape connaît la France, mais tient compte de ses diversités. Il privilégie ses relations avec le souverain, mais en entretient aussi avec les princes et les seigneurs, se montre attentif aux actions, réactions et intentions du premier et doit en même temps régler cent affaires avec les seconds. Pourtant, c'est bien du premier que dépend l'essentiel, et à la fin du XIIᵉ siècle, dans la vie de l'Église de France, la diversité soulignée plus haut était certainement devenue moindre qu'auparavant.

1. UNE RÉFORME MORALE NÉCESSAIRE

Léon IX était venu à deux reprises en France et en Allemagne pour faire exécuter des décisions, que les conciles et les synodes répétaient inlassablement[3], contre l'acquisition simoniaque des charges ecclésiastiques, ou plutôt des évêchés, des abbayes, des églises rurales, qui étaient considérées comme des sources fructueuses de revenus pour des clercs et des moines peu scrupuleux plutôt que comme des fonctions spirituelles ; contre le mariage ou le concubinage des clercs auxquels le célibat n'était pas encore imposé de plein droit ; contre les mariages des laïcs à des degrés prohibés ; contre les excès commis par les seigneurs et les chevaliers à l'encontre des pauvres et des faibles. À Reims, en 1049, le pape avait déposé certains évêques, en avait contraint d'autres à avouer leurs méfaits. Être élu au gouvernement d'une église et non pas nommé, la gagner par son mérite et non par l'argent ou l'influence auraient dû être la règle ; vivre suivant les préceptes du Nouveau Testament et les saints canons des conciles était une recommandation élémentaire. Tout cela ne fut finalement acquis qu'au terme d'une action de longue haleine, menée avec vigueur par les légats qu'envoyèrent les papes et qui représentèrent une centralisation en marche ; dans l'affrontement des autorités ecclésiastiques avec les pouvoirs laïques et notamment avec le plus haut, celui du roi, c'est l'usure autant que l'habileté théoricienne qui obtinrent enfin un résultat conforme à l'intention de ceux qu'on appelle des réformateurs et qui étaient surtout des novateurs, les inventeurs d'une nouvelle Église, qui prenait peu à peu du recul vis-à-vis d'une société avec laquelle elle faisait corps.

Léon IX était venu à Reims pour examiner la conformité des élections épiscopales avec les saints canons, pour juger de l'étendue de la plaie simoniaque. Si, en certains endroits, des églises paroissiales étaient déjà rendues ou données aux clercs et aux moines, les évêchés et les abbayes demeuraient, en revanche, souvent entre les mains des laïcs. Les prélats étaient nommés autoritairement, ou mis en place à la faveur de parentés, d'influences politiques, de versements d'argent, et quelquefois seulement élus canoniquement, non sans une surveillance étroite de soi-disant protecteurs. Le roi contrôlait un tiers des évêchés français et il en avait besoin pour faire contrepoids à l'action et à l'ambition des princes[4] ; il disposait en outre d'un nombre confortable

---

3. *Histoire des Conciles*, par Ch. J. HEFELE et H. LECLERCQ, IV-2, Paris 1911, p. 1011-1036 (Reims, 1049 ; Mayence, 1049 ; Allemagne, 1052). Une traduction de l'*Historia dedicationis Ecclesiae sancti Remigii* par Anselme a été publiée par dom J. HOURLIER (*La Champagne bénédictine*, Travaux de l'Académie de Reims, 1981, p. 179-295) ; on y voit le pape Léon IX agissant contre les simoniaques.

4. J.F. LEMARIGNIER, *Le gouvernement royal aux premiers temps capétiens (987-1108)*, Paris, 1955. De cette période à

d'abbayes, parmi les plus anciennes et les plus riches. Hors de la partie du royaume influencée par le souverain, ducs, comtes, vicomtes, seigneurs agissaient à leur guise, en particulier dans le Midi. Même s'il n'y avait pas de dynasties d'évêques ou de curés, même s'il n'y avait pas ouvertement de trafic scandaleux des hautes fonctions, même si l'amorce d'une réforme des anciennes pratiques simoniaques se faisait jour[5], cette région méridionale de la France était susceptible de recevoir le plus de correctifs. Or la France, qui était chère à la papauté et apparaissait comme un État peuplé, puissant et plus cohérent que ses voisins, pouvait donner l'exemple. Aussi les papes firent-ils un gros effort dans sa direction en y déléguant plus qu'ailleurs des hommes chargés d'appliquer la politique de Rome et de rappeler à un clergé très attaché au roi et aux princes sa dépendance à l'égard du successeur de saint Pierre.

À titre d'exemples, trois réunions, tenues en France dans l'année de la mort de Léon IX, en 1054, donnent le ton des préoccupations du moment[6]. À Tours, Hildebrand en personne réunit un synode : Bérenger y entend de nouveau condamner ses théories ; deux conflits, entre autres, sont apaisés, l'un entre les abbayes de Saint-Aubin d'Angers et de la Trinité de Vendôme à propos d'une église, l'autre entre le comte d'Anjou et le monastère de Marmoutier à propos d'une forêt. À Lisieux, c'est l'évêque de Sion, Ermenfroid, qui agit, en présence du duc Guillaume : l'archevêque de Rouen, Mauger, de mœurs dissolues, est déposé, et le moine Maurille est désigné pour le remplacer ; le célibat des prêtres est vivement recommandé. À Narbonne, l'archevêque rassemble un concile paroissial où l'on traite de la paix publique et de la trève de Dieu ; la même idée s'impose, en novembre de la même année, au concile de Barcelone, que président les archevêques de Narbonne et d'Arles.

2. Légations, conciles, synodes

Pour appliquer leur politique et être mieux compris, les papes sont venus en France, Léon IX à deux reprises (1049-1050), Urbain II longuement (1095-1096), Pascal II plusieurs fois. Ces voyages, malgré leur solennité, ne diminuaient en rien l'importance du travail des légats auxquels les souverains pontifes ont confié, pour des périodes plus ou moins longues, le soin de les représenter, de prendre des mesures et d'appliquer des décisions[7]. Le système de la légation prit alors une grande importance dans le développement de la centralisation du pouvoir de l'Église. La France offre, pour l'étudier, un bon exemple, et l'activité des conciles et synodes permet de suivre les préoccupations du moment. Deux sortes de légats sont intervenus : d'une part, des cardinaux et d'autres prélats envoyés par Rome pour des affaires ponctuelles et des voyages de durée moyenne (un à deux ans) ; d'autre part, des évêques de France qui

---

1120, voir A. BECKER, *Studien zum Investiturproblem in Frankreich. Papsttum, Königtum und Episkopat im Zeitalter der gregorianischen Kirchenreform, (1049-1119)*, Sarrebrück 1955.

5. A. FLICHE, « La réforme grégorienne et la Reconquête chrétienne (1057-1123) », dans *HE*, par FLICHE et MARTIN, t. 8, Paris, 1940.

6. *Histoire des Conciles, op. cit.*, 4-2, p. 1108-1112.

7. Th. SCHIEFFER, *Die päpstlichen Legaten in Frankreich vom Vertrage von Meersen (870) bis zum Schisma von 1130*, Berlin, 1935.

ont reçu une légation pour une longue période, pour un territoire déterminé, et ont ainsi pu suivre les affaires jusqu'à leur aboutissement. Ces derniers devaient dans tous les cas s'en rapporter à la curie pour les cas litigieux ou capitaux, assurer la bonne marche des appels, attendre éventuellement de nouveaux ordres; leurs décisions pouvaient être contestées par le pape, voire annulées.

Les légats organisaient la convocation et la réunion de synodes et de conciles. Peu de choses distinguaient une réunion de l'autre sinon le nombre de participants, souvent indiqué s'il avait été grand, surtout quand il y avait beaucoup d'archevêques et d'évêques; les conciles se marquaient davantage par la publication de canons, le règlement d'affaires plus importantes[8]. L'examen détaillé des sujets traités et des décisions prises permet d'en dresser un catalogue assez représentatif. On en retrouve mention dans les chartes, les bulles, les chroniques qui relatent les conflits ayant opposé les clercs, les moines, les autorités administratives, sur des questions de droit à propos d'un bien, d'une primauté, d'une nomination, et l'on a le sentiment que ces questions reviennent plus souvent dans la moitié sud de la France. L'objet le plus brûlant était presque toujours l'investiture épiscopale ou le comportement des prélats, à qui les légats demandaient d'éclairer les conditions de leur nomination ou élection, de se justifier d'accusations de simonie. Durant cette période, beaucoup d'évêques ont été excommuniés, déposés, suspendus, certains se sont soumis, d'autres ont résisté, finissant parfois par l'emporter, ce qui n'empêchait pas les diocèses d'être gouvernés, les offices mineurs d'être pourvus. Les abbés étaient plus rarement mis en cause pour ce qui touchait leur élection, ils avaient le plus souvent à défendre les possessions de leur monastère. Au bout du compte, ce qui comptait le plus était la diffusion par les légats des mesures décisives et nouvelles prises par les papes, et que les conciles reprenaient alors dans leurs canons.

La France peut être divisée en trois zones de légations : les provinces méridionales formaient un tout, l'Aquitaine au sens large, de Poitiers à l'Espagne, avec parfois un prolongement vers Tours et la Bretagne; ce fut le champ d'action d'Amat d'Oloron, plus tard de Gérard d'Angoulême; Saintes, Poitiers, Bordeaux ont souvent accueilli les conciles. La Bourgogne et la France capétienne représentaient un ensemble où le roi avait le plus de pouvoir : Hugues de Die y a été le plus actif, il a surtout parcouru la vallée du Rhône et de la Saône et la province de Reims, en relations plus ou moins étroites avec Cluny; certains des conciles les plus importants se sont tenus à Autun. La Normandie avait un régime particulier, qui la réunissait à l'Angleterre. Le Nord de la France fut peu touché, les affaires de cette région étaient réglées par Reims. Les papes ont manifesté plus ou moins d'exigences à l'égard de leurs légats; Grégoire VII a beaucoup compté sur Amat d'Oloron et Hugues de Die, Urbain II a fait appel à un personnel diversifié, Pascal II a fait confiance, pour de longues périodes, à quelques légats seulement, comme Richard d'Albano de 1101 à 1111, Gérard d'Angoulême de 1107 à 1118.

---

8. Tel est le cas des conciles d'Autun en 1077 et 1094, Bordeaux en 1079 et 1080, Saintes en 1097, Poitiers en 1100. (*Histoire des conciles*, t. 5-1, Paris 1912, *passim*.)

3. AMAT D'OLORON ET HUGUES DE DIE : LUTTE CONTRE LA SIMONIE

Très probablement ancien moine clunisien, Amat est devenu évêque d'Oloron en 1073[9]. Dès l'année suivante, Grégoire VII lui confia une légation en Aquitaine, où Amat, un peu plus tard, fut malmené par les partisans du comte de Poitiers dont le mariage était mis en cause (Saint-Maixent, juin 1075). En 1077, il fut chargé de la Narbonnaise, la Gascogne et l'Espagne, ce qui le conduisit à légiférer à Gérone (1077-1078). On le trouve ensuite en Béarn (1078), en Bretagne (1079-1080). À Bordeaux, dans un grand concile provincial (oct. 1080), il régla nombre de conflits d'abbayes et reconnut la fondation de la Sauve-Majeure. Après un concile réuni à Saintes (janvier 1081), il fut relevé de sa légation (Issoudun, mars 1081), et se retira dans son diocèse jusqu'à ce qu'Urbain II fasse de nouveau appel à lui. Dans un autre concile à Saintes (nov. 1089), il fut élu archevêque de Bordeaux. Il continua de tenir et de présider d'autres réunions à Toulouse (1090), Bordeaux (1093 et 1098), en Limousin (1096) et en Espagne (1097) où il rendit au culte catholique une mosquée de Huesca. En 1095 et 1096, il suivit Urbain II dans son parcours français et se montra, jusqu'à sa mort (22 mai 1101), un législateur modéré et ferme et un représentant fidèle et discipliné de la papauté.

Hugues de Die offre un autre visage[10]. Cet ancien chanoine de Romans, devenu chambrier du chapitre de Lyon, devint évêque à la faveur de la déposition de l'évêque simoniaque de Die par le légat Giraud d'Ostie (fév. 1073). Consacré à Rome, il séduisit Grégoire VII par son intransigeance, égale à celle du pape. Dès 1075, il reçut une légation et manifesta tout de suite une grande activité et une autorité souvent brutale ; il resta légat, avec quelques interruptions, pendant plus de vingt ans. C'est à son action que l'Église de France doit d'avoir eu en 1077 de nombreux archevêques et évêques suspendus, même des hommes dont le zèle réformateur n'était pas contesté, comme Richard II de Bourges coupable sans doute de n'avoir pas justifié son absence à un concile[11]. Toutes les élections furent revues, la simonie fut combattue sous toutes ses formes. Grégoire VII ne soutint pas toujours les décisions prises par son légat et se montra plus compréhensif à l'égard de ceux qui faisaient *ad limina* une visite pour se justifier. Grâce à la permanence de sa légation, Hugues ne lâchait pas ses prises et il parvint de la sorte à mettre un terme à l'épiscopat de l'archevêque de Reims, Manassès, dont le comportement simoniaque méritait d'être condamné (1080)[12]. Vis-à-vis du roi, Hugues montra aussi une grande fermeté ; par exemple, pour occuper

9. A. DEGERT, « Amat d'Oloron », *RQH*, 84 (1908), p. 33-84 ; M. FAZY, « Amat d'Oloron, archevêque de Bordeaux et légat du Saint-Siège », *Cinquièmes mélanges d'histoire du Moyen Âge*, éd. LUCHAIRE, Bibl. Fac. Lettres Paris, 24 (1908), p. 77-140 ; *DHGE, s. v.* Amat, t. 2, col. 973-977 (R. BIRON) ; *Lexikon des Mittelalters*, I, Munich, 1980, col. 512-513, *s.v.* Amatus (Ch. HIGOUNET).

10. W. LÜHE, *Hugo von Die und Lyon, Legat von Gallien*, Diss. Strasbourg, 1898 ; RONY, « La légation d'Hugues archevêque de Lyon sous le pontificat d'Urbain II », *RQH*, 112 (1930), p. 124-147 ; Th. SCHIEFFER, *op. cit., passim.* P.R. GAUSSIN, « Hugues de Die et l'épiscopat franco-bourguignon (1075-1085) », *CH*, 13 (1968), p. 77-98.

11. Sur Richard II de Bourges, voir G. DEVAILLY, *Le Berry du Xe siècle au milieu du XIIIe*, Paris – La Haye 1973, p. 250-256 (Richard II fut archevêque de 1077 à 1092).

12. H. GAUL, *Manasses I, Erzbischof von Reims, ein Lebensbild aus der Zeit der gregorianischen Reformbestrebungen in Frankreich, 1 : der unbekannte Manasses der ersten Jahre 1069-Frühjahr 1077*, Bonn-Essen, 1940 ; M. WIEDEMANN,

le siège de Soissons[13], il tira de sa cellule l'abbé de Saint-Médard pour l'opposer à un candidat, déjà élu, de Philippe Ier, qui était frère du sénéchal royal; mais ici le roi tint bon.

En 1082, Hugues fut mis en retrait et invité à se faire élire archevêque de Lyon, cette année-là ou peu après. Il occupait là une position importante car, depuis 1079, Lyon avait retrouvé la primatie des Gaules[14]. Puis Hugues s'opposa à Victor II dont il ne partageait pas les vues, ce qui lui valut d'être excommunié. Urbain II lui confia de nouveau une légation à partir de 1093-1094. Le légat dut alors traiter du mariage du roi au concile d'Autun (oct. 1094)[15] et condamna sévèrement Philippe Ier pour adultère. Les bonnes relations d'Urbain II et de Hugues de Lyon ne durèrent pas longtemps à cause des positions très « grégoriennes » du second, qui n'eut plus à partir de 1096 que sa primatie lyonnaise comme champ d'action. Sur ce terrain, il se montra mesquin à l'égard des autres légats, dont il contrecarra l'action (Valence 1100). Son nom reste ainsi attaché à la politique la plus dure de cette époque vis-à-vis de la simonie, quand aucun effort de compréhension n'était fait à l'égard du problème de l'investiture.

4. YVES DE CHARTRES ET LE RÈGLEMENT DES INVESTITURES

Le premier canon du concile de Poitiers (janvier 1078) réuni par Hugues de Die déclarait : « Nul évêque, abbé, prêtre ou clerc ne doit recevoir de la main du roi, d'un comte ou d'un laïc, un évêché, une abbaye, une église ou une fonction ecclésiastique quelconque. »[16] La déclaration était dépourvue d'ambiguïté et l'on voit quel chemin avait été parcouru : de la lutte contre la simonie et le mariage des prêtres, on en était venu à la mise en cause de l'investiture des prélats par les laïcs, et Grégoire VII refusait de façon péremptoire qu'un laïc pût dire à un clerc *accipe ecclesiam* en l'investissant d'une fonction ecclésiastique[17]. Sans réfléchir davantage aux conséquences pratiques des interdictions qu'ils lançaient, les grégoriens avaient voulu couper les liens entre les charges ecclésiastiques et les laïcs qui prétendaient à tort ou à raison en disposer. Aux évêchés et aux abbayes, seuls jusque-là mis en question, venaient s'ajouter toutes les autres églises, et l'on songeait en particulier aux paroisses. Aux rois et aux princes, dont les excès étaient habituellement visés, étaient adjoints les seigneurs et tout laïc susceptible d'intervenir dans une élection, et l'on pensait à tous les propriétaires de tout ou partie d'église paroissiale. En fait aucune église, grande ou petite, de la moindre chapelle à la cathédrale, ne pouvait exister sans une dotation, indispensable pour assurer la vie des desservants, du chapelain à l'évêque; or,

Gregor VII, und Erzbischof Manasses I. von Reims. Ein Beitrag zur Geschichte der französischen Kirchenpolitik des Papstes Gregor VII, Leipzig, 1884 ; J.R. WILLIAMS, « Archbishop Manasses I of Rheims and Pape Gregory VII », *AHR*, 54 (1949), p. 804-825.

13. M. BUR, *La formation du comté de Champagne*, Nancy, 1977, p. 223.

14. La primatie des Gaules fut retirée à Sens. Elle se limitait à quatre provinces : Lyon, Sens, Tours, Reims.

15. *Histoire des Conciles*, 5.1, p. 387. A. FLICHE, *Le règne de Philippe Ier, roi de France (1060-1108)*, Paris, 1912.

16. *Histoire des Conciles*, 5.1, p. 231.

17. Concile de Rome, 1075 (*Histoire des Conciles*, 5.1, p. 128-130).

renoncer à l'investiture signifiait pour un laïc perdre le contrôle de territoires qu'il considérait comme faisant partie de sa seigneurie. Ce problème en fait n'était pas nouveau et des théoriciens y avaient déjà réfléchi; l'idée de distinguer le temporel du spirituel était dans l'air[18], mais il fallait concilier les intentions de chacun, sauvegarder les intérêts de la papauté et ceux du roi, respecter la volonté des prélats hostiles à une rupture avec leurs protecteurs laïques, élaborer une solution satisfaisante. Malgré les canons qui tonnaient contre l'investiture laïque, que reprenaient les conciles des papes (1059, 1073, 1077, 1091) et que diffusaient les synodes provinciaux par la voix des légats, seule la simonie était véritablement discutée, car l'investiture ne semblait pas pouvoir être supprimée[19]. Yves de Chartres joua un rôle fondamental pour aider à sortir de cette impasse.

La vie d'Yves de Chartres se déroule en trois phases de durée à peu près équivalente, sa jeunesse, sa vie de chanoine et d'abbé, son épiscopat. Il naquit vers 1040 aux environs de Beauvais, de parents assez aisés pour lui faire donner une instruction dans cette ville, puis l'envoyer à Paris compléter sa formation[20]. Il apprit la théologie à l'abbaye du Bec, auprès de Lanfranc et d'Anselme, et devint chanoine à Nesles. En 1078, il fut mis à la tête des chanoines réguliers du nouveau monastère Saint-Quentin de Beauvais. En 1090, le peuple de Chartres le choisit pour remplacer l'évêque Geoffroi qu'Urbain II venait de déposer; le roi Philippe Ier lui donna

Donation d'une église à la Vierge par ses fondateurs,
Sainte-Marie de Wrolaw, Pologne, fin XIIe siècle
(Polska Akademia Nauk, Instytut Sztuki).

---

18. R. SPRANDEL, *Ivo von Chartres* (Pariser Historische Studien), 1, Stuttgart, 1962, p. 165.

19. A. FLICHE, « Y a-t-il en France et en Angleterre une querelle des investitures? », *RBen*, 1934, p. 283-295.

20. Yves de Chartres, *Correspondance*, éd. et trad. par Jean LECLERCQ, Paris, Les Belles-Lettres, 1949, t. I, Introd. p. VII-XVII; L. SCHMIDT, *Der heilige Ivo, Bischof von Chartres*, Vienne, 1911; R. SPRANDEL, *op. cit.*

l'investiture, mais l'archevêque de Reims ne voulut pas le consacrer, refusant de considérer Geoffroi comme déchu. Yves se rendit à Rome, où il reçut la consécration épiscopale des mains du pape (novembre 1090)[21].

Le nouvel évêque n'était pas en porte-à-faux par rapport à la longue tradition scolaire chartraine. Sa formation avait été très large; parfait connaisseur des Saintes Écritures comme ses contemporains, il jouissait aussi d'une vaste culture profane. Il fut surtout réputé comme canoniste, apte à analyser des points délicats de doctrine et à proposer des réponses. Deux domaines l'ont retenu plus que d'autres : le mariage et l'investiture. Les affaires matrimoniales venaient fréquemment au jour; car si la doctrine était en gros assez claire, elle ne permettait pas de résoudre de multiples cas précis. Bien des conciles devaient examiner des cas d'unions à des degrés de parenté prohibés; il y avait encore d'autres sujets de discussion que la parenté, tels que les doubles noces, ou la découverte d'une situation antérieure qui aurait dû interdire un mariage[22]. Yves étudiait chaque dossier avec passion. Il eut donc à s'occuper d'une affaire qui empoisonna les relations avec la papauté, celle de l'union illégitime de Philippe Ier[23]. En mai 1092, le roi avait renvoyé la reine Berthe, pour accueillir Bertrade de Montfort, troisième épouse du comte Foulque d'Anjou. Le légat Hugues condamna cette cohabitation en 1094[24]. Berthe étant morte, Philippe pouvait-il alors épouser légitimement celle qui avait été sa concubine? Tel est le genre de question pour lequel Yves était invité à donner son avis[25]. Dans ce cas précis, le pape Urbain II fit tout ce qui lui était possible pour obtenir la séparation des époux; en 1098, Philippe accepta de se soumettre, mais Bertrade refusa de partir[26]. C'est en 1104 seulement que le couple vit son cas réglé[27]. Durant ces nombreuses années, Yves avait dû souvent intervenir auprès du roi, auprès des légats et du pape, pour analyser le cas, proposer des solutions.

C'est la question des investitures qui valut au canoniste sa plus grande renommée[28]. Yves de Chartres élabora lentement une nouvelle théorie ou parvint à l'imposer si l'on admet que d'autres en même temps travaillaient dans le même sens que lui. À la faveur de l'élection de Daimbert de Sens et du débat qui s'ensuivit, il soutint d'abord que l'investiture n'était nullement un sacrement et pouvait être donnée par un laïc sans que ce dernier fût taxé d'hérésie[29]. Il fit admettre que le roi n'avait aucune action dans le domaine spirituel, son investiture n'ayant aucune force sacramentelle, et les meilleurs prélats ayant absolument besoin de recevoir du prince la disposition des biens

21. Élection d'Yves : A. BECKER, *op. cit.*, p. 85.

22. G. DUBY, *Le chevalier, la femme et le prêtre. Le mariage dans la France féodale*, Paris, 1981.

23. A. FLICHE, *Philippe Ier*, *op. cit.*

24. Au concile d'Autun du 16 octobre 1094 (*Histoire des Conciles*, 5-1, p. 387).

25. Yves de Chartres, *Correspondance*, *op. cit.*, lettre 16, p. 65-67.

26. A. BECKER, *op. cit.*, p. 86-87.

27. Concile de Paris, *Hist. des Conciles*, 5-1, p. 482-483.

28. Dans les analyses qu'il conduisait sur différents sujets, tout en se référant à des textes anciens et à des exemples reconnus, il ne manquait pas de souligner la nécessaire adaptation au temps et au lieu (J. LECLERCQ, introd. à la *Correspondance*, voir note 20, p. XVI-XVII).

29. Lettre très claire à ce sujet adressée à l'archevêque Hugues de Lyon, en 1097, *Correspondance*, *op. cit.*, p. 246-247; R. SPRANDEL, *op. cit.*, p. 164-169. (Remarque d'O. GUILLOT, *Le comte d'Anjou et son entourage au xie siècle*, Paris, 1972, p. 186, note 231).

temporels. De mois en mois, de lettre en lettre, Yves devait lutter contre la rudesse d'Hugues de Lyon et amener Urbain II à un compromis. L'évolution des esprits et des pratiques facilita ses efforts et lui permit d'être suivi. Dans la dernière décennie du XIe siècle, à maintes reprises, les élections d'évêques se firent sans intervention du roi, qui donnait seulement par la suite son investiture, avant que l'élu fût consacré. Urbain II restait très ferme dans son propos, et ne prenait pas à son compte l'attitude d'Yves. À Clermont, en 1095, le pape fit même un pas de plus pour durcir la situation en interdisant tout hommage d'un homme d'Église à un laïc[30]; un tel serment, en effet, créait des obligations vassaliques inadmissibles pour un clerc. Yves de Chartres poussa alors plus avant sa théorie, qui prit la forme qu'on lui connaît ensuite : distinction entre la consécration épiscopale avec remise de la *cura animarum* et l'investiture du temporel, abandon de l'hommage au profit d'un serment de fidélité qui aurait les mêmes effets, sans l'inconvénient du lien vassalique[31]. Hugues de Fleury formula clairement la nouvelle solution; l'anneau et la crosse seraient remis par le prélat consécrateur, le roi donnerait l'investiture séculière à l'aide d'un autre symbole[32]. Cette solution l'emporta.

Yves de Chartres avait contribué au règlement de l'affaire matrimoniale du roi; il trouva encore une solution permettant de préserver l'honneur du pape et du roi à propos de l'élection de Beauvais (1104); plus tard, il put constater que la question des investitures, grâce à la compréhension de Pascal II, trouvait sa solution dans le sens qui vient d'être dit. En 1107, il accueillit Pascal II dans sa cathédrale et lui donna sans doute alors les ultimes conseils qui facilitèrent l'entrevue du souverain pontife et des rois Philippe Ier et Louis. Quatre ans plus tard, il défendit devant ses pairs le même pape, critiqué pour avoir reculé devant les exigences de Henri V. Évêque, Yves avait gouverné au mieux son diocèse; il ne mourut pas sans avoir encore réglé un différend qu'il avait avec les chanoines de son chapitre (23 déc. 1116).

5. SITUATION AU DÉBUT DU XIIe SIÈCLE

Il peut paraître surprenant de voir répéter sous le pontificat de Pascal II des injonctions que les conciles tenus sous Léon IX avaient déjà distribuées avec fermeté. C'est que tous les problèmes ne se réglaient pas de la même manière. Tout au long de cette période, comme avant et après elle, le Siège apostolique, les légats et les prélats ont dû arbitrer des querelles, déterminer des frontières et des liens de dépendance, rappeler à l'ordre des individus, bref gérer et administrer, au coup par coup, mille cas qui remplissent les bullaires. Cela donnait du tracas aux légats, mais n'avait pas d'incidence sur l'évolution de la vie de l'Église. En second lieu, on avait pu assister à la gestation d'une théorie des investitures, dont chaque phase faisait l'objet d'explications

---

30. *Hist. des Conciles*, 5.1., p. 402; A. BECKER, *op. cit.*, p. 88; MANSI, *Hist. concil.*, XX, 817.

31. L'expression *in manibus ligiam fidelitatem facere* désignait l'hommage vassalique, à ne pas confondre avec la *fidelitas* seule ou le *sacramentum fidelitatis*.

32. A. BECKER, *op. cit.* p. 151-153. Hugues de FLEURY, « Tractatus de regia potestate et sacerdotali dignitate », *MGH.LL*, 2, p. 465-494.

et d'applications; au bout d'un demi-siècle, un résultat avait été obtenu. Enfin, les autorités ecclésiastiques devaient surveiller la vie des clercs, des moines, des ermites, veiller au dogme et à la morale, atteindre les chrétiens par l'intermédiaire du clergé. C'est là où les résultats apparaissent à la fin du compte des plus médiocres : chanoines et prêtres répugnaient encore à respecter le célibat, la course aux prébendes et leur cumul se poursuivaient, les comportements laxistes étaient encore fréquents.

La réforme entreprise depuis un siècle avait-elle changé quelque chose en France? La réponse est sans ambages positive, même si l'on admet que le mouvement était encore loin de son aboutissement en bien des régions. Un peu partout, le nombre des églises totalement entre les mains des laïcs avait diminué, et par conséquent le nombre des prêtres ayant cure d'âmes et contrôlés par les évêques, les chapitres et les abbayes avait augmenté : c'était là un progrès considérable, qui allait se prolonger; les clercs, chargés du service divin, ne pouvaient plus impunément avoir femme et enfants et vivre comme des laïcs.

Le problème de l'élection épiscopale avait reçu une solution à l'échelle du royaume, tant pour les princes et les seigneurs que pour le roi. Le nouveau système s'est mis à fonctionner sans texte pour le définir précisément, mais tous, clercs et laïcs savaient ce qu'il en était. Et d'abord, c'était le clergé et le peuple qui choisissaient l'évêque, ce qui voulait dire en réalité le chapitre cathédral d'abord, d'autres prélats et des grands laïques pouvant se joindre à lui. Il conviendra plus tard de déterminer qui lui donnait la *licentia eligendi*. Les chanoines votaient librement, ce qui ne se faisait pas toujours sans difficulté; c'est Latran IV qui précisera les formes de scrutin. L'élu recevait son bien des mains du prince, non pas sa fonction ecclésiastique, mais la disposition du temporel, que le souverain contrôlait durant la vacance, s'il s'agissait d'un évêché royal; venait alors la cérémonie principale où un archevêque, habituellement le métropolitain, assisté d'évêques de la province, donnait la consécration épiscopale et remettait la cure des âmes par la crosse et l'anneau. Ces deux dernières cérémonies pouvaient être inversées.

Ce schéma ne garantissait pas totalement l'indépendance de la démarche, et le roi ou les princes conservaient des moyens de pression, mais pour l'essentiel la volonté des réformateurs était sauve. En définitive, les prélats, évêques et abbés, émanaient de leurs administrés, ce qui n'apportait pas nécessairement l'assurance d'un bon choix; le prélat, qui avait à gérer et gouverner, devait aussi avoir de solides qualités. Il y eut avant et pendant la querelle de bons et de mauvais évêques, il en fut de même après. Ce qui comptait déjà était l'acquis incontestable que représentait la naissance d'une Église non inféodée au pouvoir laïc. Le roi de France n'avait en fait rien perdu, et même il élargit sans cesse son emprise sur l'Église dans les provinces qui lui échappaient. La papauté avait beaucoup gagné et les légats avaient eu une action efficace, même si elle n'avait pas toujours totalement abouti. Comme on l'a dit déjà, la diversité de l'Église française devenait moindre au XIIe siècle qu'elle l'était un siècle plus tôt.

II. LE ROYAUME ANGLO-NORMAND : UN COMPORTEMENT INSULAIRE

Guillaume, duc de Normandie, partit pour la conquête de l'Angleterre avec la bénédiction du pape ; il y allait affirmer, contre le Saxon Harold, ses droits à l'héritage du roi Édouard le Confesseur, mort à la fin de 1065. Bientôt le Conquérant se trouva conjointement à la tête d'un royaume et d'un duché. Dès lors et presque constamment la Normandie et l'Angleterre furent régies selon les mêmes principes, en particulier dans le domaine religieux.

1. GUILLAUME LE CONQUÉRANT ET L'ÉGLISE

Vainqueur sur le champ de bataille d'Hastings, le duc normand rallia lentement Londres, où il se fit couronner roi à la Noël de 1066 par l'archevêque d'York[33] ; il manifestait ainsi sa méfiance à l'égard de l'archevêque de Cantorbéry, Stigand, qui représentait à lui seul plusieurs des tares dont souffrait alors l'Église anglaise : élections simoniaques, cumul des fonctions[34]. Guillaume avait une idée claire de ses exigences en matière religieuse : application de la réforme dans une Église en déclin, établissement d'une autorité sans réserve dans le domaine ecclésiastique.

La réforme était nécessaire. Le pieux roi Édouard, à la fois chef de son Église et le plus humble de ses membres, n'avait pas imposé à ses clercs et à ses moines le comportement religieux qui était le sien. Le renouveau monastique du siècle précédent était oublié ; si la simonie sévissait comme partout, le refus du célibat ecclésiastique était particulièrement net ; le népotisme avait normalement cours, voire la transmission d'une fonction de père en fils. La Normandie était dans une situation bien meilleure que l'Angleterre en raison de l'action de prélats de qualité, comme Maurice de Fécamp ou Jean d'Avranches, qui devinrent archevêques de Rouen, les évêques Hugues de Lisieux ou Yves de Séez. Les anciennes abbayes de Jumièges, de Saint-Wandrille, de Fécamp et du Bec, entre autres, étaient des foyers ardents de vie monastique. Le Siège apostolique se préoccupait de ce royaume ; le pape avait envoyé en Normandie un légat, l'évêque Ermenfroid de Sion, et des conciles avaient été réunis en Angleterre, à Winchester et Windsor.

Guillaume voulut un épiscopat à sa mesure ; Stigand et ceux qu'il avait consacrés évêques durent abandonner leur place, que des Normands occupèrent ; les Anglais furent exclus des sièges épiscopaux ou n'y accédèrent pas. Un court débat conduisit à l'affirmation de la primatie du siège de Cantorbéry, dont l'archevêque allait devenir un

---

33. M. de BOÜARD, *Guillaume le Conquérant*, Paris, 1986.
34. Pour l'histoire religieuse de cette période, Frank BARLOW, *The English Church, 1066-1154*, Londres-New York, 1979 ; M.T. CLANCHY, *England and its Rulers, 1066-1272, Foreign Lordship and National Identity*, Worcester, 1983. Tout se trouve exposé dans H. BOEHMER, *Kirche und Staat in England und in Normandie im XI. und XII. Jahrhundert. Eine historische Studie*, Leipzig, 1899 (repr. 1968), p. 42-79 ; Norman CANTOR, *Church, Kingship and Lay Investiture in England, 1089-1135*, Princeton, 1958, qui se consacre plus particulièrement à la question des investitures, à la différence de Boehmer qui n'en parle quasiment pas.

Donation de Richard II de Normandie aux moines du Mont-Saint-Michel,
Cartulaire du Mont-Saint-Michel, XIIᵉ siècle, ms. 210, f. 19 vᵒ
(Bibliothèque municipale d'Avranches).

agent de la politique religieuse du roi[35]. Le nouveau roi d'Angleterre n'avait pas l'intention de laisser à son clergé des initiatives qui auraient pu l'amener à contester son autorité discrétionnaire. Il convoquait les synodes, surveillait les tribunaux ecclésiastiques. Vis-à-vis du pape, il s'estimait libre de ses choix, refusant de jurer une quelconque fidélité à Grégoire VII qui insistait pour l'obtenir. Guillaume interdit aux évêques de se rendre régulièrement à Rome, nul ne pouvait même aller ad limina sans sa permission. Toute relation épistolaire entre Rome et l'Église anglaise devait passer par ses mains, et les légats ne pouvaient entrer dans le royaume sans venir au préalable lui exposer le but de leur mission. Pour l'aider dans ses projets de réforme, Guillaume Ier fit appel à l'abbé du Bec, Lanfranc.

2. LANFRANC

Les abbayes normandes avaient été réformées au début du XIe siècle par Guillaume de Volpiano[36]. Il y eut peut-être dès lors un courant de la péninsule vers la Normandie qui expliquerait la venue de l'Italien Lanfranc dans l'abbaye du Bec. Celui-ci, par son intelligence et sa culture, fit de ce monastère un centre scolaire de première grandeur[37]. L'abbé Lanfranc ajoutait à ses qualités d'enseignant et d'écrivain une capacité de gestionnaire qui explique le choix de Guillaume. Lanfranc remplaça Stigand à Cantorbéry dès 1070 et s'empressa d'appliquer en Angleterre une réforme monastique, qui ne fit une place à l'ordre de Cluny qu'en 1077 grâce à la fondation de Lewes. Le combat contre le mariage des prêtres prit de l'ampleur, et la discipline bénédictine fut de nouveau appliquée avec fermeté et succès dans les abbayes (Gloucester, Saint-Albans, Evesham, Ely). Il fallut beaucoup de temps pour imposer le célibat ecclésiastique ; en Normandie, l'archevêque de Rouen, Jean, avait de grosses difficultés avec les prêtres mariés, qu'il voulait contraindre à chasser leurs femmes[38]. Par la voie des conciles, la législation que Lanfranc avait apportée avec lui de Normandie finit lentement par imposer sa pratique contre les coutumes saxonnes ; de telles réunions eurent lieu à Winchester (1072, 1076), Londres (1075), Westminster (1077), Gloucester (1080, 1085)[39], de même qu'il s'en tenait en Normandie, mais en moins grand nombre. Malgré le refus de Guillaume Ier de laisser en 1079 Lanfranc se rendre à Rome pour y recevoir des ordres de Grégoire VII, les deux hommes eurent une action bien coordonnée et efficace dans la lutte contre le nicolaïsme et la simonie, comme dans le gouvernement des diocèses. Ils furent ainsi d'accord pour retirer en 1082 à Eudes de Bayeux ses possessions et ses droits en Angleterre[40]. La mort du Conquérant représenta une grande perte pour l'Église d'Angleterre (9 déc. 1087) car son fils et successeur, Guillaume le Roux, se révéla d'emblée

---

35. Débat sur la primatie de Cantorbéry en 1072.
36. N. BULST, *Studien zu den Klosterreformen Wilhelms von Dijon (962-1031)*, Bonn, 1973, p. 147-185.
37. Margaret GIBSON, *Lanfranc of Bec*, Oxford, 1978.
38. Concile de Rouen en 1074 (*Histoire des Conciles*, 5-1, p. 112-113).
39. G.B. ADAMS, *Council and Courts in Anglo-Norman England*, Yale, 1965.
40. D.R. BATES, « The Character and Career of Odo, bishop of Bayeux (1049/50-1097) », *Speculum*, 50 (1975), p. 1-20.

différent et peu conciliant. Simoniaque sans vergogne, il avait aussi des mœurs scandaleuses. Il voulait exercer le pouvoir au moins autant que son père, mais n'en avait pas la rigueur morale. À l'occasion du procès de l'évêque de Durham, accusé d'avoir refusé de servir sur le champ de bataille, le nouveau roi avait encore fixé la sentence en accord avec Lanfranc et en respectant l'avis des conseillers laïques et ecclésiastiques[41]. Mais, après que l'archevêque fut mort (24 mai 1089), Guillaume dévoila crûment ses intentions : il refusa de lui donner un successeur et perçut à son seul profit les revenus du diocèse. Il usa au reste à plusieurs reprises de son droit de dépouille, il se ferma totalement aux réformes, ne voulut pas prendre parti entre Urbain II et Clément III et faillit entraîner son royaume dans le schisme. C'est seulement à la demande réitérée des barons qu'il accepta le principe de donner un nouvel archevêque à Cantorbéry (1093).

3. Anselme

Originaire d'Aoste, le jeune Anselme eut une jeunesse assez agitée[42]. Quittant son pays pour la Bourgogne, il se dirigea vers la Normandie et entra à l'abbaye du Bec, où il fit de solides études sous la direction de Lanfranc. En 1060, à l'âge de vingt-six ans, il opta définitivement pour la vie monastique ; ses qualités, surtout intellectuelles, lui valurent d'être élu prieur et il demeura quinze ans dans cette fonction. Il ne prétendait pas s'occuper de gestion, sans doute en était-il plus capable que ne le dit son biographe Eadmer[43]. Il préférait enseigner et écrivait déjà beaucoup. Un peu contre son gré, car il se défendait d'aimer l'exercice de l'autorité, il accepta l'abbatiat que la promotion de Lanfranc à Cantorbéry libérait. Abbé de 1078 à 1093, il continua à s'adonner à la prédication et à la direction des âmes. Il se rendait régulièrement en Angleterre à cause des possessions que son abbaye, comme les autres abbayes normandes, avait dans la grande île[44], et il soutenait son ancien abbé dans son œuvre de réforme. Il s'y trouvait en visite quand les évêques anglais, en présence de Guillaume le Roux, lui proposèrent le siège archiépiscopal de Lanfranc, puis devant son refus, le proclamèrent élu en appliquant contre sa main qu'il maintenait fermée la crosse et l'anneau de la fonction. Pour justifier son attitude, Anselme, comparant l'Église anglaise à une charrue, avait déclaré que le couple qui allait la tirer serait alors constitué d'un taureau indomptable (le roi chargé des aspects séculiers) et d'une faible brebis (lui-même responsable de la vie spirituelle) : ce serait un échec. À la longue, il finit par céder et prêta l'hommage habituel au roi. L'affrontement était cependant inévitable, il fut constant.

Anselme exigea avec opiniâtreté de voir restituer à son église de Cantorbéry les

---

41. Sur ce procès de Guillaume de Saint-Calais, évêque de Durham, voir F. Barlow, *op. cit.*, p. 281-286.
42. *DHGE*, 3, col. 464-485 (P. Richard) ; R.W. Southern, *Saint Anselm and his Biographer*, Cambridge, 1963. Sally N. Vaughn, *Anselm of Bec and Robert of Meulan : The innocence of the dove and the wisdom of the serpent*, Berkeley, 1988.
43. Eadmer, *Historia novorum in Anglia*, éd. Martin Rule, Rolls series 1884 ; *PL* 158, col. 49-118.
44. Marjorie Morgan, *The English Lands of the Abbey of Bec*, Oxford, 1946. Donald Matthew, *The Norman Monasteries and their English Possessions*, Oxford, 1962.

biens que le roi avait usurpés; le roi dut les rendre. Au concile de Rockingham, en 1095, l'archevêque eut une attitude qui contrastait avec celles des autres évêques; il mettait l'obéissance due au pape avant la fidélité due au roi, et refusa de changer de point de vue malgré les conseils pressants des prélats soumis au souverain. Anselme avait, comme abbé du Bec, reconnu Urbain II comme pape, il réussit à imposer le même choix à Guillaume II. Une légation de l'abbé de Saint-Bénigne de Dijon, Jarenton, souligna l'urgente nécessité de poursuivre les réformes, mais le légat buta sur l'hostilité du roi qui pressurait les monastères. Il fallait donc faire appel à Rome : Anselme manifesta le désir d'aller prendre conseil du pape, l'autorisation de partir lui fut refusée. Il insista, put enfin quitter l'île et alla offrir sa démission à Urbain II qui demanda à l'intéressé de tenir bon. Anselme demeura longtemps éloigné de l'Angleterre avant de pouvoir rejoindre son siège archiépiscopal. Le roi, qui ne voulait pas obtempérer à ses demandes et envoyait à Rome des clercs pour agir contre lui, mourut inopinément d'un accident de chasse (2 août 1100). Anselme, dont Pascal II rejeta aussi la démission, fut rappelé par le frère et successeur du défunt, Henri Ier Beauclerc. Après trois ans d'exil, l'archevêque revint avec des intentions aussi fermes, face à un souverain à la fois énergique et souple, qui souhaitait un accord avec le Siège apostolique. La Querelle des investitures commençait vraiment en Angleterre.

4. LE CONCORDAT DE LONDRES (1107)

Dans tous les domaines discutés par le mouvement de réforme, Anglais et surtout Normands tentaient de définir et d'étudier les différents points de vue. Le mariage des prêtres trouvait ici de fervents partisans, tandis que la simonie était volontiers critiquée et condamnée[45]. En ce qui concerne les rapports de l'Église et de l'État, les sources ne manquent pas; les lettres d'Anselme, outre ce qu'elles disaient des préoccupations religieuses, donnent quelques renseignements sur la réforme en cours[46]. Sur ce sujet, le dossier le plus important qui ait été réuni alors était celui d'un auteur appelé couramment Anonyme d'York, mais qui pourrait aussi bien être normand[47]. Son œuvre est un ensemble complexe de textes divers, sans doute de la plume de plusieurs auteurs; on y défendait la position du roi anglais dans son royaume et dans son duché, l'investiture laïque et le mariage des clercs, on y contestait aussi l'autoritarisme pontifical et l'esprit de réforme.

En 1102, un concile tenu à Londres répéta les habituelles condamnations de la

---

45. Pour le nicolaïsme, voir plus loin. Pour la simonie, traité de l'abbé de Westminster, Gilbert Crispin (éd. de W. HOLTZMANN « Der Traktat de simoniacis des Abtes Gilbert von Westminster », NA, 50 (1933), p. 255) dont la date proposée serait à avancer avant 1102 (CANTOR, op. cit., p. 170).

46. F.S. SCHMITT, Sancti Anselmi opera omnia, 5 vol., Londres 1946-1951, et « Die unter Anselm veranstalte Ausgabe seiner Werke und Briefe », Scriptorium, IX (1956), p. 64-75, qui donne l'état des manuscrits. Ancienne édition des lettres dans PL 158, 1059 pour la durée de l'abbatiat, et 159, col. 9-270 pour l'épiscopat.

47. Le texte figure dans le ms 415 du College Corpus Christi à Cambridge (CCC 415), comprenant une collection de textes rassemblés dès 1550-1575. Édition par BOEHMER dans MGH.LL, III, p. 645, puis par Karl PELLENS « Die Texte des Normannischen Anonymus... », Wiesbaden, 1965. Cette dernière est critiquée par W. ULLMANN, HZ, 206 (1968), p. 696-703.

simonie et du nicolaïsme. Henri Ier était d'accord pour suivre ces injonctions, mais il entendait toujours garder la haute main sur le choix et l'investiture des évêques. Le traité d'Hugues de Fleury, *De regia potestate et sacerdotali dignitate*, dans la ligne d'Yves de Chartres, faisait avancer la discussion puisqu'il proposait que l'élu reçoive du roi la seule investiture des choses séculières[48]. De grands pas vers une solution étaient faits, mais Anselme, toujours aussi intransigeant, refusait le maintien d'un lien de subordination entre les prélats et le seigneur temporel. En avril 1103, il reprit le chemin de Rome et se mit d'accord avec Pascal II pour éviter de trop grandes concessions. Le retour d'Anselme étant subordonné à l'abandon de son attitude, il demeura à Lyon. Les tractations néanmoins se poursuivaient[49]. L'archevêque finit par rencontrer le roi à Laigle, le 4 juillet 1105, grâce à l'intervention d'Adèle de Blois; Henri renonça à remettre la crosse et l'anneau, mais il réclama un hommage, dont dépendait la concession du patrimoine épiscopal. Conciliant, Pascal II invita alors Anselme à ne pas sanctionner les prélats qui avaient prêté cet hommage, ce qui était une manière de le tolérer sans le reconnaître. Anselme et le roi se retrouvèrent au Bec le 15 août 1106, le compromis fut accepté; l'archevêque rentra en Angleterre et l'on s'achemina vers un accord définitif, qu'on appelle le concordat de Londres (août 1107). Voici en quels termes Eadmer le présente :

« Aux kalendes d'août eut lieu une réunion d'évêques, d'abbés et de grands du royaume, au palais de Londres; pendant trois jours de suite, en l'absence d'Anselme, on discuta entre le roi et les évêques des investitures d'églises, certains essayant d'obtenir que le roi les accorde comme avaient fait son père et son frère, non pas suivant le précepte du pape et en lui obéissant. Car le pape, demeurant ferme sur la pensée qu'il avait diffusée, avait admis les hommages que le pape Urbain pour sa part avait interdits avec les investitures; par là, il avait fait consentir le roi aux investitures... Ensuite, en présence d'Anselme, devant la foule, le roi donna son accord et décida qu'à partir de là et pour toujours, jamais quelqu'un ne serait en Angleterre investi d'un évêché ou d'une abbaye par le roi ou un laïc par la remise du bâton pastoral ou de l'anneau; Anselme concéda également que nul élu à une prélature ne se verrait privé de la consécration dans la charge attribuée en raison de l'hommage prêté au roi[50]. »

Comme Eadmer le dit, la prestation d'un hommage et non pas d'un serment de fidélité allait à l'encontre de l'interdit d'Urbain II datant de 1095. Anselme n'avait pas totalement gagné, mais son combat n'avait pas été vain. Quand il mourut (1109), la situation n'était pas encore claire. Certes, la réforme avait fait du chemin; le nombre des moines fut multiplié par quatre entre 1066 et 1085; avec constance, les clercs étaient invités à quitter leurs femmes, à ne pas se marier, et les laïcs se voyaient interdire de suivre les offices célébrés par des ecclésiastiques en faute. Le clergé avait des évêques et des prêtres de qualité, même si certains moines étaient encore des fils de prêtres (Orderic Vital, Aelred de Rievaulx). Mais ce n'était qu'un début. Cantorbéry ne fut pas pourvu pendant cinq ans, le roi se satisfaisant de ses bons rapports avec l'archevêque d'York, Thomas II. La situation familiale de ce dernier montrait bien que népotisme et simonie mettaient du temps à disparaître : l'arche-

---

48. Hugues de FLEURY, *De regia potestate* (note 32).
49. *The Life of Gundulf, Bishop of Rochester*, éd. par Rodney THOMSON, Toronto, 1977, p. 54-59.
50. M. RULE, éd., *Eadmeri Historia Novorum*, Londres, 1894, p. 646.52.

vêque était en effet fils de l'évêque de Worcester, Samson, frère de celui de Bayeux, Richard, neveu de son propre prédécesseur et homonyme sur le siège d'York. D'excellents clercs serviteurs du roi avaient peu de chances d'accéder à l'épiscopat pour lequel les relations de parenté et d'amitié jouaient encore le plus grand rôle. L'esprit de réforme insufflé par Anselme cessa peu à peu de se manifester après la mort de l'intransigeant prélat. Les évêques demeuraient de fidèles auxiliaires du roi, aussi bien en Normandie qu'en Angleterre, où Henri Ier exerça les mêmes droits que son père avait eus du temps de Lanfranc. Les relations avec les papes paraissaient néanmoins facilitées : visites d'évêques anglais à Rome, concessions de bulles, mais cela ne changeait rien au fond des choses, à l'autoritarisme royal vis-à-vis de l'Église. Les monastères des ordres nouveaux étaient plus libres vis-à-vis du pouvoir royal, parce que ces ordres étaient internationaux et ne connaissaient donc pas de frontières. Bien des prélats formés en France avaient aussi des velléités d'indépendance. Pourtant le roi anglais continua de gérer son Église comme auparavant, et l'on peut dire que les effets de la réforme grégorienne, dans le sens de la liberté de l'Église, s'estompèrent lentement.

III. LA QUERELLE ENTRE LE SACERDOCE ET L'EMPIRE ET LE PROBLÈME DES INVESTITURES

Le 28 juillet 1057, mourait le pape Victor II ; du même coup se trouvait libéré le siège épiscopal d'Eichstätt, qu'il avait occupé depuis 1042, et conservé malgré sa promotion au souverain pontificat en 1054[51]. L'impératrice Agnès fut avertie trois semaines plus tard ; elle songea immédiatement à pourvoir à la vacance. Elle avait dans son entourage immédiat et pour chapelain depuis plus de dix ans un clerc très lié à Eichstätt, Gundecar (Gonzo) ; c'est à lui qu'elle décida de confier l'évêché libéré, devant plusieurs prélats, dont l'archevêque de Mayence, métropolitain d'Eichstätt. Par mesure de prudence, Agnès s'informa de l'accueil que recevrait l'élu dans sa cité et, sans doute rassurée, l'investit de la crosse le 5 octobre à Spire, un dimanche, en présence d'un très nombreux clergé. Le 17, Gundecar faisait solennellement son entrée dans sa ville, il attendit encore le 27 décembre pour recevoir la consécration épiscopale, à la cour, au palais de Pöhlde, des mains de son métropolitain, brillamment assisté[52]. Cette façon de choisir et d'investir un évêque était alors courante dans l'Empire et le restera encore longtemps. Même en pleine Querelle des investitures, voici ce qu'écrit, en mentionnant une élection de 1106, l'auteur de la vie de Conrad, archevêque de Salzbourg : « Telle est la forme de l'élection qui se faisait alors pour les

51. Les papes allemands du XIe siècle ont généralement conservé leur siège épiscopal, au moins pendant un temps après leur élection. G. Frech, « Die deutschen Päpste — Kontinuität und Wandel », dans *Die Salier und das Reich*, éd. S. Weinfurter, t. II, Sigmaringen, 1991, p. 303-332.

52. *MGH.SS*, VII, p. 245. Cité par H. Keller, *Zwischen regionaler Begrenzung und universalem Horizont*, Propyläen Geschichte Deutschlands, vol. 2, Berlin, 1986, p. 117.

évêques et les abbés royaux : l'évêque ou l'abbé étant mort, le prévôt, le doyen, le maître d'école et le prieur du monastère et, avec eux, des personnes de bon conseil de la ville, ne tardent pas à se rendre au palais, portant avec eux l'anneau épiscopal et la crosse, puis, conseil ayant été pris de ceux qu'ils rencontrent au palais, auprès de l'empereur, évêque, chancelier et chapelains, l'évêque à établir est choisi selon le bon plaisir de l'empereur[53]. »

1. L'Église impériale de Henri III

Au XIe siècle, dans l'Empire, les nominations épiscopales sont fréquemment imposées aux électeurs ; le souverain est le maître de son Église dans le cadre politique de ce que les historiens ont coutume d'appeler système de l'Église impériale (Reichskirchensystem)[54]. Sous le règne de Henri III, l'investiture par la crosse s'est accrue de la remise de l'anneau ; elle précède la consécration épiscopale, car nul ne peut être mis à la tête d'un évêché sans l'assentiment préalable de la cour. Et il ne s'agit pas seulement des souverains, car si les circonstances l'imposent, l'impératrice ou ses conseillers ecclésiastiques décident en l'absence d'un roi majeur. La pratique ne concerne pas que les diocèses, mais aussi les monastères royaux, d'hommes et de femmes, les grands chapitres séculiers[55]. Avec Henri III, le système fonctionne parfaitement et nul ne s'en offusque.

L'empereur, au reste, est fort estimé pour son comportement à l'égard de l'Église et du clergé. Il est aussi hostile à la pratique de la simonie que son père et prédécesseur, Conrad II, pouvait l'utiliser. Sur ce point, il a parfaitement soutenu le pape Léon IX dans ses campagnes et a siégé auprès de lui au synode de Mayence. Les prérogatives impériales vont même assez loin, car Henri III convoque lui-même des synodes, juge et tranche des affaires ecclésiastiques. S'il le faut, il dépose un évêque. Il est allé même au-delà, puisqu'il a choisi plusieurs papes. Sa piété profonde, son sens du pardon vont de pair avec la haute idée qu'il a de ses devoirs religieux qui lui font trouver normales ses interventions dans la vie de l'Église.

Tout cela ne signifie pas que le clergé allemand n'ait aucune notion de la part d'autorité qui revient respectivement à l'empereur et au pape. La réplique faite par l'évêque Wazon de Liège à Henri III à l'occasion de la déposition de Widger de

53. *MGH.SS*, XI, p. 65.
54. Ce sujet est étudié en détail dans le tome IV de l'*Histoire du Christianisme*. Pour cette époque, on verra notamment les travaux de J. Fleckenstein : *Die Hofkapelle der deutschen Könige*, Teil 2 : *Die Hofkapelle im Rahmen der ottonisch-salischen Reichskirche*, Stuttgart, 1966. *Id*, « Zum Begriff der ottonisch-salischen Reichskirche », dans *Geschichte, Wirtschaft, Gesellschaft*, Fs C. Bauer, Berlin 1974, p. 61-71. *Id*, « Problematik und Gestalt der ottonisch-salischen Reichskirche », dans K. Schmid, *Reich und Kirche*, Sigmaringen, 1985, p. 83-98. *Id.*, « Henrich IV. und der deutsche Episkopat in den Anfängen des Investiturstreits. Ein Beitrag zur Problematik von Worms, Tribur und Canossa », *Adel und Kirche*, Fs Tellenbach, p. 221-236. *Id*, « Hofkapelle und Reichsepiskopat unter Heinrich IV », dans *Investiturstreit und Reichsverfassung* (Vorträge und Forschungen, Band XVII), Sigmaringen, 1974, p. 117-140. Pour avoir une vue approfondie d'un cas particulier, J.-L. Kupper, *Liège et l'Église impériale*, Paris-Liège, 1981. Ajouter O. Engels, « Der Reichsbischof (10. und 11. Jh.) », dans *Der Bischof in seiner Zeit*. Fs Kardinal Höffner, Cologne, 1986, p. 41-94.
55. H. Reise, *Die Besetzung der Reichsabteien in den Jahren 1056-1137*, Diss. Greifswald 1911. A. Hauck, *KG*, III, p. 572-581.

Ravenne en est une preuve magistrale : « Au pape nous devons l'obéissance, à vous la fidélité. À vous nous avons à rendre compte du temporel, à lui du spirituel. Par conséquent, mon point de vue est que ce que Widger peut avoir commis contre l'ordre de l'Église ne peut être soumis qu'au jugement du pape. S'il vous a été infidèle au temporel, alors c'est à vous d'ordonner une enquête[56]. » Cette intervention est remarquable et il se trouvera toujours des évêques et des abbés pour tenir tête à leur souverain, mais ce n'est pas la règle.

L'union du pouvoir royal et de l'Église est particulièrement étroite en Empire. Depuis le Xe siècle, les prélats exercent sur les terres de leur église des pouvoirs souverains, qui leur assurent des droits d'intervention et de contrôle très étendus en matière de vie politique, économique, sociale. La puissance et l'activité des grands évêques, des abbés et abbesses des monastères royaux sont souvent mentionnées[57]. Leur dette est considérable à l'égard de la royauté qui a fait leur richesse et qu'ils servent par leurs conseils et leurs prestations. Jamais on n'insistera assez sur cette situation, dont les plus farouches adversaires, s'il y en avait de tels, ne concevaient pas qu'elle pût disparaître.

L'intelligent exercice de ce pouvoir politique et religieux par Henri III évitait toute remise en cause du système[58] ; sa mort prématurée fut cause de ce que simultanément une longue minorité de près de dix ans commença, au moment où s'affirmait un retour en force de la papauté, amorcé par Léon IX et poursuivi par Alexandre II. Deux faits marquent cette époque de leur empreinte : l'élargissement de la notion de simonie par le cardinal Humbert, le nouveau régime de l'élection du pape. Pour le moine lorrain-bourguignon qu'était Humbert de Moyenmoutier[59], l'accusation de simonie devait être étendue aux laïcs qui croyaient pouvoir disposer à leur guise des églises ; outre l'argent, la parenté et l'influence politique étaient condamnables quand elles jouaient un rôle pour l'attribution d'une fonction ecclésiastique, de celle du curé de paroisse à celle de l'archevêque. Sa diatribe contre les simoniaques est datée de 1058[60]. Un an plus tard, Nicolas II publiait le décret qui réservait aux seuls cardinaux-évêques le choix de l'évêque de Rome, donc du pape « sauf l'honneur et le respect dus à notre cher fils Henri, qui est à présent roi et qu'on espère plus tard empereur si Dieu l'accorde »[61].

Le livre polémique d'Humbert et le décret de Nicolas II ne changèrent pas les pratiques habituelles de l'Empire, dont le gouvernement était alors exercé par l'impératrice Agnès, assistée de quelques évêques, en attendant la majorité du jeune

---

56. *MGH.SS*, VII p. 244, trad A. FLICHE, *La réforme grégorienne*, I, p. 114.

57. O. ENGELS, « Der Reichsbischof », *op.cit.* M. PARISSE, « L'évêque d'Empire au XIe siècle. L'exemple lorrain », *CCM* 1984, p. 95-105 ; *Id* « L'évêque impérial dans son diocèse. L'exemple lorrain », *Institutionen, Kultur und Gesellschaft. Fs. J. Fleckenstein*, Sigmaringen, 1983, p. 179-193. Un excellent exemple est proposé par Bernard de VRÉGILLE, *Hugues de Salins, archevêque de Besançon, 1031-1066*, Besançon, 1981. Les exemples allemands sont très nombreux ; retenons G. JENAL, *Erzbischof Anno II. von Köln (1056-1075) und sein politiches Wirken*, Stuttgart, 1974-1975.

58. Voir le portrait qu'en fait A. HAUCK, *KG*, III, p. 571-582.

59. A. MICHEL, « Die folgenschweren Ideen des Kardinals Humbert und ihr Einfluss auf Gregor VII », *SGSG* 1, 1947, p. 65-92.

60. Voir le résumé d'A. FLICHE, *La réforme grégorienne*, 1, p. 283-308. Texte dans *MGH.LL*, I, p. 95-253.

61. Dernière mise au point et bibliographie par Detlev JASPER, *Das Papstwahldekret von 1059. Überlieferung und Textgestalt*, Sigmaringen, 1986.

Henri IV. La papauté, cependant, gagnait du terrain, comme on le constate à la lumière des plaintes adressées au Siège apostolique, alors qu'on aurait attendu un appel au souverain, ou quand Pierre Damien vint en terre allemande interdire au roi de divorcer de Berthe de Savoie[62]. Henri IV dut faire contre mauvaise fortune bon cœur. Il portait alors peu d'attention aux affaires pontificales ; car il était entièrement absorbé par son projet, qui était de se constituer un patrimoine en Saxe. Or, de ce côté, l'opposition était très vive, brutale, et nécessitait la mise sur pied d'opérations militaires[63]. C'est dans un contexte de tension politique qui réclamait toute l'énergie du souverain, qu'éclata son différend avec Grégoire VII à propos de l'archevêché de Milan.

2. Canossa

Au synode de carême 1075, le pape avait conçu les *Dictatus* où figurait l'interdiction faite aux laïcs d'investir des ecclésiastiques, interdit qui visait notamment les relations entre rois et évêques. Henri IV, qui venait de remporter une grande victoire contre les Saxons (juin 1075), continuait normalement de pourvoir aux sièges vacants (Spire, Liège, Bamberg, Fulda, Lorsch). À Milan, il donna l'investiture à l'élu des Milanais, Tedald, puis nomma deux évêques à Fermo et Spolète. Grégoire VII, par une lettre du 8 décembre 1075, répliqua en termes très vifs et même menaçants[64].

Le processus de rupture s'enclencha rapidement. En janvier 1076, à Worms, une assemblée d'évêques soumis au roi acquiesçait à sa demande de déclarer le pape déchu. Au reçu de la lettre qui l'invitait à démissionner en des phrases d'une grande brutalité, Grégoire VII répliqua avec fermeté. C'est alors que commença vraiment en Empire la Querelle des investitures. Mais c'est une bataille entre le « pouvoir sacerdotal » et le « pouvoir impérial » qui est le fait principal, beaucoup plus que la question même des investitures des évêques et des abbés qui n'était pas posée pour elle-même. D'ailleurs, les auteurs du XIIe siècle ne s'y trompaient pas et ont désigné cette querelle de l'expression *discidium inter sacerdotium et regnum*, que les historiens ont volontiers reprise et qui est plus significative que celle de Querelle des investitures[65]. Ainsi ont-ils désigné la période qui sépare la lettre de Worms en 1076 du concordat de 1122. Les historiens de cette époque et ceux des temps modernes n'ont jamais cessé de s'interroger sur deux moments principaux du conflit : le face-à-face de Henri IV et Grégoire VII au début, d'une part, celui de Henri V avec Pascal II puis Calixte II pour la fin, d'autre part. Ces deux affrontements aigus ne représentent toutefois qu'à peine la moitié de la durée du conflit. En effet l'Église allemande a été profondément bousculée pendant près de cinquante années au cours desquelles elle a été ballottée d'un bord à l'autre, sans cesse invitée à prendre parti pour ou contre le roi ou l'antiroi,

---

62. Hauck, *KG*, III, p. 736-744.

63. L. Fenske, *Adelsopposition und kirchliche Reformbewegung im östlichen Sachsen, Entstehung und Wirkung des sächsischen Widerstandes gegen das salische Königtum während des Investiturstreites*, Göttingen, 1977.

64. *Registrum Gregorii VII.*, III, 10, p. 218.

65. Comme il y a en 1084 des *Dicta cujusdam de discordia papae et regis* (*MGH.LL*, I, p. 454-460).

pour ou contre le pape ou l'antipape, où elle a appris à modifier lentement ses conceptions traditionnelles sous la pression des événements ou des théories sorties de la plume des clercs et des moines. L'histoire de la Querelle des investitures en Empire a un tout autre sens que dans les pays voisins, le cas de l'Italie, impériale et papale à la fois, étant mis à part.

Le problème des investitures a été obnubilé en Empire par les faits politiques et la remise en cause de la royauté elle-même. Au synode de carême 1076, Grégoire VII a lancé l'excommunication sur l'archevêque de Mayence et invité les évêques signataires de la lettre de Worms à se soumettre avant le 1er août 1076. Il dépouillait Henri IV de sa fonction, déclarait son bannissement, et relevait ses sujets de leur serment. Cela provoqua une grande agitation chez les laïcs comme chez les clercs. À Pâques, lors d'une réunion tenue à Utrecht, Henri IV confirma l'excommunication lancée contre le « faux moine Hildebrand », mais déjà les évêques de son entourage prenaient leurs distances. En effet, des prélats se soumirent aussitôt à Grégoire VII. C'est alors que les ducs de Souabe, de Bavière, de Carinthie se déclarèrent contre le roi déchu ; les Saxons firent cause commune avec eux. Le roi lança sans succès une invitation aux princes à se rendre à Worms pour la Pentecôte, une autre pour le 29 juin à Mayence. Les princes abandonnaient le roi, les Saxons reprenaient les armes. Réunis à Tribur, les princes décidèrent qu'un nouveau roi serait élu si Henri IV n'était pas relevé, dans un délai d'un an et un jour, de la sentence qui le frappait. Puis ils firent bloquer les passages des Alpes pour l'empêcher de rejoindre le pape. Henri IV dut quitter Spire en cachette, avec une troupe réduite, traverser la Bourgogne et la Savoie, négocier le passage du Mont-Cenis contre des exigences particulièrement lourdes et franchir le col par un froid intense. Il surgit en Italie du Nord en janvier 1077, se rendit près de Canossa où le pape, en route pour la Bavière et se croyant menacé, avait couru se réfugier. Le roi demanda et obtint l'aide et l'intervention en sa faveur de la comtesse Mathilde, dame de Canossa, sa cousine, et de l'abbé Hugues de Cluny, son parrain. Une pénitence sévère de trois jours lui obtint le pardon de Grégoire VII[66]. Chacun des deux protagonistes avait gagné et avait perdu[67]. La levée de la sentence n'empêcha pourtant pas les princes allemands d'élire un autre roi en la personne du duc de Souabe, Rodolphe[68]. Grégoire VII demeura alors dans l'indécision en 1078 et 1079 ; il apparaissait de plus en plus clairement que Henri IV n'avait pas l'intention de modifier son comportement ni politique ni religieux.

Au synode de carême 1080, Grégoire VII renouvela l'interdiction des investitures[69], puis lança de nouveau l'excommunication contre le roi. Cette fois l'épiscopat allemand

---

66. Le récit détaillé des années 1075-1076 peut se lire dans A. Hauck, *KG*, III, p. 772-809, et A. Fliche, *La réforme grégorienne*, II. Les articles sur la réunion de Tribur et la rencontre de Canossa sont innombrables. On retiendra : *Canossa als Wende. Ausgewählte Aufsätze zur neueren Forschung*, par H. Kämpf (Wege der Forschung, 12), Darmstadt, 1963 ; H. Beumann, « Tribur, Rom und Canossa », dans *Investiturstreit und Reichsverfassung*, (Vorträge und Forschungen, 17), Sigmaringen, 1973, p. 33-60.

67. Il y a autant de points de vue en un sens que dans l'autre chez les historiens comme chez les auteurs contemporains : Voir J. Vogel, *Gregor VII. und Heinrich IV. nach Canossa, Zeugnisse ihres Selbstverständnisses*, Berlin, 1983. K.F. Morrison, « Canossa, a revision », *Traditio*, 18 (1962), p. 121-148.

68. W. Schlesinger, « Die Wahl Rudolfs von Schwaben zum Gegenkönig 1077 in Forchheim », dans *Investiturstreit und Reichsverfassung, op. cit.* (note 66), p. 61-86.

69. R. Schieffer, *Die Entstehung des päpstlichen Investiturverbots für den deutschen König*, Stuttgart, 1981.

n'abandonna pas son souverain. À Pâques, le pape fut critiqué; à la Pentecôte, dix-neuf évêques allemands demandèrent son remplacement; en juin à Brixen, un autre pape fut élu en la personne de l'archevêque de Ravenne, Guibert (Clément III)[70]. Alors commença la guerre qui jeta les troupes allemandes sur l'Italie, puis contraignit Grégoire à quitter Rome et à mourir en exil (1085).

3. LA CONFUSION ET LES CLANS

Le conflit s'enlisait, connaissait de nombreux retournements. La confusion régnait dans l'Empire. Dès le début, beaucoup d'évêques s'étaient interrogés, avaient eu la main forcée, avaient hésité. Quand, à Utrecht, en 1076, l'excommunication lancée contre Grégoire VII dut être lue en chaire, les évêques de Toul et de Verdun s'éclipsèrent discrètement, durant la nuit précédente, pour n'être pas contraints de donner leur accord[71]. Que penser de Benno II d'Osnabrück, un fidèle partisan du roi pourtant, qui à Brixen, en 1080, pour ne pas soutenir l'élection de l'antipape, se cacha dans une cavité de l'autel, derrière un rideau, pendant plusieurs heures, pour réapparaître après que les décisions qu'il désapprouvait au fond de lui-même eurent été prises, et laisser croire pourtant qu'il y avait assisté[72]. Thierri de Verdun, henricien notoire, fait prisonnier par les gardiens des cols alpestres au moment de Canossa, eut une attitude souvent hésitante. Ce sont là des exemples parmi beaucoup d'autres du désarroi général.

Car si plusieurs antipapes furent nommés, deux bien connus et d'autres rarement cités, de nombreux cas d'évêques intrus sont à relever, si l'on appelle intrus ceux que le roi mettait à la place des évêques opposants. Le plus grand mouvement de nominations dans ce sens eut lieu en 1085. La plupart des évêques d'Italie du Nord furent suspendus ou bannis par Grégoire VII. Tous les grégoriens convaincus furent chassés par Henri IV, qui garda à ses côtés les archevêques Liémar de Hambourg, Wernher de Mayence, Egilbert de Trèves, avec le plus grand nombre des évêques. Les partisans irréductibles du pape étaient Gébhard de Salzbourg, Altmann de Passau, Adalbert de Worms, Hermann de Metz et Adalbéron de Wurzbourg[73]; ce dernier, qui occupa son siège durant cinquante-cinq ans, mérita quelques égards, mais il dut pourtant quitter sa ville, non sans avoir déclaré qu'on pouvait le tuer, non le faire plier. En plusieurs diocèses, deux évêques s'opposaient. À Minden, Henri envoya un certain Folmar, mais l'archevêque de Magdebourg consacra le grégorien Reinhard. Deux homonymes

---

70. J. ZIESE, *Wibert von Ravenna. Der Gegenpast Clemens III. (1084-1100)*, Stuttgart, 1982.

71. A. HAUCK, *KG*, III, p. 797. J. CHOUX, « L'évêque Pibon et la querelle des investitures », *AEst*, 1952.

72. W. GOEZ, *Gestalten des Hochmittelaters*, Darmstadt, 1983 (Bischof Benno II. von Osnabrück (1068-1088), p. 160-161. Ajouter E. MEYER-MARTHALER, « Bischof Wido von Chur im Kampf zwischen Kaiser und Papst », *Aus Verfassung und Geschichte. Fs. Theodor Mayer*, I, Lindau-Constance, 1954, p. 183-204.

73. Leurs noms sont donnés par les *Annales Ratisponenses*, a. 1084, *MGH.SS* XIII, p. 49. Voir W. STEINBOECK, *Erzbischof Gebhard von Salzburg (1060-1088). Ein Beitrag zur Geschichte Salzburgs in Investiturstreit*, Vienne, 1972. *Der heilige Altmann, Bischof von Passau. Sein Leben und sein Werk, Fs zur 900. Jahrfeier*, 1965 ; « Adalbero von Würzburg » dans W. GOEZ, *Gestalten des Hochmittelaters*, p. 164-174; A. WENDEHORST, « Bischof Adalbero von Würzburg (1045-1090) zwischen Papst und Kaiser », *SGSG*, 6 (1959-1961); S. SALLOCH, *Hermann von Metz. Ein Beitrag zur Geschichte des deutschen Episkopats im Investiturstreit*, 1931.

appelés Henri s'affrontaient à Paderborn. À Metz, le roi remplaça Hermann par l'abbé de Saint-Arnoul, Walon, qui démissionna rapidement, puis par un chanoine strasbourgeois, Brunon de Calw, qui dilapida les biens de l'évêché[74]. Dans cette ville, les bourgeois prirent nettement le parti impérial et le gardèrent longtemps puisqu'ils interdirent la cité aux évêques du parti pontifical jusqu'en 1122[75]. Même chose à Wurzbourg fermée à l'évêque Adalbéron, qui était allé au loin défendre le point de vue papal. Les groupes puissants de la bourgeoisie naissante des grandes cités rhénanes ne pouvaient demeurer à l'écart du conflit et leur intérêt les jetait naturellement du côté du pouvoir laïque[76].

Le monde monastique fut fortement secoué lui aussi. Les monastères royaux se trouvaient concernés au premier chef et avaient une liberté d'action limitée. L'exemple de Corvey, dans une Saxe foncièrement hostile à Henri IV, permet de poser le problème[77]. Les rois se rendaient souvent dans cette grande abbaye des bords de la Weser, et lui délivraient régulièrement des diplômes. On se battit pour elle ; il se trouve en outre qu'Otton de Nordheim, âme de la révolte, en était le grand avoué. Un incident la jeta, avec sa voisine Herford, abbaye de femmes liée à elle, dans le camp grégorien ; car l'évêque Bennon d'Osnabrück, au moyen d'actes faux nombreux et ingénieux, s'était fait attribuer des dîmes que percevaient depuis toujours les moines et les moniales[78]. Quand en 1081 un abbé énergique, Markward, prit en main la destinée de Corvey, l'orientation changea, les coutumes d'Hirsau furent adoptées, le nombre des moines fut multiplié par quatre. Cet abbé, qui par la suite fut élu évêque d'Osnabrück mais ne put jamais prendre possession de son siège, fixa ainsi le cérémonial de l'élection abbatiale[79] : après que le vote des moines a eu lieu et que l'entourage ecclésiastique et laïque a donné son accord, l'abbé va prendre sur l'autel le bâton pastoral, il reçoit plus tard les serments d'obéissance ou de fidélité, et enfin la consécration abbatiale.

C'était donc un régime de l'auto-investiture. À la mort de Markward, le monastère retomba dans le camp du roi, qu'il abandonna de nouveau en 1118 quand le légat du pape vint y donner la consécration épiscopale à l'abbé de Saint-Georges en Forêt-Noire, choisi par le clan grégorien pour être évêque de Metz. Dans le diocèse de Liège, pour prendre un autre exemple bien étudié, la querelle eut des répercussions

---

74. S. SALLOCH, *op. cit.* ; F. RUPERTI et G. HOCQUARD, « Hériman, évêque de Metz (1073-1090) », *Ann. Soc. Hist. Arch. Lorr.* 39 (1930), p. 503-578.

75. J. SCHNEIDER, *La ville de Metz aux XIII* et XIV* siècles*, Paris, 1952 ; *Satira in Mettenses*, *MGH.LL*, III, p. 619-621.

76. H. MAURER, « Die Konstanzer Bürgerschaft im Imvestiturstreit », dans *Investiturstreit und Reichsverfassung*, p. 363-372. Si Mayence a soutenu l'archevêque grégorien Adalbert, Constance (H. MAURER, p. 363-372) est proche du roi en la personne des bourgeois. Ceux de Cologne sont sourds aux réformes (U. LEWALD, « Köln im Investiturstreit », *ibidem*, p. 390). La bourgeoisie naissante, préoccupée d'ascension sociale, ne souhaitait pas voir maintenir le pouvoir sans limite de leur seigneur évêque, seul le roi pouvait favoriser leur ascension.

77. H.H. KAMINSKY, *Studien zur Reichsabtei Corvey in der Salierzeit*, Cologne-Graz, 1972, p. 75-107. H. FEIERABEND, *Die politische Stellung der deutschen Reichsabteien während des Investiturstreites*, Diss. Breslau, 1913. H. LUEBECK, « Die Reichsabtei Fulda im Investiturstreit », *SGSG*, 4 (1952), p. 149-169.

78. K.U. JAESCHKE, « Studien zu Quellen und Geschichte des Osnabrücker Zehntstreits unter Heinrich IV », *ADipl*, 9-10 (1963-1964), p. 112-285 ; 11-12 (1965-1966), p. 280-402.

79. *Caeremonial monasticum antiquum Corbeiense*, dans K. HONSELMANN, « Studien zu Papsturkunden für Kloster des Bistums Paderborn », *WestZs*, 90, II (1934), p. 199. H.H. KAMINSKY, *op. cit.*, p. 95-96. K. HONSELMANN, « Corvey als Ausgangspunkt der Hirsauer Reform in Sachsen », *Westfalen*, 58 (1980), p. 70-81.

d'une rare gravité dans les plus grands monastères : Saint-Trond et Saint-Hubert au premier plan[80]. Moines, abbés, évêques, comtes, avoués, soldats s'affrontèrent, firent couler le sang, ravagèrent les établissements. Le rôle politique des hommes, le contrôle de temporels productifs, la promotion de parents et d'amis, tout cela avait plus d'importance en fait que la lutte déclarée contre la simonie ou le nicolaïsme.

À la même époque, le renouveau monastique et canonial allait dans le sens de la réforme et le mouvement d'Hirsau, largement répandu, fut un support à la résistance grégorienne[81]. Le conflit donnait aux moines des raisons supplémentaires de prendre leurs distances vis-à-vis des avoués. Les chanoines réguliers, de leur côté, représentaient l'aspect combatif des clercs et il n'était pas étonnant de les voir s'activer dans les diocèses réputés grégoriens de Salzbourg, Passau, et Bâle[82]. On ne s'étonnera pas non plus qu'un vigoureux mouvement de paix se soit développé et répandu dans plusieurs villes, rappelant par certains côtés la Paix de Dieu antérieure d'un siècle[83].

4. TRAITÉS ET DÉBATS

Les adversaires s'affrontaient aussi par écrit. De huit œuvres polémiques entre 1073 et 1078, on passa à vingt-quatre de 1080 à 1085 et le flot ne se tarit pas de suite. Aux œuvres produites en Empire même s'ajoutaient celles qui venaient de France ou d'Italie, étaient recopiées et transmises. Les deux camps étaient également acharnés à défendre leur point de vue et à dénoncer l'adversaire. Les violentes dénonciations produites par la chancellerie de Henri IV, les longues missives de Grégoire VII aux évêques ou aux princes donnaient parfois le ton, et les secondes en particulier étaient largement diffusées. Au cœur du problème, la simonie et le nicolaïsme ouvraient la voie aux discussions sur la validité des sacrements donnés par les prêtres simoniaques ou mariés, discussions où la rigidité des uns contrastait avec l'accommodement suggéré aux autres par une situation politique confuse[84]. Pour cette période, Augustin Fliche a donné à la Lotharingie une réputation de terre de débats; pour sa démonstration, il s'appuyait sur un traité anonyme, le *De ordinando pontifice*, qu'il disait écrit dans l'entourage de Wazon de Liège[85], sur les positions de cet évêque présentées dans les Gesta des évêques de Liège, sur l'*Adversus simoniacos* d'Humbert de Moyenmoutier, sur le groupe qui entoura Léon IX, premier pape à vouloir appliquer effectivement les décrets synodaux. C'était faire la part belle à une région où la fidélité à l'empereur

---

80. A. Cauchie, *La querelle des investitures dans les diocèses de Liège et de Cambrai*, 2 vol., Louvain, 1890-1891.
81. H. Jakobs, *Die Hirsauer. Ihre Ausbreitung und Rechtsstellung im Zeitalter des Investiturstreites*, Cologne-Graz, 1961.
82. St. Weinfurter, « Reformkanoniker und Reichsepiskopat im Hoch Mittelalter », *HJ*, 97-98 (1978), p. 158-193.
83. Cette paix a donné lieu à de nombreux pactes ou accords : Liège 1082, Cologne 1083, Goslar 1084, Mayence 1085, Souabe et Bavière 1093/1094, Mayence 1103, Nordhausen et Constance 1105. À partir de 1093-1094, le mouvement quitte le seul domaine ecclésiastique et prend une allure plus générale (E. Wadle, « Heinrich IV. und die deutsche Friedensbewegung », *Investiturstreit und Reichsverfassung*, (Vorträge und Forschungen, XVII), Sigmaringen, 1973, p. 141-173).
84. Quelques textes sont publiés dans *Libelli de lite*, t. I et III. R. Schieffer, « Spirituales latrones. Zu den Hintergrunden der Simonieprozesse in Deutschland zwischen 1069 und 1075 », *HJ*, 92 (1972), p. 19-60.
85. H.H. Anton en fait l'œuvre d'un clerc, peut-être angevin : « Das sogenannte Traktat "De ordinando pontifice". Ein Rechtsgutachten im Zusammenhang mit der Synode von Sutri (1046) », *BHF*, 48, Bonn, 1982.

allait de pair avec une grande soumission au souverain pontife, une région qui assurait la transition entre la France et les pays rhénans, où les mouvements réformateurs des abbayes de Brogne, de Gorze et de Verdun avaient donné le ton et constitué une réplique à Cluny. Mais il est vrai que la Lotharingie suscita des partisans dans les deux camps, aussi bien un Hermann de Metz qu'un Otbert de Liège, un Wazon qu'un Thierri de Verdun, un Humbert de Moyenmoutier qu'un Sigebert de Gembloux.

Les textes des *Libelli de lite* donnent une idée de l'ampleur de cette littérature de combat où le traité de Humbert a la première place[86]. Dans les lettres et les traités, l'arrière-plan demeurait politique et les rapports de pouvoir entre l'empereur et le pape les dominaient constamment. Critiquait-on l'interdiction de suivre l'office dit par un prêtre marié ou convaincu de bafouer la chasteté, c'était pour souligner le danger de laisser les laïcs innocents sans office et sans sacrement. S'agissait-il de simonie, la question était de savoir quel pouvoir demeurait au roi, quels droits le pape pouvait avoir de rompre l'accord antique entre l'Église et l'État. Le débat permettait de développer diverses interprétations de la simonie, dont Humbert a fait une hérésie et qui se définissait par des attitudes ne mettant pas nécessairement l'argent en cause. Qui devait être qualifié de simoniaque? Était-il nécessairement responsable? Fallait-il éliminer du clergé tous ceux qui tenaient de près ou de loin à l'antipape, au prélat henricien, à leurs parents? Le haut et le bas clergé ne pouvaient être traités de la même manière; pour le premier, la simonie et ses annexes, élection, investiture, régales, étaient au premier plan; pour le second, le nicolaïsme était davantage en cause.

Dans les décennies qui vont de Léon IX à Grégoire VII, il était question de réformer les mœurs du clergé. Les décisions fermes de Grégoire VII et la mise en cause de l'investiture laïque ont lancé le débat du pouvoir temporel et spirituel du roi. Malgré la séparation que semblait faire nettement Wazon de Liège entre les deux domaines, l'idée de les distinguer, comme on l'a imaginé en Italie et en France, fut longue à pénétrer et à s'imposer en Empire. Les traités, de quelque clan qu'ils émanent, étaient donc dominés par les problèmes de l'autorité royale et des prérogatives pontificales. La longue lettre de Thierri de Verdun, écrite par l'écolâtre Wenric de Trèves, tenait à affirmer la première et ménageait les secondes[87]. Les partisans du pape étaient, pour leur part, plus exigeants et ne songeaient pas à réserver au roi le droit à une quelconque investiture temporelle. La question resta donc bloquée, jusqu'à ce que les solutions française et anglaise aient montré la voie.

5. VERS LE CONCORDAT DE WORMS (1122)

De la mort de Grégoire VII à celle d'Henri IV, soit pendant vingt ans, les événements furent d'abord militaires avec les succès et les échecs successifs de

---

86. Les trois volumes qui rassemblent la littérature polémique de cette période montrent la prépondérance de la littérature de l'axe lotharingien, pour les auteurs et les destinataires : Humbert de Moyenmoutier, Hermann de Metz, Manegold de Lauterbach, Thierri de Verdun et Wenric de Trèves, Sigebert de Gembloux, Hugues de Fleury, liégeois et messins, et au sud, les évêques de Lucques, Ferrare, Sutri, Segni.

87. *MGH.LL*, I, p. 280-299.

l'empereur en Italie, puis le roi, vieilli, entra en conflit avec ses fils, tandis que les papes regagnaient lentement du terrain en Italie. Aucun règlement n'était en vue, mais l'Église allemande était lasse de ce conflit interminable. À plusieurs reprises, l'épiscopat n'avait plus réagi aux attaques mutuelles du pape et de l'empereur. Les évêques avaient toujours le souci de conserver de bonnes relations avec leur souverain dans l'esprit de l'Église impériale, car ils y trouvaient leur avantage. Mais beaucoup d'entre eux étaient sensibles au renouveau monastique, se laissaient convaincre des aspects néfastes de la simonie, tandis qu'ils étaient diversement décidés à appliquer les canons dirigés contre les clercs mariés. En tout état de cause, l'état d'esprit s'était modifié, la génération de ceux qui avaient connu Worms en 1076 avait fait place à une catégorie de prélats irrités par les élections doubles, plus sensibilisés aux aspects religieux et moins politisés. Certains, comme Adalbert de Sarrebruck, l'influent archevêque de Mayence, avaient fait leurs études en France d'où ils rapportaient les idées nouvelles[88]. La fin assez pitoyable du roi Henri IV (il meurt le 7 août 1106 après avoir été dépouillé de sa fonction par son fils) contribua à faire souhaiter que l'affaire prît fin. Elle le pouvait si la question des investitures trouvait enfin sa solution, sans que les deux pouvoirs en présence, le Sacerdoce et l'Empire, perdent la face.

Les débuts de Henri V furent assez prometteurs. Réservé, adversaire déclaré de la simonie et du nicolaïsme, il entretenait de bons rapports avec le mouvement de Hirsau. Il reprit cependant la politique d'intervention de son père dans le choix de nouveaux évêques. Pascal II se donna un délai pour reconnaître les choix de Henri V, puis, en 1108, interdit de nouveau l'investiture laïque, mais assez discrètement. Il était en mesure d'obtenir des concessions, car le roi voulait se faire couronner empereur. De longues discussions aboutirent à la rencontre de 1111 et au concordat de Sutri (4 février 1111)[89].

Le pape accepta une solution tout à fait nouvelle : l'empereur renonçait aux investitures ; en échange, les prélats abandonnaient les *regalia* qui justifiaient l'investiture royale. Aucun des princes ecclésiastiques allemands ne pouvait en fait accepter de perdre les bases matérielles de sa fonction. Les exigences manifestées par Henri V firent interrompre les cérémonies du couronnement impérial en cours. Le pape dut faire marche arrière. Henri V décida alors d'emprisonner Pascal II ; au bout de deux mois, il lui arracha, outre son couronnement (13 avril), l'accord du Ponte Mummolo aux termes duquel le pape laissait à la royauté le loisir de donner l'investiture avant la consécration[90]. Cette fois, ce fut le clan grégorien qui poussa les hauts cris ; les reproches lancés à Pascal II allaient presque jusqu'à proposer sa déposition[91]. En 1114, ce fut de nouveau l'excommunication et la rupture, et le retour

88. H. Büttner, « Erzbischof Adalbert von Mainz, die Kurie und das Reich in den Jahren 1108 bis 1122 », *Investiturstreit und Kirchenverfassung*, p. 396-410. K. Heinemeyer, « Adalbert I., Erzbischof von Mainz », *Saarländische Lebensbilder*, 2, Sarrebrück, 1984, p. 11-41.

89. Accord du 4 février 1111 à Sutri, ratifié le 9 par Henri V (*MHG.Const.*, I, n° 83, p. 137) ; A. Fliche, *La réforme grégorienne et la reconquête chrétienne*, p. 361 et suiv.

90. Accord du 11 avril 1111, à Ponte Mummolo : *MGH.Const.*, n° 96, p. 144-145.

91. Des traités nombreux ont été écrits à cette occasion, en Italie par l'évêque Brunon de Segni (*MGH.LL*, II, 543-562), par le moine Placide de Nonantola (*ibidem*, 566-639), en France par Geoffroy de Vendôme (*ibidem*, p. 676-708). J.W. Busch, *Der Liber de honore ecclesiae* des Placidus von Nonantola. Eine kanonistische Problemerörterung aus dem Jahre 1111, Signi, 1990.

à des temps honnis. Cependant, l'épiscopat allemand était cette fois opposé à son empereur. Pour la première fois, sous la direction de l'archevêque de Mayence, la coupure fut nette. En 1118, un synode tenu à Cologne manifesta officiellement les prises de position très fermes du clan pontifical contre les partisans du roi, et cela conduisit par exemple au choix de Théoger, abbé réformateur de Saint-Georges en Forêt-Noire, pour le siège de Metz, où l'évêque impérial Adalbéron IV avait été déposé trois ans plus tôt. Même l'archevêque de Magdebourg fut intronisé sans l'avis du roi.

La mort de Pascal II (1118), puis le court pontificat de Gélase II (1119) laissèrent la place à un pape énergique, Calixte II, l'archevêque de Vienne qui, en 1112, avait protesté le plus fort contre l'accord du Ponte Mummolo. Les négociations reprirent aussitôt. Une première entrevue organisée à Mouzon le 18 octobre n'aboutit pas[92]; Henri V ne voulait toujours pas renoncer aux investitures et il fut de nouveau condamné[93]. Les princes allemands étaient pressés de trouver une solution. L'archevêque de Mayence, légat du pape, anima une conférence de paix qui recommanda un accord (Wurzbourg, 29 sept. 1121)[94]. Finalement en présence du cardinal d'Ostie, Lambert, le futur Honorius II, le 23 septembre 1122, et à proximité de Worms, furent échangés deux documents décisifs, dont l'ensemble constitue ce que les historiens appellent concordat de Worms et que Leibniz, en 1693, désignait comme le plus ancien concordat de la nation allemande[95]. Voici le texte de la lettre impériale :

« Moi Henri, par la grâce de Dieu auguste empereur des Romains, pour l'amour de Dieu, de la sainte Église romaine et du seigneur pape Calixte, et pour le salut de mon âme, j'abandonne à Dieu, aux saints apôtres de Dieu, Pierre et Paul, et à la sainte Église catholique toute investiture par l'anneau et par la crosse et je promets que dans toutes les églises du royaume ou de l'Empire l'élection et la consécration seront libres. Je restitue à la sainte Église romaine les biens et les regalia du bienheureux Pierre qui, depuis le début de cette querelle jusqu'aujourd'hui, lui ont été enlevés soit du temps de mon père, soit du mien, et que je possède actuellement; si je ne les possède pas, je m'emploierai fidèlement pour qu'ils soient restitués. Quant aux biens des autres églises, des princes et de toutes autres personnes, clercs ou laïcs, qui ont été perdus au cours de cette guerre, selon les conseils des princes et en toute justice, je les rendrai si je les possède, et si je ne les possède pas, je m'emploierai fidèlement à ce qu'ils soient restitués. Je garantis une vraie paix au pape Calixte, à la sainte Église romaine et à tous ceux qui ont appartenu à son parti. Chaque fois que la sainte Église romaine réclamera mon secours, je l'aiderai fidèlement et lui ferai obtenir justice pour toutes choses dont elle se plaindrait à moi. »

En donnant l'investiture par le sceptre et non plus par la crosse et l'anneau, le roi, qui devait donner son accord à l'élection canonique et à la consécration, limitait son intervention aux régales. L'usage de la simonie et de la force était clairement interdit. Les deux textes, dans leur apparente simplicité, mettaient un terme à plus de cinquante

---

92. Th. SCHIEFFER, « Nochmals die Verhandlungen von Mouzon (1119) », Fs. E.E. Stengel, 1952, p. 324-341.

93. W. HOLTZMANN, « Eine Bannsentenz des Konzils von Reims 1119 », NA, 50 (1933), p. 301-319.

94. H. BÜTTNER montre qu'Adalbert ne fut pas légat avant la fin de 1119, sans doute après Mouzon, et non pas dès 1118 comme cela est écrit habituellement (« Erzbischof Adalbert von Mainz », op. cit., p. 400-401).

95. Pour les dernières négociations et le concordat, on se reportera aux articles de H. BÜTTNER (op. cit., note 105) et de P. CLASSEN, « Das Wormser Konkordat in der deutschen Verfassungsgeschichte », Investiturstreit und Reichsverfassung, p. 411-430). Texte dans MGH.Const., I, 1892, n° 107, p. 159. L'acte de l'empereur est conservé en original; celui du pape est connu par de nombreuses copies, avec quelques variantes. Cette traduction est empruntée à A. FLICHE (HE, 8, p. 387).

ans d'incompréhension, dont les conséquences étaient lourdes pour la royauté allemande. C'était, au moins théoriquement, la fin du régime de l'Église impériale.

IV. L'ITALIE AU CŒUR DE LA RÉFORME

Peu de choses ont filtré de l'histoire du sud de l'Italie, au-delà de Rome, durant la période examinée ici. L'État normand est en relations étroites avec le Siège apostolique, en état d'opposition ou de soumission; Léon IX y fut vaincu, mais Grégoire VII y trouva refuge. L'extrémité de la botte italienne était encore très marquée par l'influence byzantine, et les problèmes s'y posaient en d'autres termes qu'en Toscane ou en Lombardie. Que ce fût sur le plan moral ou dans le domaine politique, l'Italie du Nord, placée sous la domination impériale et surveillée étroitement par la papauté, se trouvait au beau milieu du conflit entre le Sacerdoce et l'Empire, très sensible pour ce qui était de la réforme des mœurs à cause du premier, secouée par les partis politiques à cause du second. Son histoire est difficilement séparable de celle de la papauté et aussi de celle de l'Empire, alors pourtant que cette région de la chrétienté avait des caractères originaux qui ne doivent pas être masqués. Un épisode et une personne ont marqué de leur empreinte un demi-siècle de l'histoire religieuse de l'Italie : la pataria milanaise, d'une part, la défenderesse du Siège apostolique, la comtesse Mathilde, d'autre part.

1. LA PATARIA

Déjà avant l'an mil, Rathier de Liège, évêque de Vérone et écrivain féroce, avait fustigé les mauvais clercs et tous ceux que le célibat ecclésiastique rebutait. Le mariage et le concubinage des prêtres allaient provoquer le déclenchement d'un mouvement populaire milanais, dont la violence n'a pas eu d'égale dans l'Europe d'alors, s'agissant de lutter contre les tares partout dénoncées de la simonie et du nicolaïsme. Les prémisses ont été étudiées par les historiens italiens qui ont analysé l'évolution de la société milanaise et éclairé de la sorte les origines sociales et politiques du mouvement[96]. En 1045, le remplacement de l'archevêque Aribert par Gui de Velate, d'origine moins éclatante, puisque né de vavasseurs[97], avait permis, à la tête de la seigneurie de la cité et autour du prélat, un regroupement du clergé, abondant et riche, de la haute noblesse féodale, celle des *capitanei*, et d'un certain nombre de bourgeois enrichis dans le trafic de l'argent et le commerce. Le peuple était donc tenu à l'écart, qu'il s'agisse de la moyenne bourgeoisie, des artisans ou du petit peuple proche de la campagne, celui sur lequel pesaient lourdement les taxes et les cens.

---

96. C. VIOLANTE, *La Pataria milanese e la riforma ecclesiastica. I. Le premesse (1045-1057)*, Rome, 1955.

97. Hagen KELLER, « Die soziale und politische Verfassung Mailands in den Anfängen des kommunalen Lebens. Zu einem neuen Buch über die Entstehung der lombardischen Stadtkommune », *HZ*, 211 (1970), p. 34-36.

La masse populaire fut soumise à l'influence de deux clercs qui se dressaient contre le refus du célibat ecclésiastique, réclamaient une profonde réforme des mœurs des clercs et des moines, et souhaitaient le retour à la pauvreté évangélique. Là-dessus, leur point de vue était proche de celui des mouvements érémitiques et hérétiques[98]. Ariald de Varese était un diacre, Landolf Cotta, noble, n'avait reçu que les ordres mineurs; l'un et l'autre dénonçaient publiquement la vie mondaine et les excès des prêtres mariés ou concubinaires, dont le nombre était, semble-t-il, considérable[99]. Les idées d'Ariald et de Landolf eurent de plus en plus d'effet sur les « fidèles » (appelés plus tard patarins) jusqu'au 10 mai 1057, où, lors de la procession de Saint-Lazare, des coups s'ajoutèrent aux injures. Dès lors, il n'y eut plus de retenue : la réaction populaire ne connut plus de mesure, d'une part, les responsables de la cité et les chefs du mouvement s'affrontèrent pour le contrôle de Milan, d'autre part.

La réforme conduisit peu à peu à des excès : si au début on se contenta d'exiger des clercs un serment de respect du célibat sous peine de lourdes sentences[100], par la suite, des provocations eurent lieu pour accroître le nombre des fautifs. Bientôt le reproche de simonie vint s'ajouter à celui de nicolaïsme. Du haut en bas de la hiérarchie, l'aspect mercantile des fonctions religieuses était notoire, de l'archevêque et des chanoines aux curés des paroisses. Or la simonie avait de graves conséquences : indignité des clercs ordonnés par un évêque simoniaque, invalidité des sacrements donnés aux laïcs par ceux-là. C'était dès lors toute la société qui se trouvait contaminée ou en voie de l'être. Le Siège apostolique, alerté, ne pouvait qu'être en plein accord avec une telle action, proche de la sienne. L'agitation politique ne tarda pas à devenir prédominante, et, avec elle, les affrontements sanglants, car le pouvoir et l'argent se trouvaient cette fois impliqués. De 1057 à 1059, la réaction morale domina. Deux légats du pape, Hildebrand et l'évêque de Lucques, Anselme de Baggio, originaire de Milan et longtemps considéré comme un des initiateurs de la Pataria, vinrent donner la caution officielle de Rome. Après un attentat, Landolf tomba malade, puis mourut; sa place fut occupée par son frère, un chevalier, Erlembaud, qui illustrait l'aspect laïque de l'insurrection et était soutenu par un monétaire nommé Nazaire. Alexandre II (l'ancien évêque de Lucques cité plus haut) soutenait la double action, cléricale avec Ariald, laïque avec Erlembaud. La résistance s'amplifia; Ariald fut tué (28 juin 1067) et, un peu plus tard, considéré comme un martyr; en même temps, le mouvement s'étendait à Crémone et à Plaisance[101].

L'archevêque Gui avait été très vivement pris à partie. Excommunié, il avait fait sa soumission, sans rien changer à ses pratiques. En 1066, il avait réussi à faire l'unanimité ou presque autour de lui contre les chefs des patarins, en montrant que la ville perdait son autonomie et se plaçait sous l'autorité de Rome; Ariald avait alors

---

98. M. MANTEUFFEL, *Naissance d'une hérésie. Les adeptes de la pauvreté volontaire au Moyen Âge*, Paris, 1970; E. WERNER, *Pauperes Christi. Studien zu den sozialreligiösen Bewegungen im Zeitalter des Reformpapsttums*, Leipzig.

99. C. VIOLANTE, « I laici nel movimento patarino », dans *I laici nella societas christiana dei secoli XI et XII*, Milan, 1968, p. 517-597.

100. Gabriella ROSSETTI, « Il matrimonio del clero nella società altomedievale », *Il matrimonio nella società altomedievale*, 22-28 aprile 1976 (*SSAM*, XXIV), Spolète, 1977, p. 473-513 (étude des textes du haut Moyen Âge jusqu'au XIe s.); *La Pataria. Lotte religiose e sociali nella Milano dell'XI secolo*, a cura di Paolo GOLINELLI, Milan, 1984, p. 49-51.

101. *DBI, s.v.* Arialdo (Rome, 1962, p. 135-139).

failli trépasser sous les coups. Finalement, le prélat, âgé et malade, ne se sentit plus de taille à lutter et abandonna sa charge; ses amis lui donnèrent pour successeur son secrétaire, un noble du nom de Godefroid de Castiglione, que le roi, auquel Gui avait fait porter les insignes de sa fonction, reconnut et soutint. En revanche, les Patarins, avec le légat du pape, choisirent Atton. Ainsi deux archevêques se trouvaient-ils face à face en 1072. Le mouvement patarin perdit alors de sa force, Erlembaud fut tué à son tour (28 juin 1075); par ailleurs, Henri IV remplaça Godefroid par un clerc milanais, Tedald. Grégoire VII ne manqua pas de faire savoir que la papauté ne pouvait tolérer une telle investiture laïque [102]. Le processus de rupture traité plus haut à propos de l'Empire commençait.

2. MATHILDE ET LA DÉFENSE DU SIÈGE APOSTOLIQUE

En Italie, une personne allait tenir une grande place dans le conflit, la comtesse Mathilde. Personnage admiré et controversé aussi bien de son temps que chez les historiens modernes, la duchesse de Lorraine, la marquise de Toscane, celle qui se disait seulement comtesse, fille du marquis Boniface, a tenu les premiers rôles pendant au moins vingt ans dans l'histoire de l'Italie du Centre et du Nord [103]. Elle était la fille de Boniface de Toscane, de la lignée des seigneurs de Canossa, et de Béatrice de Lorraine [104]. Née en 1046, elle avait été mêlée aux affrontements de l'empereur Henri III avec Boniface d'abord, puis avec le duc Godefroid le Barbu, second époux de Béatrice [105]. Ce remariage avait provoqué la colère impériale, l'exil de la duchesse et de ses enfants en Allemagne; Mathilde avait alors fait la connaissance de son cousin, le futur Henri IV. La mort prématurée de Henri III permit à Godefroid et à Béatrice d'avoir sans contrainte une activité politique importante, de Pise à Mantoue, où se trouvaient les points extrêmes du patrimoine des Canossa. Mathilde avait fait son éducation politique au cours des voyages et des sessions de tribunal où elle avait assisté sa mère. Au début de 1076, elle perdit en quelques mois son époux et sa mère, se trouvant à la tête d'un héritage considérable au moment où la papauté allait avoir besoin de son aide, de ses soldats et de son argent.

À Canossa se trouvait représenté tout ce qui compta dans la vie de Mathilde : la papauté à laquelle elle se dévoua au point d'être appelée *miles christi*, comme le furent des évêques et d'autres laïcs, la royauté dont elle tenait des fiefs et qu'elle allait combattre, l'abbatiat de Cluny qui symbolisait le monachisme dont elle subissait

---

102. Voir plus haut, p. 121.

103. Il n'y a pas de biographie satisfaisante de la comtesse Mathilde. Citons les plus récentes : G. NENCIONI, *Matilde di Canossa*, Milan, 1950, et A. PANNENBORG, *Studien zur Geschichte der Herzogin Mathilde von Canossa*, Göttingen, 1972. L'ouvrage le plus souvent cité est celui d'A. OVERMANN, *Gräfin Matilde von Tuscien. Ihre Besitzungen. Geschichte ihres Gutes von 1115-1230 und ihre Regesten*, Innsbruck, 1895. Plusieurs colloques ont donné l'occasion de publications sous le titre de *Studi Matildici*. En dernier, L.L. GHIRARDINI, *Storia critica di Matilde di Canossa, Problemi (e misteri) della piu grande donna della storia d'Italia*, Modène, 1989.

104. On se reportera aux articles correspondants (Beatrice, Bonifacio) du *DBI*.

105. Sur ce personnage, voir E. DUPREEL, *Histoire critique de Godefroy le Barbu, duc de Lotharingie, marquis de Toscane*, Uccle, 1904.

Géographie politique de l'Italie centrale à l'ouverture de la succession
de la comtesse Mathilde (1115)
(d'après Jean Chelini, *Histoire religieuse de l'Occident médiéval*,
Armand Colin, 1968, p. 237).

l'attrait[106]. La rencontre eut lieu dans un château jugé imprenable et qui était l'une des cent forteresses contrôlées par Mathilde. Dans son entourage se trouvaient les soldats et capitaines, qu'elle avait en abondance à son service, et les évêques dont beaucoup lui devaient leur nomination.

Vingt années de rencontres diplomatiques et de batailles acharnées ont séparé Canossa de la fin de l'affrontement direct avec Henri IV. Elles furent celles où Mathilde manifesta le mieux son soutien à la cause de la réforme[107]. Nicolaïsme et simonie étaient des tares inconnues dans son entourage. Les prélats qu'elle recevait et soutenait, ou qui l'encourageaient, étaient ceux que le projet grégorien enthousiasmait : Anselme de Lucques, Hermann de Metz, Anselme de Cantorbéry. Par la correspondance qu'ils entretenaient avec elle et par d'autres récits, on connaît la vie pieuse de la comtesse, sa connaissance de l'Écriture Sainte et sa participation aux offices, ses manifestations de foi et son attachement à la vocation sacerdotale, son attention à la parole divine et son besoin de réconfort. Les moines étaient auprès d'elle particulièrement bienvenus ; elle fonda des monastères et voulut les soumettre à l'obédience clunisienne. Au pied de sa résidence préférée, Sant'Apollonio di Canossa, ou dans la région où elle vivra ses derniers jours, près de San Benedetto de Polirone et de Nonantola, elle a voulu voir se développer la belle liturgie, en même temps qu'elle y a encouragé l'essor de l'enseignement et de l'écriture. Sensible à l'importance du droit, elle a encouragé la vocation juridique des écoles de Bologne[108]. C'est encore en son temps que la Chaise-Dieu étendit son action jusqu'à Frassinoro.

Mais c'est la papauté qui incontestablement a été l'objet de ses plus grands soins. À Grégoire VII, le premier, elle a donné sans réserve ses combattants et l'argent nécessaire à leur solde, elle a ouvert ses châteaux et ses villes fortes. Elle a aussi porté seule le poids de la guerre, celui de la résistance aux troupes de son cousin. Pour obéir à Urbain II, stratège politique, elle a, à l'âge de quarante-trois ans, consenti à se marier au tout jeune Welf de Bavière, pour allier leurs deux forces militaires. C'est sa ville de Mantoue qui supporta en 1090/91 un long siège : elle gardait en effet l'accès à la vallée du haut Adige. C'est Canossa qui, en tenant bon l'année suivante, découragea les troupes accablées de Henri IV. Elle seule, en octobre 1092, face à des capitaines sur le point de capituler, décida de poursuivre sa lutte et, en peu de temps, renversa la conjoncture, ouvrant la voie à une reconquête de l'Italie du Nord. En 1095, le concile de Plaisance manifestait publiquement la victoire d'Urbain II, Mathilde pouvait alors se séparer de Welf de Bavière et s'adonner à nouveau à ses exercices de piété. Quelques années plus tard, elle renouvelait la donation de tout son patrimoine à Saint-Pierre. Elle fit alliance un moment avec l'empereur Henri V, puis se retira à Saint-Benoît de Polirone où elle mourut en 1115.

---

106. Voir plus haut à propos de Henri IV, p. 122.
107. L. SIMEONI, « Il contributo della contessa Matilde al Papato nella lotta per le investiture », SGSG, I, 1947, p. 353-372.
108. J. FRIED, Die Entstehung des Juristenstandes im 12. Jh. Zur sozialen Stellung und politischen Bedeutung gelehrter Juristen in Bologna und Modena, Köln/Wien, 1974.

3. La réforme grégorienne et l'Église italienne

Les évêques italiens ont suivi avec beaucoup d'attention et souvent souffert des conflits entre les empereurs et les papes. En Italie comme ailleurs, des écrits ont exprimé le point de vue des moines et des clercs sur les droits respectifs de la royauté et de la papauté ; les études canoniques se développaient, en particulier à Bologne, et leur influence se fit sentir dès le concile de Plaisance (mars 1095) ; le cardinal Deusdedit voulait réordonner les clercs fautifs ; l'évêque Bonizon de Sutri était aussi radical dans ses conceptions vis-à-vis des simoniaques et des schismatiques. Le concile accepta d'épargner ceux qui avaient agi de bonne foi, et montra une certaine compréhension vis-à-vis du bas clergé simoniaque ou nicolaïte. En différents domaines, les idées grégoriennes imposèrent au bas clergé une grande rigueur de vie dans l'exercice de ses fonctions. Le 3 octobre, s'ouvrit à Bari un grand concile réunissant 185 prélats ; ainsi l'Italie du Sud était-elle également touchée par la lutte contre l'investiture laïque.

À Rome, en avril 1099, les canons de Plaisance furent repris ; et l'investiture laïque fut l'objet des plus vives attaques, dans un esprit qui était celui de l'Empire. L'excommunication était brandie en menace permanente contre les contrevenants ; l'accusation de simonie se trouvait ainsi dépassée. L'opposition à la dépendance vassalique des clercs était affirmée. Pascal II adopta les point de vue d'Urbain II dès 1102, au Latran. À Guastalla, en 1106, tombèrent les mêmes condamnations. La question de la séparation des pouvoirs et de l'investiture faisait naturellement son chemin en Italie avec Gui de Ferrare d'abord, moins nettement avec Ranger de Lucques plus tard (1110). Les Italiens étaient moins sensibles à ces idées que ne l'étaient au même moment Français et Anglais ; ils avaient la même attitude que les Allemands. Les négociations de Sutri et l'affrontement de Henri V et de Pascal II ne facilitèrent pas l'adoption de nouvelles solutions, car l'aspect politique obnubila l'aspect religieux. Cela provoqua aussi de vigoureuses réactions comme celles de Brunon de Segni et de Placide de Nonantola, dont les écrits sont de vifs reproches à l'égard des concessions de Pascal II. Enfin, l'esprit grégorien reprit ses droits dès 1112, s'imposa au Latran en 1116, puis triompha avec Calixte II ; Latran I, en 1123, consacra son succès, et toute l'Italie se plia aux exigences pontificales.

V. L'ÉGLISE ET LES ÉTATS DE LA NOUVELLE CHRÉTIENTÉ
SLAVO-SCANDINAVE
par Jerzy KŁOCZOWSKI

La papauté réformatrice, notamment en la personne de Grégoire VII, s'intéressa beaucoup plus qu'auparavant aux pays de la nouvelle chrétienté slave ou scandinave. Le processus de consolidation des États accomplit alors des progrès sensibles, malgré les luttes entre les prétendants au pouvoir suprême — qui opposaient en règle générale les fils du prince-roi décédé — et les conflits incessants entre les monarchies. Partout l'Église appuya la centralisation du pouvoir, garantie de la paix indispensable pour la christianisation. En plus, dans la perspective du conflit, avec l'Empire, la papauté mit nettement l'accent sur l'indépendance de chaque État, en liaison directe avec le Saint Siège[109]. Ce principe fut extrêmement important pour les voisins de l'Allemagne, la Pologne, la Bohême, la Hongrie, le Danemark, mais aussi pour les Slaves de Sud en lutte contre la pression de Byzance qui devint de plus en plus pesante, précisément au cours du XIe siècle et au début du XIIe siècle. La couronne, accordée par le pape, fut tout spécialement un symbole de l'indépendance et de la position des nouvelles monarchies dans la chrétienté. Un autre élément extrêmement important était constitué par la province ecclésiastique propre à chaque monarchie, but recherché par tous les nouveaux États mais qui remettait en cause les droits des anciens métropolites.[110]

1. La Bohême et la Moravie

Les Tchèques, qui aspiraient avec le duc Bretislav (1035-55) à une véritable indépendance, y compris dans le domaine ecclésiastique, furent battus par l'empereur Henri III et intégrés — pour des siècles — dans les cadres de l'Empire. C'est ainsi que, malgré les efforts de Grégoire VII, le prince tchèque Vratislas (1061-91) se révéla un allié très fidèle d'Henri IV à l'heure décisive de la lutte avec le pape.[111] Ce furent les troupes tchèques qui décidèrent de sa victoire sur Rodolphe de Souabe, candidat du pape au trône impérial, et qui entrèrent les premières à Rome, conquise en 1083 par Henri IV. Les interventions directes mais inefficaces de Grégoire VII dans les affaires de la Bohême, en 1084-5, sont liées à la concurrence sévère qui opposa le duc Vratislas à son frère et concerna en même temps Jaromir-Gebhard, l'évêque de Prague, qui aspirait à avoir, seul, tout le pouvoir sur l'Église dans le pays; c'est ainsi qu'il lutta toute sa vie contre l'existence même d'un deuxième évêché tchèque à Olomouc (Moravie), créé — ou plutôt recréé — en 1063 par le duc de Prague, précisément pour contrebalancer le pouvoir de son frère-évêque. Le duc et l'évêque furent tous deux de fidèles collaborateurs de l'empereur et Jaromir-Gebhard deviendra même son chancelier. La couronne royale accordée à titre personnel à Vratislas par Henri IV, en 1085, fut une récompense de l'empereur, ainsi que pour l'évêque, la suppression de l'évêché d'Olomouc en 1086, qui d'ailleurs ne fut pas réalisée dans les faits.

---

109. Grégoire VII formula ainsi ce programme dans une lettre au roi de la Hongrie de 23 mars 1075 : « *Notum autem tibi esse credimus, regnum Ungariae, sicut et alia nobilissima regna, in proprie libertatis statu debere esse, et nulli regi alterius regni subici nisi sanctae et universali matri Romanae ecclesiae; quae subiectos non habet ut servos, sed ut filios suscipit universos* ». *Monumenta Gregoriana. Bibliotheca rerum Germanicarum*, éd. P. Jaffé, II, Berlin, 1865, nᵒ 63.

110. F. Dvornik, (1970), p. 242-259; Tadeusz Grudziński, *Polityka papieża Grzegorza VII wobec państw Europy środkowej i wschodniej (1073-1080)*. [La politique de pape Grégoire VII envers des États de l'Europe centrale et orientale (1073-1080)], Toruń 1959. Pour les références complètes des ouvrages cités entre crochets, on se référera à la bibliographie qui figure à la fin du chapitre IV de la seconde partie, *infra*, p. 325-328.

111. Dvornik, (1970), p. 253 et suiv.; P. David, « Bohême » dans *DHGE*, IX, col. 432-4.

2. La Pologne

La Pologne, avec Boleslas le Hardi (1058-1079), se libéra de l'influence de l'empire et sortit en même temps de la crise profonde qu'elle avait traversée dans les années 1030-1050.[112] Avec l'aide du pape, l'archevêché de Gniezo fut rétabli, quelques évêchés et des monastères bénédictins fondés et le duc couronné en tant que roi (1076). La pression exercée par Boleslas, y compris par la guerre, sur la Bohême de Vratislas, ainsi que l'aide efficace qu'il donna en Hongrie aux princes en lutte contre le roi Salomon, allié d'Henri IV, furent également bien utiles pour le pape, alors en pleine guerre avec l'empereur. Ajoutons encore les liens familiaux étroits de Boleslas avec les princes de la Rus de Kiev. Sa tante, Gertrude (1025-1108) fut la femme du grand-prince de Kiev, Iziaslav (1054-73 et 1077-78). Catholique fervente, Gertrude laissa un livre de prière — en partie écrit probablement par elle-même — qui reste un témoignage émouvant de la rencontre de christianisme occidental et oriental à la cour princière de Kiev.[113] A deux reprises, en 1069 et en 1077, Boleslas aida avec son armée Iziaslav à reprendre le pouvoir comme grand-prince de Rus, mais le duc-roi de la Pologne obtint aussi en retour l'aide des troupes de la Rus contre les Tchèques et Henri IV. Dans les difficultés des années 1074-75, Iziaslav, expulsé de son pays, l'offrit même comme fief au pape Grégoire VII en échange d'une aide pour le reprendre, mais ce geste n'eut pas d'effets pratiques.[114]

La fin catastrophique du règne de Boleslas, véritable pivot du système politique de Grégoire VII en Europe du Centre-Est, reste énigmatique. En 1079, l'évêque de Cracovie, Stanislas, fut condamné à mort par le roi, mais, tout de suite après, une révolte éclata et Boleslas fut obligé de s'enfuir de Pologne. Son frère et successeur, Ladislas Herman, changea tout de suite de politique en devenant le vassal d'Henri IV. Et Stanislas, dont le culte ira grandissant et qui sera canonisé vers le milieu du XIIIe siècle, deviendra un saint national.[115]

3. La Hongrie et la Croatie

En Hongrie, avec l'aide de la Pologne, Géza Ier gagna la guerre contre Salomon en 1074; il fut couronné avec la couronne envoyée par l'empereur de Byzance et Grégoire VII ne reconnut pas la validité de ce couronnement, la Hongrie étant considéré par le pape comme le fief du Saint-Siège.[116] Mais son successeur, saint

---

112. U. Borkowska, dans Kłoczowski (1987), p. 53 et suiv.

113. V. Meysztowicz, « Manuscriptum Gertrudae filiae Mesconis II regis Poloniae », dans *Antemurale*, Rome, 1955, p. 105-157.

114. A. W. Ziegler, « Gregor VII und die Kijower Grossfürst Izjaslav », *SGSG*, I, Rome 1947, p. 387-411; V. Meysztowicz, « L'union de Kiev avec Rome sous Grégoire VII. » Avec notes sur les précédents et le rôle de la Pologne pour cette union. *Ibid.*, V, 1956, p. 83-108.

115. J. Kłoczowski, « Stanislas de Cracovie », dans *Histoire des saints et de la sainteté chrétienne*, VI, Paris 1986, p. 235-40.

116. B. Homan, *Geschichte des ungarischen Mittelalters*, I, Berlin, 1940, p. 243 et suiv.; Z.J. Kosztolnyik, *Five Eleventh Century Hungarian Kings : their Policies and their Relations with Rome*, New York, 1981.

Ladislas (1079-1095), fut reconnu tout de suite par Grégoire VII. Il renforça beaucoup la puissance de la monarchie hongroise en collaboration à la fois avec la papauté et avec Byzance, même si, à la fin de sa vie, il se rapprocha d'Henri IV contre Urbain II. Dans la tradition hongroise, Ladislas resta comme un modèle de roi chrétien.

En Croatie-Dalmatie, la papauté réformatrice renforça le courant d'hostilité, surtout sensible dans les villes adriatiques, vis-à-vis de la liturgie slave qui s'était bien enracinée dans ces régions dès les IXe et Xe siècles. [117] La latinisation, comme instrument de l'unification de l'Église, fut un facteur important du programme de la réforme papale, mais, parmi les pays catholiques, ce fut justement en Croatie que la résistance à ce programme fut la plus forte. Au terme de luttes politiques et militaires complexes, le prince Zvonimir unifia la Croatie et, en octobre 1075, il fut couronné par le légat de Grégoire VII; la monarchie restaurée deviendra vassale du Saint-Siège, avec l'obligation de lui payer chaque année un tribut et des dîmes. L'alliance étroite de Zvonimir (1075-89) avec la papauté et la Hongrie renforça beaucoup sa position sur le plan intérieur et international et prépara l'union de la Croatie avec la Hongrie. Celle-ci fut réalisée, d'une manière définitive, en 1102 avec l'élection par les Grands du roi de Hongrie, Koloman (1095-1114), comme roi de Croatie-Dalmatie. Aussi « les Croates avaient perdu leurs rois nationaux mais du moins avaient-ils conservé leur royaume » (F. Dvornik) [118]. À terme, avec la latinisation de plus en plus poussée qui résulta de cette situation, ils devaient se distinguer de plus en plus des Serbes, leurs voisins slaves les plus proches.

4. LA SERBIE

Ces Serbes, au cours du XIe siècle, avaient pris la tête de la lutte contre l'empire de Byzance après l'écrasement définitif de la Bulgarie. L'État de Zeta (le territoire de Monténegro intérieur) en profita pour gagner, vers le milieu du XIe siècle, une position relativement forte et indépendante avec le prince Michel (vers 1050-82). Michel et son successeur, Constantin Bodin (vers 1081/82-1101) cherchèrent un appui contre Byzance à Rome et chez les alliés de la papauté. Le titre de roi accordé par le pape Grégoire VII en 1076/77 à Michel — le premier dans l'histoire des Serbes — renforça beaucoup son État. Ensuite, en 1088, l'antipape Clément III — suivant ici la ligne romaine — créa l'archevêché de Bar (Antivari) qui couvrait presque tout le territoire de l'État de Zeta. Les évêchés latins et slaves ainsi que « tous les monastères, qu'ils appartiennent aux Dalmates, aux Grecs ou aux Slaves », furent dès lors soumis à un archevêque latin. [119] Cette expérience fort intéressante de cohabitation des chrétiens de deux rites au sein d'une même province ne dura pas longtemps, car la dislocation de l'État de Zeta, dès le début du XIIe siècle empêcha l'expérience de se prolonger.

---

117. « Vita religiosa morale e sociale ed i concilii di Split/Spalato dei secc. X-XI », *Atti del Symposium Internazionale di storia ecclesiastica, Split, 26-30 settembre 1978*, Padova, 1982.
118. DVORNIK (1970), p. 248.
119. DVORNIK (1970), p. 249-52; DUJČEV, t. III (1971), p. 175 et suiv.; M. SPINKA, *A History of Christianity in the Balkans*, 1933, p. 73 et suiv.

5. LA SCANDINAVIE

Les grandes lignes de la politique de la papauté réformatrice vis-à-vis de la nouvelle chrétienté, à savoir le renforcement des États chrétiens liés directement avec le Saint-Siège, sont très visibles également dans le Nord, en Scandinavie.[120] Là, l'archevêque de Brême-Hambourg, Adalbert (1043-73), un grand personnage de l'Empire et de l'Église impériale, lança l'idée d'un patriarcat des pays nordiques, établi à Hambourg, pour consacrer l'influence traditionnelle de sa province dans tous les États scandinaves. Mais avec la stabilisation de ces États, ces derniers voulurent avoir leur indépendance aussi sur le plan ecclésiastique, d'où leur résistance au projet d'Adalbert et de l'Empire, et la recherche d'un appui à Rome. C'est le Danemark avec son chef, Svend Estridsen (1047-74), peut-être le premier prince « non-viking » en Scandinavie, qui commença à formuler la revendication d'une province ecclésiastique propre. Il renforça l'État et l'Église dans son royaume, plus puissant que la Norvège et la Suède, en établissant un réseau de neuf évêchés qui ne devait plus changer par la suite, sauf que leur nombre fut réduit à huit, car Dalby, à une vingtaine de kilomètres de Lund, fut supprimé au bout de quelques années ; sa création, avec à sa tête un évêque nommé par l'archevêque Adalbert, fut un compromis, car l'archevêque n'avait pas voulu confirmer l'évêque de Lund, candidat de Svend. Lors des pourparlers de Svend avec le pape Alexandre II, la question de la création d'une province autonome fut prise en considération. La reconnaissance du Danemark comme patrimoine de Saint-Pierre fut un autre élément de la politique de Svend et le denier de Saint-Pierre allait longtemps témoigner de l'existence de l'alliance étroite existant entre les États naissants − le Danemark, la Norvège, la Suède − et le Saint-Siège.[121] Grégoire VII s'adressa à plusieurs reprises aux princes des États scandinaves, mais la réalisation du projet de province autonome eut lieu seulement au début du XIIe s., au cours de négotiations directes entre Urbain II et le fils de Svend, Erik Evergood. En 1103, dans un contexte favorable dû à la faiblesse de l'Empire et au prestige croissant de la papauté au lendemain de la croisade, une province ecclésiastique pour toute la Scandinavie fut établie à Lund.

BIBLIOGRAPHIE

Sources

Libelli de lite, imperatorum et pontificum saec. XI et XII conscripti, Monumenta Germaniae Historica, 3 vol., 1891-1897.
C. MIRBT, *Die Publizistik im Zeitalter Gregors VII*, Liepzig, 1894.

---

120. W. SEEGRÜN, *Das Papstum und Skandinavien bis zur Vollendung der nordischen Kirchenorganisation (1164)*, Neomünster, 1967 ; A. E. CHRISTENSEN, « Archhishop Asser, the Emperor and the Pope. The first Archbishop of Lund and his struggle for the independence of the Nordic Church », dans *Scandinavian Journal of History*, I, 1976, p. 25-42 ; A. E. CHRISTENSEN, « Denmark between the Viking Age and the Time of the Valdemar. An Essay at New Syntheses », *Ibidem*, p. 36 et suiv.
121. *KLNM*, XIII (1968), col. 249-252.

I.S. ROBINSON, *Authority and Resistance in the Investiture Contest. The Polemical Literature of the Late Eleventh Century*, Manchester, 1978.

Études

F. BARLOW, *The English Church, 1066-1154*, Londres-New York, 1979.

A. BECKER, *Studien zur Investiturproblem in Frankreich. Papstum, Königtum und Episkopat im Zeitalter der gregorianischen Kirchenreform (1049-1119)*, Sarrebruck, 1955.

N. CANTOR, *Church, Kingship and Lay Investitute in England, 1089-1135*, Princeton, 1958.

P. GOLINELLI, *Matilde et I Canossa nel cuore del Medio Evo*, Milan, 1991.

H. KAEMPF (éd.), *Canossa als Wende. Ausgewahlte Aufsätze zur neueren Forschung*, Darmstadt, 1963 (Wege der Forschung, 12).

R. SCHIEFFER, *Die Entstehung des päpstlichen Investiturverbots für den deutschen König*, Munich, 1981 (*MGH.SRI*, 28).

TH. SCHIEFFER, *Die päpstlichen Legaten in Frankreich vom Vertrage von meersen (870) bis zum Schisma von 1130*, Berlin, 1935.

R. SPRANDEL, *Ivo von Chartres* (Pariser Historische Studien, 1), Stuttgard, 1962.

P. TOUBERT, « Église et État : la signification du moment grégorien pour la genèse de l'État moderne », in J.-Ph. GENET et B. VINCENT (éd.), *État et Église dans la genèse de l'État moderne*, Madrid, 1986, p. 9-22.

C. VIOLANTE, *Studi sulla Cristianità medioevale*, Milan, 1975.

S. WEINFURTER (éd.), *Die Salier und das Reich*, 3 vol., Sigmaringen, 1991.

Pour les ouvrages concernant les pays scandinaves et slaves, on se référera à la bibliographie qui figure à la fin du chapitre IV de la seconde partie, *infra*.

CHAPITRE IV

Dans le cloître et hors du cloître
Les renouvellements de la vie régulière (v. 1050 - v. 1120)
par Michel PARISSE

Le mouvement qui a créé les nouveaux ordres religieux[1] se caractérise par l'approfondissement des idées de restauration, de réforme ou de renouvellement[2]; il a obtenu en peu de temps des résultats plus vastes et plus importants qu'au cours des deux siècles antérieurs. L'érémitisme, la création du groupe des chanoines réguliers, la réinterprétation de la règle bénédictine en sont les manifestations les plus éclatantes. Tous les chrétiens participent à ce mouvement; il ne s'agit pas en effet d'une action spécifique aux clercs et aux moines de l'Église établie, mais d'une animation générale à laquelle les laïcs aussi prennent part[3]. La secousse touche tous les milieux, en partie parce qu'elle est liée à tous les aspects de l'évolution économique et sociale de la même époque.

De tous les phénomènes analysés par les historiens : reprise du grand commerce, essor des villes et des bourgs, croissance de la masse monétaire, établissement des seigneuries, développement du groupe chevaleresque, transformation du servage, naissance du village et de la paroisse, de tous ces faits de civilisation qui caractérisent la fin du Xe et le XIe siècle[4], c'est la question de l'argent qui a eu sans doute le plus de retentissement sur la pratique de la religion chrétienne[5]. En effet, la possibilité élargie d'obtenir des revenus en pièces de métal précieux, celle de les échanger sans obstacle contre d'autres produits ou de les thésauriser sur une longue période dans des conditions très commodes (le coffre est plus pratique que le cellier) ont contribué à accentuer une tendance naturelle des églises à accroître leurs richesses, autant de la

---

1. L'expression de « nouveau monachisme » est utilisée par Henriette LEYSER, *Hermits and the New Monasticism. A Study of Religious Communities in Western Europe, 1000-1150*, Londres, 1984 ; elle a l'inconvénient d'occulter le renouveau canonial.

2. Le terme de réforme, volontiers employé pour le XIe siècle, est la plupart du temps trop fort. Les chartes parlent plus communément de *restauratio*, qui est une remise en état, un renforcement, un enrichissement. Le mot « renouvellement » ou *renovatio* n'est pas hors de propos, quand les habitants d'un monastère sont remplacés, des bâtiments reconstruits, une ancienne abbaye réoccupée.

3. Voir plus loin Troisième partie, chap. 2, p. 418 et suiv.

4. Toutes les histoires générales de l'Europe occidentale parlent de cette évolution. Voir par exemple, R.S. LOPEZ, *Naissance de l'Europe*, Paris, 1962, et R. FOSSIER, *Le Moyen Âge*, t. II, Paris, 1982, p. 19-87 ; A. D'HAENENS, « Évolution économique et sociale de l'Europe occidentale », dans *l'Eurasie, XIe-XIIIe siècles*, dir. G. DUBY et R. MANTRAN, Paris, 1982, p. 11-96.

5. Le problème de l'usure a été très vite posé. Voir plus loin Troisième partie, chap. 2, p. 409 et suiv.

part des clercs que des moines qui étaient des propriétaires, des exploitants, des nantis[6].

L'essor économique élargit encore la coupure entre les plus riches et les plus pauvres, et aggrava la situation de ces derniers qui n'avaient pas de revenus stables. Dans ces conditions, une réflexion attentive sur les textes relatant les premiers temps de la vie des Apôtres et sur les écrits des Pères fit apparaître à beaucoup combien le décalage était croissant entre l'idéal chrétien et la vie quotidienne. Les Saintes Écritures livraient des directives permettant de réfléchir à l'évolution économique et sociale du moment. Les Évangiles exprimaient en faveur de la totale pauvreté une argumentation qui fut constamment reprise dans les annales et les préambules des chartes[7]. La vraie pauvreté consistait à ne rien avoir en propre, à arracher à la terre les fruits qu'elle est prête à donner à qui se donne de la peine, le travail de chacun devant lui permettre de répondre à ses besoins sans qu'il ait à exploiter celui d'autrui[8]. Le dénuement devait être aussi bien celui de l'individu que celui de la communauté. Une vie parfaitement communautaire ne pouvait que ressembler à celle qu'avaient menée les Apôtres à Jérusalem, formant une seule âme et un seul cœur. En outre, tout chrétien devait aller chez les autres porter sa foi, la manifester par ses œuvres, par la parole[9]. Ces deux tendances, de la pauvreté et de la vie commune retrouvée, constrastaient avec l'évolution des décennies antérieures. En effet, si les réformes bénédictines s'étaient accompagnées d'une restauration des temporels monastiques, car l'absence de soucis quotidiens et une nourriture abondante devaient permettre à l'esprit de se livrer totalement au service de Dieu[10], les ermites pensèrent bien autrement, comme aussi certains moines et chanoines réguliers.

Les chapitres et les monastères étaient des seigneurs de la terre. Chanoines et moines se trouvaient donc mêlés étroitement au monde de la féodalité, impliqués dans les liens d'homme à homme, préoccupés de gestion et d'argent, au cœur même de l'économie rurale et urbaine, maîtres de trésors en métaux précieux, en vêtements de prix, en livres de luxe[11]. La règle bénédictine des uns, l'institution canoniale des autres n'interdisaient pas, voire même autorisaient de telles pratiques. On était loin des préceptes austères proposés par Augustin ou Benoît. Aussi les premières réactions contre une telle évolution vinrent-elles des pays précocement touchés par le renouveau commercial, c'est-à-dire d'Italie et de Provence[12]. Dans ces régions, la vie commune

---

6. Les églises, et plus particulièrement les monastères, ont joué très tôt le rôle de banquier, notamment par le biais du gage.

7. H. FICHTENAU, *Arenga, Spätantike und Mittelalter im Spiegel von Urkundenformeln*, Graz-Cologne, 1957.

8. Pauvreté et érémitisme se recouvrent en beaucoup de points (Michel MOLLAT, *Les pauvres au Moyen Âge*, Paris, Éd. Complexe 1984, p. 100-103).

9. Ch. DEREINE, « La vita apostolica, dans l'ordre canonial du IXe au XIe siècle », *RMab*, 51 (1951), p. 47-53 ; G. OLSEN, « The idea of the *Ecclesia primitiva* in the writing of the twelfth century canonists », *Traditio*, 25 (1969), p. 51-86 ; H. PLATELLE, « Le retour aux sources : la "vie apostolique" », dans *l'Eurasie* (voir note 4), p. 227 ; J. LECLERCQ, « La crise du monachisme aux XIe et XIIe s. », *Aux sources de la spiritualité occidentale*, Paris, 1964, p. 175-202.

10. Telle était la préoccupation des réformes des Xe et XIe siècles (H. DAUPHIN, *Le Bienheureux Richard de Saint-Vanne*, † *1046*, Louvain-Paris, 1946, p. 103 et suiv.).

11. On retrouvera la plupart de ces aspects dans Alois SCHULTE, *Der Adel und die deutsche Kirche im Mittelalter. Studien zur Sozial-, Rechts- und Kirchengeschichte*, repr. Darmstadt, 1958.

12. Ce n'est pas le cas de la Catalogne, malgré la précocité de son développement commercial (P. BONNASSIE, *La Catalogne du milieu du Xe à la fin du XIe siècle. Croissance et mutations d'une société*, Toulouse, 1975-1976).

fut bientôt restaurée dans les chapitres, et la désappropriation vivement recommandée. Pierre Damien composa un ouvrage sur la vie commune des clercs qui défendait une stricte application de la règle, puis un autre contre les « clercs réguliers propriétaires »[13]. En 1059, Hildebrand (le futur pape Grégoire VII) tonna au concile romain contre les facilités accordées par le canon 115 de la règle d'Aix de Benoît d'Aniane, porte ouverte à tous les abus[14]. En beaucoup d'endroits, une règle dite de saint Augustin était lue, recopiée, méditée. Un mouvement de correction de ces abus et une recherche de nouvelles voies furent amorcés ; ils conduisirent à des manifestations très diverses : retour de chapitres à la vie commune, fuite au désert de chanoines, de moines, de clercs, choix de l'érémitisme par ceux qui abhorraient les institutions existantes. L'élan amorcé dans la première moitié du XIᵉ siècle se précipita en même temps que démarrait la réforme dite grégorienne. Il se propagea vers l'ouest et le nord, où les ermites furent nombreux. Les régions furent inégalement touchées durant une première période, les Îles Britanniques et l'Empire subirent le mouvement avec moins de force que l'Italie, la France et même l'Espagne. C'est au XIIᵉ siècle seulement que les congrégations de chanoines réguliers se structurèrent, que les cisterciens connurent leur expansion, tandis que le mouvement érémitique s'effaçait lentement.

I. L'ÉRÉMITISME

C'est d'Italie qu'est parti le mouvement érémitique et canonial, lentement propagé en direction de la France, de la Flandre et de l'Angleterre[15]. En Calabre, avant l'an Mil, saint Nil avait poussé jusqu'à l'extrême un ascétisme familier aux Pères du désert, reprenant ainsi une pratique bien connue des premiers temps chrétiens et toujours présente dans la tradition byzantine, qui unissait la volonté de rencontrer Dieu dans la solitude à celle de mener un genre de vie très rigoureux. Nil eut des disciples et fonda un monastère près de Rome. Saint Romuald suivit la même voie, étudia lui aussi les œuvres des Pères avec l'Écriture Sainte, établit à Camaldoli une communauté qui se maintint après lui et essaima. Ces deux exemples illustrent de belle façon les tendances chrétiennes nouvelles, dans un pays qui, plus tôt que les autres, a relancé le grand commerce, connu l'essor urbain et animé les campagnes. Jean Gualbert et Vallombreuse suivirent de peu, vers 1036. C'est à ce moment-là que des chanoines avignonnais recherchèrent une autre mode de vie canonial à Saint-Ruf (1039)[16].

Les deux directions que le phénomène érémitique emprunta alors furent l'ouest, en direction du Limousin et de la Bretagne, et le nord, vers la Lotharingie et la Flandre.

---

13. *PL* 145, col. 479-490. J. LECLERCQ, *Saint Pierre Damien, ermite et homme d'église*, Rome, 1960 ; R. BULTOT, *Christianisme et valeurs humaines. La doctrine du mépris du monde*, IV, *Le XIᵉ siècle, 1, Pierre Damien*, Louvain-Paris, 1953.

14. *NA*, 27 (1902), p. 669-675, éd. A. WERMINGHOFF. Concile d'avril, réuni sous la présidence du pape Nicolas II (HEFELE-LECLERCQ, *Histoire des conciles*, t. 4-2, p. 1177 ; MANSI, 19, 898-903).

15. H. LEYSER, *op. cit.* (note 1), carte, p. IX.

16. *Diz. Istituti di Perfezione*, I, 1974, *s.v.* Camaldoli, 1726-1728.

C'étaient les voies déjà suivies par les marchands comme par les moines. Guillaume de Volpiano, abbé de Saint-Bénigne de Dijon, avait fondé Fruttuaria avant d'être appelé à Metz et à Toul, puis d'aller en Normandie. L'axe lotharingien portait depuis toujours des courants d'hommes et d'idées, de commerce et d'art. La région rhodanienne, reliée à l'Italie du Nord par les cols alpins, était aussi en relations avec les pays de la Loire, l'Auvergne et le Poitou. Le Massif Central répercuta le premier, à la Chaise-Dieu (1043), Bénévent et Saint-Flour (1066), au Chalard (1089), l'élan italien qui se prolongea vers Grandmont (1078), la Sauve-Majeure (1080), Fontevraud (1100) et la forêt de Craon. Le long de la Saône, un autre courant filait vers le Nord, touchait Robert de Molesme, Engibald d'Hérival, Séhère de Chaumousey, Leubricus de Saint-Pierremont, dans les deux dernières décennies du XIᵉ siècle[17]; la comtesse Mathilde avait déjà fait venir des ermites calabrais à Orval (1070)[18]; d'autres étaient signalés dans le diocèse de Trèves. Plus à l'ouest, les prédicateurs, les clercs vagants, les ermites se manifestaient à Anchin, Flône, Tournai, Arrouaise (1079-1092)[19].

Les noms des plus grands, toujours répétés, ont fait oublier de plus petits, que le rassemblement de mentions éparses ramène enfin à la surface, mais qui furent trop modestes pour qu'on s'arrête longuement sur eux. Du Berry on cite Pierre de l'Étoile (v. 1080-1090) avec Fontgombault, mais il y eut les ermites d'Achères (v. 1050-1077) et de Chalivoy[20]. Le Limousin a vu venir le Normand Gaucher d'Aureil, mais aussi des pèlerins vénitiens, qui ont fondé L'Artige (v. 1106)[21]. Brunon, à qui furent offertes en 1084 les hauteurs de la Chartreuse, Étienne de Muret, qui fonda Grandmont, Robert d'Arbrissel avec Fontevraud n'avaient pas alors aux yeux des contemporains beaucoup plus d'importance que Geoffroi du Chalard, Étienne d'Obazine, Géraud de Salles, Vital de Savigny, Bernard de Tiron, Christian de l'Aumône, Hugues Lacerta. Un Italien encore créa une *cella* dans la vallée supérieure de la Meuse, tandis que le prêtre Anténor, fuyant la vie facile des dames de Remiremont, se retirait dans la forêt voisine; ils sont des exemples de types alors fort répandus[22]. À côté d'Ailbert de Rolduc et de Norbert de Xanten, illustres figures de la Basse-Lotharingie, ont agi Ramirhdus de Douai, Otfried de Watten, Wéry de Gand, Tanchelm d'Anvers, Léger des Dunes[23]. Un même idéal animait Reinfrid dans le Yorkshire vers 1076-1078, suivi, une vingtaine d'années plus tard, par des prêtres, des moines, toujours dans la vieille région monastique, entre l'East Anglia et l'Écosse[24].

17. J. Choux, *Recherches sur le diocèses de Toul au temps de la réforme grégorienne. L'épiscopat de Pibon (1069-1107)*, Nancy, 1952, p. 153-157. M. Parisse, « Les chanoines réguliers en Lorraine. Fondations, expansion », *AEst*, 1968, p. 347-350.

18. *Aureavallis*, Liège 1975, p. 63.

19. Ch. Dereine, « Odon de Tournai et la crise du cénobitisme au XIᵉ siècle », *RMAL*, IV (1948), p. 137-154.

20. G. Devailly, *Le Berry du Xᵉ siècle au milieu du XIIIᵉ*, Paris, 1973, p. 275-280.

21. J. Becquet, *Vie canoniale en France au Xᵉ et XIIᵉ siècles*, Variorum reprints, Londres, 1985, regroupe des articles dispersés. On y trouvera l'Artige, *BSAHL*, 90 (1963), p. 85-100) et Bénévent (*ibidem*, 99 (1972), p. 100-106).

22. J. Choux, *op. cit.* (note 17).

23. Ch. Dereine, « Les prédicateurs "apostoliques" dans les diocèses de Thérouanne, Tournai et Cambrai, Arras durant les années 1070-1125 », *APraem*, LIX (1983), p. 171-189.

24. H. Leyser, *op. cit.*, p. 113-118 et carte, p. IX., J.C. Dickinson, « I Canonici regolari e la reforma ecclesiastica in Inghilterra nei secoli XIᵉ XIIᵉ », *La vita comune del clero*, Milan 1962, p. 274-296. R.M. Clay, *The Hermits and Anchorites of England*, Londres, 1914.

1. LES ERMITES

Pourquoi devient-on ermite? Parce qu'on a mérité de l'être après avoir été longtemps moine, ou parce qu'on a connu un échec dans l'Église, plus simplement parce qu'on a été attiré par un autre ermite, ou que l'on ressent l'attirance de la pauvreté, de la pénitence, de la prière face à face avec Dieu[25]. Toutes ces possibilités se rencontrent; elles attirent aussi bien des laïcs que des hommes d'Église, des moines momentanément isolés que des chanoines déçus par le confort de leur vie quotidienne, comme il se trouve des ermites très seuls, d'autres assistés de quelques disciples, d'autres enfin groupés en communauté.

La vie au désert peut être décrite avec assez de précision grâce aux nombreuses *Vitae* conservées, notamment pour le Limousin et le Bas-Maine. L'ermite, qui veut toujours plus de solitude et de rigueur, bâtit une hutte de branchages, se terre dans une grotte ou habite parfois une maisonnette, de préférence en des lieux jugés inhumains, il lui faut de l'eau, indispensable à la vie quotidienne, il a besoin aussi de la forêt, pour l'abri, pour le bois, pour les animaux. L'ermite doit se procurer le nécessaire par son travail; il jardine, fait un peu d'élevage, tresse des corbeilles comme les Pères d'Égypte, il s'alimente de céréales, de légumes, d'œufs et de laitage. La rudesse apparaît dans sa tenue volontairement négligée et grossière, voire repoussante, tunique de peau trouée, cape, vêtement de laine écrue dure à la peau, barbe en broussaille. Le refus de se soigner et de soigner sa tenue est une manifestation d'hostilité au monde policé qui est évité. Davantage de solitude, c'est ce que recherche l'ermite, mais il n'est jamais vraiment seul : un ou plusieurs disciples accompagnent ou assistent l'exigeant ascète; les habitants des environs sont vite avertis de l'existence de l'homme de Dieu, lui apportent de la nourriture, des objets, quémandent des conseils, sollicitent de pieux entretiens. Même s'il fuit absolument les hommes, l'ermite n'est pas seul et garde parfois auprès de lui des animaux familiers. Même isolé volontaire, il ne peut éviter d'avoir des différends avec des moines que ses exigences morales et physiques effraient, avec des clercs jaloux de ses succès auprès des croyants, avec des laïcs soucieux de garder la haute main sur leurs terres[26].

L'érémitisme est pourtant, avant tout, pénitence, religion de salut : l'ermite cherche son salut personnel, il milite aussi pour celui des autres. Il est rarement inculte, voué à la seule prière spontanée. Il pratique le psautier de façon permanente, le lit ou le récite chaque jour, lit et médite la bible, dit la messe[27], ne peut guère éviter de prêcher, car il

---

25. E. WERNER, *Pauperes Christi. Studien zu sozial-religiösen Bewegungen im Zeitalter des Reformpapstums*, Leipzig 1956, p. 25-52; J. BECQUET, « L'érémitisme clérical et laïque dans l'Ouest de la France », *L'eremitismo in Occidente nei secoli XI et XII*, La Mendola, Milan 1965, p. 182-203. H. LEYSER, *op. cit.*, p. 52-68; L. MILIS, « Ermites et chanoines réguliers au XIIᵉ siècle », *CCM*, XXII (1979), p. 46-57. J. LECLERCQ, « "Eremus" et "ermita". Pour l'histoire du vocabulaire de la vie solitaire », *COCR*, XXV (1963), p. 8-30. Ch. DEREINE, « Ermites, reclus et recluses dans l'ancien diocèse de Cambrai entre Scarpe et Haine (1075-1125) », *RBen* XCVII (1987), p. 289-313 (avec bibliographie sélective).

26. Clercs et moines sont aussi inquiets pour leurs possessions. Tous ces renseignements se trouvent dans les *Vitae* dont la liste est donnée par J. BECQUET, *op. cit.* p. 182. On consultera avec profit la *Vie d'Étienne d'Obazine*, éd. et traduit par Michel AUBRUN (Public. Et. du Massif Central. VI) Clermont-Ferrand, 1970, notamment p. 53. Pour Bernard de Tiron, *AASS*, avril II, 220. Géraud de Salles, *AASS*, avril I, 412-421, Vital de Savigny. *AnBoll*, I (1882), p. 357-390, Christian de l'Aumône, *id.* LII (1934), p. 5-20, Geoffroi du Chalard (voir plus loin, note 29).

27. S'il a des chaussures! On notera cette remarque dans la *Vie d'Étienne d'Obazine* (*op. cit*) p. 57 : « Après prime, prosternés, ils disaient les sept psaumes avec les litanies. Aussitôt après suivait la messe, à moins qu'il n'y eût pas de chaussures, ce qui arrivait souvent... » De même, p. 51 : « Le troisième jour, ... ils se dirigèrent vers une église voisine.

y est invité dans le cas où il ne le fait pas spontanément, délivre des conseils moraux avec la doctrine, invite surtout à la pénitence le peuple chrétien qui afflue de plus en plus nombreux. L'ermite ne se ménage pas, il se nourrit peu et mal, jeûne par volonté plus que par nécessité, dort à la dure, éprouve sa résistance par des bains dans l'eau glacée ou le refus de sommeil[28].

Ce n'est pas la vie érémitique des plus célèbres fondateurs d'ordres que l'on connaît le mieux. On en sait beaucoup plus en suivant par exemple le destin de Geoffroi du Chalard[29]. Né à Boscavillot, dans une famille modeste du diocèse de Limoges, il reçoit une instruction que la pauvreté de ses parents fait interrompre, mais qu'il peut poursuivre chez un oncle à Tours. Il y apprend les arts libéraux; la mort de son oncle l'accable et le ramène à Limoges où un ami le convainc de se faire prêtre. Ordonné par l'évêque de Périgueux (le siège de Limoges est alors vacant), il célèbre à Saint-Martial de Limoges sa première messe pendant laquelle Dieu l'éprouve[30]. Fuyant le siècle, il s'arrête sur une colline dans un méandre de l'Isle. Refusant de s'enfermer dans un monastère, il erre avec deux compagnons, refuse plusieurs offres avant de s'arrêter auprès d'une église ruinée[31]. Dans une cabane, il vit en ermite, puis se fait nommer chanoine, éprouvant son corps par le port de chaînes de fer. Geoffroi est aidé par un groupe de laïcs pour la construction de l'église consacrée à la Vierge. Des nobles, des chevaliers, des prêtres fournissent le nécessaire pour la vie quotidienne, Geoffroi dit la messe, chante psaumes, hymnes et cantiques durant la nuit et bâtit durant le jour.

Il est jalousé, envié; un archidiacre de Limoges veut le faire chasser, mais l'évêque de Périgueux le soutient. L'église du Chalard est consacrée le 18 octobre 1100. Geoffroi défend sa fondation, sollicite des appuis financiers, convertit ses auditeurs : « Il arrachait les vices des cœurs des hommes, leur apprenait à craindre la mort et les tourments de l'enfer, les invitait à mériter les biens terrestres, et ensuite il obligeait ses auditeurs à craindre et aimer Dieu, à obéir à ses commandements, à faire prospérer les vertus[32]. » À la fin de sa vie, il devint plus sévère pour lui-même : content de peu, pâle et émacié, les yeux fixés au ciel, crucifié au monde, il voulait des vêtements propres, déclarant qu'être sale était faire preuve de négligence et non de vertu. Il mourut le dimanche 6 décembre 1125, après 37 ans et 9 mois de retraite. Devant sa dépouille, un ermite voisin, Gaucher d'Aureil, fit au peuple un sermon en langue vulgaire, pour être bien compris de tous[33]. Gaucher, qui était d'origine noble, avait, lui aussi, reçu une solide formation littéraire, tout en se livrant dès l'âge de 18 ans à une ascèse exigeante, dormant sur une selle, se soumettant au jeûne et au froid. Retiré à 22 ans dans la forêt d'Aureil, il fonda un monastère de chanoines réguliers, accepta des églises, ouvrit des bâtiments aux femmes et laissa à sa mort un prieuré riche et actif.

Le monde des ermites est très divers. Les historiens sont loin d'avoir rassemblé toutes les mentions qui les concernent pour la fin du XIe siècle, et dans cet ensemble,

---

Après avoir emprunté des chaussures, l'un d'eux chanta la messe et l'autre communia. L'office terminé, ils rendirent les chaussures. »

28. Vie de Gaucher d'Aureil, chap. XI, éd. J. BECQUET, RMab 54 (1964), p. 51 : *De lecto resiliens in cuppam aqua frigida plenam intrabat, que lectulo eius quasi comes individua semper adherebat. De qua multociens fratres nimia frigoris in clemencia congelatum et semimortuum eum extraxisse referunt. Vie d'Étienne d'Obazine, op. cit.,* p. 53. Certains ermites vont plus loin encore, comme on le voit dans D. IOGNA-PRAT, « La femme dans la perspective pénitentielle des ermites du Bas-Maine (fin XIe-début XIIe siècles) », *RHSp,* LIII (1977) p. 47-64.

29. La *Vita* a été éditée par A. BOSVIEUX (*MSSNC,* III (1862), p. 75-160); sur l'homme et son œuvre, voir J. BECQUET, « Les chanoines réguliers du Chalard (Haute-Vienne) », *BSAHL,* 98 (1971), p. 154-172 ou *Vie canoniale* (Var. Reprints).

30. *Op. cit.,* p. 77 : un tremblement de terre secoua l'église et terrorisa l'assistance, l'officiant fut seul à ne rien remarquer.

31. Il y succède à un ermite flamand à demi-prophète : J BECQUET, « Robert, ermite ou pèlerin flamand en Limousin à la fin du XIe siècle », *BSAM,* 20 (1963), p. 46-47.

32. *Vita, op. cit.* (note 31), p. 105, chap. IX.

33. Les articles de dom J. BECQUET concernant Aureil sont groupés dans *Vie canoniale en France* (Variorum Reprints).

trop peu sont connus de façon précise. Ce sont les fondations d'abbayes et d'ordres qui ont laissé le souvenir le plus vivace. Malgré leur originalité et, parfois, leurs outrances, ils sont demeurés dans les cadres de l'Église établie. Leurs réactions contre certaines faiblesses de l'institution, qui auraient pu les faire condamner, étaient peu de chose au regard de leur volonté de créer un nouveau genre de vie, et cette volonté n'était pas condamnable. Leur interprétation des textes sacrés aurait pu être contestée; elle fut unanimement admise parce qu'elle soulignait le sens de la pauvreté et de la vie commune en référence aux Apôtres. Cela ne suffisait pas. Presque tous entendaient convaincre les autres chrétiens, les convertir même, et le phénomène de la prédication prit dès lors une grande ampleur. Cette évolution était dangereuse; les évêques devaient contrôler à la fois les prédicateurs et la doctrine exposée[34]; ils ne pouvaient que se méfier de ceux qui n'étaient pas aptes à le faire. Par bonheur, une majorité d'ermites étaient des clercs instruits; Robert d'Arbrissel, Norbert eurent l'appui de la papauté pour leur prédication errante. La plupart enthousiasmaient leurs auditeurs; certains utilisaient des arguments à la limite de l'hérésie, limite qui fut plusieurs fois franchie au siècle suivant, mais apparemment pas au début de ce mouvement, peut-être simplement parce qu'on ne savait pas encore où établir cette limite[35]. Au bout de quelques années, la mise en place d'une structure s'imposait; cela survenait notamment quand le nombre de laïcs convertis devenait important[36]. La foule, obscure ou illustre, de ces animateurs a secoué l'Occident en vagues de plus en plus larges. La réussite spectaculaire de quelques-uns était le signe de l'activité de tous les autres.

2. Brunon de Cologne et Robert d'Arbrissel

Brunon, fondateur de la Chartreuse, et Robert d'Arbrissel, père de Fontevraud, représentent deux exemples qui en tous points méritent l'attention. Le premier, originaire de Cologne où il était né, vers 1030, puis chanoine de Reims, responsable des écoles et chancelier de cette cité, supportait mal l'attitude simoniaque de l'archevêque Manassès; il décida de changer de vie à près de cinquante ans, et de se retirer dans un monastère[37]. Il demeura quelques années dans un prieuré de Molesme, à Sèche-Fontaine, où il mena une existence érémitique. En 1084, il quitta cet endroit trop visité, et obtint, par l'entremise du légat Hugues de Lyon et avec l'aide de l'abbé de la Chaise-Dieu, un espace dans les Alpes, à la Chartreuse, offert par l'évêque

---

34. G. Le Bras, *Institutions ecclesiastiques de la chrétienneté médiévale*, 1ʳᵉ partie, Tournai 1964, (*HE*, t. 12), p. 366-367.

35. Des mouvements hérétiques populaires sont décelés au début du xıᵉ siècle, puis au xııᵉ siècle (I. da Milano, « Le eresie populari del secolo xı nell'Europa occidentale », *SGSG*, 2, p. 43-85). Un cas particulier est présenté par un laïc Ramirdus, qui forma une secte et fut convoqué pour enquête par l'évêque Gérard II de Cambrai, vers 1076-1077. Il ne fut qualifié d'hérétique que parce qu'il refusait de recevoir la communion de la main des abbés, des prêtres et même de l'évêque en raison des suspicions de simonie. Des serviteurs de l'évêque le mirent sur le bûcher. Grégoire VII demanda à l'évêque de Paris une enquête pour juger les coupables de cette justice expéditive (*MGH.SS*, 7, p. 540).

36. L. Milis, « Ermites et chanoines réguliers », *op. cit.* (note 25), p. 59.

37. La vie de Bruno est mal connue. B. Bligny, *Saint Bruno, le premier Chartreux*, Paris, 1984; A. Ravier, *Saint Bruno*, Paris, 1967; *Histoire des saints*, t. VI, Paris, 1986, *s.v.* Bruno.

Hugues de Grenoble[38]. Rapidement Brunon élabora ce genre de vie original des chartreux, qui laissait une grande place à la vocation érémitique : les clercs, vêtus de blanc, menaient une vie isolée dans une petite cellule comprenant une chambre, un atelier, à côté d'un jardin ; ils se retrouvaient pour l'office en commun de matines et de vêpres, et surtout, le dimanche et les jours de fête où la messe et les repas les réunissaient, avec l'autorisation d'échanger enfin quelques paroles. La vie solitaire était occupée par la prière, la lecture, la réflexion, la copie de livres ; un prieur surveillait la gestion du monastère, dont faisaient partie des laïcs convers, maintenus à l'écart, soumis à un office quotidien et chargés de travaux matériels[39]. Rupture totale avec le monde et solitude absolue, silence perpétuel et contemplation, pauvreté individuelle, tels sont les grands traits de la spiritualité cartusienne, qui anime une communauté érémitique, fruit d'une habile conjonction de la volonté d'isolement et des contraintes de la vie de groupe. Mais Brunon n'était pas satisfait. En 1090, déjà, il se trouvait en Italie, la terre des moines et des ermites, et s'en allait en Calabre. Il s'installa, fin 1091, à Santa Maria delle Torre, y retrouva le silence du désert et y mourut le 6 octobre 1101.

Dans le flot des fondations nouvelles, parmi les nouveaux ordres, Fontevraud se distingue d'abord par la personnalité de son fondateur. Robert d'Arbrissel, fils de prêtre, né au milieu du XIe siècle, fit des études dans sa région d'origine, en Haute-Bretagne et à Paris[40]. On ne sait pas très bien comment il vécut chez lui, entre ces deux périodes studieuses, s'il fut curé après son père, s'il eut une vie conjugale, comme certains l'avancent. Retour de Paris, il devint pour quatre ans un archiprêtre actif du diocèse de Rennes, au service de la réforme, auprès de l'évêque Sylvestre de la Guerche. La mort de ce dernier conduisit Robert à quitter ses fonctions, il reçut un complément de formation à Angers, auprès de l'écolâtre Marbode, futur évêque de Rennes, choisit de mener la vie au désert, puis fonda le monastère de la Roë pour des chanoines réguliers (1092). En 1096, il obtint d'Urbain II à Angers la permission de prêcher et entama une longue errance. La puissance de son verbe, de sa conviction et de sa foi, attirait en masse les disciples de tous ordres et de toutes conditions. Il s'arrêta un jour de 1101 à Fontevraud, sur une terre qui lui était offerte par un seigneur local. Après un an de vie difficile dans des huttes, la troupe qui entourait Robert fut divisée par ses soins en plusieurs groupes : d'un côté, les femmes, les vierges étant mises à part (pour elles fut édifiée l'église Notre-Dame), de l'autre, les hommes, prêtres et laïcs ici, et malades là. Sur le vaste espace enclos de murs furent installés plusieurs ensembles :

---

38. Sur les débuts du monastère, B. BLIGNY, *L'Église et les ordres religieux dans le royaume de Bourgogne aux XIe et XIIe siècles*, 1960 et « L'érémitisme et les chartreux », *L'eremitismo, op. cit.*, p. 248-263.

39. J. DUBOIS, « L'institution des convers au XIIe siècle, forme de vie monastique propre aux laïcs », *I laici nella « societas christiana » dei secoli XI-XII*, La Mendola 1962, Milan 1965, p. 204-210 (Repris dans *Histoire monastique en France*, Variorum Reprints).

40. Le travail de R. NIDERST : *Robert d'Arbrissel et les origines de l'ordre de Fontevrault*, Rodez 1952, est aujourd'hui dépassé par les travaux de J.M. BIENVENU (*Les premiers temps de Fontevraud (1101-1189). Naissance et évolution d'un ordre religieux*, Paris-Sorbonne, 1980, thèse dactyl. ; *L'étonnant fondateur de Fontevraud, Robert d'Arbrissel*, Paris 1981), et de J. DALARUN (*L'impossible sainteté. La vie retrouvée de Robert d'Arbrissel (1045-1116), fondateur de Fontevraud*, Paris, 1985 ; *Robert d'Arbrissel, fondateur de Fontevraud*, Paris 1986). Ajouter J. SMITH, « Robert of Arbrissel : *Procurator Mulierum* », *Medieval Women*, éd. D. BAKER, Oxford, 1978, p. 175-184.

le groupe principal entourait l'église des moniales, Notre-Dame, avec son cloître et ses bâtiments d'habitation, un autre groupe analogue et plus petit était réservé à ceux qu'on appelait frères et qui comprenait à la fois des prêtres et des laïcs, autour de la chapelle de Saint-Jean, une troisième, avec Sainte-Marie-Madeleine, fut celui des autres femmes et des prostituées, un quatrième rassembla les lépreux qui disposèrent de Saint-Lazare, une cinquième chapelle, celle de Saint-Benoît, serait pour les malades. Robert ne voulait être ni abbé, ni seigneur, il fut *magister*, maître spirituel de l'ensemble, assisté d'une prieure, Hersende, puis d'un prieur, Jean. Les donations affluèrent, offertes par l'aristocratie qui saisit la possibilité de placer ses filles à Fontevraud.

Robert attendit le dernier moment pour organiser sa succession. Il s'y décida à la fin de 1115, proposa de mettre une abbesse à la tête de la communauté, non pas une vierge contemplative, mais une femme d'expérience, une veuve ayant connu la vie dans le monde, Marthe plutôt que Marie, et, après quelques mois encore il nomma la prieure Pétronille de Chemillé, qui fut abbesse jusqu'à sa mort, en 1149[41]. Robert détermina sans doute quelques statuts, très peu de chose ; il résuma son testament spirituel en deux formules, demandant aux frères d'être toujours au service des servantes de Jésus-Christ et aux sœurs de ne rien modifier sans l'accord des frères. Il voulait que se maintînt une communauté égalitaire, formée de deux groupes assez indépendants l'un de l'autre. Humble parmi les humbles, il avait voulu faire son salut par l'affrontement permanent de la tentation féminine[42] et souhaitait que les frères suivent la même voie ; il demanda à être enseveli, enveloppé d'un linceul, dans la boue du cimetière commun.

À sa mort (9 mars 1116), les choses suivirent un autre cours que celui que souhaitait Robert. À la demande de l'abbesse Pétronille, le corps fut solennellement confié au sol de l'église Notre-Dame, et la fondation monastique de Robert annexée par les riches moniales. Si les statuts lentement acquis se développèrent et reçurent la forme qu'on leur connaissait à la fin du XIIe siècle[43], si l'aspect double du monastère demeura entendu et se reproduisit dans chacun des prieurés de l'ordre, on a le sentiment d'avoir affaire plutôt à un monastère de jeunes femmes nobles. L'abbesse était toute-puissante, commandait à tous les prieurés (plus de 80 en 1200), choisissait les prieurs et les prieures, dont elle contrôlait la gestion et vérifiait les comptes, dirigeait normalement les moniales, mais exerçait aussi un contrôle très strict sur les frères, décidait de ceux qui seraient prêtres, recevait le serment des nouveaux venus, punissait les fautifs. Les frères, peu nombreux dans les prieurés face aux femmes, manifestèrent souvent leur mécontentement, et leur participation au chapitre ne leur donnait pas assez le sentiment d'avoir leur vraie place dans le monastère que Robert avait pourtant voulu vraiment double.

---

41. Sur la fin de la vie de Robert, il convient de se reporter aux études de Jacques DALARUN (voir note 40) et notamment à son édition de la fin de la vie de Robert par le chapelain André (*L'Impossible sainteté*, p. 284-300).

42. Voir D. IOGNA-PRAT, *op. cit.* (note 28).

43. M. de FONTETTE, *Les religieuses à l'âge classique du droit canon*, Paris, 1967, p. 65-80 ; P.Sh. GOLD, *The Lady and the Virgin*, Chicago-Londres, 1985, p. 93-113.

II. LA NAISSANCE DES CHANOINES RÉGULIERS

Le mouvement des chanoines réguliers aux XIe et XIIe siècles fut un phénomène capital dans l'histoire de l'Église régulière, car il a ouvert une voie nouvelle à l'essor de la vie religieuse régulière et fait naître la grande famille de ceux qui suivent la règle de saint Augustin, dont l'histoire se déroule désormais parallèlement à celle de la règle bénédictine[44]. L'origine et le nom des chanoines réguliers les associent naturellement aux chanoines séculiers et l'on peut, à leur propos, parler de groupe canonial, leur vie de clerc et leur attachement au sacerdoce constituant un point commun fondamental ; ce fait est prouvé au XIIe siècle par les oscillations de certains chapitres, cathédraux ou non, entre la vie commune et le partage des prébendes, entre le mode régulier et les pratiques séculières. Pourtant, par commodité, il convient de considérer dès à présent, au risque de faire un anachronisme, que les chanoines réguliers doivent être étudiés avec les moines, comme cela se fait normalement à partir du XIIIe siècle, voire même du XIIe. Urbain II leur reconnut un caractère original[45]. Les congrégations de chanoines réguliers, qui virent le jour entre 1080 et 1150, tout en ayant des caractères spécifiques sur lesquels nous reviendrons, ont choisi un genre de vie de type monastique, habitant ce que les contemporains appellent volontiers un *cœnobium* ou un *monasterium*[46] et organisant leur vie quotidienne sur un schéma voisin de celui des bénédictins. Vus de l'extérieur à cet égard, voire même, par certains côtés, de l'intérieur, des moines cisterciens et des chanoines prémontrés pouvaient être rapprochés, confondus par qui ne prêtait pas attention à la liturgie et à la terminologie. Même la mention du service paroissial assuré par les chanoines ne pourrait suffire à les séparer nettement des moines. Au total donc, les ordres monastiques et canoniaux, les religieux qui suivent la règle de saint Benoît ou celle de saint Augustin, constituent bien tous ensemble l'Église traditionnellement dite régulière, qui regroupera au XIIIe siècle les frères avec les moines et les chanoines dans un esprit que la tradition

---

44. La bibliographie des chanoines réguliers est aujourd'hui très abondante. Le chanoine Dereine a donné beaucoup d'études de détail, que ne reprennent pas toujours ses deux contributions principales : article « Chanoines » du *DHGE*, XII (1940-1953) et *Les chanoines réguliers au diocèse de Liège avant saint Norbert*, Bruxelles, 1952. D'autres mises au point et jalons figurent dans les deux volumes du congrès de la Mendola en 1959 : *La vita commune del clero nei secoli XI e XII*, Milan, 1962. Parmi les anciens travaux à retenir, à voir : J.C. Dickinson, *The Origins of the Augustin Canons and their Introduction into England*, Londres, 1950 ; J. Siegwart, *Die Chorherren- und die Chorfrauengemeinschaften in der deutschen Schweiz vom 6. Jh. bis 1160*, Fribourg/Suisse, 1962 ; C. Giroud, *L'ordre des chanoines réguliers de Saint-Augustin et ses diverses formes de régence interne. Essai de synthèse historico-juridique*, Martigny, 1961. La dernière synthèse en date est celle de dom J. Becquet, chap. III de *Hist. du Droit et des Institutions de l'Église en Occident, t. X., L'âge classique (1140-1378), Les religieux*, Paris, 1974, p. 81-107 ; du même auteur, à consulter, *Vie canoniale en France aux Xe-XIIe siècles*, Londres, 1985.

45. Ch. Dereine, « L'élaboration du statut canonique des chanoines réguliers, spécialement sous Urbain II », *RHE*, 46 (1951), p. 534-565. Une bulle pour Rottenbuch, en 1092, sert souvent de référence. (J. Mois, *Das Stift Rottenbuch*, p. 75-93).

46. La dénomination des églises de chanoines est très variée : *canonica, capitulum, prioratus, congregatio canonicorum*, etc. Cf. le questionnaire établi en 1959 par C. Violante et C.D. Fonseca dans *La vita commune del clero*, I, p. 497-536. Bernold de Constance, à propos de Saint-Léon de Toul, écrivait : *Liutolfus... sanctae Tullensis ecclesiae decanus monasterium clericorum, quod canonicam Romani cognominant... construxit* (*MGH.SS*, 5, p. 463). Ainsi le mot de « chanoinerie » (*canonica*) ou chapitre a-t-il été créé à la fin du XIe siècle par nécessité.

historique appelle communément « monastique », sans préjudice des distinctions internes.

1. LA RÈGLE DE SAINT AUGUSTIN

Les recherches menées depuis quarante ans ont enfin éclairé le domaine canonial. La découverte et la publication de nouveaux textes, de lettres et de bulles explicatives, de manuscrits contenant d'autres versions des mêmes œuvres de référence, ont aidé à la compréhension et à l'explication de faits connus, souvent mal datés ou mal reliés entre eux. Un accord s'est fait sur les éléments qui composent ce qu'on a coutume d'appeler règle de saint Augustin[47].

La règle du saint évêque d'Hippone, qui fut copiée et citée abondamment, était un *praeceptum* adressé en 397 à un groupe de laïcs : *Haec sunt quae ut observetis praecipimus* ; la référence à la *vita apostolica* y est claire dès la seconde phrase : *anima una, cor unum* ; les conseils moraux et pratiques y sont mesurés, ils concernent l'habillement et la nourriture, le soin des malades, l'obéissance au supérieur, les rapports avec les gens du dehors, notamment les femmes[48]. C'est le texte le plus important. On connaissait aussi du même auteur une lettre (la lettre 211) destinée, vers 411-414, à une communauté de religieuses révoltées[49]. Il suffisait de mettre le *praeceptum* au féminin pour obtenir un ensemble qui devenait « règle de saint Augustin pour les vierges »[50]. À l'inverse, la lettre pouvait être transcrite au masculin pour être applicable aux hommes, ce qui fut fait[51]. P. Verheijen a rendu à chaque texte son identité.

Un troisième texte, attribué aussi à saint Augustin parce que le plus souvent associé aux autres, faisait problème : l'*ordo monasterii*. Comprenant une dizaine d'articles, il fixait un régime liturgique partageant l'année en trois saisons, recommandait le travail manuel, le silence et l'abstinence constante, la désappropriation et l'obéissance. Ces prescriptions assez brutales ne correspondaient pas aux habitudes romaines ; le texte aurait en fait été importé d'Orient à Thagaste en 388[52]. Enfin, deux sermons d'Augustin à l'intention des clercs étaient connus et répandus, mais de façon séparée. Près de sept siècles séparent ces préceptes augustiniens d'un règlement attribué à Grégoire VII et qui aurait été élaboré vers 1074-1078[53] ; certains s'en inspirèrent.

---

47. Les ouvrages de référence sont aujourd'hui ceux de L. VERHEIJEN : *La règle de saint Augustin, I. Tradition manuscrite, II. Recherches historiques*, 2 vol., Paris, 1967, qui reprend et efface la littérature antérieure. Du même auteur, on lira la traduction des différentes règles dans : *Règles monastiques d'Occident, IVe-VIe siècles, d'Augustin à Ferréol*, Vie monastique n° 9, Abb. de Bellefontaine, 1980.

48. L. VERHEIJEN, *La règle*, 1, p. 417-437. C'est l'ancienne *regula prima*.

49. L. VERHEIJEN l'appelle *obiurgatio* (ibidem, 1, p. 105-107).

50. C'est la *regularis informatio* de L. VERHEIJEN (*op. cit.*, 1, p. 53-66).

51. Ce texte était appelé *regula tertia* et reprenait la deuxième partie de la lettre 211.

52. L. VERHEIJEN, *op. cit.*, 1, p. 148-152. Ce texte fut aussi mis au féminin. La tradition l'appelait *regula secunda*.

53. Ce règlement ne serait que partiellement l'œuvre du pape. À ce sujet, pour le texte, voir G. MORIN, *RBen*, 18 (1901), p. 117-183, et sur les problèmes d'attribution : Ch. DEREINE, *RBen*, 71 (1951), p. 108-118 et C.D. FONSECA, *Medioevo canonicale*, Milan, 1970, p. 101.

L'ensemble de ces textes fournit une base de réflexion à ceux qui se désolidarisaient des règles en usage. Ils furent de plus en plus adoptés, du moins pour les deux premiers, tandis que l'*ordo monasterii*, rejeté par les uns, accepté par les autres, provoqua le plus de difficultés. Ceux qui voulaient seulement la désappropriation constituèrent une branche que les historiens qualifient d'ancienne, la branche « nouvelle » étant celle des chanoines réguliers qui ont adopté la règle de saint Augustin dans son intégralité[54].

2. Vie commune et désappropriation

Les chapitres cathédraux furent touchés les premiers par le retour à la vie commune, que les chanoines l'aient spontanément adoptée ou que les évêques la leur aient imposée[55]. Provence, Toscane, Lombardie, Latium furent à cet égard des terres privilégiées[56]. Le 1er janvier 1039, l'évêque d'Avignon, Benoît, autorisa quatre clercs du chapitre cathédral à se retirer dans l'église ruinée, autrefois petite abbaye, de Saint-Ruf ; des donations furent faites à cette communauté vers 1070 et 1080[57]. Gaucher d'Aureil vint y puiser son inspiration[58]. Par des textes postérieurs, on sait que la règle d'Aix y était appliquée, avec rejet de la propriété privée. Nul doute qu'il s'y ajouta un mode de vie assez strict, comprenant une application littérale des principes de l'*Institutio canonicorum* de 816 contre lesquels Hildebrand n'avait rien eu à redire en 1059. Saint-Ruf devint ainsi un centre de référence.

Dès la première moitié du XIe siècle et tout au long de la seconde, la liste des chapitres cathédraux réformés s'allongea : le Latran, Florence, Pistoia, Lucques, en Italie, pour n'en citer que quelques-uns, Avignon, Nîmes, Pamiers, Carcassonne, Toulouse, en France. La moitié sud de la France s'engagea fortement dans une réforme qui atteignit l'Espagne à Pampelune, Vich, Osma, Tolède, Saragosse, Tarragone[59]. Les autres régions firent lentement connaissance avec cette option. À Angers, la vie commune fut presque restaurée, car si les locaux et le personnel semblent l'attester, apparemment la désappropriation ne fut pas appliquée[60]. En 1070,

---

54. Ch. Dereine (*s.v.* « Chanoines », *DHGE*) a adopté les deux expressions concurrentes d'*ordo novus* et *ordo antiquus*. La distinction n'est pas toujours facile à faire comme on le voit avec C.D. Fonseca : « Hugues de Fouilloy entre l'ordo antiquus et l'ordo novus », *CCM*, XIC (1973), p. 307.

55. J. Becquet, « La réforme des chapitres cathédraux en France aux XIe et XIIe siècles », *BPH*, 1975, Paris, 1977, p. 31-41 (repr. dans *Vie canoniale en France*).

56. J. Mois, *Das Stift Rottenbuch in der Kirchenreform des XI.-XII. Jahrhunderts. Ein Beitrag zur Ordensgeschichte der Augustiner-chorherren*, Munich, 1953, p. 240-246 ; *La vita commune del clero*, vol. 2, *passim*. P. Toubert, *Les structures du Latium médiéval*, t. II, p. 840-854.

57. Ch. Dereine, « Saint-Ruf et ses coutumes aux XIe et XIIe siècles », *RBen*. 59 (1949), p. 161-182 ; D. Misonne, « La législation canoniale de Saint-Ruf d'Avignon à ses origines », *AMidi*, LXXV (1963), p. 471-489.

58. La date (1070 environ proposée par Ch. Dereine, dans *Saint-Ruf*, voir note suivante) est, selon J. Becquet (*La vie de saint Gaucher*, voir note) impossible à déterminer (p. 36).

59. Voir plus haut notes 1 et 2. Tilmann Schmidt, « Die Kanonikerreform in Rom und Papst Alexander II. (1061-1073) », *SGSG*, IX (1972), p. 199-221.

60. Gérard Robin, « Le problème de la vie commune au chapitre de la cathédrale Saint-Maurice d'Angers du IXe au XIIe siècle », *CCM*, XIII (1970), p. 305-322. Voir notamment p. 317-318. On peut ajouter un autre exemple : J. Richard, « L'évêque Aganon d'Autun, la congrégation de Saint-Germain en Brionnais et le renouveau de la vie commune au XIe siècle », *MSHD*, 24 (1963), p. 289-298.

l'évêque de Beauvais, Guy, regroupa des clercs hors de la ville, dans l'église Saint-Quentin, confiée à Yves, brillant canoniste et futur évêque de Chartres[61]. Tournai, entre les mains de l'évêque Odon, fut touchée également[62] ; Colchester et Huntingdon dans les Îles Britanniques furent des pionniers dans ce domaine[63], comme Salzbourg et Gurk dans l'Empire. La Saxe aussi vit apparaître les premiers chanoines réguliers à la fin du XIe siècle, mais, d'une façon générale, le mouvement ne commença ou ne reprit en Empire qu'après 1120/1122[64]. Le succès ne fut toutefois pas partout immédiat ; ainsi les efforts des évêques Altmann de Passau (1065-1091) et d'Anselme II de Lucques (1073-1086) ne furent pas couronnés de succès. La restauration de la vie commune toucha donc beaucoup de chapitres, cathédraux ou non[65], mais elle ne dura pas toujours longtemps. Il y eut parfois, pour les individus comme pour les communautés, après l'élan initial, un lent recul, voire un renoncement définitif au cours du XIIe siècle[66]. Il en fut différemment avec les maisons qui avaient été fondées dans l'intention d'accueillir les communautés de ceux qu'on allait appeler chanoines réguliers.

3. LA SPIRITUALITÉ CANONIALE

La chanoine est un clerc qui assure le service divin quotidien, il est attaché à une église, à la différence du moine qui ou bien est déjà prêtre quand il entre au monastère ou bien ne le devient que s'il est choisi par son supérieur pour cette fonction[67]. Le chanoine régulier opte pour la pauvreté, le célibat, la vie commune. L'aspect sacerdotal et liturgique est donc premier, et le distingue nettement du moine ; les autres aspects ne le coupent guère de la vie monastique. La réflexion sur le rôle et la qualité de chanoine régulier s'est lentement affinée du XIe au XIIe siècle. Tout d'abord, pour les intéressés comme pour leurs observateurs, tous les chanoines, quels qu'ils fussent, constituaient un ensemble, ils débattaient entre eux des questions de propriété privée et de vie dans le siècle, dans le cadre d'une réforme des clercs que souhaitaient avec force tous les grégoriens en lutte contre la simonie et le rôle de l'argent, contre le nicolaïsme et les relations avec les femmes. Puis les choses ont évolué quand les chanoines réguliers se sont rapprochés des moines, voire ont tendu à se confondre avec eux par l'organisation de leur vie commune. Ce choix suscita alors une querelle qui dura tout au long du XIIe siècle et conduisit les nouveaux chanoines à se démarquer par

61. Ch. DEREINE, « Les coutumiers de Saint-Quentin de Beauvais et de Springiersbach », RHE, XLIII (1948), p. 417-421. L. MILIS, « Le coutumier de Saint-Quentin de Beauvais », SE, XXI (1972/73), p. 435-481.

62. Ch. DEREINE, « Odon de Tournai et la crise de cénobitisme au XIe siècle », RMAL, IV (1948).

63. J.C. DICKINSON, « I canoni regolari », La vita commune, op. cit., I, p. 290-303.

64. J. MOIS, Rottenbuch, p. 148 ; St. WEINFURTER, Salzburger Bistumsreform, p. 14-21, 26-30, 42-43.

65. On voit avec J. BECQUET que beaucoup de modestes chapitres furent touchés : « Chanoines réguliers en Limousin au XIIe siècle, sanctuaires régularisés et dépendances étrangères », BSAHL, 101 (1974), p. 67-111 (repr. Vie canoniale en France).

66. Noter à cet égard le cas du chanoine d'Utrecht Ellenhard, qui se retira à Springiersbach, puis revint auprès de ses anciens collègues (Ph. JAFFÉ, Bibl. rerum germ., 5, p. 368-382).

67. J. LECLERCQ, « La spiritualité des chanoines réguliers », La vita commune, op. cit., 1, p. 117-135.

cette dénomination de « chanoines réguliers » ; les moines se gaussaient de ces clercs qui voulaient être morts au monde tout en s'y mêlant[68]. Pour la papauté, l'*ordo canonicus* s'opposait toujours à l'*ordo monasticus* ; seul le fait de mentionner, dans les bulles notamment, l'institution suivie par les uns et les autres permettait de distinguer les chanoines réguliers des autres chanoines, et de les rapprocher des moines[69].

Le chanoine régulier avait pour but premier l'édification de la maison de Dieu, but altruiste puisqu'il se battait pour les autres qu'il se refusait à ignorer, tout comme il faisait des études pour mieux prêcher. Cette vie active tournée vers le dehors contrastait avec la vie contemplative, toute intérieure, des bénédictins. Moines et moniales se mettaient au service de Dieu en priant pour l'âme des morts et des vivants, des autres moines, de leur propre famille, des fondateurs du monastère ou de la dynastie royale, mais ils ne participaient pas à la vie des autres, ils cherchaient leur propre édification et n'étudiaient que pour mieux y parvenir ; le désir du ciel leur imposait la *conversio*, le renoncement au siècle, l'humilité et l'abandon d'une volonté propre, la prière et la psalmodie. Le moine pouvait, s'il le voulait, demeurer à l'état laïque ; le chanoine, qui était un clerc, avait une fonction à remplir auprès des hommes, et pour y parvenir, lui aussi avait besoin d'une *conversio* incluant continence et sobriété, refus du luxe et des facilités, charité envers les autres. Pour organiser cette vie communautaire, il empruntait quelques principes de la règle bénédictine, comme déjà Chrodegang l'avait fait[70]. En effet, les chanoines réguliers des XIe et XIIe siècles devaient mener une vie communautaire ; il leur fallait prévoir les rapports entre le supérieur et ses frères, régler le silence, les sorties, la distribution des tâches, la bonne marche de la maison. Un coutumier y pourvoyait, qui donnait le détail d'un mode de vie dont la règle de saint Augustin avait seulement défini l'esprit.

La règle de saint Augustin, qui n'a ni l'ampleur de vues, ni le souci du détail de la règle bénédictine, méritait d'être explicitée ; elle fut très vite l'objet d'un commentaire : *Expositio in regulam sancti Augustini*, souvent attribué à Hugues de Saint-Victor, mais qui était plutôt l'œuvre d'un chanoine de Saint-Ruf, voire même du chef de cette église, Lietbert (v. 1110)[71]. Dans ce texte, cette règle apparaissait comme un vrai traité de la charité, de l'amour du prochain, éclairé par une théologie de la vie commune, des rapports des hommes entre eux, et de la pauvreté. Plus que quiconque, les chanoines doivent restaurer un genre de vie pratiqué par les Apôtres eux-mêmes, repris par les canons conciliaires et les décrets pontificaux, et incluant la mission de prêcher dans le service paroissial.

L'aspect pastoral, éducatif et caritatif, du mouvement des chanoines réguliers permet de les distinguer plus facilement des moines. Ces derniers n'avaient pas à assurer de service paroissial dans les églises de leur propriété ; cela leur était même formellement interdit et ils y déléguaient des clercs. En revanche, les chanoines étaient

---

68. Voir plus loin, Deuxième partie, chap. 4.

69. J. Dubois, « Les ordres religieux au XIIe siècle selon la curie romaine », *RBen*, 78 (1968), p. 285, 299-304.

70. Voir *Hist. christ.*, t. IV ; G. Hocquard, « La règle... », *Saint-Chrodegang*, Metz 1967, p. 67-74.

71. Ch. Dereine, *Saint-Ruf, op. cit.* ; J. Chatillon, « Un commentaire anonyme de la Règle de saint Augustin », *Le codex Guta-Sintram*, éd. B. Weis, Lucerne, p. 180-191.

par nature destinés à assurer l'office divin dans les églises, pas seulement dans la leur mais aussi dans les paroisses qui leur étaient confiées[72]. À cette tâche s'ajoutaient la prédication et l'éducation, que supposait leur formation intellectuelle poussée. Il leur revenait d'assurer l'instruction des enfants, d'ouvrir des écoles. Ce travail, qui était réalisable sans difficulté par des clercs vivant en ville, même s'ils reprenaient la vie commune, l'était moins par ceux qui s'enfermaient dans un cloître en campagne. La question du service pastoral, posée en clair dès le XIe siècle, ne trouva pas toujours aisément de réponse dans la pratique.

L'attention portée à autrui explique deux autres orientations des chanoines réguliers, en direction des femmes et des faibles. Les ermites, étudiés plus haut, et les chanoines vivant en communauté ont vu beaucoup de femmes s'agréger à leur mouvement, épouses de convertis, veuves et jeunes filles se mettant par petits groupes à leur service, suivant avec eux les offices, apportant quelque bien et vivant ensuite sur la mense commune, assurant quelques travaux manuels (entretien des vêtements). Chaque responsable d'une fondation se trouva devant l'obligation d'organiser la vie des converses, de leur procurer logement et nourriture, et fut conduit à un moment ou un autre à en contrôler le nombre, ou à les éloigner. Outre les femmes, les malades, les pèlerins, les voyageurs, furent l'objet de l'attention des chanoines qui ouvraient des hospices d'accueil et des hôpitaux de repos et de soins. Les clercs assuraient de la sorte une tâche sociale et caritative depuis toujours dévolue à l'Église, et à laquelle les moines avaient aussi part. L'action canoniale se développa dans ce sens au point de donner naissance aux premiers ordres hospitaliers, qui adoptèrent la règle de saint Augustin[73].

4. POUR OU CONTRE L'*ORDO MONASTERII*

La règle de saint Augustin fournissait aux nouveaux chanoines un esprit; une fois acquis le choix du genre de vie canonial, il convenait d'élaborer dans le détail la vie de tous les jours et de mettre au point ou de se procurer un coutumier. Chaumousey nous offre un exemple. Un prêtre hebdomadier du chapitre des dames de Remiremont, Anthénor, s'est retiré en ermite sur le Saint-Mont voisin. Des disciples accoururent. À la mort du vieillard, l'un d'eux, Séhère, fut choisi comme supérieur et dut organiser la communauté. Avec ses compagnons, il choisit la voie augustinienne. Le doyen de Toul lui offrit l'église Saint-Léon, aux portes de la cité, pour y installer une partie du groupe; une dame noble donna Chaumousey pour un autre groupe. Séhère devint l'abbé des deux fondations. À la recherche d'un modèle, il décida d'envoyer deux de ses siens à Saint-Ruf pour y apprendre les coutumes de cette abbaye réputée. Plus tard, deux lettres écrites à Séhère par le prévôt de Saint-Ruf, Ponce, et par l'évêque de Maguelonne, Gautier, lui apportèrent des enseignements supplémentaires sur les coutumes de ces chanoines réguliers[74].

---

72. Ce ne fut que rarement le cas à l'origine, et en particulier cela resta rare en Angleterre. Voici les termes explicites d'une bulle de Calixte III pour Springiersbach, en 1123 : *Concedimus ut in principali ecclesia vestra et in cellis prelatus vester vel sacerdotes quibus ipse injunxerit venienti ad missas populo verbum predicationis annunciet, penitentes de occultis excessibus ad confessionem suscipiant et petentibus infirmis visitationis solacia prebeant* (*Mittelrheinisches Urkundenbuch*, I, 4521). Les *cellae* mentionnées sont les prieurés de l'abbaye; l'action des chanoines s'étendit aux paroisses qu'on leur confiait.

73. Voir plus loin Deuxième partie, chap. IV.

74. J. CHOUX, *Recherches sur le diocèse de Toul, op. cit.*, p. 165-168; Ch. DEREINE, *Saint-Ruf, op. cit.*, publie ces deux lettres (p. 167-174).

Saint-Ruf, à ses débuts, était restée fidèle à la règle d'Aix aménagée; sous la direction du prévôt Lietbert, ancien chanoine de Saint-Pierre de Lille, séduit par la nouvelle orientation canoniale (1100-1110), la règle de saint Augustin fut prise en compte, puis commentée (*Expositio*); des coutumes furent mises au point, diffusées par oral et sans doute par écrit : « usage limité de la viande et du vin, jeûnes espacés, silence restreint à certaines heures de la journée, port de l'habit de lin » (Ch. Dereine). Les lettres citées plus haut, envoyées par Saint-Ruf à Chaumousey, avaient été suscitées par les inquiétudes manifestées chez certains devant l'adoption par d'autres communautés de l'*ordo monasterii*. Springiersbach et Prémontré se trouvaient ici mis en cause.

On sait bien à présent que ce dernier texte exprimait des exigences plus grandes que les prescriptions d'Augustin et de Grégoire VII. Étaient-elles acceptables pour des clercs désireux de conserver des relations avec le siècle et ne souhaitant pas adopter une vie d'ascètes cloîtrés? Springiersbach fut fondée au diocèse de Trèves par une veuve, qui créa un oratoire pour des chanoines; leur communauté existait dès 1107 et le responsable de l'adoption de l'*Ordo monasterii* fut très vraisemblablement le premier prévôt, Richard, fils de la fondatrice; favorable au travail manuel et à un ascétisme poussé[75]. Cette orientation conduit à faire une remarque sur la répartition géographique des tendances canoniales. Saint-Ruf eut surtout une grande diffusion dans le midi de la France et au nord de l'Espagne; sa réputation atteignit le Limousin avec Aureil et la Lorraine avec Chaumousey. Saint-Quentin de Beauvais adopta une ligne voisine de celle de Saint-Ruf, à la fois neuve et modérée, et cette tendance se répandit plus au nord, vers Tournai. Du côté allemand, Rottenbuch eut un rôle moteur considérable. Au départ de cette fondation, se trouvaient des ermites, puis un évêque réformateur, Altmann de Passau, qui ne parvenait pas à inspirer dans son diocèse un mouvement analogue de restauration. Rottenbuch adopta la version modérée, tint pour l'Allemagne le rôle que Saint-Ruf avait en France et exerça son influence dans la province de Salzbourg en créant de nombreuses filiales[76]. Dans le sud-ouest de l'Empire, il revint à Manegold de Lautenbach de jouer un rôle important; ce personnage est bien connu, et pourtant la critique ne parvient pas à savoir s'il y a un seul homme ou deux sous le même nom[77]. Ce clerc alsacien était à l'origine de l'abbaye de Marbach, dont les statuts canoniaux, proches de Saint-Ruf, ont inspiré Saint-Pierremont en Lorraine[78]. Cette fondation de deux chanoines messins, retirés vers 1085 sur des terres appartenant à la comtesse Mathilde, près de Briey, fut appelée Saint-Pierremont, après que l'abbaye eut été donnée au Siège apostolique; l'un des

---

75. Ch. DEREINE, « Les coutumes de Springiersbach », *RHE*, 43 (1948), p. 421-432, 437-440; F. PAULY, *Springiersbach. Geschichte des Kanonikerstifts und seiner Tochtergründungen im Erzbistum Trier von den Anfängen bis zum Ende des 18. Jhts*, Trèves, 1962. La fondatrice était veuve d'un ministériel du comte palatin. Des dix premières années de S., on sait peu de choses, l'expansion dans les filiales n'est pas antérieure à 1119 (F. PAULY, p. 510, 18-22).

76. J. MOIS, *Das Stift Rottenbuch*, p. 263 et suiv. Au XIIᵉ siècle, avec Gerhoh de Reichersberg, la tendance dure de l'O.M. l'emporta.

77. F. CHATILLON, « Recherches critiques sur les différents personnages appelés Manegold », *RMAL*, 9 (1953), p. 153-170.

78. J. SIEGWART, *Die consuetudines des Augustiner Chorherrenstiftes Marbach im Elsass*, Fribourg, 1966.

fondateurs, Wacelin, prit rapidement le titre abbatial selon une mode propre à ces régions où le titre de prévôt ne s'implantait pas. Cette abbaye eut une période brillante entre 1115 et 1130, regroupa autour d'elle plusieurs fondations des confins lorrains et champenois, se dota de constitutions particulières, puis l'essor de l'ordre de Prémontré lui fit perdre son importance[79].

L'orientation adoptée par Springiersbach, puis choisie par saint Norbert et proposée à Prémontré à ses débuts[80], tranchait donc nettement avec ce qui se passait ailleurs. La rigueur de l'*ordo monasterii* pouvait séduire des hommes dont la vocation était de se tenir dans un cloître à l'instar des moines, et Gerhoch de Reichersberg n'y resta pas insensible, mais alors, elle mettait en cause le rôle à tenir dans le monde par les chanoines réguliers. En fait, la réponse apportée à cette question fut défavorable au maintien de l'*ordo monasterii*, comme on le vit dans l'évolution générale du second quart du XIIe siècle[81]. Dès après 1100, les chanoines réguliers furent partout présents, des groupements se constituèrent. La structuration se prépara, elle fut accompagnée de la rédaction de coutumiers et de la formation de congrégations. Prémontré, qui vit le jour une des dernières et sera examinée plus loin, en prit bien vite la première place.

III. LES MOINES BÉNÉDICTINS

La création progressive de « monastères » de chanoines réguliers a marqué la fin d'une période d'exclusivité du monachisme bénédictin, où l'on était assuré de ne rencontrer que ceux qui furent appelés plus tard moines noirs par opposition à ceux d'autres ordres. Le monachisme occidental avait alors plus de six cents ans et une histoire déjà complexe, depuis sa participation à la christianisation des peuples et à la fondation de grands et riches complexes jusqu'à l'éparpillement des prieurés, filiales d'une abbaye, en passant par les phases de l'abbatiat laïque, des réformes et des restaurations[82]. Depuis longtemps, dans beaucoup de régions on ne fondait plus aucun monastère, et des créations nombreuses, comme celles de la Saxe au Xe siècle[83] ou celles de l'Espagne, étaient dues à une action politique, sociale, voire économique, plus qu'à une volonté religieuse. Le monastère bénédictin se trouvait alors profondément

---

79. M. PARISSE, « Les chanoines réguliers », *op. cit.* (note 17), p. 354-356 ; F.R. ERKENS, « Über die Anfänge des Kanonikerstifts St. Pierremont in der Diözese Metz », *Jb.f. westd. Landesgesch.*, 12 (1968), p. 41-61.

80. Ch. DEREINE, « Le premier ordo de Prémontré », *RBen* 58 (1948), p. 84-90 ; *Id.*, « Les origines de Prémontré », *RHE*, 62 (1947), p. 356 et suiv.

81. Dès 1118, le pape Gélase II donne au prévôt de Springiersbach des conseils de modération (F. PAULY, *op. cit.*, p. 48-49).

82. J. DUBOIS, « Les moines dans la société du Moyen Âge (95-1350) », *RHEF*, LX (1974), p. 37 ; M. PACAUT, *Les ordres monastiques et religieux au Moyen Âge*, Paris, 1970 ; Dom Ph. SCHMITZ, *Histoire de l'Ordre de Saint-Benoît*, 7 vol., Maredsous, 1942-1956.

83. K. LEYSER, *Herrschaft und Konflikt. König und Adel im ottonischen Sachsen*, Göttingen, 1984, p. 82-123 (Die Herrschaft des sächsischen Adels). M. PARISSE, « Les monastères de femmes en Saxe, X[e]-XIIe siècles », *RMab*, nouv. série, 2 (1991), p. 5-48.

incorporé au monde de la féodalité et possédait des caractères dont les ordres nouveaux tinrent à se démarquer fortement, mais il trouva en lui-même aussi des occasions de réagir et de se manifester à son avantage[84].

1. SEIGNEURS ET SEIGNEURIES MONASTIQUES

Au long des siècles, par vagues successives, les monastères avaient couvert la chrétienté occidentale de leurs vastes ensembles. Tous n'ont certes pas eu l'ampleur du Saint-Gall que propose le fameux plan du IXe siècle, mais la plupart offraient au visiteur la vision de grandes constructions, systématiquement ordonnées et organisées, le tout enclos dans un mur qui contribuait à donner l'idée d'une fortification ou d'une agglomération protégée. Au centre, une église, dont on comprend souvent mal aujourd'hui pourquoi elle était si vaste, un cloître, symbole du monastère à lui seul, et de vastes édifices, réservés aux moines ou animés par un nombreux personnel domestique. Des prieurés ont été construits, qui sont des monastères en miniature, petites églises à nef unique, souvent sans cloître, avec une ou deux maisons accolées, trois à six moines et quelques serviteurs, quand il ne s'agit pas de ces prieurés particuliers, surtout clunisiens, aussi gros qu'une abbaye, mais où le supérieur ne porte pas le titre abbatial[85].

Aucune enquête n'a été faite qui permettrait de dénombrer ces monastères à la veille de la Querelle des investitures. Pour la France seule, le chiffre de 600 peut être avancé[86], mais il n'est pas toujours aisé de savoir si telle maison, à une date donnée, était encore occupée, si elle était habitée par des moines ou des chanoines, voire par des hommes ou des femmes. La densité n'était pas la même partout et la répartition spatiale des monastères féminins et masculins était variable[87]. L'Angleterre et l'Espagne étaient moins bien couvertes que le centre et le nord de la France, l'Italie du Sud que l'Italie du Nord, la Franconie que la Saxe[88]. Le midi de la France était pauvre en institutions monastiques pour les femmes à la différence de la région entre Loire et Rhin, et là encore la densité était faible eu égard à celle de la Saxe. Au milieu du

---

84. John Van ENGEN, « The "Crisis of Cenobitism" Reconsidered : Benedictine Monasticism in the Years 1050-1150 », *Speculum*, 61-2 (1986), p. 269-304. Cet article entendait démontrer que les bénédictins ont connu à cette période un apogée dans tous les domaines et non une crise. On verra la réponse qu'a donnée J.M. RESNICK, « Odo of Tournai and Peter Damian. Poverty and crisis in the eleventh century », *RBen*, XCVIII, 1988, p. 114-140.

85. J. DUBOIS, « La vie des moines dans les prieurés du Moyen Âge », *Lettre de Ligugé, 133* (1969), p. 10-33 (repr. *Histoire monastique en France*).

86. Une liste a été proposée par Ferdinand LOT, *Études sur le règne de Hugues Capet*, Nancy, 1902, p. 427-442, où sont mêlés abbayes et chapitres. J. Verdon : « Recherches sur les monastères féminins dans la France du Sud aux IXe-XIe siècles », *AMidi*, 20, p. 117-138.

87. Des atlas donnent des cartes de monastères bénédictins, qui ne concernent en général qu'un ou plusieurs mouvements de réforme et par conséquent sont très insuffisants pour un dénombrement général. Voir par ex. *Grosser historischer Weltatlas*. Voir plus loin pour l'ordre de Cluny, p. 160.

88. Pour les Îles Britanniques, voir *Medieval Religious Houses. England of Wales*, éd. D. KNOWLES et R. NEVILLE HADCOCK, Londres, 1971, et *Scotland*, éd. I.B. COWAN et D.E. EASSON, Londres-New York, 1976 (2e éd.). Pour l'Italie, *Monasteri in alta Italia dopo le invasioni saracene e magiare (secc. X-XII)*, Atti del XXXII Congresso Storico, Pinerolo 1964, Turin 1966.

XIe siècle, princes et abbés pouvaient à bon droit se plaindre de l'insuffisance des monastères ouverts aux vocations féminines[89].

Les monastères étaient aussi bien implantés dans la campagne, sur les sommets et dans les vallées, qu'à l'intérieur ou à l'extérieur des villes. Toutes les cités épiscopales s'enorgueillissaient de posséder plusieurs monastères, dont beaucoup devenaient un lieu de rassemblement de la population nouvelle et servaient à dénommer les faubourgs. Hors des grandes villes, bien des monastères, au bord des grandes routes de commerce, avaient le contrôle du marché local ou de la foire annuelle, entretenaient ou surveillaient un gué, un pont, offraient un relais aux voyageurs isolés, aux troupes royales ou seigneuriales[90].

Le monastère bénédictin était un grand propriétaire foncier, un seigneur de la terre et des hommes. Souvent doté, à l'origine, de manses, c'est-à-dire d'exploitations agricoles, par dizaines, centaines ou plus, il dénombrait ses biens par villages entiers, comptait ses serfs par familles, construisait moulins et fours pour les paysans, créait ou recevait des églises paroissiales, dominait parfois toute une région, exerçait les mêmes pouvoirs qu'un noble, réunissait des tribunaux, assurait la paix publique, répondait aux convocations du souverain, lui fournissait des armes, des animaux, des provisions et des hommes pour la guerre[91].

Certes, il y avait l'institution monastique, sa richesse, ses obligations, son aspect temporel, d'un côté, les moines, leur idéal et leur vie cloîtrée, de l'autre. Il y avait aussi, d'une part, l'abbé, religieux ou laïc responsable et gestionnaire de l'ensemble, d'autre part, le prieur et les frères confinés dans le bloc église − cloître − dortoir − réfectoire. Mais ces distinctions sont assez factices. Au Xe siècle, l'abbé, moine parmi les moines, était le premier responsable de la discipline religieuse[92]; avec lui, le chapitre, qui réunissait la communauté, gérait les terres, discutait des revenus, envisageait les ventes et les achats, exigeait la dîme, organisait la vie des paroisses, accueillait les serfs qui se donnaient au saint patron, s'occupait de maintenir ou d'accroître la richesse du monastère[93]. Propriétaires de terres, les moines étaient seigneurs des hommes qui les cultivaient, des vassaux qui prêtaient l'hommage, débattaient avec leur protecteur laïque des limites de son pouvoir d'intervention, devaient même affirmer leurs droits de peur de les perdre et d'aller à la ruine, étaient

---

89. Voir note 86.

90. L'exemple bavarois est bien illustré par W. Störmer, « Fernstrasse und Kloster. Zur Verkehrs- und Herrschaftsstruktur des westlichen Altbayern im frühen Mittelalter », ZBLG, 29 (1966), p. 299-343. J. Dubois, « Les moines dans la société », op. cit., p. 15-29 (implantation des monastères).

91. Les monographies de monastères ne manquent pas. L'exemple le mieux connu demeure celui de Cluny (cf. G. de Valous, Le monachisme clunisien des origines au xve siècle, 2 vol., Paris, 1935, et Le temporel et la situation financière des établissements de l'ordre de Cluny du xiie au xive siècles particulièrement dans les provinces françaises, Paris, 1935). Un bon exemple du fonctionnement d'un prieuré est donné par Ph. Racinet, Un prieuré clunisien au Moyen Âge (xie-xve), Saint-Pierre d'Abbeville, Abbeville, 1979.

92. Tel était le sens des réformes des xe et xie siècles. À titre d'exemple, voir le cas de Brogne (RBen, 1960) et celui de Saint-Vanne de Verdun (note 10).

93. J. Dubois, Sous la règle de saint Benoît, Paris, 1982, p. 94. F.J. Felten, « Herrschaft des Abtes », Herrschaft und Kirche. Beiträge zur Entstehung und Wirkungsweise episkopaler und monastischer Organisationsformen, éd. F. Prinz, Stuttgart, 1988, p. 147-296. « L'avouerie en Lotharingie », Bull. Sec. hist. Inst. gd-ducal Lux, 1984.

traités par les princes comme des partenaires politiques ou économiques plus que comme des religieux. L'abbé, l'abbesse, le prieur étaient des personnages importants dont le choix, confié normalement aux religieux, n'était pas laissé sans surveillance ; ils voyageaient, fréquentaient les châteaux et les cours, assistaient aux synodes et aux conciles, consultaient les archevêques et les papes, animaient la vie religieuse de leur maison ou de la région.

Cette dualité de fonction grevait l'atmosphère monastique. Les restaurations des VIIIe, IXe, Xe siècles avaient eu d'abord un but pieux : rétablir la discipline quotidienne, réorganiser les rapports entre les religieux et leur supérieur immédiat, rendre toute sa vigueur à l'idéal bénédictin, ce qui voulait dire rappel de la règle et explication de ses principaux chapitres, remise en ordre de la liturgie de la journée ou de l'année, reprise des consignes du jeûne, surveillance de l'habillement, de la tenue [94]. À tout cela étaient inévitablement associées la bonne marche du temporel, la perception des rentes, la connaissance du domaine. Il y avait largement de quoi irriter un homme profondément pénétré de sa vocation, désireux de servir Dieu seul et de ne pas dévier d'un pouce de la ligne tracée par les saints Pères ; la liste des plaintes adressées à l'encontre de moines engoncés dans leur confort et leurs habitudes, prisonniers des exigences des laïcs, serait longue à dresser. Cluny avait beau apparaître comme un modèle de vie religieuse ; cette abbaye, cet ordre étaient autant et plus que d'autres marqués par ces défauts. Une conception nouvelle ne pouvait manquer de s'imposer peu à peu ; ce fut le mérite de centres comme Hirsau, et d'hommes comme Robert de Molesme de rénover profondément le monde bénédictin.

2. CLUNY : UN RÉSEAU D'ABBAYES

Cluny, à la fin du XIe siècle, n'était pas seulement une grande abbaye, réputée pour le nombre de ses moines et la richesse de son temporel, elle n'exprimait pas seulement une certaine observance de la règle bénédictine, *ordo cluniacensis* ; elle dominait aussi un vaste réseau d'abbayes placées sous l'autorité d'un seul homme, ce que d'aucuns n'ont pas hésité à appeler un empire monastique, en raison du rôle joué par l'abbé Hugues de Semur et de l'étendue de son rayon d'action [95]. Le groupement de plusieurs monastères sous l'autorité du seul abbé de Cluny avait commencé avec Bernon, et s'était renforcé sous ses successeurs Odon, Maïeul et Odilon, mais l'ampleur du mouvement à partir du milieu du XIe siècle fut sans précédent. D'environ 70 maisons à la mort d'Odilon (1049), l'effectif dépassa largement le millier vers 1100. Dans cette

---

94. Voir *Histoire du Christianisme*, t. IV.

95. La bibliographie clunisienne est très abondante et dispersée par pays. Les anciennes publications demeurent utiles : E. SACKUR, *Die Cluniacenser in ihrer kirchlichen und allgemeingeschichtlichen Wirksamkeit*, 2 vol., Halle, 1892-1894 ; G. de VALOUS, *op. cit.* (voir n. 91) ; M. PACAUT, *L'ordre de Cluny (909-1789)*, Paris, 1986 (contient des cartes par régions, p. 325-331). Pour la fin du XIe siècle, Noreen HUNT, *Cluny under Saint Hugh, 1049-1109*, Notre-Dame (Indiana), 1968 ; H.E.J. COWDREY, *The Cluniacs and the Gregorian Reform*, Oxford, 1970. Un volume collectif reprend des articles importants : H. RICHTER, *Cluny. Beiträge zur Gestalt und Wirkung der Cluniazensischen Reform (WdF, 241)*, Darmstadt, 1975.

évolution, un double processus d'enrichissement du réseau était sensible : d'une part, les incorporations continuèrent, monastères plus ou moins anciens, chapitres dont les occupants devaient changer de règle, prieurés; d'autre part, il y eut un large essaimage, des prieurés étant fondés par Cluny même et peuplés de moines clunisiens, d'autres étant donnés à la grande abbaye bourguignonne[96]. Cette seconde pratique s'amorça du temps même d'Odilon, à partir de 1030 environ, et contribua à impliquer les clunisiens plus étroitement dans le monde féodal[97].

La couverture géographique clunisienne s'élargit considérablement en deux siècles. Pendant une centaine d'années, l'abbaye était restée avant tout liée aux vieux royaumes de Bourgogne et d'Arles, du Jura aux bouches du Rhône, avec des pointes occidentales en direction du Massif Central. Pendant cinquante ans ensuite, il n'y eut plus de limites. L'occupation de la région de départ se renforça de nouvelles acquisitions, dont les plus prometteuses étaient la Charité-sur-Loire, Chaudesaigues, Mozac, et se peupla de prieurés nouveaux. L'Atlantique fut atteint avec Saint-Jean d'Angely (1063), Saint-Martin de l'île d'Aix; entre Loire et Garonne, Montierneuf et Saint-Eutrope de Saintes rallièrent le giron clunisien. Vers le sud, fut intégré Moissac, qui garda quelque indépendance, mais l'influence clunisienne descendit plus au sud (Lézat) et atteignit la Catalogne[98]. L'Espagne se trouva mêlée à ce réseau pour des raisons complexes, qui tiennent à la reconquête et à la politique d'Alphonse VI; on connaît la somptueuse rente de 100 000 deniers offerte par ce souverain, en 1077, à l'abbé Hugues dont il était proche. S'y ajoutèrent quelques agrégations, mais Sahagun, par exemple, devint clunisienne sans entrer dans le réseau[99]. L'autre péninsule méditerranéenne ne fut pas en reste; Grégoire VII et la comtesse Mathilde appuyèrent sans réserve le grand abbé : Saint-Benoît de Polirone, offert à Cluny en 1077, devint un centre clunisien important, un parmi d'autres[100].

Cluny attendit longtemps avant de franchir la Loire et d'intégrer des établissements du nord de la France : Longpont (1061) et Saint-Martin des Champs (1077) furent deux acquisitions importantes; le second monastère, ancien chapitre converti, fut un centre de diffusion des coutumes clunisiennes. Il y eut aussi Esserent (Saint-Leu), Crépy (Saint-Arnoul), Abbeville (Saint-Pierre)[101], Valenciennes (Saint-Saulve), jusqu'à Saint-Séverin en Condroz, loin dans le diocèse de Liège[102]. L'Angleterre enfin fut touchée; le cartulaire bourguignon a conservé la longue charte qui relate les

---

96. M. PACAUT, *op. cit.*, p. 143-187.
97. C. VIOLANTE, « Il monachesimo cluniacense de fronte al mondo politico ed ecclesiastico (secoli X e XI) », *Spiritualita cluniacense*, Todi, 1960, p. 155-242, et plus loin note 101.
98. Dom A. MUNDO, « Moissac, Cluny et les mouvements monastiques de l'Est des Pyrénées du Xᵉ au XIIᵉ siècle », *AMidi*, LXXV (1963), p. 551-573.
99. M. COCHERIL, *Études sur le monachisme en Espagne et au Portugal*, Lisbonne, 1966; J. MATTOSO, *Le monachisme ibérique et Cluny*, Louvain, 1968.
100. *Italia Benedettina. I. Cluny in Lombardia, Atti del convegno di Pontida, avril 1977*, Cesena, 1979, 2 vol., p. 504-520. *Monasteri in alta Italia, op. cit.*
101. Ph. RACINET, « Implantation et expansion clunisienne dans le nord-est de Paris (XIᵉ-XIIᵉ siècles) », *Le Moyen Âge*, 1984, p. 5-38.
102. J. HALKIN, « Les prieurés clunisiens dans l'ancien diocèse de Liège », *Société d'art et d'Hist. du dioc. de Liège*, X, 1881, p. 155-293.

Cluny dans la France médiévale.

circonstances de la fondation du prieuré de Lewes (Saint-Pancrace) et les difficultés surmontées[103]. C'était un point de départ : il y avait dix maisons clunisiennes dans les Îles Britanniques à la mort d'Hugues[104].

Restait l'Empire, où l'on sait que Cluny avait de sérieux concurrents, dans la mesure où Gorze, Saint-Maximin de Trèves ou Saint-Emmeran de Ratisbonne avaient su renouveler le climat monastique. Saint-Trond au nord de Liège, Saint-Airy de Verdun accueillaient ou propageaient les coutumes clunisiennes, dont Hirsau, en Forêt-Noire, s'inspirait aussi. L'essaimage joua et des dotations furent changées en prieurés, aux portes de Nancy (Froville et Vandœuvre), en Alsace (Froide-Fontaine)[105].

Au bout du compte, le réseau clunisien est impossible à dénombrer précisément ; il comprenait une seule abbaye avec un millier de dépendances, ou, si l'on veut, Cluny avec ses prieurés, d'une part, les abbayes affiliées et leurs propres groupements, d'autre part. Quel point commun y avait-il entre Saint-Martin des Champs, dite seulement prieuré, en réalité puissant monastère, et Relanges, prieuré aussi, maître de quelques domaines seulement ? La variété était aussi dans le nombre des moines. Selon des calculs récents, au XIIe siècle, six établissements clunisiens seulement auraient eu plus de 50 moines, et 700 moins de 6[106]. Que vaut alors le chiffre de plus de mille maisons dénombrées, si deux tiers sont de petits prieurés de gestion ou des cures ? Le réseau clunisien est impressionnant, sans conteste ; toutefois, sans diminuer son importance, il convient de nuancer les jugements excessifs sur ce point.

3. CLUNY : UNE « ÉGLISE »

Qu'est-ce que l'observance clunisienne, car c'est bien ainsi qu'il faut entendre l'expression *ordo cluniacensis*[107] ? Depuis Ernst Sackur et Guy de Valous, en passant par Kassius Hallinger, les définitions n'ont pas manqué[108]. Sont-elles les mêmes pour l'abbatiat de Maïeul, celui d'Odilon et celui d'Hugues ? Il fallait voir clair, des coutumes furent donc écrites ; aujourd'hui, elles sont bien connues et ont été rééditées. Deux textes datent de l'abbatiat d'Hugues, ceux de Bernard et d'Ulrich ; ils sont précédés du *liber tramitis*, qui date d'Odilon et nous relate la vie quotidienne du grand monastère dans un manuscrit conservé par l'abbaye de Farfa[109]. Cluny a longtemps été

---

103. BERNARD-BRUEL, *Chartes de Cluny*, t. IV, n° 3561.
104. R. GRAHAM, « The Cluniac Order and its English Province », *JBAA*, XXVIII (1982), p. 169-173 ; Fr. BARLOW, *The English Church, 1066-1154*, Londres-New York, 1979, p. 184-186.
105. M. PARISSE, *La noblesse lorraine, XIe-XIIIe s.*, Lille-Paris, 1976, p. 150.
106. J. DUBOIS, *Les ordres monastiques*, Paris 1985, p. 41 ; M. PACAUT, « La formation du second réseau clunisien », *Naissance et fonctionnement des réseaux monastiques et canoniaux*, Saint-Etienne, 1991, p. 43-52.
107. L'ordre de Cluny désigne une observance au XIe siècle et un groupement d'abbayes au XIIe siècle (J. DUBOIS, « Les moines dans la société », *op. cit.*, 8-10).
108. E. SACKUR et G. de VALOUS, *op. cit.* ; K. HALLINGER, « Clunys Bräuche zur Zeit Hugos des Grossen. Prolegomena zur Neuherausgabe des Bernhard und Udalrik von Kluny », *ZSRG.K*, XLV (1959), p. 99-140 ; *Id.*, « Consuetudo. Begriff, Formen, Forschungsgeschichte, Inhalt », *Untersuchungen zu Kloster und Stift, StGS*, 14 (1980), p. 140-166.
109. N. HUNT, Cluny, *op. cit.*, p. 33-35 ; K. HALLINGER, « Clunys Bräuche », *op. cit.* Le texte du *liber tramitis* (anciennement coutumes de Farfa) est réédité dans le *Corpus consuetudinum monasticarum*, t. X, Siegburg, 1980. Les coutumes d'Ulrich se trouvent dans *PL*, t. 159, col. 635-778.

fidèle au règlement élaboré par Benoît d'Aniane, puis a construit ses propres coutumes, abbatiat après abbatiat, attendant longtemps avant de les rédiger.

La relation de la visite faite par Pierre Damien au monastère de Cluny[110] a souvent servi de point de départ à la présentation de la vie quotidienne des moines clunisiens, d'autant plus sensible sous l'abbatiat d'Hugues que Cîteaux lui répondit par une attitude très différente. Le fait marquant dans le rythme monastique de la grande abbaye bourguignonne et, normalement, de toutes celles qui lui empruntaient ses pratiques, était le développement extrême de la liturgie[111]. Des obligations ont été ajoutées à la règle de Benoît de Nursie : messes privées ou communes, psautiers complets, prières surérogatoires. Une stricte application du système dans son entier aurait conduit à une présence des moines dans l'église durant quinze à dix-huit heures par jour. Cette surabondance justifiait la riche nourriture proposée aux clunisiens, dont le cardinal-ermite italien s'offusquait. Il a été montré que de sérieuses nuances doivent être apportées : la liturgie proposée était celle que rendait possible le grand nombre des moines présents, mais beaucoup d'entre eux vaquaient à leurs affaires et la plupart ne participaient qu'à une partie des cérémonies liturgiques[112]. Il n'en reste pas moins que l'attention portée à cet aspect de la vie monastique avait particulièrement frappé les contemporains. Le travail manuel en avait certes fortement pâti et les convers, laïcs à demi-moines chargés des tâches matérielles, avaient pris une place nécessaire et sans cesse accrue ; c'était un fait nouveau à souligner[113]. La vie intellectuelle n'avait pas pour autant manqué et la méditation des textes sacrés, l'instruction et l'écriture y avaient une grande place[114]. Il est vrai aussi que la concentration de l'activité générale sur l'*opus Dei* − l'office divin − le service des défunts, le culte de la Vierge et des saints, était alors remarquable et que la part de l'abbé Hugues dans ces choix n'avait pas été mince.

Les clunisiens constituaient une vaste communauté, une seule communauté, c'est ce que démontre la synopse clunisienne analysée et publiée par J. Wollasch et son équipe[115]. Les anciens livres de confraternité étaient des témoins des associations de prières établies entre les monastères ; des nécrologes s'étaient lentement substitués à eux[116]. Un nécrologe de l'abbaye même de Cluny n'existe plus, mais cette perte est

---

110. *De adventu Petri Damiani, Ostiensis episcopi, ad Cluniacum, PL* 145, col. 857-860 ; *Epistolae* VI, 3 et 4, *PL* 145, col. 373-374.

111. K. HALLINGER, « Überlieferung und Steigerung im Mönchtum des 8. bis 12. Jahrhunderts », *StAns* 68 (1979), p. 125-187 ; Ph. SCHMITZ, « La liturgie de Cluny », *Spiritualita cluniacense*, Todi, 1960, p. 83-99.

112. J. LECLERCQ, « Pour une histoire de la vie à Cluny », *RGHE*, LVII (2) (1962), p. 385-408, LVII (3-4) (1962), p. 783-812 ; J. EVANS, *Monastic Life at Cluny, 910-1157*, Oxford, 1931 ; B. ROSSENWEIN, « Feudal war and monastic peace : cluniac liturgy as ritual aggression », *Viator II* (1971), p. 129-157.

113. K. KALLINGER, « Woher kommen die Laienbrüder ? », *ASOC*, XII (1956), p. 1-104 ; W. TESKE, « Laien, Laienmönche und Laienbrüder von der Abtei Cluny. Ein Beitrag zum "Konversenproblem" », *FMSt* 10 (1976), p. 248-322 et 11 (1977), p. 288-339.

114. J. LECLERCQ, « Pour une histoire », *op. cit.* ; *Id.*, « Spiritualité et culture à Cluny », *Spiritualita cluniacense*, Todi, 1960, p. 103-151.

115. J. WOLLASCH, « Les obituaires, témoins de la vie clunisienne », *Cah. Civ. méd.*, XIV (1973), p. 149-159. *Synopse der cluniacensischen Nekrologien*, Dir. J. WOLLASCH, Münst. Mittelalterl. Sch., Munich, 1982, 2 vol. Pour comprendre le point de départ et utiliser la synopse, voir les explications de D. POECK (*FMSt* 16 (1982), p. 193-207, et *RMab* 60 (1983), p. 319-329) et de F. NEISKE (*RHEF*, 68 (1982), p. 257-267).

116. Tout le processus est examiné dans différents articles de *Memoria. Der geschichtliche Zeugniswert des liturgischen Gedenkes im Mittelalter*, éd. K. SCHMID et J. WOLLASCH, Munich, 1984.

compensée par la conservation de neuf documents analogues qui contiennent pour les
X[e] et XIe siècles les mêmes noms de moines, démontrant ainsi la parfaite unité
d'intentions d'un monastère à l'autre : ce sont ceux de Marcigny[117], Saint-Martial de
Limoges (I et II), Moissac, Montierneuf, Saint-Martin des Champs, Beaumont-sur-
Oise, Longpont, Saint-Saulve de Valenciennes. Pour le Xe siècle et notamment pour le
mouvement animé par Gorze, des conclusions fructueuses avaient été tirées des
mentions portées dans les divers nécrologes[118]. Par mémorisation de moines et d'abbés
appartenant à d'autres abbayes, des réseaux pouvaient être de la sorte constitués. Dans
le cas de Cluny, la conclusion à retenir est plus remarquable, car au lieu d'un réseau
ponctuel et mouvant, fut créé un ensemble unique, confondant les abbayes clunisiennes en un seul organisme, la communauté de Cluny, comme il y avait eu, à une
petite échelle, celle de Fulda[119].

   Un fait important de l'histoire de Cluny fut l'acquisition de l'exemption, privilège
qui permettait à une abbaye d'être libérée du contrôle direct de l'évêque diocésain
(élection et bénédiction de l'abbé, gestion des paroisses, bénédiction des autels, du
saint chrême). On a longtemps interprété abusivement l'acte de fondation de Cluny en
y trouvant trace de cette forme d'exemption. En réalité, ce que le fondateur souhaitait
obtenir était la protection directe du Siège apostolique pour la nouvelle abbaye. Ce
n'est que beaucoup plus tard, et sans doute pas avant le début du XIe siècle, que l'on
peut véritablement parler d'exemption, notamment à l'égard de l'évêque de Mâcon.
Un fait certain est que Cluny bénéficiait du statut d'abbaye exempte sous l'abbatiat
d'Hugues, qui en obtint la confirmation par Léon IX dès 1049. La tentative d'étendre
l'exemption à toutes les abbayes et aux prieurés relevant de Cluny n'aboutit que
partiellement[120].

4. HUGUES, ABBÉ DE CLUNY (1049-1109)

   Hugues de Semur, cinquième abbé de Cluny, a connu une carrière exceptionnelle
par son intensité et sa durée[121]. Fils d'un comte de Semur-en-Brionnais, il aurait dû
opter pour la carrière des armes. Il préféra, dès l'âge de treize ans (1037), entrer au
monastère ; ce fut d'abord Saint-Marcel de Chalon, puis, deux ans plus tard, Cluny.
Son noviciat fut sans doute très fervent et ses qualités durent se manifester très vite, car

---

117. C'est le nécrologe attribué par G. SCHNÜRER à Mönchenwiler (*Das Necrologium des Cluniacenser-Priorats Mönchenwiler (Villars-les-Moines)*, Fribourg, Suisse, 1909) et rendu par J. WOLLASCH à Marcigny (« Ein cluniacensisches Totenbuch aus der Zeit Abt Hugos von Cluny », *FMSt*, 1 (1967), p. 406-443).
118. K. HALLINGER, *Gorze-Kluny*, Stud. Anselm. 22-25, Rome 1950-51 ; M. PARISSE, *Le nécrologe de Gorze. Contribution à l'histoire monastique*, Nancy 1971. J. WOLLASCH, *Mönchtum des Mittelalters zwischen Kirche und Welt* Munich, 1973 ; *Id*, « Les obituaires, témoins de la vie clunisienne », *Cah. Civ. Méd.*, 22 (1979), p. 139-171. O.G. OEXLE, *Forschungen zu monastischen und geistlichen Gemeinschaften im westfränkischen Bereich*, Munich, 1978.
119. *Die Klostergemeinschaft von Fulda*, éd. K. SCHMID.
120. G. LETONNELIER, *L'abbaye exempte de Cluny et le Saint-Siège. Étude sur le développement de l'exemption clunisienne, des origines jusqu'à la fin du XIIIe siècle*, Paris, 1923.
121. N. HUNT, *op. cit.*, p. 26-29 ; M. PACAUT, *op. cit.*, p. 144-146. A. L'HUILLIER, *Vie de saint Hugues, abbé de Cluny (1042-1109)*, Solesmes, 1888.

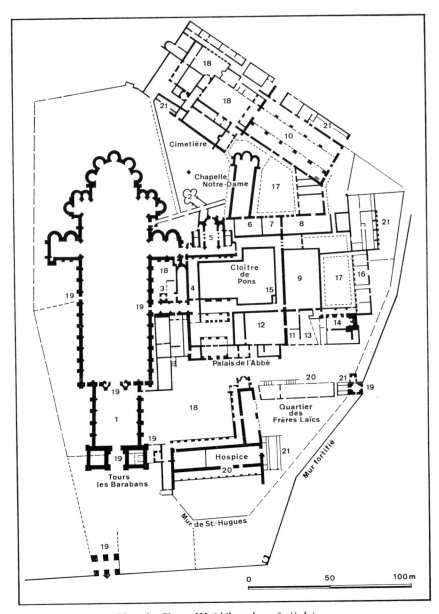

Plan de Cluny III (début du XIᵉ siècle).

1. *Le narthex.* 2. *Chapelles.* 3. *La Sacristie.* 4. *Scriptorium.* 5. *Chevet de Cluny II.*
6. *La salle capitulaire.* 7. *Le parloir.* 8. *Le dortoir.* 9. *Le réfectoire.* 10. *L'infirmerie.*
11. *La cuisine.* 12. *Le cellier.* 13. *La lingerie.* 14. *La boulangerie.* 15. *Lavabo.*
16. *Noviciat.* 17. *Cloîtres.* 18. *Cours.* 19. *Portails.* 20. *Ecuries.* 21. *Latrines.*

il n'avait que vingt ans quand il reçut la prêtrise[122]. À un âge où un fils de prince peut commencer une carrière dans le monde, mais où un moine demeure normalement enfermé dans le cloître, il assuma de lourdes fonctions. Il fut bientôt prieur de Cluny et le vieil abbé Odilon, dont on sait les liens privilégiés qu'il entretenait avec l'Empire, l'envoya auprès de Henri III dès 1048 pour défendre les droits de l'abbaye sur Payerne. L'impression laissée par le jeune prieur fut telle qu'il fut invité, deux ans plus tard, à être le parrain du fils et héritier de l'empereur, le futur Henri IV. Ce parrainage était le prolongement d'un accord entre Cluny et la cour impériale à un moment où les coutumes clunisiennes n'avaient guère pris pied, en Empire, que sur le sol lotharingien. À cette date, Hugues était déjà devenu abbé, car, après la mort d'Odilon (1049), son élection avait été obtenue sans problème, bien que son prédécesseur n'ait pas prononcé son nom[123]. Il fut consacré par l'archevêque de Besançon le 22 février 1049, il avait vingt-quatre ans.

Hugues était un noble; plus que cela, il était lié à des familles princières. Si sa mère, Aremburge de Vergy, était seulement de bonne noblesse, son père, Dalmace, était proche des ducs d'Aquitaine. La famille comptait neuf enfants, qui scellèrent pour la plupart de riches alliances; une sœur d'Hugues avait épousé le duc Robert Ier de Bourgogne, qui la répudia, il est vrai. Saint-Marcel, où l'abbé de Cluny reçut sa première éducation, avait été donné par son grand-oncle. Hugues fonda Marcigny pour y accueillir sa mère et ses sœurs; d'autres membres de sa famille, hommes et femmes, se firent moines et moniales dans l'ordre de Cluny[124]. Le lien traditionnel unissant l'aristocratie et l'Église était familier au grand abbé. Des nobles, il avait aussi la distinction, le goût de l'action, le sens des relations; ses connaissances et son intelligence le rendaient apte aussi bien à l'administration qu'à la direction spirituelle d'un ensemble monastique. Sa piété était particulièrement profonde; il était né pour la perfection, aimant la prière, la mortification, l'épreuve[125].

L'histoire d'Hugues est celle de l'abbaye et de l'ordre de Cluny pendant soixante ans et l'on ne peut en souligner que certains aspects. Le premier est l'inlassable activité et les déplacements nombreux qu'imposait la direction de l'ordre[126]. Hugues a beaucoup voyagé de France en Italie, d'Allemagne en Espagne; il a visité les abbayes et prieurés de l'ordre, animé ou présidé des conciles, des synodes, des tribunaux, reçu des légations pontificales[127]. Par là même, il a été le meilleur propagandiste de la pensée clunisienne, donnant l'exemple de sa vocation monastique, se faisant le porte-parole d'un esprit de réforme, recueillant en Espagne une idée de croisade qu'il pourrait ensuite défendre ailleurs[128].

---

122. Ce ne serait pas un âge exceptionnel selon A. L'Huillier (*op. cit.*, p. 26).

123. Le récit de son élection nous a été laissé : G.**, *Vita Hugonis* (éd. L'Huillier, *op. cit.*); Hildebert, *Vita Hugonis*, *PL.*, 159, 850.

124. J. Wollasch, « Parenté noble et monachisme réformateur », *RH* (1980), p. 3-24.

125. N. Hunt, *op. cit.*, p. 25-26.

126. H. Diener, « Das Itinerar des Abtes Hugo von Cluny », *Neue Forschungen über Cluny und die Cluniacenser*, Fribourg/Br, 1959, p. 353-426.

127. Hugues fut légat de Victor II.

128. E. Delaruelle, « L'idée de croisade dans la littérature clunisienne du XIe siècle et l'abbaye de Moissac », *L'idée de croisade au Moyen Âge*, Turin. 1980, p. 129-152.

En second, les historiens s'interrogent sur la part réelle prise par Cluny dans la réforme grégorienne et la Querelle des investitures. Hugues, parrain de Henri IV et ami de Grégoire VII, a-t-il dicté les attitudes de ses interlocuteurs? Grégoire VII, qui fut un moine clunisien pendant un temps très court, suivant une tradition aujourd'hui admise, Urbain II, ancien prieur de Cluny, ont-ils donné à leur politique une teinte bourguignonne[129], comme on disait que Léon IX était lotharingien? Les positions extrêmes sont également inconfortables. Cluny a donné le ton de certaines prises de position, créé un climat favorable à la réforme du clergé, montré dans une certaine mesure ce que pouvait être la liberté de l'Église vis-à-vis de l'Empire, frappé les contemporains par son ouverture sur le monde; mais Cluny n'a rien dicté, Hugues n'a pas orienté l'attitude d'un Grégoire VII, d'un Urbain II, d'un Pascal II, pour la bonne raison que le moine devenu pape était confronté à de tout autres problèmes que ceux auxquels la vie du cloître l'avait préparé. Cluny n'a pas eu à se mêler de la Querelle des investitures; entre le Sacerdoce et l'Empire, la retenue d'Hugues a plutôt servi le premier. Cluny suivait une voie parallèle à celle de la papauté, et abordait d'autres questions, gérait d'autres affaires. Néanmoins, le Siège apostolique avait sous les yeux le modèle clunisien et savait pouvoir compter sur la puissance et la structure de l'ordre.

Ce ne fut pas, en troisième lieu, un moindre mérite de l'abbé Hugues que d'avoir lancé la construction de Cluny III[130]. Cette gigantesque construction exprimait une ambition démesurée. L'église était plus longue que Saint-Pierre de Rome, mais elle était à l'échelle d'un ordre gigantesque, d'une « abbaye » de plusieurs milliers de moines, d'une richesse prodigieuse. Ce couronnement était un sommet, qui préludait nécessairement à une stagnation que la réforme engagée par d'autres adeptes de la règle bénédictine pouvait assimiler à un déclin.

5. De Molesme à Cîteaux

La fin du XIe siècle vit autant de vocations monastiques nouvelles que de vocations canoniales. Au moment où Saint-Ruf élaborait lentement un nouveau mode de vie régulière, et où Odilon élargissait le cadre d'action de Cluny, il se créait dans le Massif Central une abbaye vouée à un grand rayonnement, la Chaise-Dieu, due à l'initiative de Robert de Turlande. Ce cadet d'une famille de petits seigneurs d'Auvergne, né peu après l'an Mil, fut confié aux chanoines de Brioude, devint chanoine et prêtre, fonda un hôpital, puis voulut se faire moine[131]. Suivant un lieu commun fréquemment répété, il ne trouva aucun refuge qui lui convînt et, au retour d'un pèlerinage à Rome, il se retira avec deux compagnons auprès d'une chapelle ruinée. Alors qu'il avait dépassé la quarantaine, un âge où beaucoup d'autres fondateurs ont connu dans leur vie une rupture fondamentale, il se voua à la pauvreté et à la solitude, parcourut la

---

129. Th. Schieffer, « Cluny et la querelle des Investitures », RH, 1961, p. 47-72; H. Cowdrey, The Cluniacs and the Gregorian Reform, Oxford 1970.

130. K.J. Conant, Cluny. Les églises et la maison du chef d'ordre, Mâcon, 1968.

131. P.R. Gaussin, L'abbaye de la Chaise-Dieu (1043-1518), Paris, 1962.

région et prêcha; bien que chanoine, il se maintenait dans la ligne bénédictine. En 1050, le monastère de la Chaise-Dieu, la Maison de Dieu (*Casa Dei*), était achevé : les donations affluèrent; l'évêque de Clermont, le pape, le roi soutinrent la nouvelle fondation; Robert voulut développer l'apostolat, rebâtir des églises, les ouvrir aux femmes. À sa mort en 1067, la Chaise-Dieu commandait à sept prieurés d'hommes; l'élan était donné. À partir de 1078, elle reçut des abbayes à rénover, jusqu'en Italie (Frassinoro), envoya ses moines gouverner d'autres abbayes, dut bâtir une plus grande église. Avec Étienne de Mercœur (1111-1146), ancien oblat devenu abbé, la congrégation de la Chaise-Dieu se donna une organisation plus ferme.

C'est après l'âge de quarante ans aussi qu'un autre Robert, né en 1028, ancien moine de Montier-la-Celle, puis abbé à Tonnerre (1068), décida de venir à la vie érémitique et se retira avec quelques compagnons à Colan (1071). Le seigneur de Maligny lui offrit Molesme en 1075[132]. L'abbé devenu ermite, à cause de son origine noble et de sa puissante parenté, ne put éviter d'être happé par le monachisme traditionnel. Il voulut au moins appliquer la règle de saint Benoît, l'esprit et la lettre, se retira de nouveau au désert (Aulps, 1090), dut revenir à Molesme (1093), puis repartit en 1098 et s'installa dans la forêt de Dijon, grâce au vicomte de Beaune, au lieu-dit Cîteaux. Cette sécession était contraire au vœu de stabilité qu'il avait prêté, mais Robert voulait fuir les laïcs qui fréquentaient trop les monastères. Les moines de Molesme obtinrent du pape le rappel de leur abbé, qui dut reprendre son poste (août 1099). Ce retour, qui fut définitif[133], n'empêcha pas l'essor du « nouveau monastère » que les compagnons de Robert habitaient à Cîteaux et dont l'existence fut officiellement reconnue par Pascal II en 1100.

Molesme avait obtenu un succès considérable, gouvernant 74 prieurés dans dix-huit diocèses, recevant des dotations considérables; cette abbaye était une fondation collective du monde seigneurial. Des moniales furent installées à Jully (les-Nonnains) en Tonnerrois et eurent huit prieurés[134]. À Cîteaux, le prieur de Molesme, Aubri, dirigeait la vie nouvelle d'une vingtaine de moines, logés sans confort dans des cabanes sommaires, au milieu d'une région inhabitée, appliquant un cénobitisme strict avec une grande ferveur spirituelle, se procurant de leurs mains le nécessaire pour vivre[135]. En

---

132. K. SPAHR, *Das Leben des Hl. Robert von Molesme. Eine Quelle zur Vorgeschichte von Cîteaux*, Fribourg/Suisse, 1944. A. LEFEVRE, « Saint Robert de Molesme dans l'opinion monastique du XIIᵉ et XIIIᵉ siècles. » *AnBoll.*, 1956, p. 50-83. Jacques LAURENT, *Cartulaires de l'abbaye de Molesme, ancien diocèse de Langres, 916-1250*, vol. 1, Paris 1907, 2ᵉ partie, l'abbaye et l'ordre de Molesme, p. 111-278. J. LAURENT et F. CLAUDON, *Diocèses de Langres et de Dijon*, coll. Abbayes et prieurés de l'ancienne France, t. 12, Province ecclésiastique de Dijon, Ligugé-Paris 1941, p. 290-305.

133. Robert mourut en 1111.

134. J. de la CROIX BOUTON, « L'établissement des moniales cisterciennes », *MSHD*, 15 (1953), p. 85-86.

135. J. MARILIER, *Chartes et documents concernant l'abbaye de Cîteaux, 1098-1182*, Rome, 1961. *Les plus anciens textes* (voir note 54), p. 74-77; Chr. WADDELL, « Praelude to a Feast of Freedom. Notes on the Roman Privilege *Desiderium quod* of October 19. 1100 » *Cîteaux*, 33 (1982), p. 247-303. J.-B. AUBERGER, *L'unanimité cistercienne primitive : mythe ou réalité?*, Achel, 1986. Sur les débuts de Cîteaux, la littérature est innombrable. On consultera : *Les plus anciens textes de Cîteaux. Sources, textes et notes historiques*, éd. J. de la CROIX BOUTON et J. B. van DAMME, Achel, 1974. En dernier lieu, Edm. MIKKERS, « Die Charta caritatis und die Gründung von Cîteaux », *Rottenburger Jb. für Kirchengesch.*, 4, (1985), p. 11-22; O. DUCOURNEAU, « Les origines cisterciennes », *RMab*, 22 (1932) et 23 (1933); R. FOLZ, « Le problème des origines de Cîteaux », *Mélanges saint Bernard*, Dijon 1954, p. 284-294; J.A. LEFEVRE, « Les débuts de Cîteaux », *Le Moyen Âge*, LXI (1955), p. 79-120, 329-361, et « Que savons-nous du Cîteaux primitif? » *RHE*, 1956, p. 5-41.

1109, l'anglais Étienne Harding, qui, de passage dans la région, s'était arrêté à Molesme, prit la direction de Cîteaux auquel il donna une impulsion majeure[136]. C'est lui qui connut les moments les plus difficiles. Insistant avec force sur la fuite du monde, la pauvreté dans l'habillement comme dans le décor, recherchant une remise en ordre liturgique[137], il vit le nombre de ses moines diminuer lentement jusqu'à ce jour de 1112 où se présentèrent aux portes du monastère une trentaine d'hommes, conduits par le jeune noble Bernard de Fontaine. Le matériau était prêt, l'étincelle fut donnée, ce fut une flambée. Cîteaux dut essaimer : à la Ferté en 1113, à Pontigny en 1114, enfin, le même jour suivant la tradition, à Morimond et à Clairvaux en 1115. En 1119, dix abbayes se réclamaient du même mouvement et l'abbé Étienne élaborait une « charte de charité » destinée à organiser les rapports entre elles, à mi-chemin de la centralisation clunisienne et de l'association gorzienne. Mais c'est alors aussi qu'une grave crise secoua l'ordre naissant, Morimond, en proie aux difficultés économiques, perdant aussi son abbé. L'abbé de Clairvaux, Bernard, lui vint en aide, et déjà sa forte personnalité engageait l'ordre dans un destin prodigieux[138].

6. LES BÉNÉDICTINS ALLEMANDS

La réforme monastique avait été presque constante depuis 934 en Lotharingie, touchant surtout les monastères de cet ancien royaume, puis essaimant largement au-dehors, vers la France comme vers l'Empire. Dans la première moitié du XIe siècle, les efforts conjoints partis de Saint-Vanne de Verdun, de Stavelot et de Saint-Maximin de Trèves avaient porté leurs fruits. Après 1050, Gorze jeta ses derniers feux. À peine changée par le passage de Guillaume de Saint-Bénigne († 1031), elle avait continué à diffuser son influence assez loin vers l'est, jusqu'Halberstadt avec son évêque Herrand ; de Verdun, l'abbaye de Saint-Airy, relayant Saint-Vanne, envoya une douzaine de moines vers la Flandre et la Picardie. Au-delà du Rhin, les exemples donnés par les abbayes de Souabe étaient particulièrement significatifs. Dans ce duché, une impressionnante vague de fondations eut lieu au XIe siècle, alors que la Saxe connaissait un répit, ainsi que la Bavière[139].

---

136. A. PRESSE, « Saint Étienne Harding », *COCR*, I (1934), p. 21-30, 85-94.

137. A.M. ALTERMATT, « Die erste Liturgiereform in Cîteaux (ca. 1099-1133) », *Rottenburger Jb. für Kircheng.*, 4 (1985), p. 119-148 (avec bibliographie).

138. Edm. MIKKERS, *op. cit.*, note clairement les caractères de la première charte de charité par rapport à la deuxième (le *Novum monasterium* a alors prééminence ; le chapitre général regroupe les abbés principaux seulement ; un abbé est élu par ses moines et l'abbé de l'abbaye-mère ; en cas de vacance de Cîteaux, l'abbé de la Ferté est régent). A. BREDERO, *Études sur la vita prima de Saint-Bernard*, Rome, 1960 (repr. *ACi*, XVII (1961) et XVIII (1962).

139. Pour trouver les dernières traces de moines de Gorze envoyés au loin comme abbés, voir M. PARISSE, *Le nécrologe de Gorze. Contribution à l'histoire monastique*, Nancy, 1971. Aux données classiques de dom Kassius HALLINGER (*Gorze-Kluny*, Rome 1950/51), il convient d'ajouter les correctifs apportés pour le XIe siècle par K.U. JÄSCHKE : « Zur Eigenständigkeit einer Junggorzer Reformbewegung », *ZKG*, LXXI (1970), p. 17-43. L'abbaye de Saint-Airy de Verdun a fait l'objet d'un mémoire inédit de dom N. HUYGHEBAERT. Les abbayes touchées au loin sont notamment Afflighem, Mont-Saint-Quentin, Bergues-Saint-Winnoc. À ces mouvements il convient d'ajouter pour la région rhénane, celui de Siegburg : J. SEMMLER, *Die Klosterreform von Siegburg. Ihre Ausbreitung und ihre Reformprogramm im 11. und 12. Jahrhundert*, Bonn, 1959.

Einsiedeln, de sa fondation (peu après 900) au milieu du xie siècle, fut un centre modèle et moteur. C'est de cette abbaye que partirent moines et abbés pour animer d'autres monastères de Souabe[140]. Comme en Saxe, mais plus tard, le rôle décisif y revint à l'aristocratie, préoccupée de constituer des seigneuries où les monastères, biens privés des grands, avaient toujours une place[141]. Les Habsbourg donnèrent le ton avec Muri (1027), Eberhard III de Nellenburg fonda l'abbaye de Tous-les-Saints (Allerheiligen) à Schaffhouse (consécration en 1049), Adalbert de Calw, convaincu ou contraint par son parent Léon IX, créa un monastère double à Sindelfingen (1050), puis un autre à Hirsau (1059), les Welfes se préoccupèrent du destin de Weingarten et d'Altomünster (1056)[142]. Les comtes assuraient leurs responsabilités, nommaient ou déposaient l'abbé, introduisaient de gré ou de force des moines réformateurs, choisissaient l'abbaye qui servirait de référence ou de tutelle. Tout cela se modifia à l'initiative de Hirsau et de son abbé Guillaume.

Guillaume naquit vers 1030 dans une famille modeste de Ratisbonne; il entra au monastère de Saint-Emmeran, où il reçut une formation qui fit de lui un homme très savant[143]. En 1059, les moines de Hirsau proposèrent son choix au comte de Calw pour remplacer l'abbé Frédéric, venu d'Einsiedeln quatre ans plus tôt, moine ascète trop peu soucieux de l'avenir temporel de son abbaye. Guillaume, respectueux des formes, attendit la mort de son prédécesseur pour prendre véritablement sa place et recevoir la bénédiction abbatiale (2 juin 1071). En 1075, il obtint du comte la liberté du monastère. Cet acte décisif servit plus tard de modèle à d'autres monastères[144] : le comte Adalbert remettait tous les biens au saint patron, renonçait à ses droits de seigneurie qu'il confiait à l'abbé, donnait aux moines la liberté d'élire leur abbé et de procéder à son installation, réservait à ses descendants l'avouerie qui devait être reçue du roi sur proposition de l'abbé. En outre, l'abbaye était donnée au Siège apostolique. Ensuite, Guillaume se tourna vers Cluny et demanda une transcription des coutumes à son intention. Le texte qui rapporte ce geste montre l'intelligence de l'abbé clunisien Hugues, qui sut laisser une place aux adaptations locales nécessaires[145].

Le moine Ulrich, ami d'enfance de Guillaume, lui fournit une œuvre en trois parties : la liturgie, la formation des novices, la gestion du monastère. Les moines de Hirsau adoptèrent un habit différent, une tonsure plus large, un silence plus rigoureux.

---

140. H. Keller, *Kloster Einsiedeln im ottonischen Schwaben*, Fribourg/Br, 1964. E. Gilomen-Schenkel, « Frühes Mönchtum und benediktinische Klöster des Mittelalters in der Schweiz », p. 57-60, *Helvetia Sacra*, Abt. III, Bd I, Erster Teil, Berne, 1986.

141. Les études faites depuis trente ans sur la Souabe sous la direction de G. Tellenbach privilégient l'analyse de l'action nobiliaire et les enquêtes familiales. La Souabe parut dans ce domaine en avance sur d'autres régions de l'Europe. K. Schmid, « Adel und Refom in Schwaben », *Investiturstreit und Reichsverfassung*, Constance 1969, p. 44-48; Kl. Schreiner, « Benediktinisches Mönchtum in der Geschichte Südwestdeutschlands », *Die Benediktinerklöster in Baden-Würtemberg*, Augsbourg 1975, p. 33-48; H. Jacobs, *Der Adel in der Klosterreform von sankt Blasien*, Cologne-Graz, 1968.

142. J. Wollasch, « Muri und St. Blasien, Perspektiven schwäbischen Mönchtums in der Reform », *DA*, 17 (1961), p. 420-446; K. Schmid, *Kloster Hirsau und seine Stifter*, Fribourg/Br, 1959.

143. H. Buettner, « Abt Wilhelm von Hirsau und die Entwicklung der Rechtsstellung der Reformklöster im 11. Jahrhundert », *ZWLG*, 25 (1966), 321-338; H. Jacobs, *op. cit.*, p. 8-13.

144. H. Jacobs, *op. cit.*, p. 13-20; texte dans *Diplomata Henrici IV*, n° 280, diplôme du 14.9.1075.

145. *Consuetudines Hirsaugiensis*, *PL*, 150, col 923-926.

Hirsau, dont l'abbé jouissait d'une grande réputation, vit affluer les novices. Des frères convers furent institués ; membres du monastère, ils participaient au service divin, étaient artisans et constructeurs, accueillaient les hôtes[146]. Le recrutement des moines, d'abord surtout noble, s'ouvrit aux couches sociales plus modestes.

Hirsau fut rapidement un des soutiens de la politique pontificale dans l'Empire et accueillit ceux qui fuyaient la vindicte impériale. Un disciple de Guillaume, Gebhard, devint évêque de Constance et légat du pape Urbain II. L'abbaye souabe suscita de nombreuses fondations, qui pouvaient être prieurés ou abbayes indépendantes, réforma des établissements anciens. Saint-Georges en Forêt-Noire, confiée en 1088 à l'abbé Théoger, devint à son tour un centre de réforme et le point de départ d'une nouvelle vague ; son influence se fit sentir en Alsace et en Lorraine ; Théoger fut nommé évêque de Metz en 1118, mais mourut à Cluny en 1120 sans avoir pu entrer dans sa cité[147]. Un autre centre fut Saint-Blaise, lié d'abord à Einsiedeln, puis rattaché à Fruttuaria, dont les moines prirent les coutumes vers 1070, avant de les transmettre à Muri (1082)[148]. Schaffhouse et Petershausen se rallièrent à Hirsau et au mouvement clunisien[149].

Deux faits majeurs caractérisent le monachisme bénédictin réformé de Souabe : l'attachement à une liberté nouvellement acquise et l'accueil fait aux femmes. Sur le premier point, le cas d'Hirsau est un modèle ; la *libertas*[150] concerne le choix de l'abbé, l'adoption de coutumes, l'organisation de tout ce qui touche à la vie spirituelle du monastère, car la libération à l'égard de l'emprise laïque se produit dans un domaine où l'Église entend être maîtresse de ses options, celui des âmes et du service de Dieu. Les comtes et ducs souabes ont accordé cette concession, mais tiennent à maintenir la fondation de leurs ancêtres dans leur seigneurie, ce que permet l'avouerie. La libération n'est donc que partielle, et le contrôle demeure assez étroit. Le patronage pouvait au reste encore se faire sentir de façon conjoncturelle, si l'avoué se sentait fort ou si l'abbé manifestait quelque faiblesse. Le deuxième point concerne la forte demande féminine[151]. Elle était manifeste dans l'Europe entière et reçut au total le même accueil de la part des bénédictins souabes que des ermites et des chanoines de France. Presque toutes les nouvelles fondations furent des monastères doubles, dont une partie seulement se maintint longtemps sous cette forme, tandis que la plupart se séparèrent plus ou moins vite. Ouverture du monastère aux novices de modeste extraction, construction de dépendances pour les femmes, refus d'une intervention

---

146. H. JACOBS, *op. cit.*, p. 23-26 ; A. METTLER, « Laienmönche, Laienbrüder, Conversen, besonders bei den Hirsauern », *WVLG*, Nf 41 (1935), p. 201-253.

147. H.J. WOLLASCH, *Die Anfänge des Klosters St. Georgen im Schwarzwald. Zur Ausbildung der geschichtlichen Eigenart eines Klosters innerhalb der Hirsauer Reform*, Fribourg/Br, 1964. La *Vita* de Théoger a été éditée par Ph. JAFFÉ : *MGH.SS*, 12, p. 449-479.

148. H. JACOBS, *op. cit.*

149. I.J. MISCOLL-RECKERT, *Kloster Petershausen als bischöflich-konstanzisches Eigenkloster*, Munich, 1973. L'influence des abbayes de Hirsau et de Saint-Blaise fut très importante au sud de la Souabe, dans l'actuelle Suisse (E. GILOMEN-SCHENKEL, *op. cit.*, p. 61-66).

150. La définition du vocable par TELLENBACH garde toute sa signification : *Libertas. Kirche und Weltordung im Zeitlater des Investiturstreites*, Stuttgart, 1936.

151. Cet aspect a fait l'objet d'une exploration attentive de la part d'E. GILOMEN-SCHENKEL (*op. cit.*, p. 71-81).

laïque indiscrète : par ces trois options, le monachisme souabe manifestait clairement que la nouveauté n'était pas l'apanage des seuls « ordres nouveaux ».

7. LES MOINES NOIRS DANS LES ÎLES BRITANNIQUES ET EN ITALIE

La fin du XIe et le début du XIIe siècle furent une période féconde pour le monachisme britannique et normand. Des noms de grands abbés viennent sous la plume : Lanfranc, Anselme du Bec, Guillaume de Durham, Gilbert Crispin de Westminster, Paul de Saint-Alban, Herbert Losing de Ramsey, Lanzon de Lewes. Ce fut une époque où les monastères tenaient la première place dans l'enseignement et les lettres, dans l'art et l'architecture, dans l'idéal de vie religieuse. L'art anglo-normand, qui s'exerçait dans les centres d'enluminure et d'écriture, réalisait aussi des chefs-d'œuvre dans la construction des grandes abbatiales.

En 1066, l'Angleterre comptait 35 abbayes d'hommes et 9 de femmes, attachées à la règle de saint Benoît et à la *regularis concordia*, et généralement tenues en mains par l'évêque du lieu[152]. La conquête marqua le début d'un grand essor des moines noirs, qui, dans le demi-siècle qui suit, atteignirent un apogée de richesse et de culture. Une liaison étroite s'établit entre la Normandie, avec ses 26 abbayes d'hommes et 7 de femmes, et la grande île ; les bénédictins du continent reçurent d'abondantes donations en Angleterre, ce qui les amenait à traverser souvent la Manche pour les visiter et les gérer. Le Bec, Fécamp, Jumièges, Saint-Evroul furent quelques-uns des bénéficiaires. Guillaume de Saint-Calais (1080-1096), évêque-abbé de Durham, établit quatorze chartes de confraternité. De nouveaux monastères furent fondés, à commencer par Battle, à Hastings, puis Chester, Shrewsbury, Colchester, Silby ; l'érémitisme gagna vers le nord, les cluniciens s'installèrent au sud, à Lewes (1077) et y détenaient onze maisons en 1110. On sait qu'une originalité de ce pays était l'établissement de moines auprès des évêques, là où étaient le plus souvent des chanoines. Ce succès bénédictin n'empêcha cependant pas l'installation progressive des chanoines réguliers, puis des cisterciens, avec un accueil particulièrement chaleureux réservé aux congrégations de Savigny, Tiron, Grandmont. L'Écosse était beaucoup moins fournie en monastères ; bénédictins, chanoines réguliers, moniales n'y ont vu leur nombre croître qu'au XIIe siècle[153].

Dans la péninsule italienne, il faut distinguer entre la partie méridionale, au sud de l'État pontifical, et le nord. Sicile, Calabre, Pouille ont eu peu de grands monastères et le régime y est demeuré marqué par la tradition byzantine. Au centre, les deux abbayes, auxquelles est attaché le nom de Benoît de Nursie, Subiaco et Mont-Cassin, étaient avec Farfa, Saint-Vincent de Volturne, Saint-Paul-hors-les-murs, des représentants du monachisme bénédictin traditionnel ; fondées à l'époque lombarde et franque,

---

152. F. BARLOW, *The English Church, 1066-1154*, Londres-New York 1979, p. 117-217.
153. Voir note 88.

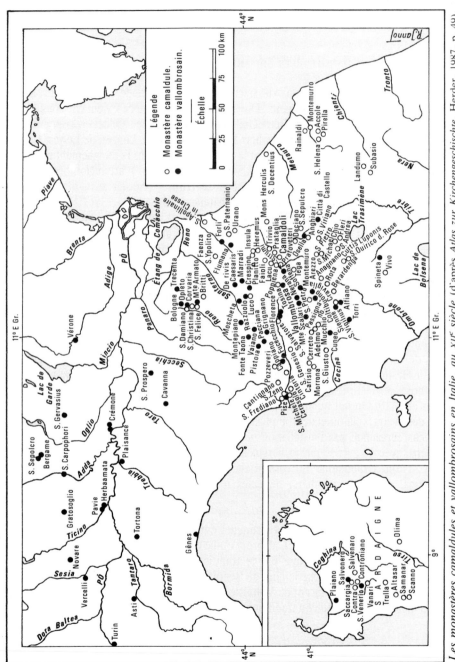

Les monastères camaldules et vallombrosains en Italie, au XIIᵉ siècle (d'après Atlas zur Kirchengeschischte, Herder, 1987, p. 49).

elles étaient riches et pesaient sur l'histoire politique et religieuse de cette région. Deux abbés du Mont-Cassin furent élus papes au XIᵉ siècle : Frédéric de Lorraine (Étienne IX) et Didier (Victor III). Au centre et au nord, d'autres noms viennent à l'esprit, comme Bobbio, fondation de Colomban, Nonantola, Saint-Benoît de Polirone, et Santa Giulia de Brescia pour les femmes, mais ce sont quelques noms parmi beaucoup [154]. À l'époque de la Chartreuse et d'Hirsau, deux mouvements dynamiques se manifestent en Toscane : ceux de Vallombreuse et de Camaldoli.

Le fondateur de Vallombreuse, Jean Gualbert est un noble florentin, devenu moine à San Miniato à la suite d'un incident ; très vite il entreprend un combat contre la simonie, qui sévit dans son monastère, comme partout en Italie. Il dénonce publiquement à Florence les errements généralisés, doit fuir. Il ne peut demeurer à Camaldoli, car il veut rester fidèle à la règle de saint Benoît, fonde un monastère à Vallombreuse et obtient son exemption vis-à-vis de l'évêque diocésain de Fiesole. Sa prédication antisimoniaque obtient un grand succès et de nombreuses fondations ont lieu autour de Florence dans la même optique [155]. Après la mort de Jean Gualbert (12 juillet 1073), le succès ne se ralentit pas.

Celui de Camaldoli, fondation déjà ancienne de saint Romuald (v. 1012), est plus lent à se dessiner ; le quatrième successeur du fondateur précise les institutions. En 1100, une fondation est faite à Florence dans le même esprit, puis bientôt de nombreuses autres suivent. À la différence de Vallombreuse, monastère bénédictin classique, l'ordre des camaldules rassemble des ermites vivant dans de petites maisons à l'intérieur de grands monastères, dans la ligne de Fonte Avellana, de Grandmont et de la Chartreuse [156].

BIBLIOGRAPHIE (1054-1123)

J.B. Auberger, L'unanimité cistercienne primitive : mythe ou réalité ?, Achel, 1986.
K. Bosl, Regularkanoniker (Augustinerchorherren) und Seelsorge in Kirche und Gesellschaft des europäischen 12. Jarhunderts, Munich, 1979.
H.E.J. Cowdrey, The Cluniacs and the Gregorian Reform, Oxford, 1970.
H. Leyser, Hermits and the New Monasticism. A Study of Religious Communities in Western Europe, 1000-1150, Londres, 1984.
L. Milis, Angelic Monks and Earthly Men. Monasticism and its meaning to medieval Society, Woodbridge, 1992.
Naissance et fonctionnement des réseaux monastiques et canoniaux, Saint-Etienne, 1991...
G. Penco, Storia del monachesimo in Italia dalle origini alla fine del medio Evo, Milan, 1983.
H. Richter, Cluny. Beiträge zur Gestalt und Wirkung der Cluniazensichen Reform (Wege der Forschung 241), Darmstadt, 1975.
K. Schmid, Kloster Hirsau und seine Stifter, Fribourg, 1959.
E. Werner, Pauperes Christi. Studien zu sozial-religiösen Bewegungen im Zeitalter des Reformpapstums, Leipzig, 1956.

---

154. Gregorio Penco, Storia del monachesimo in Italia, Rome 1961. Id., « Italia Benedittina. I. Cluny in Lombardia », Atti del convegno del Pontida (22-25 aprile 1977), Cesena, 1979.
155. Voir plus haut, p. 129-134.
156. Giovanni Tabacco, « Romualdo di Ravenna e gli inizi dell'eremitismo camaldolese », L'eremitismo, p. 73-120 ; Wilhelm Kurze, « Zur Geschichte Camaldolis im Zeitalter der Reform », Il monachesimo, p. 399-415, cit., p. 59 (cénobitisation).

DEUXIÈME PARTIE

Le modèle romain
(1123-1198)

Chapitre Premier

L'Église romaine
de Latran I à la fin du XIIe siècle
Par Agostino Paravicini Bagliani

I. LA SUCCESSION DES PAPES

Entre l'élection de Calixte II (1119) et celle d'Innocent III (1198), c'est-à-dire au cours de 79 ans, treize papes se sont succédé, ainsi que six antipapes[1], élus au cours de deux longues séries de schismes, équivalant à quarante ans, soit à la moitié de la période (1130-1138 et 1159-1180).

Papes et *antipapes*	Date de l'élection	Fin du pontificat
Calixte II (Gui de Vienne)	1119, 2 février	1124, 13 décembre
Honorius II (Lambert de Fagnano)	1124, 15 décembre	1130, 13 février
Innocent II (Grégoire Papareschi)	1130, 14 février	1143
Anaclet II (Pierre Pierleoni)	*1130, 14 février*	*1138, 25 janvier*
Victor IV (Grégoire)	*1138, mars*	*1138, 29 mai*
Célestin II (Gui de Castello)	1143, 26 septembre	1144, 8 mars
Lucius II (Gérard)	1144, 12 mars	1145, 15 février
Eugène III (Pierre Bernard)	1145, 15 février	1153, 8 juillet
Anastase IV (Conrad de Suburra)	1153, 12 juillet	1154, 3 décembre
Adrien IV (Nicolas Breakspear)	1154, 4 décembre	1159, 1er septembre
Alexandre III (Roland Bandinelli)	1159, 7 septembre	1181, 30 août
Victor IV (Octavien)	*1159, 7 septembre*	*1160, 20 avril*

---

1. En italique dans le tableau.

Pascal III		
(Guido de Crema)	*1164, 22 avril*	*1164, 26 avril*
Calixte III		
(Jean de Struma)	*1168, septembre*	*1178, 29 août*
Innocent III		
(Lando)	*1179, 29 septembre*	*1180, janvier*
Lucius III		
(Ubaldus Allucinguli)	1181, 1er septembre	1185, 25 novembre
Urbain III		
(Uberto Crivelli)	1185, 25 novembre	1187, 20 octobre
Grégoire VIII		
(Albert de Morra)	1187, 21 octobre	1187, 17 décembre
Clément III		
(Paul Scolari)	1187, 19 décembre	1191, 28 mars (?)
Célestin III		
(Hyacinthe Bobo)	1191, 30 mars	1198, 8 janvier

II. L'ÉGLISE ROMAINE AU LENDEMAIN DU CONCORDAT DE WORMS (1122)

Le Concordat de Worms[2] avait permis à l'Église romaine d'atteindre les objectifs de la réforme grégorienne. L'indépendance de la papauté de l'emprise laïque était garantie, comme aussi son pouvoir juridictionnel sur l'Église universelle. La paix avec l'Empire libérait des énergies, donnait de nouvelles impulsions à des initiatives de réforme et de gouvernement, renforçait la position internationale de la curie romaine.

1. NOUVELLES LIBERTÉS : LE CONCILE DE LATRAN I (1123)

La célébration d'un concile en la basilique de Saint-Jean du Latran mit en évidence la fonction universelle de l'épiscopat romain[3]. Ses travaux marquèrent d'une certaine manière la fin des luttes réformatrices de l'époque grégorienne. L'assemblée conciliaire s'ouvrit comme prévu la troisième semaine de carême (le 18 ou le 19 mars 1123) ; la séance de clôture se tint le 27 mars[4]. Le nombre des participants oscille dans les sources : sans doute désireux de souligner l'universalité de l'assemblée, le biographe pontifical Pandulphe parle de 997 évêques ou abbés[5], tandis que la chronique de Fossanova[6] cite le chiffre plus modeste de 500 personnes. L'abbé de Saint-Denis, Suger, présent au concile, avance le même chiffre (300) que pour le

---

2. V. plus haut, p. 94.

3. F.J. SCHMALE, « Papst und Kurie zwischen Gregor VII. und Innocenz II. », *Probleme des 12. Jahrhunderts*, Konstanz, 1968, p. 23.

4. Sur ce concile, v. la synthèse de FOREVILLE, *Latran I*, p. 44-72 ; Important : C. LEONARDI, « Per la tradizione dei concili di Ardara, Lateranensi I-II e Tolosa », *BISI*, 75, 1963, p. 57-70.

5. WATTERICH, II, p. 116.

6. *MGH.SS*, XIX, p. 282.

synode romain de Pascal II (1112)[7]. Selon une source plus fiable, le nombre des Pères conciliaires n'était pas supérieur à 200[8].

Selon Gerhoch de Reichersberg[9], la décision royale d'abandonner l'investiture des évêques par l'anneau et la crosse fut ratifiée solennellement à l'unanimité. Un grave tumulte éclata cependant à la lecture de la concession faite à l'empereur « que les évêques allemands doivent être élus en la présence du roi et doivent recevoir les *regalia* par son sceptre ». De nombreux Pères conciliaires, sans doute des grégoriens intransigeants, s'exclamèrent : *Non placet, non placet.* Le pape voulut fournir une réponse conciliante, en affirmant que c'est « pour que la paix soit rétablie, (que) de tels décrets ne doivent pas être approuvés mais tolérés ». Même si les principes du concordat de Worms avaient été présentés et discutés, voire même clairement défendus par le pape, ils n'étaient pas encore pleinement acceptés au sein de l'Église romaine.

Décrets conciliaires

La décision du concile (c. 15) de rendre universels les anciens décrets relatifs à la Trêve de Dieu renforça la solution du conflit avec l'Empire par une législation ayant force générale. Le canon 8, consacré aux droits de l'évêque dans l'administration des biens ecclésiastiques, renouvelait des décisions antérieures. La volonté de consolider l'autorité épiscopale apparaît clairement dans d'autres canons (c. 2 : l'absolution de l'excommunication est réservée à l'ordinaire ; c. 16 : les moines doivent obéissance à l'évêque dans l'administration des sacrements et la célébration des messes solennelles) et dans la décision de procéder à la canonisation de Conrad, jadis évêque de Constance. Le canon 10 donna une nouvelle impulsion aux privilèges des croisés. Son objectif était triple : promulguer l'indulgence de croisade ; placer les maisons, les familles, tous les biens des croisés sous la protection de l'Église romaine ; discipliner le vœu de croisade.

L'assemblée dut également affronter plusieurs conflits juridictionnels. Adalbéron, archevêque de Brême-Hambourg, consacré des mains du pape, reçut la confirmation des droits métropolitains sur la Scandinavie tout entière. À propos du rattachement métropolitain de la Corse, Latran I connut des débats houleux, mais ne trancha pas dans le vif. Dans le privilège qu'il accorda aux évêques de Corse (6 avril 1123), Calixte II ne fit pas mention du rattachement à Gênes. Le problème fut de fait renvoyé à plus tard[10].

Les canons de Latran I connurent une diffusion relativement restreinte en dehors des collections canoniques. En Angleterre, par exemple, aucun manuscrit ne contient l'ensemble des dix-sept canons conciliaires[11].

---

7. Suger, *Vita Ludovici, MGH.SS*, XXVI, p. 51 ; *Vita Ludovici Grossi*, éd. A. Lecoy de la Marche, p. 114 ; cf. Foreville, *Latran I*, p. 159 n. 35.
8. Leonardi, « Per la tradizione », p. 60.
9. *Libellus de ordine donorum S. Spiritus, MGH.LL*, III, p. 280.
10. V. plus loin, p. 192.
11. M. Brett, « The Canons of the First Lateran Council in English Manuscripts », *Proceedings of the Sixth International Congress of Medieval Canon Law*, Cité du Vatican, 1985, p. 13-28. Sur les conciles réformateurs du XIIᵉ siècle,

2. Vers de nouveaux équilibres à Rome

Calixte II prit d'autres décisions. Tout d'abord, il confia aux Frangipane la garde du palais. Ce geste, relativement spectaculaire, était destiné à confiner l'influence des Pierleoni et à rétablir un certain équilibre dans la ville de Rome entre les deux grandes familles rivales.

Les familles romaines des Pierleoni et Frangipane

Les Pierleoni étaient d'origine juive; ils avaient fait fortune vraisemblablement comme prêteurs d'argent. Au début du xie siècle, Baruch, le chef de la famille, se convertit. Sa famille devint presque immédiatement l'une des plus influentes de la ville[12]. Le conflit entre la papauté et l'Empire força l'Église romaine à se servir du soutien des Pierleoni dès le début de la réforme. Ceux-ci restèrent influents jusqu'au moment où, en 1121-1122, la paix fut rétablie entre le pape et l'empereur. Le concordat de Worms (1122) et les grands changements de personnels au sein de la curie romaine qui en dérivèrent, notamment la nomination d'Haimeric à la tête de la chancellerie[13], diminuèrent considérablement leur pouvoir.

La première attestation d'un Frangipane remonte également au début du xie siècle[14] : l'ascension sociale de cette famille baronale était déjà réalisée en 1014, lorsque Léon *qui dicitur Fragapane* fut appelé à souscrire une sentence arbitrale concernant la puissante abbaye de Farfa. À Rome, les Frangipane réussirent à contrôler la région comprise entre le cirque Maxime, Sainte-Marie-la-Neuve et le Colisée. S'appuyant tantôt sur l'Église romaine, tantôt sur l'Empire, et s'opposant, sur le terrain politique de la ville, aux autres familles baronales, d'abord aux Pierleoni, puis aux Annibaldi, les Frangipane dominèrent de fait les vicissitudes romaines pendant plusieurs générations. L'élection d'Honorius II (1124) marqua l'apogée de leur puissance; leur déclin politique est au contraire visible dès le milieu du xiie siècle.

Décisions curiales

Calixte II décida ensuite d'élargir la composition du collège cardinalice en procédant à la création de dix nouveaux cardinaux. Comme le prouveront les événements liés au schisme de 1130[15], le choix de ces nouveaux cardinaux devait se révéler riche de conséquences. Calixte II n'avait pas hésité à rompre avec le passé, en faisant appel à des hommes originaires de l'Italie du Nord et de la France méridionale. En confiant au français Haimeric, créé cardinal de Sainte-Marie-la-Neuve, la direction de la

---

v. en général F.-J. Schmale, « Systematisches zu den Konzilien des Reformpapsttums im 12. Jahrhundert », *Archivum Historiae Conciliorum* 6, 1974, p. 31 et suiv.

12. Schmale, *Studien*, p. 15-28; P. Fedele, « Le famiglie di Anacleto II e di Gelasio II », *ASRSP*, 27, 1904, p. 399-403; D. Zema, « The House of Tuscany and of Pierleoni in the Crisis of Rome in the Eleventh Century », *Traditio*, 2, 1944, p. 155-75.

13. V. plus loin, p. 203.

14. P. Fedele, « Sull'origine dei Frangipane », *ASRSP*, 33, 1910.

15. V. plus loin, p. 187 et suiv.

chancellerie, le pape mettait à la tête de l'organisme central de la curie romaine une personnalité de premier plan, qui conduira d'une main ferme la politique pontificale pendant une vingtaine d'années.

L'homme fort : le chancelier Haimeric

Attesté seulement à partir du moment où il fut nommé chancelier de Calixte II, Haimeric, originaire de Bourgogne, terre d'élection de la réforme grégorienne[16], était lié à la famille de la Châtre qui entretenait des relations privilégiées avec les cisterciens de Noirlac. Ce qui a fait penser qu'il avait peut-être connu Bernard de Clairvaux dès son adolescence. Haimeric semble avoir été lié avec le mouvement des chanoines réguliers : il fit en tout cas des donations aux chanoines de Sainte-Marie *in Rheno* de Bologne et de Saint-Victor de Paris[17]. Pendant son cardinalat − il souscrivit pendant presque dix-huit ans tous les privilèges pontificaux − il sut tisser un réseau de relations (Bernard de Clairvaux, Pierre le Vénérable, Guigues, saint Norbert) en faveur de la politique ecclésiale de Calixte II et d'Honorius II, puis de la candidature d'Innocent II. Bernard de Clairvaux voyait en lui la personne la plus influente de la curie romaine[18]. C'est sans doute aux principes réformateurs de la *vita apostolica* qu'il puisa sa conception d'une discipline de vie rigoureuse et une vision sévère de la fonction sacerdotale. Il était très conscient que ses différends avec les Pierleoni étaient dus principalement à l'adhésion à ces principes[19]. Il mourut après la fin du long schisme de 1130, le 28 mai 1141.

3. CÉLÉBRATIONS ICONOGRAPHIQUES

Vers la fin du XIᵉ siècle, les idéaux de la réforme grégorienne trouvèrent une forte expression artistique dans l'Église de Saint-Clément à Rome, sous l'impulsion de cardinaux réformateurs (Oderisius du Mont-Cassin et Léon d'Ostie), ainsi que d'autres personnalités remarquables, comme Jean de Gaète. L'iconographie servait à exalter les premiers papes ; la forme « antiquisante » des fresques « manifestait leur désir de redonner à l'Église réformée et rénovée le décor de l'Église primitive qui était leur modèle », l'art de Byzance servait de guide, en substitution du modèle germanique[20]. Selon le *Liber Pontificalis*[21], le pape Calixte II aurait construit au Latran une chapelle dédiée à Saint-Nicolas et ordonné un programme de peintures. D'après une inscription, c'est Anaclet II qui aurait terminé la décoration. Dans la zone supérieure,

---

16. Sur le chancelier Haimerich, v. surtout SCHMALE, *Studien*, p. 91-191 ; cf. R. HÜLS, *Kardinäle, Klerus und Kirchen Roms 1049-1130*, Tübingen, 1977, p. 236.
17. Des hésitations à propos de la valeur du nécrologe de S. Maria in Rheno ont été formulées par J. FRIED, « Die römische Kurie und die Anfänge der Prozessliteratur », *ZSRG.K*, 90, 1973, p. 169 et suiv.
18. Il lui adressa 15 lettres : cf. SCHMALE, *Studien*, p. 101.
19. Gerhoch, *Epistola ad Innocentium papam*, MGH.LL, III, p. 227 ; cf. SCHMALE, *Studien*, p. 184 et suiv.
20. V. la très belle étude de H. TOUBERT, « Rome et le Mont-Cassin. Nouvelles remarques sur les fresques de l'église inférieure de Saint-Clément de Rome », *Id.*, *Un art dirigé*, p. 193-238.
21. *LP*, II, p. 323.

on voit la Vierge couronnée parmi les fondateurs agenouillés à ses pieds : Calixte II à droite, Anaclet II à gauche. Au centre de la zone inférieure, saint Nicolas est entouré par les papes de la réforme (Gélase II, Pascal II, Urbain II, Alexandre II, Grégoire VII et Victor III) ainsi que par Léon Ier et Grégoire Ier. Tous les papes, même les contemporains, portent le nimbe et l'attribut de *sanctus*. Le programme mettait en scène une « véritable apothéose des papes de la réforme grégorienne »[22].

À côté de la chapelle de Saint-Nicolas, Calixte II fit exécuter un certain nombre de peintures dont la signification politique n'échappa pas aux contemporains[23]. Tous les schismes ayant secoué l'Église romaine depuis Alexandre II (Alexandre II-Cadalous, Grégoire VII, Victor III, Urbain II-Clément III, Pascal II et les trois antipapes) y étaient représentés. Le « vrai » pape, assis sur un trône et entouré d'évêques, portait le pallium et la tiare. L'antipape, vaincu, était accroupi à ses pieds[24]. Cette fresque illustrait le triomphe de Calixte II au lendemain du concordat de Worms, représenté ici sous la forme d'un document déplié, tenu et montré à la fois par le pape et l'empereur (Henri V) : ce qui souligne le caractère de contrat reconnaissant les droits respectifs du pape et de l'empereur dans la nomination des évêques, et, partant, la possibilité d'une collaboration entre les deux pouvoirs. Seule, la position assise du pape marque la supériorité du spirituel sur le temporel.

4. HONORIUS II (1124-1130)

Lambert était né à Fagniano, aux environs d'Imola, d'une famille modeste[25]. Nous ne savons rien de la période qui précède sa promotion cardinalice, si ce n'est qu'il était devenu archidiacre de la cathédrale de Bologne. Son nom apparaît en tout cas parmi les électeurs de Gélase II, dont il fut sans doute l'un des conseillers les plus influents. En sa qualité de cardinal-évêque d'Ostie, Lambert fut amené à consacrer Calixte II à Cluny. Lors des négociations du concordat de Worms, qui mit fin à la Querelle des investitures (8-19 septembre 1122), le cardinal Lambert joua un rôle décisif. Il est de nouveau attesté à Rome au printemps 1124. Le 13 ou le 14 décembre 1124, Calixte II mourut. Les Pierleoni réussirent à faire proclamer leur candidat, Thomas, cardinal de Sainte-Sabine, qui prit le nom de Célestin II. Robert Frangipane, cependant, imposa le silence, acclama le nom de Lambert d'Ostie, qui fut reconnu par plusieurs des cardinaux présents. Lambert fut finalement intronisé sous le nom d'Honorius. Pour

---

22. Selon LADNER, *Die Papstbildnisse*, I, p. 202-12, cette série complète des papes de 1061 à 1124 montre à quel point ses inspirateurs étaient conscients qu'une page de l'histoire était définitivement tournée ; cf. BLOCH, « The Schism », p. 178-80.

23. Perdues, mais nous en connaissons le contenu et la forme grâce aux dessins conservés dans un ms. de la Bibliothèque Vaticane (Vat. lat. 5407), contenant des œuvres de O. Panvinio : LADNER, *Die Papstbildnisse*, I, p. 202 et suiv., 254 et I. HERKLOTZ, « Der mittelalterliche Fassadenportikus der Lateranbasilika und seine Mosaike. Kunst und Propaganda am Ende des 12. Jahrhunderts », *Römisches Jahrbuch für Kunstgeschichte*, 25, 1989, p. 87 et suiv.

24. Le terme lui-même d'antipape, qui ne figure pas sur ces images, n'était alors pas ancien. La première mention (*Histoire de l'Église de York* d'Hugues le Chantre, ca. 1127) est postérieure au concordat de Worms. L'association entre « antipapa » et « antichristus » (Pierleone fut ainsi désigné par Bernard de Clairvaux) fut déterminante ; cf. M.E. STOLLER, « The Emergence of the Term Antipapa in medieval usage », *AHP*, 23, 1985, p. 43-61.

25. *LP*, II, p. 227.

que son élection fût valide, il se soumit cependant à une nouvelle élection. Le 21 décembre, devant les cardinaux réunis, il se dépouilla des ornements pontificaux. C'est alors que « les cardinaux, voyant son humilité et fort désireux pour l'avenir de ne point introduire dans l'Église romaine aucune innovation, acclamèrent Honorius, lui rendirent hommage, et lui donnèrent l'obédience accoutumée comme à leur pasteur et au pape universel »[26].

5. IMPLICATIONS ECCLÉSIOLOGIQUES : LE DÉCRET DE GRATIEN

Les grandes orientations ecclésiologiques et politiques de l'Église romaine avant et après le concordat de Worms ont-elles eu, comme on l'a pensé, des conséquences immédiates sur la genèse du Décret de Gratien, « le père de la science du droit canon »?[27]

Cet ouvrage[28], qui porte en fait le titre *Concordantia discordantium canonum*, mais qui fut appelé assez tôt également *Decreta Gratiani*, avait permis au droit canon de dépasser les collections précédentes du XIᵉ et du XIIᵉ siècle par l'emploi d'une nouvelle méthode, utilisée pour la première fois dans la théologie de la première scolastique, à propos de l'étude des textes patristiques. Gratien fournit aux canonistes le moyen de résoudre les contradictions entre les canons et de réconcilier les différentes doctrines. Le Décret de Gratien devint à la fois un modèle de méthode et une collection réunissant l'ensemble de la vaste tradition juridique de l'Église.

Controverses

Selon une thèse qui fit couler beaucoup d'encre[29], Gratien aurait rejeté systématiquement le droit romain pour s'accorder avec le dessein politique de Pascal II, qui voulait résoudre le problème de la Querelle des investitures par une complète séparation du spirituel et du temporel. Seulement, après le concordat de Worms, la jeune école de droit de Bologne aurait complété son œuvre par des emprunts au Code et au Digeste. D'autre part, une étude systématique du Décret sur le plan ecclésiologique[30] permettrait d'entrevoir une profonde coïncidence entre la pensée du grand canoniste et les visées ecclésiologiques du parti de Haimeric, au pouvoir dès le lendemain du concordat de Worms. Le travail de compilation du Décret serait même à mettre directement en relation avec le programme de gouvernement du chancelier Haimeric.

Ces thèses apparaissent comme « un peu radicales »[31], bien que des recherches

---

26. *LP*, II, p. 227.
27. S. KUTTNER, « The Father of the Science of Canon Law », *The Jurist*, 1, 1940, p. 1-19.
28. *Corpus Juris Canonici*, éd. A. FRIEDBERG, Leipzig, 1879 ; pour les éditions anciennes v. *DDC*, IV, p. 623 et suiv.
29. A. VETULANI, « Le Décret et les premiers Décrétistes à la lumière d'une source nouvelle », *Studi Graziani*, 7, 1959, p. 273-353.
30. CHODOROW, *Christian Political Theory* ; v. le compte rendu critique de R.L. BENSON, *Speculum*, 50, 1975, p. 97-106.
31. S. KUTTNER, « Research on Gratian : Acta and agenda », *Proceedings of the Seventh International Congress of Medieval Canon Law*, Cité du Vatican, 1988, p. 20-21.

systématiques sur la structure du Décret aient confirmé l'hypothèse selon laquelle les textes de droit romain étaient vraisemblablement absents à l'origine ; ceux-ci auraient été insérés par la suite dans le Décret, non pas tellement pour combler des lacunes, mais pour adapter des principes romains au droit canon [32], ce qui eut pour conséquence d'inaugurer la « pénétration du droit romain dans le droit canonique » [33]. Des hésitations surgissent également sur le plan chronologique et biographique. Le Décret circulait au plus tôt au début des années 1140 [34]. Sa rédaction occupa sans doute Gratien pendant la plus grande partie des années trente du XIIe siècle. Cela coïncide avec la position toute particulière qu'occupent dans le Décret les canons de Latran II (1139), qui auraient été introduits à une étape tardive [35].

La biographie de Gratien

La biographie de Gratien est encore aujourd'hui incertaine [36]. Gratien fut probablement un moine [37], mais, quant à son appartenance à l'ordre des camaldules, qui n'a pas été revendiquée avant le XVIIIe siècle, la prudence est de mise [38]. Le monastère Saints-Félix-et-Nabor à Bologne, où Gratien aurait vécu et enseigné, ne figure pas dans les privilèges des papes Honorius II (1125), Innocent II (1136) et Eugène III (1147) en faveur de cet ordre [39]. Le titre de *magister* lui a été attribué depuis le début. Les plus anciennes gloses dans les manuscrits du Décret renvoient à une école. Simon de Bisignano parle vers 1170 de Gratien comme de *magister noster* [40].

La structure du Décret

Dans la plupart des manuscrits et des éditions modernes, le Décret est divisé en trois parties (*Distinctiones, Causae, Tractatus de consecratione*). Cette division, « relative-

---

32. J. RAMBAUD-BUHOT, « Le legs de l'ancien droit : Gratien », in G. LE BRAS, C. LEFEBVRE, J. RAMBAUD, *L'Âge Classique 1140-1378, I : Sources et théories du droit*, Paris, 1976, p. 125-28.

33. P. LEGENDRE, *La pénétration du droit romain dans le droit canonique classique de Gratien à Innocent IV*, Paris, 1964 ; v. aussi V. PIERGIOVANNI, « Il primo secolo della scuola canonistica di Bologna : Un ventennio di studi », *Proceedings of the Sixth International Congress of Medieval Canon Law*, p. 241-56.

34. « as early as the early 1140's » : KUTTNER, « Research », p. 6.

35. KUTTNER, « Research », p. 19. La thèse de J.T. NOONAN, Jr., « Was Gratian approved at Ferentino », *Bulletin of Medieval Canon Law*, n.s., 6, 1976, p. 15-27, selon laquelle le Décret de Gratien aurait été approuvé à Ferentino par Eugène III en 1150-1151, est dénuée de fondement (P. CLASSEN, « Das Decretum Gratiani wurde nicht in Ferentino approbiert », *ibid.*, 8, 1978, p. 38-41).

36. L'ensemble des problèmes liés à la biographie de Gratien a été réexaminé critiquement par KUTTNER, « Research », p. 3-26 ; étude critique précédente : R. METZ, « Regard critique sur la personne de Gratien, auteur du Décret 1130-1140, d'après les résultats des dernières recherches », *RevSR*, 58, 1984, p. 64-76.

37. Le seul témoignage du XIIe siècle provient de la *Summa Parisiensis*, rédigée avant 1170, soit 30 ans après le Décret et loin de Bologne : « quia ipse monachus erat » ; cf. KUTTNER, « Research », p. 6.

38. J.T. NOONAN, Jr., « Gratian slept here. The Changing Identity of the Father of the Systematic Study of Canon Law », *Traditio*, 34, 1978, p. 145-72 : C. MESINI, « Postille sulla biografia del "Magister Gratianus" », *Apollinaris*, 54, 1981, p. 509-34.

39. KUTTNER, « Research », p. 6.

40. La thèse de P. CLASSEN, *Studium und Gesellschaft im Mittelalter*, éd. J. FRIED, Stuttgart, 1983, p. 32, selon laquelle l'activité d'enseignement de Gratien reposerait sur des bases très fragiles, est trop radicale ; cf. KUTTNER, « Research », p. 9 et suiv.

ment étrange »[41], n'est peut-être pas originale. Elle proviendrait des révisions effectuées par les décrétistes. À l'origine, l'ouvrage de Gratien ne contenait rien sur les *rescripta*, la délégation de l'autorité, la procédure judiciaire, l'effet des sentences en appel, les bénéfices, la procédure criminelle et le mariage. Les décrétistes ont remédié à ces lacunes en ajoutant des *paleae*[42] au Décret.

III. LE SCHISME DE 1130

Après la mort d'Honorius II (13 février 1130), Haimeric fit procéder à la nomination d'une commission de huit cardinaux chargée de l'élection du pape. Deux de ses membres se retirèrent. L'un d'entre eux rallia plus tard Anaclet II. Grégoire de Saint-Ange fut élu par vingt cardinaux parmi les six commissaires restants. Le nouveau pape, qui prit le nom d'Innocent II, fut investi de la pourpre au Latran où il avait pu se rendre entouré par les Frangipane. Pierre de Pise, le meilleur canoniste au sein du collège des cardinaux, protesta en vain contre le caractère non canonique de l'élection. Au même moment, la majorité des cardinaux (21) était réunie à l'église Saint-Marc. Informés par Pierre de Pise de l'élection du cardinal Grégoire, ils élirent à l'unanimité, sans autre formalité, le cardinal-prêtre de Sainte-Marie au Trastévère, Pierre, fils de *Petrus Leonis*. Il prit le nom d'Anaclet II. La validité de son élection était également problématique. Cependant, comme le dira trente ans après les événements l'évêque Eberhard de Bamberg, Anaclet II avait été élu par la majorité des cardinaux et par des hommes jouissant d'une grande autorité[43].

1. Grégoire Papareschi, Innocent II

La famille de Grégoire — Papareschi ou *de Paparone*[44] — était originaire du Trastévère. Son ascension à la curie romaine fut rapide[45]. Cardinal de Saint-Ange in Pescheria depuis 1116[46], il fut la même année légat à Pavie ; en 1118, il participa à l'élection de Gélase II qu'il accompagna de Rome à Pise. Il fit également partie de l'entourage immédiat de Calixte II pendant ses pérégrinations en France et dans les villes italiennes. Une importante légation en France, en compagnie de son futur rival, Pierre Pierleoni, l'amena en France. De retour à Rome au printemps 1122, il repartit à l'automne en Allemagne : à Worms, il conduisit les difficiles négociations avec Henri V, préliminaires au concordat du même nom, en compagnie des cardinaux

---

41. Kuttner, « Research », p. 10.
42. Ce terme désigne des *auctoritates*, des textes que Gratien n'a pas insérés lui-même dans son Décret ; cf. *DDC*, IV, p. 614 et suiv.
43. *DHGE*, XIV, c. 1287-88.
44. Hüls, *Kardinäle*, p. 224 n. 2.
45. Reconstitution biographique complète : Klewitz, *Reformpapsttum*, p. 133 ; Hüls, *Kardinäle*, p. 223-224.
46. Première souscription : 24 mai 1116.

Lambert d'Hostie et Saxon de Saint-Étienne. À Latran I, il fut chargé de l'épineux dossier relatif au conflit opposant Pise à Gênes. L'année suivante, il parcourut la France (Sées, Limoges, Chartres, Morigny, Châlons, Reims, Noyon, Beauvais et Saint-Denis), pour faire connaître les décisions conciliaires. Rentré à Rome, il occupa, peut-être, la charge importante d'archidiacre.

2. Pierre Pierleoni, Anaclet II

Descendant de la famille des Pierleoni, Pierre s'était rendu à Paris pour étudier ; il se fit moine à Cluny avant 1116, date à laquelle il fut appelé à Rome par Pascal II qui le nomma cardinal-diacre des Saints-Côme-et-Damien [47]. En 1118, il prit une part importante à l'élection de Gélase II, et dut s'enfuir en France, à Cluny, à la suite des tumultes provoqués par les Frangipane, adversaires de cette élection. Il s'y trouvait encore lorsque le pape mourut. Pierre fut l'un des cardinaux favorables à l'accession au pontificat de Gui, archevêque de Vienne (Calixte II), avec lequel il resta quelques mois en France, où il revint en 1120 pour exercer une légation qui le conduisit également en Angleterre, Écosse, Irlande et aux îles Orcades. Une seconde légation en France (1123-1124) permit à Pierre de favoriser les nouveaux ordres : il visita Étienne de Muret à Grandmont et accorda à Norbert de Magdebourg, fondateur des prémontrés, l'approbation de sa règle. De retour à Rome au printemps 1145, il trouva un nouveau pape, Honorius II, qui le tint à l'écart.

3. Interprétations du schisme de 1130

Malgré de très longues discussions au sein d'une bibliographie abondante, les raisons de la double élection de 1130 ne sont pas encore totalement éclaircies. Le schisme a été souvent décrit comme le résultat de conflits entre les Frangipane et les Pierleoni. Une interprétation plus complexe a obtenu ces dernières décennies un consensus quasi général de la part des historiens. Selon H.-W. Klewitz, H. Bloch et F.-J. Schmale, le schisme de 1130 aurait été causé par deux groupes de cardinaux rivaux, porteurs de conceptions différentes du rôle de la papauté et de la curie romaine. Plus âgés, originaires avant tout de Rome et de l'Italie du Sud, les adhérants au parti d'Anaclet II seraient restés fidèles aux traditions du monachisme bénédictin. Créatures de Pascal II et en majorité curialistes de carrière, ils auraient représenté l'héritage de la papauté réformatrice d'avant le concordat de Worms. Créés par Calixte II et Honorius II, « cardinaux novices » en quelque sorte [48], provenant des villes remuantes d'Italie du Nord et de France, n'ayant pas de lien particulier avec la curie romaine avant leur ascension au cardinalat, les cardinaux électeurs d'Innocent II auraient été plus proches des nouveaux ordres religieux et des chanoines réguliers et, par là même, plus sensibles

---

47. Première souscription : 24 mars 1116. Important : Schmale, *Studien*. Pour les sources, v. aussi Palumbo, *Lo scisma*.
48. V. la n. 52.

aux nouveaux courants spirituels et intellectuels de leur temps. Ils auraient eu une vision de l'Église plus libre de contraintes, conflictuelles avec l'Empire. La double élection de 1130 aurait donc marqué la « fin de la papauté réformatrice »[49] d'avant le concordat de Worms[50]. Elle aurait été le reflet de profondes divergences d'ordre ecclésiologique et idéologique. Par contre, la rivalité entre les Frangipane et les Pierleoni, les problèmes politiques de la ville de Rome, les questions de rang au sein du collège des cardinaux (opposition entre cardinaux-évêques et cardinaux-prêtres) ne seraient que de faux problèmes.

Une position historiographique aussi tranchée doit être partiellement corrigée. La remarque de Pierre de Porto[51], selon laquelle, en 1130, Grégoire de Saint-Ange aurait été élu par des *cardinales novitii* semble correcte : dix cardinaux électeurs d'Innocent II ont été créés après le concordat de Worms, soit par Calixte II et Honorius II[52]. Mais la reconstitution prosopographique complète du collège des cardinaux de cette époque[53] nous permet de rencontrer des cardinaux d'origine romaine dans les deux groupes[54] ou de constater que les liens de certains cardinaux d'Innocent II avec les chanoines réguliers reposent sur des informations erronées[55]. Elle confirme, d'autre part, que la plupart des électeurs d'Innocent II étaient originaires des communes de l'Italie centrale et de France.

La moitié des cardinaux d'Anaclet II appartient effectivement à une génération plus ancienne. Des vingt et un cardinaux ayant voté pour lui, neuf avaient été créés par Pascal II, « le pape de leur choix »[56], et avaient vécu les derniers moments forts de la Querelle des investitures. En ce qui concerne leur origine géographique, la prudence est de mise, puisque nous n'avons que des informations fragmentaires. Deux d'entre eux sont en tout cas originaires de Pise et de France. La thèse selon laquelle Haimeric aurait marginalisé complètement les cardinaux créés avant 1123 doit aussi être revue, la moitié des électeurs d'Anaclet étant entré dans le collège des cardinaux justement sous Calixte II et Honorius II[57]. Un parti d'Haimeric au sein des cardinaux, ayant un programme clair, déterminé d'avance, n'a jamais existé. Sans doute, un groupe de cardinaux, sensibles à une vision ecclésiologique et politique plus proche des problèmes que devait affronter l'Église romaine au lendemain du concordat de

---

49. C'est le titre de l'article, fondamental, de KLEWITZ, « Das Ende des Reformpapsttums ».
50. H. BLOCH, « The Schism of Anacletus II and the Glanfeuil Forgeries of Peter the Diacon », *Traditio*, 8, 1952, p. 164, propose d'ajouter ces mots à la définition de Klewitz, faisant remarquer à juste titre que les termes « papauté réformatrice » sont ambigus, les successeurs de Calixte II ayant eu également des projets de réforme.
51. *MGH.SS*, X, 485 ; Petrus Senex, évêque de Porto depuis 1102, adopta une position plus nuancée : il légitima la procédure d'Anaclet II, se dit contraire à la procédure choisie par les électeurs d'Innocent II, s'abstint de toute attaque personnelle contre Innocent II et écrivit à ses collègues cardinaux-évêques leur demandant de retrouver l'unité de l'Église.
52. MALECZEK, « Das Kardinalskollegium », p. 33.
53. L. PELLEGRINI, « La duplice elezione papale del 1130. I precedenti immediati e i protagonisti », *Contributi dell'Istituto di storia medioevale*, I, Milan, 1969, p. 265-302 ; *Id.*, « Osservazioni sulle fonti per la duplice elezione papale del 1130 », *Aevum*, 39, 1965, p. 45-65 ; R. HÜLS, *Kardinäle, Klerus*, p. 88-254.
54. H. TILLMANN, « Ricerche sull'origine dei membri del collegio cardinalizio nel XII secolo », *RSCI*, 24, 1970, p. 441-464 ; 26, 1972, p. 313-353 ; 29, 1975, p. 363-402.
55. P. CLASSEN, « Zur Geschichte des Papstes Anastasius IV », *QFIAB*, 48, 1968, p. 36-63. Un seul cardinal, Gérard de S. Croce, le futur Lucius II, v. plus loin, p. 182, fut avec certitude chanoine régulier ; à propos d'Haimerich, v. plus haut, p. 183.
56. BLOCH, « The Schism », p. 164.
57. MALECZEK, « Das Kardinalskollegium », p. 31.

Worms, se souda autour de la personnalité forte du chancelier Haimeric au-delà des clivages d'âge, d'origine sociale et de rang. Dans une telle situation, l'éclatement des dissensions, celles-là mêmes qui avaient explosé lors de la lecture des accords de Worms à Latran I[58], était inévitable.

Dans un récent ouvrage, M. Stroll[59] tente de renouer avec la situation historiographique d'avant Klewitz et Schmale, en insistant sur le fait que le schisme de 1130 n'aurait pas été provoqué par des divergences idéologiques au sein du collège des cardinaux, mais serait le reflet de conflits locaux et de rapports de force au sein de la curie. En particulier, l'ascendance juive d'Anaclet II aurait joué en sa défaveur. S'il est vrai que la polémique antijuive était intense dans ces premières décennies du XIIe siècle, notamment en France[60], les éléments en faveur de la thèse selon laquelle l'antijudaïsme ait pu jouer un rôle prédominant dans l'éclosion et l'évolution de ce schisme, assurément le plus complexe que l'Église romaine ait dû surmonter depuis la mise en place des idéaux de réforme, apparaissent cependant comme très ténus. Nous savons seulement que le frère du futur pape, Gratian, a été l'objet de commentaires ironiques de la part des prélats français réunis au concile de Reims (1119). Selon Ordéric Vital, on murmura que le fils de Pierre Leonis « ressemblait plus à un Juif ou à un Sarrasin qu'à un Chrétien... était très bien habillé, (mais) son corps était difforme »[61].

4. LES OBÉDIENCES

En août 1130, la cause d'Innocent II était politiquement gagnée. En France, Louis VI convoqua un concile à Étampes et insista sur la nécessité de juger les « mérites » personnels des deux prétendants. Bernard de Clairvaux réitéra avec vigueur son soutien sans réserve à Innocent II qu'il considérait avoir été élu par la *pars sanior* et consacré *ordinabiliter*. En Allemagne, le roi Lothaire accepta les arguments du légat (l'archevêque de Ravenne) et les avis des archevêques Norbert de Magdebourg et Conrad de Salzbourg. Seul, l'archevêque de Hambourg, Adalbéron, persista dans son soutien à Anaclet. En octobre 1130, un concile réuni à Wurzbourg par Lothaire reconnut officiellement Innocent II. Le 11 septembre 1130, le pape débarqua à Saint-Gilles. À Cluny, l'abbé de Saint-Denis, Suger, lui fit part des décisions favorables du roi.

5. LE SYNODE DE CLERMONT (18 NOVEMBRE 1130)

L'adhésion de l'Allemagne fut présentée officiellement à Innocent II à Clermont, où les évêques des provinces métropolitaines de Lyon, Bourges, Vienne, Arles, Aix,

---

58. V. plus haut, p. 181.
59. STROLL, *The Jewish Pope*.
60. A. GRABOIS, « Le Schisme de 1130 et la France », *RHE*, 76, 1981, p. 593-612.
61. Ordericus Vitalis, *Historia Ecclesiastica*, éd. M. CHIBNALL, VI, Oxford, 1978, p. 266-268 (STROLL, *The Jewish Pope*, p. 167 n. 44).

Tarentaise, Narbonne, Auch et Tarragone s'étaient réunis en concile pour promulguer, sous l'impulsion du pape, d'importants décrets réformateurs. Leur contenu n'était pas nouveau en soi, mais la détermination avec laquelle celui-ci continua par la suite à confirmer les décisions prises à Clermont ont fait dire qu'il s'agissait d'un véritable « programme de gouvernement »[62].

Le canon 5 contient une décision importante et nouvelle. Il interdit aux bénédictins et aux chanoines réguliers de s'adonner, après leurs vœux, aux études de médecine et de droit civil, disciplines lucratives par excellence. Sur ce plan, Clermont inaugure une tradition qui sera reprise par tous les autres synodes d'Innocent II (Reims 1131, c. 6; Pise 1135, c. 2; Latran II, c. 9), d'Alexandre III (Tours 1153, c. 8) et, surtout, par la bulle *Super Speculam* d'Honorius III (1219)[63]. Le décret de Clermont manifeste le désir d'Innocent II de renforcer la discipline monastique et satisfaire les exigences spirituelles du mouvement réformateur des chanoines réguliers : prière liturgique, *cura animarum* et vœux de pauvreté. Il est moins l'indice de l'aversion de la curie romaine pour le droit romain[64] que le reflet d'une suspicion bien réelle, de la part du monachisme traditionnel, envers une formation intellectuelle acquise en dehors du monastère et les nouvelles méthodes scolastiques, acceptées seulement dans le cas des arts et de la théologie[65].

Le canon 9 contenait également une nouveauté : l'interdiction des tournois chevaleresques, définis comme des « fêtes populaires détestables » (*detestabiles nundinae vel feriae*). Cette décision, qui fut reprise par les autres conciles d'Innocent II, le concile de Reims d'Eugène III et Latran III[66], prenait à son compte des réflexions d'origine monastique[67], selon lesquelles le tournoi pervertissait les valeurs de la chevalerie. Comme dira un siècle plus tard Jacques de Vitry dans un sermon célèbre, dans le tournoi le courage se mue en *superbia*, la générosité en *luxuria*[68].

6. Le synode de Reims (18-26 octobre 1131)

Une suite de rencontres officielles scella définitivement le soutien des plus importants souverains de la chrétienté. Innocent II rencontra Louis VI à Saint-Benoît-

---

62. V. cependant la mise au point de Maleczek, « Das Kardinalskollegium », p. 35 et suiv.

63. *Cartularium Universitatis Parisiensis*, I, n° 32; Pressutti 2267; cf. S. Kuttner, « Papst Honorius III. und das Studium des Zivilrechts », *Festschrift für Martin Wolf*, Tübingen, 1952, p. 79-101; cf. plus loin, p. 837.

64. Le *ius civile* avait fait son entrée à la curie romaine dans procédure judiciaire dès la fin du XIe siècle : Fried, « Die römische Kurie », p. 151-74; vers 1179/80 Radulphus Niger faisait remonter cette introduction à l'influence d'Irnerius : une légende qui montre à quel point le droit romain était tenu en estime en curie : H. Kantorowicz-B. Smalley, « An English Theologian's Views of Roman Law. Peppo, Irnerius and Ralph Niger », *MRSt*, 1, 1941, p. 250.

65. S. Kuttner, « Dat Galienus opes et sanctio Justiniana », *Linguistic and Literary Studies in Honour of Helmut A. Hatzfeld*, Washington, 1964, p. 237-46.

66. S. Krüger, « Das kirchliche Turnierverbot im Mittelalter », *Das ritterliche Turnier im Mittelalter*, Göttingen, 1985, p. 401-22.

67. L'influence de Bernard de Clairvaux à ce propos est probable : Krüger, « Das kirchliche Turnierverbot », p. 402.

68. Iacobus de Vitriaco, *Sermones vulgares, sermo LII, ad potentes et milites*, éd. J.B. Pitra, *Analecta Spicilegii Solesmensis altera continuatio*, II, Paris, 1888, p. 430 et suiv.; Th. F. Crane (éd.), *The Exempla... of Jacques de Vitry*, Londres, 1890, p. 62 et suiv., n° 161. Cf. J. Le Goff, "Réalités sociales et codes idéologiques au début du XIIIe siècle : un

sur-Loire, Henri Ier d'Angleterre à Chartres, Lothaire à Liège. Un nouveau concile se réunit à Reims. Les canons réformateurs de Clermont y furent à nouveau promulgués, cette fois en présence d'un nombre important d'évêques venus de France, d'Allemagne, d'Angleterre, de Castille et d'Aragon. Jamais aucun concile n'avait été fréquenté par autant d'évêques anglais. Reims constitua un véritable « triomphe d'Innocent II »[69].

7. SYNODES ITALIENS ET FIN DU SCHISME

Les adhésions du Nord de l'Europe permirent à Innocent II de rentrer en Italie. Un premier concile italien, célébré à Plaisance le 13 juin 1132, fit connaître en Italie les décrets de Clermont et de Reims. Innocent II profita d'un plus long séjour à Pise pour réconcilier cette ville avec Gênes : il partagea l'obédience des évêques de Corse entre Pise et Gênes et éleva ce dernier diocèse au rang de métropole ecclésiastique. Le 30 avril 1132, Innocent II prit finalement possession du Latran, protégé par les soldats du roi de Germanie, qu'il couronna empereur le 8 juin. Le pape fit un geste en sa faveur, en lui inféodant les alleux de la comtesse Mathilde, mais pour un temps limité[70]. Les deux partis s'accordèrent pour confirmer le concordat de Worms.

En mai 1135, à Pise, un grand concile réunissant 113 évêques et abbés venus d'Italie, d'Allemagne, de France, de Hongrie, ainsi que des royaumes anglo-normand et ibériques, promulgua à nouveau les canons réformateurs et prit des mesures disciplinaires à l'encontre des adversaires d'Innocent II. Pierleone et ses adeptes (les évêques d'Acera, Arezzo, Halberstadt, Liège, Milan, Modène et Valence) furent excommuniés ou déposés.

L'excommunication frappa également le roi de Sicile, Roger II, qui avait reçu d'Anaclet une bulle (27 septembre 1130) érigeant la Sicile en royaume héréditaire moyennant hommage et cens annuel à l'Église romaine. Le pape se laissa cependant convaincre d'envoyer Bernard de Clairvaux et Pierre de Pise auprès de ce souverain, le dernier roi européen qui manquait encore à l'appel. Celui-ci, peu impressionné par l'éloquence de Bernard et l'argutie juridique de Pierre, voulut gagner du temps et exigea que la question fût débattue en sa présence par les représentants des deux partis. Anaclet II et Innocent II se soumirent à ces conditions. Les cardinaux Haimeric, Gérard et Guy, accompagnés par Bernard de Clairvaux, délégués par Innocent II, et les cardinaux Matthieu et Grégoire, représentant Anaclet II, discutèrent pendant quatre jours. Le roi de Sicile décida de faire connaître sa décision au synode de Noël à Palerme. La mort d'Anaclet II (25 janvier 1138) rendit l'arbitrage et le ralliement de Roger II superflus.

C'est encore une fois grâce au soutien du roi de Germanie, Lothaire, renforcé par la paix conclue avec les Staufen à la diète de Bamberg, qu'Innocent II avait pu

---

« exemplum » de Jacques de Vitry sur les tournois", *Veröffentlichungen des Instituts für mittelalterliche Realienkunde Österreichs*, IV, Wien 1980, p. 101 et suiv.

69. FOREVILLE, *Latran I*, p. 75.

70. Jusqu'à sa mort et celle de son gendre Henri de Bavière.

se fixer définitivement à Rome, dès le 1ᵉʳ novembre 1137. La contribution du roi († 4 décembre 1137) à la consolidation en Italie du parti réformateur d'Innocent II avait été considérable. Le retour définitif d'Innocent II à Rome marqua la fin du schisme. Anaclet était trop affaibli pour prétendre à une quelconque chance de victoire. Le fait qu'après sa mort ses partisans aient élu un nouveau pape (Victor IV) n'eut aucune conséquence. Celui-ci déposa du reste les insignes pontificaux le jour de la Pentecôte (29 mai 1138).

8. Conséquences générales

Le schisme avait pris fin parce que les grands souverains de la chrétienté (rois de France, d'Angleterre et de Germanie) s'étaient finalement ralliés à Innocent II. Celui-ci avait gagné grâce à une ténacité peu commune et à l'aide efficace du chancelier Haimeric, qui avait su construire un réseau d'appuis à une échelle internationale, comprenant l'abbé de Cluny, Pierre le Vénérable, l'archevêque de Magdebourg, Norbert, fondateur de Prémontré, et Bernard de Clairvaux[71]. La victoire d'Innocent II sur Anaclet II était aussi celle du parti réformateur des conciles de Clermont, Reims, Plaisance et Pise, et d'une Église plus universelle, plus consciente des évolutions de la société, plus libre envers les alliances diplomatiques traditionnelles. Roger II aussi dut finalement reconnaître Innocent II et se soumettre de nouveau à la suzeraineté pontificale.

Paradoxalement, le prestige de la papauté sortait renforcé de ce long schisme. En réservant une place centrale à la *cura animarum*, à la formation du clergé, à la spiritualité exigeante des chanoines réguliers et des prémontrés, les projets réformateurs d'Innocent II présupposaient une liaison plus forte entre une papauté consciente de sa force retrouvée et les tensions profondes d'une société chrétienne en pleine mutation. Pour parfaire et réussir son œuvre de réforme, Innocent II devait s'appuyer sur une curie plus centralisée, internationale et moins romaine.

IV. LE CONCILE DE LATRAN II (1139)

Comme en 1123, un concile général se réunit au Latran pour sceller l'unité de l'Église enfin retrouvée. Le concile se tint, probablement, entre le 3 et le 8 avril 1139[72]. Comme pour Latran I, certaines sources semblent exagérer le nombre des participants[73]. Selon un témoignage digne de confiance[74], plus de cent évêques

---

71. V. plus loin, p. 197-199.
72. Sur la difficulté d'établir la date exacte, v. FOREVILLE, *Latran I*, p. 78.
73. 50-100 pour les *Annales* de Gottweig, *MGH.SS*, IX, p. 602 et 775; v. aussi G. TANGL, *Die Teilnehmer an den allgemeinen Konzilien des Mittelalters*, Weimar, 1922; R.L. POOLE, « The English Bishops at the Lateran Council of 1139 », *EHR*, 38, 1923, p. 61-3.
74. *Annales* de Saint-Rupert de Salzbourg; cf. LEONARDI, « Per la tradizione », p. 57-70.

auraient pris part à Latran II. La présence de patriarches et évêques du Levant rendit la participation plus universelle qu'à Latran I.

1. SANCTIONS

Victorieux, Innocent II se montra intransigeant. Le discours d'ouverture, que nous livre la chronique de Marigny[75], présente le pape comme étant la source de tous les honneurs ecclésiastiques[76], ce qui faisait présager les pires sanctions sur le plan personnel. Le rival lui-même, qui n'est pas cité par son nom pontifical, est considéré tout simplement comme un intrus : « Pierleone, non de l'assentiment des autres mais par intrusion, s'était fait l'égal du vicaire de l'Apôtre Pierre »[77].

L'intransigeance verbale fut accompagnée de décisions fermes et vigoureuses. Tous les décrets d'Anaclet II furent cassés. Les évêques qui avaient adhéré à sa cause furent appelés nommément aux pieds du pape et dégradés par le retrait des insignes épiscopaux (crosse, anneau, éventuellement pallium). Même dureté vis-à-vis de Pierre de Pise, l'insigne cardinal canoniste qui s'était pourtant détaché d'Anaclet en 1137 et réconcilié avec Innocent II par l'intermédiaire de Bernard de Clairvaux. Les interventions pressantes de ce dernier[78] ne lui évitèrent pas l'exil. Pierre de Pise réapparaîtra à la curie romaine seulement sous le pontificat de Célestin II (1143-1144).

2. DÉCRETS CONCILIAIRES

La législation du concile privilégia les mesures disciplinaires. Sur 30 canons, deux (23 et 30) seulement concernaient la foi ; les autres reprenaient et amplifiaient les décrets de Latran I en matière d'interdiction des mariages consanguins (17), de condamnation de l'usure (13), des armes meurtrières (29), des tournois (30), des incendies volontaires (18, 19, 20), des attentats contre clercs ou moines (15), de Trêve et de Paix de Dieu. Le canon 25 remit en vigueur une décision de Latran I (8) portant sur l'investiture laïque, condamnée maintenant à tous les échelons avec la plus grande fermeté. Les interdictions de simonie et de vente de bénéfices ou de promotions ecclésiastiques (1 et 2) ainsi que du mariage et du concubinage des clercs majeurs (6), des chanoines réguliers et des moines profès (7) furent confirmées avec une insistance particulière. Les fils des prêtres furent écartés de la succession aux charges de leur père (16), de même que du ministère sacerdotal s'ils n'avaient pas embrassé la vie religieuse (21). C'était la première fois « qu'une législation solennelle et générale (entrait) dans (la) voie déjà tracée par des synodes romains ou provinciaux[79] ».

---

75. Éd. L. MIROT, Paris 1912, p. 72 et suiv.; WATTERICH, II, p. 250-52; trad. franç. FOREVILLE, *Latran I*, p. 180-2.

76. « Seul l'agrément du pontife romain procure aux honneurs ecclésiastiques leur grandeur », trad. FOREVILLE, *Latran I*, p. 180.

77. Trad. FOREVILLE, *Latran I*, p. 182.

78. *Ibid.*, p. 182-83 : Ep. 213, *PL* 182, c. 378.

79. FOREVILLE, *Latran I*, p. 91.

V. L'ÉGLISE ROMAINE DE 1143 À 1153

1. Célestin II (1143-1144)

Le cardinal Gui était originaire d'une noble famille de Città di Castello (prov. de Perugia). On peut supposer qu'il fut chanoine régulier, puisque le chapitre de sa ville natale, à laquelle il appartint, avait été réformé en 1105 par le prieur de San Frediano de Lucques. Le fait qu'on lui attribue le titre de *magister*[80] pourrait indiquer qu'il avait accompli des études de haut niveau. Dans sa belle bibliothèque, riche de 56 manuscrits, il possédait deux ouvrages de Pierre Abélard (le *Sic et Non* et la *Theologia*)[81]. Il fut créé cardinal (de Sainte-Marie-in-via-Lata) par Honorius II, mais à une date qui ne peut être précisée[82]. Avait-il fait carrière auparavant à la curie romaine? Il est impossible en tout cas de l'identifier au camérier de l'Église romaine du même nom, attesté dès le 6 avril 1123[83]. Lors du schisme de 1130, il s'était rangé du côté d'Innocent II[84] qu'il accompagna dans son exil en France. Dans l'entourage de ce pape, dont il devint rapidement l'un des principaux conseillers, il côtoya, à plusieurs reprises, Pierre Abélard (qu'il avait peut-être eu comme maître dans sa jeunesse) et Bernard de Clairvaux. Le cardinal Gui participa à toutes les grandes phases du schisme à côté du pape[85] qui le nomma cardinal-prêtre de Saint-Marc en 1133 et le désigna en 1143 parmi les cinq candidats qu'il proposait à sa succession[86]. Après la mort d'Innocent II, les cardinaux se mirent rapidement d'accord sur sa personne. Gui fut élu le 26 septembre et couronné le 3 octobre 1143[87]. Son pontificat fut relativement bref, mais sa politique s'éloigna de celle de son prédécesseur : Célestin II ne voulut pas renouveler à Roger II l'investiture du royaume de Sicile, prétextant qu'Innocent II l'avait accordée lorsqu'il était prisonnier. Quelques mois après son élection, en décembre 1143, il créa un nombre important de cardinaux (peut-être dix) : il réintégra dans sa dignité de cardinal-prêtre de Sainte-Suzanne, le très âgé Pierre de Pise, qui en avait été destitué par Innocent II. Mort au monastère de Sainte-Marie in Pallara, le 8 mars 1143, Célestin II fut inhumé au Latran[88].

2. Lucius II (1144-1145)

Gérard, originaire de Bologne[89], où il eut peut-être l'occasion d'étudier[90], appartint

---

80. *Chronicon Mauriniacense, Recueil des historiens de la France*, XII, p. 87.

81. A. Wilmart, « Les livres légués par Célestin II à Città di Castello », *RBen*, 35, 1923, p. 98-102, p. 100.

82. Hüls, *Kardinäle, Klerus*, p. 87.

83. *PL* 163, col. 1290; *JL* 7056; Kehr, *Italia pontificia*, VI, 2, p. 324 et suiv.

84. Vie d'Innocent II par le cardinal Boson (Watterich, II, p. 174).

85. Pour un récit détaillé des événements, v. D. Girgensohn, *DBI*, p. 388-392.

86. Pour les sources, v. *DHGE*, XII, Paris, 1950, col. 60.

87. G. Mercati, « Quando fu consacrato papa Celestino II », *QFIAB*, 13 (1910), p. 377 et suiv.

88. Nous ne savons rien sur son monument funéraire : Herklotz, « *Sepulcra* » e « *Monumenta* », p. 97.

89. *Roberti de Monte chronica, MGH, SS*, VI, p. 496. Sur sa biographie avant son ascension au pontificat, v. Hüls, *Kardinäle*, p. 164.

90. Sa culture est mise en évidence par la Chronique du Mont-Cassin (*MGH.SS*, VII, p. 822; cf. Fried, « Die römische Kurie », p. 170 n. 53.

au groupe de chanoines de Lucques, introduits au Latran par le pape Calixte II. Dès 1123, il est attesté à Rome, dans l'entourage immédiat de ce pape. Il est chargé de nombreuses missions diplomatiques, en direction de la cour normande (1123, Bénévent) et allemande : en 1124, il se rend en Allemagne avec le cardinal Romain de Sainte-Marie in Portico pour suivre l'élection du roi de Germanie ; il y retourne en 1126 pour des pourparlers avec le roi Lothaire III (Spire, Strasbourg). Lors du schisme de 1130, il est l'un des principaux représentants du mouvement des chanoines réformateurs à se ranger du côté d'Innocent II. Le 12 mars 1144, il est choisi pour remplacer Célestin II. Ses grandes qualités de diplomate lui permettront d'entamer des négociations avec Roger de Sicile. À Ceprano, en juin 1144, fut signée une trève décisive. Lucius avait-il recherché un accord avec les Normands pour les inciter à l'aider dans le conflit qui l'opposait à la commune de Rome ? Il est vrai que le court pontificat de ce pape fut traversé par une tension politique locale incessante. Le pape dut s'appuyer sur les Frangipani, à qui il concéda la garde du cirque Maxime. Sur le Capitole, la commune renforçait encore ses prétentions, en donnant le titre de patrice à un Pierleoni, frère de feu l'antipape Anaclet II.

D'après Geoffroi de Viterbe, Lucius II atteint par une pierre, lors d'un tumulte à Rome, serait mort peu après des suites de sa blessure (15 février 1145). Selon le cardinal Boson, auteur d'une *Vita* insérée dans le *Liber pontificalis*, le pape aurait, au contraire, réussi à déloger les « sénateurs... du Capitole »[91].

3. Eugène III (1145-1153)

Premier pape cistercien, Eugène III descendait d'une famille relativement modeste (Paganelli) du village de Montemagno près de Pise[92]. Sa rencontre avec Bernard de Clairvaux, lors du séjour d'Innocent II à Pise (1134), le décida peut-être à quitter sa fonction de chanoine pour se faire moine à Clairvaux (1138). Bernard lui confia en 1141 la direction de l'abbaye du Saint-Sauveur, une dépendance de Farfa. Innocent II le chargea ensuite de réformer une abbaye cistercienne à Rome.

Eugène III, qui n'était pas cardinal, fut élu le jour même de la mort de son prédécesseur (15 février 1145), à un moment difficile de l'histoire de la ville de Rome. Bernard de Clairvaux lui-même fit part de sa surprise et de ses craintes face à son élection. Le Capitole avait été pris d'assaut par des Romains. Il ne put se rendre à Rome qu'en décembre 1145 et en novembre 1149, mais à chaque fois il fut obligé de quitter la ville éternelle peu après (1146, 1150). Celui qui aurait pu lui permettre de reprendre le contrôle de la ville, le roi Conrad III, mourut au mois de février 1152. À la fin de 1152, les Romains acceptèrent soudainement de négocier avec le pape. Eugène III fit son entrée à Rome le 9 décembre 1152. Il y demeura en paix jusqu'à sa mort, survenue à Tivoli le 8 juillet 1153, où il s'était retiré pour échapper aux chaleurs de l'été.

---

91. *LP*, II, p. 385, 449.
92. G. Del Guerra, *Il beato Eugenio III*, Pisa, 1954 ; v. aussi H. Gleber, *Papst Eugen III. unter besonderer*

C'est en France et en Allemagne que se déroula la plus grande partie de son pontificat. Il s'était rendu en France dès le début de 1147 pour préparer la croisade. En 1147, lors d'un synode tenu à Paris il commença à examiner les doctrines de Gilbert de la Porrée[93], en présence, entre autres, de Bernard de Clairvaux. À Trèves, il approuva, sur le conseil de l'abbé de Clairvaux[94], les révélations de sainte Hildegarde de Bingen[95], qui reçut la permission de prêcher et d'écrire. Lors d'un synode réuni à Reims le 21 mars 1148, Eugène III poursuivit la tradition des conciles réformateurs d'Innocent II, condamna Éon de l'Étoile et clôtura le débat sur les doctrines de Gilbert de la Porrée[96].

4. Bernard de Clairvaux et la papauté

Marqué sans doute par le très long schisme de 1130, Bernard plaça l'unité de l'Église au centre de son ecclésiologie[97]. L'Église est une cité visible comprenant divers ordres « ayant leurs lois propres », mais qui doit tendre « à faire une seule tunique »[98], dont la sauvegarde et le maintien appartiennent au pape, seul garant de l'unité de l'Église. Tout doit être mis en œuvre pour que l'unité soit sauvegardée. Les deux pouvoirs − symbolisés par les deux glaives − doivent collaborer dans l'entente et la concorde.

Bernard utilisa cette image à trois reprises[99]. Dans l'épître à Eugène III, les deux glaives sont attribués à Pierre : « Par qui ces glaives doivent-ils être brandis sinon par le pape? Les deux glaives en effet appartiennent à Pierre et doivent être tirés du fourreau, l'un par sa main et l'autre, sur son signe. En effet, comme il a été dit à Pierre : "Remets ton glaive dans le fourreau", c'est donc qu'il lui appartenait bien; mais ce n'est pas par lui qu'il devait être tiré du fourreau. » Bernard ne prétendit pas élaborer une doctrine de la fusion des deux pouvoirs dans les mains d'un seul, le pape. Il resta fidèle à la conception gélasienne de la séparation des deux pouvoirs[100], mais soutint que l'autorité civile est « contrainte » par l'autorité pontificale. La première

---

Berücksichtigung seiner politischen Tätigkeit, Iena, 1936 et K. Haid, « Das Bild Eugens III. auf Grund neuester Forschung », *CisC*, 40, 1937, p. 129-39; A. Dimier, « Eugène III », *DHGE*, XV, 1349-55.

93. V. plus loin, p. 202.

94. Saint Bernard supplia le pape « de ne pas permettre que pareille lampe fût voilée sous le silence », *PL* 197, c. 94-95.

95. D'après Jean de Salisbury, le *Liber Scivias* impressionna fortement Eugène III : Ep. 199, *PL* 199, c. 220.

96. Hefele-Leclercq, V, 1, p. 823-32; N.M. Häring, « Die spanischen Teilnehmer am Konzil von Reims im März 1148 », *MS*, 32, 1970, p. 159-171. V. aussi plus loin, p. 202.

97. Jacqueline, *Episcopat*. À propos des réflexions de Bernard de Clairvaux sur la papauté, v. aussi le survol récent de W.H. Principe, « Monastic, Episcopal, and Apologetic Theology of the Papacy, 1150-1250 », *The Religious Roles of the Papacy*, p. 118 et suiv.

98. Cit. p. 91 n. 41.

99. *Liber ad milites Templi de laude novae militiae 1128-1139*, S. *Bernardi Opera*, III, Rome, 1963, p. 217-8; *Ep. 256* au pape Eugène III 1146, *PL* 182, c. 463, et *De consideratione* IV, 4.

100. R.L. Benson, « The Gelasian Doctrine. Uses and Transformations », *La notion d'autorité au Moyen Âge*, Paris, 1982, p. 13-44.

« doit » mettre son glaive au service de l'Église. Un glaive qui symbolise non pas le pouvoir civil de l'État comme absolu, mais celui, coercitif, de la force armée[101].

Au cours des années, la réflexion ecclésiologique de Bernard en matière de primauté de Pierre se précisa. Le pape n'est plus seulement le vicaire de Pierre mais aussi celui du Christ[102]. Suivant un usage devenu fréquent vers le milieu du XIIe siècle[103], il appela quelquefois le pape *Vicarius Christi*, un titre qui désignait également, selon la tradition, d'autres dignitaires ecclésiastiques[104]. Si, dans des lettres antérieures à 1147, il avait encore défini le pape comme étant le *Vicarius Petri*, depuis l'élection d'Eugène III Bernard n'utilisa plus que les termes de *Vicarius Christi*[105]. Cette évolution était soutenue par l'idée que l'unité des chrétiens est « le corps même du Christ »[106]. En insistant sur le concept selon lequel l'unité des chrétiens présuppose un chef unique ayant la *plenitudo potestatis*[107], Bernard contribua également à réserver à la papauté une image définissant le pouvoir ecclésiastique en général.

La réflexion mariale de Bernard de Clairvaux laissa des traces dans la mosaïque de Sainte-Marie au Trastévère, l'exemple romain le plus ancien de triomphe céleste (ou intronisation) de la Vierge couronnée au Ciel à côté de son fils divin[108]. Vers la fin de son pontificat, peu après 1140, Innocent II avait décidé d'orner l'abside de Sainte-Marie au Trastévère d'une mosaïque présentant, entre autres, à la droite du Christ, le pape saint Calixte, le diacre saint Laurent et le pape Innocent II offrant l'image de l'église de Sainte-Marie au Trastévère ; à sa gauche, les saints papes Jules et Corneille et le martyr saint Calépode. Pour la première fois dans l'iconographie papale médiévale, un pape était représenté de la même grandeur que les saints, dans la gloire du ciel[109].

Le *De Consideratione*

C'est dans le *De consideratione*[110], commencé dès qu'il avait appris l'élection d'Eugène III, auquel il est adressé, que la réflexion ecclésiologique de Bernard sur la papauté est la plus complète[111]. Elle semble avoir également influencé la structure

---

101. A. STICKLER, « Il "gladius" negli atti dei concilii e dei Romani pontefici sino a Graziano e Bernardo di Clairvaux », *Salesianum*, 13, 1951, p. 414-45.

102. ULLMANN, *The Growth of Papal government*, p. 426-437.

103. V. plus loin, p. 224.

104. Bernard lui-même s'en sert dans une lettre aux évêques : *PL* 182, c. 832.

105. Ep. 251 ; *De consid.* II, 8 ; IV, 7.

106. *De consid.*, III, 1 : « *corpus ipsum Christi* » ; médiateur entre Dieu et l'homme (*De moribus*, III, 10, le pape est « chair de la chair du Christ » (*Ep.* 226).

107. *De Consid.*, III, 8.

108. JACQUELINE, *Épiscopat*, p. 295-7. Bernard avait chanté la profonde relation existant entre l'Église et la reine céleste. C'est par Marie que le Christ couronne l'Église. C'est Marie qui est la médiatrice entre le Roi Christ et l'Église (LADNER, *Die Papstbildnisse*, II, p. 13).

109. LADNER, *Die Papstbildnisse*, II, p. 9-16.

110. Éd. et introd. J. LECLERCQ et H.M. ROCHAIS, *S. Bernardi Opera*, III, Rome, 1963.

111. Le terme de *consideratione* provient peut-être du commentaire d'Hildémar à la Règle de saint Benoît ; cf. J. LECLERCQ, *Recueil d'études sur saint Bernard*, III, Rome, 1969, p. 131-32.

même de l'ouvrage, notamment la quadripartition selon la formule « *te, sub te, circa te, supra te* ».

Le livre II, rédigé après l'échec de la deuxième croisade (juillet 1148), est plus spécialement consacré au pape lui-même, à sa nature, à sa personne, à la conduite qui doit être la sienne. Bernard venait d'accompagner Eugène III dans ses voyages à Paris, Cîteaux, Verdun et Trêves. N'adoptant pas la tradition de l'époque grégorienne qui avait exalté la « sainteté » du pape[112], Bernard insista, au contraire, sur l'humilité de la condition humaine du pape, sa nudité. Il critiqua le faste vestimentaire et cérémonial qui avait investi la papauté au cours de la première moitié du XIIᵉ siècle, une évolution qui tendait à confondre pouvoirs spirituel et temporel. C'était aussi une manière d'exalter la fonction et la plénitude des pouvoirs du pape, dans une perspective de continuité institutionnelle, de perpétuité de l'Église romaine[113].

5. GERHOCH DE REICHERSBERG

La critique de l'Église est l'objet d'une autre œuvre adressé à Eugène III. Dans le *Tractatus in psalmum LXIV*[114], rédigé lors de son dernier séjour à Rome, Gerhoch de Reichersberg reprit et amplifia des thèmes qu'il avait abordé dans son premier ouvrage (*Opusculum de aedificio Dei*). Sion et Babel se confondent sur cette terre. L'avarice, la concupiscence, la libido font des chrétiens des citoyens de Babel. C'est à Rome, fondement de l'Église, que se déroule la lutte entre Babylone et Sion. La confusion entre le spirituel et le temporel en est la cause principale. La donation de Constantin est valable, mais l'Église ne peut ni ne doit accepter toutes les donations. La justice doit être rendue par les laïcs afin que « les mains de ceux qui célèbrent le sacrement et leurs lèvres restent pures ».

Tout en attribuant au pape le titre de *Vicarius Christi* et de successeur de Pierre, Gerhoch vitupéra contre un pouvoir illimité que saint Pierre lui-même n'avait jamais eu[115]. Les « Romains prétendent juger n'importe quoi, sans pour autant vouloir être jugés par personne »; « C'est un spectacle risible *("jocundum spectaculum")* que de voir le pape en procession les jours de fête, chevauchant un cheval impérial et de voir les papes jouer le rôle des Césars »; « Le mal commença avec Grégoire VII et depuis, les papes n'ont fait qu'amasser or et argent. »

---

112. Sur ce concept, v. surtout H. FUHRMANN, « Über die Heiligkeit des Papstes », *JAWG*, 1981, p. 28-43.

113. Dans son traité *De moribus episcoporum*, Bernard avait critiqué d'une façon acerbe les habits des évêques, leurs ornements d'or et de pierres précieuses, les anneaux, les chaînes et les clochettes (J. TRAEGER, *Der reitende Papst*, München, 1970, p. 110 n. 11).

114. *PL* 193, c. 621-988; cf. P. CLASSEN, *Gerhoch von Reichersberg. Eine Biographie*, Wiesbaden, 1960, p. 412-16. À propos des réflexions de Gerhoch sur la papauté, v. aussi PRINCIPE, « Monastic », p. 137-143.

115. *De inventione Antichristi*, MGH.LL, III, 183, 355, 372 (*De quarta vigilia noctis*, 509, 511).

6. JEAN DE SALISBURY

Bien que moins attentive aux implications ecclésiologiques, la critique des mœurs de l'Église romaine par Jean de Salisbury n'en était pas moins virulente[116] : « Tandis que les églises tombent en ruine et les autels sont négligés, il (le pape) construit des palais et se promène non seulement en pourpre mais décoré d'or[117]. » De par la nature même de ses ouvrages, consacrés à l'État et à l'art du gouvernement, Jean de Salisbury, qui connaissait bien la cour de Rome, se préoccupa d'un gouvernement de l'Église qu'il voulait fort, capable d'intervenir avec autorité et détermination dans les affaires spirituelles des royaumes (Angleterre).

VI. ÉVOLUTION DE LA CURIE ROMAINE (1123-1153)

1. LES NOUVELLES PRÉROGATIVES DES CARDINAUX

Lors de la double élection de 1130, l'ancienne question des rangs au sein du collège cardinalice ne s'était pas posée. L'égalité des droits entre les différents ordres cardinalices en matière d'élection pontificale fut respectée. Le prestige du cardinalat en sortait renforcé. Il n'est pas exclu du reste que pour un certain nombre de cardinaux le schisme de 1130 ait accru le sentiment d'être responsables en matière de foi[118], ce qui expliquerait le rôle d'arbitre que le pape et le consistoire assumèrent dans le domaine doctrinal, sous le pontificat d'Eugène III[119].

Depuis 1059 l'autorité des cardinaux n'avait fait que s'accroître ; le mouvement s'accéléra encore au lendemain du concordat de Worms. Entre 1123 et 1153 la fonction cardinalice connut des développements considérables. Déjà sous Calixte II, les cardinaux étaient devenus les collaborateurs privilégiés du pape dans le domaine de l'administration de la justice[120]. D'une manière générale, le rôle médiateur des cardinaux au sein d'une Église de plus en plus centralisée ne pouvait qu'augmenter[121]. Les souscriptions cardinalices aux privilèges pontificaux, qui ne portaient à l'origine que la signature du pape, devinrent la règle sous les pontificats d'Honorius II et d'Innocent II[122]. Elles sont le reflet d'une participation active des cardinaux au

---

116. G. MICZKA, *Das Bild der Kirche bei Johannes von Salisbury*, Bonn, 1970, p. 204 et suiv. ; R.L. POOLE, « John of Salisbury at the Papal Court », *EHR*, 38, 1923, p. 321-30 ; W.J. MILLER-C.N.L. BROOKE, *The Letters of John of Salisbury*, I, Oxford, 1986, p. XIII-XXIV et M. CHIBNALL, *The Historia pontificalis of John of Salisbury*, Oxford, 1985, p. XIX-XXIV.
117. *Policraticus* 6, 24 ; II, 68, 8-13.
118. SCHMALE, « Papsttum und Kurie », p. 289.
119. V. J. MIETHKE, « Theologenprozesse in der ersten Phase ihrer institutionellen Ausbildung : die Verfahren gegen Peter Abaelard und Gilbert of Poitiers », *Viator*, 6, 1975, p. 111.
120. Calixte II charge un cardinal d'étudier des problèmes soumis au pape : U. ROBERT, *Histoire du pape Calixte II*, Paris, 1891, p. 67-68.
121. À propos des cardinaux, de plus en plus fréquemment destinataires de suppliques, v. SCHMALE, *Studien*, p. 29.
122. V. plus loin, p. 234.

gouvernement de l'Église universelle. Le consistoire, déjà attesté sous Urbain II[123], se réunit régulièrement dès le pontificat d'Innocent II. Il se substituait à l'ancien synode du clergé de Rome. Des réactions ne tardèrent pas à se manifester. Lors du consistoire de Reims (1131), les évêques français et Bernard de Clairvaux ne cachèrent pas leurs vives préoccupations[124]. Il est vrai qu'en peu d'années les cardinaux étaient devenus conscients de leurs nouvelles prérogatives, à tel point que, lorsque Eugène III, au cours de ce même consistoire devant examiner les doctrines de Gilbert de la Porrée, pencha du côté de l'abbé de Clairvaux, les cardinaux rappelèrent au pape qu'aucun *negotium* ne pouvait être traité de manière définitive sans leur autorité[125] : ils étaient les *cardines* autour desquels tourne l'axe de l'Église universelle et avaient fait de lui, une personne privée, le père universel[126].

2. Appels judiciaires en matière doctrinale

Après la victoire de la réforme grégorienne et la fin du schisme de 1130, l'Église romaine était devenue une véritable haute cour de justice vers laquelle affluaient de plus en plus fréquemment des appels de toute sorte. Les prérogatives romaines sur le plan judiciaire trouvaient un prolongement naturel à un niveau doctrinal. Bien que l'initiative ne partît jamais de Rome, les appels venus de l'extérieur incitèrent la curie romaine à assumer le rôle d'arbitre. Plus tard, au XIIIe siècle, d'autres étapes seront franchies dans une évolution qui conduisit la papauté non plus à jouer seulement les arbitres, mais à faire pleinement reconnaître la valeur de ses décisions[127].

3. Abélard et la curie romaine

Les décisions disciplinaires prises contre Abélard par le synode de Soissons (mars 1121)[128], qui condamna sa première *Theologia*, furent allégées par le légat lui-même. Guillaume de Saint-Thierry eut beau jeu de protester contre le fait qu'Abélard possédait de l'influence à la curie romaine[129]. Il est vrai que, très tôt, la personnalité et l'enseignement d'Abélard avaient trouvé un écho à la cour pontificale. Deux futurs papes ont été, dès le début de leur cardinalat, des amis et protecteurs d'Abélard :

---

123. J. Sydow, « Il "concistorium" dopo lo scisma del 1130 », *RSCI*, 9, 1955, p. 165-176.
124. J. Sydow, « Bernhard von Clairvaux und die römische Kurie », *Citeaux in den Nederlanden*, 6, 1955, p. 5-11 ; cf. Jacqueline, *Episcopat*, p. 249-50.
125. Otto de Freising, *Gesta*, c. 60 ; cf. Schmale, *Studien*, p. 289.
126. Otto de Freising, *ibid.*
127. Miethke, « Theologenprozesse », p. 111.
128. Le seul témoignage concernant cette première condamnation d'Abélard provient de son *Historia calamitatum*, éd. J. Monfrin, Paris, 1962, p. 82-89, de dix ans postérieur aux événements, et par conséquent sujet à caution ; cf. J. Miethke, « Theologenprozesse », p. 91.
129. *Ep.* 326, envoyée au légat pontifical en France, l'évêque de Chartres Geoffroi, ainsi qu'à Bernard de Clairvaux, éd. J. Leclercq, « Les lettres de Guillaume de Saint-Thierry à saint Bernard » *RBen*, 79, 1969, p. 375-91 ; v. aussi J. Jolivet, « Sur quelques critiques de la théologie d'Abélard », *AHDL*, 38, 1964, p. 22-33.

Guido di Città di Castello, le futur Célestin II, l'un des hommes les plus lettrés dans la Rome de son temps[130], et Hyacinthe, pape sous le nom de Célestin III.

Le rôle d'arbitre que la curie romaine pouvait jouer sur le plan doctrinal fut parfaitement perçu par Abélard dès l'ouverture du synode de Sens (1140). Lorsque Bernard de Clairvaux lut publiquement la liste des thèses mises en accusation[131], Abélard fit aussitôt appel à Rome et se mit en route vers la cour pontificale. Les évêques des provinces de Reims et de Sens s'adressèrent également à Innocent II avec un rapport justificatif[132]. Bernard ne tarda pas, pour sa part, à l'admonester de ne plus renvoyer sa décision[133]. Six semaines après le synode de Sens, Innocent II[134] condamna toutes les thèses doctrinales d'Abélard, contraignit le théologien au silence perpétuel et à la réclusion monastique et ordonna de brûler ses livres. Il est à noter que le pape s'était fondé exclusivement sur le rapport des évêques, ignorant les interventions de Bernard de Clairvaux et sa liste d'« erreurs » d'Abélard[135].

4. Gilbert de la Porrée

Dans le cas des accusations contre Gilbert de la Porrée aussi, la curie romaine joua également un rôle central. Les deux archidiacres de Poitiers, Arnaldus « Qui-non-ridet » et Kalo, en désaccord avec les décisions dilatoires prises par le synode diocésain de 1146, firent appel à Rome. Ils rencontrèrent Eugène III à Sienne ou à Viterbe, alors en route vers la France. La procédure d'accusation resta dans les mains du pape, qui écouta Gilbert lors des consistoires de Paris (21-22 avril 1147) avant de clore le débat au synode de Reims (21 mars 1148)[136].

5. Recrutement international et formation intellectuelle des curialistes

Les appels à Rome dans le domaine doctrinal montrent qu'en ce milieu du XIIe siècle, les plus hautes autorités de l'Église romaine avaient assimilé les grandes transformations intellectuelles de leur temps, fondées sur de nouvelles méthodes (la

---

130. Il est désigné très fréquemment avec le titre de *magister* (Schmale, *Studien*, p. 129), ce qui est une rareté en cette première moitié du XIIe siècle.

131. D'abord hésitant, Bernard avait passé à l'attaque ; v. la longue discussion des thèses abélardiennes dans la lettre adressée au pape Innocent II (*Ep.* 190, *PL* 182, c. 1053-1072) et les lettres enflammées envoyées à différents membres de la curie romaine, les exhortant à l'action (*Ep.* 188, 192, 193, 331, 332, 336).

132. V. les *Ep.* 191 et 337 de Bernard, *PL* 182, c. 357 et suiv., et 540-42 ; Bernard n'est peut-être pas l'auteur exclusif de ces lettres ; v. J. Leclercq, « Recherches sur la collection des épîtres de saint Bernard », *CCM*, 14, 1971, p. 205-19.

133. *Ep.* 189, *PL* 182, c. 354-57.

134. *JL* 8148 et 8149 ; rééd. de cette dernière lettre sur la base du ms. de Charleville 67 : Leclercq, « Les lettres de Guillaume de Saint-Thierry », p. 379.

135. Miethke, « Theologenprozesse », p. 102.

136. N.M. Häring, « Das Pariser Konsistorium Eugens III vom April 1147 », *SGr*, 11, 1967, p. 91-117) et *Id.*, « Das sogenannte Glaubensbekenntnis des Reimser Konsistoriums von 1148 », *Scholastik*, 40, 1965, p. 55-90 ; la rencontre a lieu après le concile et dans le palais archiépiscopal et non dans la cathédrale ; cf. Miethke, « Theologenprozesse », p. 102-10) où le pape clôt le débat non pas par une condamnation de ses erreurs, mais par l'incitation à les corriger (v. encore N.M. Häring, « Notes on the Council and the Consistory of Reims, 1148 », *MS*, 28, 1966, p. 39-59 ; *Id.*, « Texts concerning Gilbert of Poitiers », *AHDL*, 45, 1970, p. 169-203).

première scolastique) dans l'étude de la théologie et du droit[137]. C'était le résultat d'une lente évolution. Dès les premières décennies du XIIᵉ siècle, la *litteratura*[138], c'est-à-dire le savoir acquis auprès des grands centres de formation de l'Occident (d'abord Cluny, puis Paris et Bologne), était devenu l'un des critères les plus importants fixant le recrutement des curialistes et cardinaux[139].

L'afflux vers Rome d'appels judiciaires de tout genre exigea de nouvelles compétences. Le recrutement des cardinaux s'en ressentit. La première moitié du XIIᵉ siècle enregistre une présence accrue de *magistri* parmi les cardinaux ainsi que d'éminents juristes (Pierre de Pise) et théologiens (Robert Pulleyn). Ce dernier n'est d'ailleurs que le premier d'une longue série de grands intellectuels anglais, Hilary, Boson, Jean de Salisbury[140], Nicolas Breakspear, le futur Adrien IV[141], entrés au service de la curie romaine sous Eugène III[142].

La protection accordée à Abélard[143] par d'éminents prélats de la curie romaine renvoit à un phénomène plus large, qui eut des conséquences importantes sur la composition personnelle de la curie romaine ainsi que sur l'évolution intellectuelle des milieux liés au centre du gouvernement de l'Église. Depuis le début du XIIᵉ siècle, en effet, des liens innombrables s'étaient tissés sur le plan personnel entre les institutions monastiques et religieuses les plus importantes de France et la curie romaine[144]. Bien que les deux candidats au trône de saint Pierre en 1130 aient été romains de naissance, Anaclet II avait commencé sa carrière à Cluny et, dans le camp d'Innocent II, la personnalité principale fut un français, Haimeric[145]. Pendant près d'un siècle, depuis Urbain II et jusqu'à Alexandre III, les papes cherchèrent refuge en France pour résoudre les problèmes liés à l'élection pontificale. Eugène III avait été moine à Clairvaux. Adrien IV avait dirigé la congrégation des chanoines réguliers de Saint-Ruf en Avignon avant d'entrer au collège des cardinaux. Depuis le pontificat d'Eugène III, grâce aussi à l'impulsion du chancelier Roland, le futur Alexandre III, un nombre croissant d'étudiants romains se rendirent à Paris pour parfaire une formation littéraire et théologique. Les grandes familles aristocratiques romaines (Sasso, Pierleoni, Boboni, Capocci et Frangipane) avaient depuis longtemps pris l'habitude d'envoyer leurs enfants d'abord à Cluny, puis à Saint-Victor de Paris[146]. Elles avaient parfaitement compris qu'un séjour auprès des meilleures écoles de l'Occident latin pouvait assurer une carrière curiale du plus haut niveau[147].

---

137. CLASSEN, *Gerhoch*, p. 130.

138. V. PERI, « "Correctores immo corruptores". Un saggio di critica testuale nella Roma del XII secolo », *IMU*, 20, 1977, p. 47 et suiv.

139. P. CLASSEN, « La Curia romana e le scuole di Francia nel secolo XII », *Le istituzioni ecclesiastiche della « Societas christiana » dei secoli XI-XII*, p. 432-436. V. aussi la n. 144. Pour les sources, v. D. LOHRMANN, *Urkunden un Briefsamm-lungen der Abteien-Geneviève und Saint-Victor*, Göttingen, 1989.

140. V. plus loin, p. 239.

141. V. plus loin, p. 204-205.

142. Sur Boson, v. O. ENGELS, « Kardinal Boso als Geschichtsschreiber », *Konzil und Papst. Festgabe für H. Tüchle*, Munich, 1975, p. 147-68.

143. V. plus haut, p. 196-197.

144. Le problème a été clairement perçu par P. CLASSEN, « Rom und Paris : Kurie und Universität im 12. und 13. Jahrhundert », in *Studium und Gesellschaft im Mittelalter*, ed. J. FRIED, Stuttgart 1983, p. 127-169.

145. CLASSEN, *Gerhoch*, p. 128.

146. LOHRMANN, *Urkunden*, passim.

147. À propos d'Innocent III, v. plus loin, p. 525-526.

VII. L'ÉGLISE ROMAINE DE 1153 À 1181

1. ANASTASE IV (1153-1154)

Contrairement à d'anciennes affirmations, qui avaient fait de Conrad un chanoine régulier ayant eu des relations étroites avec la France, des recherches récentes[148] donnent une image à la fois plus précise et différente du pape Anastase IV. De rang social peu élevé, sa famille, originaire du quartier de Rome dit de la « Suburra »[149], faisait partie des couches sociales d'où était issu le Sénat de Rome en 1144.

Avant son accession au cardinalat[150], Conrad resta totalement dans l'ombre. Cardinal-évêque de Sabine, ce n'est qu'en 1130 que son profil se précise. Il fit partie du comité d'élection d'Innocent II, dont il fut, à côté du chancelier Haimeric et pour des raisons qui nous échappent, l'un des partisans les plus déterminés. Ce qui est certain, c'est qu'il devint très vite le seul cardinal capable de tenir la ville de Rome en l'absence du pape. C'est bien avec le titre de *Vicarius urbis* — une appellation qui n'avait été utilisée auparavant que de façon très épisodique — que Conrad résida à Rome de 1130 jusqu'à son accession au pontificat[151]. Il fut pendant vingt ans le cardinal le mieux à même d'apprécier la situation complexe de la ville de Rome, le seul qui pouvait négocier des compromis entre les sénateurs et la curie ou assurer l'accès de la ville éternelle à un pape comme Eugène III (en 1145, 1149 et 1152). Pendant son pontificat, pourtant, Anastase IV ne put résider à Rome qu'une quinzaine de mois. À la mort d'Eugène III, le choix des cardinaux fut rapide : l'intronisation eut lieu à Rome, probablement au Latran, le 12 juillet 1153. Conrad avait quatre-vingts ans et était le plus âgé des cardinaux. Ce n'est pourtant pas un pape de transition qui fut élu, mais l'homme de la situation[152], celui qui aurait pu amener la curie romaine à un compromis avec le Sénat de Rome, qui venait d'accorder l'asile à Arnaud de Brescia. Mais les conflits entre la ville de Rome et la papauté ne purent trouver une solution durable pendant le trop bref règne d'Anastase IV (17 mois). Le nouveau pape ne réussit en tout cas pas à chasser Arnaud de la ville éternelle. Cependant, son pontificat marqua une accalmie importante dans les relations avec le Sénat. Par son passé et sa carrière politique, Anastase IV, qui mourut le 3 décembre 1154, tranche avec ses prédécesseurs, qui avaient tous été des chanoines réguliers[153], à l'exception du cistercien Eugène III. Entre 1124 et 1159, deux papes seulement sortirent du clergé séculier : Célestin II (1143-1144) et, justement, Anastase IV[154].

---

148. CLASSEN, « Zur Geschichte Papst Anastasius IV », p. 36-63.

149. Entre l'Esquilin et le Viminal.

150. Pascal II lui conféra le titre de Sainte-Pudentienne, une église toute proche de Suburre, entre 1111 et 1114.

151. Ses déplacements en Italie sont peu fréquents, et il ne semble avoir jamais voyagé hors d'Italie, ce qui est relativement rare pour les cardinaux de l'époque ; cf. CLASSEN, *Zur Geschichte Papst Anastasius IV*, p. 51 et suiv.

152. CLASSEN, « Zur Geschichte Papst Anastasius IV », p. 36 et suiv.

153. Honorius II : Santa-Maria del Reno à Bologne ; Innocent II : Saint-Jean-du-Latran ; Lucius II : San-Frediano à Lucques : Adrien IV : Saint-Ruf en Avignon ; Grégoire VIII : Saint-Martin à Laon.

154. CLASSEN, « Zur Geschichte Papst Anastasius IV », p. 36 et suiv., démontre qu'Anastase IV n'avait été ni abbé de San-Ruf à Avignon ni abbé de San-Rufo près de Velletri. Ces affirmations remontent à une erreur d'un interpolateur de la chronique de Martinus Polonus, du XVe siècle.

2. Adrien IV (1154-1159)

Né à Abbot's Langley entre 1110 et 1120, Nicolas de Breakspear, après plusieurs péripéties[155] qui le conduisirent à Paris, où il rencontra pour la première fois Jean de Salisbury, finit par entrer dans la communauté, culturellement très réputée, des chanoines réguliers de Saint-Ruf en Avignon, dont il devint l'abbé en 1135. Des conflits avec ses chanoines l'obligèrent à se rendre à Rome. La seconde fois, Eugène III le retint pour le nommer cardinal-évêque d'Albano (avant 1150). En 1152, une légation l'amena en Norvège, où il réorganisa les diocèses et créa une métropole à Nidaros (Trondheim), et établit en Suède une hiérarchie ecclésiastique. Le souvenir de sa légation resta longtemps vivant dans les pays du Nord. Élu pape le lendemain de la mort de son prédécesseur (4 décembre 1154), il fut l'unique Anglais à avoir accédé au trône de saint Pierre. Doté d'indubitables qualités intellectuelles, lié personnellement aux grands protagonistes de la scène spirituelle de son temps (Hildegarde de Bingen, Gerhoch de Reichersberg[156]), prêt à intervenir dans les grands débats théologiques, Adrien IV était une personnalité forte, capable même d'accepter des critiques[157]. Il mit en œuvre une politique, souvent désinvolte quant à la démarche, mais résolue et ferme quant aux objectifs généraux, pour la plupart traditionnels : indépendance politique de la papauté romaine ; défense de l'autonomie des grands ordres religieux face aux évêques ; maintien de bonnes relations entre les différents royaumes de l'Occident latin ; défense des droits politiques des monastères face aux revendications communales.

Selon les accords de Constance (mars 1153), Frédéric Ier aurait dû se rendre à Rome pour être couronné empereur, et aider ensuite la papauté à récupérer ses droits dans le royaume normand. Entre-temps, la situation s'était compliquée : le 5 avril 1154, à la suite de la mort de Roger II, Guillaume Ier avait été élu roi sans le consentement du pape ; l'intérêt renouvelé pour le droit romain avait encore affirmé les prétentions de Barberousse à une autonomie politique face à la papauté, et la prédication d'Arnaud de Brescia avait rendu l'atmosphère politique romaine très tendue. Toute la politique d'Adrien IV tendit à la recherche d'équilibres.

Pour favoriser la paix entre le *regnum* et le *sacerdotium*, le pape s'adressa à Wibald de Stavelot, l'ancien collaborateur du roi de Germanie Conrad, et confirma les accords de Constance. La rencontre entre Barberousse et le pape eut finalement lieu le 11 juin 1155. Après avoir dans un premier temps refusé, le souverain allemand, désireux de défendre, tel un nouveau Justinien, la dignité de l'*honor imperii*, dut cependant accepter de tenir la bride du cheval du pape. À Rome les événements se précipitèrent. Victime de l'entente entre Adrien IV et Barberousse, Arnaud de Brescia dut s'enfuir. Pris, puis libéré, ensuite arrêté par Barberousse, il fut finalement exécuté par le préfet de l'*Urbs*. Cette grave décision ne fit cependant pas revenir le calme dans la ville. Au

---

155. Selon certaines sources, son père serait devenu moine au monastère Saint-Albans et aurait laissé son fils sans protection.

156. Il lui dédia son *Liber de novitatibus huius temporis*, l'invitant à la réforme ecclésiastique et à régler les rapports entre *regnum* et *sacerdotium*.

157. Jean de Salisbury, *Policraticus*, 1. VI, c. XXIV, éd. C, C.I. Webb, II, Oxford 1909, p. 622 et suiv.

contraire, une délégation du Sénat incita Barberousse à recevoir la dignité impériale non pas du pape, mais du Sénat de Rome. Le couronnement impérial eut finalement lieu le 18 juin 1155 à Saint-Pierre, selon le cérémonial traditionnel de l'*Ordo Romanus*. Les Romains ayant attaqué l'armée impériale, Adrien IV et Frédéric Ier se réfugièrent à Tivoli, où ils fêtèrent ensemble la fête des saints Pierre et Paul. En ce qui concerne Tivoli, dont il refusa la soumission, Barberousse se montra conciliant avec le pape ; quant à la promesse d'une aide militaire contre le souverain normand, le nouvel empereur, décidé à rebrousser chemin vers le Nord, fit au contraire la sourde oreille. Adrien IV prit alors la surpenante décision de prendre personnellement la direction d'une étrange coalition, réunissant, entre autres, des rebelles normands ainsi que des forces de l'empereur de Byzance (dont les rapports avec Barberousse n'avaient fait qu'empirer). Cette aventure se termina par une déconfiture militaire, mais aussi par la conclusion d'un accord (Bénévent, 18 juin 1156), reconnaissant, au moins formellement, la souveraineté pontificale sur le royaume normand. Cet accord provoqua cependant une réaction violente de la part de l'Empire. La polémique explosa lors de la diète de Besançon (1157)[158]. Revenu en Italie, l'empereur promulgua à Roncaglia, en 1158, les célèbres constitutions, dont plusieurs articles (serment de fidélité, hommage des évêques, droit de l'empereur de loger dans les palais épiscopaux) contenaient les germes de conflits potentiels avec l'Église. En menaçant les droits pontificaux sur les biens de Mathilde de Canossa et dans le Patrimoine, l'empereur exacerba à nouveau ses relations avec le pape, qui se vit contraint de réagir en sollicitant à nouveau une coalition politique, formée cette fois des villes lombardes, de l'empereur de Byzance et du roi normand. C'est au milieu d'une situation politique extrêmement complexe et labile que le pape mourut le 1er septembre 1159.

3. ALEXANDRE III (1154-1181)

Aucun document ne nous renseigne sur sa jeunesse et formation. Son premier biographe, le cardinal Boson, nous dit[159] seulement que Roland, né au tout début du XIIe siècle[160], était le fils d'un certain Siennois du nom de *Ranutius*. En 1160, l'évêque de Lisieux, Arnoul, pour convaincre les évêques anglais de reconnaître Alexandre III comme pape, utilisa comme argument celui de la noblesse de ses origines[161]. Ce n'est pourtant qu'au XIVe siècle que les chroniques de Sienne[162] lui attribuèrent une paternité plus précise, le reliant à la famille siennoise Bandinelli, dont l'assise sociale et patrimoniale est effectivement attestée bien avant l'accession de Roland au pontificat[163].

---

158. V. plus loin, p. 207.
159. *LP*, II, p. 377.
160. À sa mort, les contemporains (Benoît de Peterborough, continuateur de Sigebert de Gembloux, etc.) le désignent comme vieillard : cf. WATTERICH, II, p. 648-59.
161. *PL* 201, c. 37 : « *nobilitas generis* ».
162. À partir de celle d'Agnolo di Tura, écrite vers 1340 ; cf. PACAUT, *Alexandre III*, p. 52.
163. *Id.*, p. 57.

Roland juriste

Selon une tradition historiographique fort ancienne, Alexandre III aurait enseigné le droit canon à l'université de Bologne ; contemporain de Gratien, il en aurait été l'un de ses plus anciens commentateurs. De récentes recherches semblent cependant avoir démontré[164] que la *Summa* du « *magister Rolandus* »[165], dont la présence à Bologne est attestée de 1154 à 1159, ne peut être l'œuvre du futur pape : elle est en effet antérieure à 1150, époque à laquelle débute le cardinalat de Roland (1150). Les cinq versions successives de cette *Summa* supposent, en outre, une longue période d'enseignement de la part de son auteur, ce qui rend tout à fait invraisemblable son identification avec Alexandre III, pour des raisons chronologiques évidentes. Cela vaut également pour les *Sententiae* de ce même « *magister Rolandus* »[166], datables autour de 1155. Le témoignage du grand canoniste Huguccio[167], qui ne parle que de l'enseignement de la théologie (*divina pagina*) du futur Alexandre III, montre bien que les milieux canonistes de Bologne ignoraient, vers la fin du XIIe siècle, une tradition qui semble s'être affirmée d'abord au sein de l'école anglo-normande[168].

L'élimination d'Alexandre III comme auteur d'une œuvre canonique n'amoindrit en rien son importance en tant que pape législateur.

Carrière curiale

D'après Boson[169], Roland aurait été appelé à Rome par Eugène III lorsqu'il était clerc et chanoine de l'Église cathédrale de Pise. Plusieurs documents attestent effectivement la présence à Pise d'un chanoine du nom de Roland entre 1142 et 1147[170]. Il est possible qu'Eugène III ait rencontré Roland lors de son passage dans sa ville natale, le 18 septembre 1148. Ce qui est certain, c'est que Roland fut nommé cardinal avant le 21 novembre 1150. Ce n'est que vers la fin de ce pontificat qu'il se vit confier des fonctions d'une grande importance : en janvier 1153, il fit partie de la légation de sept cardinaux chargés de négocier avec les représentants de Barberousse les termes de l'accord de Constance ; le 16 mai 1153, le pape le nomma chancelier de l'Église romaine, le seul organe curial ayant un rôle politique à jouer, par le biais du contrôle et de la rédaction de toute la correspondance diplomatique.

Sous Adrien IV et Anastase IV, Roland fut à deux reprises au centre de négociations

---

164. WEIGAND, « Bemerkungen », p. 197-212.

165. Éd. F. THANER, *Summa Magistri Rolandi*, Innsbruck, 1874.

166. Éd. A.M. GIETL, *Die Sentenzen Rolands nachmals Papstes Alexander III.*, Freiburg, 1891.

167. « *et Alexandro tertio Bononia residente in cathedra magistrali in divina pagina* », Huguccio, *Summa*, c. XXXI, caus. XXIX, 6.

168. Le plus ancien témoignage identifiant le futur pape à un professeur bolognais figure dans la *Summa* d'un canoniste anglo-normand du nom d'Honorius, rédigée entre 1188 et 1199 : R. WEIGAND, « Bemerkungen über die Schriften und Lehren des Magister Honorius », *Proceedings of the Fifth International Congress of Medieval Canon Law*, Cité du Vatican, 1980, p. 197-212 : « *Rollandus vero, quem Alexandrum III aiunt fuisse, distinguit...* » Le témoignage de Robert de Torigny prouve seulement que le futur Alexandre aurait enseigné à Bologne la *divina pagina*, c'est-à-dire les Écritures et la théologie : *Id.*, « Magister Rolandus und Papst Alexander III. », *AkathKR*, 139, 1980, p. 3-44.

169. *LP*, II, p. 377.

170. PACAUT, *Alexandre III*, p. 63.

décisives pour la politique de la papauté. En juillet 1156, il réussit à régler favorablement l'ensemble des relations avec le royaume de Sicile, à un moment où le rapport de force penchait dangereusement du côté du roi Guillaume Ier. Roland avait œuvré pour l'établissement d'une forte alliance avec les Normands, afin de contrebalancer — comme tant de fois depuis Grégoire VII — le poids croissant des prétentions politiques de l'empereur. Barberousse considéra du reste le traité de Bénévent comme une violation de l'accord de Constance[171].

La diète de Besançon (1157)

À la fin du mois d'octobre 1157, Roland fut envoyé en qualité de légat pontifical à la diète impériale convoquée par Barberousse à Besançon, au cœur du royaume de Bourgogne. Une telle mission était exceptionnelle pour un chancelier de l'Église romaine, dont la présence était généralement indispensable à la curie. Les légats devaient officiellement traiter avec l'empereur de la capture par des brigands (janvier 1157) de l'archevêque Eskil de Lund, primat de Suède. De fait, la présence à Besançon de légats aussi importants était de nature à permettre une discussion approfondie des rapports entre l'Empire et l'Église : les récents accords de Bénévent impliquaient une restriction considérable des possibilités d'intervention impériale dans les affaires de l'Église.

Les légats furent reçus avec tous les honneurs dus à leur dignité. Les lettres de créance — dont le prologue contenait la curieuse affirmation selon laquelle l'empereur était « un frère » pour les cardinaux, ce qui montre bien à quel point le collège des cardinaux était désormais conscient du rôle primordial de ses fonctions politiques — furent présentées à Frédéric lors d'une assemblée solennelle. Le lendemain, l'empereur concéda une nouvelle audience aux légats, au cours de laquelle il se fit lire la lettre d'Adrien IV et demanda au chancelier impérial Rainald de Dassel de la traduire en allemand. Dans sa lettre à l'empereur — à la rédaction de laquelle le chancelier pontifical Roland n'avait, semble-t-il, pas été étranger — Adrien IV affirmait ne pas regretter de s'être montré si bienveillant en lui conférant la plénitude de sa dignité et de son pouvoir ainsi que la couronne impériale tant désirée. Le pape ajoutait qu'il était prêt à accorder des « bénéfices » encore plus grands, si cela pouvait être, en considération des profits et des avantages que l'Église et le pape pourraient recevoir de l'empereur, autrement dit, d'une concorde entre les deux pouvoirs[172].

Le terme de *beneficium* était ambigu : le sens le plus ancien était celui de « faveur » ou de « bienfait » que l'on accorde et que l'on reçoit; cette acception était restée valable même lorsqu'était apparu le sens plus technique de fief. Le chancelier impérial Rainald ayant choisi de traduire *beneficium* par fief, l'un des deux légats, dont le nom n'est pas révélé par le biographe de Frédéric Ier, mais que la tradition historiographique identifie généralement avec Roland[173], lança, au milieu d'un tumulte

---

171. *Id.*, p. 63 et suiv.
172. « et nous nous réjouirions à juste titre si ton excellence avait reçu de notre main de plus grands bénéfices (*"maiora beneficia"*) — si cela pouvait être —, en considération des profits et des avantages que l'Église de Dieu et nous-mêmes pourrions en retirer » (trad. fr. Pacaut, *Alexandre III*, p. 97).
173. Des objections ont été formulées par MACCARRONE, *Papato e impero*, p. 214.

favorable à des excès de langage : « De qui donc l'empereur tient-il l'Empire si ce n'est du seigneur pape?[174] » La réaction de la part des princes fut violente. Selon le biographe de Barberousse, Rahewin[175], le comte palatin Otto de Wittelsbach attenta même à la vie du cardinal à coups d'épée. L'empereur calma le tumulte d'autorité, fit conduire les légats dans leur résidence, sous protection gardée, et leur enjoignit de repartir pour Rome, leur interdisant de rencontrer des prélats sur le chemin du retour. Dans une lettre à l'empereur, Adrien IV[176] prit la défense de son légat, passa sous silence l'objet de la controverse, et préféra faire croire à un malentendu. En traduisant *beneficium* par fief, ce que l'usage, du moins en Allemagne, lui permettait de faire, Rainald de Dassel donna indiscutablement une preuve d'intelligence politique, anéantissant les objectifs de la curie romaine, qui désirait utiliser l'attribution de la couronne comme symbole de soumission vassalique de l'empereur vis-à-vis du pape. La réaction violente de la cour impériale était compréhensible. La curie romaine avait bien des fois tenté de faire prévaloir ses conceptions politiques en identifiant rituel du couronnement et promesse de soumission vassalique.

Implications iconographiques

À Sutri, en 1155, lors de son entrevue avec le pape Adrien IV qui devait préparer son couronnement, Frédéric Ier s'était montré extrêmement méfiant face aux tentatives protocolaires de la curie romaine qui allaient bien dans le même sens. Un très grave incident s'était produit lorsque l'empereur fit une proskynèse au pape Adrien IV, embrassa son pied, mais refusa d'obtempérer au cérémonial de l'*officium stratoris et strepae* (tenir la bride et l'étrier du cheval du pape), un geste rituel qui aurait pu être considéré comme une reconnaissance tacite de soumission vassalique envers le Siège apostolique. Lorsque Frédéric voulut donner au pape le baiser de paix, celui-ci refusa de l'accepter, se plaignant que Frédéric avait manqué à un geste rituel « que les empereurs avaient l'habitude de prêter à ses prédécesseurs »[177]. Frédéric consentit finalement à observer le cérémonial sur ce point, probablement après avoir obtenu des garanties qu'il n'impliquât aucune promesse de soumission vassalique.

Les prétentions romaines en matière de rituel avaient été l'objet de tableaux et inscriptions au palais du Latran. Selon Rahewin, ils affirmaient que le roi, en recevant la couronne, devenait « l'homme du pape »[178]. Le tableau auquel Rahewin faisait allusion était très probablement celui qui décorait l'une des deux salles qui avaient été construites au Latran pour commémorer le couronnement de Lothaire III. Perdu, il est généralement identifié au dessin publié par Onofrio Panvinio (1529-1568), représentant trois scènes successives, la première devant une église (le Latran), les deux autres dans l'église elle-même[179]. Dans la première (à gauche), le roi, tête découverte, prête

---

174. Rahewinus, *Gesta Friderici*, 1. III, c. 10, éd. G. WAITZ, Hanovre-Leipzig, 1912, p. 177.
175. *Ibid.*, p. 177.
176. *Ibid.*, c. 9, p. 174-76.
177. Boson, *Vita Adriani IV*, *LP*, II, p. 391.
178. LADNER, *Die Papstbildnisse*, I, p. 281.
179. G. LADNER, « I mosaici e gli affreschi ecclesiastico-politici nell'antico palazzo Lateranense », *RivAC*, 12, 1935, p. 277-92 (réimpr. dans *Id.*, *Images and Ideas*, I, Rome 1983, p. 347-66). Cf. Chr. WALTER, « Papal Political Imagery in the Medieval Lateran Palace », *CAr*, 21, 1971, p. 155 et suiv.

serment aux Romains devant l'église. La scène du milieu montre le pape assis, portant la tiare à une couronne, selon la tradition du xiie siècle, et le roi, toujours tête découverte et pas encore habillé des vêtements du couronnement, légèrement incliné devant le pape. Dans la troisième scène, le pape, tête découverte, assis derrière l'autel, procède au couronnement du roi. Par sa position assise, le pape est représenté dans une position de supériorité face à l'empereur ; mais la peinture dans son ensemble ne contient aucun élément propre à une cérémonie de *commendatio*, soulignant une dépendance vassalique de l'empereur face au pape. Il n'est pas exclu cependant que, dans son état original, la peinture ait représenté l'empereur en train de poser ses mains jointes dans celles du pape[180].

Il est probable que sans l'inscription désignant le roi comme étant « l'homme du pape »[181], il n'y aurait pas eu d'incident majeur. Cette interprétation correspond en tout cas aux affirmations des évêques allemands, selon lesquels l'incident de Sutri « *A pictura cepit, ad scripturam pictura processit, scriptura in auctoritatem prodire, conatur* »[182]. De fait, l'empereur semble avoir été entendu : l'inscription — véritable source du litige — a vraisemblablement été éliminée. À l'époque d'O. Panvinio (xvie siècle), qui la connaissait par Rahewin, elle ne se trouvait plus, en tout cas, sous le tableau du Latran. Quant à l'*officium stratoris et strepae*, il perdit, après la rencontre de Sutri, toute signification vassallique.

L'élection

Après la mort d'Adrien IV (Anagni, 1er septembre 1159), les cardinaux se réunirent le 7 septembre à Rome, et non à Anagni, dans une atmosphère tendue, puisque des hommes de Barberousse tentèrent par tous les moyens, y compris la distribution d'argent, de gagner à leur cause le peuple et le Sénat. D'après Gerhoch de Reichersberg[183], Adrien IV aurait recommandé sur son lit de mort comme successeur le cardinal Bernard de Porto, anti-impérial, mais moins compromis que Roland et peut-être plus apte à sauvegarder l'unité du collège cardinalice.

Lors des tractations, le choix de la majorité des électeurs se porta sur le cardinal chancelier Roland. Le refus de celui-ci fournit le prétexte à un petit nombre de cardinaux d'élire le cardinal romain Octavien Monticelli, qui réussit à revêtir le manteau rouge, prit le nom de Victor IV et se présenta aux chanoines de Saint-Pierre. Les partisans de Roland, qui s'étaient réfugiés à Saint-Pierre, défendu par les Frangipane et autres adversaires romains de l'Empire, maintinrent leur décision. Roland prit alors le nom d'Alexandre III. Enfermés jusqu'au 15 septembre, ils réussirent grâce aux Frangipane à se réfugier dans une tour fortifiée au Trastévère, puis à quitter Rome. La consécration de Roland eut lieu finalement le 20 septembre à

---

180. Ce que confirme la Chronique royale de Cologne : *MGH.SRG*, XVIII, p. 93 et suiv. ; cf. W. Heinemeyer, « *"Beneficium – non feudum sed bonum factum"*. Der Streit auf dem Reichstag zu Besançon 1157 », *ADipl*, 15, 1969, p. 184.

181. V. plus haut p. 209.

182. *Ibid.* Rahewinus, p. 188.

183. Gerhoch de Reichersberg, *De investigatione Antichristi*, éd. F. Scheibelberger, *Gerhohi Reichersbergensis praepositi opera hactenus inedita*, I, Linz, 1875, p. 360-362.

Ninfa, des mains de l'évêque d'Ostie, selon la tradition canonique ; son rival fut au contraire consacré à Farfa, le 4 octobre, par deux évêques.

Il est impossible de préciser le nombre (et la qualité) des cardinaux ayant pris part à cette double élection qui ouvrit un schisme destiné à durer plus de vingt ans. Sur ce point, les sources sont contradictoires et un certain nombre de cardinaux changèrent de camp. Une conclusion semble toutefois s'imposer : comme l'affirmait déjà Gerhoch de Reichersberg[184], qui tenta à tout prix de connaître les faits, la majorité des cardinaux vota pour Alexandre III ; quelques-uns seulement optèrent pour Octavien. Celui-ci ne prétendit du reste jamais avoir obtenu la majorité des voix ; il affirma toujours avoir été élu par la *sanior et melior pars*[185]. Élu par au moins quatre cardinaux-évêques sur six, Alexandre III pouvait se considérer, sur le plan juridique, comme le pape légitime.

Traditionnellement, l'historiographie justifie la double élection de 1159 par l'existence de deux factions au sein du collège des cardinaux, « impériale » et « sicilienne ». De ces deux factions, l'une, numériquement supérieure, se serait appuyée sur les Normands et la famille romaine des Frangipane. Elle aurait été constituée par des cardinaux, comme Roland lui-même, depuis longtemps opposés à la politique impériale de Barberousse. L'autre faction, philo-impériale, aurait pu compter sur l'aide de la noblesse romaine.

Les sources ne permettent pas une telle schématisation *a posteriori*. Avant l'élection, plusieurs cardinaux favorables au chancelier Roland étaient liés à Barberousse ; certains cardinaux semblent du reste avoir changé d'opinion au cours des événements. La division du collège des cardinaux, bien réelle en septembre 1159, avait aussi des motivations d'ordre social : le cardinal Octavien Monticelli et son principal soutien, le cardinal Gui de Crema, son parent, appartenaient à des familles de la haute noblesse. Un certain nombre de cardinaux italiens étaient originaires au contraire des villes communales de l'Italie centrale.

Le schisme (1159-1177)

Pour la deuxième fois en moins de trois décennies, l'Église romaine était divisée par un schisme qui devait durer 18 ans (septembre 1159 – septembre 1177). Le schisme devint officiel le 5 février 1160, à Pavie, où l'empereur avait convoqué un concile pour proclamer la légitimité de Victor IV. Cette assemblée fut fréquentée surtout par des prélats venant des terres d'Empire (Allemagne, Italie du Nord). À son tour, Alexandre III procéda, à Anagni, le jeudi saint 1160 (24 mars), à l'excommunication de son rival et délia les sujets de l'empereur du serment de fidélité. Malgré tous ses efforts militaires, diplomatiques et ecclésiastiques, Barberousse dut finalement s'incliner. S'il avait réussi, dans un premier temps, à faire fuir Alexandre III de Rome, il ne put empêcher que la plus grande partie de la chrétienté le reconnaisse. Soumis à des pressions impériales, les rois de France et d'Angleterre se rencontrèrent à Londres en juin ou au début de juillet. Ils ne prirent alors aucune décision formelle ou écrite. Le

---

184. *Ibid.*
185. P<small>ACAUT</small>, *Alexandre III*, p. 103.

22 juillet, Henri II et Louis VII tinrent ensemble un concile à Beauvais, en présence de trois légats d'Alexandre III et de cardinaux de Victor IV, ainsi que d'envoyés de l'empereur. L'évêque de la ville était le frère du roi de France. Le clergé fut invité à traiter du problème du schisme, « puisque l'affaire ne pouvait être discutée par des laïcs ». Le concile de Beauvais se termina par la reconnaissance de la validité de l'élection du pape Alexandre. Victor IV et tous ses partisans furent excommuniés. Le roi d'Angleterre accorda sa reconnaissance contre la promesse des légats que le futur mariage entre son fils et la fille de Louis VII — à propos duquel les deux souverains s'étaient mis d'accord au mois de mai — serait considéré comme valide par le pape, malgré le bas âge des enfants. Aux marges de l'Empire, les adhésions à Alexandre III furent très tôt nombreuses : la Terre Sainte dès 1161, les Normands de Sicile dès 1162. Au sein de l'Empire, au contraire, la situation n'était pas univoque. Si Barberousse n'a jamais essayé de vaincre les réticences du puissant archevêque de Salzbourg, gagné à la cause d'Alexandre III, il obligea la Hongrie à rejoindre le camp impérial. En Bourgogne, Victor IV ne rencontra cependant pas des adhésions sans réserve. Les archevêques de Lyon, Vienne, Besançon, Embrun, ainsi que les évêques de Genève, Grenoble, Gap, Viviers et Avignon se prononcèrent en faveur de Victor IV dès 1162, mais l'archevêque de Tarentaise, aux territoires stratégiquement importants (Petit Saint-Bernard, Mont-Cenis et Maurienne), reconnut Alexandre III dès 1160. Dans l'Italie impériale, les hésitations furent encore plus considérables. L'épiscopat, plutôt favorable à Alexandre III, s'opposait aux autorités civiles qui voulaient imposer Victor IV, notamment à Plaisance et à Vérone, villes d'obédience impériale. Gênes — à laquelle Alexandre III avait adressé la première lettre de son pontificat — et Pise le reconnurent; Milan au contraire hésita à abandonner le camp impérial. Le souvenir des destructions impériales était sans doute encore trop récent. Le schisme allait opposer également les deux plus importants ordres religieux du moment : Cluny adhéra au pape schismatique, Cîteaux réussit, au contraire, à attirer vers Alexandre III de grands protagonistes de la scène ecclésiastique et intellectuelle de l'époque, tels Jean de Salisbury, Henri de Beauvais et Arnoul de Lisieux. À Rome, Alexandre III pouvait compter essentiellement sur une seule famille, celle des Frangipane : elle lui permit en effet de retourner dans la ville éternelle au milieu de 1161, pour un court laps de temps (15 jours). Ne pouvant s'y maintenir plus longtemps, Alexandre III prit à nouveau le chemin de l'exil. Comme Innocent II une trentaine d'années auparavant, il chercha refuge en France. Autour de Pâques 1161, il s'embarqua à Gênes en direction de Montpellier.

Le concile de Monpellier

Un concile[186] se tint en cette ville peu après son arrivée (17-20 mai), en présence d'un certain nombre d'évêques. Les rois de France et d'Angleterre y avaient envoyé des représentants (Pierre, le frère de Louis VII). Le concile de Montpellier ne fut pourtant qu'un succès relatif, le nombre des prélats présents n'étant pas très élevé.

---

186. Sur les conciles liés au schisme de 1159, v. en général F. Barlow, « The English, Norman and French Councils Called to Deal with the Papal Schism of 1159 » ; Id., The Norman Conquest and Beyond, Londres, 1983, p. 297-301.

Alexandre III dut poursuivre ses efforts pour affermir sa position, d'où son désir de rencontrer une nouvelle fois — ensemble — les rois de France et d'Angleterre. Cette rencontre eut lieu à l'automne 1162. Auparavant, Alexandre III avait rencontré Henri II à Déols, pendant trois jours. Cette conférence tripartite renouvelait une alliance d'importance fondamentale pour Alexandre III, dont la légitimité fut réaffirmée par le geste rituel (l'*officium stratoris*) qui avait provoqué quelques années auparavant un incident diplomatique sérieux entre Adrien IV et Barberousse[187].

Le concile de Tours

L'un des points de discussion avec les rois de France et d'Angleterre portait sur le désir d'Alexandre III de célébrer à Tours un « grand concile ». Le pape semble avoir obtenu leur accord vers la fin de l'année 1162, puisqu'il y fait allusion dans une lettre, adressée à Alphonse II d'Aragon, du 7 décembre[188]. La ville de Tours était alors située dans les domaines d'Henri II, qu'il tenait théoriquement du roi de France. L'accord du roi d'Angleterre était indispensable. Alexandre III atteignit son but : plus de cent évêques prirent le chemin de Tours[189].

Ce concile occupe une place importante au sein de la législation conciliaire et pontificale du XIIᵉ siècle. La plus grande partie de ses décrets (7 sur 9) feront partie du *Liber Extra*.

Un certain nombre d'entre eux portent la marque de la nouveauté. Le canon 3 interdisait l'« usure ecclésiastique » et condamnait les clercs qui, ayant reçu un gage des débiteurs, en gardaient les revenus même lorsqu'ils dépassaient l'entité du prêt. Le canon 4 interdisait toute assistance aux hérétiques et imposait aux seigneurs laïques la charge de prêter leur collaboration dans la lutte contre les hérétiques : il constituait donc un précédent législatif important.

La session finale du concile culmina dans l'excommunication de Victor IV. Le concile de Tours ne réussit cependant pas à clore le schisme, bien que l'espoir de trouver une solution définitive fût bien réel. Une source contemporaine — le *Draco Normannicus*[190] — rapporte même qu'Alexandre III aurait affirmé vouloir « exclure l'empereur (de ces condamnations) puisqu'il désirait se réconcilier avec lui sur ces affaires »[191].

Le schisme relancé

À la mort de Victor IV (20 avril 1164), l'empereur fit élire un nouvel antipape. Sur son ordre, Gui de Crema, qui prit le nom de Pascal III, réunit en mai 1165 une diète à

---

187. V. plus haut, p. 209-210.
188. E. Martin-Chabot, « Deux bulles closes originales d'Alexander III », *Mélanges d'archéologie et d'histoire*, 24, 1904, p. 65-74.
189. Le dernier feuillet du ms. Cotton Vitellius A XVII de la British Library contient une liste de noms de 116 évêques que l'on considère comme étant ceux qui étaient présents au concile de Tours : R. Somerville, *Pope Alexander III and the Council of Tours 1163 : A Study of Ecclesiastical Politics and Institutions in the Twelfth Century*, Berkeley, 1977, p. 27-29.
190. *Ibid.*
191. V. le sermon d'Arnoul de Lisieux, cité par Somerville, *Pope Alexander III*, p. 64.

Wurzbourg pour exiger l'obédience de la part des évêques allemands. Une année plus tard, conseillé par son chancelier Rainald de Dassel, Barberousse marcha sur Rome à la tête d'une armée et s'empara de la ville. L'armée communale fut vaincue le 29 mai 1166 sur le Monte Mario où avait été établi le campement de l'empereur et de l'antipape. À Saint-Pierre, tombé dans les mains des Impériaux, l'empereur fit renouveler la cérémonie de son couronnement.

Alexandre III résidait dans la ville de Rome depuis le 23 novembre 1165. Il y avait été reçu à son retour de France[192] avec les plus grands honneurs par le peuple et les nobles romains ainsi que par le Sénat qui l'avait supplié de retourner à Rome « pour le salut de l'Église de Rome et de tous les peuples d'Italie ». Réfugié dans le quartier des Frangipane, la seule famille romaine importante qui lui était restée fidèle, il résista quelque temps, puis « disparut » : il s'embarqua clandestinement près de Saint-Paul hors les Murs et se réfugia chez les Normands à Bénévent, où il fut rejoint par les cardinaux, individuellement. Frédéric Barberousse[193] avait réussi à s'emparer de la ville, la « rue » ayant changé de camp, décontenancée par les victoires de l'armée impériale. Celle-ci fut cependant contrainte de quitter Rome soudainement, décimée par une grave épidémie.

La fin du schisme

De manière presque inattendue s'ouvrit alors une assez longue période de répit, dans les relations, toujours si conflictuelles, entre pape et empereur. Lors de sa cinquième descente en Italie, en 1168, Barberousse tenta de s'approcher du pape, à tel point que les villes lombardes se mirent à craindre que le pape ne cédât trop vite au discours de paix de l'empereur. Des premiers pourparlers eurent lieu à Veroli, mais Alexandre III considéra les propositions de Barberousse comme inacceptables. Après la défaite de Legnano, les négociations reprirent. Des préliminaires furent signés à Anagni, le 4 novembre 1176. Différents aspects religieux et politiques avaient trouvé une première solution. Une clarification générale nécessitait cependant une entrevue avec l'empereur, qui eut lieu à Venise au mois de juillet 1177. La paix fut stipulée le 24 juillet et ratifiée le 15 août. Elle ne concernait que le pape et l'empereur, non pas les Lombards. Des problèmes épineux (le sort des prêtres schismatiques et l'exacte délimitation des biens appartenant à l'Église romaine) furent laissés de côté.

La paix de Venise constitua cependant un indubitable succès, notamment pour le pape, qui se révéla habile et prudent tacticien. C'est à Venise que le schisme prenait définitivement fin. L'empereur embrassa les pieds du pape et accomplit son devoir d'« écuyer ». En rentrant de Venise, le pape se rendit d'abord à Anagni, après un long périple qui l'avait conduit à Siponte, Troia, Bénévent, San Germano. La paix rétablie avec l'empire eut des conséquences immédiates sur les rapports entre le pape et la ville éternelle. Le Sénat se rendit auprès du pape pour lui demander de retourner à Rome.

---

192. Après avoir quitté la France, le pape avait fait un détour par la Sicile pour resserrer ses rapports avec le roi normand Guillaume.

193. À propos de Frédéric Ier et le schisme en général, v. O. CAPITANI, « Federico Barbarossa davanti allo scisma : problemi e orientamenti », *Federico Barbarossa nel dibattito storiografico in Italia e Germania*, Bologna, 1982, p. 83-130.

Les négociations furent difficiles et durèrent jusqu'en mars 1178. C'est à cette date que le pape, après dix ans d'exil, fit son entrée solennelle dans Rome, accueilli hors les murs par magistrats, armée, nobles et une très nombreuse foule. Le dernier antipape, le troisième de la série, Calixte III, subit les pressions de la cour impériale et dut se soumettre à Alexandre III. La scène eut lieu à Tusculum.

Une année après son retour triomphant dans la capitale de la chrétienté, Alexandre III inaugura dans la basilique du Latran l'un des plus importants conciles du Moyen Âge.

L'été 1179, le pape s'éloigna à nouveau de Rome, les citoyens de la ville ayant créé un nouvel antipape qui ne put cependant tenir que quelques mois (Landus Sitinus, Innocent III, emprisonné déjà au mois de janvier 1180). « Vieux et malade », Alexandre mourut à Civita Castellana le 30 août 1181. Des scènes de violence (lancement de pierres) eurent lieu lors du transport de sa dépouille au Latran où il fut enseveli. Le sépulcre original n'existe plus. Seule l'épitaphe s'est conservée[194]. Le sépulcre qui existe encore actuellement au Latran est l'œuvre de Borromini, qui en avait été chargé par un autre pape d'origine siennoise, Alexandre VII Chigi.

VIII. LE CONCILE DE LATRAN III (1179)

Comme en 1123 et en 1139, le concile qui allait à nouveau être célébré en l'église Saint-Jean du Latran devait manifester de la manière la plus éclatante que l'Église avait retrouvé son unité sous la pleine autorité de l'évêque de Rome, désormais chef incontesté d'une communauté chrétienne ayant traversé une grave crise interne. Pendant presque la moitié des quarante ans qui séparent Latran II de Latran III, soit de 1159 à 1178, l'Église avait connu trois antipapes : Victor IV, Pascal III, Calixte III. Le concile de Latran III[195] se tint les 5, 7 (ou 14) et 19 (ou 22) mars 1179 en la présence d'environ trois cents évêques[196] ainsi que d'un nombre indéterminé d'abbés et de princes représentant la chrétienté latine. Un seul prélat de l'Église orientale y prit part[197].

Malgré vingt ans de déchirure, le concile n'eut pas à débattre de questions personnelles : la solution en avait été entreprise par le pape lui-même après la paix de Venise. Les problèmes qui attendaient les Pères conciliaires n'en étaient pas moins graves : la situation des Latins en Orient menaçait de se détériorer ; il fallait enrayer la

---

194. F. GREGOROVIUS, *Le tombe dei papi*, Rome, 1931, p. 50 n. 57.

195. Édition des Actes : *COD*, p. 205-225. Un ouvrage collectif important a été consacré récemment à ce concile : J. LONGÈRE (éd.), *Le Troisième Concile de Latran (1179)*, Paris, 1982. *DIP*, V, p. 471-474.

196. Cf. l'excellente mise au point de A. GARCIA Y GARCIA, *s.v.*, « Lateranense III, Concilio 1179 ».

197. Guillaume de Tyr parle de 300 évêques ; les Annales du Mont-Cassin (*MGH.SS*, XIX, p. 312) de 301. La liste des évêques présents, dressée par Guillaume de Tyr, d'après fragments épars, donne 287 noms (MANSI, XXII, p. 213-217, 239-240, 458-468 ; cf. FOREVILLE, *Latran I*, p. 387-390), auxquels il faut ajouter 21 cardinaux outre les 3 figurant parmi les évêques indiqués sur les listes. Plusieurs évêques étaient à la tête de nouveaux diocèses de l'Orient latin : J. RICHARD, « Latran III et l'Orient », *Le Troisième concile de Latran*, p. 41-44.

désunion de l'église latine par la proclamation d'une nouvelle croisade; rechercher de nouveaux moyens pour la lutte contre les hérésies; faire confirmer par une assise conciliaire les nombreuses décisions prises par le pape...[198] Œuvre collective, Latran III n'en fut pas moins profondément marqué par l'empreinte d'Alexandre III[199], dont l'activité législative avait été extrêmement riche et féconde pendant les vingt premières années de son pontificat.

Décrets conciliaires

Une attention particulière fut accordée aux promotions épiscopales, une préoccupation qui accompagna tout le pontificat d'Alexandre III. À partir de 1175, la doctrine pontificale en la matière tendit à restreindre les droits d'élection à un seul corps, celui des chanoines de l'église cathédrale. Latran III se prononça en tout cas dans ce sens (16). En ce qui concerne les conditions d'âge pour l'accès à l'épiscopat (3), le concile suivit décrétales et bulles d'Alexandre III[200]. Le c. 6 de Latran III (appels de justice à Rome) accepta également les décisions prises par Alexandre III : 35 de ses décrétales[201] avaient tenté de mettre un peu de cohérence dans un domaine neuf et délicat, qui consacrait le rôle éminent de la curie comme instance judiciaire suprême mais était source d'abus. Bernard de Clairvaux s'en plaignit plusieurs fois. L'un des canons conciliaires les plus célèbres (c. 1)[202] fixa de nouvelles règles à propos de l'élection du pape, pour laquelle était désormais exigée la majorité des deux tiers des votants. Cette mesure était visiblement destinée à enrayer les risques d'un schisme, en renforçant l'autorité de celui qui avait été élu à une si forte majorité.

Diffusion

Des conciles romains du XIIe siècle, les décrets de Latran III connurent la plus grande diffusion. Ces textes firent leur entrée dans plus de vingt collections canoniques[203]. Le phénomène coïncide avec le foisonnement des collections des décrétales, si bien perceptible dès le début du pontificat de Lucius III[204]. Quatorze canons de Latran III sur vingt-sept, c'est-à-dire pratiquement tous ceux ayant des implications pastorales, laissèrent des traces profondes dans les nombreuses *summae pastorales* produites entre Latran III et Latran IV : la *Summa* de Pierre le Chantre, qui avait pris part au concile; le *Liber penitentialis* d'Alain de Lille et de Robert de Flamborough; la *Summa de confessione* de Pierre de Poitiers et la *Summa de poenitentia* de Thomas de Chobham...[205].

---

198. J. Avril, « Le IIIe concile de Latran et les lépreux », *RMab*, 50, 1981, p. 21-76; G. Fransen, « Les canonistes et Latran III », *Le Troisième concile de Latran*, p. 33-40.

199. M. Pacaut, « Alexandre III et le concile oecuménique de 1179 », *Le Troisième concile de Latran*, p. 19-22.

200. Decr. Greg. IX, l. III, VIII, 3 et l. III, XXXVII.

201. Pacaut, « Alexandre III » p. 21.

202. « *Licet de evitanda* », *COD*, 211; cf. *infra*.

203. *Compilatio prima, Liber Extra*, etc.

204. Fransen, « Les canonistes et Latran III », *ibid.*, p. 37.

205. Longere, « L'influence de Latran sur quelques ouvrages de théologie morale », *ibid.*, p. 91-110.

IX. LES DERNIERS PAPES DU XIIe SIÈCLE

1. Lucius III (1181-1185)

Trois jours seulement après la mort d'Alexandre III, les cardinaux lui avaient trouvé un successeur dans la personne de l'évêque d'Ostie, Ubaldus (1er septembre 1181), originaire de Lucques. Celui-ci était aussi le plus âgé des cardinaux. Il avait été promu cardinal quarante ans plus tôt (1141) par Innocent II ; dès 1159, il était évêque d'Ostie, et donc le cardinal de rang le plus élevé. C'est à ce titre que le 20 septembre 1159, à Ninfa, il avait couronné Alexandre III. Il était du reste toujours resté fidèle à ce pape contesté, et avait joué un rôle déterminant dans la lutte pour sa légitimité. Membre de l'ordre de Cîteaux, dans lequel il fut reçu par saint Bernard lui-même, il ne semble pas, contrairement à nombre de ses collègues cardinaux, avoir acquis un savoir universitaire ; ses qualités diplomatiques, et son honnêteté ont été cependant louées par Thomas Becket, généralement critique envers les hauts prélats romains. Sous les pontificats d'Adrien IV et Alexandre III, il avait suivi de très près toutes les grandes affaires qui avaient agité l'Église romaine. Il avait pris une part active aux négociations qui avaient abouti à la paix de Venise (1er août 1177).

Très âgé au moment de son élection au pontificat, Lucius III eut besoin de l'appui de l'empereur Frédéric Ier. Lucius avait été élu à Rome (1er septembre 1181), mais sa consécration (6 septembre) dut avoir lieu à Velletri, à cause des troubles provoqués par les Romains. Ce n'est qu'à partir du 2 novembre que Lucius III réussit à s'installer à Rome, après avoir sans doute accordé des concessions aux représentants de la commune. Mais déjà le 13 mars de l'année suivante, le pape réside de nouveau à Velletri ; il ne remettra plus les pieds à Rome. La ville éternelle lui échappa totalement. Il y eut même des périodes de tensions avec les Romains, surtout lorsqu'ils tentèrent, en 1183, de prendre Tusculum.

La recherche d'une collaboration avec l'empereur était donc devenue primordiale[206]. Les premiers pas en vue d'une entente avec l'empereur remontent au début de son règne. Mais la rencontre eut finalement lieu à Vérone, où le pape arriva le 22 juillet 1184. L'empereur se fit attendre ; il n'entra dans la ville qu'au milieu du mois d'octobre. Les décisions prises étaient importantes. C'est à Vérone, de concert avec Frédéric, que Lucius III promulgua la célèbre constitution *Ad abolendam*[207], destinée à combattre les progrès de plus en plus menaçants des hérésies néo-manichéennes. Pour la première fois, un texte pontifical solennel sanctionnait l'obligation des autorités civiles à se mettre à la disposition du tribunal épiscopal pour faire exécuter les ordonnances à la fois ecclésiastiques et impériales en matière de lutte contre les hérétiques. Faute de s'y prêter, les seigneurs laïques auraient été privés de leurs droits, excommuniés, leurs terres frappées d'interdit. Les cités qui résisteraient seraient mises

---

206. V. Pfaff, « Sieben Jahre päpslicher Politik. Die Wirksamkeit der Päpste Lucius III, Urban III, Gregor VIII », *ZSRG.K*, 98, 1981, p. 148-212.

207. Mansi, XXII, c. 471 ; le texte est passé dans les Décrétales, livre V, tit. VII, c. IX, éd. Friedberg, II, c. 780-782. G. Gonnet, « Sul concilio di Verona », *BSSV*, 140, 1976, p. 21-30.

au ban des autres et privées de leurs sièges épiscopaux. D'une manière générale, ce texte doit être considéré comme le point de départ de toute la jurisprudence inquisitoriale[208]. À Vérone, la chrétienté avait retrouvé, pour un instant, son unité. Pape et empereur avaient jeté les bases d'une collaboration étroite[209]. Plus en profondeur, les raisons de conflits potentiels n'avaient cependant pas disparu. Le conflit entre villes lombardes et empereur ayant repris de plus belle, malgré la récente paix de Constance (1183)[210], les hésitations pontificales se justifiaient d'elles-mêmes[211].

Lucius III était resté à Vérone pendant plus d'une année après le concile, et c'est dans cette ville qu'il mourut, le 25 novembre 1185.

2. URBAIN III (1185-1187)

Le Milanais Uberto Crivelli, depuis peu seulement cardinal et archevêque de sa ville, fut élu pape le jour même de la mort de son prédécesseur. Bien que ressortissant d'une ville qui avait été détruite autrefois par Barberousse, Urbain III rassura l'empereur de son intention de poursuivre la politique conciliante de Lucius III[212]. Il fit même un geste dans cette direction, en se faisant représenter par deux cardinaux au mariage du fils de l'empereur Henri (le futur Henri VI, père de Frédéric II), roi de Germanie, à Constance de Hauteville, héritière du royaume de Sicile, qui eut lieu à Milan, à la fin février 1186. L'entente entre pape et empereur ne fut cependant que de très courte durée. Urbain III déposa l'archevêque de Trèves qui venait d'être inféodé par l'empereur, confirma son rival et procéda même à sa consécration (1er juin 1186). Mais le conflit se porta surtout sur le terrain des biens d'Église, notamment en liaison avec le droit de dépouille. Le pape contesta à l'empereur le droit de s'approprier les biens des prélats morts intestats. De plus, il voulut soutenir Crémone dans son soulèvement contre l'empereur, ce qui constituait une provocation. Réuni à Geln-hausen (novembre 1186), l'épiscopat germanique adressa au pape des remontrances sévères, le rendant responsable de la rupture. Les relations s'envenimèrent. Selon Arnold de Lubeck[213], le pape était décidé à excommunier l'empereur. Supplié par les Véronais, Urbain III quitta la ville pour gagner le territoire vénitien qui échappait à la juridiction impériale. Il ne se rendit cependant pas à Venise, où il aurait voulu bénir les

208. *DDC*, VII, c. 2016 (art. « Inquisition »).

209. M. PACAUT, « Le traité de Constance et la papauté », (réimpr.), in *Id.*, *Doctrines politiques et structures ecclésiastiques dans l'Occident médiéval*, Londres, 1985.

210. *Studi sulla pace di Costanza*, Milan, 1984; M. SPINELLI, « La pace di Costanza (1183). Un difficile equilibrio di poteri fra società italiana ed Impero », *NRS*, 68, 1984, p. 441-58; G. SOLDI RONDININI, « La "Pace di Costanza, 1183" », *ASL*, 1, 1984, p. 388-345; A. HAVERKAMP, « Der Konstanzer Friede zwischen Kaiser und Lombardenbund (1183) », *Kommunale Bündnisse Oberitaliens und Oberdeutschlands im Vergleich*, éd. H. MAURER, Sigmaringen, 1987, p. 11-44.

211. G. BAAKEN, « Uni regni ad imperium. Die Verhandlungen von Verona und die Eheabredung zwischen König Heinrich VI. und Konstanze von Sizilien », *QFIAB*, 52, 1972, p. 219-297.

212. Sur le pontificat d'Urbain III, v., en général, PFAFF, « Sieben Jahre päpstlicher Politik », p. 148-212.

213. WATTERICH, II, p. 681.

croisés qui s'y étaient rassemblés, mais à Ferrare, hostile à l'empereur. Et c'est dans cette ville qu'il mourut le 20 octobre 1187, sans avoir pu mettre à exécution ses projets de lutte radicale contre l'empereur.

La mort d'Urbain III suivit de peu de très grandes défaites des croisés. Depuis quelques annés, Saladin avait entrepris de mettre sous son pouvoir tous les pays avoisinant l'Égypte. Après avoir pris Damas et Mossoul, il encercla le royaume latin de Jérusalem, en l'envahissant par le Nord. Le 4 juillet 1187, à la bataille de Tibériade, le roi Lusignan était fait prisonnier. Le 2 octobre suivant, Jérusalem était prise[214].

3. Grégoire VIII (1187)

Albert de Morra, fils de Sartorius de Morra, dit Spanaccione, de Bénévent, avait adhéré dans sa jeunesse au mouvement des chanoines réguliers, auquel il resta fidèle toute sa vie[215] : vers 1124, il était entré à l'abbaye de Saint-Martin de Laon, qui fut rattachée un peu plus tard à la réforme des prémontrés. Son excellente formation de juriste et de spécialiste des *artes dictandi*, acquise vraisemblablement dans le *Studium* de Bologne, où il enseigna par la suite, l'amena à la direction de la chancellerie de l'Église romaine[216]. Cardinal depuis 1157, il fut élu pape le 21 octobre 1187, mais son pontificat ne dura que quelques mois, puisqu'il mourut le 17 décembre 1187[217]. Il n'eut pas le temps de s'attaquer aux difficiles relations avec l'Empire.

4. Clément III (1187-1191)

Descendant d'une famille romaine peu connue — les Scolari — [218], le jeune Paul fut élevé par les chanoines de Sainte-Marie-Majeure dont il sera plus tard d'archiprêtre. Nous ne savons rien d'autre sur la période de sa formation. Entré au collège cardinalice sous Alexandre III (1179)[219], il ne semble pas avoir rempli des charges importantes à la curie romaine. Ses collègues cardinaux le choisirent une première fois comme candidat à la papauté, après la mort d'Urbain III (20 octobre 1187). Il en fut alors écarté par Henri d'Albano. Deux mois plus tard, à la mort de Grégoire VIII (19 décembre 1187), en l'absence de l'évêque d'Albano, alors légat en France et en Allemagne, et après le refus de l'évêque d'Ostie Thibaud, ex-abbé de Cluny, les cardinaux, sous l'influence du noble romain Léon du Monument, « homme de

---

214. B. Kedar, « Ein Hilferul aus Jerusalem vom September 1187 », *DA*, 38, 1982, p. 112-122.

215. À Bénévent, il fonda en 1170 une congrégation de chanoines réguliers dotée de statuts très stricts; cf. *DHGE*, XXI, col. 1437.

216. Il est l'auteur d'une *Forma dicendi*, qui a influencé de manière déterminante le *stilus Curiae* : N. Valois, « Étude sur le rythme des bulles pontificales », *BECh*, 42 (1881), p. 161-163.

217. Pfaff, « Sieben Jahre päpstlicher Politik », 68 (1981), p. 148-212.

218. Reconstitutions biographiques récentes : R. Foreville, *DHGE*, XII, Paris, 1953, col. 1096-1109; J. Peterson, *DBI*, XXVI, 1982, p. 188-191; Zerbi, *Papato*, p. 15-20. Cf. toujours Y. Geyer, *Papst Klemens III. 1187-1191*, Diss., Bonn, 1914. V. aussi V. Pfaff, « Papst Clemens III. (1187-1191). Mit einer Liste der Kardinalsunterschriften », *ZSRG.K*, 97, 1980, p. 261-316.

219. Première souscription : 2 janvier 1181.

confiance » de l'empereur Frédéric I[er][220], l'élirent pape. Malade, il n'avait lui-même pas pris part à l'élection. Grâce à l'aide de Léon du Monument, et à la suite d'accords très précis avec le Sénat, reconnu définitivement comme l'expression politique du peuple romain[221], Clément III put entrer à Rome deux mois après son élection au mois de février 1188.

Le retour de la papauté à Rome fut l'un des grands objectifs de ce pape romain. C'est pourquoi il scella un accord politique avec l'empereur, pourtant globalement négatif pour l'Église romaine : le diplôme impérial (3 avril 1189)[222] comportait en effet des clauses affirmant que les terres ecclésiastiques faisaient partie de l'Empire, ce qui limitait sur le plan juridique les restitutions patrimoniales effectivement réalisées.

Relativement peu spectaculaire, ce pontificat correspond à une phase décisive de la mise en œuvre des instruments administratifs, législatifs et judiciaires conduisant à la centralisation curiale du XIIIe siècle. L'activité législative d'Alexandre III fut poursuivie aussi en matière de canonisations (saint Ketil, prévôt de Notre-Dame de Viborg au Danemark ; Otton, évêque de Bamberg ; saint Étienne de Muret, fondateur de l'ordre de Grandmont)[223]. C'est sous son pontificat qu'on commença à utiliser le Décret de Gratien pour argumenter les sentences émises par la curie romaine[224]. Le pape multiplia aussi l'emploi des juges délégués. Poursuivant une tradition remontant au pontificat d'Innocent II, qui faisait du pape l'arbitre des controverses doctrinales, Clément III prit lui-même l'initiative, exigeant que des écrits théologiques soient soumis à son jugement : en 1188, il demanda à Joachim de Flore, alors abbé de Corazzo, de lui soumettre son *Expositio in Apocalypsim* et sa *Concordia Novi et Veteris Testamenti*[225] ; en 1191, il chargea l'archevêque de Sens de faire examiner les écrits du *magister* cistercien anglais, Radulphus Niger[226]. La politique d'immédiateté moyennant un cens annuel symbolique, instaurée par Alexandre III, fut continuée avec détermination (plusieurs diocèses furent établis contre l'établissement de cens), par un Clément III généralement soucieux de sauvegarder et d'étendre l'autonomie financière du Siège apostolique. L'accord avec l'Empire aussi devait assurer à la curie romaine de meilleurs conditions économiques, au prix de concessions politiques importantes.

Un témoignage anglais[227] nous dévoile quelques traits d'une personnalité qui reste somme toute relativement obscure : « Il est incorruptible, bien qu'il soit romain. Un grand souci de justice l'anime ; il ne précipite jamais ses sentences et il ne frappe

---

220. Zerbi, *Papato*, p. 20-21.

221. Le Sénat de Rome reconnut la souveraineté du pape sur la ville en lui restituant presque totalement les droits régaliens et ses possessions et en s'engageant à prêter annuellement le serment de fidélité ; le pape garantissait aux Romains l'autonomie communale. Sur tous ces problèmes v. J. Petersohn, « Kaiser, Papst und praefectura Urbis zwischen Alexander III. und Innocenz III. », *QFIAB*, 82, 1974, p. 289-327.

222. *MGH. Const.* I, p. 460-61 n° 322.

223. J. Petersohn, « Die päpstliche Kanonisationsdelegation des 11. und 12. Jahrhunderts », *Proceedings of the Fourth International Congress of Medieval Canon Law*, Cité du Vatican, 1976, p. 172 et suiv.

224. W. Holtzmann, « Die Benutzung Gratians in der päpstlichen Kanzlei im 12. Jahrhundert », *Studia Gratiana*, 1, 1953, p. 323-349.

225. *AA SS*, Maii VII, p. 99-100 ; cf. Zerbi, *Papato*, p. 18 n. 37. Lucius III avait déjà demandé à Joachim de lui expliquer le sens d'une obscure prophétie trouvée parmi les papiers appartenant à un cardinal décédé ; cf. R.E. Lerner, « Antichrists and Antichrist in Joachim of Fiore », *Speculum*, 60, 1985, p. 553-570.

226. Radulphus Niger, *De re militari et triplici via peregrinationis Jerosolimitanae*, éd. L. Schmugge, Berlin, 1977.

227. *Epistolae Cantuarienses*, éd. W. Stubbs, Londres, 1865, p. 178.

qu'après avoir examiné la cause à la lumière de la raison et discerné ses mérites selon l'ordre de la justice et la norme de l'équité. » En d'autres termes, Paul Scolari, prudent, lent dans ses décisions, expert sur le plan de la procédure, excellent connaisseur des rouages administratifs de la curie romaine, apparaît comme le prototype du « haut fonctionnaire »[228], désireux avant tout de poursuivre les grandes lignes de la politique traditionnelle de la papauté.

En créant vingt cardinaux en moins de quatre ans, Clément III restaura le collège cardinalice[229], exsangue depuis la mort d'Alexandre III. Il est vrai qu'il fit une part très belle à la noblesse romaine, notamment à la famille des Bobo et à la branche des Orsini, dont l'ascension fut désormais irréversible. Il est impossible de préciser la date de sa mort. Elle eut lieu entre le 20 mars et le 10 avril 1191, vraisemblablement à la date indiquée par le nécrologe du Mont-Cassin (28 mars). Le pape mourut avant de couronner empereur Henri VI et sa femme Constance, qui campaient en dehors de Rome depuis la fin de mars. Il fut enseveli dans la basilique du Latran face au chœur des chanoines, dans un sépulcre de marbre qui n'est pas parvenu jusqu'à nous[230].

5. CÉLESTIN III (1191-1198)

Un romain fut à nouveau élu comme successeur de Clément III, le 10 avril 1191[231] : le cardinal Hyacinthe de Sainte-Marie in Cosmedin. Il avait derrière lui une longue carrière curiale de soixante-cinq ans, selon son propre témoignage. Appartenant à une importante famille de l'aristocratie romaine − celle des Bobo, dont la branche des Orsini était destinée à devenir célèbre −, Hyacinthe prit le nom de Célestin III, en mémoire, sans doute, du pape Célestin II qui l'avait créé cardinal. Lors de son élection, il était un vieillard presque nonagénaire : la date de sa naissance doit en effet être placée dans les toutes premières années du XIIe siècle. En 1126[232] il figure déjà parmi les sous-diacres du Latran, appartenant alors au mouvement réformateur de San Frediano de Lucques. Un très long silence des sources nous en fait perdre les traces. Nous le retrouvons, de manière relativement surprenante, en 1140, au concile de Sens, où il s'était rendu, en compagnie d'Arnaud de Brescia[233], pour défendre Pierre Abélard contre les attaques de Bernard de Clairvaux. Celui-ci n'hésita pas à s'en plaindre dans sa lettre au pape Innocent II[234]. Si Hyacinthe nous apparaît donc comme le porte-parole de cardinaux et de curialistes intéressés par l'un des courants

---

228. ZERBI, *Papato*, p. 19.

229. V. p. 230.

230. H. HOUBEN, « Philipp von Heinsberg, Heinrich VI und Montecassino. Mit einem Exkurs zum Todesdatum Papst Clemens III. », *QFIAB*, 68, 1988, p. 52-73.

231. K. BAAKEN, « Zur Wahl, Weihe und Krönung Papst Cölestins III », *DA*, 41, 1985, p. 203-211.

232. Cette date est le fruit d'une conjecture : élu pape, Célestin III déclare avoir exercé l'office de « lévite » pendant soixante-cinq ans (Pierre de Blois, épître n° 123 : *PL* 207, col. 366-67).

233. Jean de Salisbury, *Historia pontificalis*, chap. 31, éd. R.L. POOLE, Oxford, 1927, p. 63-64. L'identification avec Hyacinthe a été avancée pour la première fois par A. FRUGONI, *Arnaldo da Brescia nelle fonti del secolo XII*, Rome, 1954, p. 18 et 126.

234. *PL* 182, col. 357.

intellectuels les plus originaux de l'époque[235], fascinés par la personnalité et la doctrine d'Abélard, prêts à le défendre. Nous ignorons cependant s'il en avait été le disciple, à Paris ou ailleurs[236]. Ses relations avec Abélard et Arnauld de Brescia, l'infatigable instigateur de réforme religieuse aux connotations sociales et politiques, n'entravèrent pas sa carrière curiale : en 1144, Célestin II le fit cardinal et lui confia la diaconie de Sainte-Marie in Cosmedin. Une dizaine d'années plus tard (1153), Hyacinthe fut chargé d'une légation, dans la péninsule ibérique. Au concile de Valladolid (1155), le légat prit la croix et se chargea personnellement du commandement des troupes. En 1157, après l'incident de Besançon, le pape Adrien IV l'envoya auprès de l'empereur pour tenter une médiation. Les relations nouées alors avec Otton de Freising et Gerhoch de Reichersberg s'intensifieront encore par la suite. Lors du schisme de 1159, il se rangea avec conviction du côté d'Alexandre III, qu'il suivit dans son exil en France. Dans le conflit de Thomas Becket, Hyacinthe joue un rôle non négligeable. Il donna des conseils de modération à l'archevêque de Cantorbéry et réussit à garder de bonnes relations avec le roi. En 1172, une deuxième légation le conduisit à nouveau en Espagne. Puis nous le retrouvons aux premières loges, en 1177, lors de la paix de Venise. Âgé, il reste désormais en curie, où il occupe une position de prestige. Il eut comme procureur Cencius, l'auteur du *Liber censuum*, le futur pape Honorius III[237].

Selon le témoignage d'Arnold de Lubeck[238], Célestin III aurait différé sa propre consécration, à cause des négociations avec le roi de Germanie, Henri VI, qui campait sous les murs de Rome en attendant d'être couronné empereur. Le couronnement impérial eut finalement lieu le lendemain de la consécration du pape, le lundi de Pâques, 15 avril 1191[239]. Les rapports avec la ville de Rome et l'Empire furent dans l'ensemble tourmentés. Rome avait connu une certaine accalmie à la suite d'un accord assez avantageux pour la papauté (mai 1191), en contrepartie de la remise de Tusculum à la ville de Rome ; le conflit ressurgit lorsque le chef des « popolani », Benoît Carushomo, prit le pouvoir de la ville (fin 1191) et occupa une partie des États pontificaux (Maritime et Sabine).

Personnalité sans doute empreinte de religiosité et « dotée de conscience morale »[240], Célestin III, que Thomas Becket considérait comme un « ami spéciale-ment cher » et comme un des deux seuls membres intègres de la Curie[241], était aussi le chef d'une curie romaine qui, justement sous son pontificat, fut l'objet de critiques acerbes et sévères, notamment de la part de Joachim de Flore, qui fustigea dans son *Tractatus super Quatuor Evangelia* une Église romaine de plus en plus bureaucratisée

---

235. À propos des livres d'Abélard possédés par Célestin II, le futur patron curial du cardinal Hyacinthe, v. plus haut, p. 199 ; cf. aussi ZERBI, *Papato*, p. 66.

236. D. GIRGENSOHN, dans sa notice biographique (*DBI*, XXIII, Roma, 1979, p. 392) suppose trop rapidement une relation maître-élève entre Abélard et le futur Célestin III. Comme le rappelle ZERBI, *Papato*, p. 67, il est inutile à ce propos de pousser trop loin les hypothèses.

237. V. plus haut, p. 561.

238. *MGH.SS*, XXI, p. 18).

239. Pour un récit détaillé des rapports de Célestin III avec Henri VI, v. surtout ZERBI, *Papato*, p. 83-142, qui a entièrement réexaminé la question.

240. *Ibid.*, p. 78.

241. *Materials for the History of Thomas Becket*, éd. J.C. ROBERTSON, VI, Londres, 1882, p. 213, 475 ; cit. R. MOLS, *DHGE*, XII, Paris, 1950, col. 66.

et mondaine. La longue expérience des affaires avait fait de Hyacinthe Bobo l'un des principaux protagonistes de l'administration centrale d'une Église romaine plus sûre d'elle-même, et avait, en même temps, éliminé en lui les traits du personnage qui avait entretenu, dans sa jeunesse, des relations avec un Arnaud de Brescia.

Des cinq cardinaux créés par Célestin III, au moins l'un d'eux (Bobo, cardinal de Saint-Théodore) était un parent du pape. L'accusation de népotisme est avancée même par le biographe d'Innocent III, qui affirma sans ambages que « des neveux du pape s'enrichirent avec les biens de l'Église romaine[242] ». Son grand âge, objet de remarques ironiques de la part de visiteurs et de cardinaux[243], et sa mauvaise santé le rendirent de plus en plus dépendant de son entourage. Aristocrate de naissance, favorable à la noblesse romaine[244], il ne semble pas avoir été particulièrement sensible aux nouvelles aspirations religieuses qu'exprimaient, entre autres, les classes les plus actives de la société : de ce point de vue, son pontificat n'annonça pas vraiment celui d'Innocent III.

L'été 1197, les négociations avec l'empereur Henri VI furent ralenties par une grave maladie du pape. Ce ne fut cependant pas le pape nonagénaire qui mourut le premier. Henri VI fut emporté soudainement par la fièvre le 28 septembre 1197, à Messine. Il présidait alors aux préparatifs d'une croisade. Dans son testament, qui a été longtemps controversé, mais qui semble devoir être considéré comme authentique, l'empereur reconnaissait le droit de l'Église sur les territoires contestés.

Le jour de Noël 1197, Célestin III, sentant ses forces s'affaiblir, aurait demandé aux cardinaux qu'ils désignent comme son successeur le cardinal Jean de Saint-Paul, ancien moine de Saint-Paul-hors-les-Murs. Les cardinaux auraient décliné avec une ferme détermination la proposition du pape. Cet épisode, en soi pas invraisemblable, n'est raconté que par un seul chroniqueur, l'anglais Roger de Hoveden[245], qui ne semble pas bien connaître les usages de la curie[246]. Le pape mourut quelques jours après, le 8 janvier 1198, à Rome et fut enseveli dans la basilique de Saint-Jean du Latran « iuxta Santa Maria de Reposo ». Le même jour, les cardinaux élirent pape le cardinal-diacre des Saints-Serge-et-Bacchus, Lothaire de Segni, qui prit le nom d'Innocent III[247].

X. ÉVOLUTIONS ECCLÉSIOLOGIQUES : LE PONTIFICAT D'ALEXANDRE III

Poussé par les événements de 1159 et par le long schisme qui suivit, Alexandre III fut amené à définir avec une insistance particulière les cadres doctrinaux de l'exercice

---

242. *PL* 214, col. 183.
243. GIRGENSOHN, *DBI*, XXIII, p. 394.
244. ZERBI, *Papato*, p. 65 et suiv.
245. *MGH.SS*, XXVII, p. 176.
246. W. MALECZEK, *Papst und Kardinalskolleg von 1191 bis 1216*, Wien, 1984, p. 115. V. aussi pour sources et bibl. *DHGE*, *s.v.* Célestin III, p. 68.
247. V. plus loin, p. 524.

de l'autorité pontificale[248]. De plus, les affirmations doctrinales d'Alexandre III accompagnent et soutiennent une œuvre législative d'une ampleur extraordinaire. La clarté de l'expression et la rigueur de l'argumentation renforcèrent le caractère didactique de maintes prises de position d'Alexandre III et contribuèrent à leur assurer un succès durable. Neuf décrétales de papes ayant régné entre 1143 et 1159 ont pris place au sein du *Corpus iuris canonici*, face à 470 décrétales d'Alexandre III, 215 de ses successeurs immédiats (1181-1198), et 596 d'Innocent III[249].

1. LA PRIMAUTÉ DU PAPE

Dans l'Église, le pape est le premier. Il « possède la primauté sur les autres Églises de l'univers »[250]. La suprématie de l'Église romaine dérive de la volonté expresse du Christ. Autrement dit, l'autorité du pape est suprême parce que « l'éternelle et immuable providence du Créateur a voulu que dès le début de sa fondation, l'Église sainte et immaculée soit gouvernée de telle sorte et de telle manière qu'elle ait un seul pasteur et fondateur, auquel les membres adhèrent comme à leur tête... et ne s'en séparent aucunement »[251]. C'est pour garantir l'unité de l'Église que le Christ a voulu en outre que « la sainte Église romaine et apostolique ait prééminence sur toutes les Églises du globe terrestre, de sorte que, par le pouvoir divin, elle juge et dispose non seulement des choses de la terre, mais aussi de celles du ciel »[252].

Le pape possède la primauté parce qu'il est le successeur de Pierre. C'est parce qu'il se trouve à la place du bienheureux Pierre, que l'« éminente chaire apostolique » qu'il occupe se trouve « au-dessus des nations et des royaumes »[253]. C'est parce qu'il est « le vicaire de saint Pierre »[254] que le pape a le pouvoir de lier et de délier et qu'il exerce une autorité souveraine sur les âmes, en vue de leur salut.

Pour définir les prérogatives de la prééminence du pouvoir pontifical, Alexandre III ne s'est pas servi directement de la formule de *Vicarius Christi*, dont l'usage s'était pourtant imposé avec succès dans la deuxième moitié du XIIᵉ siècle. Le titre de *Vicarius Christi* n'avait pas fait son entrée dans la terminologie de la chancellerie pontificale avant le pontificat d'Eugène III ; pendant le schisme, il fut assez souvent invoqué, par les deux partis, dans des textes officiels[255], dans des textes polémiques[256] et encore chez des auteurs comme Gerhoch de Reichersberg, Thomas Becket et Jean de

---

248. L'ecclésiologie d'Alexandre III devrait être entièrement revue : il est en effet désormais impossible d'identifier Alexandre III avec le « magister Rolandus » auteur d'une *Summa*, qui a été jusqu'à un passé récent prise comme source de la pensée ecclésiologique de ce pape ; sur la question de l'identification, v. plus haut, p. 207.

249. Plus de la moitié des 713 décrétales promulguées par Alexandre III selon W. HOLTZMANN, « Ueber eine Ausgabe der päpstlichen Dekretalen des 12. Jahrhunderts », *NAWG*, 1945, p. 34 ; cf. PACAUT, *Alexandre III*, p. 260.

250. Aux chanoines de Siponto, 25 septembre 1176 (*JL* 14233), éd. *Papsturkunden in Italien*, I, p. 359.

251. À l'archevêque de Gênes, *JL* 10854 ; cf. G. LESAGE, « L'autorité ecclésiale d'après Alexandre III », *StCan*, 7, 1973, p. 6.

252. À l'église Sainte-Geneviève de Paris (*JL* 10855).

253. À l'archevêque d'Uppsala, 10 septembre 1171 (*JL* 12177).

254. À propos de l'usage de cette formule par Alexandre III, v. PACAUT, *Alexandre III*, p. 189.

255. Lettre des cardinaux favorables à Alexandre III, adressée à l'empereur Frédéric Iᵉʳ (décembre 1159) ; lettre de celui-ci au roi d'Angleterre (28 octobre 1159) ; cf. MACCARRONE, *Vicarius Christi*, p. 102.

256. *Ibid.*, p. 102-103.

Salisbury[257]. À part une lettre de Clément III[258], ce titre n'entra pas vraiment dans le langage de la chancellerie avant le pontificat d'Innocent III[259].

Pourquoi un tel silence chez Alexandre III, pourtant si attentif aux affirmations doctrinales relatives à la primauté pontificale? Voulait-il par là « mettre en valeur le caractère sacerdotal et spirituel de son pouvoir » et « montrer qu'il n'a pas un pouvoir réel sur les corps, mais seulement un droit d'intervention au nom de la sauvegarde des âmes »?[260]. Il semble exagéré de parler d'un véritable refus de ce titre de la part d'Alexandre III, d'autant plus que le pape utilisa une forme littéralement très proche dans une lettre au chapitre de Cîteaux : « Nous paraîtrions alors remplir inutilement la succession (*vicissitudinem gerere*) du divin Agriculteur, si nous cessions d'abreuver de rosées opportunes le champ qu'il a planté. »[261] La référence à Pierre et l'insistance sur le fait que le pape est son « vicaire » ne sont-elles pas plutôt liées à la nécessité pour Alexandre III de défendre sa légitimité? Remarquons en tout cas que toutes ces affirmations appartiennent à l'époque du schisme.

2. RAPPORTS AVEC LES ÉVÊQUES

Les conséquences d'une telle doctrine sur le plan ecclésiologique furent multiples. L'Église romaine étant « le fondement de l'Église universelle »[262], sa fonction est par conséquent plus large que celle que le Christ a confiée aux Églises particulières. En faisant allusion au fait que le Christ a donné la mission de paître les brebis et non seulement les agneaux, Alexandre III précisa : « Cette tâche, bien qu'elle incombe à tous les autres chefs d'Églises, est cependant beaucoup plus fortement attachée à l'évêque de la ville de Rome parce que celui-ci l'a reçue du Seigneur Jésus-Christ dans la personne de Pierre et qu'il a, on le sait, le mandat exprès et spécial de paître les brebis du Seigneur et de confirmer ses frères. »[263] La primauté sur toutes les autres Églises implique de la part de l'évêque de Rome une sollicitude particulière[264]. C'est ainsi que « nous sommes forcé d'étendre notre vive attention sur tout le corps du troupeau qui nous est confié »[265].

Alexandre III insista plusieurs fois sur le droit exclusif du pape à convoquer les conciles. C'est parce que Barberousse usurpa ce droit en convoquant un concile à Pavie, qu'Alexandre III le condamna[266]. Il convoqua seul les deux conciles de son pontificat, Tours (1163) et Latran III (1179)[267]. Sur le plan strictement ecclésial, la

---

257. *Ibid.*, p. 102-103.

258. Au chapitre de Saint-Pierre au Vatican (1188); cf. MACCARRONE, *Vicarius Christi*, p. 103.

259. V. plus loin, p. 583.

260. PACAUT, *Alexandre III*, p. 192-193.

261. *JL* 11633; cf. LESAGE, « L'autorité ecclésiale », p. 11; il faut naturellement admettre que *vicissitudo* peut être synonyme de *vices*; cf. Du Cange.

262. À l'abbé Gislebert de Cîteaux (*JL* 11226).

263. À l'archevêque de Salzbourg, 30 mai 1178 (*JL* 13070); cf. PACAUT, *Alexandre III*, p. 257.

264. Le pape doit « promouvoir dans toutes les églises le culte de la sainte religion, de telle sorte que la religion coule d'elle comme d'une source, sur tous les fils de l'Église ». À l'abbé Gislebert de Cîteaux (*JL* 11226).

265. À l'archevêque d'Uppsala, 10 septembre 1172 (*JL* 12177); cf. PACAUT, *Alexandre III*, p. 257.

266. Boson, *Vita Alexandri III, LP*, II, p. 383.

267. Pour les sources, v. PACAUT, *Alexandre III*, p. 263 n. 4.

primauté de Pierre s'intègre donc dans une vision où le partage des responsabilités et des juridictions existe explicitement. L'autorité du pape, suprême, n'exclut pas qu'il y ait « distinction des dignités dans l'Église ». À côté, ou, plus précisément, sous l'autorité, suprême, de l'évêque de Rome, existe une autre autorité ou juridiction ecclésiale ordinaire : celle des évêques[268]. La métaphore du corps permet à Alexandre III de préciser : « De même que dans le corps humain les divers membres ont été établis selon la variété des fonctions, de même, dans l'organisme de l'Église, des personnes diverses ont été instituées dans les divers ordres selon les divers ministères à remplir. »[269]

Alexandre III intervint fréquemment dans la vie des diocèses, se montrant très attentif à la création de nouvelles structures ecclésiales. En 1161, l'archevêque de Gênes reçut les pouvoirs métropolitains sur la Corse, tandis que les deux diocèses de Sardaigne furent rattachés à la province de Pise. En 1162, il constitue la province d'Uppsala, qu'il dota de quatre diocèses ; en 1175, il créa, grâce aux récentes conquêtes chrétiennes en terre d'Espagne, le diocèse de Ciudad Rodrigo ; en 1179, il divisa le diocèse de Sisteron en deux évêchés (Sisteron et Forcalquier)[270].

3. CANONISATIONS

Les affirmations d'Alexandre III sur le plan ecclésiologique furent accompagnées d'une série d'interventions concrètes, dont certaines constituèrent des nouveautés. Ainsi, en matière de procédure de canonisation, la papauté s'était jusqu'ici contentée de répondre aux très nombreuses demandes affluant de plus en plus nombreuses auprès du Siège apostolique, par des confirmations qui laissèrent aux évêques et légats le pouvoir de se prononcer eux-mêmes sur la sainteté des candidats à l'autel. Lors d'une des douze canonisations prononcées sous son pontificat, Alexandre III prit une position plus ferme en ce qui concerne les droits de l'Église romaine. Dans la lettre *Aeterna et incommutabilis* adressée au roi de Suède en 1171 ou 1172, le pape interdisait de rendre un culte à un homme mort en état d'ébriété (le roi Eric, tué par le destinataire de la lettre) « puisque, même si des prodiges et des miracles se produisaient par son intermédiaire, il ne vous serait pas permis de le vénérer publiquement comme un saint sans l'autorisation de l'Église romaine »[271]. Ce n'est qu'à partir du moment où ce paragraphe (*Audivimus*) fut inséré, en 1234, dans le *Liber Extra*[272] que le droit exclusif du pape à canoniser les saints fait partie officiellement de la législation de l'Église[273]. La prise de position d'Alexandre III marque néanmoins

---

268. Plusieurs citations chez LESAGE, « L'autorité ecclésiale », p. 4-5.
269. *Ibid.*
270. Sur toutes ces décisions, v. PACAUT, *Alexandre III*, p. 263.
271. *PL* 200, c. 1259-61, trad. VAUCHEZ, *La sainteté en Occident*, p. 29.
272. L. III, t. XLV, c. 1, *de reliquiis et veneratione sanctorum*.
273. S. KUTTNER, « La réserve papale du droit de canonisation », *RHDF*, 4ᵉ s., 18, 1938, p. 172-228 ; VAUCHEZ, *La sainteté en Occident*, p. 28-31.

une étape décisive dans cette direction, puisqu'elle transformait « en un droit réel ce qui n'était auparavant qu'une coutume d'ailleurs ancienne »[274].

Dans la bulle de canonisation de sainte Cunégonde (1200), le principe de la réserve pontificale en matière de canonisation des saints est directement lié à la primauté de Pierre et à la *plenitudo potestatis* papale[275].

4. POUVOIR JUDICIAIRE SUPRÊME

Alexandre III recourut également à la métaphore de la mère pour fonder la légitimité de l'arbitrage judiciaire pontifical : « L'autorité ecclésiastique a établi que, dans les affaires plus graves, il faut recourir au Siège apostolique, comme la tête et la mère de tous. Celui-ci, en effet, sait secourir avec les entrailles de sa charité maternelle ses fils opprimés, et défendre ses propres droits de manière à sauvegarder aussi avec soin les droits respectifs des autres. »[276] Les appels à Rome furent favorisés par toute une série de prises de position qui constituent l'un des thèmes fondamentaux de son œuvre législative : la moitié des 73 décrétales qui forment le titre XXVIII (*De appellationibus*) du livre III du *Corpus juris canonici* ont été promulguées par Alexandre III[277].

La théologie de la primauté du pape prit chez Alexandre III une connotation juridictionnelle particulièrement forte. Comme Pierre « a reçu, parmi tous les apôtres, le titre de prince et a reçu l'ordre particulier du Seigneur de confirmer ses frères », « il a été spécialement donné à la postérité de comprendre que, bien que beaucoup aient été parfois institués pour la conduite de l'Église, un seul, cependant, occupait la place et le faîte de la dignité suprême et l'emportait sur tous par le pouvoir de juger et par l'honneur de gouverner ». Occupant la première place, « il juge et règle les causes de tous les hommes, et il ne cesse pas, à travers l'univers tout entier, de confirmer les fils de l'Église dans le maintien de la foi chrétienne »[278]. Pour Alexandre III, l'activité juridictionnelle du pape est intimement liée à la responsabilité qui découle de sa charge : « L'ordre de la raison demande et le soin du ministère qui nous est confié suppose que nous, qui aurons à rendre compte de tous au jugement suprême, nous songions au salut de tous et veillions par nous-mêmes et par d'autres à procurer ce qui regarde le progrès des fidèles »[279].

---

274. PACAUT, *Alexandre III*, p. 262 ; fondamental sur ce point, E.W. KEMP, « Pope Alexander III and the Canonization of the Saints », *THS*, 4ᵉ s., 27, 1945, p. 13-28.
275. Édition critique de cette bulle : J. PETERSON, « Die Litterae Papst Innocenz III. zur Heiligsprechung der Kaiserin Kunegunde 1200 », *JFLF*, 37, 1977, p. 1-25 ; sur tous ces problèmes, v. surtout VAUCHEZ, *La sainteté en Occident*, p. 28-31.
276. À l'évêque de Léon (*JL* 10859).
277. PACAUT, *Alexandre III*, p. 264-265 ; v. aussi l'article « Appel », *DDC*, I, p. 764 et suiv.
278. PACAUT, *Alexandre III*, p. 264-265.
279. À l'évêque de Chartres (*JL* 10762) ; LESAGE, « L'autorité chrétienne », p. 13.

5. Pouvoir spirituel et pouvoir temporel

Le conflit entre Frédéric Ier et la papauté devint de plus en plus profond vers la fin du pontificat d'Adrien IV et connut son apogée lors du schisme des années 1159-1177. Ses répercussions à un niveau de doctrine politique furent considérables. Dans les années soixante du XIIe siècle, les décrétistes commencèrent à discuter le problème de savoir si l'empereur avait reçu son pouvoir directement de Dieu ou du pape et laquelle de ces deux autorités à vocation universelle occupait la plus haute place dans la conduite de la *societas christiana*[280].

Deux conceptions s'opposaient : l'une, dualiste, affirmait que l'autorité de l'empereur était d'origine divine; l'autre, hiérocratique, se fondait sur le caractère essentiellement religieux du *regnum*. Fidèles à la célèbre distinction réaffirmée par Gratien[281], les hiérocratiques ne pouvaient prétendre que le pape pourrait exercer le pouvoir à la place de l'empereur. En aucun cas, le pouvoir pontifical ne pouvait se substituer à celui de l'empereur ou des rois. Le pape détenait les deux pouvoirs, mais ne pouvait, de fait, que garder le glaive spirituel : le glaive temporel devait appartenir à l'empereur; par conséquent, le pape ne pouvait s'immiscer dans les affaires temporelles qu'en cas d'extrême nécessité. L'Église avait cependant un droit de surveillance et de confirmation. Le pape étant le seul à transmettre le pouvoir à l'empereur, il pouvait par conséquent lui enlever cette charge et la confier à quelqu'un d'autre. Le pape pouvait-il déposer un souverain? Ce n'est qu'à la fin du XIIe siècle qu'un consensus se fit, parmi les canonistes, sur le fait que le pape possédait le droit de déposer[282].

Alexandre III ne déposa jamais Frédéric Barberousse. Sa décision du 24 mars 1160 d'excommunier l'empereur, liée à la convocation d'un concile à Pavie (5 février 1160), pouvait être considérée comme une affaire ecclésiastique, la double élection du pape faisant partie de la sphère spirituelle. Alexandre III ne semble pas avoir dépassé les thèses de Gratien[283]. Le pape, qui ne s'est presque pas exprimé sur le pouvoir temporel, rechercha plus la collaboration entre les deux pouvoirs qu'une suprématie du spirituel sur le temporel au sens radical du terme[284].

---

280. Kempf, *Papsttum und Kaisertum*, p. 199-252; Pacaut, *Alexandre III*, p. 163-253; Stickler, « Sacerdozio e Regno nelle nuove ricerche attorno ai secoli XIIe XIII nei Decretisti e Decretalisti fino alle Decretali di Gregorio IX », *Sacerdozio e Regno da Gregorio VII a Bonifacio VIII*, Rome, 1954, p. 1-26; F. Kempf, « Kanonistik und kuriale Politik im 12. Jahrhundert », *AHP*, 1, 1963, p. 11-52.

281. *Decretum Gratiani*, C. II q. 7 dict. Grat. post c. 41 : « *Duae sunt personae, quibus mundus iste regitur, regalis videlicet et sacerdotalis. Sicut reges praesunt in causis saeculi, ita sacerdotes in causis Dei* ». À propos de l'évolution, jusqu'à Gratien, de la doctrine gélasienne des deux pouvoirs, v. R.L. Benson, « The Gelasian Doctrine : Uses and Transformation », *La notion d'autorité au Moyen Âge, Islam, Byzance, Occident. Colloques internationaux de la Napoule*, Paris, 1982, p. 13-44.

282. O. Hageneder, « Päpstliches Recht der Fürstenabsetzung : seine kanonistische Grundlegung 1150-1259 », *AHP*, p. 53 et suiv.

283. Kempf, « Kanonistik », p. 51.

284. Les divergences qui avaient été rencontrées dans le *Stroma ex decretorum corpore captum* n'ont plus d'intérêt, puisque cette œuvre est celle du « *Magister Rolandus* », qui ne peut être identifié avec Alexandre III, comme l'a démontré R. Weigand (v. plus haut, p. 207).

6. ALEXANDRE III ET LE PRÊTRE JEAN

Quelques mois après la paix de Venise, le 27 septembre 1177, Alexandre III décida d'envoyer son propre médecin Philippe au Prêtre Jean, qu'il appelle « *karissimo in Christo filio Iohanni, illustri et magnifico Indorum regi* ». Dans la lettre qu'il lui adressa[285], le pape affirmait d'emblée : « Le Siège apostolique, auquel nous présidons, bien que nous ne le méritions pas, est la tête et le maître de tous ceux qui croient dans le Christ, selon le témoignage du Seigneur qui a dit au bienheureux Pierre, auquel, malgré notre indignité, nous avons succédé : "Tu es Pierre, et sur cette pierre je bâtirai mon Église." Le Christ a réellement voulu que cette pierre servît de fondement à son Église qui, il l'a prédit, ne doit être abattue par aucun ouragan et par aucune tempête. C'est pourquoi le bienheureux Pierre, sur qui il a fondé l'Église, a mérité à juste titre, parmi les autres Apôtres, de recevoir spécialement et avant tous le pouvoir de lier et de délier... »[286] Bien qu'Alexandre III ne s'y réfère pas explicitement, il est probable que sa lettre fasse suite à la célèbre et prétendue « Lettre du Prêtre Jean », alors en circulation, si nous croyons aux affirmations du chroniqueur Aubry de Trois-Fontaines, qui la plaçait en 1165[287].

Selon un récit anonyme[288], confirmé par une lettre de l'abbé de Saint-Rémy de Reims, Odon (1118-1151)[289], le pape Calixte II aurait reçu en audience au Latran, le 5 mai 1122, un patriarche des Indes du nom de Jean. Les milieux de la curie romaine, d'abord réticents[290], auraient été informés de l'existence d'une « Cité... capitale... d'un royaume des Indes... », siège du sépulcre de l'Apôtre Thomas, dont le baume serait capable de guérir — une fois par an, le jour d'anniversaire du saint — tout malade qui aurait pu s'en approcher.

Otton de Freising[291] nous informe, d'autre part, qu'en 1145 il avait rencontré le 18 novembre l'évêque de Dsjebel (au sud de Laodicée) qui venait d'être reçu en audience, à Viterbe, par le pape Eugène III. Cet évêque lui raconta qu'un certain Jean, nestorien, roi et prêtre, habitant dans les extrémités de l'Orient, au-delà de la Perse et de l'Arménie, avait vaincu quelques années auparavant, probablement en 1141, les *Samiardi*, voulant ainsi venir en aide à l'Église de Jérusalem. Arrivé au bord du Tigre, il ne put toutefois le traverser et dut rebrousser chemin. Ce récit, qui est le plus ancien texte mettant en scène le personnage du roi-prêtre Jean, renvoie à une réelle bataille que le sultan islamique Sandjar et son neveu avaient perdue contre une puissante tribu asiatique, les Khara-Khitai, vers 1141, mais il est aussi le reflet de la grande peur qui avait envahi l'Occident à la suite de la défaite d'Édesse.

Il est possible que le vainqueur de la bataille de 1141 contre les *Samiardi*, surnommé

---

285. Les témoignages les plus anciens remontent au XIIᵉ siècle : Cambridge, Trinity College, ms. R. 9. 17 : chronique de Benoît de Peterborough, rédigée entre 1170 et 1192, ad a. 1178.

286. Trad. PACAUT, *Alexandre III*, p. 191.

287. *MGH.SS*, XXIII, p. 848. Aubry écrivait dans les premières décennies du XIIIᵉ siècle (avant 1241) et son témoignage ne constitue donc pas une preuve.

288. Éd. F. ZARNCKE, « Der Priester Johannes », *ASGW.PH*, 6, 1879, p. 837-43.

289. Éd. ZARNCKE, « Der Priester Johannes », p. 845-46.

290. Odon de Reims, cf. ZARNCKE, *ibid.*

291. M. GOSMAN, « Otton de Freising et le Prêtre Jean », *Revue Belge de philologie et histoire*, 61, 1983, p. 270-85.

Gor-Khan, ait réellement inspiré la légende du Prêtre Jean, mais d'autres éléments ont pu jouer, notamment l'existence de légendes apocryphes de saint Thomas conservant le récit d'un roi et prêtre Vizan, le fils du roi des Indes, ordonné diacre par l'Apôtre Thomas. Le caractère utopique[292] n'en est pas moins évident. Tous les princes étant soumis au prêtre, le royaume du roi prêtre Jean ne connaît ni guerres intestines, ni querelles de pouvoir. Le royaume du Prêtre Jean est utopiquement le contraire — et pourrait donc servir d'exemple, — d'un Occident médiéval déchiré par les querelles autour de la *plenitudo potestatis*, opposant radicalement sacerdoce romain et Empire. La *Lettre du Prêtre Jean* pourrait être ainsi considérée comme l'expression mythique d'un rêve inassouvi, celui d'un Occident devant être gouverné par un roi et un prêtre, assurant l'unité de la chrétienté[293].

XI. LA CURIE ROMAINE (1154-1198)

1. LE COLLÈGE DES CARDINAUX

Entre le schisme de 1159 et la fin du pontificat d'Innocent III, le nombre des cardinaux oscilla entre dix-neuf (début du pontificat de Clément III) et trente-cinq (élection de Célestin III). Tous les papes de la deuxième moitié du XIIe siècle ayant été des Italiens, la très grande majorité des cardinaux était originaire de la Péninsule, avant tout de Rome et du Latium. Sous Clément III, le nombre des cardinaux provenant de Rome ou des régions avoisinantes fut très élevé (17)[294]. La majorité des autres cardinaux italiens étaient nés dans des communes de l'Italie du Nord et du Centre (Pise). Des villes comme Gênes et Venise, ainsi que le royaume de Sicile, étaient fortement sous-représentées. La présence de moines ou d'abbés du Mont-Cassin au sein du collège des cardinaux avait déjà commencé à décliner sérieusement sous Calixte II et Honorius II. Les cardinaux étrangers furent dans l'ensemble peu nombreux. Alexandre III demanda expressément à son légat en France, le cardinal Pierre de Saint-Chrysogone, de lui signaler des clercs s'étant particulièrement distingués dans la *scientia litterarum* dignes de recevoir la pourpre cardinalice. Le pape ne retint finalement pas les candidats signalés par le légat (Pierre le Mangeur, Gérard Pucella, Pierre de Celle, etc.) mais fit appel à un moine de Clairvaux (Henri) et aux

---

292. Ce point de vue avait été particulièrement défendu par L. Olschki, « Der Brief des Presbiters Johannes », *HZ*, 144, 1931, p. 1-14.

293. Gosman, « Otton de Freising et le Prêtre Jean », p. 270-85 ; A.-D. von Den Brincken, « Presbyter Iohannes, Dominus Dominantium — ein Wunsch-Weltbild des 12. Jahrhunderts », *Ornamenta Ecclesiæ. Kunst und Künstler der Romanik*, I, Köln, 1985. — Les hommes du Moyen Âge l'avaient en tout cas compris ainsi, puisque vers la fin du XIIIe siècle, un poète allemand Albert de Scharfenberg, utilise la *Lettre du Prêtre Jean* pour peindre une société unie, sans conflits entre les pouvoirs temporels et le sacerdoce, où toute autorité découle de la puissance divine, représentée par le Prêtre, Vicaire de Dieu, voire *rex et sacerdos*.

294. Maleczek, *Papst und Kardinalskolleg*, p. 241.

abbés de Saint-Crépin-le-Grand (Soissons) et d'Ourscamp, ainsi qu'à un docteur en droit (Matthieu d'Angers)[295].

D'une manière générale, les papes de la deuxième moitié du XIIᵉ siècle, qui avaient pratiquement tous appartenu au clergé séculier, choisirent de moins en moins fréquemment les cardinaux parmi les religieux. Par contre, le nombre des personnes ayant une formation supérieure (théologie, droit) s'accrut considérablement. Parmi les 20 cardinaux créés par Eugène III, 3 portaient le titre de *magister*. Alexandre III créa 34 cardinaux : 10 étaient *magister* ou avaient étudié dans un *studium*[296]. Certains d'entre eux étaient des maîtres jouissant d'une très grande réputation (Robert Pullus, Eudes d'Ourscamp, Henri de Marcy, Nicolas Breakspear (le futur pape Adrien IV), Albert de Morra et Conrad de Wittelsbach[297]. Les juristes semblent avoir été majoritaires. La proportion augmente encore sous Lucius III (9 *magistri* sur 15 cardinaux). En revanche, à part Lothaire de Segni, le futur pape Innocent III, très peu nombreux sont les cardinaux créés par Clément III, dont la formation supérieure est clairement attestée. Sur ce point aussi, le pontificat de Clément III constitue une exception.

D'autres filières conduisaient en cette deuxième moitié du XIIᵉ siècle au cardinalat : les sous-diacres romains, consacrés directement par le pape, n'ont jamais atteint la majorité (le nombre le plus élevé concerne le pontificat d'Alexandre III : cinq) ; mais ils ont toujours constitué un noyau important au sein du collège cardinalice, garantissant le bon fonctionnement de rouages administratifs en pleine évolution.

À partir du pontificat d'Alexandre III, un nombre croissant d'évêques devenus cardinaux gardèrent leur évêché, résidant, soit en curie, soit dans leur diocèse respectif[298]. L'existence de tels cardinaux « résidentiels » renforçait l'unité d'action entre le gouvernement de l'Église romaine et les pasteurs des grandes provinces ecclésiastiques, en vue d'un meilleur contrôle du clergé et d'un encadrement pastoral plus efficace[299]. L'apparition de ce nouveau type de cardinal, l'une des plus importantes innovations ecclésiologiques du pontificat d'Alexandre III, n'était certes pas étrangère au prestige croissant du cardinalat. Le lien des cardinaux « résidentiels » avec leur église romaine passa au deuxième plan : dans les documents, leur titre était généralement celui de *S.R.E. cardinalis*, sans aucune référence à l'église cardinalice[300].

2. LES CARDINAUX ET L'ÉLECTION PONTIFICALE

La double élection de 1159[301] et le très long schisme qui divisa l'Église pendant une vingtaine d'années (1159-1177) eurent des répercussions considérables sur la procédure

295. P. GLORIEUX, « Candidats à la pourpre en 1178 », *MSR*, 11, 1954, p. 5-30.
296. MALECZEK, *Papst und Kardinalskolleg*, p. 247 n. 272.
297. *Ibid.*, p. 251 ; v. aussi le développement sur l'intellectualisation des clercs, p. 804-806.
298. GANZER, *Die Entwicklung*, p. 194 et suiv.
299. Ce qui est aussi confirmé par le fait que, dans certains cas, des évêques consacrés ne reçurent que le titre de cardinal-prêtre ou une diaconie cardinalice.
300. PACAUT, *Alexandre III*, p. 269.
301. V. plus haut, p. 210-211.

d'élection pontificale. En 1159, un siècle après le décret de Nicolas II[302], auquel on ne fait du reste jamais allusion dans les sources concernant le schisme alexandrin[303], la procédure fit naître des hésitations, en partie justifiées, puisqu'aucune norme ne fixait de manière précise le mode d'élection et le nombre requis pour la constitution d'une majorité. Les cardinaux favorables à Alexandre III insistèrent sur le droit exclusif des cardinaux en matière d'élection pontificale, tandis que le parti de Victor IV déclara, dans ses écrits polémiques, que non seulement les cardinaux, mais aussi le peuple et le clergé de Rome, et en particulier le chapitre de Saint-Pierre, avaient le droit de participer à l'élection du pape[304]. L'absence d'une réglementation précise rendait la recherche de l'unité tout à fait précaire et permettait la survie de procédures et de traditions potentiellement conflictuelles.

Par le décret *Licet de vitanda*, le concile de Latran III (1179)[305] prit deux décisions capitales, destinées à résoudre les difficultés survenues lors de la double élection de 1159 : en prescrivant la majorité des deux tiers, le concile voulut éliminer les conflits que les discussions autour de la *maior* et de la *sanior pars* faisaient surgir presque inévitablement. Par ce même décret, qui attribuait aux cardinaux, sans distinctions d'ordre, le droit exclusif d'élire le pape, le concile porta un coup définitif à des usages qui avaient posé problème encore en 1159. Malgré d'inévitables pressions politiques, cette décision historique resta en vigueur pendant plus de deux siècles (1159-1274) et fut incontestée même lors des longues vacances pontificales du XIIIᵉ siècle[306].

3. Approfondissements canoniques

En dehors du décret conciliaire *Licet de vitanda*, Alexandre III ne s'est pas exprimé sur les prérogatives ecclésiologiques et judiciaires des cardinaux. La formule *de fratrum nostrorum consilio* ne figure que dans un nombre très restreint de ses nombreuses décrétales[307]. Le problème des ressources financières des membres du collège des cardinaux ne reçut alors aucune solution définitive. En suivant Gratien, les canonistes ne distinguaient plus entre les *ordines* : en dehors du rituel d'élection, la différence de rang (évêques, prêtres, diacres) n'avait pratiquement plus de conséquences sur les prérogatives des cardinaux. La discussion des canonistes porta essentiellement sur les droits réels des cardinaux pendant la vacance pontificale et lors de l'élection du pape. Le cadre était fourni par le décret de 1059 et la constitution de Latran III, *Licet de vitanda*. La doctrine de la *plenitudo potestatis* ne fut jamais mise en cause par les décrétistes : aucun droit de juridiction sur le pape ne pouvait dériver du droit d'élection appartenant aux cardinaux. Le problème fut résolu de manière définitive par Huguccio : les cardinaux ne sont pas le *caput* de l'Église pendant la vacance, puisque

302. V. plus haut, p. 60.
303. Maleczek, *Papst und Kardinalskolleg*, p. 234.
304. *Ibid.*, p. 235 n. 178 et 179 (pour les sources).
305. *COD*, p. 211 ; trad. franç. Foreville, *Latran I*, p. 210.
306. Maleczek, *Papst und Kardinalskolleg*, p. 237.
307. *Ibid.*, p. 238.

plusieurs personnes ne peuvent être en même temps le chef. Pendant la vacance, les cardinaux agissent *vice capitis*; ils ne sont pas le chef[308]. Reprise par Jean Teutonique dans sa *Glossa ordinaria* (1210-1216 env.), cette thèse influença d'une manière fondamentale l'ecclésiologie du xiiiᵉ siècle en la matière[309].

Le prestige de la fonction cardinalice ne fournit pas aux canonistes le prétexte pour restreindre le choix du nouveau pape aux seuls cardinaux. Huguccio est formel sur ce point[310]. D'autre part, Huguccio admet que, théoriquement, le collège cardinalice aurait pu nommer des cardinaux pendant la vacance du Siège apostolique. Il s'agit là d'une affirmation destinée à rester plutôt théorique.

4. LES CARDINAUX ET LE GOUVERNEMENT DE L'ÉGLISE ROMAINE

La variété des questions traitées ensemble par le pape et les cardinaux au cours du xiiᵉ siècle — conflits entre institutions ecclésiastiques et seigneurs laïques, litiges en matière d'élection de métropolites, évêques, abbés, etc., droits primatiaux, fondations et réorganisations diocésaines — indique que la décision de faire participer les cardinaux revenait finalement au pape lui-même, dont la personnalité jouissait d'un poids considérable sur l'exercice pratique de prérogatives que la réflexion ecclésiologique et canonique décrivait de manière somme toute relativement vague.

La formule *de fratrum nostrorum consilio*

C'est bien la raison pour laquelle l'usage de la formule *De fratrum nostrorum consilio* fluctue si fortement d'un pontificat à l'autre, voire à l'intérieur du même pontificat. Grégoire VII n'accorda aucune attention particulière à la participation des cardinaux au gouvernement de l'Église romaine et n'eut jamais recours à une telle formule. Urbain II souligna surtout leur participation aux décisions synodales. Sous Pascal II seulement, la formule *de fratrum nostrorum consilio*, utilisée jusque-là pour associer des personnes de qualités diverses, désigne, dans la majorité des cas, la participation des cardinaux aux décisions pontificales. Dès 1133, sous Innocent II, la formule ne concerne plus que les cardinaux[311]. Bien que Célestin III ait été, à cause de son très grand âge, dépendant de son entourage[312], la formule *de fratrum nostrorum consilio* n'apparaît que dans 30 lettres sur 1800. Au contraire, elle figure dans au moins 12 % (avec des pointes au-delà de 15 %) des lettres des premières années du pontificat

---

308. *Summa Decretorum* ad D. 79 c. 7, cit. M. Rios Fernandez, « El primado del Romano pontefice en el pensiamento de Huguccio de Pisa decretista », *Compostellanum*, 6, 1961, p. 36.

309. La glose *Ecce vicit leo*, rédigée au début du xiiiᵉ siècle, est l'un des rares textes décrétistes de cette époque qui définit les cardinaux comme chef de l'Église pendant la vacance : Tierney, *Foundations*, p. 73 et suiv.

310. Rios Fernandez, « El primado », p. 38.

311. Une telle participation n'est mentionnée explicitement que dans l'excommunication de Victor IV (1159), le décret contre les hérétiques *Ad abolendam* (1184) et le décret sur le jeûne général après la chute de Jérusalem (1187) : cf. Maleczek, *Papst und Kardinalskolleg*, p. 308-309.

312. V. Pfaff, « Die Kardinäle unter Papst Coelestin III 1191-1198 », *ZSRG.K*, 52, 1966, p. 332-369.

d'Innocent III. Cette proportion tombe à une moyenne de 6,5 % à partir de la cinquième année, ce qui est peut-être l'indice d'une « tendance à l'autocratie »[313].

Le consistoire

La formule *de fratrum nostrorum consilio* désignait, en principe, les décisions prises lors d'un conseil composé du pape et des seuls cardinaux. Ce « conseil restreint » doit être tenu distinct[314] du consistoire, assemblée judiciaire publique[315] et solennelle[316], à laquelle ne participaient pas seulement les cardinaux mais aussi d'autres prélats et curialistes, voire, comme le rappelle expressément le biographe anonyme d'Innocent III, des juristes particulièrement intéressés à l'évolution législative de l'Église romaine. Remis en vigueur par Innocent III[317], le consistoire, qui se tenait généralement dans une salle du palais du Latran, est cependant bien attesté au XIIe siècle[318].

Les souscriptions cardinalices

Dès le milieu du XIe siècle, les cardinaux prirent l'habitude de souscrire les documents pontificaux d'une certaine importance (les privilèges solennels). Ces signatures, généralement autographes, sont distribuées sur trois colonnes : au centre, les cardinaux-évêques, à gauche, les cardinaux-prêtres, à droite, les cardinaux-diacres. À l'origine, le cercle des souscripteurs n'était pas exclusivement limité aux cardinaux ; comme pour la formule *de fratrum nostrorum consilio*, le pontificat d'Innocent II marqua à ce propos une étape importante : depuis 1139, aucun prélat ou membre de la curie romaine autre que cardinal ne figure plus parmi les souscripteurs des privilèges pontificaux[319]. C'est dire leur importance symbolique, en ce qui concerne leur participation aux affaires de l'Église romaine.

---

313. MALECZEK, *Papst und Kardinalskolleg*, p. 308-309. Sur l'histoire de cette formule et ses prolongements au XIVe siècle, v. maintenant aussi N. ZACOUR, « The Cardinals' View of the papacy, 1150-1300 », *The Religious Roles of the papacy*, p. 421-27.

314. Contrairement aux affirmations traditionnelles de l'historiographie, même la plus récente : v. p. ex. : SYDOW, « Il "concistorium" », p. 165-176.

315. C'est pourquoi le consistoire est très souvent appelé au XIIe siècle *auditorium publicum, audientia publica* : MALECZEK, *Papst und Kardinalskolleg*, p. 300.

316. C'est au cours d'un consistoire qu'Alexandre III reçut en 1178 l'hommage des Romains. Le passage en question de la biographie d'Alexandre III, du cardinal Boson, distingue nettement la réunion restreinte avec les cardinaux du consistoire : *LP*, II, p. 443.

317. V. plus loin, p. 527.

318. Davantage par les chroniques (MALECZEK, *Papst und Kardinalskolleg*, p. 301, n. 20) que dans les documents pontificaux eux-mêmes. Pour la première fois sous Célestin III : *Ibid.*, p. 300 n. 19.

319. MALECZEK, « Das Kardinalskollegium », p. 77 et suiv. ; V. PFAFF, « Nachträge zu den Papstprivilegien 1181 mit Kardinalsunterschriften », *ZSRG.K*, 100, 1983, p. 341-345.

5. CARDINAUX-AUDITEURS

L'évolution vers une participation plus collégiale dans les affaires de l'Église romaine se manifesta surtout dans le domaine de l'administration de la justice. Avant le pontificat d'Eugène III, très peu de procès furent confiés aux cardinaux ou à d'autres curialistes. Depuis lors, les papes prirent l'habitude de charger une commission de cardinaux de l'instruction des causes portées devant la curie romaine, le pape se réservant le droit de prononcer le jugement. Le fait que depuis Alexandre III le collège des cardinaux compta un nombre constant de canonistes montre bien l'attention accrue que l'Église romaine accordait désormais aux procédures judiciaires. Jusqu'à Innocent III, la plupart des cardinaux participèrent à ces tâches judiciaires : des trente-quatre cardinaux présents à la curie romaine entre 1191 et 1198, vingt et un instruisirent des causes ; treize d'entre eux, plus de trois fois.

Lorsque, au cours du XIIe siècle, s'opère le passage du *Patrimonium Petri* à de véritables États de l'Église, les cardinaux jouèrent un rôle de plus en plus actif au côté du pape, notamment dans les hommages vassaliques et les contrats de nature publique[320].

6. LÉGATS

Alexandre III utilisa systématiquement l'institution de la légation : en vingt-deux ans de pontificat, il envoya près de cent cinquante légats *a latere*. Plus de soixante légations ont couvert presque l'ensemble des régions de la chrétienté latine[321]. Alexandre III choisit ses légats avant tout parmi les membres de la curie romaine. Entre 1159 et 1169, sans compter ceux qui sont chargés de l'affaire Becket, treize seulement sur soixante-dix légats ne faisaient pas partie des clercs de l'Église romaine[322]. La plupart étaient des cardinaux. Jusqu'en 1167, deux légats seulement étaient des sous-diacres ; leur nombre augmenta encore après 1177. Les sous-diacres Théodin, Vitellius, Vivien et Gratien furent nommés cardinaux peu après l'achèvement de leur légation[323], ce qui confirme qu'une légation était désormais considérée comme une étape importante dans la carrière d'un curialiste. Sans doute, les problèmes de plus en plus universels auxquels se trouvait confrontée la curie romaine exigeait aussi des expériences pratiques larges, acquises sur le terrain.

L'envoi systématique de légats de la part de la papauté ne provoqua pas de réactions particulièrement fortes dans les terres de l'Empire, en France, dans les pays scandinaves ou ibériques[324]. Dans d'autres pays, notamment dans les royaumes de

---

320. TOUBERT, *Les structures du Latium médiéval*, II, p. 1051 et suiv., 1083 et suiv. Sous Alexandre III, un cardinal, qui porte le titre de *vicarius papæ*, est chargé du gouvernement de Rome pendant les absences du pape.

321. W. OHNSORGE, *Die Legaten Alexanders III. im ersten Jahrzehnt seines Pontifikats 1159-1169*, Berlin, 1928 ; M. PACAUT, « Les légats d'Alexandre III, 1159-1181 », *RHE*, 50, 1955, p. 821-38.

322. OHNSORGE, *Die Legaten Alexanders III.*

323. PACAUT, « Les légats d'Alexandre III », p. 829.

324. J. DEÈR, « Der Anspruch der Herrscher des 12. Jahrhunderts auf die Apostolische Legation », *AHP*, 2, 1964, p. 117-186.

Sicile, de Hongrie et d'Angleterre, le droit de la papauté d'envoyer des légats fut contesté. Le roi normand Roger II avait reçu en 1098, de la part d'Urbain II, pressé par les événements, les droits de vice-légat, ainsi que la promesse de la papauté de renoncer à son droit d'envoyer des légats apostoliques en Sicile. Ces droits furent confirmés par Adrien IV en 1156 lors du concordat de Bénévent, bien que le roi Guillaume Ier ne se soit pas toujours opposé à l'envoi de légats en Italie du Sud. Au milieu du XIIe siècle, le roi de Hongrie s'opposa à l'envoi de légats pontificaux et tenta d'obtenir un privilège semblable à celui que la papauté avait octroyé aux rois normands. Lors de ses accords avec le roi Géza II en 1161, Alexandre III dut renoncer au droit d'envoyer des légations dans le royaume de Hongrie. En 1169, le roi Étienne III dut cependant revenir sur toutes les revendications de son père. En Hongrie, comme dans le reste de l'Europe chrétienne, la route était ouverte aux représentants du Siège apostolique, chargés de diffuser les décisions législatives de l'Église romaine et les nouvelles exigences du droit canon[325].

En Angleterre aussi, l'exemple sicilien avait des défenseurs. Le roi Henri II prétendit en 1168 que son aïeul Henri Ier avait reçu le privilège du vicariat permanent pour son royaume. Une telle prétention, qui n'avait jamais été avancée par ses prédécesseurs[326] et qui ne fut jamais reconnue comme telle par la papauté, poursuivait l'objectif déclaré d'empêcher toute légation romaine au sein du royaume. L'accès des légats a latere en Angleterre fut de fait difficile pendant tout le XIIe siècle.

Depuis Honorius II, la papauté accorda aux archevêques de Cantorbéry le titre de légats permanents (legati nati), mais seulement ad personam, ce qui n'excluait pas, en principe, l'envoi de légats a latere[327].

Une demi-année après le début du pontificat de Célestin III, six cardinaux se trouvaient en même temps en légation; les deux tiers des cardinaux ont occupé au moins une fois la fonction de légat[328]. Pendant les premières années de son pontificat, Innocent III continua la politique de ses prédécesseurs et chargea les cardinaux — surtout les plus anciens — de légations. Après 1203, cependant, Innocent III changea là aussi de politique. Se sentant plus fort face à ses électeurs[329], il réserva les légations à un nombre relativement restreint de cardinaux. De plus, un personnel de curie de rang inférieur, ainsi que d'autres clercs, virent se confier d'importantes légations.

---

325. W. Holtzmann, « Papst Alexander III. und Ungarn », Beiträge zur Reichs- und Papstgeschichte des hohen Mittelalters, Bonn, 1957, p. 150 et suiv.

326. Deèr, « Der Anspruch », p. 168 et suiv.

327. Ibid., p. 181.

328. Maleczek, Papst und Kardinalskolleg, p. 337.

329. Ibid., p. 339.

XII. CÉRÉMONIES ET SYMBOLIQUE DU POUVOIR PONTIFICAL

1. LE COURONNEMENT DU PAPE

La papauté réformatrice renouvela d'anciens rites liturgiques. Dès le milieu du XIIe siècle s'imposa, sous l'influence du cérémonial de la cour royale allemande, l'habitude de couronner le pape avec la tiare, à l'occasion de certaines fêtes religieuses[330]. Le recours au rituel de couronnement se fit de plus en plus fréquent. Le cérémonial pontifical prévoyait une telle célébration au cours des dix-huit processions solennelles[331] qui débutaient devant le portique du Latran. Le pape portait le manteau rouge pourpre et recevait le sceptre blanc. Avant de monter à cheval, l'archidiacre lui posait le *regnum* (tiare) sur la tête. Le cheval, la *cappa rubea* et la tiare étaient justement les trois principaux symboles du pouvoir temporel du pape, que la « donation » de Constantin[332] avait assurés à la papauté. Le cheval, luxueusement orné, était blanc, suivant la tradition impériale byzantine[333]. L'imitation du rituel impérial byzantin était complète aussi dans le port du manteau rouge, qui devint, dès la deuxième moitié du XIIe siècle, le plus important acte symbolique du pouvoir pontifical[334].

2. LA TIARE

Au cours de ce même XIIe siècle, la tiare prit de plus en plus d'importance en tant que symbole de la souveraineté temporelle du pape. Quelques années seulement après la rédaction des livres de cérémonies d'Albinus et de Cencius, Innocent III allait formuler la définition qui devint classique par la suite : la mitre est le symbole du sacerdoce ; la tiare est, au contraire, portée par le pape *in signum imperii*[335]. Déjà Suger avait défini la tiare *ornamentum imperiale*[336] ; Pierre de Mont-Cassin[337]

---

330. H.W. KLEWITZ, « Die Krönung des Papstes », *ZSRG.K*, 30, 1941, p. 96-130 ; réimpr. dans *Id.*, *Ausgewählte Aufsätze zur Kirchen- und Geistesgeschichte des Mittelalters*, Aalen, 1971, p. 263-297.

331. Une description de ces cérémonies figure dans les trois principaux cérémoniaux du XIIIe siècle : le *Liber politicus* de Benoît de Saint-Pierre, composé vers 1140 : *Liber Censuum*, II, p. 141 et suiv. ; les *Digesta pauperis scolaris* d'Albinus, rédigé vers 1189 : *Ibid.*, p. 87 et suiv. ; le *Liber censuum* de Cencius, dont la rédaction remonte aux années 1190 : *Ibid.* ; I, p. 290 et suiv. cf. B. SCHIMMELPFENNIG, *Die Zeremonienbücher der römischen Kurie im Mittelalter*, Tübingen, 1973, p. 6 et suiv. ; U.-R. BLUMENTHAL « Cardinal Albinus von Albano and the "Digesta pauperis scolaris Albini". Ms. Ottob. lat. 3057 », *AHP*, 20, 1982, p. 7-49.

332. Éd. H. FUHRMANN, Hannover, 1968, p. 87, chap. 14 ; cf. *Id.*, *Einfluss und Verbreitung der pseudoisidorischen Fälschungen*, II, Stuttgart 1974, p. 3376 et suiv.

333. E.H. KANTOROWICZ, « Constantinus Strator. Marginalien zum "Constitutum Constantini" », *JAC.E*, 1, Münster, 1964, p. 181-89.

334. E.H. KANTOROWICZ, *Laudes regiæ*, p. 138.

335. Innocent III, *Sermones de sanctis*, 7 : *PL* 217, c. 481 ; sur l'histoire de la tiare, v. surtout G.B. LADNER, « Der Ursprung und die mittelalterliche Entwicklung der päpstlichen Tiara », *Tainia. R. Hampe zum 70. Geburtstag*, Mayence, 1979, p. 449-81, qui résume plusieurs décennies de recherches.

336. Suger, *Vita Ludovici*, *MGH.SS*, XXVI, p. 58.

337. *Chronica monasterii Casinensis*, *MGH.SS*, XXXIV, p. 526.

l'appelait : *Romani orbis diadema*. La tiare était ainsi mise sur le même plan que le diadème impérial, de sorte qu'aucun autre couvre-chef ne pouvait la surpasser.

3. PROCESSIONS ET RITUELS

Le clergé du palais du Latran, le préfet et les juges de la ville, les représentants du Sénat ainsi que les bannerets des douze régions de Rome prenaient part à des processions, en signe de soumission politique : un usage d'origine profane qui renvoie encore une fois à une symbolique du pouvoir temporel de l'évêque de Rome[338].

De retour de la procession, au milieu de la place, devant le palais du Latran, les cardinaux descendaient les premiers de cheval et présentaient les *laudes* au pape qui était encore assis sur son cheval blanc. Texte et rituel des *laudes* dérivaient du cérémonial impérial, comme tous les autres éléments du cérémonial pontifical lié à la symbolique du pouvoir. On s'en souvenait encore de manière précise à la fin du XIIe siècle dans les milieux de la curie romaine[339].

Les juges présentaient leurs hommages au pape devant le portique du palais, devant la *rota* en porphyre, à l'endroit où les prêtres de Saint-Laurent-hors-les-Murs lui chantaient les *laudes*. La pierre de porphyre prit de plus en plus d'importance en tant que pierre impériale. Dès le couronnement de Pascal II (1099), deux chaires de « rosso antico », que les contemporains croyaient être de porphyre, devinrent un élément important du cérémonial de l'intronisation du pape nouvellement élu.

Ces chaires, appelées *sedes porphyretice* pour la première fois dans le texte d'Albinus, se trouvaient devant la chapelle de Saint-Silvestre, à l'intérieur du palais du Latran[340].

4. CRITIQUES

La chevauchée cérémonielle du pape[341], arborant les différents insignes et vêtements du pouvoir temporel, accomplissait le programme qui avait été ébauché dans le texte de la donation de Constantin, mais que, seuls, le programme et le succès politique de la papauté réformatrice avaient rendu possible. Cette mise en scène avait accompagné la compromission de la papauté dans les affaires temporelles. Faut-il s'étonner si le luxueux et somptueux cérémonial pontifical, imitant si fortement l'Empire, fut l'objet d'invectives dans le *De consideratione*, adressé par Bernard de Clairvaux au pape Eugène III (1145-1153), dans un passage célèbre : par son rituel et sa politique temporelle, le pape imite Constantin, non saint Pierre[342].

Jean de Salisbury s'attaqua aussi aux vêtements « impériaux » du pape, « *non modo*

---

338. E. ERDMANN, « Kaiserliche und päpstliche Fahnen im hohen Mittelalter », *QFIAB*, 25, 1933/34, p. 1 et suiv. ; cf. la Donation de Constantin, éd. FUHRMANN, 14, 88.

339. B. SCHIMMELPFENNIG, « Ein bisher unbekannter Text zur Wahl, Konsekration und Krönung des Papstes im 12. Jahrhundert », *AHP*, 6, 1968, p. 42-70.

340. A. BOUREAU, *La papesse Jeanne*, Paris, 1988.

341. TRAEGER, *Der reitende Papst*. V. aussi l'ouvrage cité à la note précédente.

342. Bernard de Clairvaux, *De consideratione*, IV 3, 6.

purpuratus sed deauratus[343] ». La critique du pape chevauchant deviendra l'un des motifs les plus significatifs de la polémique anti-curiale et anti-pontificale. Pour Dante, qui place ces accusations dans la bouche de Pierre Damien, Pierre et Paul avaient traversé le monde pieds nus, tandis que le successeur des Apôtres : « Cuopron de' manti loro i plafareni, / Sí che due bestie van sott'una pelle : / O pazienza, che tanto sostieni ![344] »

BIBLIOGRAPHIE

Sources

Conciliorum oecumenicorum decreta, éd. J. ALBERIGO, Cl. LEONARDI, et alii, Bologne, 1973.
Concils and Synods. With Other Documents Relating to the English Church, éd. D.W. WHITELOCK, M. BRETT, C.N.L. BROOKE, II, Oxford, 1981.
Decretales ineditae saeculi XII. From the Papers of the Late Walter Holtzmann, éd. S. CHODOROW, C. DUGGAN, Cité du Vatican, 1982.
Liber Pontificalis, éd. L. DUCHESNE, 3 vol., Paris, 1886-1892.
S. LÖWENFELD, *Epistolae pontificum Romanorum ineditae*, Leipzig, 1885.
J. PFLUGK-HARTTUNG, *Acta pontificum Romanorum inedita*, 3 vol., Tübingen-Stuttgart, 1880-1896.
J.M. WATTERICH, *Pontificum romanorum... vitae*, II, Leipzig, 1862.

Travaux

M.W. BALDWIN, *Alexander III and the Twelfth Century*, New York, 1968.
R. BENSON, *The Bishop-Elect : A Study in Medieval Ecclesiastical Office*, Princeton, 1968.
S. CHODOROW, *Christian Political Theory and Church Politics in the Mid-Twelfth Century : The Ecclesiology of Gratian's Decretum*, Berkeley, 1972.
H.-W. KLEWITZ, « Das Ende des Reformpapsttums », *DA*, 1939, p. 371-412.
H.-W. KLEWITZ, *Reformpapsttum und Kardinalkolleg*, Darmstadt, 1957.
B. JACQUELINE, *Épiscopat et papauté chez saint Bernard de Clairvaux*, Saint-Lô, 1975.
G. LADNER, *Die Papstbildnisse des Altertums und des Mittelalters*, II, Cité du Vatican, 1970.
J. LONGERE (éd.), *Le Troisième concile de Latran 1179. Sa place dans l'histoire*, Paris, 1982.
M. MACCARRONE, *Papato e impero dalla elezione di Federico I alla morte di Adriano IV (1152-1159)*, Rome, 1959.
W. MALECZEK, « Das Kardinalkollegium unter Innocenz II. und Anaklet II. », *AHP*, 19, 1981, p. 27-78.
P.F. PALUMBO, *Lo scisma del MCXXX*, Rome, 1942.
M. PACAUT, *Alexandre III*, Paris, 1956.
The Religious Roles of the Papacy : Ideals and Realities, 1150, éd. Chr. RYAN, Toronto, 1989.
Rolando Bandinelli papa Alessandro III, éd. F. LIOTTA, Sienne, 1986.
B. SCHIMMELPFENNIG et L. SCHMUGGE (éd.), *Rom im Hohen Mittelalter* (Festschrift R. ELZE), Sigmaringen, 1992.
F.-J. SCHMALE, *Studien zum Schisma des Jahres 1130*, Cologne, 1961.
M. STROLL, *The Jewish Pope. Ideology and Politics in the Papal Schism of 1130*, Leiden, 1987.
H. TOUBERT, *Un art dirigé. Réforme grégorienne et Iconographie*, Paris, 1990.
P. ZERBI, *Papato, impero e « respublica christiana » dal 1187 al 1198*, Milan, 1980.

---

343. Jean de Salisbury, *Polycraticus* VI, 24 ; *PL* 199, p. 624 ; pour d'autres critiques, v. C. ERDMANN, *Die Entstehung des Kreuzzugsgedankens*, Stuttgart, 1935, p. 112 et suiv., 131 et suiv. ; J. BENZINGER, *Invectiva in Romam. Romkritik im Mittelalter vom 9. bis zum 12. Jahrhundert*, Lübeck-Hamburg, 1968, p. 57 et suiv. ; P. PARTNER, *The Lands of saint Peter*, Londres, 1972, p. 184 et suiv. TRAEGER, *Der reitende Papst*, p. 109 et suiv. ; HERKLOTZ, « Der Campus Lateranensis im Mittelalter », *Römisches Jahrbuch für Kunstgeschichte*, 22, 1985, p. 11 n. 41.
344. Dante, *Paradiso*, c. 21, v. 133-135, cit. HERKLOTZ, « Der Campus Lateranensis », p. 11.

CHAPITRE II

Le redressement du clergé séculier

par Michel PARISSE

À partir du XIe siècle, une documentation plus variée permet de mieux connaître le clergé dans son recrutement, sa vie quotidienne, ses contacts hiérarchiques et son action sur les fidèles. Aux canons des conciles et des synodes, très répétitifs et d'utilisation délicate, s'ajoute au XIIe siècle le Décret de Gratien qui expose les problèmes canoniques avant d'énumérer différentes solutions et de faire le point[1]. Aux *Gesta*, aux *vitae* de saints évêques, s'adjoignent les actes de la pratique. Les bulles pontificales augmentent en nombre de façon impressionnante; la correspondance des papes avec les prélats décrit les cas particuliers qui exposent la vie quotidienne des fidèles et des clercs; les chartes qui s'entassent dans les coffres des chapitres et des monastères, les actes des évêques en accroissement très sensible permettent de voir fonctionner les rouages du clergé[2]. Les manuscrits de théologie, les *Summae confessorum*, les traités homilétiques, les livres liturgiques fournissent leur lot d'informations. Il est évident que, par rapport aux siècles précédents, la connaissance du clergé et des fidèles est devenue plus nourrie et plus sûre. Cependant toute la chrétienté n'est pas concernée au même degré. Les vieilles terres chrétiennes de la mer du Nord à la Méditerranée sont en bien des domaines en avance sur les pays devenus catholiques à la fin de l'époque carolingienne, voire plus tard encore. Le décalage est très sensible de l'Île-de-France à la Pologne, comme la sensibilité est tout autre en Écosse et en Calabre, en Catalogne et en Suède.

---

1. Voir *supra*, p. 185-187.
2. Pour s'en tenir aux actes des évêques, on retiendra que les éditions sont à la fois nombreuses et insuffisantes. Dans diverses publications concernant une région, une ville ou une abbaye, l'Allemagne dispose de nombreuses éditions d'actes et de régestes, notamment en ce qui concerne la région rhénane et le Nord de l'Allemagne; à mettre en tête l'édition des actes des archevêques de Mayence par M. STIMMING et P. ACHT (*Mainzer Urkunden*). L'Angleterre et la France ont mis en route des programmes d'édition des actes épiscopaux; à retenir : *English Episcopal Acta, I, Lincoln, 1067-1185*, Oxford 1980. B.-M. TOCK, *Les chartes des évêques d'Arras (1093-1203)*, Paris, 1991.

I. LES ÉVÊQUES

Il fallait l'esprit méthodique du canoniste Gratien pour classer précisément les trois fonctions reconnues à l'évêque : l'ordre, le magistère, la juridiction[3], qui recouvrent de fait presque toute l'autorité que l'on voit dévolue aux prélats. Ceux-ci constituent l'échelon fondamental entre le pape et le curé de paroisse ; ils sont les véritables chefs de la chrétienté locale, de cette paroisse primitive qu'est le diocèse. Tout d'abord leur sont réservés les deux sacrements de l'ordre et de la confirmation[4], avec certains domaines de la pénitence[5]. Ils sont les véritables détenteurs du pouvoir de lier et de délier que, par le sacrement de l'ordre, ils transmettent à d'autres, ils sont les garants de la foi qu'ils confirment aux baptisés. En des cérémonies nombreuses et solennelles, ils ordonnent les sous-diacres, les diacres et les prêtres qui forment la partie active du clergé diocésain, bénissent les abbés et les abbesses, reçoivent les vœux des moniales. Mais cette fonction sacramentelle s'exerce en beaucoup d'autres domaines où on les voit s'empresser : dédicace et réconciliation des Églises, bénédiction des cimetières, élévation des reliques (qui est reconnaissance de la sainteté d'un personnage)[6].

La réforme a mis l'accent sur des aspects des devoirs épiscopaux, souvent mentionnés dans les capitulaires carolingiens, trop souvent oubliés aux Xe et XIe siècles : la chasteté, la charité, l'humilité[7]. Les attaques contre la simonie et le nicolaïsme ont contribué à modifier sensiblement le comportement des prélats et l'image qu'ils donnent, à la société, de leur fonction. C'est un autre type de clercs qui gouvernent les chrétiens. Les évêques se tiennent plus près des fidèles ; ils doivent deux fois par an réunir dans leur cité un synode où ils diffusent les volontés du souverain pontife, publient les excommunications, lancent des rappels à l'ordre, règlent des litiges diocésains ; c'est le moment où ils rencontrent les abbés et les prévôts des monastères et des chapitres, et aussi les grands laïcs, chargés d'autorité[8]. À la fin du siècle, plusieurs textes rapportent les décisions prises sous forme des statuts synodaux[9].

---

3. G. LE BRAS, *Institutions ecclésiastiques de la Chrétienté médiévale*, 1re partie, Paris 1964 (*HE*, 12), p. 365-376. B. GUILLEMAIN, « L'action pastorale des évêques en France aux XIe et XIIe siècles », *La Mendola 1974*, Milan 1977, p. 117-135.

4. La confirmation est citée occasionnellement dans les textes. Ce sacrement est donné à l'occasion des visites de l'évêque à ceux qui viennent le demander, parfois même aussi dès le baptême. Les statuts synodaux en parlent très peu. La question des cas de pénitence réservés à l'évêque et celle de leur nombre ont constamment changé. Pour les droits épiscopaux, K.B. SAEGMÜLLER, *Lehrbuch des katholischen Kirchenrechts*, 3e éd., I, 1912 ; J. GRISAR, *Die Reform des Reservatio casuum*, Rome 1959.

5. De nombreux évêques ont laissé des sermons. On peut retenir notamment le cas de Geoffroy, ancien écolâtre d'Angers, archevêque de Bordeaux de 1136 à 1158 (Jean-Paul BONNES, « Un des plus grands prédicateurs du XIIe siècle, Geoffroy du Loroux, dit Geoffroy Babion », *RBen*, 56 (1945-46), p. 174-215).

6. A titre d'exemple et pour montrer l'ampleur et le nombre des dédicaces dans un diocèse : H. TÜCHLE, *Dedicationes Constantienses. Kirch- und Altarweihen im Bistum Konstanz bis zum Jahre 1250*, Fribourg, 1949.

7. Ce sont les vertus que prône saint Bernard pour les évêques (B. JACQUELINE, *Episcopat et Papauté chez saint Bernard de Clairvaux*, Saint-Lô, 1975.)

8. Odette PONTAL, *Les statuts synodaux français du XIIIe siècle, précédés de l'historique du synode diocésain depuis ses origines*, I, *Les statuts de Paris et le synodal de l'Ouest (XIIIe siècle)*, Paris, 1971.

9. Des statuts d'Avranches datent de 1173 et sont inédits ; d'autres de Rouen sont de 1189 (*MANSI*, 22, col. 582-584). Joseph AVRIL, « Naissance et évolution des législations synodales dans les diocèses du Nord et de l'Ouest de la France (1200-1250) », *ZSRG.K*, LXXII (1986), p. 152-249.

L'un des plus anciens fut publié par l'évêque de Toul, Eudes de Vaudémont, en 1192 ; il traite de la lutte contre les malfaiteurs, se préoccupe de la possibilité de célébrer l'office ou d'assurer les sacrements dans des cas d'action illégale, où les laïcs jouent les premiers rôles, car il ne souhaite pas jeter un interdit qui priverait les innocents des bienfaits de la religion. Les excommuniés préoccupent beaucoup l'évêque qui termine ses statuts par une allusion aux Vaudois auxquels on fait alors la chasse en Lorraine [10]. Ces statuts donnent une bonne idée des préoccupations du moment, mais ils ne diffèrent pas sensiblement de ce dont traitaient conciles et synodes au siècle précédent. Incontestablement néanmoins, les préoccupations pastorales transparaissent dans les textes qui nous sont transmis en nombre croissant à partir de cette époque ; aux remarques traditionnelles sur la discipline des clercs s'ajoutent bon nombre de détails sur le fonctionnement de la paroisse.

Les évêques assument la surveillance du clergé régulier, ce qui est une lourde tâche en raison du nombre sans cesse accru des créations, et la plus grande partie des chartes épiscopales du XIIe siècle concernent les ordres monastiques et canoniaux. À travers eux, on retrouve les fondations, les dotations, les conflits des monastères, des prieurés, des commanderies et des chapitres. La juridiction épiscopale intervient sans cesse, aussi bien pour attester ou confirmer un droit, un bien, authentifier une donation, que pour assurer des rapports entre les réguliers et le clergé paroissial, au sujet des églises, des dîmes, des fidèles. L'évêque est lui-même un grand fondateur de monastères dans le cadre des ordres nouveaux, soit qu'il en prenne l'initiative, soit qu'il les encourage par une importante donation. Apparenté aux familles nobles de la région, il est un maillon essentiel de la chaîne des influences qui provoquent des créations en série. Si certaines abbayes bénédictines, voire quelques sanctuaires canoniaux, avaient aux temps antérieurs sollicité une exemption pour échapper au contrôle diocésain [11], les fondations du XIIe siècle, en revanche, étaient en règle générale étroitement soumises aux évêques, ce qui représentait pour eux un gain d'autorité. Les riches et puissants abbés bénédictins, dont le patrimoine était dispersé sur plusieurs diocèses ou régions, devenaient souvent les auxiliaires les plus précieux, comme les concurrents les plus redoutés de l'évêque. Les grands ensembles monastiques formaient une partie de la richesse des évêchés.

1. DIOCÈSES ET ÉVÊCHÉS

Dans la plupart des régions de l'Europe chrétienne, le chef des fidèles est aussi un seigneur, un prince de la terre, un interlocuteur des souverains, un chef de guerre. En effet, outre le diocèse que son autorité gouverne au plan spirituel, l'évêque doit gérer un patrimoine qu'on appelle commodément évêché et qui représente le territoire

---

10. Acte du 8 mai 1192, édition dans dom A. CALMET, *Histoire de la Lorraine*, 1re éd., tome II, preuves, col. 404 ; 2e éd., tome VI, preuves, col. 62 (Original aux Arch. dép. de Meurthe-et-Moselle, H 335). *Encyclopédie illustrée de la Lorraine. La vie religieuse*, Nancy, 1988, p. 36.

11. V. PFAFF, « Die päpstlichen Klosterexemptionem in Italien bis zum Ende des zwölften Jahrhunderts », *ZSRG.K*, LXXII (1986), p. 76-114.

Crosse de l'évêque de Poznan
(Pologne, XIIe siècle),
exécutée en Limousin
(Muzeum Naradowe w Poznania).

d'exercice de son pouvoir seigneurial. Il n'est pas rare, par conséquent, que l'évêque soit le seigneur de domaines ou de châteaux, sur lesquels s'exerce la juridiction spirituelle d'un autre prélat quand ils sont situés dans un autre diocèse[12]. Châteaux, forêts, villages, péages, abbayes sont des éléments de la fortune et de la puissance d'une église cathédrale et de son saint patron, et font de l'évêque un personnage qui joue un rôle double : d'une part, un patrimoine lui permet d'être présent ou représenté hors de son diocèse, d'autre part, à l'intérieur de celui-ci, son pouvoir spirituel lui permet d'intervenir sur des territoires d'autres princes et seigneurs. Cette double possibilité lui assure une certaine supériorité, et explique l'intérêt que les laïcs continuent à porter à l'élection des prélats.

Ainsi se dessine une double géographie ecclésiastique, celle des diocèses et celle des principautés épiscopales ; l'une et l'autre méritent quelques commentaires. La taille des

---

12. Les monographies de diocèses ne sont pas très nombreuses. On consultera la collection *Abbayes et prieurés de l'ancienne France, Archives de la France monastique*, publiée avec la *Revue Mabillon*. À titre d'exemples différents, à retenir : Wilfried Schöntag, *Untersuchungen zur Geschichte des Erzbistums Mainz unter den Erzbischöfen Arnold und Christian I. (1153-1183)*, Darmstadt-Marburg 1973, p. 84-186. Joseph Avril, *Le gouvernement des évêques et la vie religieuse dans le diocèse d'Angers (1148-1240)*, 2 tomes, Lille, s.d. ; René Locatelli, *De la réforme grégorienne à la monarchie pontificale. Le diocèse de Besançon (v. 1060-1220)*, Thèse dactyl., 1984 ; B. Delmaire, *Le diocèse d'Arras du XIe au XIVe siècle*, Thèse dactyl., Paris 1988 ; P. Michaud-Quentin, « Les évêques de Paris dans la seconde moitié du XIIe siècle », dans *Huitième centenaire de Notre-Dame de Paris, Recueil de travaux*, Paris, 1967.

diocèses varie considérablement d'une région à l'autre ; ils sont en général plus vastes dans les zones plus récemment converties, plus grands au nord de la France qu'en Provence, en Écosse qu'en Angleterre, en Empire qu'en France[13]. On compte cinq

L'organisation diocésaine au XIIe siècle : France actuelle et Suisse romande
(d'après J.B. Auberger, o.f.m., *L'unanimité cistercienne primitive : mythe ou réalité ?*
Éditions Sine Parvulos VBVB, Achel, 1986, p. 492).

13. Une carte des diocèses et provinces ecclésiastiques d'Europe figure dans le *Westermanns Grosser Atlas zur Weltgeschichte*, p. 88-89. G. DROYSENS, *Historischer Handatlas*, donne p. 33 les provinces de l'Europe centrale vers 1500. Une carte grand format des diocèses de France a été réalisée sur les indications de dom J. DUBOIS et publiée en annexe des *Annales ESC* 1965. La thèse de Raymonde FOREVILLE (*L'Église et la Royauté en Angleterre sous Henri II Plantagenêt (1154-1189)*, Paris 1942) est accompagnée d'une carte des diocèses des Îles Britanniques (voir note 15). On trouvera à titre d'exemples des cartes détaillées : du diocèse de Mayence, dans F. JUERGENMEISTER, *Das Bistum Mainz*, Francfort/ Main, 1988 et des diocèses lorrains dans G. BOURGEAT et N. DORVAUX, *Atlas historique du diocèse de Metz*, Metz, 1907.

diocèses dans la seule baie de Naples; Langres ou Bourges couvrent chacun la même superficie que dix diocèses provençaux ou italiens[14]; Rochester et Cantorbéry sont bien petits à côté d'York ou Chester[15]. La France de Louis VII a 77 diocèses, l'Italie de cette époque plus de deux cents, et l'espace allemand une quarantaine. Cette géographie se modifie sans cesse; il y a des partages, comme on le voit au nord de l'Angleterre avec la fondation du diocèse d'Ely; des renaissances sont à signaler avec Arras détaché de Cambrai (1093) et Tournai de Noyon (1146). Henri le Lion obtient la création de nouveaux diocèses en Saxe[16]. Pour des motifs politiques et économiques, les prélats du sud de l'Angleterre quittent le village où ils avaient leur cathédrale pour se transférer en une ville importante[17]. Une cartographie des évêchés n'est en revanche possible qu'en Empire, où l'application du principe de l'immunité et les généreuses dotations des souverains ont fait naître autour de chaque cité une véritable principauté territoriale, nettement démarquée de ses voisins laïques, piquetée de châteaux et attentive à ses frontières. Les archevêchés de Cologne ou de Mayence, les évêchés de Liège et de Metz, par exemple, garderont pendant des siècles l'allure de grandes principautés[18]. Ce phénomène quasi général pour les évêchés allemands et quelques italiens du nord (Brixen, Trente) ne se retrouve pas en France, à l'exception des six cités du nord-est[19], ni en Angleterre ou en Espagne, alors même que les évêques de ces pays peuvent, dans certains cas, être aussi bien pourvus en châteaux et en domaines que leurs collègues allemands, mais sans que jamais cela se matérialise territorialement par un espace bien délimité.

Cette diversité des diocèses et des évêchés se répercute dans la typologie des prélats, car il n'y a pas de commune mesure entre l'évêque italien mis à la tête d'une dizaine de « pievi » avec de faibles moyens de subsistance, et l'évêque allemand, maître de plusieurs centaines de paroisses, seigneur de vastes territoires et prince d'Empire[20]. Le seul point commun entre tous ces prélats est la nécessité dans laquelle ils sont d'appliquer les canons des conciles, mais étant donné la variété des conditions de vie et

---

14. Le diocèse de Constance est presque sept fois plus étendu que celui de Worms (Carl Richard BRÜHL, « Die sozialstruktur des deutschen Episkopats im 11. und 12. Jahrhundert », *Le istituzioni, La Mendola 1974*, p. 45). Un exemple italien détaillé est proposé par P. TOUBERT pour le Latium avec une carte, dans *Les structures du Latium médiéval*, Rome, 1973, t. II, p. 794 et suiv. (diocèse de Veroli avec 12 pievi).

15. Carte dans F. BARLOW, *The English Church, 1066-1154*, Londres-New York, 1979, p. 322 et p. 46; R. FOREVILLE, « Royaumes, métropolitains et conciles provinciaux », *Le istituzioni ecclesiastiche della « Societas christiana » dei secoli XIe-XIIe. Papato, cardinalato ed episcopato (La Mendola 1971)*, Milan, 1974, p. 338-349.

16. Karl JORDAN, *Die Bistumsgründungen Heinrich des Löwen. Untersuchungen zur Geschichte der ostdeutschen Kolonisation*, Stuttgart, 1939.

17. F. BARLOW, *ibid.*, p. 47-48.

18. J.-L. KUPPER, *Liège et l'Église impériale, XIe et XIIe siècles*, Paris, 1981, p. 421-470.

19. Beauvais, Noyon, Laon, Reims, Châlons, Langres. R. KAISER, *Bischofsherrshaft zwischen Königtum und Fürstenmacht. Studien zur bischöflichen Stadtherrschaft im westfränkisch-französischen Reich im frühen und hohen Mittelalter*, Bonn, 1981. O. GUYOTJEANNIN, *Episcopus et comes. Affirmation et déclin de la seigneurie épiscopale au nord du royaume de France (Beauvais-Noyon, X^e-début XIIIe siècle)*, Genève-Paris, 1987.

20. M. PARISSE, « L'évêque d'Empire au XIe siècle. L'exemple lorrain », *CCM 1984*, p. 95-105; Odilo ENGELS, « Der Reichsbischof (10 und 11. Jahrhundert), » *Der Bischof in seiner Zeit. Bischofstypus und Bischofsideal im Spiegel der Kölner*

des moyens des uns et des autres, toutes les nuances d'application se rencontrent. Aussi les considérations qui vont suivre et qui traitent de l'ensemble de l'épiscopat doivent-elles être utilisées avec cette réserve.

2. LA HIÉRARCHIE ET SES PROBLÈMES

Les archevêques et les primats constituaient un échelon intermédiaire entre l'évêque et le pape. La distribution géographique des provinces, la fixation des primaties donnaient lieu aussi à de nombreux ajustements, tandis que la définition des pouvoirs respectifs des uns et des autres devait être précisée. La tradition des provinces ecclésiastiques, calquées sur les provinces romaines, était ancienne; à l'époque carolingienne, d'anciennes listes avaient permis de reconstituer des ensembles dont la conformation n'était pas toujours idéale. Si la province de Trèves (Belgique première) était bien groupée, celle de Reims (Belgique seconde) était très étirée, et englobait même un diocèse d'Empire (Cambrai). D'autres, dans le midi de la France, étaient petites (Embrun, Aix). Suite à une succession de créations, la province de Mayence avec ses quatorze suffragants s'étirait du Rhin jusqu'à Prague et de Paderborn à Coire, tandis que celle de Cologne se limitait à la bordure septentrionale de l'Empire. Chaque siège métropolitain, établi une fois pour toutes, était occupé par un archevêque, dont le pouvoir juridictionnel supérieur était lié à l'attribution du pallium délivré par Rome. Les ambitions de certains prélats ou de princes laïques ont provoqué des conflits et des discussions qui ont souvent embarrassé la curie pendant des décennies : ainsi la prétention de Dol à être chef d'une province au détriment de Tours; ainsi celle de Tolède à retrouver une place depuis longtemps perdue, celles de Gênes et Pise[21] se disputant le contrôle de la Corse. Les nouveaux États de l'Europe orientale tenaient à avoir leur propre province ecclésiastique et une hiérarchie entièrement entre les mains des ducs ou des rois.

L'archevêque était directement élu à son siège; il était rarement un évêque promu au rang supérieur. Le cas de Guillaume de Champagne, élu à Chartres (1163), puis à Sens (1168) et enfin à Reims (1176), est exceptionnel. La fonction métropolitaine n'était pas bien définie et la personnalité de l'élu jouait un rôle important. Un certain nombre de tâches lui étaient réservées : l'examen et la surveillance des suffragants, qu'il consacrait dans leur cité, avec l'assistance d'au moins deux autres évêques de la province, la préséance sur eux et le droit de visite de tous les diocèses de sa circonscription, une juridiction supérieure, éventuellement d'appel, où les suffragants avaient une voix active ou seulement un rôle de conseillers, la réunion, qui devait être régulière, de conciles provinciaux. Il faut en fait attendre le XIIIe siècle pour avoir des

---

Kirche, éd. Peter BERGLAR et Odilo ENGELS, *Festschrift Kardinal Höffner*, Cologne 1986, p. 41-94. Hugo STEHKÄMPFER, *Der Reichsbischof und Territorialfürst (12. und 13. Jahrhundert), ibidem*, p. 95-184. Cf. les nombreux exemples fournis dans *Die Salier und das Reich*, Bd. 2, *Die Reichskirche in der Salierzeit*, éd. Stefan WEINFURTER, Sigmaringen, 1991 (Cologne, Mayence, Hambourg, Passau, Ratisbonne, Constance, Spire, Wurtzbourg, Eichstätt, Bamberg, Augsbourg).
21. R. FOREVILLE, *op. cit.* (note 15). Jean-Michel POISSON, « Église et État à la conquête de la Sardaigne », *CCM*, 1984, p. 119-128.

traces écrites de leurs décisions et des preuves de leur efficience. Une analyse de l'activité provinciale des archevêques est donc encore difficile, d'autant plus que, durant la période 1050-1120, les conciles et les synodes ne concernaient pas spécifiquement la province ; ils étaient souvent réunis à l'instigation de légats pontificaux ou de princes, qui traitaient de points précis en rapport avec la Querelle des investitures et la réforme et n'abordaient guère les affaires ecclésiastiques de la province. C'est au XIIIe siècle que le régime se stabilise.

Au-delà des provinces, le conflit portait sur les primaties. Un seul archevêque par État portait le titre de primat qui faisait de lui le véritable représentant du Siège apostolique dans le pays et le mettait en position de force vis-à-vis du souverain. La primatie lyonnaise, tenue par un prélat d'Empire pour la France, n'avait pas une importance majeure. En revanche, en Angleterre, la primauté de Cantorbéry, contestée par York et confirmée à la première au temps de Lanfranc, augmentait l'importance de l'archevêque anglais dans l'Église insulaire et en faisait le partenaire privilégié et tout désigné du roi[22]. La primatie de Tolède, accordée par Urbain II en 1088, fut longtemps contestée, y compris par Narbonne[23]. On ne saurait oublier les hauts titres et les importantes fonctions qui faisaient d'un évêque ou d'un archevêque, en raison du poste ou de la personne, pour un temps court ou pour la vie durant, un prélat au-dessus des autres : tel était le cas des évêques et des archevêques chanceliers ou archichanceliers des royaumes qui formaient l'Empire, et, comme tels, puissants en Allemagne, en Bourgogne ou en Italie, ou des légats pontificaux, ambassadeurs et juges itinérants avec des pouvoirs parfois discrétionnaires. L'activité de ces derniers au XIIe siècle est partout considérable et empiète souvent sur celle des évêques. Certains enfin, deviennent cardinaux.

3. LES HOMMES

Les évêques et archevêques des XIe et XIIe siècles sont mieux connus des historiens que leurs prédécesseurs, et l'on est en mesure d'étudier leur recrutement, de connaître leur origine et leur formation, de décrire leurs activités. Concernant leur place dans la société, on pourrait admettre schématiquement que l'évêque du XIIe siècle est un clerc noble ayant reçu une bonne formation intellectuelle. L'épiscopat, parce que c'est une fonction de pouvoir, est réservé à une mince élite, sociale et intellectuelle ; cette élite, c'est la noblesse des princes, des comtes, des grands seigneurs. Les modifications des conditions électorales, en faisant la part belle au chapitre cathédral, ont augmenté très sensiblement la proportion des hommes choisis dans la noblesse la plus active du diocèse ou de la province[24]. Cela est très net, quelle que soit la région étudiée, et l'on

---

22. Sur les conflits de primatie, F. BARLOW, op. cit., p. 40-46. R. FOREVILLE, L'Église et la Royauté, op. cit., p. 40-58. La querelle se poursuivit au milieu du XIIe siècle.

23. Un conflit analogue concernait Braga, puis le nord-ouest de l'Espagne : Ludwig VONES, De « Historia Compostellana » und die Kirchenpolitik des nordwestspanischen Raumes 1070-1140. Ein Beitrag zur Geschichte der Beziehungen zwischen Spanien und dem Papstum zu Beginn des 12 Jts, Cologne-Vienne, 1980. Gerd KAMPERS, « Zum Ursprung der Metropolitanstellung Toledos », HJ, 99 (1979), p. 1-27. Voir plus loin p. 284.

24. B. GUILLEMAIN et C.R. BRÜHL (Le Istituzioni, op. cit., note 15) donnent un tableau de l'épiscopat français et allemand du XIIe siècle. La prosopographie la plus complète sera donnée par les publications en cours du nouveau Gams ;

trouve plus encore qu'avant des Champenois dans les diocèses de Châlons, Troyes, Meaux, ou des Auvergnats à Clermont, par exemple. Seul, Paris puise dans une plus large région, car l'université lui offre des savants prestigieux. Même dans l'Empire, la pratique consistant à nommer des évêques loin de leur lieu d'origine, a fortement régressé. La petite noblesse locale pénètre au chapitre, mais n'accède pas encore normalement à l'épiscopat, sauf en Italie où les places disponibles sont très nombreuses et où d'ailleurs la grande noblesse est presque absente de certaines régions. La ministérialité germanique occupe une place à part; comme elle regroupe en effet des non libres, on pourrait hâtivement être conduit à imaginer que l'évêque, s'il était d'origine ministériale, était un serf. Ce serait méconnaître les problèmes spécifiques à la société allemande et oublier que les chevaliers et châtelains ministériaux d'Empire ont une importance politique et un niveau social égaux à ceux de la moyenne noblesse des pays voisins. Quant aux roturiers, entendons les laïcs qui ne sortent ni du milieu noble, ni de celui des chevaliers, ils ne se glissent que rarement dans le groupe des prélats[25].

L'évêque du XIIe siècle émane le plus souvent d'un chapitre cathédral; l'assertion est toutefois à nuancer fortement pour certaines régions, comme le midi de la France, qui ouvrent l'épiscopat aux religieux. Beaucoup de grands abbés bénédictins ont de tout temps été portés à la tête d'un diocèse; il en fut de même bientôt pour des chanoines réguliers, voués au sacerdoce par vocation, et, à cet égard, l'ordre de Prémontré fournit le meilleur exemple. Les cisterciens, bien en cour un peu partout, n'avaient pas la même vocation et viennent assez loin derrière eux[26]. On mettra à part le cas de l'Angleterre où la moitié des chapitres cathédraux étaient réguliers. Partout où le clergé cathédral était puissant, et c'est le cas de la Loire à l'Elbe, il fournissait d'excellents candidats aux sièges à pourvoir, et les prenait notamment parmi les dignitaires, parmi ceux qui remplissaient déjà une charge : prévôts ou primiciers, archidiacres, chantres et écolâtres[27].

L'évêque est généralement un homme instruit, tout à fait capable de remplir sa charge. Alors que les écoles monastiques stagnent ou régressent, celles des chapitres, cathédraux ou non, se font plus actives. Quelques centres comme Laon, Chartres, Reims, Orléans, et surtout Paris, Oxford et Cambridge, Bologne qui ont ou auront une vie universitaire, attirent les candidats les plus brillants. Une bonne quinzaine de

---

les provinces de Cologne et de Hambourg ont été déjà publiées : *Series episcoporum ecclesiae catholicae occidentalis*. Series V. *Germania*. Tomus I. *Archiepiscopatus Coloniensis*, Stuttgart, 1982. Voici quelques enquêtes détaillées : René LOCATELLI, « Les élections épiscopales à Besançon (XIe-XIIIe siècles) », *Études en souvenir de Roland Fiétier*, MSHD, 1981-82, p. 93-108; Muriel LAHARIE, « Évêques et sociétés en Périgord du Xe au milieu du XIIe siècle », *AMidi*, 94 (1982), p. 343-368; Constance B. BOUCHARD, « The Geographical, Social and Ecclesiastical Origins of the Bishops of Auxerre and Sens in the Central Middle Ages », *ChH*, 46 (1977), p. 277-295.

25. A. WERMINGHOFF, *Verfassungsgschichte der deutschen Kirche im Mittelalter*, Leipzig-Berlin 1913 : pour les provinces de Cologne et de Mayence, du IXe au XVe siècle, sur 1027 prélats, 125 sont issus de ministériaux, l'un des plus célèbres étant l'archevêque Willigis de Mayence (975-1011).

26. B. GUILLEMAIN donne les chiffres suivants : 283 réguliers contre 181 séculiers, soit 3 pour 2, pour les provinces méridionales étudiées (*Le Istituzioni* (1), p. 386). P.R. OLIGER, *Les évêques réguliers*, Paris-Louvain, 1958. L'ordre de Cluny a fourni sa part : J. MEHNE, « Cluniacenserbischöfe », *FMS*, 11 (1971), p. 241-287. Dans le centre de l'Italie, les grands centres monastiques fournissent les évêques (P. TOUBERT, *Les structures*, p. 829-830).

27. Voir W.M. NEWMAN, *Les seigneurs de Nesles en Picardie (XIIe-XIIIe siècles), leurs chartes, leur histoire*, Paris, 1971. M. PARISSE, *Noblesse et chevalerie en Lorraine médiévale*, Nancy, 1982, p. 246-250.

prélats d'Empire sont venus faire leurs études en France, mais beaucoup d'autres ont fréquenté des écoles hors de leur diocèse[28]. La réussite d'un enseignant réputé pouvait lui valoir une élection éclatante. Jean de Salisbury, d'origine modeste, d'abord trésorier du chapitre anglais d'Exeter, fit des études pendant une douzaine d'années à Chartres et à Paris, auprès des sommités de son époque en dialectique et en théologie, puis s'occupa d'administration ecclésiastique pendant encore douze ans environ, et fréquenta la curie romaine; il fut finalement élu évêque de Chartres où il demeura jusqu'à sa mort[29]. Guillaume de Champeaux avait longtemps enseigné à Paris avant d'être élu évêque à Châlons-sur-Marne[30]. Ce sont des chanoines ou des moines instruits et connus que l'on rencontre parfois à la tête de diocèses éloignés de leur région d'origine; ainsi les prélats d'une Italie du Sud où manquent les écoles viennent souvent du Nord, mieux fourni en candidats instruits. Ne voit-on pas ainsi Ranger, ancien moine de Marmoutier devenu cardinal, prendre le gouvernement de la province de Reggio de Calabre?[31]

Une autre catégorie d'évêques était formée de ceux qui avaient vécu et œuvré dans l'entourage des princes, avait appartenu à leur chapelle, étaient leurs conseillers[32]. À cet égard, l'Empire et le royaume d'Angleterre demeuraient attachés à une tradition déjà ancienne dans ce domaine, même si le correctif était très net. Les concordats de Londres et de Worms n'ont eu aucun effet sur la géographie du recrutement des candidats proposés aux chapitres. La promotion de proches du roi était justifiée, tant en raison de leur capacité à remplir la fonction épiscopale que par le souci du souverain de placer un fidèle à un poste clé. Leur choix pose de nouveau le problème des rapports de l'Église et de l'État, et celui des élections épiscopales après la réforme.

4. Les élections

Le processus de l'élection épiscopale était théoriquement bien établi. Quand un siège devenait vacant, le chapitre cathédral était réuni pour lui choisir un successeur. Sans doute, des tractations préliminaires conduisaient-elles à une proposition que les chanoines confirmaient par un vote en bonne et due forme. Avis du résultat était donné à l'archevêque et, le cas échéant, au souverain. Une date était retenue, toujours un dimanche, où la consécration pontificale était donnée par le métropolitain, assisté de deux autres évêques. S'il y avait lieu, l'investiture du temporel était accordée[33]. Ce

28. Joachim Ehlers, « Deutsche Scholaren in Frankreich während des 12. Jahrhunderts », *Schulen und Studium im sozialen Wandel des hohen und späten Mittelalters* (Vortäge und Forschungen, XXX), Sigmaringen, 1986, p. 97-120.

29. Jean de Salisbury, *DSp*, 8, 716-721 (D. Luscombe). C.C.J. Webb, *John of Salisbury*, 1932.

30. Guillaume de Champeaux : *DTC*, VI, 1976-77; *Catholicisme* V, 391-393.

31. D. Stiernon, « Le cardinal-diacre Roger et les archevêques Rangier et Roger de Reggio Calabria », *RSCI*, 19 (1965).

32. Friedrich Hausmann, *Reichskanzlei und Hofkapelle unter Heinrich V. und Konrad III.*, Stuttgart, 1956. R.M. Herkenrath, « Reinald von Dassel als Verfasser und Schreiber von Kaiser Urkunden », *MIÖG*, 72 (1964), p. 34-62. O. Wurst, *Bischof Hermann von Verden, 1148-167. Eine Persönlichkeit aus dem Kreise um Kaiser Friedrich I. Barbarossa*, Hildesheim, 1972; C. Kirchner-Feyerabend, *Otto von Freising als Diözesan- und Reichsbischof*, Frankfurt/Main, Berne, New York, Paris, 1990.

33. Marcel Pacaut, *Louis VII et les élections épiscopales dans le royaume de France (1137-1180)*, Paris 1957. Klaus

déroulement, très simple en apparence, était en fait plein d'incertitudes à chaque étape. L'élection avait-elle lieu spontanément ou devait-elle être autorisée par une autorité supérieure? Le délai obtenu pouvait permettre à un roi de procéder à des consultations et de faire connaître son choix personnel, ou à tout le moins ses oppositions. Les électeurs pouvaient agir seuls et librement, ou être assistés, voire surveillés, par des abbés de la cité, et quelques grands laïcs. Une pression pouvait s'exercer de la part de l'entourage immédiat, des vassaux, des princes voisins. Si deux candidats étaient en présence, il fallait suivre la voie offerte par la *sanior pars* : comment pouvait-on déterminer celle-ci? Dans l'incertitude, qui pouvait intervenir? L'archevêque, le roi, le pape? L'unanimité ou la majorité étant acquise, l'investiture du temporel, c'est-à-dire la reconnaissance par l'autorité laïque, devait-elle précéder la consécration, afin de sauvegarder un minimum d'intervention laïque? Si la consécration pour différentes raisons était fortement retardée, l'évêque élu et non consacré avait-il le droit de gérer son diocèse? L'autorité de l'évêque était telle que le choix d'une voie d'intervention ou d'une autre déterminait le degré des relations entre l'Église et l'État. Par les élections épiscopales, les rapports entre la papauté et les pouvoirs laïques étaient mis en cause.

Le problème de l'évêque élu et non consacré (qui se dit *electus* et non *episcopus*) se posait en permanence; il eut une acuité accrue au XIIe siècle, quand les conditions de mise en place de nouveaux prélats n'étaient pas encore clairement fixées[34]. Comme il était admis que l'élu n'avait pas de droit à l'administration de son diocèse avant que l'élection fût confirmée, l'absence d'investiture allongeait dangereusement la vacance. Un élu pouvait hésiter à recevoir la consécration des mains de son métropolitain, s'il y avait entre eux un désaccord politique. Ainsi les cités de Metz et de Verdun n'ont-elles eu que des évêques élus à leur tête de 1163 à 1179, c'est-à-dire durant le schisme; le concile de Latran III débloqua la situation. L'élu ne pouvait pas conférer le sacrement de l'ordre. L'investiture eut toujours un caractère constitutif et donna une grande importance aux régales, c'est-à-dire à la concession par le roi des droits seigneuriaux, permettant notamment la perception fructueuse des taxes à caractère économique. En Empire comme en France, ces questions étaient toujours brûlantes. Largement débattues par les canonistes, elles posaient, mieux que n'importe quelle autre, le problème décisif des rapports entre Église et État.

5. LES SUITES DE LA QUERELLE DES INVESTITURES

En France, la situation était relativement claire[35]. Le roi contrôlait une trentaine d'évêchés, soit moins de la moitié de son royaume. Il n'était pas indifférent à la durée

---

GANZER, « Zur Beschränkung der Bischofswahl auf die Domkapitel in Theorie und Praxis des 12. und 13. Jh », *ZRG.KA*, 57 (1971), p. 22-82.

34. Robert L. BENSON, *The Bishop Elect. A study in medieval ecclesiastical office*, Princeton, 1968.

35. M. PACAUT, *op. cit.* P. IMBART de la TOUR, *Les élections épiscopales dans l'Église de France du IXe au XIIe siècle; étude sur la décadence du pouvoir électif, 814-1150*, Paris, 1890; Pier Giovanni CARON, « Les élections épiscopales dans la doctrine et la pratique », *CCM*, XI (1968), p. 573-585.

de la vacance des sièges, normalement fixée à trois mois au maximum, car il percevait alors les régales; en tardant à donner l'autorisation d'élire ou à reconnaître l'élu, il augmentait ses propres ressources au détriment de l'Église touchée. Le roi avait parfois des candidats à soutenir, ce qui pouvait alors provoquer des oppositions extérieures. Saint Bernard se manifesta, parfois avec beaucoup de force et tout au long de sa vie, pour soutenir ou dénoncer certains candidats, notamment à propos d'évêchés royaux[36]. Il alla même plus loin : il désigna directement pour Châlons, où il avait été élu lui-même, l'abbé de Saint-Médard; il accepta de proposer un candidat à Langres sur la demande du chapitre, tout comme il recommanda Foulque à Lyon et Samson à Reims et critiqua une élection de Rodez. L'abbé de Claivaux soutenait les prérogatives pontificales, s'attachait avec beaucoup de soin à la personnalité de l'élu et à la régularité de la procédure, mais n'hésitait pas aussi à soutenir un candidat parce qu'il était cistercien ou à bousculer les règles, si cela lui était utile. Au cours du XIIᵉ siècle, le nombre des évêchés contrôlés par le roi s'accrut lentement, mais la liberté des élections était dans l'ensemble respectée et les conflits furent au total assez peu nombreux.

En Empire, le concordat de Worms fut appliqué sans difficulté par le successeur de Henri V, Lothaire, qui fut même suspecté d'accorder trop de faveur à la politique des papes[37]. Avec Conrad III, les choses furent un peu moins faciles, elles le furent encore moins avec Frédéric Iᵉʳ Barberousse. La chapelle impériale pouvait toujours fournir d'excellents candidats; il pouvait être gênant pour le souverain de voir des diocèses importants et des évêchés puissants entre les mains d'adversaires politiques. La charge d'archichancelier, dont le titulaire était l'archevêque de Cologne, avait une grande signification et, pour cette raison, le souverain était attentif aux élections qui pourvoyaient au titulaire de cet office[38]. Le schisme de 1159 bouleversera de nouveau profondément un épiscopat toujours très attaché à son roi[39]. Frédéric Iᵉʳ reprit l'habitude oubliée des interventions directes. Des conflits surgirent à propos de plusieurs sièges. La défaite de Legnano, puis la paix de Venise permirent au pape, lors du concile de Latran III (1179), d'exiger la déposition de plusieurs évêques non canoniquement élus, parmi lesquels figurait le propre neveu de l'empereur[40]. Quelques années plus tard, un nouveau sujet de discorde éclata à propos du siège de Trèves[41]; à cette affaire s'ajouta la question du

---

36. Bernard Jacqueline, *Episcopat et papauté, op. cit.*

37. Marie Luise Crone, *Untersuchungen zur Reichskirchenpolitik Lothars III., 1125-1137. Zwischen reichskirchlicher Tradition und Reformkurie*, Francfort/Main, 1982.

38. Différend avec Philippe de Heinsberg, F. Opll, *Friedrich Barbarossa*, Darmstadt, 1990, p. 212 et suiv.

39. Rudolf Jordan, *Die Stellung des deutschen Episkopats im Kampf um die Universalmacht unter Friedrich I. bis zum Frieden von Venedig (1177)*, Wurtzbourg, 1939.

40. R. Foreville, *Latran I, II, et III, et Latran IV*, Paris, 1967. Le neveu de l'empereur était Thierri, élu de Metz (1173-1179), fils de Berthe, sœur de Frédéric Barberousse et duchesse de Lorraine. Les autres prélats déposés étaient Rodolphe de Strasbourg, Louis de Bâle, Berthold de Brême (qui devint en 1180 évêque de Metz sous le nom de Bertram).

41. F.J. Heyen, « Über die Trierer Doppelwahlen von 1183 und 1242 », *AMRhKG*, 21 (1969), p. 21-34. Les exemples des élections de Trèves et de Cologne après 1122 sont étudiés par Klaus Ganzer, *op. cit.*, *ZRG.KA*. 58 (1973), p. 169-197.

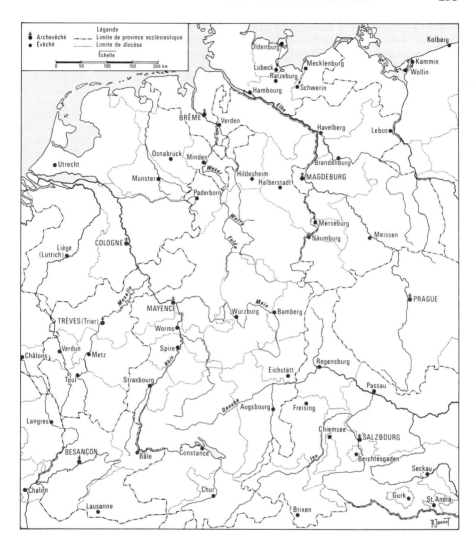

Les diocèses de l'Europe centrale au XIIIe siècle
(d'après la carte établie par la Mission historique française en Allemagne, Göttingen).

droit de dépouille qui permettait au souverain de s'emparer des biens du prélat défunt. Malgré cela, on peut dire que la situation avait beaucoup changé en un siècle, au détriment du pouvoir impérial, car dans le groupe des princes d'Empire lentement constitué à partir du règne de Frédéric Barberousse, archevêques et évêques se trouvaient avoir la majorité en face des princes laïques.

6. L'Angleterre et Thomas Becket

En Angleterre aussi la royauté voulait tenir bon. Henri Ier avait partiellement cédé en 1107; dans la pratique, il s'efforça de regagner un peu du terrain perdu. Le règne d'Étienne de Blois est marqué par une grande confusion dans les rapports du roi et de l'Église; il ne fait aucun doute que la réforme finissait par porter quelques fruits dans la mesure où personne ne pouvait plus vraiment croire au strict maintien des pratiques du xie siècle. Henri II Plantagenêt voulut revenir en arrière et valider les coutumes qui remontaient à Guillaume le Conquérant et à Henri Ier. Il crut pouvoir y arriver en portant au siège métropolitain de Cantorbéry son chancelier, Thomas Becket. Ce fils d'un marchand rouennais émigré à Londres avait reçu une éducation poussée, chez des chanoines réguliers anglais, puis à Paris et enfin à Bologne. Sa formation canonique, puisée aux sources les plus récentes, en faisait un clerc instruit au même degré que Jean de Salisbury avec qui il était lié et qui lui dédia son *Polycraticus*. Comme son ami, Thomas fréquenta souvent la curie pontificale au service de l'archevêque de Cantorbéry, Théobald. En 1154, il devint chancelier du jeune roi Henri II et conduisit une politique éclatante, visant à affirmer toute la puissance de l'autorité royale, quelque peu ternie sous Étienne. Rien d'étonnant dans ces conditions à ce que le roi l'élève au siège primatial le 21 mai 1162[42].

Cette promotion provoqua chez le nouvel archevêque un changement radical : Thomas Becket prit en mains la défense de l'Église en général et de l'Église anglaise en particulier avec la même vigueur qu'il avait manifestée comme chancelier. Très vite, il se heurta à ses vassaux, aux officiers du roi, particulièrement en ce qui touchait à l'instruction des causes criminelles. Les assemblées de Westminster (octobre 1163), Clarendon (janvier 1164) et Northampton (octobre 1164) sont les étapes de la rupture. À Clarendon, Thomas accepta de faire au souverain une promesse verbale de respect des coutumes, mais refusa définitivement de sceller la rédaction qui lui fut soumise et où figuraient entre autres les articles suivants : « I. Si, touchant le patronage et la présentation des églises, un différend s'élève soit entre laïcs, soit entre clercs, soit entre clercs et laïcs, il sera traité et terminé à la cour du roi... XII. Pendant que vaqueront les archevêchés, évêchés, abbayes et prieurés du domaine royal, ils seront dans la main du roi qui en percevra tous les revenus comme domaniaux. Et quand il faudra pourvoir à l'église vacante, le roi en fera venir les principales personnes et on devra procéder à l'élection dans sa chapelle, de son consentement et par le conseil des personnes du royaume qu'il aura mandées à cette intention. Et, là même, l'élu fera l'hommage lige au roi, promettant, avant d'être consacré, de mettre à son service sa vie, ses membres et sa dignité temporelle, sauf son ordre. »

La proposition du roi provoqua une rupture entre Thomas et les évêques, qui ayant

---

42. F. BARLOW, *op. cit.* Raymonde FOREVILLE, *L'Église et la Royauté, op. cit. Id., Thomas Becket dans la tradition historique et hagiographique*, Londres, 1981; *Thomas Becket. Actes du Colloque international de Sédières (19-24 août 1973)*, éd. R. Foreville, Paris, 1975; A. DUGGAN, *Thomas Becket. A Textual History of his Letters*, Oxford, 1980. Mary G. CHENEY, *Roger Bishop of Worcester. An English Bishop of the Age of Becket*, Oxford, 1980. D. KNOWLES, *The Episcopal Colleagues of Archbishop Thomas Becket*, Cambridge, 1951.

promis jugèrent normal de sceller ensuite les constitutions proposées; pour l'archevêque la mise par écrit des coutumes dont l'Église souhaitait l'abandon progressif était une menace pour la liberté de ses successeurs. Condamné et menacé, Thomas partit discrètement pour le continent et se réfugia chez les cisterciens de Savigny (fin 1164). Durant son long exil de six ans, sa conviction ne cessa d'être renforcée par la méditation, la réflexion, les contacts étroits avec Alexandre III. Henri II se vengea sur l'entourage de Thomas, accepta une conciliation du roi Louis VII. Dans ses lettres, comme autrefois Anselme dont il se sentait proche, Thomas Becket rappelait sans cesse la supériorité du spirituel et de l'Église sur le temporel et le roi. Une réconciliation eut lieu finalement à Fréteval (22 juillet 1170), mais elle fut factice. Les conseillers de Henri II, de nombreux évêques et clercs étaient furieux de l'intransigeance du prélat qui mettait en danger leur confort et leurs bonnes relations avec la cour. Le retour de Thomas à Cantorbéry se fit au milieu de l'enthousiasme des uns et de l'hostilité des autres. Une parole brutale de Henri II souhaitant être débarrassé de ce « clerc outrecuidant » entraîna son assassinat par quatre chevaliers normands, le 29 décembre 1170. Le choc de ce « meurtre dans la cathédrale » fut tel que Henri II, condamné partout et par tous, lâcha du lest. Le concordat d'Avranches (1172) marqua ce recul, et, par suite, l'abandon de prérogatives royales excessives manifesta le triomphe posthume du martyr de Cantorbéry.

II. LES CHANOINES

La terminologie ecclésiastique du haut Moyen Âge oppose à l'ordre des moines l'ordre des clercs; ce sont là deux groupes radicalement différents aussi bien sur le plan religieux que sur le plan social, et leur étude distincte s'impose nécessairement. Le monde des clercs est, jusqu'à la fin du XIe siècle et comparé à la diversification des familles monastiques, moins cohérent que celui des moines et des moniales. Il y a d'abord la diversité des niveaux d'ordres sacrés, entre les clercs qui se satisfont des ordres mineurs et ceux qui accèdent au diaconat et à la prêtrise. La proportion des prêtres sur l'ensemble des clercs est encore faible, même s'il est impossible de la déterminer; dans un chapitre, un tiers ou un quart seulement de ses membres vont jusqu'à la prêtrise et, pour beaucoup, à la fin de leur vie seulement. Ensuite, parmi les clercs, qu'il n'est pas nécessaire alors de qualifier de séculiers, comme certains sont tentés de le faire pour accentuer la différence avec les religieux, la distinction doit être faite entre ceux qui vivent ou doivent vivre en commun, suivant une règle ou des réglements, les *canonici*, les chanoines, et ceux qui vivent isolément, dispersés dans la ville et la campagne, curés de paroisses, vicaires, chapelains, clergeons de tous niveaux et de toutes origines, pour ne pas parler des tonsurés qui sont en fait des laïcs avec privilège de clergie.

La lente évolution des communautés primitives de clercs et la création progressive des chapitres auprès des évêques sont sensibles dès les débuts du christianisme.

Beaucoup de chapitres, au milieu du Moyen Âge encore, ont à surveiller et à organiser des régions nouvellement christianisées. Aux côtés des groupes de clercs de l'évêque dotés d'un patrimoine propre dans l'église-mère du diocèse et constitués en chapitre, se créent peu à peu d'autres chapitres, dont le premier exemple fut sans doute celui du palais royal d'Aix-la-Chapelle. Puis les autres fondations suscitées par les rois, les évêques, les princes laïques, ont suivi, les créations se sont diversifiées; cela explique qu'il faille, pour les XIᵉ-XIIᵉ siècles, faire une analyse séparée des deux grands groupes de chapitres, cathédraux et non cathédraux, comme aussi, partiellement, des différentes activités des chanoines.

1. LES CHAPITRES CATHÉDRAUX[43]

Saint Chrodegang a joué un rôle important dans la définition des clercs chanoines entourant l'évêque. Il a précisé le fonctionnement de leur vie communautaire, dont beaucoup de principes étaient empruntés à la règle bénédictine[44]. Le capitulaire d'Aix, en 816, a repris ses instructions et l'on sait qu'une des concessions principales fut d'autoriser les chanoines à avoir des biens personnels (ch. 116). Les chanoines auraient dû composer un groupe homogène avec l'évêque, qui était pour eux comme un abbé à la tête de ses moines. En réalité, une lente évolution conduisit à leur séparation, d'abord purement temporelle, puis de plus en plus diversifiée. La création de la mense capitulaire fit du chapitre une personne morale, un groupe de clercs qui se réclamaient parfois d'un patronage particulier et sur lesquels le contrôle direct du prélat fut de plus en plus réduit[45]. La disposition d'une mense particulière permettait aux chanoines de réaliser un partage des revenus en prébendes, conséquence inévitable de l'abandon pratique de la vie en commun[46].

Le problème de la vie commune n'était pas oublié quand eut lieu le grand mouvement de retour à la *vita apostolica*, et on a vu que beaucoup d'initiateurs

---

43. La dernière synthèse commode sur le sujet est celle de Guy MARCHAL, dans l'introduction du tome II/2 de l'*Helvetia Sacra* (Berne, 1977). « Die weltlichen Kollegiatsstifte der deutsch- und französischsprachigen Schweiz. » Beaucoup de renseignements sont fournis par Kathleen EDWARDS, *The English Secular Cathedrals in the Middle Ages. A Constitutionnal Study with special référence to the fourteenth century*, New York, 1949, 1967, p. 1-14. Sur l'origine des chapitres cathédraux, voir Rudolf SCHIEFFER, *Die Entstehung von Domkapiteln in Deutschland*, Bonn, 1976. Voir J. GAUDEMET, « Le gouvernement de l'Église à l'époque classique », *Hist. du Droit et des inst. de l'Église en Occident*, dir. LE BRAS et GAUDEMET, t. VIII, vol. 2, IIᵉ partie, *le gouvernement local*, Paris, 1979, p. 183-202.

44. Gaston HOCQUARD, « La règle de saint Chrodegang. État de quelques questions », *Saint Chrodegang*, Metz, 1967, p. 55-90.

45. Les dates de séparation des menses varient du IXᵉ au XIIᵉ siècle. Elles sont plus anciennes au centre du royaume franc. Elle est effective tard à Angers, en 1125 seulement (Joseph AVRIL, *Le gouvernement des évêques et la vie religieuse dans le diocèse d'Angers (1148-1240)*, Lille III, 1982, p. 104). La séparation des menses intervient fin XIIᵉ siècle en Italie (P. TOUBERT, *Les structures du Latium médiéval*, p. 849-851.) Pour l'Empire, où le partage intervient à l'époque salienne (XIᵉ s.), cf. Bernd SCHNEIDMUELLER, « Verfassung und Güterordnung weltlicher Kollegiatstifte im Hochmittelalter », *ZSRG.K*, LVII (1986), p. 132-151. La séparation des menses pouvait concerner aussi les chapitres non cathédraux, par ex. à Goslar : Rudolf MEIER, *Die Domkapitel zu Goslar und Halberstadt in ihrer persönlichen Zusammensetzung im Mittelalter*, Göttingen, 1957.

46. La division de la mense en prébendes est un second stade qui intervient au moment de l'abandon de la vie commune : G. ROBIN, « Le problème de la vie communautaire au chapitre de la cathédrale Saint-Maurice d'Angers », *CCM*, 13 (1970), p. 305-322.

appartenaient aux chapitres séculiers. Maints chapitres cathédraux ont ainsi accepté de revenir en arrière et de restaurer la vie communautaire, avec fréquentation assidue du dortoir et du réfectoire et abandon des revenus personnels[47]. Les réactions furent fort diverses; à Tournai et Xanten, le refus fut immédiat et, d'une façon générale, il en fut ainsi dans le Nord de la France et en Lotharingie, si même la question fut abordée[48]. Les tentatives couronnées de succès furent plus nombreuses dans le centre et le midi de la France. En Angleterre, le mouvement lancé à la fin du Xe siècle par Ethelwold, chassant les chanoines de Winchester pour les remplacer par des moines, se répandit, puis le système fut conservé après la conquête grâce à Lanfranc, et neuf cathédrales monastiques, soit la moitié de l'ensemble, se maintinrent[49]. En revanche, dans l'Empire, la vie commune fut abandonnée à partir de cette période[50]. La reprise de la vie commune, dans certains chapitres du midi de la France et de l'Italie, fut en réalité rapidement oubliée dans des délais plus ou moins longs[51].

Les chapitres cathédraux ont dans l'Occident chrétien des XIe et XIIe siècles une importance considérable. Les chanoines sont riches et influents, ils représentent l'élite de la société, leurs maisons et leurs églises occupent largement le centre de la cité. Ils constituent d'abord une entité ecclésiastique, une église avec ses clercs, que le terme de *canonici* désigne presque partout[52], et une entité juridique, le *capitulum*, auquel sont adressés les bulles des papes et les actes des évêques[53]. Cette communauté, de plus en plus indépendante de l'évêque à partir du XIe siècle, est amenée à établir des statuts et mène une vie corporative; les textes normatifs, définissant le nombre des prébendes, l'obligation de résidence, l'attribution ou la privation de revenus supplémentaires, les rapports avec les autres églises, sont de plus en plus nombreux[54]. L'élection de l'évêque lui revint entièrement et le chapitre comme corps électoral acquiert un rôle capital; au XIIe siècle, il choisit le plus souvent l'élu en son sein et peut faire ensuite pression sur lui. Par les hommes que l'évêque prend parmi les chanoines pour l'aider à

---

47. J. BECQUET, « La réforme de chapitres cathédraux en France aux XIe et XIIe siècles », *BPH*, *année 1975*, Paris, 1977, p. 31-41. G. ROBIN, *op. cit.* L'idée de vie commune a repris très fortement en Angleterre à partir de 1050 (Exeter, Wells, Hereford).

48. J. PYCKE, *Le chapitre cathédral Notre-Dame de Tournai de la fin du XIe à la fin du XIIIe siècle. Son organisation, sa vie, ses membres*, Louvain-Bruxelles, 1986, p. 109-113.

49. K. EDWARDS, *op. cit.*, p. 10. Les cathédrales assistées d'un monastère au lieu d'un chapitre étaient Cantorbéry, Winchester, Worcester, Rochester, Durham, Ely, Elmham, Lichfield, Wells. L'arrivée des Normands favorisa le développement des chapitres séculiers, même si Lanfranc aida à maintenir les anciennes pratiques. Un cas doit être cité en Italie avec Monreale, abbaye devenue siège d'un évêché.

50. Cela intervient dès le XIe siècle en Basse-Lotharingie selon G. DESPY, *RBPH*, 32 (1954), p. 984-986) et J.L. KUPPER, *Liège et l'Église impériale*, Paris, 1981, p. 312-314.

51. Pour ce qui concerne l'Italie, on se reportera au volume 2 de *La vita commune del clero nei secoli XIe XV, La Mendola 1959*, Milan, 1962, où l'on trouvera de courtes communications concernant Padoue (p. 138), Lodi (p. 150), Mantoue (p. 163), Modène (p. 181), Bologne (p. 192), Ravenne (p. 199).

52. La mention de *canonici* signifie que la vie commune a été abandonnée. Toutefois celle de *fratres* ou *confratres* ne suffit pas pour affirmer l'inverse.

53. Le phénomène s'amorce au XIe siècle et devient courant au XIIe siècle, où les papes adressent leurs bulles soit au chef du chapitre nommément désigné, soit aux chanoines, soit au chapitre directement. L'évêque cite le chapitre sous le terme générique de *capitulum* ou *canonica*. Le chapitre légifère, plaide, donne des actes, les scelle (J. AVRIL, *op. cit.*, p. 105).

54. Ces textes seront surtout nombreux au XIIIe siècle, mais le pape intervient dès le XIIe siècle (G. MARCHAL, *op. cit.*, p. 40), notamment pour fixer le *numerus clausus*, ou régler des conflits internes. Les chanoines élaborent les statuts que leur dictait auparavant l'évêque. Les statuts de Maguelone remontent à 1095 (bulle d'Urbain II).

gérer son diocèse, le chapitre a une influence dans les paroisses et auprès des monastères. Le prestige de ces clercs de la cathédrale est considérable, suscite la jalousie et entraîne assez souvent la création d'autres chapitres analogues. Le chapitre cathédral est parfois nombreux, il comprend de vingt à quatre-vingts, voire cent chanoines. En Angleterre, le chiffre moyen varie de vingt à vingt-cinq ; il en est de même en Italie ou dans le sud de la France, notamment quand les diocèses sont petits[55]. Dans l'ancienne Francie, entre la Loire et le Rhin, et au-delà, les chiffres sont plus élevés, 70 chanoines à Chartres, 84 à Laon vers 1100. À Tournai, dix prébendes supplémentaires portent, en 1170, le nombre des chanoines à 40 avant de se fixer à 43[56]. À Besançon, Hugues Ier de Salins voulut redonner du lustre à l'église Saint-Étienne, tenue pour l'église primitive du diocèse, et y créa un chapitre de cinquante personnes, concurrent de celui de Saint-Jean, installé dans la cathédrale en exercice ; c'était là un cas exceptionnel de deux chapitres cathédraux dans la même cité. L'initiative du prélat eut de funestes conséquences et provoqua un long conflit que Calixte II régla quand il fut pape, après y avoir enquêté en tant que légat[57].

Les chanoines sont groupés autour de la cathédrale, un cloître est normalement à leur disposition, d'autres églises ou chapelles toutes proches constituent un groupe cathédral qui joue un grand rôle lors du déroulement de la liturgie pascale[58]. On voit ainsi à Lyon, côte à côte, les trois églises de Saint-Jean, Saint-Étienne et de la Sainte-Croix, une disposition qui se retrouve en nombre d'autres cités[59]. Les maisons canoniales se répartissent tout autour et donnent naissance à un quartier important, que reproduisent fidèlement les plans anciens des villes épiscopales et que rappellent aujourd'hui les noms des rues et des places. Les rues du four, du chapitre, du doyen, les place du chapitre et place des chanoines sont des appellations courantes. La cathédrale est l'église principale du chapitre, qui, avec ses revenus, l'aide de l'évêque ou sur son initiative, l'agrandit ou la reconstruit.

2. Les autres chapitres[60]

Si les chapitres cathédraux retiennent normalement l'attention en premier lieu, il faut aussi faire leur part à toutes les autres églises qui sont le siège d'un chapitre ; elles

---

55. Pour l'Angleterre, voir : K. EDWARDS, *op. cit.* ; en Italie on compte 10 chanoines à Mantoue (*La vita commune del clero*, 2, p. 179), 14 à Modène (*ibidem*, p. 185), mais 50 à Bologne (*ibidem*, p. 195). Dans le Sud de la France, Maguelone en avait eu 80, mais Agde, Béziers, Lodève, Tarbes une douzaine seulement (J. GAUDEMET, *op. cit.*, p. 185).

56. J. PYCKE, *op. cit.*, p. 98-100.

57. R. LOCATELLI, *De la réforme grégorienne à la monarchie pontificale : le diocèse de Besançon (v. 1060-1210)*, Besançon, 1984 (thèse dactyl.), p. 106-108, 156-170. En Angleterre, on note plusieurs cas d'une cathédrale comprenant à la fois un chapitre de chanoines et un monastère, pour assister l'évêque ou d'un évêque ayant deux cathédrales (Bath, Wells, Coventry, Lichfield) (K. EDWARDS, *op. cit.*).

58. C. HEITZ, *L'architecture religieuse carolingienne. Les formes et leurs fonctions*, Paris, 1980 (Metz par ex., p. 18-20).

59. Quelques exemples fournis par J. HUBERT, « La vie commune des clercs et l'archéologie », *La vita commune del clero, op. cit.*, 1, planches p. 112-113.

60. A voir d'abord P. MORAW, « Über Typologie, Chronologie und Geographie der Stiftskirche im deutschen Mittelalter », *Untersuchungen zur Kloster und Stift*, Göttingen, 1980, p. 9-37 ; l'introduction de Guy MARCHAL, citée note 1 ; la thèse inédite de Henri-Jacques LÉGIER, *Les églises collégiales en France des origines au xve siècle*, Paris, 1955 ; l'exemple proposé par L. MUSSET, « Recherches sur les communautés de clercs séculiers en Normandie au xie siècle »,

sont nombreuses. La chronologie de leurs fondations et leur dispersion géographique ont fait l'objet de peu d'études d'ensemble, alors que ces chapitres constituent pourtant le pendant des monastères. Leur nombre n'a cessé d'augmenter de siècle en siècle, et surtout dès le XIe siècle, en rapport avec la croissance des villes et de la population, la construction des châteaux et la mise en place des seigneuries.

L'origine de ces chapitres est très diverse. Un ancien monastère, ruiné par les invasions ou vidé de ses occupants par un seigneur insatisfait du comportement des religieux ou soucieux de changement, peut accueillir des chanoines. Beaucoup d'exemples nous viennent de la Basse-Lotharingie[61]. Des églises, comprenant une communauté de clercs constituée en chapitre, peuvent servir aux évêques de base pour l'organisation religieuse d'une région récemment christianisée ou la gestion d'une partie éloignée du diocèse. Le premier cas se rencontre encore en Espagne au XIe siècle, le second est notoire dans les cas de Trèves et de Mayence[62]. Un chapitre peut être établi au chef-lieu d'un archidiaconé et, dans ce cas, le prévôt est fréquemment aussi archidiacre[63].

Les chapitres cathédraux et les monastères bénédictins ont parfois fondé ou pris sous leur contrôle de petits chapitres, de moins de dix chanoines, à qui peut être confiée une tâche scolaire, pastorale ou caritative[64]. D'autres sont placés sous la dépendance de monastères de femmes auxquelles les chanoines assurent le service divin et apportent une aide à l'extérieur[65]. Mais, parmi toutes ces fondations, les chapitres les plus importants ont été voulus par les rois, les princes, les évêques, à l'instar des grandes abbayes. Tel est le cas des puissantes collégiales de Xanten, Cologne, Bonn, Fritzlar, Erfurt, de celles que l'on trouve dans certaines cités (il y en eut sept à Cologne, autant à Liège)[66]. Les fondations royales et princières se réfèrent à la plus prestigieuse d'entre elles, Aix-la-Chapelle, qui fut abondamment imitée, d'abord par les descendants de Charlemagne et de Louis le Pieux qui voulurent avoir un chapitre dans leur ville de résidence favorite, puis les grands dynastes qui donnèrent à ces églises et à leurs chanoines un but représentatif et administratif[67]. Exemplaire à cet égard fut la

---

BSAN, 55 (1959-1960), p. 5-38. Quelques données de J. Lestocquoy, « Les origines des églises collégiales », *Mélanges E.R. Labande*, Poitiers, 1974, p. 497-500. D'une façon générale, une étude générale sur les chanoines et les chapitres manque cruellement.

61. J. Nazet, « La transformation d'abbayes en chapitres à la fin de l'époque carolingienne : le cas de Saint-Vincent de Soignies », *RNord*, 49 (1967), p. 257-280. Même opération pour Saint-Dié en Lorraine au Xe siècle ; cela a eu lieu vers 970-975, à l'initiative du duc Frédéric Ier et dans la ligne de la réforme de Gorze (voir K. Hallinger, *Gorze-Kluny*, t. I, qui donne d'autres exemples).

62. P. Moraw, *op. cit.*, p. 20 (ex. Xanten) ; F.W. Oediger, « Beiträge zur Frühgeschichte des Xantener Viktorstifts », *Rheinische Ausgrabungen*, 6 (1969), p. 207-267.

63. F. Pauly, « Das Stift St. Kastor in Karden an der Mosel », *Germania Sacra, Erzbistum Trier 3*, Berlin-New York 1986, p. 116.

64. D. Misonne, « Chapitres séculiers dépendant d'abbayes au Moyen Âge dans l'ancien diocèse de Liège », *La vita commune del clero, op. cit.*, 1, p. 412-432 ; R. Meier, *Domkapitel zu Goslar*, donne un inventaire où l'on nomme de nombreux « Nebenstifte » (*op. cit.*, p. 102-104) ; Konrad Luebeck, « Das Kloster Fulda und seine Kollegiatsstifte », *AKathKR*, 125, (1951-1952), p. 301-309.

65. La plupart des chapitres et abbayes de femmes apprébendent quelques chanoines ou prêtres, qui ne constituent pas un chapitre organisé. À Verdun, l'évêque fondateur de l'abbaye Saint-Maur (v. 1010) lui soumet le petit chapitre Sainte-Croix d'abord indépendant. Ces chapitres ont un poids plus grand quand ils assistent les grandes abbayes de dames nobles (Allemagne, Belgique).

66. P. Moraw, *op. cit.*, p. 22.

67. Étude de K. Heinemeyer sur les « Pfalzstifte » du monde carolingien (À paraître dans les *StGS*). Voir

politique menée par les Conradins dans la vallée de la Lahn, où ils ont suscité neuf fondations entre 841 et 940[68].

Deux autres exemples très lumineux concernent la Flandre et le centre de la France. La Flandre est une région de grande activité économique, dominée par un comte puissant et une aristocratie active. Au XIe siècle, des chapitres sont nés près des châteaux et des noyaux urbains, constituant ainsi l'élément religieux nécessaire à l'essor d'une ville[69]. Les chanoines, au nombre d'une dizaine, y jouent le rôle de notaires et ajoutent à leur fonction spirituelle fondamentale celle de leur capacité intellectuelle et administrative[70]. À la même époque, le royaume de France, dans sa partie centrale, de Senlis à Bourges, voit se développer des fondations de collégiales pour lesquelles l'aspect politique est prédominant; on pourrait même parler d'un « pullulement de sanctuaires », car aux chapitres s'ajoutent les prieurés, la proportion des premiers ne cessant de croître. Le phénomène a commencé sous Robert le Pieux, qui se montra favorable aux fondations décidées par les châtelains (Graçay, Bourges), ou qui décida lui-même d'en fonder (Poissy, Étampes, Melun), et s'est poursuivi pendant un demi-siècle. Aux chapitres urbains s'ajoutèrent des fondations rurales modestes, suscitées par de petits seigneurs[71]. Par la suite, un certain nombre de ces petits chapitres furent annexés par les monastères, mais les « collégiales » sont néanmoins restées abondantes, et, au XIIe siècle, elles ont par exemple une place de premier plan dans le comté de Champagne[72]. On retiendra ici que l'appel est fait à des chanoines quand la fondation doit jouer un rôle surtout politique, l'aspect religieux devenant secondaire, à l'inverse de ce qui se passe pour les monastères, même quand la fondation de ceux-ci répond à un calcul politique[73].

Au XIe siècle, les évêques ont eux aussi créé des chapitres ou ont aidé à le faire; et ils ont continué d'agir ainsi au XIIe siècle dans leur cité et dans les autres villes de leur diocèse. Aucune étude globale de ce phénomène n'a été réalisée, car les historiens ont concentré leurs efforts sur les plus grands chapitres, pris isolément, ou ont tenté des synthèses sur les seuls chapitres cathédraux, en négligeant toutes ces « petites » fondations. Or, des collégiales ont été fondées sans cesse de siècle en siècle dans des contextes différents et mériteraient une analyse attentive. Leur caractère politique, voire administratif, l'emporte nettement, aussi bien pour les chapitres castraux de France que pour ceux des villes de résidence de l'Empire. L'aspect religieux est

---

U. LEWALD, « Burg, Kloster und Stift », *Die Burgen im deutschen Sprachraum* (Vorträge und Forschungen, XIX), Sigmaringen, 1976, p. 175-218; J.H. DENTON, *English Royal Free Chapels 1110-1300*, 1970. Le chapitre de Dijon fondé en 1172 par le duc Hugues II devait être un centre religieux du duché (*MSHD*, 34 (1977), p. 209-233, par Jean BART), mais ne participe pas au service paroissial. En Italie, le régime des pievi a créé un régime particulier des communautés de clercs.

68. W.H. STRUCK, « Die Stiftsgründungen der Konradiner im Gebiet der mittleren Lahn », *RhV*, 36 (1972), p. 28-52.

69. Les villes du XIe siècle naissent le plus souvent d'une trilogie comprenant un élément politique (château, palais, centre de gestion), un élément économique (foire, marché, point, carrefour) et un élément religieux (abbaye, prieuré, chapitre).

70. J. DHONDT, « Développement urbain et initiative comtale en Flandre au XIe siècle », *RNord*, 30 (1948), p. 133-156. L'auteur utilise prématurément l'expression « collégiales comtales ».

71. Jean-François LEMARIGNIER, « Aspects politiques et fondations de collégiales dans le royaume de France au XIe siècle », *La vita comune del clero, op. cit.*, 1, p. 19-40.

72. Patrick CORBET, « Les collégiales comtales de Champagne (v. 1150-v. 1230) », *AEst*, 1977, p. 195-241.

73. *La vita comune del clero nei secoli XIe XII (La Mendola, 1959)*, Milan, 1962, 1, p. 41 (remarque de H.J. LÉGIER).

peut-être secondaire aussi pour les fondations que suscite le besoin de procurer de nouvelles prébendes canoniales aux fils de familles de l'aristocratie, car, dans beaucoup de cas, on ne saisit pas très bien pourquoi un ou deux chapitres supplémentaires sont nés dans une cité ; en effet, leur fonction charitable et scolaire découlait de leur existence et n'était pas à l'origine de leur fondation. Il y a donc une extrême variété dans ces collégiales, dans le nombre de leurs chanoines, dans la puissance de leur fondateur et dans la richesse de leur patrimoine ; un seul exemple sera convaincant : Saint-Martin de Tours avec onze dignitaires, quinze prévôts, 56 chanoines, tranche sur les chapitres castraux de moins de dix clercs fréquents en Île-de-France[74].

Les chanoines réguliers ont fait au XIIe siècle une sérieuse concurrence aux chapitres séculiers, mais ceux-ci se sont maintenus et ont encore augmenté en nombre. Il y en avait surtout entre Loire et Rhin, leur nombre décroissant de plus en plus vers le nord-est de l'Empire. Un fondateur ne se déterminait pas sans raisons en faveur de chanoines plutôt que de moines ; il pouvait avoir le souci d'un besoin, celui de l'office divin ouvert aux laïcs, car il n'y avait pas de clôture stricte, ou celui du service intellectuel, car les chanoines étaient des clercs instruits disponibles pour le service des autorités laïques et ecclésiastiques. Plus prosaïquement, il faut ajouter que des chanoines séculiers, ayant des ressources personnelles, coûtaient moins cher au fondateur que des moines entièrement à charge de leur communauté. Aussi, par leur église et par leur patrimoine comme par leurs membres, les chapitres représentaient-ils, notamment les plus grands d'entre eux, des puissances avec lesquelles il fallait compter.

3. Les chanoines

Trois éléments contribuent à distinguer le chanoine du moine : il ne prête pas de vœux, il peut posséder des biens personnels, il réside éventuellement dans une habitation privée, peut léguer ses biens, tester. Et surtout, le chanoine est voué au sacerdoce, à la célébration du culte et au service des âmes, même s'il n'est pas prêtre, ce qui est très fréquent. Les préoccupations et les tâches des chanoines peuvent se ranger sous trois rubriques principales ; la liturgie, la vie intellectuelle, la fonction charitable, qui sont représentées, toutes ou chacune, à des degrés divers selon les institutions. De l'office des chanoines, il sera encore question plus loin ; l'église capitulaire est ouverte aux fidèles, mais cela ne répond pas à la fonction de la *cura animarum*. Les chanoines sont aussi parfois curés des paroisses urbaines, ils sont patrons de nombreuses églises, où ils nomment des vicaires, prêchent et disent la messe ; dans certains cas, comme dans la région rhénane, ayant à leur tête un archidiacre, ils jouent un rôle dans la christianisation du pays ou le maintien de la foi et du dogme.

Leur activité intellectuelle est plus grande que dans la plupart des monastères. Un

---

74. R. Vaucelle, *La collégiale de Saint-Martin de Tours*, Paris, 1912.

écolâtre est normalement parmi eux, les livres y ont une grande place, avec l'étude et
l'enseignement, non pas limités à l'usage des chanoines et des jeunes candidats à la vie
canoniale, mais ouvert largement aux autres clercs, à la ville tout entière ; les écoles
sont confiées à leur surveillance. La fonction charitable est fréquemment assurée par
des chapitres. Nombreux sont les exemples de chapitres cathédraux ayant fondé,
gouvernant et dotant hospices et hôpitaux.

Les chanoines sont choisis par une autorité extérieure ou cooptés[75]. Il y avait
souvent plus de candidats que de places à pourvoir. L'assurance d'avoir une vie
confortable, dans une maison individuelle, en maintenant le contact quotidien avec le
monde, malgré des contraintes qui pouvaient en outre être réduites, attirait
particulièrement les fils de l'aristocratie seigneuriale et chevaleresque, trop nombreux
pour espérer un jour obtenir une part d'héritage satisfaisante et une seigneurie. Les
parents s'en souciaient et obtenaient, dès qu'ils le pouvaient, une prébende pour le
garçon qui venait de naître, le faisaient entrer tout jeune à l'école du chapitre pour
qu'il y acquière une formation intellectuelle que ses frères ne recevaient pas au
château. Le chapitre cathédral ouvrait l'accès à une dignité, à une fonction qui servait
de tremplin pour le siège épiscopal. On a vu ailleurs qu'une majorité de prélats du
XIIe siècle étaient d'anciens chanoines ayant occupé une place d'honneur dans leur
chapitre cathédral. Aucune analyse satisfaisante de l'origine sociale des chanoines de
cette époque ne peut être faite[76] ; même leur nombre est à peine déterminé, car seuls
les plus actifs ou les responsables interviennent ou témoignent dans les chartes. On n'a
pas encore, sauf exception italienne, de listes des maisons canoniales avec les noms de
leurs possesseurs ou de procès-verbal d'une élection avec les noms des votants comme
ce sera le cas pour le XIIIe siècle. Le peu qu'on sait concerne les dignitaires et les
officiers, dont il se révèle généralement qu'ils sont fils ou frères de comtes et de
seigneurs, parfois de simples chevaliers ; d'où l'on suppose que l'origine des autres
chanoines est identique.

La haute noblesse se réservait les dignités canoniales, ouvrant accès aux sièges
épiscopaux ou assurant un pouvoir important. Cela valait pour presque tous les
chapitres. Dans les plus petits d'entre eux, une prébende ordinaire allait à un chanoine
d'un niveau social modeste (ministériaux, entourage comtal ou seigneurial). Dans
l'Empire comme en Italie, les groupes en ascension de la chevalerie ne parvenaient pas
aisément à se glisser dans les rangs des chanoines. Toutefois l'exclusivisme aristocratique ne saurait être affirmé pour tous les cas[77]. Au cours du XIIe siècle, des fils de

---

75. Le changement du régime de recrutement est une conséquence de la séparation des menses. Dans certains cas,
l'évêque ne gardait que le contrôle de la prévôté (R. MEIER, *Die Domkapitel zu Goslar und Halberstadt in ihrer
persönlichen Zusammensetzung im Mittelalter*, Göttingen, 1967, p. 114). Pour le rôle de l'évêque, voir Leo SANTIFALLER,
Das Brixener Domkapitel in seiner persönlichen Zusammensetzung im Mittelalter, Innsbruck, 1925, p. 205-211. Il y a une
extrême variété de cas dans le temps et dans l'espace pour ce qui concerne la part respective de la nomination par l'évêque et
de la cooptation (J. GAUDEMET, *op. cit.*, p. 186).

76. Quand analyse il y a, elle porte sur une longue durée incluant le XIIIe siècle et concerne les chapitres cathédraux.
Elle est tentée par Jacques PYCKE pour Tournai au XIIIe siècle (*op. cit.*, tableau n° 10, p. 88) et par R. MEIER pour les
chapitres de Goslar, Halberstadt et Hildesheim (*op. cit.*). H. KELLER donne quelques indications pour l'Italie du Nord
(« Origine sociale et formazione del clero cattedrale dei secoli XIe XII nella Germania e nell'Italia settentrionale », *Le
istituzioni ecclesiastiche*, Milan, 1977, p. 136-186). W.M. NEWMANN, *Les seigneurs de Nesles*, (note 27), p. 231-232.

77. Cf. titres cités note 27. Pour la ministérialité, l'accès à un chapitre est un moyen d'ascension sociale. Même
remarque pour Angers (J. AVRIL, *op. cit.*, p. 105). H. KELLER (*op. cit.*, p. 177-183) présente la famille de Baggio.

patriciens s'asseoient de plus en plus nombreux dans les stalles du chœur de la cathédrale ; on le constate à Metz et à Tournai[78], le corps de ces chanoines a acquis une cohérence accrue ; l'intervention personnelle de l'évêque dans les nominations a partout reculé, et, avant la période où le pape commence à se manifester et à soutenir une candidature ou à placer ses propres candidats, les chapitres ont seuls l'initiative. De ce point de vue, le XIIe siècle est pour eux une période dorée. Les relations familiales sont puissantes ; le népotisme fleurit et chaque chapitre peut fournir l'exemple d'une prébende, voire d'une fonction où l'on se succède d'oncle à neveu parfois pendant près d'un siècle[79]. L'origine géographique est déterminante ; les chanoines se recrutent pour les trois quarts ou la moitié dans le diocèse même, voire dans le groupe des fidèles et des ministériaux de l'évêque. Les changements sur ce point ne sont pas antérieurs à la fin du XIIe siècle. La loi de l'offre et de la demande n'a guère joué ; un numerus clausus a généralement été fixé et il tend à la baisse, quand il est révisé, car le souci de maintenir le niveau financier des prébendes prédomine.

4. OFFICES ET DIGNITÉS

Les chanoines sont organisés suivant une hiérarchie précise. Plus que l'ancienneté de profession chère aux moines, importe le niveau dans les ordres : les prêtres précèdent les diacres, les sous-diacres, les acolytes ; mais, avant les prêtres, se placent ceux qui occupent des postes de responsabilité, même s'ils n'ont pas la prêtrise. Le chef du chapitre peut être un prévôt, comme à l'époque carolingienne. Il s'est parfois maintenu malgré tout, comme à Saint-Lambert de Liège ou en Lorraine, sous le nom de princier ou primicier ; c'est un chef du chapitre sans véritable responsabilité[80]. Le doyen, dont le titre est emprunté à la règle de saint Benoît, s'impose lentement à partir des Xe et XIe siècles et finit par supplanter le prévôt.

Le doyen est le personnage important. Ayant le plus souvent une double prébende, il a hérité les fonctions spirituelles du prévôt ; il est aussi le gérant du temporel et préside à toutes les transactions, à tous les contrats, veille au service du chœur et à la

---

A. SCHULTE, *Der Adel und die deutsche Kirche im Mittelalter*, Stuttgart, 1922. Certains chapitres d'Europe se ferment tôt à la ministérialité et s'ouvrent à la seule noblesse de souche (Strasbourg, Cologne) à la différence d'autres moins stricts (Augsbourg, Munster, Brixen) (H. KELLER, *op. cit.*, p. 152) ; K. ZUHORN, « Untersuchungen zur Münsterischen Domherrenliste des Mittelalters », *WestfZs*, 90-I (1934), p. 304-354. Pour Liège, cf. J.-L. KUPPER, *Liège et l'Église impériale*, p. 319-325. Pour Metz, Toul et Verdun, M. PARISSE, *Noblesse et chevalerie en Lorraine médiévale*, Nancy, 1982, p. 251-263.

78. Le phénomène n'est pas sensible avant les deux dernières décennies du XIIe siècle. Les familles consulaires succèdent à celles des *capitanei* dans les chapitres du Nord de l'Italie. La pataria a protesté parce que le chapitre de Milan se fermait aux nouvelles classes dirigeantes.

79. J. PYCKE, *Tournai*, p. 89. Tous les chapitres offrent de tels exemples. À Toul, la trésorerie est entre les mains de fils de comtes de Vaudémont de 1161 à 1260 (Eudes, Gérard et Thiébaut) (M. PARISSE, *Noblesse et chevalerie en Lorraine médiévale*, Nancy, 1982, p. 240-241) ; à Metz la princerie est aux membres de la famille de Bar de 1136 à 1200 (M. PARISSE, « Les princiers messins au XIIe siècle », *ASHL*, 1976, p. 23-28).

80. K. EDWARDS, *op. cit.* ; G. MARCHAL, *op. cit.*, p. 57-62 ; J. PYCKE, *op. cit.*, p. 127-177 ; R. LOCATELLI, *op. cit.*, p. 117-125. De nombreuses études concernent les prévôts des chapitres d'Empire (Voir dans H. KELLER, *op. cit.*, et R. MEIER, *op. cit.*). Il existe des cas où des chanoines se distinguent par leur titre de cardinal (St. KUTTNER, « Cardinalis : the History of a canonical concept », *Traditio*, 3 (1945), p. 154-155 ; G. FÜRST, « I cardinalati non romani », *Le istitutioni... La Mendola 1971*, Milan, 1974, p. 181-198).

discipline. C'est le personnage principal et sa longévité peut avoir des incidences heureuses sur la continuité de la politique suivie. Le doyen Goter à Tournai resta en place plus de 35 ans et joua un grand rôle dans les négociations qui conduisirent à la séparation des deux sièges d'Arras et de Tournai[81]. Prêtre, le doyen doit respecter la règle de résidence beaucoup plus que ses confrères. Après le doyen, l'ordre hiérarchique est variable et comprend le chantre, le chancelier, le trésorier, l'écolâtre, les archidiacres.

Si l'on place en tête le souci de l'office divin, le chantre vient en premier. Ce n'est en fait pas souvent le cas, même si ce chanoine reçoit le titre plus honorifique de préchantre, parce qu'il a des chanoines sous-chantres à son service. La fonction parle d'elle-même : ce chanoine dirige et anime le chant du chœur, mais en outre il organise la liturgie, choisit les lectures du réfectoire, prend soin des livres nécessaires au culte, lesquels sont nombreux, évoluent, doivent être remplacés, copiés, complétés, achetés. Le trésorier, ou coutre (*custos*), tient en mains les finances du chapitre, assure la répartition des prébendes, et les distributions en sus, entretient les bâtiments, la cathédrale, le mobilier dans sa grande diversité (vêtements sacerdotaux, vaisselle liturgique, luminaire, cloches). Il est assisté de sacristains. Dans les petits chapitres, son rôle est tel qu'il peut remplacer le doyen en cas d'absence.

Les chanoines participent à la gestion du diocèse et assistent l'évêque. Le chancelier et l'écolâtre sont parfois distincts, parfois confondus[82]. Le premier apparaît assez tard, mais, à partir du XIᵉ siècle et avec la rédaction sans cesse accrue d'actes épiscopaux, il prend de l'importance[83]. Il garde les sceaux du prélat et du chapitre, rédige les actes dont il influence, contrôle et vérifie la rédaction confiée à des scribes ou notaires; il peut tenir la plume lui-même[84]. Le sérieux de son rôle et ses capacités personnelles se manifestent par la qualité du style et de l'écriture des actes, la constance de la production, le refus de laisser l'initative de la rédaction aux destinataires[85]. Le chancelier est en relations étroites avec l'évêque. L'écolâtre, *scolasticus*, le maître des écoles du chapitre, a eu un rôle discret tant que les monastères avaient le monopole de la formation intellectuelle[86]. Cela change aux XIᵉ et XIIᵉ siècles, qui voient l'apogée des écoles cathédrales; le nombre des maîtres d'écoles réputés, membres de grands chapitres, ne se compte plus. L'énumération brève de Chartres (avec Yves), de Laon (Anselme), de Reims (Brunon), de Tournai (Eudes d'Orléans), de Besançon (Gerland), de Trèves (Gerland), de Paris (Abélard) suffit à en donner une idée[87]. L'écolâtre enseigne à l'école du chapitre, surveille l'enseignement donné dans les

---

81. J. Pycke, *op. cit.*, p. 140. L'Angleterre, influencée par le nord de la France, a favorisé le doyen devant le prévôt.

82. A Reims un archidiacre est écolâtre à la fin du XIᵉ siècle, comme à Angers. À Chartres, le chancelier est écolâtre, comme à Paris (Abélard).

83. Des études de chancellerie accompagnent la plupart des éditions des actes des évêques. Elles donnent une liste de noms de titulaires de la fonction, de scribes, analysent les styles, mais donnent peu de renseignements sur le rôle de la chancellerie au sein du chapitre. Voir néanmoins J. Avril, *op. cit.*, p. 109-110 et J. Pycke, *op. cit.*, p. 16-175.

84. On sait que « *per manum cancellarii* » est une formule qui ne signifie pas l'intervention personnelle du chancelier dans l'écriture (A. Giry, *Manuel de diplomatique*.

85. Peter Acht, *Die cancellaria in Metz. Eine Kanzlei-und Schreibschule um die Wende des XII. Jh*, Francfort, 1940.

86. Ph. Delhaye, « L'organisation scolaire au XIIᵉ siècle », *Traditio*, 5 (1947), p. 211-268. À Toulouse, l'écolâtre est appelé capiscol.

87. Cf. *infra*, p. 434-435.

autres écoles de la ville. Tous les petits chapitres n'ont pas un écolâtre, mais c'est là une fonction qu'on exige des chanoines chaque fois que cela est possible.

Les grands chapitres disposent de beaucoup d'offices mineurs : aumônier, infirmier, cerchier, cellérier; leur rôle est secondaire[88]. Tout autre est celui des archidiacres, dont l'évêque ne peut se passer. Ils sont les successeurs du chorévêque, de ce chanoine qui suppléait l'évêque dans la campagne et dont la fonction fut confiée au chef des diacres[89]. Au début, il y avait un archidiacre par diocèse; il est demeuré seul dans les tout petits diocèses italiens ou méridionaux; partout ailleurs, l'espace qui lui était confié en administration a été dédoublé ou démultiplié. Des exemples existent de diocèses où l'on a deux, trois, quatre archidiacres ou beaucoup plus. Relevons ceux où le nombre est largement supérieur à la moyenne, où il s'est modifié. Besançon est passé de 5 au XIe siècle à 15 au XIIe pour revenir à 5, mais tout près de là, Mâcon s'en tenait à 4, comme Verdun ou Metz; Toul en revanche connut l'inflation allant jusqu'à douze[90]. L'analyse de quelques cas conduit à mettre en relations certains archidiaconés avec des doyennés ruraux[91]. Ce qui importe davantage est de mentionner la variété des fonctions assurées : surveillance des mœurs des curés et des paroissiens, réunion de synodes et application des mesures conciliaires et diocésaines, mise en route des réformes et contrôle de la dévolution des églises, rôle important d'intermédiaire dans le mouvement de restitution des églises.

Dignités et fonctions n'apportent pas toujours des revenus suffisants à leurs titulaires. Comment comprendre, sinon, que les cumuls soient si fréquents? À l'exception du doyen, tout chanoine reçoit dans son chapitre une seule prébende, qui lui est versée en grain et en vin, et qu'augmentent des distributions exceptionnelles toujours plus nombreuses, provenant de fondations particulières et d'obits[92]. Cette prébende peut être attachée à un territoire, à un domaine, de la mense capitulaire; pour permettre une égalité de ressources, certains chapitres procèdent à une redistribution périodique des prébendes (Chartres, Laon, Saint-Sauveur de Metz, Remiremont)[93]. Ceux qui le peuvent perçoivent une prébende dans deux ou plusieurs chapitres, de la ville d'abord, du diocèse souvent, de la région parfois, non seulement une prébende, mais aussi un office ou une dignité. Comment dans ce cas assurer le service d'un archidiacre dans deux diocèses voisins? Certains prévôts ou doyens de petits chapitres ont une prébende au chapitre cathédral[94]. Personne ne savait bientôt

---

88. Ajouter les chapelains qui assurent les messes du chapitre. Cf. J. AVRIL, *op. cit.*, p. 106.

89. *DDC*, I, col. 948-1044; *Lexikon des Mitteralters, s.v.*; G. LE BRAS, *Institutions ecclésiastiques*, p. 391-394.

90. R. LOCATELLI et R. FIETIER, « Les archidiacres dans le diocèse de Besançon », *MSHD*, 34 (1977), p. 51-81. J. CHOUX, *Recherches sur le diocèse de Toul au temps de la réforme grégorienne. L'épiscopat de Pibon (1069-1107)*, Nancy, 1952. Pour Bordeaux, voir *Bordeaux pendant le haut Moyen Âge*, par Ch. HIGOUNET, dans *Histoire de Bordeaux*, t. II, Bordeaux, 1963, p. 102-103. Les archidiacres y ont une circonscription déterminée au début du XIIe siècle, ils sont définis par elle vers 1150.

91. R. LOCATELLI, *Le diocèse de Besançon, v. 1060-1220*, p. 120-126.

92. J. PYCKE, *op. cit.*, p. 199-222. Bernd SCHNEIDMÜLLER, « Verfassung und Güterordnung weltlicher Kollegiatstifte im Hochmittelalter », *ZSRG.K*, LXII (1986), p. 115-151.

93. Cela est attesté pour Chartres en 1171 (G. MARCHAL, *op. cit.*, p. 51). Le fait est assuré pour Laon, Saint-Sauveur de Metz au XIIIe siècle ainsi que pour les chanoinesses de Remiremont. (H. MILLET, « Les partitions des prébendes au chapitre de Laon : fonctionnement d'un système égalitaire (XIIIe-XVe siècles) », *BEC*, 140 (1982), p. 163-188.

94. Le cumul des prébendes est très répandu et partout cité. La liaison entre les petits et les grands chapitres par le moyen de chanoines communs en est le phénomène le plus important, et sans doute le moins contesté, car il traduit une situation de dépendance ancienne.

plus si les chanoines de ces petits chapitres pouvaient élire librement leur doyen ou leur prévôt qui devenait automatiquement chanoine du chapitre cathédral, ou si leur choix devait se porter nécessairement sur un prébendé du chapitre cathédral. Comme il y allait de l'indépendance et du prestige de chacun, un jour ou l'autre un conflit éclatait, que seul le Siège apostolique pouvait trancher. Enfin, dans un même chapitre, chacun des grands officiers pouvait se réserver un archidiaconé, ou cumulait deux fonctions. Ce cumul trahissait en réalité certains défauts des chanoines, coupables aussi de ne pas être toujours assidus à l'office, de ne pas respecter la règle du célibat, de s'occuper d'affaires séculières, d'avoir de mauvaises fréquentations[95].

III. LES CLERCS ET LES PAROISSES

Le nombre des lieux de culte augmentait constamment depuis l'implantation du christianisme. Au XIIe siècle, certaines régions en étaient encore démunies, des zones montagneuses par exemple, des terres conquises sur l'eau ou la forêt. Ailleurs, les oratoires et chapelles s'ajoutent aux églises paroissiales, castrales, prieurales, abbatiales[96]. Tout un monde de clercs assurait le service divin avec une grande variété de situations sociales et religieuses.

1. Fixation des paroisses

Jusqu'au XIe siècle, les renseignements manquent sur les paroisses. Le mot lui-même, qui sert encore au XIIe siècle à désigner le diocèse — par exemple chez Gratien — commence à être utilisé pour la plus petite unité de fidèles, ceux qui relèvent d'un même prêtre, chargé de la *cura animarum* sur leur territoire. De même que les diocèses ont désormais des limites bien précises, de même les espaces paroissiaux se définissent de plus en plus nettement. Certes, il y a un décalage très net entre les pays de vieille colonisation, où les lieux de culte remontent aux premiers siècles de la chrétienté, et les franges récemment conquises sur les païens; de même qu'il y a une grande distance entre ce qu'on trouve dans certaines vallées et l'équipement religieux des zones montagneuses, et l'on doit ajouter aussi que la différence est grande entre le sud et le nord de l'Europe. Malgré ces divergences, un fait est commun partout, le contrôle accru des évêques sur le territoire diocésain et sur sa répartition en unités paroissiales. Par rapport à la période précédente et en relation

---

95. J. AVRIL, *op. cit.*, p. 106. Ainsi une bulle d'Alexandre III pour le chapitre cathédral de Châlons-sur-Marne, en 1164, donne de nombreux exemples d'excès condamnables et des punitions correspondantes (absences trop longues, sorties sans permission, services non assurés) (H. MEINERT, *Papsturkunden in Frankreich*, 1., Göttingen, [1] 1933, [2] 1972, n° 94, p. 285). Le concile de Latran III, en 1179, a légiféré au sujet des absences des chanoines (R. FOREVILLE, *Latran I, II et III, et Latran IV*, Paris, 1965 (canon 8).

96. P. IMBART de la TOUR, *Les paroisses rurales du IVe au XIe siècle*, Paris, 1900 (repr. 1979). M. AUBRUN, *La paroisse en France des origines au XVe siècle*, Paris, 1986.

avec les mouvements démographiques aussi bien qu'avec la nouvelle organisation des pouvoirs, on assiste à des regroupements autour de certaines églises (villages ecclésiaux du Midi) ou à la construction de nouveaux édifices à la faveur d'une augmentation de population ou par suite de la demande d'une autorité laïque ou ecclésiastique (20 % de paroisses en plus dans le diocèse d'Arras aux XIIe-XIIIe siècles). Une concentration s'opère en campagne autour d'églises principales, qui contiennent des fonts baptismaux et qui sont dotées d'un espace protégé, bénéficiant du droit d'asile, l'aître, où l'on commence à enterrer les morts. Cet espace de taille indéterminée, fortifié dans certaines régions (Alsace), est un lieu de sociabilité, s'ouvre aux marchés ou aux tribunaux, accueille des maisons même, doit protéger tous les faibles et les fautifs qui s'y réfugient pour éviter la violence des uns ou la justice expéditive des autres. En Italie et dans le sud de la France, il est question de vastes territoires dont les noms de *pieve, plebania, plebs* désignent la population chrétienne et qui se fractionnent peu à peu en unités paroissiales. En Bretagne, les minihy désignent de grandes unités du même genre [97].

Dans le domaine des créations, il convient de noter les déplacements de titres paroissiaux, de vieilles églises étant abandonnées au profit de nouvelles mieux placées; ce phénomène est particulièrement sensible en Italie au moment de l'incastellamento et au profit des nouveaux villages fortifiés. Un peu partout et de façon moins spectaculaire, naissent de nouveaux centres paroissiaux en relations étroites avec les châteaux que les seigneurs commencent à édifier [98]. Ces derniers ont compris la nécessité de fournir une église à la population qu'ils attirent dans leur fortification ou tout près d'elle. Ces créations ne peuvent se faire qu'avec l'accord de l'évêque, au détriment d'une autre église dont le curé se plaint de perdre des fidèles et des ressources. En Anjou, le territoire paroissial est alors limité à l'espace couvert par le château [99]. Les prélats ne sont pas toujours favorables aux démantèlements et ne cèdent parfois qu'aux seigneurs et aux princes les plus pressants. Ces fondations sont souvent suscitées par la demande pressante de la population désireuse d'avoir à proximité immédiate des fonts baptismaux, un cimetière, d'avoir un prêtre toujours présent, souhaits qui rejoignent ceux des autorités.

C'est à la faveur de l'essor urbain que le gonflement du nombre des paroisses est sans doute le plus net. De villes il n'y eut longtemps que les cités épiscopales, dans lesquelles il y avait toujours beaucoup d'églises, chapelles, oratoires. Il fallut y

---

97. C. VIOLANTE, « Pievi e parrochie dalla fine del X all'inizio del XIII secolo », *Le istituzioni.. Diocesi, pievi e parrochie. (La Mendola, 1974)*, Milan, 1977, p. 643-799. Gabriella ROSSETTI, « Motivi economico-sociali e religiosi in atti di cessione di beni a chiese del territorio milanese nei secoli XIe XII », *Contributi dell'Istituto di storia medievale*, vol. 1, *Raccolta di studi in memoria di Giovanni Soranzo*, Milan, 1968. Exemple breton dans *La Bretagne féodale, XIe-XIIIe siècles*, Rennes, 1987, p. 285-287.
98. Ch.-L SALCH et D. FEVRE, « Réseau paroissial et implantations castrales du IXe au XIIe siècle en Vivarais », *L'encadrement religieux des fidèles au Moyen Âge et jusqu'au Concile de Trente, 109e Congrès des Soc. Sav.*, I, p. 47-66. J.-Cl.-POTEUR, « Réseau paroissial et implantations castrales du Xe au XIIe siècle : l'exemple de l'évêché de Grasse-Antibes », *ibidem*, p. 67-92; A. DUPONT, « Création et organisation d'une paroisse rurale au milieu du XIIe s. (La Roche-Aunier) », *Études offertes... à A. Fliche*, 1952; Ch. L. SALCH et J. Cl. POTEUR, « Kirche und Burg zur Zeit der Gregorianischen Reform in der östlichen Provence vom 11. bis Mitte 12. Jahrhunderts », *ZKG*, 1984, p. 180-214.
99. E. ZADORA-RIO, « Construction de châteaux et fondations de paroisses en Anjou, Xe-XIIe s. », *Archéologie médiévale*, 9, 1979, p. 115-125.

déterminer des espaces paroissiaux, qui pouvaient correspondre à des quartiers naturels (de part et d'autre d'une rivière), à la surface des biens d'une institution. Il pouvait n'y avoir au départ qu'une paroisse en plus de celle proche de la cathédrale (Arras, les cités du Midi), ou au contraire le nombre pouvait être excessif (32 à Louvain, 13 à Cologne)[100]. Il s'en créa dans beaucoup de cités au cours du XIIe siècle à la faveur de l'augmentation du nombre des habitants et de l'élargissement des remparts (on passe ainsi à 9 paroisses urbaines à Arras au XIVe siècle). Nombreux étaient les petits centres, en voie de devenir des villes et qui disposaient déjà de deux, voire trois paroisses. Chaque abbaye bénédictine, ou presque, avait fait édifier une église pour ses gens ; le développement d'un bourg autour d'elle et de son marché conduisait à faire de cette église secondaire le centre de la paroisse[101]. Le quartier de la Cité à Paris en offre des exemples avec Saint-Sulpice pour Saint-Germain ou Saint-Étienne du Mont pour Sainte-Geneviève, mais il n'est guère de cités où le cas ne se retrouve.

L'église principale devient l'église-mère (*matrix* ou *mater ecclesia*), encore appelée église baptismale, ainsi désignée par rapport aux autres églises qui ne disposent pas de fonts baptismaux. C'est là encore que se trouve le cimetière, là que doivent venir tous les fidèles de la paroisse trois fois l'an lors des fêtes solennelles, quand ils déposent leur obole, leur offrande, leur contribution au pain et au vin de la messe[102]. Deux attitudes se manifestent un peu partout : l'une est la tendance des abbayes à créer des prieurés pour quelques moines à partir de ces églises données par les laïcs, l'autre est la générosité de tous pour de nouveaux lieux de culte.

2. LES ÉGLISES AUX MAINS DES CLERCS

Incontestablement la détermination des paroisses, l'apparition de doyens de chrétienté et d'archiprêtres, la précision des tâches des archidiacres, tout cela dénote un accroissement du pouvoir épiscopal, qui se marque encore par la perception de droits accrus dans les lieux de culte et auprès des fidèles[103]. Mais l'évêque ne fut que rarement le premier bénéficiaire du vaste mouvement d'abandon des églises par les laïcs aux séculiers et aux réguliers. On parle habituellement de restitution des églises à la faveur de la réforme grégorienne par les laïcs qui les détenaient indûment, les ayant reçus en précaire, en bénéfice ou simplement usurpées. On ne saurait généraliser hâtivement, et bon nombre d'églises, devenues paroissiales, avaient été depuis leur fondation propriété de laïcs fondateurs, qui, dans ce cas, les donnaient et ne les rendaient pas. En outre, la proportion des paroisses entre les mains des laïcs est très difficile à déterminer et on tend à l'exagérer.

100. Paul STRAIT, *Cologne in the Twelfth Century*, Gainesville, 1974, p. 49. J. MARILLIER, « La formation des paroisses de Dijon et de sa banlieue », *L'encadrement religieux, op. cit.*, p. 213-228.
101. Alain GIRARDOT, « Un bourg abbatial en Lorraine : Saint-Mihiel avant 1300 », dans *Saint-Mihiel. Journées d'Études Meusiennes, 6-7 octobre 1973*, Nancy, 1974, p. 35-55.
102. Même s'il y a création de noyaux d'habitat plus importants, l'Église-mère garde jalousement ses prérogatives. De là d'innombrables conflits entre curés de l'ancienne église-mère et curés des nouvelles églises, démunis de ressources.
103. R. FIETIER, P. GRESSER, R. LOCATELLI, P. MONAT, *Recherches sur les droits paroissiaux en Franche-Comté au Moyen Âge*, Paris, 1976. H. PLATELLE, « La paroisse et son curé jusqu'à la fin du XIIe siècle. Orientations de la recherche actuelle », *L'encadrement religieux, op. cit.*, p. 11-26.

C'est à la fin du Xe siècle que se répandit l'idée d'une détention illégitime par les laïcs des lieux de culte. Les grégoriens abondèrent dans ce sens et plusieurs conciles se succédèrent pour fixer une nouvelle législation. L'évêque devint le seul qui eût le droit de conférer la *cura animarum* aux prêtres des paroisses de son diocèse, qu'il ait eu ou non son mot à dire pour leur choix. L'idée d'une séparation entre l'église et sa dot, d'une part, et l'autel avec ses ressources propres, fit son chemin et s'était imposée déjà vers 1025 ; on le constate nettement dans le texte des chartes. Dans l'ouest de la France, la « restitution » d'églises commença au milieu du XIe siècle et se fit d'abord au profit des bénédictins, les seuls moines installés alors dans la campagne comme en ville. En 1089, à Melfi, il fut décrété que l'évêque devait être l'intermédiaire obligé de telles donations. Ce fut un contrôle fictif : les donations d'églises furent bientôt faites en quantité, un peu partout, en faveur des moines noirs, puis des clercs de la cité, évêque et chanoines, enfin des chanoines réguliers[104]. Pour Arras-Cambrai, entre 1000 et 1200, il y aurait eu près de 160 cessions d'autels[105]. Rarement les comptages peuvent être aussi précis. Le transfert s'opérait par l'intermédiaire de l'évêque, car on ne pouvait admettre l'idée qu'un laïc ait détenu une église et donc puisse la donner. Les cessions ont conduit précocement dans le nord de la France à l'incorporation de nombreuses églises paroissiales à la mense des bénéficiaires, chapitres ou monastères. Ce système ne se diffusa que bien plus tard au-delà du Rhin.

Le mouvement de « restitution » se prolongea largement dans le XIIe siècle et encore au-delà, si bien qu'à ce propos on souligne souvent que la réforme grégorienne fit sentir ses effets longtemps encore après le concordat de Worms. La conséquence se lit dans les bulles générales de confirmation de biens que se firent délivrer à Rome toutes les institutions religieuses : la liste des « autels » acquis s'allonge d'une confirmation à l'autre et l'on voit s'y ajouter la mention du droit de patronage, du droit de présenter un desservant au prélat diocésain, au point que, dans certaines régions, le rassemblement des bulles d'Alexandre III et de Lucius III permet presque de dresser le pouillé du diocèse[106]. Par les comptages qui ont pu être faits ici et là, les conséquences apparaissent bien diverses. Si l'archevêque de Tours nomme, au bout du compte, à peu près au tiers de ses paroisses, il est d'autres prélats qui n'en détiennent qu'un dixième, et en Lorraine même, seulement quelques-unes. Les cisterciens refusaient de recevoir des églises en dons, mais ils se laissèrent céder des dîmes. Les chanoines réguliers

---

104. A. Chedeville, « Les restitutions d'églises en faveur de Saint-Vincent du Mans », *CCM*, 3 (1960), p. 209-217 ; G. Devailly, « Les restitutions de paroisses au temps de la réforme grégorienne. Bretagne et Berry, étude comparée », *BPH*, 1, 1968, p. 583-597 ; J.-M. Bienvenu, *ibidem*, p. 345-360 ; B. Chevalier, « Les restitutions d'églises dans le diocèse de Tours du Xe au XIIe siècle », *Mélanges E.R. Labande*, Poitiers, 1974, p. 129-144. Giles Constable, « Monasteries, rural churches and the cura animarum in the early middle ages », *Cristianizzazione e organizzazione ecclesiastica delle campagne nell'alto medioevo : espansione e resistenze* (SSAM, XXVIII), Spolète, 1980, p. 349-389.

105. Dans le nord de la France se pose le problème très particulier de la *persona* et du *personatus*, à propos desquels l'unanimité ne peut se faire. On se reportera à l'exemple du diocèse d'Arras proposé par Bernard Delmaire : *Le diocèse d'Arras du XIe au XIVe siècle*, thèse manuscrite (à paraître), chapitre IV, et à un article de Wolfgang Petke sur les incorporations de paroisses (à paraître dans le volume *Vorträge und Forschungen*, consacré au bas clergé). On verra encore J.-M. Duvosquel, « Les chartes de donation d'autels émanant des évêques de Cambrai aux XIe-XIIe siècles éclairées par les obituaires. À propos d'un usage grégorien de la chancellerie épiscopale », dans *Hommage à la Wallonie. Mélanges offerts à Maurice Arnould et Pierre Ruelle*, Bruxelles, 1981, p. 147-163.

106. On trouvera de nombreux exemples dans les éditions de H. Meinert, *Papsturkunden in Frankreich*, I, Göttingen, 1932-1933, et toute la série qui suit.

avaient une vocation pastorale et pouvaient le cas échéant prendre en mains le service paroissial, ce que ne devaient en aucun cas faire les moines (interdiction confirmée au concile de Clermont en 1095), qui devaient par conséquent disposer de vicaires.

3. Prêtres, clercs et clergeons

Le clergé était constitué de clercs à tous les échelons des ordres majeurs et mineurs. Les ordres mineurs étaient reçus lors de cérémonies assez simples, comprenant la mention des devoirs à respecter et la remise d'objets symboliques : portier, lecteur, exorciste, acolyte. Les trois premiers assistaient le prêtre par des tâches matérielles, le quatrième avait un rôle plus important. Le portier était chargé d'ouvrir et fermer les portes de l'église et de la sacristie, de sonner les cloches ; le lecteur assurait les lectures, le chant des leçons, la bénédiction des prémisses ; l'exorciste, qui devait s'occuper de chasser les démons, veillait à écarter les excommuniés, et à l'office, il présentait l'eau qui purifie. Les acolytes portaient les cierges, les allumaient à l'autel, offraient l'eau et le vin pour le sacrifice de la messe. Le sous-diacre, investi selon le même principe que les précédents, avait cependant le premier des ordres majeurs ; il assistait directement l'officiant, préparait l'eau et le vin, les linges et les vases sacrés, apportait calice et patène. Le diacre pouvait prêcher, et donner le seul sacrement de baptême. Le prêtre offrait le sacrifice de la messe, bénissait, et donc administrait les sacrements[107]. L'esprit d'association, l'entente préalable aux confréries provoquèrent la naissance de groupements de prêtres et de clercs. S'ils sont nombreux et bien connus à la fin du Moyen Âge, il convient de noter que nombre d'entre eux ont vu le jour au cours du XIIᵉ siècle et surtout à la fin [108]. Les cures comprenaient aussi souvent des « petits clercs » ou « bas clercs », qui n'avaient pas reçu les ordres, étaient parfois mariés, vivaient d'offrandes et, dans les grandes églises, pouvaient aussi se regrouper en confréries[109].

Les chapitres séculiers comptaient à peu près à égalité des prêtres, des diacres, des sous-diacres ; les plus jeunes prébendés étaient encore acolytes. Pour dire la messe, le prêtre était normalement entouré d'un diacre et d'un sous-diacre ou d'un acolyte ; cela est maintes fois précisé dans les règlements des monastères de femmes où l'on a le souci de limiter au maximum la venue d'un personnel masculin. Une grande variété de noms désignent les titulaires d'une charge supposant la prêtrise. Le mot *capellanus* peut se traduire par chapelain et recouvre plusieurs fonctions ; il désigne plus volontiers le clerc de l'entourage d'un grand, du roi au duc et à l'évêque ; c'est aussi le titulaire de certains autels dans les grandes églises, où ont été fondées des chapellenies ; c'est enfin le desservant d'une église. Dans la paroisse, le prêtre est avant tout appelé *capellanus*,

---

107. *s.v.* Clergy, *Dictionary of the Middle Ages*.

108. Un bon exemple est fourni par une consorce cléricale italienne : Jean-Loup Lemaître, « La consorce du clergé de Lodi et son missel, XIIᵉ-XIVᵉ siècles », dans *Le mouvement confraternel au Moyen Âge, France, Italie, Suisse*, Rome, 1987, p. 185-220.

109. Catherine Vincent a étudié les débuts, au XIIᵉ siècle, de deux de ces confréries de bas-clercs au Mans, à la cathédrale Saint-Julien et à Saint-Pierre de la Couture (À paraître dans *Le clergé séculier au Moyen Âge*, colloque d'Amiens, juin 1991).

presbiter, voire *presbiter parrochialis*, et aussi *pastor, proprius pastor, sacerdos*, parfois *rector*[110]. Le terme de *clericus* demeure très général et désigne plus particulièrement celui qui n'est pas prêtre, et en particulier celui qui fait des études.

Le choix et l'investiture du desservant d'une église est laissé au détenteur du droit de patronage; cette expression commode, comme celle de collation, ne correspond pas nécessairement à celles du XIIᵉ siècle. Néanmoins *patronatus*, pour désigner le droit de désignation d'un prêtre chargé d'une paroisse, est très répandu. Le patron est d'abord le saint protecteur de l'église, le véritable détenteur de la dot, le destinataire des offrandes, le maître des sainteurs; le mot désigne aussi la personne ou l'institution qui sont les maîtres du choix du curé. La pratique, qui s'impose un peu partout, est celle qui consiste pour le patron à amener devant l'évêque ou l'archidiacre le candidat qu'il propose pour la cure vacante, afin qu'il en reçoive la *cura animarum*, la charge d'âmes; la remise du temporel vient ensuite[111]. L'intervention de l'évêque est justifiée par la nécessité d'interroger le futur curé, qui doit être une personne « de bon témoignage », capable et apte à la fonction[112]. Dans certains cas d'églises exemptes, un abbé bénédictin attribue la *cura animarum* en lieu et place de l'évêque[113]; parfois, hélas, il ne l'attribue pas et les chrétiens restent sans curé. Des chartes nombreuses et parfois prolixes du XIIᵉ siècle nous renseignent sur le fonctionnement de ce système quand le patron est une abbaye ou un chapitre. L'institution est parfois considérée comme curé primitif, quand l'église a été donnée avec tous ses revenus, c'est-à-dire incorporée au temporel du bénéficiaire. Ce phénomène de l'incorporation se développe en France du Nord et en Lotharingie dès la fin du XIᵉ siècle, soit plus d'un siècle avant l'Empire. Les moines qui détiennent ces églises ne peuvent normalement pas donner le baptême, visiter les malades et les mourants; il en est autrement pour les chanoines réguliers, dont un membre de la communauté peut être chargé de la desserte paroissiale; cela advient parfois, mais ce n'est pas la règle. En effet, chapitres et abbayes peuvent avoir le patronage de plusieurs dizaines d'églises[114], et, dans ce cas, ils agissent comme les autres patrons en recrutant au-dehors leurs desservants; c'est sur ce point précis et sur la définition des rapports respectifs du prêtre et du collateur que les actes peuvent être très explicites.

Les conditions de formation des clercs nous échappent encore pour cette période. Le contrôle effectué sur leur choix apporte un début de garantie sur leur capacité à expliquer le dogme et à prêcher. On peut admettre, sans crainte d'affabuler, que les

---

110. J. Becquet, « La paroisse en France aux XIᵉ et XIIᵉ siècles », *Le istituzioni Diocesi, pievi e parrochie, op. cit.*, Milan, 1977, p. 208.

111. M. Parisse, « Recherches sur les paroisses du diocèses de Toul au XIIᵉ siècle : l'église paroissiale et son desservant », *ibidem*, p. 559-570. Dans les pievi italiennes, l'archiprêtre de la pieve a le droit de choisir les curés des paroisses qui se créent sur son territoire (C. Violante, *op. cit.*, note 15, p. 749). D. Kurze, « Pfarrerwahlen im Mittelalter », *FKRG*, VI, 1966.

112. A. Vernet « Un manuscrit autographe de Bernard Itier (1202) et le "Liber de sacramentis" de Jean Maréchal », *BSNAF*, 1963, p. 162-163.

113. Laurent Morelle, « Formation et développement d'une juridiction ecclésiastique d'abbaye : les paroisses exemptes de Saint-Pierre de Corbie (XIᵉ-XIIᵉ siècles) », *L'encadrement religieux*, p. 597-620; M. Parisse, *op. cit*, p. 564 (concernant les abbayes exemptes des confins vosgiens).

114. Les exemples abondent d'abbayes d'hommes ou de femmes ayant la collation de nombreuses églises. Par ex. pour le diocèse de Reims, voir Fr. Poirier-Coutansais, *Les abbayes bénédictines du diocèse de Reims*, Paris, 1974. (*Gallia monastica*, 1).

clercs novices sont placés auprès d'un prêtre qui leur apprend le latin et les familiarise avec les saintes Écritures. Le népotisme existe également dans les cures et tel neveu est préparé par son oncle à lui succéder[115]. L'augmentation sensible du nombre des vicaires et des chapelains sortis de leur cloître pour assurer l'office et prêcher, grâce à l'activité des chanoines réguliers que favorise le Siège apostolique notamment, a contribué à élever le niveau de la desserte des cures.

4. CHARGES ET RESSOURCES

Les charges pastorales sont définies naturellement par l'office du prêtre. Il doit, au premier chef, aider le fidèle à entrer dans la vie chrétienne par le baptême et à en sortir dignement avec le viatique, l'extrême-onction et la sépulture. En réalité, le prêtre accompagne de sa présence tous les moments de la vie quotidienne. À l'église dont il a la charge et que le patron doit entretenir matériellement, il doit s'occuper des livres, des vêtements sacerdotaux et des vases sacrés fournis par le patron, de la cire nécessaire au luminaire, du pain et du vin apportés par les fidèles ; ainsi peut-il assurer l'office du dimanche et des jours de fête, recevoir à confesse, donner la communion. Il accueille les pèlerins qui font bénir leur besace, bénit les voyageurs qui partent, les femmes qui relèvent de couches, les jeunes gens qui se fiancent, assiste au mariage, rend visite aux malades[116]. Dans la mesure de ses capacités, il explique le *Credo* et l'oraison dominicale, et rappelle les prescriptions synodales. Cet aspect de l'instruction des fidèles est loin de la prédication que donnent des évêques, des abbés ou des maîtres des universités. On doit donc considérer comme rare le cas de ce prêtre d'une paroisse de Frise, Frédéric, que son succès conduit à aller prêcher dans les paroisses voisines[117]. Il est responsable du niveau moral et religieux de ses paroissiens ; le synode paroissial, quand il est en usage, ou décanal, sert de lieu de confrontation entre le curé et ses ouailles en présence du doyen et de l'archidiacre[118] qui assurent sa liaison avec l'évêque. Le doyen de chrétienté, ou archiprêtre, est le responsable d'un groupe de paroisses, dont la circonscription tend à se fixer. L'archidiacre a remplacé l'évêque dans la visite régulière des paroisses. Si le curé est accusé de quelque faute, il justifie sa conduite et atteste le respect des usages devant la justice épiscopale dans tout le domaine spirituel. S'il est reconnu coupable, il peut être déposé et remplacé aussitôt.

L'aspect matériel de la vie du curé et de la paroisse est plus souvent objet de contestation et de précision dans les chartes que le côté spirituel. Les ressources du prêtre sont très diverses. Il dispose normalement de la dot de l'église ou du fief

---

115. J. BECQUET, « Le clergé limousin au XIIe siècle », *L'encadrement religieux, op. cit.*, p. 311-316.

116. J. AVRIL, « La pastorale des malades et des mourants aux XIIe et XIIIe siècles », *Death in the Middle Ages*, Louvain, 1983 ; R. FIÉTIER, P. GRESSER, R. LOCATELLI, P. MONAT, *Recherches sur les droits paroissiaux en Franche-Comté au Moyen Âge*, Paris, 1976 ; B. DELMAIRE, *Le diocèse d'Arras*, thèse manuscr., p. 243-283.

117. Frédéric, curé de la paroisse d'Hallum, a été canonisé ; sa vie est racontée par son successeur, et n'est que partiellement publiée (Étude du chanoine H. PLATELLE à paraître dans *Le clergé séculier au Moyen Âge*, colloque d'Amiens de juin 1991).

118. J. SCHNEIDER, « Le synode paroissial en Lorraine à la fin du Moyen Âge », *L'encadrement religieux, op. cit.*, p. 177-180.

presbytéral, constitué de quelques terres à cultiver, d'une vigne, d'un pré. Il devrait recevoir la dîme, mais celle-ci est d'un tel rapport que le patron se la réserve entièrement ou en grande partie. Les paroissiens manifestent leur générosité en apportant spontanément des aumônes, en déposant des offrandes sur l'autel à l'occasion d'un sacrement ou d'une fête, en demandant des séries de messes privées comme les trentains. De menus apports, en nature ou en argent, avaient lieu à l'occasion des baptêmes et des sépultures, des mariages ou des visites. Les accords entraient parfois loin dans le détail pour le partage minutieux des revenus, où le prêtre obtenait avec peine la totalité des offrandes et devait se contenter de la moitié ou du tiers des plus gros revenus, ce qui constituait la *portio congrua*, la part qui lui revenait. La paroisse avait en outre des obligations envers l'évêque auquel elle payait un cens annuel, une taxe synodale, un droit de gîte[119].

5. MARIAGE OU CÉLIBAT DES PRÊTRES

L'extension de l'obligation du célibat à tout le bas clergé fut une mesure très discutée au long des XIe et XIIe siècles. La question était depuis longtemps débattue et les arguments pour et contre avaient été maintes fois développés[120]. Le nicolaïsme, qui désigne la tendance des prêtres au mariage ou au concubinage, associé à la simonie, fut l'objet d'attaques plus vigoureuses à partir du milieu du XIe siècle. Le haut clergé (évêques et chanoines) était visé en premier lieu, car il était admis et même obligatoire que tout clerc entrant dans les ordres majeurs, donc à partir du sous-diaconat, devait respecter l'obligation de chasteté. Cette règle était bafouée, la rétablir dans toute sa rigueur était déjà difficile, l'étendre à tous les clercs provoqua un tollé. La présence de femmes auprès du clergé avait pour conséquence inévitable la naissance d'enfants, la tentation d'assurer la transmission de l'office du père au fils. La pratique, au reste, est attestée partout en Occident au XIe siècle. Cela parut aux réformateurs incompatible avec la dignité de la vie cléricale; en revanche, les défenseurs du clergé ne manquèrent pas de contester une interdiction que les textes anciens ne disaient pas absolue; ils voyaient dans la présence d'une épouse un élément régulateur. Les théoriciens extrémistes avaient, comme pour la simonie, approfondi leurs exigences en mettant en cause la validité des sacrements donnés par les prêtres mariés. À quoi d'aucuns rétorquaient que l'interdiction faite aux laïcs d'assister aux offices des fautifs pénalisait les fidèles, qui avaient besoin de sacrements. La malédiction jetée sur les fils de prêtres pénalisait des enfants qui n'en pouvaient mais.

La discussion fut vive; autant personne ne songeait à prendre la défense de la simonie, le conflit portant sur l'exercice du pouvoir, autant les auteurs abondaient pour

---

119. R. Fiétier, P. Gresser, R. Locatelli, P. Monat, *op. cit.*, note 110.

120. C.N.L. Brooke, « Gregorian Reform in action : clerical marriage in England, 1050-1200 », *The Cambridge historical journal*, XIII (1956), p. 1-21. A. Esmein, *Le mariage en droit canonique*, I (2), Paris, 1929, p. 313-341; J. Dauvillier, *Le mariage dans le droit classique de l'Église*, Paris, 1933; *DDC.*, *s.v.* mariage, III, Paris, 1942, p. 132; G. Fornasari, *Celibato sacerdotale e « autocoscienza » ecclesiale. Per la storia della « nicolaitica haeresis » nell'Occidente medievale*, Udine, 1981.

défendre le mariage des clercs[121]. Normandie et Angleterre, où le nicolaïsme était courant, se montrèrent particulièrement hostiles aux mesures nouvelles. Vers 1060-1070, deux auteurs anonymes y défendaient le mariage des clercs. En outre, le chanoine Serlo de Bayeux, lui-même fils de prêtre, tout en admettant que le mariage des prêtres était illégal, défendait le sort de leurs enfants. Dans une lettre à Roscelin de Compiègne, maître Thiébaud d'Étampes prenait aussi leur défense. L'archevêque Anselme conseillait aux fidèles d'éviter de faire appel aux prêtres concubinaires, mais admettait la validité de leurs sacrements ; il n'avait pas les exigences des patarins. L'anonyme d'York s'occupa de la question dans un sens contraire à Anselme. Au début du XIIe siècle, le mariage des prêtres apparaissait encore dans le royaume anglo-normand comme une chose normale et les évêques ne sévissaient pas contre lui. En 1120, le décret rendant invalides les mariages contractés par des clercs des ordres majeurs fut encore attaqué. En Espagne, les légats tentèrent en vain d'imposer le célibat aux clercs.

Des solutions intermédiaires furent proposées. Les prêtres mariés étaient invités à renvoyer leurs femmes, ou, à tout le moins, à vivre avec elles comme frères et sœurs ; un clerc accédant aux ordres majeurs devait se séparer de son épouse ou de sa concubine. L'interdit pouvait être respecté par les nouveaux clercs, tandis que les cas litigieux ou condamnables s'éteindraient d'eux-mêmes. Selon les pays, selon les diocèses, selon les hommes, la plaie du nicolaïsme guérit plus ou moins vite, mais l'amélioration, encore lente au XIIe siècle, fut par la suite incontestable ; cela est attesté de l'Italie à l'Angleterre. Latran I, en 1123, voulut fermer définitivement les portes au mariage des clercs ; puis, Alexandre III interdit aux clercs mariés l'accès aux ordres majeurs ; la réforme faisait son chemin.

La question du mariage ou du concubinage des prêtres rappelle que le bas clergé vivait en étroite symbiose avec les fidèles, connaissait les mêmes peines et les mêmes joies. Une position sociale relevée amenait le prêtre à jouer de nombreux rôles et à se mêler à la vie paysanne ; il lui fallait cultiver son lopin, il allait à la taverne, il prêtait de l'argent, il jouait aux dés. Le clergé urbain était en contact encore plus direct avec le peuple. Les synodes et les conciles, qui naturellement prohibaient ces comportements, n'étaient pas en mesure d'améliorer un état social économiquement déficient, dont l'origine, était dans l'attribution aux desservants de revenus insuffisants.

CONCLUSION

Au cours du XIe siècle, on assiste à une cléricalisation progressive des membres du clergé qui vivent dans et avec le siècle. Le terme de *séculier* pour le désigner fait son apparition au cours du XIIe siècle et entérine sans doute un état de fait. L'essor de l'expression « chanoine régulier » a suscité la création de celle de chanoine séculier, et, par extension, celle de clergé séculier. Déjà les évêques, qui avaient un rôle de princes

---

121. H. BOEHMER, *Kirche und Staat in England und in der Normandie im XI. und XII. Jh*, Leipzig, 1899 (repr. 1968), p. 168 et suiv. Textes dans *MGH. LL*, III, p. 582-596.

à tenir et dont l'idéal de vie religieuse était au xe siècle calqué sur celui des moines, deviennent véritablement les chefs d'un diocèse, gestionnaires à plein de leurs paroisses et des communautés religieuses, entourés de chanoines et d'officiers. Le curé a un rôle qui s'affirme, tandis que les fidèles se resserrent autour de leur église. L'évolution qui s'amorce au xie siècle s'accentue au xiie.

CHAPITRE III

L'expansion du modèle romain

Dans tous les domaines, le XIIe siècle a été pour l'Occident une période de dynamisme et d'expansion, marquée à la fois par un vigoureux essor démographique et économique, ainsi que par la prise de conscience de son identité, d'ordre religieux et culturel, face aux prestigieuses civilisations de Byzance et de l'Islam qui l'avaient jusque-là dominé sur tous les plans. Dans le processus d'unification qui s'amorce alors, l'Église romaine a joué un rôle essentiel en proposant et souvent en imposant un modèle institutionnel et liturgique à des peuples ou des églises qui avaient jusque-là conservé des traditions autonomes. Le recul et parfois même l'abolition de ces dernières furent en quelque sorte le prix à payer pour entrer de plain pied dans une chrétienté occidentale, qui se définit désormais comme l'ensemble des chrétiens reconnaissant la suprématie du pontife romain et utilisant le latin comme langue de la liturgie et de la culture savante. Mais, non contente d'étendre les usages latins aux royaumes chrétiens d'Espagne et, dans une moindre mesure, à l'Italie du Sud et à la Sicile, la papauté favorisa aussi leur implantation en Orient dans les cadres des États « francs » issus des croisades.

I. LA PÉNINSULE IBÉRIQUE
par Michel PARISSE

Au concile de Narbonne réuni le 25 août 1054 et présidé par l'archevêque Guifred participaient l'évêque de Barcelone Guifred et un représentant de celui d'Urgel ; on y parla surtout des conditions d'établissement et de maintien de la paix de Dieu dans l'esprit répandu en Aquitaine depuis le début du Xe siècle[1]. Le 20 novembre de la même année, avec l'aide du comte Raimond et de la comtesse Adelmode, l'évêque de Barcelone et ses collègues de Gérone et de Vich en diffusaient les conclusions sur leurs terres[2]. Ce qui fut discuté l'année suivante à Coyanza en Castille et repris

---

1. MANSI, XIX, col. 827-832. Je remercie vivement Adeline Rucquoi et Jean Gautier-Dalché pour les conseils qu'ils m'ont aimablement donnés.
2. *Ibidem*, col. 831-834.

partiellement à Compostelle le 15 janvier 1056 manifestait de bien autres préoccupations qui dénotent les grandes différences de la situation politique et religieuse du comté de Barcelone et des royaumes occidentaux au milieu du xie siècle[3].

À Coyanza, sous la présidence du roi de Castille Ferdinand Ier (1035-1065) et de son épouse Sanche de Léon, étaient réunis les évêques de Lego, Oviedo, Iria, Léon, Astorga, Palencia, Calahorra, Pampelune, Osma et Braga, ce qui assurait la représentation de prélats de la Galice, des Asturies, des royaumes de Léon et de Castille, enfin du Portugal. Les statuts du concile traitent jusque dans le détail de la discipline du clergé et de sa vie religieuse. Le régime canonial est imposé aux évêques, les règles de saint Isidore et de saint Benoît le sont aux moines. Les évêques se voient accorder ou confirmer l'autorité sur les abbés d'une part, sur les simples églises d'autre part, qui ne doivent pas être partagées. L'habillement des prêtres et des diacres est détaillé, ainsi que le rituel de la messe ; ainsi est-il précisé que l'autel doit être de pierre, l'hostie de pur froment, que le calice de bois est interdit, qu'il convient de poser le calice sur la patène et de le recouvrir d'un corporal de lin. La tonsure sera entretenue, et la barbe coupée. Les fidèles devront bien connaître le symbole des apôtres (le Credo) et l'oraison dominicale (Notre Père), les moines sauront convenablement le psautier, hymnes et cantiques. Le baptême sera administré la veille de Pâques, et à la Pentecôte. Les chrétiens doivent aller à l'église le samedi soir pour les vêpres et participer le dimanche aux matines, à la messe et aux différentes heures canoniales en s'interdisant tout travail et tout voyage. Le vendredi est jour de jeûne. La cohabitation avec les juifs et des femmes non autorisées est strictement interdite.

Ce concile, ses conditions de réunion et ses conclusions nous introduisent parfaitement à une présentation de la vie politique et religieuse de la péninsule ibérique. Le comté de Barcelone, qui continuait de faire théoriquement partie du royaume de France, avait en réalité pris son indépendance à l'occasion du changement de dynastie en 987 ; il se refusait à oublier les Carolingiens et ignorait leurs successeurs « usurpateurs ». Barcelone appartenait à la métropole de Narbonne, et les évêques catalans (Gérone, Vich, Urgel, Elne) relevaient donc de l'archevêque des bords de l'Aude. Les royaumes du nord et du nord-ouest de l'Espagne, qui affrontaient leurs voisins musulmans du sud, sont réunis ou séparés au rythme des successions. Sanche III le Grand, qui s'est donné le titre impérial, avait régné pendant plus de trente ans (1000-1035) de la Galice à la Navarre, grâce à son mariage avec l'héritière de Castille. Son fils aîné Garcia III Sanche devint roi de Navarre (1035-1054), le second Ferdinand Ier régna sur la Castille (1035-1065), puis aussi sur le Léon (1038) et la Navarre (1054) ; un fils illégitime, Ramire Ier, obtient la couronne d'Aragon (1035-1063). Dès lors deux dynasties existèrent parallèlement en Aragon et en Castille/Léon ; par la suite d'autres modifications intervinrent encore.

1. CLUNY ET L'ESPAGNE

Le nom de la grande abbaye bourguignonne est associé à celui de l'Espagne tout au long du xie siècle, et l'on finit par prêter de la sorte à Cluny un rôle déterminant dans l'essor du monachisme, dans la Reconquista, dans l'instauration du rite romain[4].

Tantôt les historiens ont exagéré, tantôt ils ont minimisé cette influence clunisienne, indubitable certes, mais difficile à évaluer, en tout cas plus conservatrice qu'il ne fut dit souvent. Le fait dont personne ne doute est que le roi de Navarre Sanche III le Grand s'est montré accueillant aux idées de Cluny et qu'il a contribué grandement à l'essor du mouvement bénédictin dans la péninsule. La Catalogne, qui doit être rattachée au sud de la France, avait adopté depuis le IXᵉ siècle une liturgie romaine. Elle bénéficia du rayonnement d'Oliba, abbé de Ripoll et de Cuxa en 1008, plus tard évêque de Vich. Cet ancien comte, frère des comtes de Cerdagne et de Besalu, devenu moine dès 1022, était un héritier spirituel de l'abbé Warin de Lézat et fut le chef du mouvement monastique catalan. Il eut certainement de bonnes relations avec Sanche III et a pu l'amener à vouloir donner du lustre aux monastères du royaume. Le souverain envoya à Cluny quelques moines pour y apprendre les coutumes bénédictines. À leur retour, l'un d'eux, Paterne, reçut la charge de San Juan de la Pena (1028), puis cinq ans plus tard celle de San Salvador de Ona (1033). L'influence clunisienne rayonna de là vers la Castille (San Pedro de Cardena). À la mort de Sanche III (1035), le mouvement était lancé, mais il serait faux de le qualifier de clunisien, car le nom de la grande abbaye bourguignonne n'est pas cité en référence dans les textes, et les monastères demeurent dans la dépendance du roi. Aucun des fils de Sanche le Grand ne soumit d'abbaye à l'abbé Odilon. À cette époque, l'idée de soumission à un chef d'ordre n'était pas répandue, et s'il y eut des groupements autour de certains centres comme Ripoll, ce fut avec des liens très lâches. L'adoption des coutumes de Cluny ne signifiait donc en aucun cas soumission à l'ordre.

Dans la seconde moitié du XIᵉ siècle, les choses se précipitèrent. Des princes et des seigneurs espagnols donnèrent des monastères à des abbayes du royaume de France, de la Provence, du Languedoc et d'Aquitaine[5]. C'est ainsi que Saint-Victor de Marseille, Moissac, Lézat, Saint-Pons de Thomières furent sollicitées, envoyèrent des moines dans leurs dépendances ibériques pour y prendre l'abbatiat. Ils furent particulièrement présents en Catalogne, où Cluny ne prit pas pied. En revanche dans le royaume de Castille et Léon d'Alphonse VI, le petit-fils de Sanche, Cluny s'enracina. Ce roi imposa à l'abbaye de Sahagun le moine clunisien Robert et chassa l'abbé en place, puis un autre clunisien devint abbé : Bernard de la Sauvetat. Cluny dès lors développa rapidement son influence. Alphonse VI noua des liens de famille avec la Bourgogne ; il épousa Constance, fille du duc Robert Iᵉʳ, nièce à la fois du roi Robert le Pieux et de l'abbé Hugues de Cluny. L'importance des liens matrimoniaux de princes espagnols avec de grandes familles d'Aquitaine et de Bourgogne doit être soulignée,

3. Le concile de Coyanza, généralement daté de 1050, est bien de 1055-1056. Alfonso GARCIA GALLO, « El concilio de Coyanza. Contribucion al estudio del Derecho canonico espanol en la Alta Edad Media », *Annuario de Historia del Derecho Espanol*, 20 (1950), p. 275-633.

4. Peter SEGL, *Königstum und Klosterreform in Spanien. Untersuchungen über die Cluniacenserklöster in Kastilien-Leon vom Beginn des 11. bis zur Mitte des 12. Jahrhunderts*, Kallmünz, 1974.

5. Anscari MUNDO, « Moissac, Cluny et les mouvements monastiques de l'Est des Pyrénées du Xᵉ au XIIᵉ siècle » *AMidi*, 75 (1963), p. 551-570. Pierre DAVID, *Études historiques sur la Galice et le Portugal du VIᵉ au XIIᵉ siècle*, Lisbonne-Paris, 1947 (« Grégoire VII, Cluny et Alphonse VI », p. 341-439 ; « Les livres liturgiques romano-francs dans le diocèse de Braga au XIIᵉ siècle », p. 503-561). José MATTOSO, *Le monachisme ibérique et Cluny. Les monastères du diocèse de Porto de l'an mille à 1200*, Louvain, 1968.

Lauros-Giraudon

Vue d'ensemble de l'église San Martin à Fromista, près de Léon en Espagne,
XIe siècle.

car le mouvement de fondation et de réforme des monastères en est inséparable. Cette orientation bourguignonne a un double avantage : un renouvellement du sang d'une part, une alliance avec une Église qui a une grande autorité religieuse d'autre part. Alphonse VI souhaitait entrer dans la communauté de prières clunisienne, il offrit un cens annuel en argent considérable, équivalent à 100 000 deniers de Cluny (1077), ce qui permit d'entamer la construction de Cluny III. Cet essor monastique de l'ordre bénédictin allait de pair avec le progès de l'influence de Rome dans la péninsule.

2. La romanisation de la liturgie

Si la Catalogne, ancienne marche d'Espagne, avait été, dès le IXe siècle, mise au diapason liturgique romain, le reste de l'Espagne restait attaché à des rites définis aux premiers siècles du christianisme. Non seulement la liturgie des mozarabes restait figée, mais encore celle qui était en usage dans le nord et le nord-ouest du pays demeurait celle qu'avaient définie les conciles de Tolède. C'était la liturgie wisigothique ou rite de Tolède. La papauté, qui voulait étendre son influence dans des régions où déjà Cluny avait pénétré, au moins de façon indirecte, envoya des légats pour enquêter, surveiller et réformer. Les plus influents d'alors fut Hugues Candide, délégué par Alexandre III vers 1064. Elle répandit l'idée qu'il fallait abandonner une liturgie ancienne, que les papes taxaient de schismatique, voire d'hérétique, Grégoire VII ayant sur ce point les paroles les plus dures. Cette liturgie différait de celle de Rome sur de multiples points de détail, comme le fait de dire entre Évangile et Préface des textes que la pratique romaine avait fait glisser plus tard dans le cours de la messe, comme le fait que le canon n'était pas fixé dans ses termes. L'idée de provoquer une modification accompagnait une politique d'intervention militaire, dans la mesure où Alexandre II défendait l'idée d'une croisade contre les musulmans et d'une récupération de territoires anciennement chrétiens. L'introduction de la liturgie romaine devenait à ses yeux indispensable. La tradition rapporte que le mardi 22 mars 1071 sexte fut encore chantée à San Juan de la Pena suivant l'ancien rite, none l'étant selon le nouveau. La liturgie passa des monastères aux églises. En 1076, la Navarre, annexée à l'Aragon, suivit le mouvement. Alphonse VI imposa le rite romain de sa propre autorité; un concile, tenu à Burgos en 1080, confirma l'abolition du rite hispanique. Des réticences se manifestèrent, vainement. Le Portugal fut converti un peu plus tard, mais en peu de temps au total la réforme liturgique avait abouti[6].

3. La reconquista

À la conquête des musulmans devait répondre la reconquête des chrétiens, mais elle était surtout celle des Espagnols désireux de retrouver l'intégralité du royaume wisigothique, la notion de guerre sainte venant par surcroît. L'entreprise fut menée d'Aragon, de Castille et de Léon parallèlement en direction du sud. Une première expédition eut lieu contre Barbastro en 1064; malheureusement cette ville fut reperdue dès l'année suivante et reprise en 1101 seulement. La reconquête réussit en d'autres endroits. En 1073, Eble de Roucy vint de Champagne pour conduire une expédition contre les Sarrasins; ce fut sans succès. Il s'agissait de plus en plus de défendre l'Aragon en s'emparant de tout le bassin de l'Ebre; en 1077/78, le duc de Bourgogne participa à une nouvelle expédition, de même que le comte de Chalon qui y trouva la mort. En 1085, les troupes d'Alphonse VI s'emparèrent enfin de Tolède, puis il fut question de lancer de nouvelles expéditions pour lui venir en aide[7].

Le progrès territorial ne laissait pas Rome indifférent. Après Alexandre II, Grégoire VII affirmait le droit de saint Pierre sur la péninsule ibérique; il exigea l'hommage et le paiement d'un cens. Le comte de Besalu fut le premier à se soumettre (1077); Sanche Ramirez le suivit, mais Alphonse VI refusa une telle soumission. La conquête de nouvelles terres permettait d'étendre la diffusion de la liturgie romaine. Elle provoquait la fondation ou la reprise en mains de nombreuses églises et de monastères; qui étaient considérés comme des biens particuliers et par conséquent vendus, cédés, inféodés en tout ou en partie. Il fallut bien entrer en lutte contre ce régime d'églises et de monastères privés. La documentation espagnole mentionne alors

---

6. M. Defourneaux, *Les Français*, p. 27-32; José Orlandis, « Los laicos y las iglesias rurales en la Espana de los siglos xi y xii », *I laici nella "societas christiana" dei secoli XI e XII*, Milan, 1968, , p. 261-290.

7. Joseph Calmette, *La formation de l'unité espagnole*, Paris, 1946. Derek W. Lomax, *The Reconquest of Spain*, Londres-New York, 1978.

sous le nom de monastères des églises où les moines, à trois ou quatre, assuraient la gestion des biens et le service paroissial, des sortes de petits prieurés. L'esprit de la réforme grégorienne joua un rôle dans le changement de statut de ces églises. En nombre, elles furent données aux grands monastères; il fut désormais interdit de les partager et de les traiter comme des biens immobiliers ordinaires. Cette politique d'affranchissement s'amorça dès 1060; le concile de Coyanza avait affirmé les droits de l'évêque sur les églises et les monastères. Les conciles suivants accentuèrent le mouvement.

La papauté était régulièrement représentée par des légats. Après Hugues Candide, dont le rôle fut capital mais que sa politique louvoyante fit condamner, vinrent Amat d'Oloron, puis un homme plus rude, l'abbé Richard de Saint-Victor de Marseille[8]. L'établissement de la hiérarchie fit l'objet de disputes et de tractations innombrables. Tolède redevint en 1088 siège effectif d'un archevêché et métropole (l'archevêque résidait jusque-là à Léon); son premier prélat fut l'abbé de Sahagun, Bernard. Celui-ci affirma aussitôt son autorité, d'autant que la primatie fut reconnue à son siège. Du même coup, la métropole tolédane voulut garder le contrôle des évêques autrefois suffragants, tandis que le comte de Portugal entendait ne pas se soumettre à un autre qu'à l'archevêque de Braga. Plus tard, la reconquête de Tarragone permit aux Catalans d'obtenir leur détachement de la métropole de Narbonne. Les structures ecclésiastiques étaient tributaires tantôt des progrès de la reconquête, tantôt d'une situation antérieure à la conquête arabe et jamais oubliée. L'idée qui l'emportait était en effet de reconstituer les anciennes provinces, comme on le voulut dans le royaume de Jérusalem.

Si la Catalogne était bien romanisée dans ses pratiques religieuses, si la Navarre et la Castille le devenaient toujours plus, la Galice et le Portugal n'étaient pas en reste. Pour le second, le progrès fut plus lent, il suivit l'évolution politique du royaume en formation; pour la première et depuis le début du xie siècle, la popularité du pèlerinage de Saint-Jacques donna à Compostelle une grande autorité, qui lui fit prendre le siège épiscopal à sa voisine d'Iria. Des processions continues de pèlerins venaient d'Aquitaine surtout et de France par le col de Roncevaux à travers la Navarre et la Castille pour assurer le culte de l'apôtre Jacques. Au xiie siècle, un guide fut écrit à l'intention de ces pèlerins[9], le passage du col fut aménagé, les historiens parlent volontiers d'une architecture des églises placées sur les routes conduisant à ce pèlerinage. Compostelle en tira encore un bénéfice supérieur en devenant au début du xiie siècle siège d'un archevêque, qu'elle acquit par déplacement du titre de Mérida. On ne saurait suffisamment insister sur le rôle qu'a joué le « chemin français » comme voie de transmission des pratiques, coutumes, influences des pays du nord des Pyrénées. Il était situé à l'abri des musulmans. À son extrémité, le lieu de pèlerinage de Compostelle acquit une importance religieuse considérable, second et concurrent de

---

8. G. SAEBEKOW, *Die päpstlichen Legationem nach Spanien und Portugal bis zum Ausgang des 12. Jahrhunderts*, Berlin, 1931.

9. *Le guide du pèlerin de Saint-Jacques de Compostelle. Texte latin du xiie siècle*, éd. et trad. en français par J. VIELLIARD, 3e éd., Mâcon, 1963. P. GERSON et al., *The Twelfth century Pilgrim's Guide to Santiago de Compostela : Translation and critical Edition*, 1988.

Saint-Pierre de Rome, ce qui prenait en même temps une signification de défi à l'égard de la papauté. La mise en place de cette route et son succès croissant est un fait majeur de la fin du XIe et du début du XIIe siècle pour l'Espagne.

4. LES ORDRES NOUVEAUX

L'Espagne sentit avec un peu de retard le contrecoup de la création de nouveaux ordres monastiques. Les chanoines réguliers firent leur apparition en Catalogne d'abord, puis dans la province de Tolède à partir de 1143. Saint-Ruf d'Avignon, dont l'abbé Bertrand devint évêque de Barcelone (1086-1095), exerça une influence considérable et trouva en Catalogne un terrain où se répandre[10]. De nombreux groupes d'ermites et de modestes monastères furent à la base des abbayes du XIIe siècle. L'ordre cistercien, présent au nord des Pyrénées, les franchit en 1140, quand l'Escaledieu se vit offrir par Alphonse VII une terre à Yerga, d'où il y eut transfert en 1152 à Fitero[11]. Des affiliations eurent lieu avec Clairvaux : en Galice d'abord avec Osera (1141), Sobrado, Melon (1142), puis au Portugal avec Tarouca (1142). Dès lors le mouvement s'accéléra. Maur Cocheril a essayé de débrouiller l'écheveau cistercien et de reconstituer la chronologie et la généalogie des abbayes, il a rencontré des difficultés apparemment encore plus grandes qu'ailleurs. Les conclusions au moins sont assurées. Morimond et Clairvaux se partagèrent le pays. La première récupéra les fondations de ses filiales, qui l'emportaient au centre, en Navarre et en Castille ; la seconde procéda surtout par affiliations et domina largement à l'ouest. Le partage fut égal ; en 1157, Morimond avait neuf abbayes et Clairvaux sept ; au bout du compte, les chiffres étaient de 17 et 19. Au Portugal, plus encore qu'en Espagne, les cisterciens ont joué un rôle de colons, agriculteurs, éleveurs, et même industriels. Enfin, ils ont fourni un support institutionnel aux groupements de chevaliers. Après Tarouca, Alcobaça fut fondée en 1153 ; là fut construite à partir de 1178 la plus grande église du Portugal, une des plus grandes de l'ordre cistercien, copiée de Clairvaux III, avec 100 m de long et 20 de hauteur sous voûte. Si Cluny avait pu répandre ses coutumes sans qu'il y ait incorporation, il en fut différemment avec Cîteaux qui réussit à implanter le système de filiation.

Les ordres militaires avaient normalement leur place dans un pays de reconquête chrétienne face aux musulmans. Les Templiers et les Hospitaliers obtinrent des donations dès le début de leur expansion. Ils reçurent une aide considérable quand, en 1134, le roi d'Aragon, Alphonse le Batailleur, sans héritier, testa en faveur des ordres militaires et leur donna tous ses biens[12]. C'était trop, son frère Ramire II, invité à

---

10. Juan Francisco RIVERA, « Cabildos regulares en la provincia eclesiastica de Toledo durante el siglo XII », *La vita comune*, p. 220-237 ; Johannes Josef BAUER, « Die vita canonica in den katalanischen Kollegiatkirchen im 10. un 11. Jh », *Gesammelte Aufsätze*, (1984), p. 54-83 ; Odilo ENGELS, « Episkopat und Kanonie im mittelalterlichen Katalonien », *ibidem*, p. 83-136.
11. Maur COCHERIL, *Études sur le monachisme en Espagne et au Portugal*, Lisbonne, 1966 (avec carte des monastères cisterciens de la péninsule ibérique). D.W. LOMAX, « Las milicias cistercienses en el reino de Leon », *Hispania*, 23 (1963), p. 29-42.
12. Peter SCHICKL, « Die Entstehung und Entwicklung des Templerordens in Katalonien und Aragon », *Gesamm. Aufsätze* (1974), p. 91-228.

sortir de son monastère et à se marier, parvint à récupérer le royaume. Les Templiers furent chargés de garder la frontière. En 1158, devant la menace almohade, ils se retirèrent de Calatrava. Le roi proposa la forteresse à qui voulait la défendre, ce qu'accepta de faire l'abbé Raymond de Fitero, auquel se rallièrent des chevaliers. Ceux-ci formèrent un groupe qui adopta plus tard la règle de Cîteaux, s'agrégea à l'ordre cistercien en 1164 dans la filiation de Morimond et donna naissance à l'ordre de Calatrava. À Evora, au Portugal, en 1176, une autre milice de chevaliers prit la règle de Calatrava et se rallia à Cîteaux, formant l'ordre d'Evora, plus tard d'Avis. En Léon, une confrérie, Saint-Julien du Poirier (de Pereiro) se rallia également à l'ordre cistercien, fut affiliée à Calatrava vers 1187 et prit en 1218 le nom d'Alcantara. Ils furent aussi placés dans la filiation de Morimond. C'est une confrérie, celle de Saint-Marc de Léon, qui est à la base de l'ordre de Santiago, né officiellement en 1170. Reconnu en 1175 par Alexandre III, cet ordre choisit la règle de saint Augustin, permettant ainsi à ses membres d'être mariés[13].

5. L'Église dans la péninsule ibérique au XIIe siècle

Quand en 1212 une coalition remporta la victoire de Las Navas de Tolosa, la péninsule ibérique se trouvait déjà largement entre les mains des chrétiens, et la réorganisation ecclésiastique était fort avancée. Pendant plus d'un siècle, depuis 1060 environ et les débuts de la reconquista, depuis le moment où la papauté avait commencé d'intervenir assez directement dans le pays et à y envoyer des légats, il ne s'était guère passé de décennies sans que n'ait été évoqué un problème de définition des frontières entre deux diocèses ou de pouvoir respectif de deux métropolitains. Des sièges d'évêques et d'archevêques avaient été déplacés. Finalement, la péninsule compta cinq provinces ecclésiastiques : Tarragone, qui eut son premier archevêque en 1144, malgré le désir de Barcelone de conserver la prérogative archiépiscopale, Tolède, héritière aussi de Carthagène, Compostelle grande gagnante récente, en conflit avec sa voisine portugaise de Braga, et Mérida[14]. Les partages politiques pesaient lourd sans la géographie ecclésiastique. Les différents royaumes avaient fini par s'imposer. Le comté de Barcelone s'était effacé devant le royaume d'Aragon, dont les souverains résidaient dans Barcelone. Le royaume de Navarre demeurait centré sur Pampelune, tandis que la Castille avait pris un remarquable développement en direction du sud, au-delà de Tolède. Le royaume de Léon, outre les villes de Léon, Zamora, Salamanque, Badajoz, tenait les zones rurales de Galice et des Asturies. L'ancien comté de Portugal, confié à un Bourguignon Alfonse-Henri, était devenu royaume.

---

13. Les études de F. Gutton, *L'ordre de Santiago*, Paris, 1972, et *L'ordre de Calatrava*, Paris, 1975, peuvent être consultées, mais sont aujourd'hui dépassées. M. Cocheril, *Calatrava y las ordenes militares portuguesas*, 1959. M. de Oliveira, « A Milicia de Evora e a Orden de Calatrava », *Lusitania sacra* I, 1956, p. 51-64.

14. Pour la création de la province de Compostelle et le développement du pèlerinage, voir M. Defourneaux, *op. cit.*, p. 69-115. Une étude complète a été faite pour le Léon : R.A. Fletcher, *The episcopate in the Kingdom of Leon in the twelfth Century*, Oxford Univ. Press, 1978. D'autres exemples peuvent être trouvés dans le *DHGE* : Barbastro (6, 594-607), Barcelone (6, 683-686), Braga (10, 355-358), Burgos (10, 1321-1330).

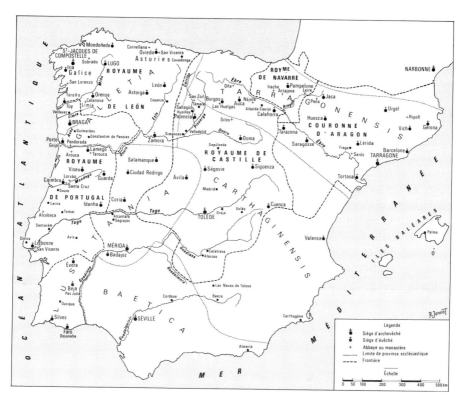

L'organisation ecclésiastique dans la péninsule ibérique au début du XIIᵉ siècle.

La vie politique et religieuse de ces États était étroitement imbriquée. Si la réforme était parvenue à retirer des mains des laïcs les églises et les monastères pour les placer sous l'autorité pleine et entière des évêques, elle n'avait pu empêcher les rois de rester attentifs en permanence au choix et à la politique des prélats. D'abord, la puissance et la richesse des abbayes bénédictines et cisterciennes renforçaient celles des États ; ensuite, les ordres militaires, aux ordres du souverain, étaient indispensables pour la défense du pays contre les musulmans ; enfin, les chapitres cathédraux et monastiques étaient de hauts lieux de culture et de dynamique paroissiale. Sans avoir à en traiter ici, on ne saurait passer sous silence le rôle décisif joué par les clercs et les moines espagnols dans la traduction et la transmission de textes grecs, arabes et juifs dès la prise de Tolède. Les bibliothèques se reconstituaient.

Au total, si les évêques et les grands abbés étaient théoriquement élus suivant les pratiques en usage dans toute l'Europe chrétienne, en réalité ils n'accédaient pas à ces hautes fonctions sans le contrôle des souverains. Le personnel épiscopal ibérique du XIIᵉ siècle fut souvent d'un bon niveau, si l'on en juge à ceux que l'on parvient à connaître. Le recrutement se fit durant un certain temps au-delà des Pyrénées, surtout à la faveur des relations étroites des réseaux monastiques et en fonction du fait que bon nombre de réguliers montaient sur les sièges épiscopaux, puis le recrutement devint strictement local.

Au bout du compte l'histoire religieuse de la péninsule ibérique présentait deux aspects; elle pouvait assez bien refléter celle des ordres religieux qu'elle accueillit volontiers et en abondance, et qui la mettaient en liaison étroite avec les chefs d'ordre de France ou la plaçaient même parfois en état de relative dépendance. Par ailleurs, elle avait suivi un chemin très personnel, différent dans la mesure où la réforme avait eu d'autres problèmes à régler, préoccupée d'uniformisation liturgique et de mise en place d'une hiérarchie. Le modèle romain n'avait pas eu trop de peine à triompher, mais l'Église espagnole, comme l'État dont elle était proche, était guidée d'abord par un sentiment qu'on pourrait déjà qualifier de national et qui puisait sa force dans le passé wisigothique. De la reconquista, l'Espagne fit son affaire et voulut en avoir seule le bénéfice. Vis-à-vis de l'empereur germanique, elle se sentait libre et deux de ses rois prirent le titre d'empereur, l'un obtenant même la main d'une princesse polonaise nièce de Frédéric Barberousse. Vis-à-vis de la papauté, elle prenait ses distances.

BIBLIOGRAPHIE

Garcia-Villoslada, *Historia de la Iglesia en Espana*, Madrid 1979-1982, 7 vol.

Un tableau généalogique complet des différentes dynasties et une carte simplifiée de la péninsule (royaumes et provinces ecclésiastiques) accompagnent l'étude de Peter Feige : « Die Anfänge des portugiesischen Königstum und seiner Landeskirche », *GAKGS*, 29 (1978), p. 85-436.

Paul Kehr, *Das Papstum und die Königreiche Navarra und Aragon bis zur Mitte des 12. Jahrhunderts*, Berlin, 1926.

Claudio Sanchez-Albornoz, « Die christlichen Staaten der iberischen Halbinsel und die Reconquista », *HistMun*, 6 (1958), p. 288-318.

Odilo Engels, « Die Iberische Halbinsel von der Auflösung des Kalifats bis zur politischen Einigung », *HEG*, Bd 2, 1987, p. 918-988.

Marcelin Defourneaux, *Les Français en Espagne aux xie et xiie siècles*, Paris, 1949.

II. L'ITALIE DU SUD ET LA SICILE
par Jean-Marie Martin

1. L'ÉVOLUTION POLITIQUE ET SES IMPLICATIONS RELIGIEUSES

L'Italie méridionale, qui est restée à l'extérieur de l'empire carolingien et ottonien, connaît jusqu'à la seconde moitié du xie siècle une situation politique complexe : elle est partagée entre principautés lombardes, duchés tyrrhéniens qui ont résisté aux Lombards, enfin thèmes byzantins de Langobardie (Pouillle, peuplée principalement de Lombards de rite latin) et de Calabre (en bonne partie héllénisée). La Sicile est musulmane depuis le IXe siècle.

Des bandes de mercenaires normands, installés par les Napolitains à Aversa vers 1030 et par les Byzantins à Melfi en 1041, se mettent bientôt à agir pour leur propre compte : ceux d'Aversa s'emparent de la principauté de Capoue; ceux de Melfi conquièrent la Pouille (Bari, 1071), la Calabre, enfin la Sicile (Palerme, 1072), créant un duché de Pouille, dont le chef le plus prestigieux est Robert Guiscard (1059-1085), et duquel dépend un comté de Sicile que dirige son frère Roger Ier (1061-1101). En 1130, le fils de ce dernier, Roger II, obtient d'Anaclet II le titre royal; il impose son autorité à l'ensemble du Midi dans les dix ans qui suivent. Seule, la cité de Bénévent forme une enclave pontificale[15].

Le nouveau royaume est, du point de vue religieux, composite : à côté d'une majorité de Latins, il abrite des Grecs (qui jusqu'alors relevaient du patriarcat de Constantinople) en Sicile orientale, Calabre méridionale et Pouille méridionale, et des musulmans en Sicile.

D'autre part, la conquête normande survient à l'époque même de la réforme de l'Église occidentale et de la consolidation de l'État pontifical, dont le royaume normand devient l'unique voisin méridional, conquérant même les Abruzzes qui appartenaient autrefois au duché franc de Spolète. Au départ, les Normands sont considérés par le pape comme de dangereux aventuriers; Léon IX décide une action militaire contre eux : il est battu à Civitate (1053). Dès lors, reprenant l'attitude des empereurs germaniques vis-à-vis des princes lombards, les papes considèrent les Normands comme leurs vassaux, d'où des rapports à la fois étroits et changeants entre Rome et le Midi. Les Normands aident militairement le pape à plusieurs reprises contre les prétentions impériales et les antipapes suscités par l'empereur; mais, lors du schisme romain de 1130, Roger II choisit Anaclet II. À la fin du XIe siècle, plusieurs papes (Grégoire VII, Urbain II) séjournent dans le Midi et y tiennent de nombreux conciles (en particulier à Melfi).

Avec Roger II, les rapports changent. Le roi veut nommer les évêques, que le pape refuse un temps de consacrer. Après que, en 1156, le roi Guillaume Ier ait vaincu une coalition byzantino-pontificale, il impose à Adrien IV le « concordat de Bénévent » : le roi admet, dans la partie continentale du royaume, les appels à Rome et les transferts d'évêques par le pape; mais les conciles ne devront pas se tenir dans la ville où réside le roi (en fait, on n'en tient plus, et le pape n'envoie plus de légats); surtout, les élections épiscopales sont soumises à l'accord du roi, qui peut les annuler simplement si l'élu lui est « odieux ». Le « concordat de Gravina », conclu en 1192 entre Célestin III et le roi contesté Tancrède, adoucit certaines de ces dispositions; mais il ne sera pas appliqué. La Sicile, de toutes façons, constitue un cas à part. Dans cette terre musulmane, ce sont les Normands qui ont constitué un réseau épiscopal latin; interprétant de façon très extensive un acte d'Urbain II, les comtes, puis rois

---

15. F. CHALANDON, *Histoire de la domination normande en Italie et en Sicile*, Paris, 1907, réimpr. anast. New York, 1960 et 1969, 2 vol.

prétendent que leur ont été délégués en permanence les pouvoirs de légat et que l'application de toute décision pontificale doit donc passer par eux[16].

La conquête normande aboutit à placer dans l'orbite occidentale des populations grecques et musulmanes, et favorise l'intégration du pays à l'Église occidentale réformée; mais le gouvernement « tyrannique » des rois normands[17] tient bien en mains les Églises du royaume, mieux encore que celui des rois d'Angleterre à la même époque.

2. Les évêchés

L'Italie méridionale a perdu la plupart de ses évêchés antiques au moment de la conquête lombarde. À partir de la fin du Xe siècle, le pape, jusqu'alors seul métropolitain de la région, se préoccupe de reconstituer un réseau d'évêchés et confère, dans ce but, la dignité métropolitaine aux évêques de toutes les capitales du Midi, les chargeant de se choisir des suffragants. Le mouvement, qui se poursuit jusqu'au XIIe siècle, aboutit souvent à une multiplication extrême des sièges épiscopaux : le royaume en compte environ 150. Même l'encadrement métropolitain est très inégal : certains archevêques n'ont qu'un ou deux suffragants, la province d'Amalfi est de la taille d'un très petit diocèse. On arrête une telle prolifération dans la seconde moitié du XIIe siècle.

En pays grec, on tente de remplacer les évêques grecs par des Latins, tout en laissant en place le clergé inférieur grec, marié (dans certaines zones, le rite grec survivra jusqu'à l'époque moderne, sous autorité latine); on doit toutefois laisser des évêques grecs (désormais soumis à Rome) dans plusieurs diocèses de Calabre méridionale et à Gallipoli en Pouille. Quelques églises grecques existent aussi dans des diocèses à majorité latine (Bari par exemple). Quant à la Sicile, on l'a dit, elle se couvre de diocèses latins.

Le recrutement des évêques résulte du jeu changeant qui associe ou oppose forces locales, pouvoir politique et puissance pontificale. Dans les années 1050-1070, le pape dépose, en général pour simonie, quelques évêques, mais peu au total. Le recrutement local domine dans les petites cathédrales et surtout dans les régions lombardes. Mais, en particulier dans les zones grecques et à leurs marges, comme aussi en Sicile, on fait appel, à la fin du XIe siècle, à des prélats normands ou français; au XIIe siècle encore, des Français et des Anglo-Normands occupent des sièges, siciliens en particulier. D'ailleurs, mis à part quelques grands monastères, qui fournissent au total peu de prélats, il n'existe pas dans le royaume de véritable centre de formation. Presque seul, le siège de Salerne est illustré par quelques grands archevêques, comme Alfan au XIe siècle ou Romuald au XIIe. Ajoutons que l'hagiographie épiscopale d'époque grégorienne est ici peu représentée.

---

16. S. Fodale, *Comes et legatus Siciliae. Sul privilegio di Urbano II e la pretesa Apostolica Legazia dei Normanni di Sicilia*, Palerme, 1970.

17. H. Wieruszowski, « Roger II of Sicily, Rex-Tyrannus in twelfth century political thought », dans *Speculum*, 38, 1963, p. 46-78.

C'est au dernier tiers du xie siècle, dans le cadre de la seigneurie normande, que se fonde ou se développe le temporel des cathédrales. À l'exception de celles des Abruzzes, elles jouissent rarement de droits seigneuriaux complets sur un territoire. Souvent récentes, assez peu riches, elles sont bien loin de jouer un rôle politique et social comparable à celles d'autres régions italiennes. En outre, le pouvoir politique concède à de nombreuses cathédrales la dîme des droits publics de la cité, parfois du diocèse, et aussi l'autorité sur les Juifs. Ainsi, les évêchés sont étroitement liés au pouvoir laïque. On construit de nombreuses cathédrales romanes, encore debout aujourd'hui.

3. LES ÉGLISES INFÉRIEURES

On ne connaît guère de *plebes* pendant le haut Moyen Âge que dans certains secteurs de la Campanie, où elles donnent plus tard naissance à des paroisses. Aux viiie et ixe siècles, en pays lombard en particulier, le manque d'évêchés et le rôle religieux du palais ducal, puis princier ont favorisé l'institution de l'église privée, qui, dans ces régions, jouit d'une très grande indépendance : les évêques accordent (encore aux xe et xie siècles) aux églises privées des « chartes de libération » les exemptant d'une bonne partie de leur pouvoir d'ordre, tout en sauvegardant un minimum de droits[18]. Si certaines de ces églises appartiennent à des monastères, beaucoup sont la propriété de laïcs. En pays grec, l'église privée domine normalement aussi.

Une telle situation juridique a permis la construction d'un grand nombre d'églises dans les nouvelles agglomérations. Elle est si bien enracinée que la réforme du xie siècle ne s'y attaque pas. Mais des seigneurs normands considèrent certaines églises importantes comme « publiques », c'est-à-dire seigneuriales, et offrent aussi des églises à des monastères.

Le phénomène de l'église privée dure jusqu'à la fin du xiie siècle, mais en perdant beaucoup de son importance. D'une part, à l'extrême fin du xie siècle, apparaissent des églises archipresbytérales, véritables paroisses publiques. En outre, au xiie siècle, les esprits éclairés condamnent le régime de l'église privée ; la propriété tend dès lors à évoluer vers le droit de patronage, qui se fixe officiellement à ce moment.

Le rôle d'encadrement pastoral joué par les églises inférieures n'est pas original. Signalons seulement que, à la suite d'une prescription législative de Roger II, la bénédiction nuptiale devient obligatoire et, de fait, se répand. Mentionnons aussi, parmi les manuscrits liturgiques, la présence de rouleaux d'*Exultet*, dont certains sont conservés en particulier à Bari. Les buts de pèlerinage, enfin, ne sont pas négligeables dans cette région qui, au reste, voit passer un certain nombre de croisés (et où, au xiie siècle, s'implantent des églises de Terre-Sainte) : Monte Sant' Angelo, dont la grotte aurait été consacrée par l'archange Michel à la fin du ve siècle, Saint-Nicolas de Bari, qui abrite le corps du saint évêque apporté d'Asie Mineure en 1087 ; la cathédrale

---

18. H.E. FEINE, « Studien zum langobardisch-italienischen Eigenkirchenrecht », II, dans *ZSRG.K*, 31, 1942, p. 1-105.

de Salerne se glorifie de la présence du corps de l'évangéliste Matthieu et celle d'Amalfi des reliques de saint André, à partir de 1208.

4. Le monachisme

Une certaine originalité tient aussi le monachisme méridional en marge de certains des courants qui traversent l'Occident. Le Midi lombard a abrité, aux VIIIe et IXe siècles, d'importants monastères, tels le Mont-Cassin et Saint-Vincent au Volturne. Mais ces deux grandes abbayes, détruites par les Sarrasins dans les années 880, ne reprennent vraiment vie qu'au milieu du Xe siècle. L'âge d'or du Mont-Cassin se situe à la fin du XIe siècle, avec les abbés *Desiderius* (1058-1087), devenu le pape Victor III, et

L'église San Giovanni degli Eremiti élevée à Palerme par Roger II en 1132, l'ancienne mosquée et le cloître.

Oderisius (1087-1105)[19]. En relations étroites avec la papauté réformatrice, entourée d'une vaste seigneurie et possessionnée dans tout le Midi, l'abbaye est le foyer artistique et intellectuel le plus brillant de la région.

Mais les grandes congrégations bénédictines nées en France aux Xe-XIIe siècles n'ont pas directement touché l'Italie méridionale, bien que Robert Guiscard ait peuplé de moines normands ses fondations de Sant'Eufemia en Calabre et de Venosa en Basilicate[20] et que, plus tard, Roger II ait soumis à la Chaise-Dieu le monastère de Montepeloso (Irsina). La spiritualité clunisienne est représentée par l'abbaye de la Santissima Trinità de Cava, près de Salerne, fondée en 1011 par *Alferius* qui a reçu sa formation à Cluny; aux XIe et XIIe siècles, Cava essaime des prieurés dans une bonne partie du Midi, où se multiplient, sous l'influence en particulier des seigneurs normands, les petits ou moyens monastères bénédictins traditionnels.

Bruno, le fondateur de la Chartreuse, finit sa vie érémitique en Calabre, où il fonde Santa Maria della Torre et Santo Stefano del Bosco; mais le mouvement ne dépasse pas ces établissements. Plus remarquable est la quasi absence, au XIIe siècle, des cisterciens, due sans doute en particulier à l'hostilité de saint Bernard à l'égard de Roger II, partisan d'Anaclet II. Ils ne se sont guère encore implantés qu'en Calabre (Santa Maria della Sambucina), puis à San Giovanni in Fiore, monastère fondé à la fin du siècle par Joachim (de Flore). Aussi le monachisme réformé du XIIe siècle est-il représenté surtout par des congrégations locales : celle qui se forme autour de Santa Maria de Pulsano, monastère fondé dans le Gargano par saint Jean de Matera († 1139); celle de Montevergine, qui se développera surtout au XIIIe siècle autour de l'une des fondations de saint Guillaume de Verceil († 1142); de plus petites encore, comme celle de Santa Maria del Gualdo qui a pour initiateur Jean de Tufara († 1170). Encore certaines zones du royaume restent-elles fermées aux formes modernes de la piété monastique (ascétisme renforcé et érémitisme).

Le monachisme grec, qui s'est développé depuis le Xe siècle, n'est évidemment pas anéanti. Bien des fondations d'époque byzantine sont placées sous la coupe d'abbayes latines (Saint-Pierre de Tarente passe au Mont-Cassin). Mais les autorités normandes favorisent aussi l'émergence de nouveaux et grands monastères grecs que l'on tend à regrouper en sortes de congrégations. Ainsi, Saint-Nicolas de Casole, près d'Otrante, naît en 1099. À la même époque, Barthélemy de Simeri fonde Sainte-Marie du Patirion, en Calabre, puis, vers 1130, avec le soutien de Roger II, le Saint-Sauveur de Messine, dont l'abbé devient archimandrite des monastères grecs de Sicile; dans l'île, les autorités favorisent l'élément grec pour faire pièce à l'Islam.

Au total, on voit que l'Italie méridionale est marquée, au départ, d'une double originalité : présence de populations étrangères au monde latin; spécificité de l'organisation religieuse en pays latin n'ayant pas connu la réforme carolingienne. Si cette organisation tend lentement à se normaliser (achèvement du réseau épiscopal, presque entièrement latinisé, fin de l'église privée et naissance d'un réseau paroissial),

---

19. H.E.J. Cowdrey, *The Age of Abbot Desiderius. Montecassino, the papacy, and the Normans in the Eleventh and Early Twelfth Centuries*, Oxford, 1983.

20. L-R. Ménager, « Les fondations monastiques de Robert Guiscard, duc de Pouille et de Calabre », dans *QFIAB*, 39, 1959, p. 1-116.

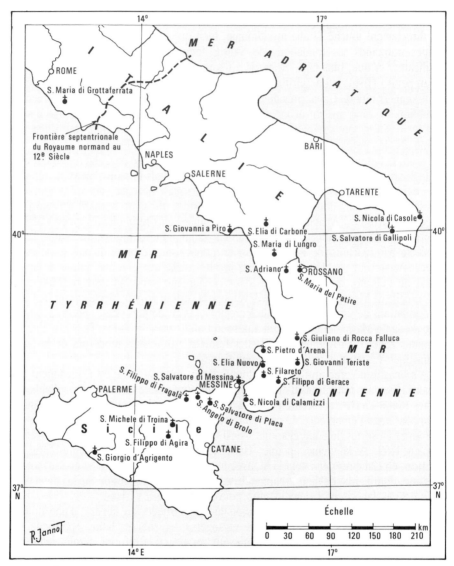

Principaux monastères grecs en Italie du Sud et en Sicile au XIIᵉ siècle
(d'après *Atlas d'Histoire de l'Église. Les Églises chrétiennes hier et aujourd'hui*,
éd. H. Jedin et al., éd. fr. J. Martin, 1990, p. 45).

le Midi reste inégalement perméable aux nouvelles tendances de la spiritualité, et son relatif isolement est renforcé par l'attitude de la monarchie.

BIBLIOGRAPHIE

H.W. Klewitz, *Zur Geschichte der Bistumsorganisation Campaniens und Apuliens im 10. und 11. Jahrhundert*, dans *QFIAB*, 24, 1932-33, p. 1-61.

— , *Studien über die Wiederherstellung der römischen Kirche in Süditalien durch das Reformpapsttum, ibid.*, 25, 1933-34, p. 105-57.

N. Kamp, *Kirche und Monarchie im staufischen Königreich Sizilien. I. Prosopographische Grundlegung. Bistümer und Bischöfe des Königreichs 1194-1266*, Munich, 1973-1982, 4 vol.

— , « Soziale Herkunft und geistlicher Bildungsweg der unteritalienischen Bischöfe in normannisch-staufischen Zeit », dans *Le istituzioni ecclesiastiche della « Societas Christiana » dei secoli XI-XII. Diocesi, pieve e parrochie. Atti della sesta Settimana internazionale di studio (Milano, 1974)*, Milan, 1977, p. 89-116.

— , « Der unteritalienische Episkopat im Spannungsfeld zwischen monarchischer Kontrolle und römischer "libertas" von der Reichsgründung Rogers II. bis zum Konkordat von Benevent », dans *Società, potere e popolo nell'età di Ruggero II. Atti delle terze Giornate normanno-sveve (Bari, 1977)*, Bari, 1979, p. 99-132.

L'esperienza monastica benedettina e la Puglia, sous la dir. de C.D. Fonseca, Galatina, 1983-84, 2 vol.

Pour ce qui touche à l'Église grecque, on se reportera à la bibliographie de *l'Église grecque en Italie*, dans le précédent volume.

III. LES CROISADES ET LA TERRE SAINTE AU XIIᵉ SIÈCLE
par Michel Parisse

La péninsule ibérique représentait un vaste territoire à reconquérir, à la fois pour en chasser les Sarrasins et pour délivrer les chrétiens devenus leurs sujets. C'est dans cette direction que l'Église soutint à partir du XIᵉ siècle, des entreprises guerrières qu'on a pu qualifier de croisades. À cette époque se mêlaient les deux idées de la conquête territoriale et de la reconquête religieuse. Les Aquitains et les Catalans pour l'Espagne, les Italiens pour les îles de la Méditerranée songeaient d'abord à la récupération d'un territoire perdu, en second lieu à une expansion politique et commerciale. Mais comme l'adversaire était le païen musulman, l'Église fut mêlée à ces combats. Pisans et Génois s'entendirent pour abattre le danger représenté par les pirates sarrasins de Corse, de Sardaigne, des Baléares, et même de Tunisie ; or ils donnèrent à leurs expéditions une coloration nettement religieuse, en destinant à l'avance le butin à l'Église et en obtenant le soutien d'une papauté prompte à installer une hiérarchie dans les terres occupées. Le même principe fut retenu pour la *reconquista* espagnole.

La papauté militante se faisait guerrière. Léon IX prit les armes contre les Normands, mais sans intention de conquête religieuse. Grégoire VII, au tout début de son pontificat, manifesta d'autres intentions. Reprenant une idée déjà exprimée par Gerbert-Sylvestre II, il dressa un plan visant les Turcs, vainqueurs des chrétiens d'Orient (1074) ; il écrivit longuement à Guillaume d'Aquitaine sur le sujet de la reconquête, il voulait être à la fois *dux et pontifex*, chef d'armée et prélat, soldat et prêtre. L'immixtion de l'Église allait déjà loin : Eble de Roucy avait fait un accord avec le Siège apostolique pour le destin de ses conquêtes à venir. L'idée de gagner le pardon des péchés à la pointe de l'épée était acquise. Si tuer un chrétien était totalement condamnable, massacrer des païens équivalait à combattre pour le triomphe du Christ. Des armés reçurent la bénédiction apostolique [21].

Depuis la fin du Xᵉ siècle, les étendards sacrés s'ajoutaient aux traditionnelles enseignes des escadrons de cavaliers. À la milice du Christ désignant les troupes chrétiennes au combat répondait l'étendard du Christ, en l'occurrence la croix, rappel du labarum de Constantin où figuraient la croix et le monogramme du Sauveur. Des bannières religieuses firent donc leur apparition en tête de processions ; des bénédictions spéciales furent écrites spécialement pour elles. Des prêtres pouvaient les brandir à la tête des troupes. La pratique des bannières portant le nom et la représentation des saints était courante à Byzance au Xᵉ siècle ; elle se répandit en Occident. Au profit de saint Benoît d'abord, ensuite et surtout au profit des saints guerriers, au premier rang desquels, après Michel, Maurice, Sébastien on vit venir Georges, Demetrios, Théodore et Mercure.

1. DE LA PREMIÈRE À LA TROISIÈME CROISADE

En 1087, Victor III remit le drapeau de saint Pierre et accorda une indulgence aux marins italiens en route pour la guerre contre l'Afrique musulmane. En lançant l'idée d'une marche massive contre les occupants païens de Jérusalem, Urbain II, son successeur, n'accomplissait pas un geste extraordinaire, et pourtant il fut considéré comme tel par les contemporains [22]. Comme tout acte ayant soudain un retentissement universel, il avait des antécédents, plus ou moins lointains, dans la suite logique d'autres actes, et n'en portait pas moins une charge considérable d'innovations. À Plaisance, au concile de 1095, une ambassade était venue de Constantinople pour demander une aide militaire contre les Turcs. L'Occident avait déjà été souvent sollicité : des mercenaires normands et scandinaves avaient combattu pour le *basileus*, et Robert le Frison avait répondu favorablement aux appels byzantins. L'empereur de Constantinople voulait sauver son empire ; il avait besoin de troupes, et il se réclamait de la solidarité chrétienne en venant frapper à la porte du Siège apostolique : la reconquête du Saint-Sépulcre était à ce prix. Urbain II partait alors pour la France ; c'est au concile de Clermont en 1095 qu'il prit enfin position et engagea le peuple chrétien à s'élancer dans un pèlerinage massif qui devait être armé. Les hypothèses proposées par les uns, les explications fournies par les autres pour éclairer le geste du pape sont légion. Les motivations pouvaient être nombreuses et agir toutes en même temps. On l'a dit, l'idée d'une guerre menée au profit de l'Église était déjà acquise, celle de gagner l'indulgence par le combat contre les païens aussi ; la perspective de reconquérir Jérusalem grâce à une expédition venue de l'Occident avait été émise. Or

21. R. ALPHANDERY-A. DUPRONT, *La chrétienté et l'idée de croisade. Les premières croisades*, Paris, 1954, p. 24-31.
22. A. BECKER, *Papst Urban II. (1088-1099)*, Teil 2., *Der Papst, die griechische Christenheit und der Kreuzzug*, Stuttgart, 1988, p. 272-432.

cela était expressément demandé. Urbain II franchit le pas en apportant quelques idées nouvelles. Au Puy, il venait de rencontrer l'évêque Adémar de Monteil, dont il fit son légat pour l'expédition ; à Saint-Gilles, il avait parlé au comte Raymond dont il fit le chef militaire. La nouveauté était déjà dans l'idée de donner la tête du mouvement à un légat du pape, ce qui faisait de l'Église la seule maîtresse du territoire à gagner ; l'armée des chevaliers ne serait qu'un instrument[23].

La tête était donc religieuse, l'étendard le serait aussi, et la croix que tous les pèlerins, armés ou non, allaient porter sur eux était le premier élément d'un uniforme. La parole d'Urbain à Clermont fut entendue des seuls membres du concile, mais elle avait un tel accent ou dénotait un tel esprit de décision et de conviction qu'elle eut un écho qu'aucune décision d'aucun concile ne rencontra jamais. Le slogan était, comme on dirait aujourd'hui, particulièrement porteur : Dieu le veut. Ce n'était plus le successeur de saint Pierre, le vicaire du Christ qui avait parlé, c'était Dieu en personne qui appelait à l'aide. Au lieu de petits groupes individuels, ce serait une armée de pèlerins qui partirait vers l'Orient pour chasser le Turc de Jérusalem.

Qu'il y ait de nombreuses et différentes raisons pour expliquer l'ampleur du mouvement populaire, sa spontanéité et ses excès, la mise en route plus lente des barons est parfaitement logique. Peu importent la pression démographique, les mauvaises récoltes, la soif d'aventure, le besoin de conquêtes, la recherche du butin ; que pèse tout cela au regard de la foi, qui seule a jeté ces foules sur la route, une foi ranimée et entretenue par des prédicateurs comme ce Pierre l'Ermite devenu légendaire, par les pauvres sans autre avenir que la vie éternelle, comme Gautier Sans Avoir au surnom symbolique. La première vague, celle d'un peuple bigarré, d'hommes, de femmes et d'enfants, de quelques cavaliers et de nombreux piétons, se brisa peu à peu, avant d'être totalement anéantie ; une seconde suivit, armée de fer, qui est allée jusqu'au bout, et du même coup, a provoqué une troisième vague, égale en désordre à la première et aussi inefficace[24].

L'esprit de croisade au XIIᵉ siècle

La première croisade fut vraiment comprise comme un pèlerinage, et tous ces chevaliers du Christ, comme ces pauvres du Christ qui ont fait le long voyage, étaient d'abord des pèlerins, des voyageurs en route pour Jérusalem. Avec la création des États latins, la notion de départ se modifia lentement. Pendant quarante ans, il ne fut plus question de ce qu'on aurait pu appeler un esprit de croisade ; il s'agissait seulement d'aider au maintien des conquêtes. Le pèlerinage reprit, comme auparavant, avec le même but, les lieux saints, Jérusalem[25] ; la perspective de s'établir en Orient, d'y devenir agriculteur, marchand ou soldat en poussait plus d'un, mais l'aspect religieux n'était plus prépondérant. La naissance du mouvement templier apporta quelque chose de nouveau, puisqu'il fit naître le chevalier-moine ; c'était la consécra-

23. F. Duncalf, « The Councils of Piacenza and Clermont », *A History of the Crusades*, I, p. 220-252.
24. F. Duncalf, « The First Crusade : Clermont to Constantinople », *A History of the Crusades*, I, p. 253-279.
25. H.L. Savage, « Pilgrimages and Pilgrim shrines in Palestine and Syria after 1095 », *A History of the Crusades*, IV, 1977, p. 36-68. Alphandery-Dupront, *op. cit.*, p. 137-159.

tion de la *militia Christi*. Cette milice du Christ existait déjà en chaque troupe de croisés; elle devint avec le Temple une armée dans l'Église et non pas seulement au service de l'Église. Le chevalier de la milice du Temple était aussi un moine, un laïc astreint à l'observance d'une règle, un moine vivant au contact du monde comme le cistercien Bernard qui chantait leur louange. L'idée d'Urbain II portait ses fruits au-delà de ses intentions; le pape devenait le chef d'une véritable armée, dès lors que templiers puis hospitaliers relevaient directement de lui, ne se contentant plus de protéger les pèlerins comme le faisaient pacifiquement les moines depuis toujours, mais formant des bataillons, ne se limitant pas à habiter des commanderies, mais tenant garnison et possédant des forteresses[26].

Survint l'annonce de la chute d'Édesse (1144). Ce comté n'était qu'une principauté annexe, née de la cupidité d'un baron, mais sa reconquête par l'Islam en annonçait d'autres et retentissait comme un signal d'alarme. Eugène III publia le 1er décembre 1145 une bulle d'exhortation à la vengeance et prit l'initiative de lancer de nouveau la chrétienté à l'assaut de la Terre Sainte. Il prit soin de définir plus précisément les privilèges reconnus au croisé. Jusque-là ce dernier bénéficiait de la situation reconnue au pèlerin dont la personne était confiée à l'Église; les procédures judiciaires engagées à son encontre étaient suspendues. Eugène III précisa les privilèges temporels du croisé en étendant à ses biens et à sa famille la protection dont il jouissait, en accordant le moratoire des dettes. Des privilèges spirituels étaient en outre liés à la croisade, la remise des péchés, le pardon des fautes passées, une véritable indulgence (le mot fut employé plus tard). La croisade devenait pénitence expiatoire des péchés les plus graves. Dans un tel contexte, le croisé, protégé de l'Église, était placé sous la juridiction de l'Église, échappait au bras séculier[27].

Aux côtés du pape cistercien, qui reprenait le flambeau d'Urbain II, saint Bernard, le laudateur des templiers, se mit lui-même en marche et suscita la deuxième croisade. Plus clairement qu'en 1096, on comprit quelle était la responsabilité des souverains, des chefs de la chevalerie occidentale. À Vézelay, le 31 mars 1146, le roi Louis VII prit la croix et avec lui une foule de princes et de seigneurs, qui mirent la croix sur leurs vêtements. L'intransigeance du prédicateur était totale, le vœu de partir faisait des croisés des chevaliers du Christ, la croisade interrompait les guerres fratricides entre chrétiens. Selon certains historiens, la décision de Louis VII était en fait une expiation et son pèlerinage en Terre Sainte une pénitence. Toutefois, aux yeux de tous, il agissait en seigneur de la chevalerie française. Plus clairement qu'en 1095, on comprit quelle était la responsabilité des souverains. Saint Bernard parcourut l'est et le nord de la France, puis l'ouest de l'Empire et convertit Conrad III au départ. Ce souverain était le premier prince allemand à s'engager dans la croisade. La spontanéité, la ferveur des Français leur avaient jusque-là donné le premier rôle, Flamands, Bourguignons, Champenois, Provençaux étaient confondus en Terre Sainte sous le nom de Francs; voilà qu'arrivaient aussi pour la première fois des Allemands, *Teutonici*, des descendants de ceux qui, un demi-siècle plus tôt, avaient vu passer les troupes de la première croisade sans les suivre et en les jugeant insensées. La Querelle du sacerdoce

---

26. Cf. *infra*, p. 303.
27. Cf. J. A. BRUNDAGE, *Medieval Canon Law and the Crusades*, Madison-Londres, 1969.

et de l'empire avait-elle rendu les sujets de Henri IV méfiants à l'égard du pape? Toujours est-il que la demande d'Urbain II n'avait eu en effet qu'un écho misérable au-delà du Rhin; avec Conrad III et saint Bernard, les choses changeaient[28].

Ce fut la première croisade de souverains; elle suivit l'itinéraire de Godefroid de Bouillon, dut également transiger avec les Grecs (mais l'impératrice était une belle-sœur de Conrad III), souffrir en Anatolie. Les Allemands furent vite battus et éliminés, les Français allèrent user leurs forces devant Damas, tandis que des querelles de personnes aggravaient la situation. Cet échec, fruit de l'impréparation stratégique des chevaliers, rejaillit sur Bernard qui se défendit en mettant l'échec sur le compte de l'indignité des croisés. La Terre Sainte vit dès lors sa situation sans cesse plus dégradée, l'arrivée irrégulière de secours ne permettait pas de renforcer la défense face à des musulmans de mieux en mieux organisés et regroupés sous l'autorité de Saladin. La catastrophe de 1187 était dès lors inévitable, défaite de Hattin, perte de Jérusalem (2 oct). L'attitude tolérante de Saladin vis-à-vis des vaincus et des prisonniers manifestait combien la compréhension entre les deux religions avait crû en un siècle; des légendes coururent même sur son intention de se convertir ou sur des gestes chrétiens qu'il aurait eus[29].

L'appel lancé à l'Occident fut plus pressant qu'en 1145; il avait Jérusalem pour argument comme en 1095, mais entre temps tout le contexte s'était modifié. La papauté interpellait directement les rois, stigmatisait ceux de France et d'Angleterre qui se faisaient la guerre, tandis que l'empereur Frédéric Ier se trouvait alors dans un conflit aigu avec la papauté. Une troisième croisade devait faire cesser tous les conflits locaux. En réalité, les intérêts de chacun l'emportèrent. Grégoire VIII s'ingénia à faire valoir le bénéfice d'une croisade collective, demanda une longue trêve en Occident, fit appel à une organisation militaire efficace d'où seraient exclus tous les parasites et les éléments inutiles. Ce fut encore un cistercien, le cardinal d'Albano, qui trouva les mots justes pour convaincre les souverains et entraîner les princes. Le bénéfice des indulgences était encore étendu; un impôt spécial allait être levé. L'Europe entière se levait. L'enthousiasme réel ne fut pas à la hauteur des espoirs. Frédéric Barberousse partit le premier, mais trouva en Asie une mort accidentelle qui décapita son armée (juin 1190); Richard Cœur de Lion prit le temps de conquérir Chypre au passage pour récupérer sa fiancée; Philippe-Auguste alla mener le siège d'Acre, tout en gardant en permanence un œil sur la Normandie, la Picardie et la Flandre, et revint dans son royaume dès que possible. Désunion et rivalités l'avaient emporté. Mais la Terre Sainte et les Églises latines d'Orient allaient vivre encore un siècle, et Jérusalem devait rester encore présente bien plus longtemps à l'esprit des chrétiens.

2. Les églises de Terre Sainte

La reconquête du Saint-Sépulcre et la création d'États latins encouragèrent considérablement le pèlerinage vers Jérusalem et la Terre sainte. Si l'historien tend à

---

28. J. Prawer, *Histoire du royaume latin de Jérusalem*, 1, Paris, 1969, p. 343-376.
29. H.E. Mayer, *op. cit.*, p. 125-131.

Les États francs de Terre Sainte au XIIe siècle.

distinguer les voyageurs pacifiques des chevaliers et des fantassins belliqueux, la terminologie du XIIe siècle ne les séparait pas et les confondait tous sous le même mot de *peregrini*[30]. Les dernières troupes de pauvres gens vinrent encore par la voie de terre, comme cela avait été le cas en 1096-1097. En effet, après la prise de Jérusalem, malgré l'échec des troupes de Pierre l'Ermite, un appel vibrant de Pascal II à fournir des renforts avait provoqué un nouveau mouvement de solidarité, analogue au précédent presque en tous points; cette deuxième expédition avait été aussi catastrophique que la précédente, les Turcs avaient massacré ou emmené en esclavage des hommes, des femmes, des chevaliers; quelques centaines de personnes seulement avaient atteint leur but[31]. Dès lors, la voie de mer et les bateaux italiens furent le plus couramment utilisés. Chaque année, en différents endroits de la côte, surtout à Jaffa puis Acre, arrivaient des contingents de marins, de chevaliers, de pauvres gens, qui se mettaient au service des princes de la Terre sainte, faisaient le pèlerinage des lieux saints, parfois s'installaient à demeure.

Nombreux étaient les itinéraires de Jérusalem décrits depuis l'Antiquité, récits faits par les pèlerins eux-mêmes ou retranscrits par un auditeur attentif[32]. Cette documentation se gonfla avec la création des États latins, et, grâce à elle, on est en mesure de suivre les « croisés » dans leur pérégrination de Palestine. De village en village, d'église en chapelle, ils cherchaient et retrouvaient les lieux qui évoquaient des scènes et des personnages de l'Ancien et du Nouveau Testament[33]. Au sud d'Acre, à Jaffa, Caphranaüm les attirait, car on y avait frappé les deniers donnés à Judas en échange de sa trahison. Longeant la côte, le pèlerin traversait Césarée et Arsouf pour atteindre Jaffa. Tout près de là, Gaza lui rappelait le souvenir de Samson arrachant les portes du Temple. Les deux routes vers la ville sainte étaient plus ou moins sûres, les Templiers se chargèrent de les surveiller et protéger. Il importait d'être au plus tôt à Jérusalem, où il y avait tant à voir, où il convenait de prier, de méditer, de suivre le Christ à la trace, là où il avait vécu et était mort.

Le Temple de Salomon avait disparu; détruit sous Titus, il avait été rebâti, transformé en mosquée; puis réoccupé par les chrétiens. Au cœur même de la précieuse visite, le *Templum Domini* était différent de l'église du Sépulcre, distante d'environ 300 mètres. Au sud de la ville, se trouvait le mont Sion, où la Vierge avait rendu le dernier soupir. Tout autour de la ville, des lieux avaient une profonde signification, le Golgotha où s'éleva et où fut redécouverte la croix de Jésus, et où l'on voyait la colonne de la flagellation, le mont des Oliviers d'où le Seigneur s'éleva aux cieux en présence des apôtres (comme le perpétuèrent les manuscrits, la trace des pieds du Christ y demeurait visible), le jardin de Gethsémani, la vallée de Josaphat avec le tombeau de la Vierge. À tout cela il fallait ajouter la porte près de laquelle le

---

30. Edmond-René LABANDE, « Recherches sur les pèlerins dans l'Europe des XIe et XIIe siècles », *CCM*, 1 (1958), p. 159-169, 339-347.

31. James Lea CATE, « The Crusade of 1101 », *A History of the Crusades*, I, [2]1969, p. 343-367.

32. *Itinera Hierosolymitana et descriptiones Terrae Sanctae bellis sacris anteriora et latina lingua exarata*, éd. T. TOBLER et MOLINIER, I, Genève 1879, H. MICHELANT et G. RAYNAUD, *Itinéraires à Jérusalem*, Genève 1882.

33. Heribert BUSSE, « Vom Felsendom zum Templum Domini », *Das Heilige Land im Mittelalter. Begegnungsraum zwischen Orient und Okzident*, éd. W.D. FISCHER und J. SCHNEIDER, Neustadt, 1982, p. 19-32; Jean RICHARD, *Le royaume latin de Jérusalem*, Paris, 1953, p. 14-16.

protomartyr Étienne avait été flagellé, l'autel du sacrifice d'Abraham, la sépulture de saint Siméon : des églises, des chapelles, des abbayes veillaient sur tous ces lieux sacrés.

Hors de Jérusalem, de nombreuses localités étaient à visiter : Jéricho, Béthanie, Emmaüs, Hébron avec le souvenir d'Adam et des patriarches, Bethléhem et la crèche. Tout cela se trouvait en Judée. La Galilée voisine attirait aussi, à cause de Naplouse et du puits de Jacob, de Sébaste et Jean-Baptiste, de Naïm et d'un miracle du Seigneur, à cause du mont Thabor aussi où eut lieu la transfiguration, et du lac de Tibériade. Cana évoquait le premier miracle du Christ, Nazareth avait été l'endroit de l'Annonciation. Il faudrait multiplier les renvois aux Saintes Écritures pour mentionner tout ce que le pèlerin, attentif à suivre les guides, était conduit à rechercher et à visiter.

Sur cette terre, on venait de tous les pays chrétiens. L'higoumène Daniel fit le voyage en 1113-1115 et l'a raconté[34]. Des Scandinaves faisaient le déplacement et avaient là des traditions particulières. Retenons par exemple cette pratique des Norvégiens venant traverser le Jourdain à la nage : « Aller faire sur l'autre rive, dans un bois de saules qu'il baignait, des nœuds de branchages, était considéré dans le Nord comme le couronnement obligé du pèlerinage »[35]. Quelques-uns venaient jusque-là pour y mourir. Arrivés dans les ports, errant sur les chemins ou demeurant à Jérusalem, ils devaient être pris en charge ; pour cela des lieux d'accueil étaient créés. Chaque monastère avait son hôtellerie, les chapitres devaient assurer une tâche charitable.

La hiérarchie latine

Dès les débuts de l'occupation de la Terre sainte, l'église latine avait implanté le modèle occidental, comme on l'a vu plus haut. Cela signifiait la reconstitution de diocèses, de provinces, l'établissement des ordres monastiques et des chapitres, la mise en place d'hôpitaux ; cela comprit aussi la création des ordres militaires. Enfin, les contraintes de la vie quotidienne amenèrent les Latins à côtoyer aussi bien d'autres chrétiens que les musulmans, à composer avec eux et à les mieux connaître.

Le patriarcat de Jérusalem et le chapitre du Saint-Sépulcre avaient été les premiers établis ; ils furent à tous points de vue les plus puissants, en raison de leur richesse certes, mais surtout de leur importance politique. Le prélat, qui partageait avec le roi la ville sacrée, avait une autorité morale qu'il exerçait aussi sur le patriarcat d'Antioche et toute la Syrie. L'élection du patriarche était le fait du chapitre, qui proposait deux noms au roi, chargé de l'ultime choix. La pression populaire et politique pouvait alors jouer. Les hommes élus furent en général de pieux personnages, qui firent honneur à leur siège prestigieux, mais qui, pour certains d'entre eux, manquaient un peu d'envergure. Après Gormon de Picquigny († 1128), successivement Étienne de Chartres (1128-1130), Guillaume de Messines (1130-1145), Foucher d'Angoulême (1146-1157) et Amaury de Nesle (1157-1180) obtinrent le patriarcat. L'élection de 1180

---

34. DANIEL, *Pèlerinage en Terre sainte au commencement du XIIᵉ siècle (vers 1106)*, trad. Abraam Sergieevitch Norov, Saint-Pétersbourg, 1864 (cité par E.R. LABANDE (note 21), p. 161, note 22).
35. Paul ROUSSET, *Histoire des Croisades*, Paris, 1957, p. 25.

fut disputée ; Guillaume de Tyr, historien et diplomate réputé, fut écarté par le roi au profit d'un clerc du diocèse de Mende, Héraclius. Ce dernier, élu sous la pression de la mère de Baudouin IV, Agnès de Courtenay, laissa un souvenir déplorable, tant en raison de ses mœurs indignes que de ses intrigues à un moment difficile de la vie du royaume [36].

Outre les patriarches, les légats pontificaux jouaient un rôle important, car ils exprimaient en permanence la volonté du pape [37]. Ils ne demeuraient pas en place durant de longues périodes, ce qui excluait un enracinement et des pressions locales sur leur action, et ils jouissaient d'une réelle autorité et de privilèges honorifiques. Ils eurent souvent à intervenir dans l'organisation interne de l'Église de Terre sainte. Les deux patriarcats d'Antioche et de Jérusalem avaient fini, non sans peine, par délimiter leur zone d'influence, mais il y eut d'innombrables conflits de détail. On le vit en particulier à propos de l'opposition entre le Mont-Thabor et Nazareth pour l'attribution de la juridiction épiscopale ; l'affaire dura plus de vingt-cinq ans. Plusieurs mesures furent prises en 1168 pour réorganiser l'Église de Jérusalem, opérer des créations (Hébron et Pétra). Mais le dessein initial du roi Amaury et de son homonyme, le patriarche, était grand. Le second entendait faire revivre de nombreux anciens sièges épiscopaux et se donner de nouveaux suffragants ; il opéra de nombreuses réunions au siège patriarcal. L'entente des deux autorités supérieures, laïque et religieuse, s'expliquait ici par la volonté commune d'expansion, notamment vers le sud ; les réalisations ne furent pas à la hauteur des espérances. Ni Jaffa, ni Nablos, ni Daron n'eurent d'évêque. Au total, le patriarcat de Jérusalem, dont relevaient directement trois évêques (Lydda-Ramla, Bethléhem, Hébron), avait dans sa dépendance cinq archevêques : Tyr (avec Sidon, Beyrouth, Acre), Césarée (avec Sébaste, Beisan, Tibériade), Nazareth, Bosra et le Krak de Moab (ou Pétra). Antioche de son côté avait sa propre hiérarchie [38].

Les autres chrétiens étaient quasiment absents du royaume de Jérusalem, à l'exception d'un archevêque nestorien, mais étaient bien représentés dans la principauté et la ville d'Antioche, d'une part, et en Arménie, d'autre part. Dans ce dernier pays, les évêques étaient honorés par les Francs et avaient de bonnes relations avec l'Église latine. Les chrétiens syriens se partageaient entre les Maronites du Liban et de l'Antiliban, les Jacobites qui avaient un patriarche à Antioche et les Nestoriens représentés à Bagdad, Damas, Alep, Tarse et Mélitène. Chaque groupe avait son organisation particulière et son clergé, et l'entente était bonne avec les Francs.

La cohabitation avec les musulmans s'organisa lentement. Dans les premiers temps de la conquête, dès le siège d'Antioche, les conquérants occidentaux croyaient être en mesure de convertir de force au christianisme les vaincus. Il y eut de fait quelques soumissions dans ce sens, la menace de mise à mort ayant alors plein effet, mais le résultat n'était pas convaincant, car ces conversions forcées étaient souvent suivies de

---

36. Jean RICHARD, *Le royaume, op. cit.*, p. 92-98.

37. Rudolf HIESTAND, *Die päpstlichen Legaten auf den Kreuzzügen und in den Kreuzfahrerstaaten vom Konzil von Clermont (1095) bis zum vierten Kreuzzug*, Kiel 1972 (thèse manuscr.).

38. Hans-Eberhard MAYER, « Der kirchliche Neugliederungsversuch von 1168, Bistümer, Klöster und Stifte im Königreich » *(MGH.SRI, 26)* Stuttgart, 1977, p. 197-214.

retours à la foi islamique. Au cours du XIIᵉ siècle, des cas de conversion volontaire d'une religion à l'autre sont signalés, mais toujours en raison de circonstances particulières : esclaves musulmans voulant accéder à la liberté, chrétiens fuyards ou condamnés cherchant refuge dans l'autre communauté; il s'agissait rarement d'une conviction profonde. Les deux religions s'inspiraient du Livre et avaient des références communes. L'islam connaissait le Christ et la Vierge, respectait certaines croyances et les lieux saints. En plusieurs endroits, on vit les fidèles prier à peu de distance dans un même bâtiment. La grande mosquée d'Acre devint une église chrétienne, mais dans une chapelle l'office musulman était assuré; à l'est de la même ville, à l'inverse, les chrétiens avaient un autel dans une mosquée bâtie à la « source du bœuf », et chacun y priait dans une direction différente de l'autre.

Vie monastique. Ordres hospitaliers et militaires

Les moines étaient nombreux parmi les pèlerins; des monastères furent d'abord ouverts ou rétablis pour les bénédictins. Dès l'époque de Godefroid de Bouillon, il fut convenu de redonner vie à l'abbaye de Notre-Dame de Josaphat, où abbé et moines furent mis en place avant que l'église fût reconstruite (v. 1112-1115). La proximité de Jérusalem explique qu'elle ait dû s'adjoindre bientôt un hôpital. Sa dotation fut immédiate et abondante, d'abord en Sicile et Calabre où, dès 1113, elle avait huit églises et des prieurés, puis en France où les dons affluèrent et dont le cartulaire garde le souvenir[39]. D'autres moines furent installés au Mont-Sion, au Mont-des-Oliviers, au Mont-Thabor (d'obédience clunisienne).

Les moniales eurent leur part, assez large apparemment, bien que les informations manquent pour en juger précisément. L'abbaye de Sainte-Marie et celle de Sainte-Anne précèdent nettement celle de Béthanie, fondée par la reine Mélisende en partie pour sa sœur Judith-Yvette qui en fut la seconde abbesse. Ce dernier monastère, fondé vers 1168, très richement doté par les soins de la fondatrice (elle reçut la ville de Jéricho), accueillit des membres de la noblesse, comme Sybille d'Anjou, veuve du comte de Flandre, Thierri d'Alsace. Antioche eut aussi des abbayes bénédictines, Saint-Paul et Saint-Georges pour les hommes, Saint-Lazare pour les femmes; Saint-Siméon était livré aux deux rites[40].

Les ordres nouveaux du XIIᵉ siècle firent aussi leur entrée, les cisterciens à Saint-Paul, les chanoines de Prémontré à Saint-Joseph d'Arimathie et à Saint-Étienne-hors-les-murs. Mais ce sont surtout les ordres hospitaliers et militaires qui se firent une large place dans un pays qui avait particulièrement besoin d'eux. La fonction charitable s'était développée auprès des monastères et sous le contrôle des chapitres; elle se présentait sous des formes diverses : hôtellerie pour les pèlerins et les voyageurs, maison d'accueil pour les pauvres, hôpital pour les malades, les infirmes, les lépreux. L'ancien hôpital de Saint-Jean-Baptiste de Jérusalem fut vite dépassé. Il fallait organiser la réception et la sécurité des pèlerins débarquant dans les ports et se rendant

---

39. Cartulaire de Notre-Dame de Josaphat.
40. Ursmer BERLIERE, « Les anciens monastères bénédictins de Terre Sainte », *RBen*, V (1888), p. 437-446, 502-512.

sur les lieux saints. Un grand mouvement de fondation d'ordres nouveaux se développa.

Nombreuses sont les études qui ont tenté de mettre au clair les conditions premières de la fondation et du développement des deux ordres militaires les plus célèbres, en Terre Sainte et en Occident, les Templiers et les Hospitaliers[41]. Incontestablement leur essor fut parallèle, et si l'ordre de l'hôpital de Saint-Jean de Jérusalem pouvait se targuer d'une plus grande ancienneté dans la fonction hospitalière, celui de la Milice du Temple de Jérusalem joua bientôt un rôle moteur, que copia son voisin et concurrent. Pour le Temple, on admet aujourd'hui que le chapitre du Saint-Sépulcre apporta une contribution non négligeable à sa naissance[42]. Les chanoines étaient attachés à leur double fonction pastorale et hospitalière, et ils furent les premiers à avoir les moyens de s'occuper des pèlerins toujours plus nombreux à partir de 1099. Le patriarche porta son attention à l'hôpital de Sainte-Marie-Latine et prit des chevaliers à son service. Dans ce cadre, prit corps un mouvement de création d'un groupe chargé de la défense de pèlerins sur la route de Jaffa à Jérusalem.

Un des animateurs en fut le chanoine Hugues de Payns, qui se rendit en France en 1128, pour chercher une aide matérielle et un appui moral. Muni des instructions du patriarche Étienne et de recommandations pour le choix des règlements de cette communauté militaire, il se rendit au concile de Troyes où il rencontra les abbés de Cîteaux et de Clairvaux, ainsi que des évêques et de hauts barons. Une règle fut élaborée pour les frères que l'installation dans l'ancien Temple de Salomon, proche du Saint-Sépulcre, fit dénommer frères de la Milice du Temple de Jérusalem[43]. Hugues de Payns alla jusqu'en Angleterre pour chercher des appuis financiers et des secours en hommes. Dès 1130, un de ses compagnons pouvait demeurer en France pour gérer les intérêts de l'ordre naissant, tandis qu'Hugues repartait pour la Terre sainte afin de donner davantage de cohérence aux « templiers ». Le schisme d'Anaclet provoqua une rupture du Temple avec le patriarche; saint Bernard donna tout son appui à la « nouvelle milice », pour laquelle il écrivit un éloge et une défense remarquables, qui se rattacha alors à la seule papauté et obtint d'elle, un peu plus tard, ses privilèges et son habit[44].

L'ordre connut un succès fulgurant. Les donations vinrent en foule, sous toutes les formes, terres, hommes, argent. Il fallut créer de grandes circonscriptions pour gérer tout cela, et peu à peu des centres furent constitués, maisons appelées plus tard commanderies. L'expansion du mouvement fut extraordinaire, de la Champagne vers l'Angleterre, puis de Provence et du Languedoc vers l'Espagne et le Portugal. Après la

---

41. Kaspar ELM, *op. cit.*, p. 163. La bibliographie sur l'ordre des Templiers est immense. On retiendra au moins Marion MELVILLE, *La vie des Templiers*, Paris, 1951; *Id.*, « Les Débuts de l'Ordre du Temple », *Die geistlichen Ritterorden*, p. 23-30; et Alain DEMURGER, *Vie et mort de l'ordre du Temple*, Paris, 1985.

42. Voir *infra*, p. 305.

43. Gustav SCHNÜRER, « Die ursprüngliche Templerregel », *Studien und Darstellungen aus dem Gebiet der Geschichte*, III, 1-2, Fribourg, 1903, p. 136-151.

44. K. ELM (*op. cit.*, p. 165) mentionne que le patriarche se trouvait du côté d'Anaclet. Le traité de saint Bernard est antérieur à la mort de Hugues : J. LECLERCQ et H.M. ROCHAIS, « Liber ad milites Templi de laude novae militiae », *Sancti Bernardi opera*, III, Rome, 1963, p. 229-237. J. FLECKENSTEIN, « Die Rechtfertigung der geistlichen Ritterorden nach der Schrift "De laude novae militiae" Bernhards von Clairvaux », *Die geistlichen Orden, op. cit.*, p. 9-22.

mort d'Hugues (24 mai 1136), l'habitude se prit de choisir un maître qui fût noble[45] ; son successeur, Robert de Craon, obtint la création d'un corps de clercs-chapelains et se dégagea de toute tutelle hormis celle du pape ; des frères sergents coexistèrent avec les chevaliers. La deuxième croisade (1147-1149) permit aux templiers de se faire apprécier et leur ordre fit un nouveau bond en avant. Leur habit blanc à la croix rouge était devenu familier à tous. Des commanderies furent fondées un peu partout en Occident, avec une forte prédominance pour la France ; l'ordre se donna des structures plus fermes et, vers 1180, la règle connut ses premiers aménagements.

La règle de 1128, comprenant 76 articles, donnait des conseils généraux de vie religieuse, parlant de vœux à prononcer, de la tenue des offices, de repas en commun, des jeûnes et des prières, des interdits, des différents membres de l'ordre : chevaliers, écuyers, domestiques. Des chapelains s'ajoutèrent plus tard. La discipline devait régner avant tout, obéissance au maître, modestie du comportement, repas en silence, entraînement militaire, combat jusqu'à l'abnégation. Les obligations religieuses étaient modérées : assistance à la messe, récitation de patenôtres ; le régime alimentaire était conçu en fonction des efforts à fournir. Les aménagements de 1180 précisèrent l'origine noble et chevaleresque nécessaire des chevaliers, plus nettement distingués des sergents, entrèrent dans le détail de la hiérarchie et des offices (grand maître, maréchal, sénéchal, etc.), 150 « retraits » concernant ainsi ces différents aspects institutionnels, parmi lesquels l'élection des titulaires prit une plus large place[46].

L'ordre de l'Hôpital de Saint-Jean-de-Jérusalem connut un développement parallèle, mais la fonction hospitalière ne perdit jamais de son importance[47]. Au départ se trouvait une confrérie de laïcs, organisée et dotée, confirmée par Pascal II en 1112, en relations étroites aussi avec le Saint-Sépulcre[48]. Celui que la tradition place à la base du développement de l'institution puis de l'ordre, Gérard n'est pas autrement connu. Quand il mourut en 1130, le mouvement était déjà lancé. Le successeur, Raymond du Puy (1120-1158), joua un rôle décisif pour le développement de l'ordre en Orient et en Occident. Il n'y avait pas de règle bien déterminée pour ces laïcs vivant en communauté étroite et voués à une vie religieuse régulière[49]. Côte à côte œuvraient des chevaliers, des clercs-chapelains et des frères-infirmiers. La mutation en ordre militaire provoqua une première crise vers 1130, une seconde sous le maître Gilbert d'Assailly (1163-1170). Cette évolution ne fut pourtant jamais remise en question ; bien plus, les besoins de la Terre Sainte et le prestige de la lutte contre les musulmans donnèrent à l'ordre une orientation militaire privilégiée, les offices à caractère chevaleresque furent organisés, la règle de vie fut précisée et affermie[50].

---

45. Le recrutement des chevaliers se fit exclusivement dans la noblesse.

46. H. de CURZON, *La Règle du Temple*, Paris, Soc. Hist. France, 1886. L. DAILLIEZ, *Les Templiers et les Règles de l'ordre du Temple*, Paris, 1972.

47. J. DELAVILLE LE ROULX, *Les Hospitaliers en Terre Sainte et à Chypre, 1100-1310*, 1904. John RILEY SMITH, *The Knights of saint John in Jerusalem and Cyprus, c. 1050-1310*, Londres, 1967. Rudolf HIESTAND, « Die Anfänger der Johanniter », *Die geistlichen Orden, op. cit.*, p. 31-81.

48. K. ELM, *op. cit.*, p. 168.

49. J. DELAVILLE LE ROULX, *Cartulaire général de l'ordre des Hospitaliers de Saint-Jean de Jérusalem*, 4 vol., Paris, 1894-1906 (repr. Munich, 1980).

50. La première règle fut fixée sous Raymond du Puy (E.J. KING, *The Rule, Statutes and Customs of the Hospitallers, 1089-1310*, 1934). Si la règle bénédictine fut acceptée dans les premiers temps de la vie de l'hôpital, celle de saint Augustin la remplaça dès que l'ordre s'organisa.

Le Temple et l'Hôpital n'étaient pas seuls à assurer ces fonctions hospitalières et militaires. Le Saint-Sépulcre eut finalement sa propre organisation, rendue nécessaire par l'indépendance acquise par les deux ordres ci-dessus ; l'hôpital des lépreux de Saint-Lazare de Jérusalem disposait également de quelques chevaliers. Vers 1180, le roi Baudoin IV voulut favoriser un nouvel ordre militaire, et fit appel à un groupe dirigé par le comte Rodrigue à qui il confia Notre-Dame de Montjoie de Jérusalem : la fondation fut confirmée par Alexandre III (15 mai 1180)[51]. L'inspiration était encore cistercienne. L'ordre disposait de la maison de Montjoie avec l'église, avait une tour à Ascalon, des rentes à Acre, Jérusalem, Ascalon, 25 églises et un château en Espagne. Le recrutement fut difficile, l'animateur manquait de personnalité, et, après 1187, l'ordre devint strictement espagnol.

La Troisième Croisade, qui réduisit le rôle de Montjoie et saigna le Temple et l'Hôpital, provoqua la création du troisième ordre, le plus célèbre, celui des Teutoniques[52]. Les Allemands disposaient jusque-là d'une dépendance de l'Hôpital de Saint-Jean, confié à un prieur allemand[53]. Les conditions du siège d'Acre provoquèrent sa transformation. Les troupes allemandes, restes de la grande armée de l'empereur Frédéric Ier noyé dans le Salef, étaient présentes devant la ville sous la direction de nombreux ducs, comtes et évêques. Le duc de Souabe, Frédéric, fils de l'empereur défunt, voulut établir un ordre concurrent du Temple et de l'Hôpital, et prit appui sur la fonction hospitalière. Des bourgeois de Brême et de Lubeck avaient créé un hôpital provisoire, qui fut ensuite installé dans la ville d'Acre. En 1190, le duc Frédéric en confia la direction à son chapelain Conrad et à son chambrier Burcard. Conrad jeta les bases de l'ordre, à qui il donna la règle de Saint-Jean et le nom d'ordre de l'Hôpital de Notre-Dame de Jérusalem ; ces choix manifestaient le caractère volontairement et principalement hospitalier, d'une part, l'espoir de réoccuper la ville sainte, de l'autre. Le pape accorda dès 1191 sa protection. En 1197, les croisés allemands attendaient la venue de l'empereur Henri VI. À l'annonce de sa mort, ils décidèrent de transformer leur ordre hospitalier en ordre militaire et empruntèrent au Temple ce qui concernait les chevaliers, les clercs et les autres frères, tout en gardant un important volet consacré aux malades. Puis un chevalier devint maître de l'ordre, Henri Walpoto, un habit fut retenu, le manteau blanc à croix noire, Innocent III confirma cette naissance nouvelle de l'ordre le 19 février 1199.

Les ordres de Terre Sainte et l'Occident

Des bénédictins, des cisterciens, des chanoines réguliers venaient d'Occident prendre pied en Terre Sainte et y créaient un cadre familier aux croisés et aux pèlerins.

---

51. A.J. FOREY, « The Order of Montjoy », *Speculum*, 46 (1971), p. 250-266.
52. Hartmut BOOKMAN, *Der Deutsche Orden. Zwölf Kapitel aus seiner Geschichte*, Munich, 1982, pour une histoire synthétique de l'ordre. Pour les débuts de l'ordre et son esprit : Marie-Louise FAVREAU, *Studien zur Frühgeschichte des Deutschen Ordens*, 1975, U. ARNOLD, « Entstehung und Frühzeit des Deutschen Ordens », *Die geistlichen Ritterorden*, *op. cit.*, p. 81-107 ; E. MASCHKE, *Der deutsche Ordensstaat. Gestalten seiner grossen Meister*, Hambourg, 1953.
53. L'hôpital était consacré à Sainte-Marie-Latine, puis un autel ou un oratoire fut consacré à saint Jean. Le patronage du Baptiste est à retenir plutôt que celui de l'Aumônier (R. HIESTAND, *op. cit.*, p. 43-45).

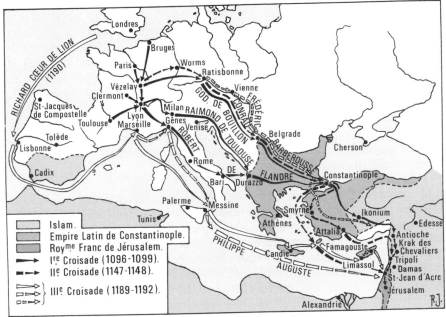

Les trois premières croisades

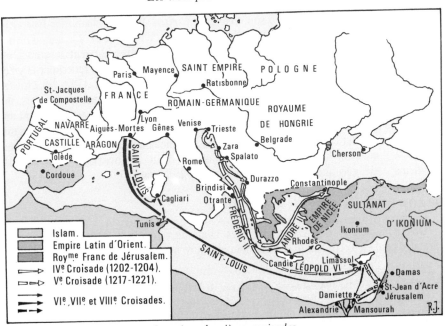

Les cinq dernières croisades
(d'après Jean Chelini, *Histoire religieuse de l'Occident médiéval*,
Armand Colin, 1968, p. 356-357).

À l'inverse, les créations suscitées par l'action hospitalière et militaire en Orient reçurent un fort ancrage dans les pays d'Europe occidentale. La dotation première des hôpitaux et des ordres militaires consistait en terres et maisons fournissant des revenus en nature et en argent, mais les besoins étaient grands et ne cessèrent de croître; il fallut trouver toujours davantage d'hommes, combattants et domestiques, pour remplacer les pertes au combat et constituer les garnisons de châteaux qui leur furent confiés, et ramasser toujours plus d'argent. Très vite, les patrimoines des abbayes de Terre Sainte se développèrent simultanément aux deux extrémités de la Méditerrannée, et même, leur richesse occidentale prit une part prépondérante. Le Temple et l'Hôpital reçurent un peu partout des biens immobiliers, d'importance fort diverse. Lentement, ils opérèrent des groupements, fixèrent des centres de gestion qui furent appelés commanderies, établirent à demeure des frères, responsables locaux et régionaux, quadrillant ainsi un espace qui leur fournit des soldats et des revenus. Des groupes de bâtiments d'allure militaire, avec une chapelle, furent édifiés dès le XIIe siècle dans chaque région, leur nombre croissant fortement au XIIIe siècle. Avant 1180, la structure des deux ordres se laisse difficilement saisir, même si leurs cartulaires contiennent une liste impressionnante de donations. Ce n'est pas encore au XIIe siècle que se développa vraiment leur fonction d'intermédiaire dans le domaine de l'argent; c'est peu à peu qu'apparut la pratique de dépôts d'argent faits par des croisés au départ d'Europe dans une commanderie, permettant aux intéressés de récupérer leurs fonds en Orient dans une autre place du même ordre. La façon dont s'opéraient le recrutement et l'entraînement des nouveaux chevaliers du Temple et de l'Hôpital, est aussi mal connue, mais la noblesse occidentale répondit sans cesse aux demandes; le prestige des deux ordres était au plus haut.

En Terre sainte, ils devinrent vite responsables de châteaux et furent chargés de la défense de vastes zones à l'instar des seigneurs laïques[54]. Vers 1136-1137, le roi Foulque confia à l'Hôpital le château de Beth-Gibelin face à l'Égypte, puis Raymond de Tripoli lui céda, sur la frontière orientale, Montferrand, Le Crat, Felicium, Lacum avec un territoire aux alentours, face à Homs et Hama : l'ordre se gonflait de nouveaux arrivants, alors que les princes recrutaient difficilement des chevaliers. Le Temple reçut pour sa part Gaza pour lutter contre Ascalon, puis en 1165 eut la garde de Tortose, avec Safeta et Arka, et Safet en 1169; en 1178, il reconstruisit le Châtelet au gué de Saint-Jacob et y entretint bientôt 80 chevaliers. En 1186, l'Hôpital achetait Margat. On sait le rôle décisif qu'eurent à jouer les moines chevaliers face à la reconquête de Saladin, rôle dont les aspects furent parfois négatifs quand se manifestèrent l'ambition ou l'incapacité de grands maîtres, la témérité des chevaliers.

Le rôle militaire de l'Église, tel que le tiennent les divers ordres, représente l'aspect le plus visible d'une action quotidienne des clercs et des moines. L'Église prit une place considérable en Terre Sainte. Elle était riche, très riche même, et sa richesse contrastait avec l'appauvrissement des laïcs, rois et seigneurs; or elle ne se montrait

---

54. Jean RICHARD, *Le royaume latin de Jérusalem*, p. 104-112.

pas toujours décidée à puiser dans ses fonds pour aider à la défense du pays. Rois et barons eurent souvent des gestes de mauvaise humeur à son égard pour cette raison. L'Église sauvegardait son indépendance : elle relevait naturellement du pape, représenté par des légats, tenait tête aux princes et au roi, que ce soit par l'intermédiaire du patriarche ou des ordres ; elle exerçait sa propre justice pour juger les forfaits des clercs ou des cas traditionnellement réservés au for ecclésiastique (hérésie, sorcellerie, adultère), alors même que l'atmosphère particulière de ce pays en guerre supposait une autorité complète des responsables militaires.

Cela dit, l'Église avait un rôle moral primordial et ne faillit pas à sa tâche matérielle. Elle aidait et accueillait pauvres et pèlerins, soignait les blessés, leur consacrait beaucoup d'argent, payant, de gré ou de force, des sergents, des mercenaires. Elle ne s'enrichissait pas pour elle-même, mais se voulait forte face aux musulmans et aux chrétiens grecs. Elle entretenait la piété qui était le moteur interne des croisades ; elle multipliait les entretiens avec les Églises orientales, qu'elle ne doutait pas de réintégrer un jour au sein d'une chrétienté latine universelle, elle entreprenait une évangélisation des musulmans. Elle fut représentée parfois par des hommes qui étaient mal jugés, certains patriarches comme Eudes de Chartres ou Héraclius, certains grands maîtres comme Gérard de Ridfort, mais elle fut animée surtout par des hommes et des femmes tout dévoués à la cause de la croisade et qui eurent à cœur de rendre présente l'Église latine. Un homme simple comme Ébremar, patriarche pendant quelques années, devint un excellent archevêque de Césarée et eut un comportement courageux au combat, prototype de ces clercs qui, vêtus de leurs seuls vêtements sacerdotaux, portaient la croix à la tête des escadrons de chevaliers.

BIBLIOGRAPHIE

P. ALPHANDÉRY et A. DUPRONT, *La chrétienté et l'idée de croisade. Les premières croisades*, 2 vol., Paris, 1954.
M.W. BALDWIN (éd.), *The First Hundred Years*, in K.W. SETTON, *A History of the Crusades*, t. I, Madison, 2ᵉ éd., 1969.
A. BECKER, *Papst Urban II (1088-1099)*, t. II : *Der Papst, die griechische Christenheit und der Kreuzzug*, Stuttgart, 1988.
E. DELARUELLE, *L'idée de croisade au Moyen Âge*, Turin, 1980.
A. DEMURGER, *Vie et mort de l'ordre du Temple*, Paris, 1989.
C. ERDMANN, *Die Entstehung der Kreuzzugsgedanken*, Stuttgart, 1935 (trad. anglaise, Princeton, 1977).
J. FLECKENSTEIN et M. HELLMANN (éd.), *Die geistliche Ritterorden Europas*, Sigmaringen, 1980 (Vorträge und Forschungen, XXVI).
J. PRAWER, *Histoire du royaume latin de Jérusalem*, 2 vol., Paris, 1969/70.
J. RICHARD, *Le royaume latin de Jérusalem*, Paris, 1953.

Chapitre IV

La « nouvelle chrétienté » au XIIe siècle : de la Scandinavie aux Balkans

par Jerzy Kłoczowski

I. LES MONARCHIES ET LES ÉGLISES NATIONALES

Nous avons vu les liens très étroits qui ont existé, à l'époque des missions, entre le processus de christianisation et la formation des États. L'Église avait en effet un intérêt évident à légitimer le pouvoir central d'un prince-roi, en le sacralisant même dans une large mesure par la cérémonie profondément religieuse du couronnement. Le renforcement de cette collaboration fut au XIIe siècle un idéal dans les pays de l'Europe septentrionale et orientale, et, sur ce plan, on ne relève pas de différences entre le pape de Rome et le patriarche de Constantinople qui nommait un archevêque de son choix à Kiev. Nous avons vu comment, à l'époque de Grégoire VII, divers États ont cherché l'appui de Rome contre les prétentions des empereurs germaniques et byzantins, et cette question resta ouverte au XIIe siècle. Pour les Bulgares et les Serbes par exemple, la construction de leur propre principauté contre la pression grandissante de Byzance sera, au cours du XIIe siècle une tâche primordiale, et il en ira de même pour la Pologne jusque vers 1150. Dans tous ces pays, la province ecclésiastique, une fois établie, resta un facteur très important d'unité[1].

Dans la monarchie hongroise, le pouvoir du roi demeura relativement étendu jusque dans la première moitié du XIIIe siècle[2]. Dès la fin du XIe siècle, on assiste à un renforcement très net de la monarchie notamment avec des rois comme saint Ladislas (1077-1095), Koloman (1095-1114) et Bela III (1172-1196). La Hongrie deviendra au cours du XIIe siècle une fédération d'organismes et de peuples différents. Nous y retrouvons la Croatie — un royaume toujours, mais en union personnelle avec la Hongrie dès le début du XIIe siècle — avec les villes dalmates au bord de l'Adriatique, fières de leur autonomie très poussée et de leur passé glorieux, les banats bosniaques et serbes et la Transylvanie qui disposait d'une autonomie particulière. Les Slaves étaient

---

1. Deux dictionnaires fondamentaux : *Kulturhistorisk* (1956-1978); *Słownik* (1967-1982). Pour les éditions des sources, cf. *Repertorium Fontium medii aevi* (1962 et suiv.); *Kirke historisk Bibliografi* (1979); *Cambridge* (1959); O. Halecki (1952); F. Dvornik (1970); M. Gravier (1984); L. Musset (1951).
2. E. Pamlenyi (1974); P. Sugar (1990) ; Ch. d'Eszlary, *Histoire des institutions publiques hongroises*, I, Paris, 1959; B. Homan, *Geschichte des ungarischen Mittelalters*, I, Berlin, 1940; S. Guldescu, *History of Medieval Croatia*, La Haye, 1964; deux perspectives sur la Transylvanie : L. Makkai, *Histoire de la Transylvanie*, Paris, 1946; *Brève histoire de la Transylvanie*, sous la dir. de C. Daicoviciu, Bucarest, 1965.

Portes en bronze de la cathédrale de Gniezno en Pologne.
Scènes de la vie de saint Adalbert (fin XIIe siècle).

très nombreux dans cette Hongrie qui comprenait la Slovaquie d'aujourd'hui — et la conservera jusqu'en 1918 —, mais aussi les Valaques, des Allemands venus vers la fin du siècle et d'autres groupes ethniques. Bela III réunit sous son autorité tous ces territoires, avec — c'est une estimation prudente — quelque deux millions d'habitants.

La Bohême, royaume slave dans le cadre de l'Empire, fut au bord de la catastrophe à la suite d'une série de partages, vers la fin du XIIᵉ siècle[3]. La situation s'améliora nettement avec la prise de pouvoir par le duc, ensuite roi, Přemysl Ottokar Iᵉʳ (1197-1230), qui profitera avec habileté de l'affaiblissement marqué de l'Empire pour consolider son État. La Bohême va jouer alors un rôle grandissant dans cette partie de la chrétienté. La Pologne se trouva partagée en plusieurs principautés après la mort du prince Boleslas III Bouche-Torse (1102-1138)[4]. En théorie, le duc de Cracovie gardait une certaine souveraineté sur les princes, ses cousins de la famille des Piasts, une ancienne dynastie nationale, mais, en fait, sa position fut de plus en plus contestée, surtout au XIIIᵉ siècle. La Pologne affaiblie, avec quelque 1,5 million d'habitants, n'est pas capable de mener, par exemple, une politique étrangère ou une croisade contre les païens des confins, et cela malgré l'affaiblissement très net au cours du XIIIᵉ siècle de ses voisins les plus proches, du royaume d'Allemagne à la Ruś de Kiev. Le rôle de la province ecclésiastique a grandi au cours des XIIᵉ-XIIIᵉ siècles avec une série de personnages de grande valeur, mais aussi celui des évêques de Cracovie — capitale du pays — en compétition parfois avec ceux de Gniezno.

L'immense Ruś de Kiev — peut-être 6 millions d'habitants au total — devint au XIIᵉ siècle une fédération de principautés presque indépendantes qui ne voulaient pratiquement pas reconnaître la suprématie du duc de Kiev[5]. Vladimir Monomaque (1113-1125) fut le dernier qui ait réussi à imposer son autorité à presque tout le pays. Parmi les nombreuses principautés, Novgorod au nord, Rostov-Suzdal au nord-est, Galitch (Halicz)-Wolhynie au sud-ouest virent leur importance s'accroître lentement. Les métropolites résidaient à Kiev et exerçaient leur autorité dans tout le pays, Constantinople s'étant énergiquement opposée à tous les essais de création d'une nouvelle province.

Le XIIᵉ siècle marque une consolidation des trois monarchies scandinaves. Le Danemark y vient en tête sur des plans bien différents. Sur son territoire de loin le plus petit mais en même temps le plus fertile, le pays, au XIIIᵉ siècle, avait quelque 1,25 million d'habitants, probablement plus que la Suède et la Norvège ensemble[6]. L'époque dite des Waldemars (1157-1241), marquée par les personnalités de rois très brillants comme Waldemar Iᵉʳ (1157-1182) et Waldemar II (1202-1241) fut un siècle d'or de la monarchie unifiée, en plein essor à l'intérieur et en expansion à l'extérieur. La collaboration de l'Église — une série de remarquables personnalités d'archevêques — avec les rois fut très poussée[7]. À la même époque, en Norvège et en Suède, de longues

3. P. DAVID (1937); F. SEIBT (1974); J. MAČEK, *Histoire de la Bohême des origines à 1918*, Paris, Fayard, 1984.
4. J. KŁOCZOWSKI (1987); *Histoire de la Pologne*, sous la dir. de S. KIENIEWICZ, Varsovie, 1971.
5. F. DVORNIK (1970); N.L.Fr. CHIROVSKY, *An Introduction to Ukrainian History*, I, New York, 1981; H. HELLMAN (1981); M. LARAN-J. SAUSSAY, *La Russie ancienne, IXᵉ-XVIIᵉ s.*, Paris, 1975. V. VODOFF (1988).
6. L. MUSSET (1951); *Kulturhistorisk* (1956-1978); T.K. DERRY, *A History of Scandinavia*, Minneapolis, 1979; KRABBE (1950); LAUSTEN (1983); C. BREENGAARD, *Muren om Israels Hus. Regnum og sacerdotium i Danmark 1050-1170*, Copenhague, 1982.
7. T.B. WILLSON (1903); C.W. WISLOFF (1966).

luttes pour le pouvoir entre les candidats et les partis affaiblissaient les États[8]. L'évolution fut plus lente en Suède, davantage isolée du monde extérieur que la Norvège, liée depuis longtemps surtout avec l'Angleterre. Le domaine de la langue norvégienne (et en partie celui de la monarchie) s'étendait aux îles de Man, Shetland, Orcades et Faer-Øer, au Groenland, et surtout peut-être à l'Islande, « pour sa culture un conservatoire d'une incalculable importance » (L. Musset). Le fait capital réside dans la création par la papauté, en collaboration avec les princes des pays en question, d'une province ecclésiastique scandinave d'abord à Lund en 1103-1104, puis d'une seconde à Nidaros (Trondheim) en 1153 pour la Norvège et les îles, et enfin de celle d'Uppsala en 1164 pour la Suède. Lund resta à la tête de la province danoise[9].

Le renforcement des États de la nouvelle chrétienté rendit très difficile la situation des peuplades païennes, qui formaient un bloc le long du littoral méridional et oriental de la Baltique avec les tribus slaves, baltes et finnoises. Des tentatives de mission, dès le Xᵉ siècle, n'avaient donné que des résultats bien maigres et la domination chrétienne imposée par la force provoqua parfois – comme chez les Slaves entre l'Elbe et l'Oder – une résistance farouche. Dès le début du XIIᵉ siècle, la pression des chrétiens – la croisade couvrait des intérêts puissants et bien différents – augmenta sensiblement. Le duc polonais Boleslas III Bouche-Torse écrasa la Poméranie slave entre l'Oder et la Vistule dans une longue guerre (1110-1123), puis organisa la conversion de la population et l'établissement sur place de l'organisation ecclésiastique[10]. Les Allemands, notamment de grands seigneurs et des évêques – parmi lesquels les noms d'Henri le Lion, duc de Saxe ou Albert l'Ours de la Marche du Nord sont les plus connus – écrasèrent, au terme de guerres qui se prolongèrent sur des dizaines d'années, des Slaves des bords de la Baltique, les Obodrites et les Vélètes[11]. La domination politique fut renforcée par toute une organisation ecclésiastique fondée sur des évêchés, avec leur réseau de paroisses et de monastères. Avec la colonisation et la germanisation qui s'ensuivit, la « Germanie slave » est déjà en place vers la fin du XIIᵉ siècle entre l'Elbe et l'Oder, y compris le pays de Branibor-Brandebourg, berceau de la future Prusse, avec le village de Bralin qui deviendra Berlin. Seuls, dans le sud de ce territoire, en Lusace, les Sorabes – quelque 150 000 personnes aujourd'hui – ont gardé jusqu'à nos jours leur langue slave[12].

Dès le milieu du XIIᵉ siècle, le Danemark entreprit une énergique croisade contre les païens, qui cimenta véritablement l'alliance de la monarchie des Waldemars avec l'Église. La prise de la ville d'Arcona sur l'île de Rana (Rügen) et la destruction du célèbre temple païen qui s'y trouvait, en 1168, fut un grand succès pour les Danois et le christianisme s'y implanta lentement sous leur protection[13]. À l'est de la Baltique et

---

8. L. Musset (1951).

9. V. note 30 ci-dessous.

10. P. David, *La Pologne et l'évangélisation de la Poméranie aux XIᵉ et XIIᵉ siècles*, Paris, 1928.

11. F. Dvornik (1970); J. Petersohn, *Der Südliche Ostseeraum im kirchlich-politischen Kräftespiel des Reichs, Polens und Dänemarks vom 10. bis 13. Jahrhundert Mission-Kirchenorganisation-Kultpolitik*, Köln-Wien, 1979; *Slownik* (1962-1982).

12. G. Labuda, dans *Slownik*, III (1967), p. 528-536; H.D. Kahl, *Slawen und Deutsche in der brandenburgischen Geschichte des 12. Jahrhunderts*, Köln-Graz, I-II 1964; W. Schlesinger, *Kirchengeschichte Sachsens*, Köln-Graz, I-II, 1962; G. Stone, *The Smallest Slavonic Nation. The Sorbs of Lusatia*, Londres, 1972.

13. E. Eydoux, *Les grandes heures du Danemark*, Paris, 1975, p. 113 et suiv.

dans le Nord, la Ruś de Kiev marqua par son expansion les peuplades baltes et finnoises; celle-ci s'accompagna sans doute de la christianisation d'une partie de ces peuples, proches de la zone de peuplement russe[14]. Les Suédois, à peine christianisés, commencèrent, dans la deuxième moitié du XIIe siècle, la conquête de la Finlande[15]. Pour la Ruś de Kiev, la lutte incessante et dramatique avec ses puissants voisins nomades, les Polovtsy (Cumans), eut le caractère d'une véritable guerre sainte des chrétiens contre les païens[16].

II. L'ÉTABLISSEMENT ET LE RENFORCEMENT DES STRUCTURES ECCLÉSIASTIQUES

Ce qui est surtout frappant à cette époque dans les pays de la nouvelle chrétienté, c'est le renforcement de la position des métropolites à la tête des provinces et des évêques. Plusieurs évêchés furent encore créés au cours du XIIe siècle pour compléter le réseau, mais les diocèses restaient très grands; vers 1200, leur carte se stabilisa presque pour des siècles, dans le cadre des États chrétiens[17]. Les évêques, peu nombreux, étaient en même temps des Grands, proches des princes-rois, qui jouaient un rôle parfois énorme dans toute la vie du pays, y compris sur le plan politique. Mais il s'agissait aussi souvent de personnages d'une haute culture intellectuelle, appartenant à une élite encore presque exclusivement cléricale. Dans chaque pays, on peut facilement établir toute une liste d'archevêques, voire d'évêques éminents, parfois des étrangers, mais de plus en plus des indigènes, souvent proches des familles aristocratiques et de la dynastie régnante. La série de métropolites de Kiev, presque exclusivement grecs, constitue une situation exceptionnelle : nommés par le patriarche, sinon par l'empereur, ils étaient presque les ambassadeurs de Byzance en Ruś de Kiev[18]. L'avantage évident de cet état de choses était l'indépendance assez grande de ces métropolites dans ce pays qui constituait une fédération de principautés. Dans la zone romaine, le pape approuvait les nominations des métropolites, mais le choix véritable se faisait toujours au niveau de chaque pays et de chaque Église locale, compte tenu d'un jeu de forces et de situations particulières.

La structuration des diocèses fut un long processus et, à cet égard, le XIIe siècle semble être décisif presque partout. C'est le temps de la consolidation des chapitres près de la cathédrale, des domaines de l'évêché richement dotés, de la dîme imposée à

---

14. Une polémique de Klimenko (1969), p. 132, contre l'opinion qui néglige les efforts missionnaires en Ruś de Kiev. Pour Łowmiański (1986), p. 288-9, la prudence « missionnaire » de l'État de Kiev fut le résultat de la situation politique de cet immense État, extrêmement divisé.

15. A. Sauvageot (1968); J. Gallen (1971), col. 218. Vers 1157 expédition de S. Éric, roi de Suède et de S. Henri, l'évêque d'Uppsala. Henri resta en Finlande et y mourut martyr.

16. Une source essentielle : *Chronique dite de Nestor*, traduction de L. Léger, Paris, 1884.

17. V. une série d'articles et des cartes dans *Słownik*, 3 (1967), p. 494-540; *Kirkehistorisk* (1979); A. Poppe, « L'organisation diocésaine de la Russie aux XIe-XIIe siècles », *Byzantion*, XL, 1970, p. 165-217.

18. Une liste avec de courtes biographies par A. Poppe, dans Podskalsky (1982), p. 280-301.

*Les provinces ecclésiastiques de l'Europe du Nord et du Centre-Est
à la fin du XIIe siècle*
(© Zofia Zuchowska, Institut de Géogaphie historique de l'Église en Pologne, Lublin).

*Les provinces ecclésiastiques de l'Europe du Nord et du Centre-Est
à la fin du XIIᵉ siècle (partie Sud)*
(© Zofia Zuchowska, Institut de Géographie historique de l'Église en Pologne, Lublin).

toute la population pour assurer le fonctionnement des institutions ecclésiastiques[19]. Il fut nécessaire de partager les grands diocèses en régions plus petites avec à leur tête des archidiacres, ou, en Scandinavie surtout, des prévôts ; ainsi les archidiacres-prévôts pouvaient mieux exercer un contrôle de la vie religieuse qu'un évêque lointain et engagé sur le plan national. Les diocèses, dans la Ruś de Kiev, semblent bien avoir eu des structures plus proches des autres pays de la nouvelle chrétienté que de la Byzance méditerranéenne. Il fallut les diviser en régions avec des gouverneurs (*namestnik*), comme l'archidiacre-prévôt, ou dotées d'un évêque dont les prérogatives étaient plus étendues que celles de ses collègues byzantins.

Le processus de fondation du réseau des églises-paroisses eut une importance fondamentale dans la christianisation de la population. Dans ce domaine, les progrès réalisés au cours du XIIᵉ siècle furent partout considérables. Au Danemark, il y avait environ 1 000 paroisses vers 1100, et on en trouve déjà 2 000 cent ans après ; du reste, la structure paroissiale qui y existait au début du XIIIᵉ siècle se stabilisa jusqu'au XXᵉ siècle, et 90 % des églises en pierre qui fonctionnent encore datent de l'époque 1100-1200. En Norvège, presque toutes les églises en bois enregistrées là-bas

---

19. Une bibliographie abondante, à titre d'exemple : L. Kᴜʟᴄᴢʏᴄᴋɪ, *L'organisation de l'Église en Pologne avant le*

au cours de l'histoire — quelque 800 à 900 au total — ont été construites précisément au XIIe siècle, alors que très peu datent du XIe ou du XIIIe siècle[20]. L'exemple de l'Islande, pourtant tellement en marge de la chrétienté, est particulièrement frappant. On admet là, au début du XIIIe siècle, l'existence de 330 églises et de quelque 700 chapelles et 450 prêtres pour une population qui ne dépassa jamais au Moyen Âge 100 000 personnes[21]. En Pologne, en Bohême et en Hongrie, le réseau de paroisses était en plein développement encore au XIIIe siècle, sinon, parfois, aux XIVe et XVe siècles, avec l'augmentation de la population globale et la colonisation, mais les résultats acquis jusqu'à 1200 sont en définitive beaucoup plus importants qu'on ne le pensait auparavant. En Pologne, il y avait peut-être 1 000 paroisses à cette date, concentrées surtout dans les régions d'habitat assez dense[22]. Un historien d'aujourd'hui estime le nombre de paroisses de la Ruś de Kiev, avant l'invasion mongole du XIIIe siècle, à 5 ou 7 000, chiffre impressionnant[23].

Les églises-paroisses sont aussi partout complétées par un autre réseau aussi extrêmement important, à savoir le réseau des monastères[24]. Au XIe siècle et au début du XIIe, c'est le temps des bénédictins; ensuite vint celui des chanoines réguliers et des moines réformés — surtout les cisterciens. Ces derniers sont arrivés dans tous nos pays, de la Hongrie jusqu'à la Norvège, presque à la même date — les années quarante du XIIe siècle —, souvent appelés par des évêques énergiques, proches des courants réformateurs du XIIe siècle. Parmi les congrégations de chanoines réguliers, les prémontrés ont été les plus populaires dans tous les pays catholiques de notre région (à l'exception de la Suède très « cistercienne »); les autres ordres ont eu une influence plus restreinte comme les victorins au Danemark et en Norvège ou les chanoines du Saint-Sépulcre de Jérusalem en Bohême et en Pologne. Quant aux petits établissements des hospitaliers de Saint-Jean, ils ont été créés pour la plupart au cours de la seconde moitié du XIIe siècle.

Ces centaines de monastères, grands et petits, richement dotés souvent, ont été un facteur extrêmement important d'occidentalisation sur tous les plans, y compris bien sûr la culture et la vie religieuse. Le mécénat des princes-rois, dominant au XIe siècle, est remplacé en grande partie, au cours du XIIe siècle, par celui des évêques et des

XIIIe siècle, Grenoble, 1928; I. NYLANDER, Das kirchliche Benefizialwesen Schwedens während des Mittelalters, Stockholm, 1953; G. INGER, Das kirchliche Visitationsinstitut im mittelalterlichen Schweden, Uppsala, 1961.

20. A. RAULIN (1960), col. 60; E. EYDOUX, Les grandes heures du Danemark, Paris, 1975, p. 104; P. ANKER, L'art scandinave, I, Paris, 1969, p. 398-9; G. SMODBERG, Nordens första Kyrkor (Les plus anciennes églises du Nord), Lund, 1973.

21. R. BOYER (1979), p. 79 et suiv.

22. J. KŁOCZOWSKI, Les paroisses en Bohême, en Hongrie et en Pologne (Xe-XIIIe s.), dans : Atti della sesta Settimana internazionale di studio, Milano, 1974, p. 187-198; A. GIEYSZTOR, « Le fonctionement des institutions ecclésiastiques rurales en Bohême, en Pologne et en Hongrie aux X et XIe s. », SSAM, II, p. 915-954, Spolète, 1982 ; un sondage important : E. WIŚNIOWSKI, Rozwój sieci parafialnej w prepozyturze wiślickiej w średniowieczu (Le développement du réseau paroissial dans la prévôté de Wislica au Moyen Âge), Warszawa, 1965.

23. Estimations d'A. POPPE, Słownik, V (1975).

24. Les articles sur les ordres dans Kulturhistorisk (1956-1978) et Słownik (1967-1982); quelques titres dans une riche bibliographie : J. KŁOCZOWSKI, « La vie monastique en Pologne et en Bohême aux XIe-XIIe siècles » (jusqu'à la moitié du XIIe siècle), La Mendola 1968, Milano, 1971, p. 151-169; J. KŁOCZOWSKI, « Les cisterciens en Pologne du XIIe siècle », Citeaux, 21, 1971, p. 111-134; F.L. HERVAY, Repertorium historicum Ordinis Cisterciensis in Hungaria, Roma, 1984; T. NYBERG, « Lists of monasteries in some thirteenth-century wills. Monastic history and historical method : a contribution », Mediaeval Scandinavia V, 1972, p. 49-74; B-P. McGUIRE, « The Cistercian in Danemark. Their Attitudes », Roles and Functions in Medieval Society, Kalamzoo (Michigan) 1982.

*Une collégiale polonaise du XIIe siècle : l'église Sainte-Marie
et Saint-Alexis de Leczyca.*

grands seigneurs. En Hongrie, par exemple, les lignages aristocratiques ont fondé des dizaines de petits prieurés avec quelques moines bénédictins pour avoir un office liturgique chaque jour sur les tombes de leurs ancêtres. Certaines grandes familles polonaises ont obligé les prémontrés à organiser plusieurs monastères pour les jeunes filles de ce milieu et à assurer une aide pastorale à ces chanoinesses. Les liens des monastères avec les évêques ont été parfois si étroits que l'on vit certains monastères former le chapitre de la cathédrale, par exemple, au Danemark, les bénédictins à Odense, vers la fin du XIe siècle, les prémontrés à Bœrghum et les chanoines réguliers à Viborg au XIIe siècle. En règle générale, les évêques les plus énergiques qui s'étaient engagés dans la réforme de l'Église ont recherché systématiquement l'appui des moines ou des chanoines réguliers afin d'avoir dans leur diocèse au moins un centre de spiritualité actif et rayonnant.

Dans la Ruś de Kiev, les monastères ont pris aussi au cours des XIe-XIIe siècles une place de plus en plus capitale[25]. Le monastère des Grottes, tout près de Kiev, commencé vers la moitié du XIe siècle, deviendra vite non seulement un milieu spirituel et intellectuel tout spécialement vivant, mais aussi une pépinière d'évêques : 50 en sont

---

25. M.J. ROUET DE JOURNEL, *Monachisme et monastères russes*, Paris, 1952; I. SMOLITSCH, *Russisches Mönchtum*, Würzburg, 1953; PODSKALSKY (1982), p. 50-56, V. VODOFF (1988).

Les prémontrés dans l'Europe du Nord et du Centre-Est à la fin du XIIIᵉ siècle.
(© Zofia Zuchowska, Institut de Géographie historique de l'Église en Pologne, Lublin).

sortis avant le milieu du XIIIe siècle. Les monastères de la Ruś de Kiev — environ 200 au total — étaient localisés surtout dans les villes : Kiev en eut 17, Novgorod aussi 17. Tous suivaient la règle de saint Théodore Stoudite de Constantinople, tout en gardant des liens très étroits avec le Mont-Athos.

III. LE PROBLÈME DES RÉFORMES DANS LA ZONE OCCIDENTALE

Le problème de la réforme fut d'abord celui de l'adaptation des églises locales de la nouvelle chrétienté au modèle et aux normes élaborés sous la direction de Rome depuis le grand mouvement réformateur du XIe siècle. Mais les exigences de la « liberté ecclésiastique », de l'indépendance totale de toutes les institutions, y compris les paroisses, du célibat des prêtres, de la discipline concernant les laïcs, étaient tellement grandes et tellement contraires souvent aux habitudes qui s'étaient établies dans la société christianisée que la mise en application en fut extrêmement difficile et demanda beaucoup de temps. Les princes-rois qui avaient recherché l'aide de Rome contre l'Empire, préférèrent réaliser dans leurs États le modèle de l'Église tradi-tionnelle, carolingienne ; pour l'Église locale, la collaboration avec le pouvoir politique se révélait aussi très avantageuse, sinon nécessaire pour la réalisation de sa mission fondamentale. Les gens qui avaient construit les églises, les paroisses, surtout les chevaliers propriétaires de la terre, parfois des communautés de paysans libres, voulaient à tout prix en garder le contrôle et avoir la haute main sur leurs revenus et leur clergé. Toute ingérence de l'évêque ou de son délégué ne pouvait apparaître dans cette situation que comme un attentat contre les droits légitimes et les coutumes bien établies [26]. Les exigences de célibat furent partout très difficiles à faire admettre. Quand, par exemple, le légat du pape, le cardinal Pierre, voulut l'imposer en 1197, dans la cathédrale de Prague avant l'ordination des prêtres, une émeute éclata et il fallut appeler les gens d'armes pour ramener le calme [27].

Le cas de l'Islande est peut-être extrême, mais, au fond, il révèle un ensemble de traits communs à toute la nouvelle chrétienté, et pas seulement à la Scandinavie [28]. Dans cette société traditionnelle, un chef local, un « godhar », exerçait à l'époque païenne la fonction non seulement de chef politique, mais aussi sacerdotale. Après la christianisation, ces personnages ont construit des églises, se transformant en prêtres chrétiens ou nommant prêtres les membres de leur proche entourage. Ce fut la solution la plus simple, d'autant plus que l'assemblée des « godhar's » — l'althing — gouvernait le pays, et entre autres prérogatives, choisissait un évêque parmi les membres des

---

26. Documentation très riche, par exemple, chez H.F. SCHMID, *Die rechtlichen Grundlagen der Pfarrorganisation auf westslawischen Boden und ihre Entwicklung während des Mittelalters*, Weimar, 1938. En Scandinavie, la consécration de l'église par l'évêque — symbole important d'une dépendance — semble être pratiquée seulement à partir du XIVe s., v. G. SMODBERG, *Nordens första Kyrkor*, Lund, 1973, p. 211.

27. P. DAVID (1937), col. 435.

28. R. BOYER (1979).

familles les plus puissantes. L'établissement d'un évêché en 1056 fut une étape importante dans la stabilisation du christianisme en Islande, et le « règne » de l'évêque Gizurr (1082-1106), personnage important, marié évidemment, donna une véritable structure à cette Église locale. Gizurr eut d'ailleurs des liens directs avec la papauté, et rencontra même Grégoire VII. Les transformations du christianisme islandais au XIIᵉ siècle n'ont pas touché au problème du célibat et c'est seulement en 1190 que l'archevêque de Nidaros, avec quelques évêques de sa province, demanda formellement de ne pas ordonner prêtres en Islande les « godhar's ». Ce fut le début d'une véritable révolution qui toucha profondément non seulement l'Église, mais tout le système social de l'île.

Les exigences de réformes plus radicales, y compris l'institution du célibat ecclésiastique, ont été posées au cours du XIIᵉ siècle dans nos pays, surtout par les légats pontificaux qui visitèrent désormais plus régulièrement ces lointaines provinces. En Pologne, par exemple, plusieurs légations ont été marquées par des événements importants pour l'Église polonaise. Le cardinal Pierre de Capoue posa en 1197, en Pologne et en Bohême, la question du célibat des prêtres et du mariage des laïcs dans les églises[29]. La légation du cardinal Nicolas Breakspear en Norvège en 1152 eut une portée exceptionnelle[30]. Elle aboutit en effet à l'établissement d'une nouvelle province ecclésiastique à Nidaros, près du tombeau de saint Olaf, qui fut dotée d'un statut d'indépendance très poussée. Ainsi, en Norvège, les chapitres reçurent le droit d'élire leurs évêques, tandis que le chapitre de Nidaros choisissait ceux des îles. On insista sur le célibat des prêtres et sur le droit de l'évêque à nommer ses curés, sur l'immunité juridique du clergé et sur le droit des tribunaux ecclésiastiques à juger des laïcs dans les affaires concernant la religion et les choses ecclésiastiques. C'était un programme bien ambitieux et loin de la réalité, mais les trois archevêques qui dirigèrent la province norvégienne entre 1161 et 1214, Augustin, Henri et Theodoric, luttèrent avec beaucoup d'acharnement pour sa réalisation[31]. Mais la prépondérance de l'Église devait provoquer à la fin du siècle une réaction très violente du côté de l'État.

Les légats convoquèrent parfois des synodes de la province visitée. Mais il y avait aussi des réunions des évêques des provinces ecclésiastiques, parfois présidées par les princes-rois, qu'on appelait aussi synodes, bien qu'elles n'aient pas revêtu un caractère strictement ecclésiastique. La Hongrie présente à cet égard un exemple significatif. Les rois de ce pays ont cru bientôt avoir sur leurs églises le droit patronal suprême (*jus supremi patronatus*) en vertu de la légation apostolique accordée par le pape Sylvestre II à saint Étienne en 1000/1001, qui leur octroyait des privilèges très larges concernant toute la vie de l'Église. Ainsi une série d'assemblées synodales, présidées par saint Ladislas et Koloman (1077-1114), publia des statuts très riches qui complétèrent les ordonnances précédentes de saint Étienne, en adaptant dans une

---

29. U. Borkowska, dans Kłoczowski *op. cit.*, (1987), p. 80-1.

30. T.B. Willson (1903); A. Odd Johnsen, « On the Background for the Establishment of the Norwegian Chruch Province. Some New Wiewpoints », *ANVAO, II, Hist. Filosof. Klasse, Ny Serie*, nº 11, Oslo, 1967, p. 3-19; A. Odd Johnsen, « The Earliest Provincial Statue of the Norwegian Church », *Mediaeval Scandinavia*, III, Odense, 1970, p. 172-197.

31. A. Odd Johnsen, « Les relations intellectuelles entre la France et la Norvège (1150-1214) », *Le Moyen Âge*, LVII, Bruxelles, 1951, p. 254.

certaine mesure les exigences de l'Église, alors en pleine réforme, à la situation locale[32]. Saint Ladislas autorisa, entre autres, en 1092, un premier mariage des prêtres, mais il leur interdit d'en contracter un deuxième. En 1113, pendant le concile d'Esztergom, Koloman demanda déjà le célibat, sans grands résultats d'ailleurs.

Les efforts conjugués des princes-rois et des évêques sur place, parfois en accord avec les légats, eurent en tout cas partout, à la longue, une portée sans doute décisive dans la christianisation plus profonde des populations et ensuite, par la force des choses, dans la réception progressive des nouveaux modèles de l'Église grégorienne.

IV. LA CHRÉTIENTÉ SLAVO-BYZANTINE

La situation des Slaves du Sud, des Bulgares ou des Serbes, sous l'occupation byzantine, devint, au cours du XIᵉ siècle, de plus en plus difficile[33]. L'Église de Constantinople mena en effet une politique systématique de destruction de la langue et de la liturgie slaves, allant même parfois jusqu'à la destruction des manuscrits existants. L'archevêché d'Ochrida — qui englobait jusqu'à 30 évêchés, vers le milieu du XIIᵉ siècle, en terre slave — dirigé par les Grecs, fut directement responsable de cette hellénisation massive et profonde. Il est possible que le succès grandissant des Bogomiles, précisément aux XIᵉ-XIIᵉ siècles, parmi les Bulgares et les Serbes ait été en partie lié à l'esprit de résistance contre les envahisseurs. C'est seulement vers la fin du XIIᵉ siècle que l'affaiblissement de Byzance donna une chance aux Bulgares et aux Serbes.

La Ruś de Kiev devint alors au XIᵉ siècle l'unique pays chrétien où la langue slave était la langue officielle de l'Église. N'oublions pas que l'Église latine, du temps de la réforme grégorienne, fut aussi tellement méfiante vis-à-vis de la langue slave qu'elle empêcha d'une manière efficace tout développement de la liturgie en langue vernaculaire dans les pays catholiques slaves.

Les archevêques de Kiev, tous Grecs à trois ou quatre exceptions près avant 1250, eurent une position forte dans le pays qui deviendra, à partir du milieu du XIᵉ siècle, de plus en plus une fédération de principautés — avec les princes de la famille de Riourik — mais, en même temps, ils furent obligés de se montrer très prudents dans leurs attitudes politiques[34]. La byzantinisation dans la Ruś de Kiev fut un long processus religieux et culturel, mais pas politique comme chez les Slaves du Sud aux XIᵉ-XIIᵉ siècles. Le grand schisme de 1054, la rupture de Rome et Constantinople, n'a

---

32. B. HOMAN, *Geschichte des ungarischen Mittelalters*, I, Berlin, 1940, p. 290 et suiv.; Z.J. KOSZTOLNYIK, *Five Eleventh Century Hungarian Kings : their Policies and their Relations with Rome*, New York, 1981, p. 105-109; Ch. d'ESZLARY, *Histoire des institutions publiques hongroises*, I, Paris, 1959, p. 137-144.

33. I. DUJČEV, *Medioevo Bizantino-Slavo*, I-III, Roma, 1965 – John V. A. FINE, Jr, *The Early Medieval Balkans. A Critical Survey from the Sixth to the Late Twelfth Century*, Ann Arbor, 1983, p. 219 et suiv.; SPINKA (1968), p. 73-90.

34. A. POPPE, « Die Metropoliten und Fürsten der Kiever Ruś » dans *Podskalsky* (1982), p. 279-321. Sur l'épisode de l'élection en 1147 de Clément de Smolensk comme métropolite, v. N. De BAUMGARTEN, « Chronologie ecclésiastique des terres russes du Xᵉ au XIIIᵉ s. », *OrChr*, XVII, Rome, 1930, p. 72-5.

pas, semble-t-il, suscité de véritable écho chez les Slaves[35]. Sans sous-estimer l'importance des liens qui unissaient la Ruś à Byzance, il convient de les situer dans le contexte plus large, non seulement de la situation globale de la société et de l'État russes, si différents de Byzance, mais aussi des relations actives que la Ruś des Xᵉ-XIIᵉ siècles entretenait avec le monde occidental et latin. Les mariages dynastiques, si fréquents, de la dynastie des Riourik avec les dynasties latines de presque tout l'Occident sont, à cet égard, tout à fait révélateurs[36]. Le cas d'Anne, fille de Jaroslav le Sage et femme du roi de France, Henri Iᵉʳ, ne fut pas exceptionnel ; c'est ainsi qu'un tiers des mariages des premiers Piasts polonais — 13 au total — furent conclus avec des Riourik. Pour bien des raisons, la Ruś de Kiev, le plus grand État de notre nouvelle chrétienté avait une place particulière dans le monde chrétien. Il faut la traiter d'abord dans le cadre précisément de ces nouveaux États chrétiens — les analogies sont souvent évidentes ! — et ensuite seulement comme une composante du monde slavo-byzantin.

À terme cependant, Byzance, directement ou par l'intermédiaire des œuvres traduites aux IXᵉ-Xᵉ siècles en Moravie ou en Bulgarie, finit par façonner véritablement les Églises et la spiritualité chrétienne des Slaves orientaux[37]. Presque 90 % des manuscrits des traductions slaves du temps de la Ruś de Kiev sont d'origine byzantine et ce fut la base des écrits originaux des gens du pays[38]. Pour l'organisation de l'Église, le code juridique dit *Nomokanon* (en slave *Kormczaja*, le guide) utilisé à Byzance aux IXᵉ-Xᵉ siècles, fut l'essentiel. Les premières traductions slaves proviennent du IXᵉ siècle ; à Kiev, on en fit une nouvelle au XIᵉ siècle[39]. Mais ce qui est particulièrement intéressant, c'est l'effort d'élaboration en Ruś d'un statut ecclésiastique spécial, adapté aux besoins du pays. Les érudits discutent depuis des générations sur les origines des textes appelés « le statut de saint Vladimir le Grand ou de Jaroslav le Sage ». Il est probable qu'ils ont été rédigés aux XIIᵉ-XIIIᵉ siècles, mais plusieurs d'entre eux ont dû être en vigueur bien avant leur rédaction[40]. Il semble en tout cas que la juridiction ecclésiastique deviendra, au cours des XIᵉ-XIIᵉ siècles, plus ouverte en Ruś qu'à Byzance ; le statut de Jaroslav concerne entre autres les mariages ou, par exemple, les relations sociales ou sexuelles avec les païens contre lesquelles des peines furent prévues. Il nous manque des études comparées sur ces statuts, en les confrontant non seulement avec Byzance, mais aussi avec les statuts des princes-rois dans les autres pays de la nouvelle chrétienté, comme par exemple ceux des rois de Hongrie.

Les analyses des écrits religieux et théologiques de la Ruś de Kiev démontrent de façon évidente les différences existant entre les pensées occidentale et byzantine : la première constitue une sorte de discours logique, tandis que l'autre se présente plutôt comme une spiritualité et une sagesse. Au centre de la vie religieuse et ecclésiastique

---

35. F. DVORNIK (1970), p. 218 et suiv. ; J. LEDIT, « Russie » (pensée religieuse), *DTC*, XIV, 1, Paris 1939, 207 et suiv.
36. N. De BAUMGARTEN, *Généalogies et mariages occidentaux des Rurikides Russes du Xᵉ au XIIIᵉ s.*, Rome, 1937.
37. D. OBOLENSKY (1971) ; D. OBOLENSKY, *Byzantium and the Slavs : Collected Studies*, Londres, 1971 ; D. OBOLENSKY, *The Byzantine Inheritance of Eastern Europe*, Londres, 1982.
38. PODSKALSKY (1982), p. 273.
39. W. SWOBODA dans *Słownik*, III, 1967, p. 408-9.
40. J. BARDACH dans *Słownik*, V, 1975, p. 403-400 donne une excellente introduction avec la bibliographie copieuse.

de l'Église orientale, on trouve la prière, les jeûnes, la liturgie, l'icône[41]. Mais, en même temps, les dissemblances apparaissant entre la Ruś et l'Église-mère de Byzance sont très nettes et l'on aimerait bien leur chercher des analogies dans la nouvelle chrétienté occidentale. Les écrivains de la Ruś n'ont pas la formation philosophique des Grecs, ils ne s'intéressent pas à l'hérésie (pratiquement inexistante); leurs genres préférés sont le sermon, la narration (Vie des saints, chroniques), l'admonition. Les difficultés d'existence du pays, ses luttes incessantes avec les ennemis païens sont à la base d'une conscience nationale imprégnée de religion, qui s'appuie sur le souvenir des saints patrons, les princes Boris et Gleb canonisés déjà au XIe siècle, ainsi que de leur père Vladimir canonisé seulement vers 1200, et surtout sur l'icône de la Vierge de Vladimir, protectrice attirée de la Russie.

L'originalité du christianisme de Kiev demande encore des études. Un homme qui appartenait à l'élite de la culture occidentale, l'évêque de Cracovie, Mathieu, proche voisin de la Ruś, dans une lettre à Bernard de Clairvaux écrite vers 1150, se montre très critique envers « les ténèbres slaves » et déplore que les habitants de Ruś (*gens autem illa Ruthenica*) « ne veulent être conformes ni à l'Église latine ni à la grecque »[42]. Il est bien possible que cette observation exprime un phénomène réel, même si celui-ci n'allait pas nécessairement dans le sens que Mathieu donnait à sa constatation.

V. UNE CHRISTIANISATION TRÈS LENTE

Dans quelle mesure le christianisme toucha-t-il véritablement les masses de la population dans les pays de la nouvelle chrétienté au cours des XIe-XIIe siècles? La formation d'élites assez larges, ecclésiastiques surtout, mais laïques aussi, est partout relativement visible dans les sources, surtout au XIIe siècle. Les villes les plus grandes, centres de la vie de chaque pays, équipées souvent d'une dizaine d'églises et de chapelles ainsi que de monastères ayant des liens avec leurs confrères à l'étranger, sont déjà bien établies dans le paysage culturel et religieux de notre chrétienté. Mais il reste la campagne, c'est-à-dire l'immense majorité de la population. Les différences entre les régions plus proches des centres urbains et celles qui en étaient éloignées sont évidentes, mais dans l'ensemble deux thèses s'affrontent : les uns soulignent surtout la force du paganisme et de la culture folklorique; les autres parlent plutôt d'un succès,

---

41. PODSKALSKY (1982), notamment les conclusions, p. 273-278; G.P. FEDOTOV (1946).

42. Marian PLEZIA, *List biskupa Mateusza do św. Bernarda* (Une lettre de l'évêque Mathieu à saint Bernard), dans : *Prace z dziejów Polski feudalnej ofiarowane R. Grodeckiemu*, Warszawa, 1960, p. 123-140, a démontré l'authenticité de cette lettre. Le texte en latin figure aux p. 124-128, cf. en particulier p. 126 :
« *...Neque enim vel Latinae vel Graecae*
vult esse conformis ecclesiae
sed seorsum ab utraque divisa
neutri gens praefata
sacramentorum participatione communicat... »

peut-être restreint, mais évident déjà de la christianisation vers la fin du XIIe siècle. Récemment, un spécialiste de l'histoire scandinave a constaté, contrairement à une opinion très répandue, la pénétration profonde du christianisme en Islande au cours de la fin du XIe siècle et du XIIe siècle[43]. Un autre éminent spécialiste de l'histoire des Slaves a tiré de ses recherches comparatives sur la réception du christianisme la conclusion que ce processus « obtint, vers la fin du XIIe siècle, des résultats décisifs presque partout dans les pays slaves, dans le sens de la pleine christianisation des Grands, des chevaliers, des habitants des villes, et probablement aussi d'une profonde pénétration du monde de la population paysanne »[44]. La question reste évidemment ouverte et demande des études comparatives, mais nos connaissances et nos perspectives sont aujourd'hui déjà bien différentes de celles des générations précédentes d'historiens.

Ce qui est indiscutable, c'est la lenteur du processus de christianisation après la décision officielle des princes-rois de recevoir le baptême. Dans la Rus de Kiev, le développement du réseau des évêchés semble bien démontrer l'arrivée réelle de la nouvelle religion dans telle région ou principauté[45]. La création d'évêchés fut parfois l'aboutissement d'un processus précédent, parfois un point de départ. Dans l'ensemble trois, ou peut-être même cinq évêchés datent du Xe siècle, quatre ou six du XIe, trois du XIIe et six du XIIIe (avant 1261). L'évêché de Rostov, dans le nord-est du pays, se stabilisa seulement vers le milieu du XIIe siècle ; la première mission ne toucha véritablement la population de cette région en plein essor qu'au cours de la deuxième moitié de ce siècle. La tribu des Vjatiči, sur la haute et la moyenne Oka, manifesta encore au XIIe siècle de l'hostilité envers le christianisme et un moine-missionnaire fut même martyrisé. Ainsi, à l'intérieur de l'État de Kiev, la conversion se prolongea de la fin du Xe siècle jusqu'à la fin du XIIe siècle. L'immensité du territoire ne facilita pas la tâche, et les princes ne voulurent pas, peut-être pour des raisons politiques, compte tenu des tensions et des luttes qui les opposaient les uns aux autres, trop s'engager dans la mission qu'ils laissaient à l'Église[46]. Partout, dans les sources russes, nous retrouvons au cours des XIe-XIIIe siècles les traces d'une double foi, chrétienne-païenne, avec des sorciers-magiciens influents et des offrandes faites aux aïeux[47]. C'est seulement à la longue que ce phénomène deviendra en fait marginal.

Dans les pays de la christianisation « latine », on trouve également, au cours des XIe-XIIe siècles, les traces d'un paganisme vivant. En Bohême, le prince Bretislas II ordonna encore à la fin du XIe siècle de brûler les forêts où les gens avaient pratiqué leurs cultes[48]. En Suède, le paganisme était encore bien vivant au XIIe siècle, eu égard

---

43. BOYER (1979) ; une vue traditionelle : E.-Ol. SVEINSSON. *The Age of the Sturlungs Icelandic Civilization in the Thirteenth Century*, Itahaca-New York 1953 : cf. à propos des moines islandais : « Perhaps these were the only "Catholic" men in the country ; I dot not know » (p. 113).

44. ŁOWMIAŃSKI (1986), p. 282.

45. La liste des évêchés avec les dates, d'après A. POPE, chez PODSKALSKY (1982), p. 280-1. Les étapes de la christianisation dans KLIMENKO (1969), p. 41 et suiv., et H. ŁOWMIAŃSKI, *Ibid.*, p. 287-296.

46. ŁOWMIAŃSKI (1986), p. 291 et suiv. ; KLIMENKO (1969).

47. FEDOTOV (1946), p. 344-362.

48. ŁOWMIAŃSKI (1986), p. 300-1.

S.H.M. 1952

Fonts baptismaux en bois de pin de l'église d'Alnö,
Musée historique de Stockholm.

au retard évident de ce pays par rapport au Danemark et à la Norvège[49]. Les changements dans le rite funéraire − l'enterrement à la place de l'incinération − marquèrent une étape dans l'adoption de la nouvelle religion. En Pologne et dans la Ruś, à quelques exceptions près, les vieilles coutumes ne disparurent d'une manière définitive qu'au XIIᵉ siècle[50].

Il est extrêmement important de considérer la diffusion du christianisme non seulement dans la perspective de la pression de deux pouvoirs unis, mais aussi de l'attraction exercée par une religion de salut qui adressait à chaque personne un message d'espérance[51]. C'est toute une vision du monde, y compris l'eschatologie, qui finit par s'imposer avec des règles de comportement et les notions de péché et de pénitence[52]. À chaque chrétien s'impose le respect de certaines obligations : celle de la

49. C.J.A. OPPERMANN, *The English Missionaries in Sweden and Finland,* London, 1937, p. 34 et suiv. ; en fait tout le livre démontre la lenteur du processus de la chrisianisation dans le Nord.

50. ŁOWMIAŃSKI (1986), p. 317-18.

51. ŁOWMIAŃSKI (1986) distingue la fonction terrestre et eschatologique de la nouvelle religion chrétienne.

52. FEDOTOV (1946), p. 158-175 sur *Russian Eschatology*; ŁOWMIAŃSKI (1986), p. 361 et suiv.

messe dominicale, au moins dans la zone occidentale, est évidente et les villages lointains sont obligés de désigner au moins un délégué qui va se rendre au nom de toute la communauté à l'église avec les offrandes nécessaires[53]. La confession individuelle semble, au XIIe siècle, s'être bien enracinée dans les coutumes, en Ruś et dans les autres pays, au moins au sein des élites privilégiées. Chaque seigneur, grand ou petit, a des chapelains à sa disposition et à celle de son entourage. Mais la confession collective existe aussi et elle était probablement courante dans les paroisses où les prêtres n'étaient pas bien préparés à avoir un contact individuel avec un fidèle[54]. La pénitence, privée et parfois publique, est toujours importante, sous des formes différentes. Les jeûnes sont partout très appréciés, mais aussi les actes de charité envers les autres ou les offrandes-fondations pour l'église[55]. « Le salut de l'âme » devient dans des sources de plus en plus nombreuses une motivation courante partout.

Au total, on ne manque pas de signes d'une christianisation qui touche profondément les gens et qui change les coutumes et les mentalités, même si les limites des transformations en cours sont tout aussi évidentes.

BIBLIOGRAPHIE

Les cadres généraux

Cambridge Medieval History, t. 7, dir. de J.B. BURY, J.R. TANNER, C.W. PREVITÉ-ORTON et Z.N. BROOKE, Cambridge, 1957.
F. CONTE, *Les Slaves. Aux origines des civilisations de l'Europe centrale et orientale*, Paris, 1986.
F. DVORNIK, *Les Slaves*, Paris, 1970.
L'Église et le peuple chrétien dans les pays de l'Europe du Centre-Est et du Nord (XIVe-XVe siècles) Actes du colloque de l'École française de Rome (27-29 janvier 1986), Rome, 1990 (« Collection de l'École française de Rome », 128).
M. GRAVIER, *Les Scandinaves*, Paris, 1984.
O. HALECKI, *Borderlands of Western Civilisation*, New York 1952, depuis 1974 (11 volumes prévus).
P.F. SUGAR-D.W. TREADGOLD, (éd.), *A History of Central Euroep*, Londres et Seattle, depuis 1974 (11 volumes prévus).
Kirkehistorisk Bibliografi, par T. CHRISTENSEN, J.H. GRONBOEK, E. NORR, J. STENBOEK, Copenhague, 1979.
Kulturhistorisk leksikon for nordisk mèddelalder. Fre vikingedit til reformationsdid, I-XXII, sous la dir. de J. DANSTRUP-A. KASKAR, Copenhague, 1956-1978.
L. MUSSET, *Les peuples scandinaves au Moyen Âge*, Paris, 1951.
H. ŁOWMIAŃSKI, *Religia Słowian i jej upadek (w. VI-XII)*, (= La religion des Slaves et son déclin – VI-XIIe s.), Varsovie, 1986.
D. OBOLENSKY, *The Byzantine Commonwealth Eastern Europe 500-1453*, London, 1971.
Repertorium Fontium Historiae Medii Aevi, I-VII, Rome, depuis 1962.
Słownik Starożytności Słowiańskich (= Dictionnaire des Antiquités Slaves), I-VII, Wrocław, 1967-1982 (jusqu'à la fin du XIIe s.).

---

53. Ce sont par exemple les exigences en Hongrie dans le synode de 1092, v. Z.J. KOSZTOLNYIK, *Five Eleventh Century Hungarian Kings*, New York, 1981, p. 105 ; R. BOYER (1979), p. 270.
54. R. BOYER (1979), p. 271 sur l'importance de la confession en Islande, ŁOWMIAŃSKI (1986), p. 376 et suiv., chez les Slaves occidentaux et orientaux.
55. R. BOYER (1979), p. 277 et suiv. ŁOWMIAŃSKI (1979), p. 382 et suiv.

Études par pays

Bohême

P. David, Bohême, *DHGE*, 9, Paris, 1937.
F. Seibt, (sous la dir. de) *Bohemia Sacra. Das Christentum in Böhmen 973-1973*, Düsseldorf, 1974.

Danemark

L. Krabbe, *Histoire du Danemark*, Paris-Copenhague, 1950.
M.S. Lausten, *Danmarks Kirkehistorie*, Copenhagen, 1983.
A. Raulin, *Danemark*, in *DHGE*, XIV, Paris, 1960, col. 57-67.

Finlande

J. Gallen, « Finlande », in *DHGE*, XVII, Paris, 1971, p. 217-231.
A. Sauvageot, *Histoire de la Finlande*, I, Paris, 1968.

Hongrie et Croatie-Dalmatie

A. Caprioli, S. Vaccaro (sous la dir. de), *Storia religiosa dell' Ungheria*, Gazzada (Varèse), 1992.
E. Pamlényi (sous la dir. de) *Histoire de la Hongrie des origines à nos jours*, Budapest, 1974.
P.F. Sugar (sous la dir. de), *A History of Hungary*, Indiana, 1990.

Islande

R. Boyer, *La vie religieuse en Islande*, Paris, 1979.

Norvège

T.B. Willson, *History of the Church and State in Norway from the Tenth to the Sixteenth Century*, Westminster, 1903.
C. Wr. Wisloff, *Norsk Kirkehistorie*, I, Oslo, 1966.

Pays balkaniques slaves : Bulgarie et Serbie

I. Dujčev (et coll.), *Histoire de la Bulgarie des origines à nos jours*, Roanne, 1977.
M. Sinka, *A History of Christianity in the Balkans*, 1968.

Pays Baltes et l'Ordre Teutonique

H. Boockman, *Der Deutsche Orden*, München, 1982².
E. Christensen, *The Northern Crusades. The Baltic and the Catholic Frontier 1100-1525*, Minneapolis, 1980.
K. Górski, *L'Ordine Teutonico. Alle origini dello Stato prussiano*, Torino, 1971.
A. Schwabe, *Histoire du peuple letton*, Stockholm, 1953.
W. Urban, *The Baltic Crusade*, De Kalb (Illin.), 1975.
R. Wittram, *Baltische Kirchengeschichte*, Göttingen, 1956.
A. Caprioli, S. Vaccaro (sous la dir. de), *Storia religiosa dei popoli baltici*, Gazzada (Varèse), 1987.

Pologne

J. Kłoczowski (sous la dir. de), *Histoire religieuse de la Pologne*, Paris, 1987.
M. Rechowicz (sous la dir. de), *Dzieje teologii katolickiej w Polsce* (L'histoire de la théologie catholique en Pologne), 1, Lublin, 1975 (rés. en français).
M. Rechowicz (sous la dir. de), *Le Millénaire du catholicisme en Pologne*, Lublin, 1969.

Ruś de Kiev

A.M. Ammann, *Storia della Chiesa Russa e dei Paesi limitrofi*, Turin, 1948 (trad. allemande 1950).
G.P. Fedotov, *The Russian Religions Mind*, I, New York, 1946.
M. Hellman, sous la dir. de, *Handbuch der Geschichte Russlands*, I, Stuttgart, 1981.

M. Klimenko, *Ausbreitung des Christentums in Russlands seit Vladimir dem Heiligen bis zum 17 Jh. Versuch einer Übersicht nach russischen Quellen*, Berlin-Hamburg, 1969.

G. Podskalsky, *Christentum und theologische Literatur in der Kiever Ruś (988-1237)*, München, 1982.

V. Vodoff, *Naissance de la chrétienté russe. La conversion du prince Vladimir de Kiev (988) et ses conséquences (XIᵉ-XIIIᵉ siècle)*, Paris, 1988.

Suède

I. Andersson, *Histoire de la Suède des origines à nos jours*, Paris, 1973.

CHAPITRE V

L'Église grecque de 1123 à 1204
ouvertures et résistances
par Evelyne PATLAGEAN

I. L'EMPIRE BYZANTIN DE 1123 À 1204

Après Alexis Ier, mort en 1118, règnent son fils Jean II († 1143), puis son petit-fils Manuel Ier († 1180), sous le règne desquels le théâtre politique et culturel va s'ouvrir démesurément[1]. Les mariages diplomatiques des souverains se substituent à l'endogamie aristocratique, mais les conjointes embrassent l'orthodoxie grecque, et le marquent le cas échéant par leur changement de nom. Jean II avait épousé une fille du roi de Hongrie, devenue Irène. Manuel Ier a pour femme successivement Berthe de Sulzbach, belle-sœur de l'empereur Conrad III, et Marie d'Antioche. À la mort de Manuel, son fils est un garçon de douze ans, Alexis II, fiancé à la fille, plus jeune encore, de Louis VII roi de France, Agnès. Les menées de la parentèle impériale se conjuguent avec l'hostilité de la capitale aux Latins, et le pouvoir est pris par un cousin germain de Manuel, Andronic (Ier) Comnène, qui met à mort Alexis et sa mère, et prend Agnès pour épouse[2]. Sa victoire est accompagnée d'un massacre sans merci des Latins de Constantinople (1182). Impitoyable à l'aristocratie, Andronic Ier est renversé à son tour en 1185, et l'empire échoit à Isaac (II) Angelos (l'Ange), petit-fils d'une fille d'Alexis Ier. Détrôné par son frère aîné, Alexis III, en 1195, Isaac est aveuglé et emprisonné avec son fils, Alexis IV. La tentative de ce dernier pour reprendre pied à Constantinople appartient à l'histoire de la quatrième croisade. Restauré en 1203, il perd la vie dans une révolte en janvier 1204, et lors du siège par les Croisés l'empereur est Alexis V Mourtzouphlos, gendre d'Alexis III.

Jean II Comnène a poursuivi sa politique de reconquête, jalonnée de victoires, contre les Serbes orthodoxes (1123), les Hongrois catholiques (1124), Antioche et la Cilicie arménienne (1137). Il les a payées de privilèges accordés aux Latins, Génois (1120), Vénitiens (1126), Pisans (1136)[3]. La situation s'enrichit encore avec la royauté

---

1. Voir en général *Cambridge Medieval History (The)*, IV. *The Byzantine Empire*. 1. *Byzantium and its Neighbours*, J. M. HUSSEY éd., 1966; et encore F. CHALANDON, *Les Comnène. Études sur l'Empire byzantin au XIe et au XIIe siècle*. II/1-2. *Jean II Comnène (1118-1143) et Manuel Ier Comnène (1143-1180)*, Paris, 1912, repr. 1971.

2. Cf. O. JUREWICZ, *Andronikos I Komninos*, Amsterdam, 1970.

3. R.J. LILIE, *Handel und Politik zwischen dem byzantinischen Reich und den italienischen Kommunen, Venedig, Pisa und Genua in der Epoche der Komnenen und der Angeloi (1081-1204)*, Amsterdam, 1984.

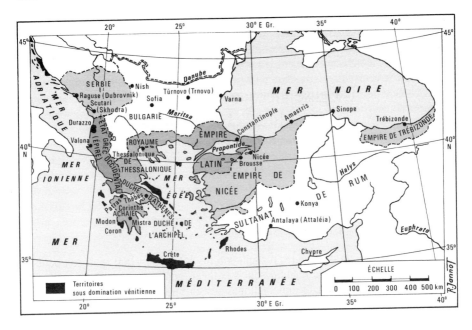

L'Asie mineure et les Balkans après 1204
(d'après Jean-Philippe Genet, *Le monde au Moyen Âge*, Hachette, Paris, 1991, p. 157).

sicilienne de Roger II (1130), l'avènement à l'empire de Conrad III Hohenstaufen en Occident (1138), et de Manuel Ier Comnène à Constantinople (1143). Deux classicismes politiques se réclament alors, à l'est comme à l'ouest, d'une même légitimité universelle, ou pour mieux dire trois, puisque la papauté en prend sa part. Manuel Ier oscille quant à lui entre la tradition byzantine de la reconquête, qui le porte vers l'Italie méridionale, et le projet moderne de croisade contre les Turcs, qui porte au contraire les Latins sur le front oriental séculaire de Byzance, par une route où la Hongrie occupe une position clé. Après la mort de Jean II, la Cilicie arménienne reprend son indépendance (1145), tandis que la question d'Antioche reste ouverte. Le Caucase entier forme un empire géorgien, qui connaît un grand siècle. Les princes arméniens jouent les Latins contre Constantinople. L'Asie Mineure turque comporte alors deux territoires, autour de Konya et de Sivas. Le premier, le sultanat de Rum, est encerclé alors par des États chrétiens. En 1144, Édesse est rendue à l'Islam, ce qui déclenche la deuxième croisade (1147). À la faveur de celle-ci, Roger II prend Corfou et Corinthe. Corfou est reprise avec le concours des Vénitiens, payé par un élargissement de leur quartier à Constantinople (1148). En 1158, une paix de trente ans est conclue avec Guillaume Ier, fils de Roger II ; elle met fin à la présence politique de Byzance en Italie du Sud, mais laisse Manuel Ier libre de se tourner vers l'est. Il reprend la Petite-Arménie cilicienne en 1158, et fait en 1159 son entrée à Antioche, recevant la soumission de Renaud de Châtillon. Mais nous retrouverons ailleurs les rapports de Byzance avec la croisade. En 1176, Manuel subit une grave défaite à Myriokephalon, au cours d'une campagne dont l'objectif était d'enrayer l'expansion du sultanat de Rum, qui englobe dès lors Mélitène. En revanche, il rallie en 1173 Etienne Nemanja, souverain orthodoxe de Serbie. Mais c'est une allégeance personnelle, qui prendra fin à la mort de Manuel en 1180.

Les événements se précipitent après cette date, vers 1204. Le siècle avait été marqué non seulement par le progrès territorial des Latins et des Turcs, mais par une tendance interne à l'éclatement[4]. Jean II déjà préparait pour Manuel, en réalité son quatrième fils, un apanage qui eût compris Chypre, la Cilicie, et Antioche. En 1184, les villes d'Asie Mineure se soulèvent. En 1185, le gouverneur de Chypre, Isaac Comnène, fait sécession, épouse une fille du roi de Hongrie, et tente de prendre pied en terre balkanique. Les Gabras à Trébizonde[5], les Sgouros en Grèce centrale[6], d'autres encore dessinent ainsi des pouvoirs locaux. Sans mettre en doute l'impact décisif de 1204, il est certain que le xiiie siècle grec ne saurait se comprendre entièrement sans ce xiie siècle-là. En même temps, la haine grecque des Latins — nationale ? confessionnelle ? — s'exacerbe, témoin le massacre de 1182 à Constantinople. En 1185, les Normands prennent Thessalonique, avec Zante et Céphalonie qu'ils garderont. L'archevêque de Thessalonique, Eustathios, voit dans cette épreuve le châtiment du forfait de 1182[7]. Enfin, les trois frères Asen soulèvent la Bulgarie byzantine, peuplée de Bulgares, de Valaques, et de Coumans. Un royaume bulgare renaît, avec Trnovo pour capitale, où le plus jeune des Asen, Kalojan, est couronné en 1204 par le légat du pape. L'indépendance bulgare retrouvait à l'orée du xiiie siècle la solution écartée pour le baptême du ixe : les données politiques sont comparables.

Manuel avait rêvé d'unir la Hongrie à l'empire par un mariage entre le fils cadet de Géza II et sa propre fille. La naissance de son fils annula le projet, mais Isaac II Ange épousera la fille de ce cadet, devenu Béla III. La route de la troisième croisade passe encore par la Hongrie (1189). La Petite-Arménie cherche un contrepoids occidental qui lui permette de reprendre Antioche. En 1191, Richard Cœur de Lion s'empare de Chypre, qu'il remet aux Lusignan en 1192. Les progrès des Pisans, des Vénitiens et des Génois se poursuivent. Il faudra situer dans cette conjoncture d'expansion occidentale, mais aussi d'idéologie partagée, les tentatives de rapprochement des Églises, tandis que les courants hérétiques et leur répression attestent à leur manière une unité de la chrétienté du xiie siècle. Une histoire religieuse de ce dernier ne pouvait donc se passer d'une introduction d'histoire militaire et diplomatique.

L'histoire sociale de l'Église et de la chrétienté grecque se poursuit entre 1123 et 1204 sur les bases posées à la période précédente. Mais les équilibres se modifient. Cette impression toutefois est tributaire d'un déplacement des sources, où les commentaires canoniques, d'une part, la littérature épiscopale, de l'autre, atteignent

---

4. Cf. J. Hoffmann, *Rudimente von Territorialstaaten im byzantinischen Reich 1071-1210*, Munich, 1974.

5. Cf. A. Bryer, « A Byzantine family : the Gabrades, c. 979-c. 1653 », cit. ci-dessus p. 53, n. 146.

6. Cf. J. Hoffmann, *Rudimente von Territorialstaaten im byzantinischen Reich (1071-1210)*, Munich, 1974, p. 56-59, et *passim*.

7. Eustazio di Tessalonica, *La espugnazione di Tessalonica*, ed. S. Kyriakidis, Palerme, 1961.

une importance sans précédent. Laquelle des deux modifications commande l'autre, c'est le problème de toute histoire. En tout état de cause, l'état des sources nous requiert d'abord.

II. DES SOURCES PLUS RICHES

1. LES TROIS GRANDS CANONISTES

La seconde moitié du siècle se distingue par le travail de commentaire systématique de trois canonistes, Jean Zonaras, Alexios Aristenos, et Theodoros Balsamon. Leurs écrits offrent, on s'en doute, un matériel du plus haut intérêt, mais ils sont d'abord manifestation d'une époque et de sa pensée. Ils appellent encore du reste des études historiques et textuelles[8]. Jean Zonaras, qui a pratiqué aussi d'autres genres, l'historiographie, l'hagiographie, l'homilétique, achève son œuvre avant 1159; il est devenu moine après une carrière dans les services publics. Alexios Aristenos a cumulé une carrière civile (nomophylax, orphanotropheios) et une carrière patriarcale, où il est attesté comme grand économe, en 1156, et pour la dernière fois en 1166[9]. La question du cumul, interdit par décret patriarcal en 1157, retentit dans sa biographie comme dans son œuvre. Theodoros Balsamon enfin, le plus grand, a été chartophylax du patriarcat, avant de recevoir le siège patriarcal d'Antioche, entre 1185 et 1191. Il continue toutefois de résider à Constantinople, et meurt après 1195. Manuel Ier et le patriarche Michel III (1170-1178) lui commandent un commentaire du Nomokanon (concordance des deux droits) en XIV titres, pour lequel il utilise le travail de Zonaras. Il a commenté en fait l'ensemble du corpus canonique existant, et rédigé en outre des réponses, et des monographies. Balsamon porte témoignage sur les tendances contemporaines qu'il combat. Il s'insurge contre le développement de l'activité synodale, qui rétrécit d'autant le champ des bureaux patriarcaux, et notamment celui du chartophylax, dont le travail tend à devenir purement préparatoire. Il condamne le penchant des clercs au cumul avec des fonctions civiles, justice, médecine, là où il peut en résulter une confusion de juridictions. Son propos, significatif, est au contraire l'intégration des fonctionnaires patriarcaux (archontes) dans le cadre hiérarchique des ordres sacrés. Il s'appuie à cet effet sur la donation de Constantin, et il établit un parallèle entre les dignités civiles et les degrés de cléricature, dans leur association respective à des charges. Il atteste la vénalité des charges qui constituent l'appareil patriarcal. Son œuvre présente le double intérêt de reposer sur des documents auxquels il avait accès, et que nous ne connaissons plus que par lui; et d'illustrer une

---

8. Édition disponible : K. RHALLIS-M. POTLIS, *Syntagma tôn theiôn kai hierôn kanonôn*, Athènes, 6 vol. 1852-1859. Cf. H.G. BECK, *Kirche und theologische Literatur*, Münich, 1959, p. 655-658. J. DARROUZÈS, *Recherches sur les offikia de l'Église byzantine*, Paris, 1970, *passim*.

9. Cf. J. DARROUZÈS, éd., Georges et Dèmètrios Tornikês, *Lettres et discours*, Paris, 1970, p. 53-57. Sur ses fonctions, cf. ci-dessus p. 35.

certaine conception des rapports entre les deux appareils, les deux droits, et pour tout dire les deux pouvoirs. À cet égard, on aura observé que Balsamon opère une génération après Gratien : il faudrait pouvoir aller au-delà de cette simple remarque[10].

2. LES ÉVÊQUES ÉCRIVENT

Le XIIe siècle est riche, d'autre part, d'une littérature savante dont les auteurs sont des évêques. L'épiscopat de ce temps présente en effet une cohérence sociale et culturelle, confirmée par des liens de parenté et d'amitié[11]. Sa matrice est l'école patriarcale, centre de la culture officielle du XIIe siècle, où les hommes dont les œuvres nous sont parvenues ont reçu leur formation, avant de faire carrière à leur tour dans l'enseignement que l'on y dispensait, ou bien au service du palais, du pouvoir central, ou du patriarcat. Ces carrières s'achèvent par un siège épiscopal, d'éloignement et d'importance variables[12]. Pasteurs et prédicateurs, mais aussi polémistes, philosophes ou philologues, et tous infatigables correspondants, ils ont laissé une masse de compositions, dont une partie sort peu à peu de l'inédit où elle était encore. Les plus marquants sont Georges Tornikès, métropolite d'Éphèse de 1155 à sa mort peu après 1156[13] ; Nicolas, évêque de Modon, peut-être dès 1147, décédé entre 1160 et 1166[14] ; le grand Eustathios de Thessalonique, métropolite dès 1174/77, mort entre 1195 et 1198/99[15] ; Michaël Choniatès, frère de l'historien, métropolite d'Athènes de 1182 à son exode de 1204[16]. Et l'on pourrait en citer d'autres. Leurs écrits éclairent la culture classique de leur propre réseau, et l'appui que celui-ci fournissait aux pouvoirs centraux de l'empereur et du patriarche, mais aussi les tendances centrifuges et l'état religieux et social des provinces vues de leurs sièges épiscopaux. Eustathios de Thessalonique présente à cet égard un intérêt exceptionnel, à la mesure de sa ville d'ailleurs, mais tous, sous le tapis des fleurs de rhétorique, réservent encore des informations.

---

10. Voir les études de G. GALLAGHER, V. TIFTIXOGLU in N. OIKONOMIDES (éd.), *To Buzantio kata 120 aiôna*, Athènes, 1991. Beaucoup de remarques substantielles dans DARROUZÈS, *Recherches sur les offikia*, cit., *passim*.
11. Nombreux exemples dans DARROUZÈS, Georges et Dèmètrios Tornikês, cit., Introduction, p. 5-69, et dans BROWNING, « Patriarchal school », cit. n. suivante.
12. Étude fondamentale de R. BROWNING, « The patriarchal school at Constantinople in the twelfth century », in *Byzantion*, 32 (1962), p. 167-202; 33 (1963), p. 11-40.
13. DARROUZÈS, Geoges et Dèmètrios Tornikês, cit.
14. A. ANGELOU, « Nicholas of Methone : the life and works of a twelfth-century bishop », in M. MULLETT, R. SCOTT, éd. *Byzantium and the classical tradition*, Birmingham, 1981, p. 143-148; A. ANGELOU, éd., Nicholas of Methone, *Refutation of Proclus' elements of theology. A critical ed. with an introduction on Nicholas' life and works*, Leyde, 1984, p. IX-XLIV.
15. P. WIRTH, *Eustathiana. Gesammelte Aufsätze zu Leben und Werk des Metropoliten Eustathios von Thessalonike*, Amsterdam, 1980. A. KAZHDAN, « Eustathios of Thessalonica : the life and opinions of a twelfth-century rhetor », *Studies on Byzantine literature of the eleventh and twelfth centuries* (in coll. with S. FRANKLIN), Cambridge-Paris, 1984, p. 115-195.
16. G. STADTMÜLLER, *Michaël Choniates, Metropolit von Athen*, Rome, 1934. Cf. J.L. Van DIETEN, *Niketas Choniates. Erläuterungen zu den Reden und Briefen nebst einer Biographie*, Berlin-New York, 1971.

III. LA CONDITION CLÉRICALE

1. FAMILLES ET PARENTÉS

Le milieu clérical a des articulations reconnaissables avec le milieu laïque. Dix-huit patriarches se succèdent entre 1111 et 1198, ce qui est dire que certains d'entre eux restent en fonction peu de temps. Or, on distingue clairement parmi eux deux ascendances. Michel II Kourkouas (1143-1146), moine puis higoumène au couvent d'Oxia, une des îles des Princes[17], porte le nom d'une famille illustrée par ses fonctions militaires dès le règne de Basile I[er][18], et présente au xe siècle dans la constellation qui encercle alors le pouvoir impérial[19]. Les Kourkouas conservent encore cette position sous Basile II[20].

Les Kamatêroi donnent deux patriarches, Basile II (1183-1186), et Jean X (1198-1206). La famille est attestée dès le xe siècle, par un commandant de la garde du palais[21], mais prend vraiment son essor dans l'entourage des Comnène du xiie siècle[22]. Andronikos et Jean Kamatêros sont apparentés à Manuel Ier par leur mère, Irène Doukas. Andronikos est attesté en 1157 comme préfet de la Ville, en 1176 comme président du tribunal impérial (megas drongarios). Il compose pour Manuel Ier un Arsenal sacré, à l'usage de la polémique contre les Latins et les Arméniens. Ses fils poursuivront de brillantes carrières, et sa fille épousera Alexis III Ange. Jean est attesté avec la charge publique de logothetês en 1155. En 1166, la constellation familiale porte en d'autres points Jean, « préposé à l'encrier (impérial) », et plus tard archevêque de Bulgarie, et un préfet de la Ville. On voit ainsi comment cette grande famille avait ventilé les siens. Ajoutons que les liens du patriarche avec le peuple de la capitale, si fortement marqués déjà pour Michel Kêroularios au milieu du xie siècle, s'affirment avec Basile II, qui apporte ainsi un concours décisif à Andronic Comnène.

D'autres patriarches en revanche proviennent des familles qui ont émergé au milieu du xie siècle avec l'importance politique et publique accordée à l'enseignement supérieur. Georges II Xiphilin (1191-1198) appartient à celle de Jean VIII (1064-1075) ; le neveu de ce dernier avait été un auteur d'homélies et d'hagiographies sous le règne d'Alexis Ier. Michel III tou Anchialou (1170-1178) s'identifie par le siège d'archevêque de son oncle, selon un usage courant et révélateur. Mais le nom de son frère, Samuel Mauropous, atteste la parenté avec Jean Mauropous, lui-même neveu d'évêque, professeur dans la capitale, puis métropolite d'Euchaïta depuis 1048/1053[23].

---

17. Sur ce couvent au xiie siècle, P. GAUTIER, « Les lettres de Grégoire higoumène d'Oxia », in REByz, 31 (1973), p. 203-227.

18. Theophanes Continuatus, éd. BONN, 277.

19. Jean Kourkouas, domestique des scholes, apparenté à Jean Ier Tzimiskês, cf. Ioannis Scylitzae, Synopsis Historiarum, éd. I. THURN, Berlin, 1973, p. 230/37-40.

20. Romain Kourkouas, dont la sœur a épousé le fils du tsar bulgare Jean Vladislav, est aveuglé pour complot en 1025 (SKYLITZÈS, cit., p. 372) ; le tableau familial dressé par J. Cl. CHEYNET, Pouvoir et contestations à Byzance (963-1210), Paris, 1990, p. 270, s'arrête à cette génération.

21. Leo Grammaticus, éd. BONN, 278.

22. DARROUZÈS, Georges et Dèmètrios Tornikês, cit., p. 43-49.

23. Sur Mauropous, indications et bibliographie dans P. LEMERLE, Cinq études sur le xie siècle, Paris 1977, p. 197-201.

L'origine sociale et familiale des évêques de cette période pourrait être étudiée grâce aux sceaux et aux textes. Le clan Comnène ne prend pas de part à ce recrutement : on peut signaler Adrien, fils d'Isaac frère d'Alexis Ier, qui devient Jean archevêque de Bulgarie[24]. Les exemples dont on dispose suggèrent au demeurant un tableau comparable à celui du patriarcat. On y reconnaît l'aristocratie laïque née aux IXe-Xe siècles, et au sein de laquelle se multiplient au XIIe siècle les alliances avec les Comnène et les Doukas; puis, les familles illustrées par la haute administration impériale ou patriarcale du XIe siècle; enfin, des familles nouvelles, dont le repérage est rendu parfois difficile par le fait que les évêques peuvent n'être identifiés que par le nom de leur siège, voire du siège de leur oncle : le trait montre cependant quelle est la parenté pertinente dans le recrutement épiscopal. Nous prendrons ici deux exemples. D'abord les Tornikês/Tornikios. Guerriers géorgiens, on les voit au Xe siècle dans l'entourage immédiat de Constantin VII et de son fils Romain II[25]. Euthymios Tornikês prend part à la fondation du monastère des Ibères (Ivirôn) au Mont-Athos, entre 972 et 979[26]. Au XIe siècle, Léon Tornikês a pour mère une collatérale de Constantin IX Monomachos, qui est un aristocrate de la capitale[27]. Un membre de la famille épouse la nièce de Theophylaktos, maître des rhéteurs puis archevêque de Bulgarie[28]. Sous Manuel Ier enfin, Georges et Dêmêtrios Tornikês sont sans doute frères[29]. Georges fait carrière au service du patriarcat, puis devient métropolite d'Éphèse en 1155; son cousin Euthymios est notaire patriarcal. Dêmêtrios, mort vers 1200, parcourt en revanche une carrière civile couronnée par la fonction de *logothetès*, dans laquelle il est ensuite remplacé par son fils Constantin, marié à une Comnène. Voici maintenant Michel Choniatês, c'est-à-dire de Chonai, en Phrygie, né vers 1138 dans une famille de notables locaux, assez bien vue du métropolite pour que celui-ci distingue Michel, et accepte d'être le parrain de son frère Nikêtas, le futur historien[30]. Michel part se former à Constantinople, où il suit les leçons d'Eustathios Kataphloron, le futur métropolite de Thessalonique. Il entre à la chancellerie patriarcale, et reçoit enfin le siège d'Athènes. Un neveu, Nikêtas, sera métropolite de Naupacte[31].

2. LE MOUVEMENT ÉPISCOPAL

La hiérarchie épiscopale est documentée, comme auparavant, par les notices épiscopales et les listes de signatures aux séances du synode. Les notices demeurent du côté de l'érudition; l'œuvre du moine sicilien Nil Doxapatris en particulier, datée de 1142/43, s'avère en fait celle d'un provincial, qui n'a pas eu accès aux archives du patriarcat[32]. Le mouvement de création de métropoles, freiné après Alexis Ier par les

---

24. Cf. L. STIERNON, « Adrien (Jean) Comnène archevêque de Bulgarie », in *REByz*, 21 (1963), p. 179-192.
25. Léon Diacre III 7, éd. BONN, p. 45.
26. Cf. ci-dessus p. 20, n. 22.
27. Psellos, *Chronographie* VI 99 (éd. tr. E. RENAULD, t. 2, Paris, 1928, p. 14).
28. Théophylacte d'Achrida, *Lettres*, éd. P. GAUTIER, Thessalonique, 1986, Lettre 109/11.
29. DARROUZÈS, Georges et Dèmètrios Tornikês, cit., p. 25-28.
30. Cf. ci-dessus n. 16.
31. *Regestes* n° 1263.
32. J. DARROUZÈS, éd., *Notitiae episcopatuum Ecclesiae Constantinopolitanae*, Paris 1981, p. 154-158.

protestations des métropolites, qui tenaient à leurs suffragants, ne reprend que sous Isaac II. L'époque des Comnène se borne à quatre promotions pour les territoires demeurés dans l'empire : Mesembria, Milet, Selybria, Apros[33]. L'épiscopat lui-même présente une mobilité dont la jurisprudence se constitue alors au rebours de la règle canonique[34]. Ainsi, le 11 juillet 1173, Michel évêque d'Ancyre (Ankara) demande son changement au synode : il venait d'être nommé à ce siège, ce qui était une promotion, mais la ville est occupée par les Turcs, et, déclare-t-il, il ne s'y trouve plus un chrétien, en sorte que l'évêque n'y peut subsister. Le synode lui désigne un autre siège[35]. Des circonstances du même genre entretiennent la présence à Constantinople d'évêques de province, et notamment d'Asie Mineure[36]. Mais elles mettent peut-être au jour une tendance des carrières épiscopales : en 1174, sur un ordre impérial, le synode autorise Eustathios Kataphloron, diacre de la Grande Église, à renoncer au siège de Smyrne qui venait de lui échoir, et le promeut à celui de Thessalonique, où il s'illustrera comme on sait[37]. Ailleurs, à Antioche, ou en Italie méridionale, l'épiscopat grec se trouve confronté à une domination étrangère. Le patriarcat grec continue en principe de pourvoir les sièges des patriarcats orientaux en communion avec lui. On voit par exemple en 1195 Georges II Xiphilin et le synode répondre à une liste de questions du patiarche Marc III d'Alexandrie touchant les chrétiens vivant en terre « sarrasine »[38]. Mais de tels titulaires ne résident pas toujours non plus.

3. Revenus des clercs et temporels ecclésiastiques

Sous Manuel Ier une série de mesures visent à préciser, en accord avec la tradition, les privilèges et les restrictions du statut clérical, et tendent à bloquer les tendances manifestées par les clercs comme groupe social. En 1144, l'empereur déclare immunes les clercs « assujettis à l'État » (*dêmosiakoi*), au prix d'un recensement qui fixe le nombre de ces privilégiés[39]. Si cette décision représente une faveur de celui qui a remporté le trône, elle n'en est pas moins de principe classique. En revanche, une décision synodale de 1157 interdit aux clercs, en dépit de la coutume et sous peine d'excommunication, le cumul avec des emplois séculiers tels que la gestion de maisons et propriétés laïques ou la perception des impôts[40]. Il est précisé en 1171 que cette interdiction s'étend bien jusqu'aux lecteurs[41]. Une mesure synodale prise entre 1157 et 1169/70 défend aux diacres et aux prêtres l'exercice de la médecine[42]. D'autre part, le synode s'efforce une fois de plus de contrecarrer la surcharge indue des effectifs

33. *Ibid.*, p. 134-135.
34. Balsamon, in Rhallis-Potlis, *Syntagma*, t. 4, p. 391-394.
35. *Regestes* n° 1126.
36. Dölger, *Regesten*, n° 1485, en date de 1169-1177.
37. *Regestes*, n° 1128.
38. *Ibid.*, n° 1184.
39. Dölger, *Regesten*, n° 1334 (*Jus Graeco-Romanum* I, IV, 52). Cf. le commentaire à *Regestes* n° 1082.
40. *Regestes* n° 1048.
41. *Ibid.*, n° 1119.
42. *Ibid.*, n° 1092.

cléricaux provoquée par l'attrait des rentrées d'une église. En 1170, une interdiction du patriarche Michel III atteste que des gens de la capitale allaient se faire ordonner prêtres dans des diocèses peu éloignés de celle-ci, puis revenaient en ayant évité de cette manière l'enquête patriarcale préalable ; le prétexte donné étant d'ailleurs le montant atteint par le versement requis pour celle-ci, le patriarche ordonne en même temps de revenir au taux ancien[43]. Le même Michel III (1170-1178) abolit l'usage invétéré des prêtres devenus moines, qui demeuraient inscrits sur le rôle des emplois ecclésiastiques, et continuaient à vivre avec leurs confrères. Le patriarche déclare que les emplois en question restent réservés à ces derniers, et que les intéressés devront résider dans leurs couvents[44]. En 1169 probablement, le métropolite de Thessalonique saisit le synode du cas de clercs de son église, qui se sont emparé de biens tant de la métropole que de son prédécesseur[45], illustration extrême et pratique de la même tendance.

Nicolas Svoronos a consacré une étude importante aux mesures de Manuel Ier en faveur des temporels ecclésiastiques, et, nous le dirons plus loin, monastiques[46]. Après un avènement qui n'avait pas été sans embûches, l'empereur se montre généreux avec les groupes sociaux qui comptent. Outre une annuité aussitôt accordée au clergé de Sainte-Sophie, et un don de cent livres d'or au couronnement (1143), outre l'immunité cléricale mentionnée plus haut (1144), Manuel Ier émet entre 1146 et 1158 une série de confirmations qui privilégient Sainte-Sophie, Constantinople, et sa région, et qui portent sur les biens possédés à leur date, fût-ce indûment, et fût-ce au détriment du fisc. Svoronos montre que l'empereur entérine des accaparements qui avaient probablement été nombreux dans les régions atteintes par les invasions du dernier quart du XIe siècle. Après 1158 toutefois, les récriminations de ceux qui étaient restés à l'écart de ces privilèges, et le désordre provoqué dans les finances publiques, déterminent un tournant.

Le synode, de son côté, affronte la pratique sur la question des biens épiscopaux et des droits des évêques. D'un côté, il est mis fin en 1164 à tout bail de biens ecclésiastiques qui dépasse vingt-sept ans, ou qui est libellé au porteur[47]. Au même moment, soit avant 1166, les donations perpétuelles d'immeubles épiscopaux en bon état sont déclarées nulles ; seules restent recevables les donations annuelles, à condition que leur montant soit raisonnable, et leurs bénéficiaires justifiés par l'indigence ou par des services rendus[48]. En revanche, les droits des évêques sur les églises de leur diocèse sont affirmés, face à des particuliers ou au droit patriarcal lui-même, qu'il s'agisse de mentions liturgiques de leur nom, ou du *kanonikon* qui leur est dû[49].

---

43. *Ibid.*, n° 1118.
44. *Ibid.*, n° 1141.
45. *Ibid.*, n° 1085.
46. N.G. SVORONOS, « Les privilèges de l'Église à l'époque des Comnènes : un rescrit inédit de Manuel Ier Comnène », in *TMCB*, 1 (1966), p. 325-391.
47. *Regestes* n° 1055.
48. *Ibid.*, n° 1058.
49. *Ibid.*, n° 1131 (A. 1176), 1179 (A. 1191), 1180 (A. 1192).

IV. LE MONACHISME

1. Fondations et restaurations

L'histoire des monastères grecs au cours des années 1123-1204 offre tout d'abord des fondations nouvelles. Nous en signalerons quatre dans la capitale. Au tout premier rang, le grand complexe hospitalier du Christ Tout-Puissant (*Pantokrator*), dédié par Jean II Comnène en 1136[50]; son épouse Irène, fille du roi de Hongrie, inscrite au Synaxaire de la Grande Église, y prit part[51]. Puis, Saint-Dêmetrios des Paléologue, fondé au milieu du siècle par Georges Paléologue, dont la famille est alliée aux Comnène par les femmes dès la génération d'Alexis I[er][52]. La Toute-Souveraine (*Pantanassa*) est dédiée après 1161 par la seconde épouse de Manuel Ier, Marie d'Antioche[53], et le Christ-Bienfaiteur par Jean Comnène, neveu de Jean II, avant 1176[54]. En province, Léon évêque de Nauplie et Argos fonde Notre-Dame *tês Areias* près de Nauplie, en 1143[55], et Isaac Comnène, frère de Manuel Ier, établit près d'un village de Thrace qui lui appartient, en 1152, Notre-Dame-Salvatrice-du-monde (*Kosmosôteira*), où des pauvres et des malades prieront pour son salut, et où sera son tombeau[56]. À Thessalonique, un certain Mastounês, mort avant 1185, dédie à la Vierge un couvent dont il est lui-même l'higoumène, et où il a un fils moine[57]. À Chypre, Neophytos le Reclus a fondé un monastère auquel il donne un typikon vers 1178[58], tandis que Savvas, fils du roi de Serbie Etienne Nemanja, rédige celui de son *kellion* athonite de Karyes vers 1195[59]. Des monastères peuvent être aussi relevés. À Constantinople, Georges Paléologue Comnène Doukas — le même que plus haut — agit peut-être ainsi pour le couvent de la Vierge des Guides (*Hodêgôn*), qui abritait la fameuse image attribuée au pinceau de saint Luc, dont on a vu l'importance dans la piété impériale et publique[60]. Le secrétaire impérial (*mystikos*) Georges Kappadokês relève Saint-Mamas[61], illustré au siècle précédent par Syméon le Nouveau Théologien, et confie sa gestion temporelle à son frère, époux d'une Dalassênê, et donc apparenté à

---

50. Cf. P. Gautier, éd., « Le typikon du Christ Sauveur Pantocrator », in *REByz*, 32 (1974), p. 1-145.

51. Cf. *infra*, n. 66.

52. R. Janin, *La géographie ecclésiastique de l'Empire byzantin*. 1. *Le siège de Constantinople et le patriarcat oecuménique*. III. *Les églises et les monastères*, Paris, 1969, p. 92-94. Un Georges Paléologue a épousé Anne Doukas, sœur d'Irène épouse d'Alexis Ier, cf. *Vie de Cyrille le Philéote*, éd. Sargologos, Bruxelles, 1964, c. 48, 3.

53. Janin, p. 215-216.

54. *Ibid.*, p. 508-510.

55. Éd. T. Miklosich, I. Müller, *Acta et diplomata graeca Medii Aevi*, t. 5, Vienne, 1887, p. 178-190; éd. G.A. Choras, *Hê hagia monê Areias Naupliou*, Athènes, 1975, p. 239-252.

56. Éd. L. Petit, « Typikon du monastère de la Kosmosotira près d'Aenos (1152) », in *Izvestija Russk. Arheol. Institut v Konstantinopole*, 13 (1908), p. 17-77.

57. R. Janin, *Les églises et les monastères des grands centres byzantins (Bithynie, Hellespont, Latros, Galèsios, Trébizonde, Athènes, Thessalonique)*, Paris, 1975, p. 396.

58. Éd. F.E. Warren, « The ritual ordonance of Neophytus », in *Archeologia*, 47 (1882), p. 1-36, et maintenant I.P. Tsiknopoullos, *Kupriaka Tupika*, Nicosie, 1969, p. 71-104. Date de la première rédaction, cf. Beck, *Kirche und theologische Literatur*, cit., p. 634.

59. Éd. Ph. Meyer, *Die Haupturkunden für die Geschichte der Athosklöster*, Leipzig, 1894, p. 184-187.

60. Janin, *Géographie ecclésiastique*, cit., p. 200.

61. *Ibid.*, p. 314-319.

la mère d'Alexis Ier; le *typikon* (1159) s'inspire des grands modèles, le Stoudiou et l'Evergêtis[62]. Notons encore que Savvas le Serbe, déjà cité, donne son orientation définitive au couvent athonite de Hilandar, vers 1198[63]. Et aussi qu'à Jérusalem un couvent grec est fondé et doté d'un typikon en 1145/46[64] : le nom de l'higoumène fondateur, Gerasimos, et le vocable de l'établissement, Saint-Euthymios, se réfèrent aux gloires antiques du monachisme grec de Palestine. Enfin, cette période connaît en tout état de cause le couvent de Vazelon, dont l'essor sera lié, après 1204, à l'empire de Trébizonde[65].

C'étaient là, en une liste incomplète, des documents de choix, et, Mastounès excepté, des personnes haut placées dans l'échelle sociale. Mais, en réalité, les textes de cet échantillon mettent en avant les motifs généraux que nous connaissons déjà, l'expiation des péchés et la protection divine, la sépulture et la commémoration des défunts de la famille, la retraite. Il faut cependant distinguer le Pantokratôr, complexe monastique offert au Christ souverain par Jean II Comnène, pour ses péchés et la commémoration des siens, et doté en conséquence d'un dispositif hospitalier et d'un temporel l'un et l'autre hors du commun. L'attention a été, à juste titre, fascinée par la précision unique avec laquelle est prévu l'appareil de soins. Pourtant, la qualité exceptionnelle du document, intégralement conservé avec l'inventaire des biens et revenus, l'effort exceptionnel consenti par le fondateur impérial pour le Souverain céleste, font du Pantokratôr moins un cas à part qu'un agrandissement, si l'on peut dire, de la pratique pieuse de son temps[66].

Le cas italien

La spécificité régionale de l'Italie du Sud et de la Sicile est désormais consacrée par sa position politique sous la domination normande[67]. L'histoire des monastères grecs n'y est pas dépourvue de sources[68], monuments et sites, documents d'archives grecs et latins, production manuscrite, dont une hagiographie qui comporte la *Vie de Barthélemy de Simeri* († vers 1130)[69], et celle de Cyprien, higoumène de Calamizzi en

---

62. Éd. S. EUSTRATIADÈS, in *Hellenika*, 1 (1928), p. 256-314; cf. V. LAURENT, in *EOr*, 30 (1931), p. 233-242.
63. BECK, *Kirche und theologische Literatur*, cit., p. 219. *Actes de Chilandar* publiés par L. PETIT (1. *Actes grecs*) et B. KORABLEV (2. *Actes slaves*), in *VV Supplts*, 17/1 et 19/1, Saint-Pétersbourg 1911-1912.
64. Éd. A. PAPADOPOULOS-KERAMEUS, *Analekta Hierosolumitikês Stachuologias*, t. 2, Saint-Pétersbourg 1894, p. 255-257.
65. JANIN, *Églises et monastères des grands centres*, cit., p. 283-286.
66. Discussion dans E. KISLINGER, « Der Pantokrator-Xenon, ein trügerisches Ideal? », in *JÖB*, 37 (1987), p. 173-179. Sur la participation d'Irène, épouse de Jean II, cf. G. MORAVCSIK, « Die Tochter Ladislaus des Heiligen und das Pantokrator-Kloster in Konstantinopel », in *Mitteil. d. Ungar. Wissenschftl. Institutes in Konstantinopel*, 7-8 (1923), p. 41 et suiv. sur ce dossier textuel grec (référence pour laquelle je remercie Gábor Klaniczay).
67. L.R. MÉNAGER, « La "byzantinisation" religieuse de l'Italie méridionale (IXe-XIIe s.) et la politique monastique des Normands d'Italie », in *RHE*, 53 (1958), p. 742-774; 54 (1959), p. 5-40 : tableau magistralement tracé, mais dont les sombres couleurs doivent sans doute être atténuées, cf. la bibliographie n. suivante.
68. A. PERTUSI, « Aspetti organizzativi e culturali dell'ambiente monacale greco dell'Italia meridionale », in *L'eremitismo in Occidente nei secoli XI e XII*, Milan 1965, p. 382-434; « Rapporti tra il monachesimo italo-greco e il monachesimo bizantino nell'alto Medio Evo », in *La Chiesa greca in Italia*, cit., t. 2, p. 473-520. État de la question : E. PATLAGEAN, « Recherches récentes et perspectives sur l'histoire du monachisme italo-grec », in *RSCI*, 22 (1968), p. 146-166; P. CORSI, « Studi recenti sul monachesimo italo-greco », in *Quaderni Medievali*, 8 (1979), p. 244-261.
69. *AA. SS.* Sept. VIII (1762), 810-826.

Calabre († vers 1190)[70]. La politique des Normands d'Italie méridionale et de Sicile a comporté deux volets. D'un côté, la spoliation des couvents grecs au profit des moines latins se poursuit. Mais, d'autre part, la monarchie normande intègre les moines grecs dans l'ensemble linguistique et culturel qui constitue son royaume. Le monachisme grec de la région s'organise alors autour de trois centres : Saint-Nicolas de Casole, fondation ou restauration normande de la fin du xie siècle, qui demeure sensible à l'influence athonite, et sert de modèle aux couvents de Terre d'Otrante; le Patir de Rossano, fondé au début du xiie siècle par Bartholomaios de Simeri; et le Saint-Sauveur de Messine, créé avec le concours de celui-ci, qui reçoit son typikon en 1131[71]. Les higoumènes du Patir et du Saint-Sauveur sont érigés en archimandrites, c'est-à-dire en autorités directrices des monastères de leur région, et Roger II se réserve le droit de ratifier leur élection. A. Pertusi a montré comment les *typika* du royaume normand sont en conséquence constitués en trois familles[72], et comment la branche du Patir et celle du Saint-Sauveur conservent encore un écho stoudite. L'importance de l'Italie méridionale comme relais culturel entre mondes grec et latin n'est plus à démontrer : l'étude des manuscrits grecs de la région révèle le rôle primordial des couvents grecs à cet égard[73].

2. Aspects du milieu monastique

Dans l'empire, les monastères existants poursuivent en ces années 1123-1204 une histoire documentée, dans les cas favorables, par leurs archives[74], leurs ateliers de copie[75], et les inventaires de leurs bibliothèques[76]. L'hagiographie n'est pas bien riche. On signalera la *Vie de Meletios le jeune* (m. 1105) par Nicolas de Modon[77], les compositions relatives à Christodoulos de Patmos[78], ainsi que la *Vie de Leontios*, patriarche de Jérusalem vers 1174/75-1184/85. Cette dernière est écrite au tournant du siècle par le moine Theodosios Goudeles — un nom aristocratique — et l'auteur comme le héros ont été à un moment higoumènes de Patmos[79]. En revanche, les attaques contre les moines indigènes pleuvent, sous la plume de canonistes comme

---

70. Éd. G. Schirò, in *BBGG*, n. s., 4 (1950), p. 88-96.

71. Éd. M. Arranz, *Le typicon du monastère du Saint-Sauveur à Messine. Codex Messanensis gr. 115, A.D. 1131*, Rome, 1969.

72. A. Pertusi, « Monaci e monasteri della Calabria bizantina », in *Calabria bizantina. Vita religiosa e strutture amministrative*, Reggio Calabria, 1974, p. 17-46.

73. Cf. G. Cavallo, « La trasmissione scritta della cultura greca antica in Calabria e in Sicilia tra i secoli x-xv. Consistenza, tipologia, fruizione » in *Scrittura e civiltà*, 4 (1980), p. 157-245.

74. *Archives de l'Athos* II²-XVI, Paris, 1946-1990, en cours; *Corpus des actes grecs d'Italie du Sud et de Sicile*, 1-5, Vatican, 1967-1980; *Eggrapha Patmou*, cit., 1-2, Athènes, 1980; etc.

75. Cf. J. Irigoin, « Centres de copie et bibliothèques », in *Byzantine books and bookmen*, Washington D.C., 1975, p. 17-27.

76. Cf. J. Bompaire, « Les catalogues de livres-manuscrits d'époque byzantine (xie-xve s.) », cit. *infra*, p. 478, n. 44. Signalons Ch. Astruc, « L'inventaire dressé en Septembre 1200 du trésor et de la bibliothèque de Patmos. Édition diplomatique », in *TMCB*, 8 (1981), *Mél. Paul Lemerle*, p. 15-30.

77. Cf. *BHG* 3, 1247; autre *Vie* par Theodoros Prodromos, *ibid.*, 1248.

78. E.L. Vranousi, *Ta hagiologika keimena tou hosiou Cristodoulou hidrutou tês en Patmô jmonês*, Athènes, 1966.

79. *BHG* 3, 985, Cod. Patmensis gr. 187, pas d'édition moderne. Cf. Beck, *Kirche und theologische Literatur*, cit., p. 698 (sur l'œuvre), et 628-629 (sur Leontios).

Theodoros Balsamon, d'évêques comme Eustathios de Thessalonique, de laïcs comme Jean Tzetzes, fonctionnaire et professeur, en un mot de la part de ces *uomini di cultura* évoqués plus haut[80], parmi lesquels il faut sans doute placer le mystérieux « Pauvre Prodromos » (Ptochoprodromos), en dépit de la langue vulgaire de ses poèmes satiriques, ou plutôt parce que cette vulgarité même est manifestement un exercice de virtuose et de précieux[81].

Le monachisme continue d'apparaître à la fois comme un état, assis sur la jouissance d'un temporel, et comme un milieu social et culturel diversifié. Le Pauvre Prodromos à Constantinople[82], Eustathios de Thessalonique[83], prodiguent les détails sur les excès de table, les bains, les chevaux, les femmes d'un monachisme citadin. Le premier nommé explique que tous ces plaisirs sont réservés aux higoumènes, tandis que le commun des moines est à la portion congrue. Le second peint au noir l'inculture de moines qui vendent leurs livres, dont ils n'ont pas l'usage, et leurs gestions lucratives. Tous nos auteurs convergent dans la description virulente des *holy men* qui exhibent par les rues de la capitale les performances d'un ascétisme truqué[84]. Ces développements sans véritable tradition ancienne, et seulement esquissés par Jean d'Antioche[85], témoignent sans doute de certains aspects du monachisme contemporain, mais plus encore d'une volonté réformatrice au sein de l'épiscopat, et d'un détachement critique à l'égard des moines, tant chez les évêques dont on a vu plus haut l'origine que chez certains laïcs. Pourtant, Eustathios semble favorable aux donations en *charistikê*, et pour les raisons mêmes qui motivaient l'hostilité de Jean d'Antioche[86].

Qu'en fut-il en fait? On évoquera la figure du moine Léon Mouzakês, qui comparaît devant le synode en armes, et refuse de se séparer de sa compagne, sur quoi il est revêtu de force de l'habit monastique et châtié[87]. On passera en revue tant de documents d'archives qui montrent moines et monastères comme des acteurs économiques. Lorsque Manuel Ier garantit en 1158 les biens des couvents de Constantinople et des environs, sa loi présente une énumération significative : « paysans dépendants, exploitations (paysannes), foires, revenus fiscaux, péages, viviers, rivières, droits maritimes, et en général toute espèce de droit portant sur les immeubles », enfin terres de toute origine[88]. L'accroissement des temporels est favorisé par les facteurs habituels. Pourtant, le même Manuel Ier fonde à titre de modèle un établissement exemplaire à Kataskepê, à l'entrée de la mer Noire[89]. Il y rassembla, rapporte Nikêtas Choniatês, l'élite des moines de son temps, et ne leur

---

80. Choix de références dans P. MAGDALINO, « The Byzantine holy man in the twelfth century », in S. HACKEL, éd., *The Byzantine saint*, Londres, 1981, p. 51-66.

81. Cf. H.G. BECK, *Geschichte der byzantinische Volksliteratur*, Munich, 1971, p. 101-105.

82. E. JEANSELME, L. ŒCONOMOS, « La satire contre les higoumènes. Poème attribué à Théodore Prodrome. Essai de traduction française », in *Byzantion*, 1 (1924), p. 317-339, avec les références du texte grec.

83. Les deux pamphlets d'Eustathios se trouvent dans *PG* 135, 729-909.

84. MAGDALINO, « The Byzantine holy man », cit.

85. GAUTIER, « Jean V l'Oxite patriarche d'Antioche. Notice biographique », in *REByz*, 22 (1964), p. 147-157 (« Lettre sur sa fuite »).

86. Observation de KAZHDAN, « Eustathios of Thessalonica », cit., p. 150 et suiv.

87. *Regestes* n° 1102 (entre 1157 et 1169/70); commentaire de Balsamon au canon 44 du concile *in Trullo* sur le moine pris à forniquer ou à vivre maritalement (RHALLIS-POTLIS, *Syntagma Kanonon*, cit., t. II, p. 410).

88. *Jus Graeco-Romanum* t. I, p. 382.

89. JANIN, *Géographie ecclésiastique*, cit., p. 342.

assigna pas d'autre temporel qu'un revenu en or sur le trésor public : ainsi, remarque l'historien, leur assura-t-il la quiétude nécessaire à l'ascèse, non sans éliminer le désir qui pousse le grand nombre à fonder des monastères[90]. La gérance laïque des temporels existe toujours. En 1169, le métropolite de Nicomédie soumet au synode un cas significatif[91] : un évêque a remis à deux particuliers un monastère d'hommes qui relevait de sa métropole, et l'un d'eux l'a inscrit dans la dot de sa fille. Le synode condamne l'opération, non pour elle-même, mais uniquement parce qu'un tel monastère ne peut passer à une femme, et moins encore figurer dans une dot.

Mais les moines entrepreneurs ou jouisseurs n'épuisent pas la question posée par les attaques des lettrés, clercs ou laïcs. Celles-ci attestent aussi que le cénobitisme classique est débordé alors par des formes d'ascèse individuelle, liées à la ville, dont les simulateurs dénoncés comme on l'a vu attestent à leur façon l'audience. Qu'on lise la lettre adressée par Tzetzes au chartophylax Constantin[92]. À propos d'un « moine — je ne sais comment désigner cet homme », qui s'est reclus dans l'église des Saints-Apôtres, il le supplie de fermer toutes les cellules de reclus dans la capitale, et d'envoyer leurs occupants dans les couvents, en détention ou en communauté ; les reclus sont implicitement dangereux pour l'orthodoxie. Neophytos le Reclus en Chypre résout la difficulté en intégrant la réclusion à une règle conventuelle, et qui plus est à une retraite agreste. De même, une diatribe contre les moines errants est placée dans la *Vie de Cyrille le Philéote*, contemporain d'Alexis Ier Comnène[93]. Or, l'auteur, Nicolas, n'est autre qu'un moine de Kataskepê, la fondation modèle de Manuel Ier. Errants et reclus inspirent à l'autorité et à ceux qui la servent la même inquiétude que les confesseurs non habilités : crainte de l'hérésie certes, mais d'abord de la démarche individuelle qui brouille les statuts, leurs limites, et leur reconnaissance, et par laquelle l'hérésie commence.

V. LES LAÏCS

Le mariage est la pierre angulaire de la discipline des laïcs. La simple cohabitation est exclue[94], y compris pour les esclaves[95]. Parenté et alliance occupent donc une place centrale dans les dispositions canoniques comme dans les efforts sociaux eux-mêmes[96]. En 1166, le synode interdit formellement le septième degré de consanguinité, limite sensible de la prohibition dans la théorie, et de l'alliance recherchée dans les faits[97]. En 1175, sous l'impulsion de l'empereur, le patriarche procède à une mise au point du

---

90. Nicetae Choniatae, *Historia*, éd. J. A. Van Dieten, Berlin, 1975, p. 206/71-207/84.
91. *Regestes* n° 1086.
92. Ioannis Tzetzae, *Epistulae*, éd. P.A.M. Leone, Leipzig, 1972, Lettre 14, p. 25-27.
93. *Infra*, p. 457, n° 56.
94. *Regestes* n° 1034[4].
95. *Ibid.*, n° 1107[19], rappelant une disposition d'Alexis Ier Comnène (*Jus Graeco-Romanum*, t. I, IV. 35).
96. Cf. J. Darrouzès, « Questions de droit matrimonial : 1172-1175 », in *REByz*, 35 (1977), p. 107-157.
97. *Regestes* n° 1068.

tome de 997, base des interdits en vigueur[98]. Pourtant, des dérogations sont accordées au sommet de l'État. En 1185/86, le synode autorise le mariage de la sœur d'Isaac II Angelos et de Jean Kantakouzênos[99], en dépit de leur consanguinité au septième degré. En 1183, une autorisation est accordée à la fille d'Andronic Ier Comnène et au fils de son cousin germain, Manuel Ier, justifiée par le fait que tous deux sont de naissance illégitime[100]. La dialectique sociale de l'alliance et de l'interdit apparaît dans une réponse de Lucas Chrysobergês (1157-1169/70), qui défend que deux hommes unis par un lien homosexuel épousent la sœur l'un de l'autre[101]. Le lien visé pourrait être cette adoption en frère dont la prohibition absolue est rappelée encore dans une réponse attribuée à Nicolas IV Mouzalon (1147-1151)[102]. On n'épuisera pas ici la matière matrimoniale traitée par le synode dans les années 1123-1204. Mais on ne saurait omettre l'affaire d'Alexis Kapandritès (1199)[103]. Les faits s'étaient déroulés en Asie Mineure, dans la région de Koloneia. Kapandritès avait saisi le synode, en exposant qu'il avait épousé une veuve, Eudokia, et que, sept mois plus tard, le frère de celle-ci les avait invités chez lui pour un repas, et l'avait alors enchaîné et détenu tandis que sa femme était donnée en mariage à un autre. Kapandritès avait produit une attestation qui garantissait que son propre mariage s'était fait sans que nulle violence fût infligée à Eudokia, et se trouvait donc valide. Sur quoi, l'autre partie affirma que Kapandritès, fort d'une troupe armée, avait enlevé Eudokia, réfugiée chez un parent après son veuvage; et qu'elle n'avait jamais été consentante, à la fois pour cette raison, et parce qu'elle était cousine au second degré de l'épouse défunte de Kapandritès. Le patriarche estime en effet qu'il y a là un double motif de rupture de mariage, et demande un supplément d'enquête, dont nous ignorons l'issue.

VI. L'ORTHODOXIE IMPÉRIALE

1. L'EMPEREUR DÉCLARE L'ORTHODOXIE

L'empire ne se distingue pas de l'orthodoxie, et l'empereur est chargé de dire et de défendre celle-ci. Cette figure impériale classique est, au XIIe siècle, celle de Manuel Ier : Choniatês le dépeint ainsi dans une activité catéchétique et dogmatique de tous les jours[104]. Son entourage laïque coopère. Andronic Kamatêros déjà cité, apparenté à Manuel par sa mère qui était Doukas, compose pour lui un *Arsenal Sacré* (*Hiera Hoplothêkê*)[105] contre les Latins et les Arméniens, dans le cours d'une grande

---

98. *Ibid.*, n° 1130 (DÖLGER, *Regesten* 1341).
99. *Ibid.* n° 1167.
100. *Ibid.* n° 1162.
101. *Ibid.* n° 1107[8].
102. *Ibid.* n° 034[8]. Cf. E. PATLAGEAN, « Christianisation et parentés rituelles : le domaine de Byzance », in *Annales ESC*, 1978, p. 625-636.
103. *Ibid.*, n° 1192-93.
104. Choniates, *Historia*, cit., p. 209-210.
105. BECK, *Kirche und theologische Literatur*, cit., p. 626 et suiv.

carrière publique. Nikêtas Choniatês, secrétaire impérial et historiographe, entreprend une mise à jour de la *Panoplie Dogmatique* d'Euthymios Zigabênos, où il incorpore des documents contemporains; il ne la rédigera que passé 1204[106]. Manuel semble avoir aussi compté parmi ses intimes Nicolas évêque de Modon, qui soutint le patriarche Mouzalon, et qui écrit une réfutation de la philosophie néoplatonicienne de Proklos[107]. Les faits en revanche ne confirment pas toujours le modèle de l'autorité impériale en matière religieuse. Certes, en 1172, le patriarche rédige au nom du synode une lettre d'approbation et de félicitations au souverain, qui avait proposé un cas théorique de licéité de mariage, et indiqué sa propre solution[108]. Certes, Manuel préside, au palais, le synode qui dépose Kosmas II Attikos en 1147[109]. Mais celui-ci était suspect de sympathies bogomiles. Et lorsque le choix de Manuel se porte alors sur Nicolas Mouzalon, il sera contraint de le démettre en 1151 devant l'hostilité d'une partie de l'épiscopat[110]. En un mot, le synode de cette époque est toujours un interlocuteur, et parfois un antagoniste. Car le siècle de Manuel Ier n'est plus celui d'Alexis Ier : l'ampleur et la complexité de l'ouverture internationale, politique et culturelle à la fois, le font tout autre. Dans un monde ainsi déployé, l'empereur et le synode ne peuvent avoir ni le même objectif, ni les mêmes réactions à l'égard de ce qui est alors la modernité.

Autour de la christologie

Les débats christologiques, avec leur substrat philosophique, continuent la série du règne d'Alexis Ier. Le premier touche le sacrifice eucharistique du Christ, sur le point de savoir s'il est offert au Père ou à la Trinité[111]. En janvier 1156, le synode conclut que la Trinité est indivisible, et obtient le ralliement de deux des dissidents. En mai 1157, il juge Soterichos Panteugenos, patriarche élu d'Antioche. Il est réuni cette fois au palais des Blachernes, sous la présidence de l'empereur lui-même, entouré de parents, d'autres laïcs, et du sénat. Nikêphoros Basilakês se soumet alors[112]. Mais l'empereur lui-même doit argumenter avec Panteugênos pour que celui-ci reconnaisse son erreur : il reste néanmoins déposé. La seconde affaire, une dizaine d'années plus tard, prend pour motif le verset évangélique : « Mon Père est plus grand que moi » (Joh. XIV, 28)[113]. Elle rouvre en réalité la même question christologique. Elle est de plus très significative des rapports d'idées entre chrétientés latine et grecque, au moment même où Manuel est engagé dans un grand dessein occidental. Le débat en effet était alors en cours en Occident, et il aurait été introduit à Constantinople, selon l'historiographe Jean Kinnamos, par un envoyé byzantin de retour d'Italie et

---

106. *Infra*, p. 669.
107. Ci-dessus n. 14.
108. *Regestes* n° 1125.
109. *Infra*, p. 452.
110. Cf. ANGELOU, éd., Nicholas of Methone, *Refutation* (cit. ci-dessus n. 14), Introduction.
111. Cf. J. GOUILLARD, « Le Synodikon de l'Orthodoxie », in *TMCB*, 2 (1967), p. 210-215.
112. Cf. A. GARZYA, « Precisazioni sul processo di Niceforo Basilace », in *Byzantion*, 40 (1970), p. 309-316.
113. GOUILLARD, « Synodikon de l'Orthodoxie », cit., p. 216-226, pour le dossier grec; P. CLASSEN, « Das Konzil von Konstantinopel 1166 und die Lateiner », in *ByZ*, 48 (1955), p. 339-368.

d'Allemagne, Dêmêtrios de Lampê. Celui-ci aurait rapporté à Manuel que pour les Latins ce verset signifiait le Fils dans son humanité. Cette position ne réunissait pas en réalité tous les suffrages en Occident, parce qu'elle procédait d'une analyse relativement moderne et philosophique. Elle eut l'assentiment de Manuel, qui avait du reste à son service des Latins, des Italiens notamment, parmi lesquels le Pisan Hugues Ethérien[114], dont le rôle dans l'affaire, tu par les sources grecques, a sans doute été essentiel[115]. Comme la question s'ébruitait, Manuel réunit en 1166 un synode dans lequel il avait l'appui du patriarche Lucas Chrysobergès, et d'autres, et contre lui une majorité animée par la fidélité à la tradition, et l'hostilité aux Latins. Mettant son autorité impériale en jeu, Manuel fait voter une formule de conciliation sur l'égalité en gloire des deux natures du Christ, chacune conservant ses propriétés. Un édit affiché à Sainte-Sophie donne force de loi à cette définition[116]. Des opposants seront condamnés en conséquence, le diacre professeur Basilios en 1168[117], Constantin de Corfou, ancien professeur à l'école patriarcale, et Jean Eirênikos, higoumène du couvent de Batala, en 1170[118].

2. MINORITÉS DANS L'EMPIRE

Comme à l'époque précédente, l'empire grec recèle des groupes minoritaires, qui se définissent en tout état de cause par une altérité confessionnelle, voire par une absence de confession reconnaissable dans le cas des Tziganes, crédités d'un savoir magique, en particulier contre les bêtes féroces, et que Balsamon désigne le premier, par une contamination significative, du nom d'une secte hérétique éteinte, les Athinganoi[119]. Toutes les minorités confessionnelles relèvent pour le pouvoir central d'une même alternative, ralliement ou discrimination. Mais la conjoncture internationale introduit une distinction décisive jusque dans leur condition. Ainsi, les juifs sont dépourvus de toute référence politique hors des frontières. Néanmoins, les communautés de Byzance, rabbanites ou karaïtes, prennent place dans un espace politique international, délimité par l'Italie méridionale, l'Égypte, la Palestine, l'Iraq, et la Rus', et déployé dans le célèbre *Itinéraire* de Benjamin de Tudela, qui, parti d'Espagne, passe à Constantinople en 1168[120]. La position des musulmans est en fait comparable. L'Anatolie est désormais entaillée profondément et largement par les dominations turques rivales des émirs Danishmend à l'est, et des sultanats de Konya au centre et à l'ouest. La ligne de front demeure malgré tout relativement stable au XIIe siècle.

---

114. Sur le personnage et son activité, cf. A. DONDAINE, « Hugues Ethérien et Léon Toscan », in *AHDL*, 19 (1952), p. 67-134.

115. A. DONDAINE, « Hugues Ethérien et le concile de Constantinople de 1166 », in *HJ*, 77 (1958), p. 473-483.

116. C. MANGO, « The conciliar edict of 1166 », in *DOP*, 17 (1963), p. 315-330.

117. *Regestes* n° 1077.

118. *Ibid.*, n° 1109 et 1111-1112, n° 1110 et 1115, respectivement.

119. G.C. SOULIS, « The Gypsies in the Byzantine Empire and the Balkans in the Late Middle Ages », in *DOP*, 15 (1961), p. 143-165.

120. Benjamin of Tudela, *The Itinerary of*, éd. trad. comm. M.N. ADLER, Londres, 1907, repr. Cf. la bibliographie citée ci-dessus p. 21-22.

Derrière elle, certes, des Turcs s'installent, mais surtout l'islamisation touche très vite les populations grecques locales qui, vues de Constantinople, relèvent toujours du patriarcat œcuménique[121]. En revanche, s'il y a une diaspora arménienne dans l'empire, il y a aussi un royaume arménien de Cilicie, vigoureusement ressuscité après la mort de Jean II Comnène, et fort de la présence du *katholikos*, chef de l'Église nationale; un État qui joue pleinement son jeu stratégique et diplomatique entre Constantinople, les États latins, et Rome[122]. Enfin, la question latine est encore tout autre, car la conjoncture internationale met là en jeu à la fois une autorité religieuse unique, le pape et une pluralité de garants politiques des fidèles de l'Église de Rome installés sur le territoire de l'Empire grec[123].

Juifs, Arméniens et musulmans continuent de se coudoyer entre eux, et avec les hérétiques, dans la tradition textuelle des formules d'abjuration et des encyclopédies dogmatiques. Une affaire portée devant l'autorité judiciaire d'Attalia par un juif converti en litige avec la communauté locale soulève la question d'une formule de serment propre aux juifs. La réponse impériale, en date de 1148, révèle l'existence d'une formule coutumière, que la partie juive avait refusée, et qui plaçait la force contraignante du serment dans l'outrage ritualisé que le juif s'infligeait à lui-même. La réponse impériale propose au contraire, d'après le *Livre du Préfet* (de la Ville), un texte adéquat et banal[124]. La conversion des musulmans fait l'objet d'une réponse synodale entre 1157 et 1169/70[125]. Des convertis consultèrent le synode, rapporte Balsamon, en exposant qu'ils avaient été baptisés enfants, selon l'usage, pour détruire leur mauvaise odeur native, et que certains d'entre eux, même de mère chrétienne, avaient reçu le baptême des mains de prêtres orthodoxes; le synode déclare ces baptêmes nuls. Et l'on croit bien discerner là des traditions de confins, en confirmation de ce qui a été dit plus haut. En 1180, Manuel lui-même entreprend de réformer la formule d'abjuration destinée aux musulmans, qui en choquait certains dans leur monothéisme. Il compose un nouveau texte, qui séduit d'abord le synode, mais non le patriarche, et qui lui vaut une semonce d'Eustathios de Thessalonique. Un texte de compromis est finalement trouvé, mais une fois de plus le synode a freiné l'ouverture, sans doute à la fois politique et culturelle, de l'empereur[126].

Les Arméniens de l'intérieur sont fermement maintenus dans leur statut d'hérétiques. Du reste, Eustathios de Thessalonique souligne que, lors du siège de la ville par les Normands, ils ont pris le parti de l'ennemi; le bruit courut, ajoute-t-il, qu'ils avaient

121. Sp. Vryonis, *The decline of medieval Hellenism in Asia Minor and the process of Islamization from the eleventh through the fifteenth century*, Berkeley U. Pr., 1971, p. 176 et suiv. Pour la fin de la période, A.G.C. Savvides, *Byzantium in the Near East : its relations with the Seljuk sultanate of Rum in Asia Minor, the Armenians of Cilicia and the Mongols A. D. c. 1192-1237*, Thessalonique, 1981.

122. H. F. Tournebize, *Histoire politique et religieuse de l'Arménie depuis les origines des Arméniens jusqu'à la mort de leur dernier roi (1393)*, *ROC*, ici 8 (1903), 9 (1904). J. Mecerian, *Histoire et institutions de l'Église arménienne*, Beyrouth, 1965, ch. 7.

123. Lilie, *Handel und Politik*, cit.; *Id., Byzanz und die Kreuzfahrerstaaten. Studien zur Politik des byzantinischen Reiches gegenüber den Staaten der Kreuzfahrer in Syrien und Palästina bis zum Vierten Kreuzzug (1096-1204)*, Munich, 1981.

124. Cf. E. Patlagean, « Contribution juridique à l'histoire des Juifs dans la Méditerranée médiévale : les formules grecques de serment », in *REJ*, 124 (1965), p. 137-156.

125. *Regestes*, n° 1088.

126. *Ibid.* n° 1153. J. Darrouzès, « Tomos inédit de 1180 contre Mahomet », in *REByz*, 30 (1972), p. 187-197.

empoisonné le pain[127]. Cette situation d'hostilité réciproque rappelle des faits du siècle précédent. D'un autre côté, Constantinople adresse au *katholikos* des propositions d'union, qui sont évidemment le fruit d'une conjoncture internationale qu'il serait hors de propos de retracer ici. En 1171, elles sont assorties d'une exigence de ralliement dogmatique et liturgique inconditionnel[128]. En 1177, en revanche, le patriarche se déclare convaincu de l'orthodoxie des Arméniens, moyennant signature d'une lettre dogmatique jointe[129]. Et en fin de compte, le lecteur le sait déjà, la négociation déterminante est celle de Constantinople avec Rome, assortie de tous les échanges qui l'entourent et la soutiennent.

BIBLIOGRAPHIE

R. Browning, « The patriarchal school at Constantinople in the twelfth century », in *Byzantion*, 32 (1962), p. 167-202; 33 (1963), p. 11-40.

F. Chalandon, *Les Comnène. Études sur l'Empire byzantin au XIe et au XIIe siècle*. II, 1-2. *Jean II Comnène (1118-1143) et Manuel Ier Comnène (1143-1180)*, Paris, 1912 (repr. 1971).

J. Darrouzès, éd., Georges et Dèmètrios Tornikês, *Lettres et Discours*, Paris, 1970.

A. Dondaine, « Hugues Ethérien et Léon Toscan », in *AHDL*, 19 (1952), p. 67-134.

A Kazhdan, in coll. with S. Franklin, *Studies on Byzantine literature of the eleventh and twelfth centuries*, Cambridge-Paris, 1984.

P. Lamma, *Comneni e Staufer. Ricerche sui rapporti fra Bisanzio e l'Occidente nel secolo XII*, 2 vols. Rome, 1955-57.

N. Oikonomides (éd.), *To Buzantio kata ton 120 aiôna. Kanoniko dikaio, Kratos kai koinônia*, Athènes, 1991.

N.G. Svoronos, « Les privilèges de l'Église à l'époque des Comnènes : un rescrit inédit de Manuel Ier Comnène », in *TMCB*, 1 (1966), p. 325-391.

P. P. Tekeyan, *Controverses théologiques en Arménie-Cilicie dans la seconde moitié du XIIe siècle (1165-1198)*, Rome, 1939.

---

127. Eustazio di Tessalonica, *Espugnazione di Tessalonica*, p. 124 et p. 126.
128. *Regestes*, n° 1123-1124.
129. *Ibid.*, n° 1132. P.P. Tekeyan, « Controverses christologiques et Arméno-Cilicie dans la seconde moitié du XIIe siècle, (1165-1198) » *OrChrA*, 124, Rome 1939, montre la complexité d'un tableau où les Arméniens ont affaire à l'Église syrienne, à l'Église grecque, et à Rome.

Chapitre VI

Les relations entre Constantinople et Rome aux XIᵉ et XIIᵉ siècles

par Evelyne Patlagean

I. CONSTANTINOPLE ET ROME, 1054-1122

1. Le point de départ

Le présent volume s'ouvre au lendemain de la rupture de 1054 entre Rome et Constantinople, qui laisse la robe du Christ déchirée, selon l'expression chère aux lettres patriarcales[1]. Il conduira le lecteur jusqu'à la veille du concile de Lyon II, en 1274, à l'occasion duquel un empereur grec, Michel VIII Paléologue, déclare un consentement à l'union qui soulève aussitôt dans l'opinion, et jusque dans l'entourage impérial, de profondes et graves résistances. Les points litigieux étaient antérieurs à 1054, et demeureront après 1274 : la procession du Saint-Esprit, autrement dit savoir s'il procède du Père seul, ou du Père et du Fils; l'usage latin des azymes pour l'Eucharistie; des divergences sur le rite baptismal, sur les jeûnes, sur la discipline des clercs lorsque la réforme grégorienne les exclut du mariage; et surtout, avant tout, la primauté de Pierre. L'inventaire reste au total remarquablement stable, et il a été très étudié. La réflexion sur les voies et les obstacles d'un retour des orthodoxes a inspiré en effet depuis des siècles la recherche catholique sur l'Église grecque, à laquelle nous devons, de près ou de loin, l'essentiel des répertoires et des éditions des sources. L'intérêt de l'érudition protestante procède, si l'on peut dire, en sens contraire de la même inspiration, et cela dès l'origine. Enfin, l'orthodoxie elle-même est représentée par le travail russe, qui prend sa forme érudite dans la seconde moitié du XIXᵉ siècle. Interrompu par la révolution d'Octobre, sporadiquement poursuivi depuis, il a fourni pour sa part une contribution, pensée de l'intérieur, sur un héritage grec qui avait d'ailleurs soulevé des questions chez les héritiers[2]. Pourtant, cette stabilité thématique ne doit pas induire en erreur. De 1054 à 1274 l'histoire a en réalité retouché les acteurs,

---

1. On se reportera au volume précédent. Rappelons ici à toutes fins utiles C. Will, *Acta et scripta quae de controversiis Ecclesiae Graecae et Latinae saeculo undecimo composita exstant*, Leipzig-Marburg, 1861; A. Michel, *Humbert und Kerullarios. 1. Studien. 2. Quellen und Studien zum Schisma des XI Jahrhunderts*, Paderborn, 1924-1930. W. Norden, *Das Papsttum und Byzanz. Die Trennung der beiden Mächte und das Problem ihrer Wiedervereinigung bis zum Untergang des byzantinischen Reichs (1453)*, Berlin, 1903, demeure un instrument de travail.
2. Cf. l'introduction historiographique de H.G. Beck, *Kirche und theologische Literatur im byzantinischen Reich*, Munich, 1959, p. 7-23 (« Entwicklung der theologischen Byzantinistik »).

et les enjeux. Les négociations reprises ou rompues entre l'Église pontificale romaine et l'Église impériale grecque ne sont pas dissociables de celles que les guerres et la diplomatie, le savoir et le commerce instauraient à tout moment entre un Empire grec convaincu de sa légitimité ininterrompue et sans fin, et un Occident porté en avant par l'élan irrésistible de ses guerriers, de ses marchands, et de ses clercs. En sorte que notre lecteur, au gré de son intérêt, pourra privilégier dans sa lecture la recherche d'unité aujourd'hui encore inaccomplie, ou bien l'émergence de plus en plus nette de deux chrétientés, l'une latine et l'autre gréco-slave, aux contours lisibles aujourd'hui encore.

Les décennies qui suivent 1054 créent des cas de figure qui se retrouveront dans toute la suite : les débats théologiques avec des envoyés romains, sous les auspices de l'empereur, et aussi du patriarche, la médiation des Grecs d'Italie méridionale, l'approfondissement de part et d'autre de l'Écriture et des Pères, d'Aristote, de la *donation de Constantin*, enfin la place occupée par les Grecs, chrétiens et schismatiques, dans les projets de croisade. L'événement avait été fait somme toute de la bulle d'excommunication romaine déposée sur l'autel de Sainte-Sophie, et de la riposte grecque, savoir l'anathème lancé contre la bulle en question et le pape rayé des diptyques liturgiques de la Grande Église. Il y avait derrière cela l'attitude pontificale du patriarche Michel Ier Kêroularios lui-même à Constantinople[3], les divergences doctrinales que l'on vient de rappeler, et le contentieux de l'Italie méridionale. À tout cela s'ajoute dès la fin du XIe siècle la nouveauté, absolue, décisive et grosse d'avenir de la croisade, qui s'ébranle explicitement contre l'Islam, et qui rencontre sur sa route et dans son projet même les Églises de l'Orient, et au premier chef le patriarcat œcuménique.

2. LES SOURCES

Pour les faits, qu'il s'agisse de la croisade ou des négociations entre Rome et Constantinople, nous disposons de sources grecques et latines, dont les silences ne coincident pas toujours[4]. D'autre part, une littérature polémique grecque se développe. Les textes fondamentaux de la crise de 1054 continuent d'être une inspiration, telle la lettre du patriarche Michel Kêroularios à Pierre d'Antioche[5]. À leur suite, la polémique « contre les Latins » devient un genre de la littérature ecclésiastique et ecclésiologique grecque, auquel la hiérarchie périphérique contribue alors de manière significative. On peut citer, pour cette première période, la *Lettre* de Jean métropolite de Kiev, adressée vers 1085 à l'antipape Clément III[6] ; le *Traité sur les azymes* (et d'autres questions) de Léon, métropolite de Perejaslav, de peu

---

3. Cf. ci-dessus p. 48.
4. Cf. *Regestes des actes du patriarcat de Constantinople*. Vol. 1. *Les actes des patriarches*. Fasc. III, *Regestes de 1043 à 1206*, par V. GRUMEL, Paris, 1947 ; 2e éd. rev. et corr. par J. DARROUZÈS, Paris, 1989. F. DÖLGER, *Regesten der Kaiserurkunden des oströmischen Reiches von 565 bis 1453*, t. 2, Munich, 1925. L'un et l'autre répertoire tiennent compte des sources latines.
5. *PG* 120, 781-796 (*Regestes* n° 866).
6. BECK, *Kirche und theologische Literatur*, cit., p. 610-611 ; et cf. n. suiv.

antérieur[7]; les écrits de Syméon, patriarche de Jérusalem au moment de la première croisade[8], le *Discours contre les Latins* de Theophylaktos, le maître des rhéteurs devenu archevêque d'Ohrid en 1088/89[9]. Au-delà de ces textes savants, un discours sur les Latins se fait jour, où des observations effectives glissent vers des stéréotypes de l'altérité, qui à leur tour les étoffent et leur donnent forme. Ainsi en va-t-il d'un pamphlet anonyme « Contre les Francs et les autres Latins », qui se place sous le nom de Photios, mais qui ne saurait être antérieur à la croisade, et à la réforme grégorienne[10]. L'auteur ajoute en effet au catalogue habituel des erreurs latines la participation des évêques aux campagnes militaires et l'obligation de célibat des prêtres, qui n'est d'ailleurs pas respectée, ainsi que des habitudes liturgiques qui le choquent, ou l'exposition de crucifix sculptés dans les églises; mais il impute aussi aux Latins la consommation de viandes abominables. Anne Comnène trace dans la même veine le portrait d'un prêtre latin qui participe à une bataille[11]. La *Vie* rustique de Lucas, évêque d'Isola Capo Rizzuto, mort en 1114, montre son héros – mais nous sommes en Calabre – disputant avec des Latins sur leur usage de communier avec des azymes, et de baptiser n'importe quel jour. Ses antagonistes l'enferment en fin de compte dans une cabane, où ils se proposent de le faire brûler[12]. Mais d'autres sources suggèrent que le rapport entre les deux chrétientés n'est pas toujours aussi conflictuel... L'Anonyme Mercati fait sans réticence aucune ses dévotions dans une capitale officiellement schismatique[13], tandis que les pèlerins grecs continuent de se rendre sur les tombes des apôtres Pierre et Paul, à Rome[14]. Les moines latins sont présents à l'Athos[15], les moines grecs exercent, par l'Italie du Sud, leur influence en Occident[16]. Enfin, on vient de le voir, Rome n'a pas en face d'elle la seule Église de Constantinople au sens restreint, mais avec cette dernière les autres patriarcats orientaux. Les Grecs de l'Italie méridionale se trouvent, de plus, au milieu. La question des rapports entre Rome et Constantinople doit donc être posée et traitée

---

7. Sur ce texte et le précédent cf. A. POPPE, « Le traité des azymes ΛΕΟΝΤΟΣ ΜΗΤΡΟΠΟΛΙΤΟΥ ΤΗΣ ΕΝ ΡΩΣΙΑΙ ΠΡΕΣΘΛΑΒΑΣ : quand, où et par qui a-t-il été écrit? », in *Byzantion*, 35 (1965), p. 504-527.

8. Cf. A. MICHEL, *Amalfi und Jerusalem im griechischen Kirchenstreit (1054-1090) : Kardinal Humbert, Laycus von Amalfi, Niketas Stethatos, Symeon II. von Jerusalem und Bruno von Segni über die Azymen*, Rome, 1939.

9. *PG* 126, 221-249.

10. *Opusculum contra Francos*, éd. J. HERGENRÖTHER, *Monumenta graeca ad Photium eiusque historiam pertinentia*, Regensburg, 1860, p. 62-71, cf. J. DARROUZÈS, « Le Mémoire de Constantin Stilbès contre les Latins », in *REByz*, 21 (1963), p. 50-100.

11. Anne Comnène, *Alexiade*, éd. B. LEIB, 3 vols, Paris, 1937-1945, X VIII 8.

12. *Vita di Luca vescovo di Isola Capo Rizzuto*, éd. trad. G. SCHIRÒ, Palerme, 1954, ch. 11.

13. Cf. en dernier lieu K.N. CIGGAAR, « Une description de Constantinople traduite par un pèlerin anglais », in *REByz*, 34 (1976), p. 211-267, qui propose la date de 1089-1096 sur la base d'une version plus ancienne que celle de S.G. MERCATI, « Santuari e reliquie Constantinopolitane secondo il cod. Ottob. lat. 169 prima della conquista latina (1204) », in *R.C. Pont. Acc. Rom. di Archeol.*, 12 (1936), p. 133-156.

14. Cf. V. von FALKENHAUSEN, « San Pietro nella religiosità bizantina », in *Bisanzio, Roma e l'Italia nell'alto Medioevo*, Spoleto, 1988, p. 644-645 (*SSAM*, 34).

15. A. PERTUSI, « Monasteri e monaci italiani all'Athos nell'alto medioevo », in *Le millénaire du Mont-Athos, 963-1963. Études et mélanges*, 1, Chevetogne, 1963, p. 217-251.

16. P. McNULTY, B. HAMILTON, « "Orientale lumen et magistra Latinitas" : Greek influences on Western monasticism (900-1100) », *ibid.*, p. 181-216.

largement. Cela dit, on insistera ici sur les deux aspects dès lors essentiels et indissolublement liés : les pourparlers pour l'union et la croisade[17].

3. BYZANCE, LA PAPAUTÉ, LA CROISADE

Carl Erdmann a montré le rapport entre la valorisation croissante de la guerre contre les païens et la genèse de l'idée de croisade[18]. Le problème, au sein même de cette dernière, sera d'emblée, et toujours par la suite, l'ambiguïté de l'objectif : Jérusalem et ses Lieux Saints, ou bien la chrétienté orientale, attaquée par les Turcs mais schismatique, et sa capitale, étape désormais indispensable sur les routes terrestres du pèlerinage de Palestine et de l'aventure d'Orient. Même ainsi délimitée, la question demeure complexe, puisqu'elle relève d'une conjoncture politique occidentale, dont les acteurs sont le pape, l'empereur allemand, et les Normands d'Italie, et dont nous ne verrons ici que les répercussions dans l'empire grec. Du côté de Byzance, il reste à dire sur l'attitude face à la première croisade, après les observations déjà anciennes de Paul Lemerle[19]. Il faudrait en effet souligner que les valeurs de la guerre sont alors très vives, et que la Terre sainte et le pèlerinage ne sont pas absents, même si les textes se trouvent essentiellement dans l'hagiographie[20]. En revanche, il se présente en effet bien des incompatibilités avec l'idée de croisade telle qu'elle germe en Occident : l'universalité implicite de l'empire et la conscience de sa continuité constantinienne, le caractère apostolique de l'empereur combattant les païens que sont Turcs et Petchénègues, son autorité sur l'Église, enfin l'identification traditionnelle de Constantinople comme Nouvelle Sion[21]. Mais si le champ textuel ne se borne pas aux pages ostensiblement dédaigneuses d'Anne Comnène, il n'en est pas moins vrai que, dans la seconde moitié du XIe siècle, Byzance utilise les ressorts de l'union des Églises et de la guerre contre les infidèles en fonction de ses urgences militaires − en partie tout au moins. Les appels grecs sont d'ailleurs attestés le plus souvent par les sources latines, ce qui se comprend, mais soulève une difficulté critique.

Benzon d'Albe rapporte ainsi une demande d'aide adressée par Constantin X Doukas au pape en 1063, et destinée, par son intermédiaire, à l'empereur Henri IV[22]. Michel VII Doukas fait miroiter l'union en 1073[23], et Grégoire VII conçoit dès lors un plan de secours de la chrétienté byzantine contre les Turcs, et de recherche de l'union. Ses relations avec les Doukas sont si bonnes qu'il excommunie Nicéphore III

---

17. Voir en général W. NORDEN, *Das Papsttum und Byzanz*, cit. ; W. HOLTZMANN, « Studien zur Orientpolitik des Reformpapsttums und zur Entstehung des ersten Kreuzzuges », *HV*, 22 (1924-25), p. 167-199.

18. C. ERDMANN, *The origin of the idea of Crusade*, Princeton, 1977, éd. angl. par M.W. BALDWIN et W. GOFFART de *Die Entstehung des Kreuzzugsgedankens*, Stuttgart, 1935, avec mise à jour bibliographique.

19. P. LEMERLE, « Byzance et la Croisade », in *X congresso internaz. scienze storiche*, Rome 1955, *Relazioni*, III, p. 595-620.

20. P. ex. Lazare du Mont-Galèsios, m. 1053 (*AA. SS.* Nov. III, 508-588), *passim*) : Marina de Scanion en Sicile, m. en 1062 (G. ROSSI TAIBBI, *Martirio di S. Lucia, Vita di S. Marina*, Palermo, 1959, p. 80-106).

21. *Infra*, p. 477, n. 27.

22. DÖLGER, *Regesten*, n° 952-953.

23. *Ibid.*, n° 988. Cf. G. HUFMANN, « Papst Gregor VII und der christliche Osten », in *SGSG*, 1 (1947), p. 169-181 (ici p. 170-173).

Botaneiatês en raison de son usurpation. La documentation grecque révèle tout de même des négociations importantes entre Alexis Ier Comnène et le pape Urbain II, en 1088-1089. Un groupe de trois documents[24] met en relief le rôle diplomatique de Basilios, métropolite grec de Reggio de Calabre, désigné en 1079, frustré d'emblée de son siège par les Normands maîtres de la ville, et vivotant depuis à Durazzo comme protégé d'Adrien Comnène[25]. Le dossier original a sans doute appartenu à ce personnage, qui, réclamant justice pour lui-même, se faisait du même coup l'avocat du droit du patriarche œcuménique en Italie du Sud. On apprend donc qu'en septembre 1089 le synode débat des propositions apportées par une ambassade romaine[26] : levée de l'excommunication de l'empereur grec, retour du nom du pape dans les diptyques liturgiques de la Grande Église, levée de l'interdiction des azymes pour la communion, faite aux Latins de l'empire par Alexis I[er27]. Le synode rejette ce dernier point, se déclare prêt à inscrire à nouveau le nom du pape moyennant sa profession de foi, et l'invite à un synode où l'on débattrait de l'union. Alexis Ier confirme directement cette invitation[28]. Les actes du synode, avec une lettre du patriarche, sont confiés à Basile de Reggio et Romain de Rossano. Mais Basile venait de voir sa propre cause rejetée par Urbain II au synode de Melfi[29]. Il dénonce le pape au patriarche comme un simoniaque appuyé sur les Normands, et ne semble pas lui avoir transmis les propositions synodales. En revanche, au printemps de la même année, il s'était tourné vers l'antipape Clément III, Guibert de Ravenne, auquel il avait dévoilé la négociation en cours. Et il est significatif de voir celui-ci entreprendre pour sa part une politique d'union, tant dans sa réponse à Basile que dans un échange épistolaire avec Jean II métropolite de Kiev[30]. Ce dernier, comme Syméon II patriarche de Jérusalem[31], est alors au nombre des compagnons du patriarche œcuménique dans ses relations avec Rome. Alexis Ier envoie encore une ambassade au pape en 1091 pour reprendre le projet[32]. Mais la crise militaire est surmontée pour cette fois par sa victoire sur les Petchénègues en 1091. Et surtout la prédication de la croisade proprement dite, en 1095, vient changer le cours des choses.

Le discours d'Urbain II oscille, de toute évidence, entre la défense d'une chrétienté grecque dont il attend le retour, et la reprise de Jérusalem ; et peut-être sa pensée ne voyait-elle là nulle alternative, mais au contraire une seule et même entreprise. Quoi qu'il en soit, il faut évoquer ici la prétendue lettre qu'Alexis Ier aurait adressée peu auparavant au comte de Flandre et à tout l'Occident pour demander du secours[33]. Ce texte latin est incontestablement un faux, un *excitatorium*, c'est-à-dire une sorte de

---

24. Cf. W. HOLTZMANN, « Die Unionsverhandlung zwischen Kaiser Alexios I. und Papst Urban II. im Jahre 1089 », in *ByZ*, 28 (1928), p. 38-67 ; ERDMANN, cit., p. 319-320.

25. Cf. D. STIERNON, « Basile de Reggio, le dernier métropolite grec de Calabre », in *RSCI*, 18 (1964), p. 189-226.

26. *Regestes*, n° 953.

27. Cf. DÖLGER, *Regesten*, n° 1146.

28. Même référence.

29. *Regestes*, n° 954.

30. BECK, *Kirche und theologische Literatur*, cit., p. 610.

31. Cf. ci-dessus n. 8.

32. DÖLGER, n° 1156.

33. Texte dans P.E. RIANT, *Exuviae sacrae Constantinopolitanae*, t. 2, Genève, 1878, p. 203-210, et séparément, Genève-Paris-Leipzig, 1879.

réclame. On peut le placer dans les toutes premières années du xiie siècle, et peut-être dans les intérêts de Bohémond d'Antioche; s'il a pris comme base un document authentique, nous ne savons plus rien de celui-ci, et un préambule ajouté en inverse en ce cas le sens[34]. Le rédacteur a eu le talent d'énoncer les motifs qui continueront d'inspirer les projets de croisade contre les infidèles turcs avec Constantinople pour objectif. La lettre dépeint les outrages, les tourments, et l'islamisation forcée que les envahisseurs infligent aux chrétiens de toute condition, et ne voit d'autre ressource que le secours armé des chrétiens latins, sous la forme d'une croisade générale. Il vaut mieux en effet, poursuit l'auteur, être sujet des Latins que jouet des païens, et Constantinople même s'en trouverait mieux, elle qui recèle tant de reliques, dont celles de la Passion. Et de souligner l'indignité d'Alexis Ier, présenté comme traître à ses engagements, et, d'autre part, les richesses de sa capitale.

On ne rappellera pas ici les rapports d'Alexis Ier avec les chefs militaires de la première croisade, et avec Pierre l'Ermite. La prise d'Antioche et d'Édesse par les Croisés (1098) donne naissance à deux États latins, qui ajoutent leur hiérarchie ecclésiastique à la mosaïque existante[35]. À Antioche, le patriarche Jean démissionne en 1100, bien qu'ayant été, semble-t-il, confirmé par les croisés avec autorité sur les deux clergés[36]. Bohémond promet en 1108 à l'empereur de lui laisser le choix du patriarche grec, promesse qui ne sera pas toujours respectée. Au surplus, le patriarcat monophysite se perpétue de son côté, et c'est évidemment lui qui représente véritablement la chrétienté locale. En Palestine, où la configuration religieuse est plus émiettée, la série des patriarches grecs n'est pas interrompue par la conquête latine de 1099, qui instaure pour sa part un patriarcat latin, avec son épiscopat. Mais les vieux et vénérables établissements grecs de Palestine et du Sinaï poursuivent néanmoins leur histoire.

L'enjeu de l'Italie méridionale

La situation est plus subtile dans l'Italie méridionale peu à peu gagnée par les Normands[37]. En 1059, Robert Guiscard prête au pape un serment renouvelé en 1080, qui garantit la soumission à Rome des églises des territoires sous domination normande. L'objectif du pape est en effet l'obédience romaine et sa propre *potestas consecrandi*, avec, à l'horizon, le retour au siège romain des patrimoines jadis confisqués par l'empire iconoclaste — et non point une latinisation dont ni lui-même ni les Normands n'ont alors besoin. Sur cette base, il n'y a pas de difficulté au maintien voire au choix d'un évêque grec, défini comme tel par son rite. La répartition des sièges dans la région entre Latins et Grecs n'obéit donc pas à un dessein d'ensemble, et l'on ne peut que citer ici quelques cas. Dès 1059, le pape démet Jean de Trani, qui

34. État de la question et hypothèse d'E. Joranson, « The problem of the spurious letter of the emperor Alexius to the count of Flanders », in *AHR*, 55 (1950), p. 811-832.
35. Cf. G. Fedalto, *La Chiesa latina in Oriente*, t. I, Vérone, 1973.
36. Cf. P. Gautier, « Jean V l'Oxite patriarche d'Antioche. Notice biographique », in *REByz*, 22 (1964), p. 128-137.
37. Cf. D. Girgensohn, « Dall'episcopato greco all'episcopato latino nell'Italia meridionale », in *La Chiesa greca in Italia dall'VIII al XVI secolo*, t. I, Padoue, 1972, p. 25-43.

avait pris une part active à la controverse sur les azymes. En 1071, d'autre part, les Normands qui entrent à Palerme voient venir un homme qui se présente comme « l'archevêque » du lieu : il est maintenu et agréé par le pape. Reggio devient d'emblée un siège latin. Santa Severina conserve des titulaires grecs, encore au synode romain de 1112, mais l'adhésion à l'obédience romaine a été acquise dès le synode de 1089. À Rossano, lorsque meurt l'archevêque Romanos cité plus haut, vers 1093, le duc fait élire un Latin, puis recule devant la réaction de la majorité grecque, et accorde l'élection de Nicolas Maleïnos, que son nom apparenterait à une famille de tout premier plan du Xe siècle. À Squillace en revanche, un archevêque grec est attesté au moins jusqu'en 1094, mais un document de 1096 atteste un archevêque latin, dont le choix est justifié par la « décadence » du siège et par l'importance de l'élément normand.

Initiatives d'Alexis Ier Comnène

L'intérêt d'Alexis pour l'union et la papauté ne se dément pas. Il entretient des relations avec les puissants abbés du Mont-Cassin, témoins ses envois de 1097, 1098 et 1112[38]. Au début de 1112, il écrit aux Romains sur l'emprisonnement du pape Pascal II par l'empereur Henri V[39], et en juin il adresse des propositions en vue de l'union au pape, à Troia[40]. En retour de quoi une ambassade romaine se rend à Constantinople. Pierre Grossolano, archevêque de Milan, qui s'y trouve alors, débat devant l'empereur, du Saint-Esprit notamment[41], avec un groupe de sept théologiens grecs[42] : Nikêtas Seidès (ou Seidos), rhéteur dans la capitale; Eustratios de Nicée, auxiliaire de la théologie impériale dans l'affaire de la réquisition des trésors d'Église, aristotélicien; Euthymios Zigabênos, l'hérésiologue officiel; Joannis Phurnes, « premier » du couvent du mont Ganos, son collaborateur; Nicolas Mouzalon, le futur patriarche, attesté en 1110 comme abbé du Kosmidion, dans la capitale; et les philosophes Theodoros Prodromos et Theodoros Smyrnaios. La scène se reproduira souvent dans l'avenir. Toutefois l'explication exclusivement politique serait aussi réductrice que l'intérêt exclusivement théologique trop souvent porté à l'histoire des relations au sommet entre Rome et Constantinople. De part et d'autre, l'enjeu profond, idéal, est sans nul doute la restauration de l'unité constantinienne. Mais ici et là on entend celle-ci différemment.

---

38. DÖLGER, *Regesten*, n° 1207, 1208, 1262, 1264.
39. *Ibid.* n° 1261.
40. *Ibid.* n° 1263.
41. Cf. V. GRUMEL, « Autour du voyage de Pierre Grossolanus archevêque de Milan à Constantinople en 1112 », in *EOr*, 32 (1933), p. 22-33.
42. Sur ces personnages, BECK, *Kirche und theologische Literatur*, cit., p. 616-619.

II. CONSTANTINOPLE ET ROME, 1123-1204

1. Le contexte international

Les années 1123-1204 intègrent Byzance dans un mouvement politique, diplomatique et culturel international, qui se distingue par son ampleur, et par un nouvel essor de l'idée impériale de part et d'autre, dont la croisade contre les Turcs est l'une des expressions occidentales. La papauté a partie liée, par définition, avec les États latins d'Orient, et, en leur principe du moins, avec les expéditions de croisade. L'empereur grec se juge de son côté le souverain légitime, ou du moins éminent, de ces territoires jadis arrachés par les infidèles. L'installation et le maintien d'une hiérarchie latine ou la restauration d'une hiérarchie grecque accompagnent tout mouvement militaire. L'Italie méridionale normande, à la frange des deux mondes, demeure virtuellement un enjeu[43]. La typologie des sources grecques ne change pas : l'historiographie officielle, avec Choniatès et Kinnamos[44]; divers opuscules polémiques, et le travail du canoniste Balsamon[45]; les documents patriarcaux[46] et impériaux[47], conservés ou attestés indirectement. L'histoire accroît alors la part des sources latines, historiographie de la croisade, textes polémiques, lettres officielles adressées à Constantinople. Comme à l'époque précédente, il arrive d'ailleurs que les silences des sources latines et grecques ne se recoupent pas, et prennent ainsi un sens; et aussi, malheureusement, que le contenu même de négociations attestées par des lettres d'envoi n'ait pas laissé de trace écrite.

Au niveau, couramment étudié, des relations internationales du temps, l'union des Églises s'avère un ingrédient indispensable de la conjoncture où Byzance se trouve placée entre l'avancée turque, les élans occidentaux, et les tractations danubiennes, et surtout hongroises. Ainsi résumerait-on en effet du point de vue grec la conjonction latine que constituent le motif de la croisade et la protection des Latins établis en Orient, les intérêts des républiques marchandes, dont Venise au premier chef, et les entreprises normandes, enfin le face-à-face entre la papauté et l'empire allemand. Les longs règnes de Manuel Ier Comnène (1143-1180), Frédéric Barberousse (1152-1190), et de surcroît Roger II roi de Sicile (1130-1154) les confirment tous trois dans les premiers rôles politiques qu'ils se sont attribués. Mais l'on ne saurait s'arrêter à cette

---

43. Voir en général, parmi beaucoup de titres, *Cambridge Medieval History* t. IV. *The Byzantine Empire²*, J.M. Hussey, éd., Pt. l, *Byzantium and its neighbours*, Cambridge 1966; P. Lamma, *Comneni e Staufer. Ricerche sui rapporti fra Bisanzio e l'Occidente nel secolo XII*, 2 vols. Rome 1955-57; R.J. Lilie, *Byzanz und die Kreuzfahrerstaaten. Studien zur Politik des byzantinischen Reiches gegenüber den Staaten der Kreuzfahrer in Syrien und Palästina bis zum Vierten Kreuzzug (1096-1204)*, Munich 1981. On utilisera encore W. Norden, *Das Papsttum und Byzanz*, cit., et F. Chalandon, *Les Comnène. Études sur l'Empire byzantin au XIᵉ et au XIIᵉ siècles*, II. *Jean II Comnène (1118-1143) et Manuel Iᵉʳ Comnène (1143-1180)*, cit.

44. Nicetas Choniates, *Historia*, éd. J.A. Van Dieten, Berlin, 1975; Jean Kinnamos, *Epitome rerum ab Joanne et Alexio Comnenis gestarum*, éd. A. Meineke, Bonn, 1836.

45. Cf. ci-dessus p. 333.

46. *Regestes des actes du patriarcat de Constantinople (Les)*, I. *Les actes des patriarches*, fasc. III *(1043-1206)*, cit. On consultera l'éd. revue et corrigée par J. Darrouzès, fasc. II et III, cit.

47. F. Dölger, *Regesten der Kaiserurkunden*, t. 2 (1025-1204), cit.

lecture immédiate. Introduit par le concours ambigu de la première croisade, et clos par le détournement de la quatrième et la prise de Constantinople en 1204, le XIIe siècle grec est en effet, plus profondément, celui d'un travail idéologique et culturel que l'on pourrait définir d'un mot comme la prise en compte de l'Occident contemporain. Alors urgente et inéluctable, celle-ci dessine déjà les positions antagonistes que l'on retrouve après la restauration de 1261, et jusqu'à la fin politique de l'empire d'Orient. Et elle va de pair, il faut le souligner, avec un grand dessein de restauration du pouvoir impérial universel de la Nouvelle Rome. Dans les faits, ce dernier passe par des concessions aux marchands italiens, et s'accompagne de la montée d'une hostilité collective qui éclate dans les massacres de 1182 à Constantinople. De cette vaste trame que l'on supposera connue l'on ne tirera ici que les fils inséparables de l'union des Églises, de l'idée impériale, et de la croisade.

2. L'EMPEREUR GREC, LA CROISADE, ET L'OCCIDENT

On a pu voir que l'idée de croisade n'avait guère trouvé de place dans la politique d'Alexis Ier Comnène, même s'il en a peut-être tiré argument pour appeler à l'aide contre les Turcs. Une telle absence ne se vérifie plus en ce XIIe siècle où, en Occident même, cette idée prend une autre ampleur et une autre consistance, et se définit, en tout état de cause, comme une mission de défense de la chrétienté, au singulier, contre un Islam dont les Turcs sont alors le fer de lance. Du reste, la primauté historique de Jérusalem a été mise en avant pour la première fois par Nikêtas Seidès dans le débat de 1112 avec Pierre Grossolano, en réplique à la revendication romaine, et elle demeure parmi les arguments de la polémique byzantine du XIIe siècle[48]. Jean II Comnène a une position sur la défense de la chrétienté, attestée par Nikêtas Choniatès[49], et reflétée dans la lettre que Pierre le Vénérable lui adresse au sujet du monastère de Civitot qu'Alexis Ier avait donné à La Charité-sur-Loire[50]. En 1138 toutefois, le pape engage les mercenaires latins en service dans l'armée grecque à ne pas suivre l'empereur si celui-ci attaque Antioche[51].

Les débuts du règne de Manuel Ier Comnène sont contemporains des préparatifs de la deuxième croisade, dont le trajet nécessitait le passage en pays hongrois, puis byzantin[52]. Manuel a donc été sollicité par Louis VII roi de France, et par le pape, comme l'attestent ses lettres au pape[53]. Bernard de Clairvaux lui écrit également[54]. Louis VII arrive à Constantinople en 1147. Les Français fêtent la Saint-Denis de

---

48. Cf. J. DARROUZÈS, éd., Georges et Dèmètrios Tornikès, *Lettres et Discours*, Paris, 1970, p. 348 n.

49. Choniates, *Historia*, cit., p. 42/ 26-31.

50. G. CONSTABLE, éd., *The Letters of Peter the Venerable*, 2 vol., Cambridge (Mass.), 1967, n° 75, t. I, p. 208-209, cf. t. II, p. 292 ; la lettre 76 (t. I, p. 209-210) est adressée parallèlement au patriarche. Le lieu de ce monastère reste inconnu.

51. Cité par CHALANDON, *Les Comnène. II.*, cit., p. 164, n. 1.

52. Cf. J. ROWE, « The papacy and the Greeks (1122-1153) », in *ChH*, 28 (1959), p. 115-130, 310-327.

53. V. GRUMEL, « Au seuil de la IIe croisade. Deux lettres de Manuel Comnène au pape », in *EtByz*, 3 (1945), p. 143-167 : la première (DÖLGER, *Regesten* n° 1348), conservée dans l'original grec et la traduction latine, est à dater d'août 1146 ; la seconde (DÖLGER, *ibid.* n° 1533, texte latin seul) de mars 1147.

54. Bernard de Clairvaux, Lettre n° 468 (1146 ou 1147), *PL* 182, 612.

concert avec les Grecs, qui célèbrent un office selon leur propre rite, au témoignage d'Eudes de Deuil[55]. La convergence liturgique est significative si l'on se rappelle l'identification au martyr parisien du mystérieux Denys l'Aréopagite[56], et l'importance primordiale, et donc peut-être concurrente, de son œuvre à Saint-Denis[57] et Cluny[58], d'une part, à Constantinople, de l'autre[59]. On ne retracera pas ici le développement du grand dessein de restauration justinienne de Manuel Ier, qui se marque vers le milieu du siècle, et qui est notoire. Soulignons toutefois qu'un tel dessein est la forme que pouvait assigner logiquement un empereur grec à une intégration de son empire dans le siècle. Si celle-ci ne pouvait être conçue à Constantinople autrement que triomphale, le projet n'en passait pas moins, dans la réalité, par l'ouverture à la modernité internationale, qui venait alors d'Occident. Ainsi s'expliqueront l'entourage italien de Manuel, et notamment les services du Pisan Hugues Ethérien, ainsi que son attente d'une couronne universelle conférée par le pape. Il ne faut pas pour autant se tromper sur le sens de la démarche de Manuel en direction de Rome : il suffira de considérer plus loin avec quelle netteté la revendication constantinienne est avancée contre le pape ou l'empereur allemand par des auteurs aussi officiels que l'historiographe Jean Kinnamos ou le canoniste Theodoros Balsamon.

Le triangle idéologique et politique constitué par les deux empires et la papauté est parcouru de démarches relatives à l'union des Églises, à la croisade, et, en fait, aux États latins établis en Orient. Nous n'en suivrons pas le détail. On lira par exemple la lettre adressée par Manuel au pape en 1147[60] : il est certain qu'elle présente pour sa part une perspective de reconquête sur les Turcs au profit de Byzance. Si le grand dessein de Manuel se solde par un échec, l'idée de croisade n'est pas pour autant oubliée par ses successeurs dans leurs rapports avec Rome. En 1193, Dêmêtrios Tornikês rédige une lettre impériale au pape au nom d'Isaac II Angelos[61]. Le souverain commence par affirmer que le différend entre les Églises n'est pas insoluble, et qu'il espère l'union. Il insiste ensuite sur la douleur incessante qu'il éprouve à savoir Jérusalem, prise par Saladin en 1187, aux mains d'« impies infidèles », auxquels le concours de « peuples latins innombrables » n'est pas parvenu à la reprendre, un échec qui est la punition divine des dissensions des croisés. L'élection d'Innocent III en 1198 est l'occasion d'un échange épistolaire avec l'empereur grec et son patriarche[62]. Vers

---

55. Eudes de Deuil, *La croisade de Louis VII, roi de France*, éd. H. WAQUET, Paris 1949, p. 46.

56. R.J. LOENERTZ, « La légende parisienne de S. Denys l'Aréopagite. Sa genèse et son premier témoin », in *AnBoll*, 69 (1951), p. 217-237 : l'amalgame remonte au premier tiers du IXe siècle.

57. D. NEBBIAI-DELLA GUARDA, *La bibliothèque de l'abbaye de Saint-Denis en France du IXe au XVIIIe siècle*, Paris 1985, montre un intérêt renouvelé pour le Pseudo-Denys (p. 30-32) : Jean Sarrasin part en quête de nouveaux manuscrits en Orient, et traduit pour Eudes de Deuil devenu abbé (p. 30-32). L'abbaye avait une tradition liturgique grecque ; une messe grecque du jour octave du saint est introduite dans la seconde moitié du XIIe siècle (p. 34). Sur l'orientation dionysienne de Suger lui-même, cf. E. PANOFSKY, *Architecture gothique et pensée scolastique*. Trad. et postface de P. Bourdieu, Paris, 1967.

58. G. DUBY, *Les trois ordres ou l'imaginaire du féodalisme*, Paris, 1978, p. 247 et suiv.

59. L'étude semble à faire à partir du XIIe siècle ; indications sur les IXe-XIe siècles dans E. PATLAGEAN, « Les Stoudites, l'empereur et Rome : figure byzantine d'un monachisme réformateur », in *Bisanzio, Roma e l'Italia nell'alto Medioevo*, SSAM, XXXIV, Spolète 1988, p. 429-460.

60. Cit. ci-dessus n. 53.

61. Ed. J. DARROUZÈS, Georges et Dèmètrios Tornikès, *Lettres et Discours*, cit., p. 336-345.

62. A.M. MAFFRY TALBOT, A. PAPADAKIS, « John X Camaterus confronts Innocent III : an unpublished correspondence », in *BySl*, 23 (1972), p. 26-41.

1202 encore, Alexis III Ange écrit au pape à propos de la croisade prévue[63]. Mais, même en cette période crépusculaire, la pensée impériale grecque demeure fidèle à elle-même. Un discours préparé par l'orateur officiel Nikêphoros Chrysobergês pour la traditionnelle adresse de l'Épiphanie, en 1204, et sans doute jamais prononcé, en apporte la preuve : Chrysobergês plaçait au centre de la conjoncture l'empereur, en l'occurrence le pâle Alexis IV ; grâce à lui la navigation des croisés avait été sereine, ils ne pouvaient que s'enrôler à son service, et lui, nouveau Salomon, allait réconcilier les deux mères, la vieille et la jeune, Rome et Constantinople[64].

3. Les rencontres pour l'union des Églises

Qu'en est-il en effet de l'union elle-même ? On ne fera pas ici l'inventaire des échanges épistolaires qui ont eu lieu au cours du siècle, à l'initiative soit du pape, soit de l'empereur grec, plus rarement du patriarche : ils sont tributaires d'une histoire politique générale qui dépasse notre propos, auquel importent en revanche les rencontres, les intermédiaires, et les idées[65]. Nous commençons avec Anselme, évêque de Havelberg en Brandebourg, né vers 1100[66]. Il se rend à Constantinople lorsque Lothaire III et Jean II Comnène opèrent un rapprochement contre Roger II, roi de Sicile. Il trouve là l'occasion de connaître la patristique grecque. Un débat est organisé les 10 et 15 avril 1136, à l'initiative de l'empereur et du patriarche, qui veulent que l'on puisse juger publiquement de l'envoyé, et de la doctrine latine sur le Saint-Esprit. Mais on discute aussi de la primauté romaine. Trois Italiens qui savent le grec assistent aux séances. Ce sont alors trois premiers rôles dans le passage en Occident de la culture grecque[67] : Moïse de Bergame est l'un des interprètes employés par le palais[68], tandis qu'Anselme est accompagné de Jacques de Venise, traducteur d'Aristote[69], et du juriste Burgundio de Pise, traducteur des passages grecs du *Digeste*, d'homélies de Chrysostome, et, à la demande du pape Eugène III, de la troisième partie de la *Pêgê Gnôseôs* de Jean Damascène[70]. En 1137, à en croire Pierre Diacre, une ambassade grecque auprès de Lothaire II répondit à celle de l'année précédente. Lui-même se met en scène débattant « de l'Église romaine » avec un interlocuteur grec anonyme[71].

---

63. Dölger, *Regesten* n° 1662 : *PL* 214, 1123 B-C.

64. Ch. Brand, « A Byzantine plan for the Fourth Crusade », in *Speculum*, 43 (1968), p. 465-472.

65. Deux études nous guideront ici : un premier inventaire par J. Darrouzès, « Les documents byzantins du XIIᵉ siècle sur la primauté romaine », in *REByz*, 23 (1965), p. 42-88 ; et le très beau livre de J. Spiteris, ofm, *La critica bizantina del primato romano nel secolo XII*, Rome, 1979.

66. Mise au point et bibliographie de G. Salet, éd., Anselme de Havelberg, *Dialogues, livre I* (seul paru), coll. Sources Chrétiennes, 118, Paris, 1966, p. 7-24. Texte complet dans *PL* 118, 1139-1248. N. Russell, « Anselm of Havelberg and the Union of the Churches », in *Sobornost*, 1 (1979), p. 19-41 ; 2 (1980), p. 29-41 est une analyse de l'œuvre.

67. Voir en général M. Th. d'Alverny, « Translations and translators », in R.L. Benson, G. Constable éd., *Renaissance and renewal in the twelfth century*, Oxford, 1982, p. 421-462.

68. Cf. G. Cremaschi, *Mosè del Brolo e la cultura a Bergamo nei secoli XI-XII*, Bergame, 1945.

69. Cf. L. Minio Paluello, « Iacobus Veneticus Graecus canonist and translator of Aristotle », in *Traditio*, 8 (1952), p. 265-304 ; du même, « Giacomo Veneto e l'aristotelismo latino », in A. Pertusi, éd., *Venezia e l'Oriente fra tardo Medioevo e Rinascimento*, Florence, 1966, p. 53-74.

70. Cf. « Burgundio (ne) da Pisa », in *DBI*, 15, Rome, 1972, 423-428 ; P. Classen, *Burgundio von Pisa. Richter, Gesandter, Übersetzer*, Heidelberg, 1974.

71. Sur ce texte, Spiteris, *Critica bizantina*, cit., p. 112.

Anselme rédige ses *Dialogues* probablement en 1149, à la demande et à l'intention du même pape, qui se serait entretenu peu auparavant avec un évêque grec. Vers 1154-55, une conférence officieuse le réunit à Thessalonique avec le métropolite, Basile d'Ohrida[72]. En 1155, le pape cherche l'appui de l'un et l'autre empereur contre Guillaume Ier roi de Sicile. Son échange de lettres avec ce même Basile, auquel il recommande deux notaires envoyés de Rome à l'empereur, atteste que des tractations pour l'union étaient en cours[73].

Un autre intermédiaire des rapports théologiques entre Grecs et Latins est le Pisan Hugues Ethérien, qui travaille avec son frère Léon[74], et dont il a été question à propos du concile de 1166[75], où Manuel s'est appuyé sur son *Libellus de Filii minoritate ad Patrem Deum*[76]. Ugo Eteriano rédige encore, à Constantinople, un *De sancto et immortali Deo*[77], où il réfute les accusations d'hérésie portées par les Grecs contre les Latins dans la question du Saint-Esprit. Il fonde sa démonstration sur des extraits des Pères grecs inconnus jusque-là en Occident, et traduits par son frère Léon et lui-même[78]. Enfin, Manuel Ier Comnène lui-même a ici sa place. Les composantes de son attitude envers l'Occident n'ont pas encore été assez analysées. Il est évidemment réducteur de n'y voir que stratégie politique, fût-ce au service d'un grand dessein impérial. Mais nous y reviendrons plus loin. Rappelons seulement ici que le concile de 1166 s'est inscrit dans la perspective que Manuel ouvrait vers l'ouest. Dans son *Arsenal sacré* contre les Latins et les Arméniens, composé sur ordre de l'empereur entre 1166 et 1170, Andronikos Kamatêros place un dialogue de Manuel avec des cardinaux[79]. L'empereur et le patriarche Michel d'Anchialos se seraient en revanche opposés sur la politique d'union, devant le synode, en 1171 ou 1176[80]. Le texte conservé a été écrit en réalité à la veille du concile de Lyon II, comme une riposte aux intentions unionistes affichées par Michel VIII; il n'en a peut-être pas moins un fond d'authenticité[81].

4. ŒUVRES ET THÈMES DE LA POLÉMIQUE GRECQUE

Si nous passons des rencontres aux idées et à la polémique écrite, et si nous laissons de côté, comme il convient ici, les interférence quotidiennes dans la discipline des sacrements et des clercs en Italie méridionale, les désaccords essentiels portent toujours sur l'usage latin des azymes pour la communion, sur la question de savoir de

---

72. Ed. J. Schmidt, *Des Basilius von Achrida, Erzbischofs von Thessalonich bisher unedierte Dialoge*, Munich, 1901. Sur la date et les circonstances de ce voyage d'Anselme, Darrouzès, « Documents », cit., p. 65-67.

73. *PG* 119, 928-933.

74. A. Dondaine, « Hugues Ethérien et Léon Toscan », in *AHDL*, 19 (1952), p. 67-134.

75. Ci-dessus p. 345.

76. Sur cette œuvre non retrouvée, cf. Dondaine, « Hugues Ethérien... », cit., p. 123-124.

77. *PL* 202, 227-396.

78. Cf. R. Lechat, « La patristique grecque chez un théologien latin du XIIe siècle, Hugues Ethérien », in *Mélanges d'histoire... Ch. Moeller*, Louvain-Paris, 1914, t. 1, p. 484-507.

79. Texte inédit, fondé sur un compte rendu authentique selon Darrouzès, « Documents », cit. p. 72-78, cf. Spiteris, *Critica bizantina*, cit., p. 186-190.

80. *Regestes*, n° 121*-122.

81. Cf. V. Laurent, J. Darrouzès, *Dossier grec de l'Union de Lyon (1273-1277)*, Paris 1976, p. 45-52 (texte p. 346-375).

qui procède le Saint-Esprit dans la Trinité, sur la primauté romaine enfin. Mais tous trois ne revêtent pas le même sens, pas plus qu'ils n'occupent la même place dans la configuration politique, culturelle et sociale des rapports entre les deux chrétientés. Pourtant, ils ont en commun de provoquer de part et d'autre le recours à la tradition exégétique et patristique commune, et d'alimenter du même coup un débat sur la fidélité à cette tradition. Le dossier diplomatique et savant n'épuise pas, d'ailleurs, une conscience de soi des chrétiens grecs face à l'Église de Rome, affirmée au contraire au cours du siècle comme l'ébauche d'une identité en formation. Jannis Spiteris a parfaitement montré que le différend sur la primauté romaine éclipse au XIIe siècle tous les autres, ce qui n'est pas encore le cas au XIe; et que ce développement, certes lié à la conjoncture politique et diplomatique, n'en est pas moins profondément structurel. En effet, explique-t-il, la papauté issue de la réforme grégorienne trouve en face d'elle une Église grecque ancrée dans sa tradition collégiale des cinq patriarcats, ou pentarchie, et attachée, d'autre part, au modèle impérial constantinien. Face à Rome, et derrière elle à l'empire d'Occident, il est clair, d'ailleurs, que ces deux idées ne vont pas l'une sans l'autre. Mais allons plus loin. Il est vrai que nulle revendication monastique ou patriarcale ne vient alors mettre en question la figure constantinienne du souverain grec. Pourtant, celui-ci est en porte à faux. Quand Manuel Ier écrit au pape Alexandre III qu'il souhaite l'union, et qu'il lui demande restitution de la couronne impériale romaine[82], sa démarche est conforme au modèle. Seulement, dans le contexte contemporain, elle implique en fait des concessions inacceptables pour l'Église grecque, et même incompatibles, à terme, avec la position réservée à l'empereur en tête de cette dernière. Autrement dit, l'empire universel et sans fin de la Nouvelle Rome était à l'évidence symétrique de la primauté non moins universelle de l'Église romaine : cette symétrie même condamnait les deux parties au quiproquo, manifesté, on va le voir, par leurs lectures antagonistes de la *donation de Constantin*.

L'ecclésiologie et l'idée impériale

La question ecclésiologique et la question impériale sont donc indissociables. Sur la première, on peut choisir de citer la lettre au pape Adrien IV composée par Georges Tornikès au nom de l'empereur en 1156[83]. Il y développe l'idée que l'Église est une dans sa diversité, car elle a un seul grand prêtre, qui est le Christ et non point Pierre ou Paul; et Tornikès enchaîne de la sorte avec l'identification, si importante dans la perspective byzantine, entre Constantinople et Sion. À la veille de 1204, on retrouve le même contenu dans la correspondance du patriarche Jean X Kamatêros avec le pape Innocent III[84]. Le second insiste sur la primauté romaine, le premier sur la collégialité, et sur la préséance historique de Jérusalem. La question impériale est présentée alors sous la forme d'une lecture grecque polémique de la *donation de Constantin*[85]. Déjà

---

82. *LP*, éd. L. DUCHESNE, Rome, 1957², t. 2, p. 415/6-11.
83. DARROUZÈS, Georges et Dèmètrios Tornikès, cit., p. 324-335, cf. *ibid.* p. 17.
84. Éd. MAFFRY TALBOT, cit. ci-dessus n. 62.
85. Sur les textes, cf. E. PETRUCCI, « I rapporti tra le relazioni latine e greche del Costituto di Costantino », in *BISI*, 74 (1962), p. 45-160, étude antérieure à l'éd. critique de H. FUHRMANN, *Constitutum Constantini, MGH*, Hanovre 1968. Sur le débat du XIIe siècle, SPITERIS, *Critica bizantina*, cit., *passim*.

Nikêtas de Nicomédie, face à Anselme de Havelberg, impute à la papauté la fracture de l'empire, à cause du couronnement de Charlemagne. Kinnamos, historiographe officiel de Manuel Ier, renverse le sens de la *donation* : elle prouve selon lui que la dignité du pape lui vient du trône impérial constantinien, donc de Constantinople, et il est par conséquent dans son tort en créant un empereur barbare. Enfin, Balsamon, mort après 1195 et protégé d'Isaac II Angelos, porte ce renversement à sa perfection, sur la base d'une traduction grecque qui n'est pas exactement conforme au texte de 1054, et qu'il insère dans son commentaire au *Nomokanon* (concordance des deux droits) traditionnellement attribué à Photios. Pour lui, le transfert vers la Nouvelle Rome opéré par Constantin fait du patriarche de Constantinople le véritable héritier de la *donation*, dont le pape au contraire est déchu, sans compter sa situation d'hérétique. Une telle interprétation annule en outre la préséance de la fondation apostolique, au profit exclusif de l'origine constantinienne. Balsamon souligne du reste, sur la base de divers canons classiques, l'égalité absolue des cinq patriarches, tous oints et vicaires du Christ, et, d'autre part, l'analogie entre les onctions épiscopale et impériale. J. Spiteris observe à ce propos que Balsamon fait basculer ainsi vers l'empereur, et selon lui pour la première fois, ce que la réforme grégorienne avait ajouté au pape. Trop rapide pour ne pas susciter aussitôt plusieurs objections, la remarque est pourtant suggestive.

Développement des stéréotypes anti-latins

Pour être moins savant, un autre courant de pensée n'en est pas moins important. Il anime des textes qui cristallisent durablement la conscience grecque de la différence, et dans lesquels on retrouve le reflet des questions théoriques, les observations inspirées par les Latins présents dans l'empire, les stéréotypes en train de se fixer. Jean Darrouzès a présenté une typologie de cette littérature, qui prend son essor au XIIe siècle, non sans être d'emblée traditionnelle[86]. Il y distingue les opuscules consacrés à une question seule, la primauté du pape par exemple, les opuscules à caractère historique, qui font à propos des origines du schisme l'apologie de l'Église grecque, enfin les catalogues de griefs à l'encontre des Latins. On reconnaît à ce dernier type trois modèles, la lettre de Photios aux patriarches orientaux, celle de Michel Kêroularios à Pierre d'Antioche, enfin le Pseudo-Photios « Contre les Francs », un répertoire haut en couleur dans lequel les auteurs puisent à partir de 1112 environ[87]. Quelques lignes du préambule en définiront l'objet : « Tous ceux qui sont avec le pape, écrit l'anonyme, se trouvent depuis des années hors de l'Église universelle (*katholikê*), étrangers à la tradition des Évangiles, des Apôtres et des Pères en raison de leurs usages illicites et barbares. » Ainsi cheminent alors de concert savants et demi-savants grecs dans l'investigation de l'altérité latine.

---

86. J. DARROUZÈS, « Le Mémoire de Constantin Stilbès contre les Latins », in *REByz*, 21 (1963), p. 50-100.

87. *Opusculum contra Francos*, éd. J. HERGENRÖTHER, *Monumenta graeca ad Photium eiusque historiam pertinentia*, Ratisbonne, 1869, p. 62-71.

BIBLIOGRAPHIE

J. DARROUZÈS, « Les documents byzantins du XIIᵉ siècle sur la primauté romaine », in *REByz*, 23 (1965), p. 42-88.

L. MINIO-PALUELLO, *Opuscula. The Latin Aristotle*, Amsterdam, 1972.

J. SPITERIS, o.f.m., *La critica bizantina del primato romano nel secolo XII*, Rome, 1979.

TROISIÈME PARTIE

La foi vécue (XIe-XIIe s.)

Chapitre Premier

Les religieux entre l'action et la contemplation
par Michel Parisse

Les soixante-dix années qui séparent le pontificat de Léon IX de la fin de la Querelle des investitures et que caractérise un grand remuement de la hiérarchie séculière sont aussi marquées, comme on l'a vu, par un renouvellement profond de la vie religieuse dans les cloîtres et hors des cloîtres. Se démarquant lentement des clercs séculiers, les chanoines réguliers se sont rapprochés du groupe monastique et ont créé un monde de nouveaux religieux. Partout des ermites, des reclus et des recluses ajoutaient leur ardeur individuelle aux initiatives d'autre sorte[1]. Chaque ordre masculin était invité à s'ouvrir aux vocations féminines, qui, accueillies par les uns, rejetées par les autres, constituées en communautés ou vivant leur piété dans leurs maisons, enrichirent encore de rejets multiples le buisson de plus en plus touffu de ce que la terminologie courante appelle sans nuance le monde monastique.

Les chanoines réguliers n'étaient pas des moines, et pourtant on admet qu'ils habitaient dans des monastères, comme on peut le lire dans les annales ou les actes de la pratique. Le latin qui joue aisément avec des termes neutres comme *coenobium* et *monasterium*, y ajoutait *communitas* et *congregatio*, et appliquait ces mots aux diverses communautés religieuses : abbayes, prieurés, prévôtés, hôpitaux ; mais les gens d'Église savaient, quant à eux, distinguer les *clerici* des *monachi*, les *monachi* des *canonici*, les *sanctimoniales* des *monachae*. À l'inverse, ils oubliaient ces différences quand ils ne voyaient plus que l'intention profonde et parlaient alors de *fratres et sorores*, de *milites Christi* et de *famulae Dei*.

Ce double jeu, de confusion et de distinction attentives, l'historien le retrouve dans l'exposé du monde monastique et canonial du XIIe siècle, amené qu'il est à présenter, d'un côté, l'évolution générale et les points communs, et de l'autre, les particularités des ordres prompts à s'opposer. Parmi ces derniers, trois l'emportaient particulièrement sur les autres et méritaient une attention spéciale : Cluny, bien assis sur un « empire » que Pierre le Vénérable dut structurer, Cîteaux auquel saint Bernard donna une vogue extraordinaire, Prémontré, création de Norbert dont les successeurs ont fait une congrégation aussi puissante que celle des bernardins. On ne peut alors que

---

1. Le mouvement érémitique se prolonge au XIIe siècle, s'estompe après 1150 (H. Leyser, *Hermits and the New Monasticism, op. cit.*, p. 97-105). Il y a encore des reclus et des recluses (P. Leclercq, « La réclusion volontaire au Moyen Âge : une institution religieuse spécialement féminine », *La condicio de la mujer en la Edad Media*, Madrid, 1986, p. 135-154).

considérer à part aussi bien les nouveaux ordres religieux ayant une origine et une évolution très différentes des précédents, que les communautés féminines qui accédaient enfin à la notoriété.

I. DIFFÉRENCES ET POINTS COMMUNS DES RELIGIEUX DU XIIe SIÈCLE

Depuis les conciles d'Aix en 816 et 817, depuis les temps carolingiens, la distinction était faite entre trois ordres, ceux des laïcs, des clercs et des moines. Benoît d'Aniane avait tout fait pour éviter les confusions. Au XIIe siècle, une coupure aussi simple n'était pas satisfaisante. On a vu déjà comment certains se gaussaient de ceux que, faute de mieux, on désigna de l'expression « chanoines réguliers », soulignant cette tautologie qui pouvait prêter à sourire[2]. Le destin que se donnaient certains clercs en adoptant la rigueur de la vie commune dans le cloître les rapprochait beaucoup des moines ; dans le même temps, ces derniers, qui oubliaient leur ancien état de laïcs et se tournaient plus largement vers le sacerdoce, usurpaient les prérogatives cléricales[3]. Après les premières décennies de la création de nouveaux ordres, le besoin se fit sentir de préciser les droits et privilèges de chacun. De la crise jaillit l'affrontement, puis la discussion, en tout cas un fructueux approfondissement. La querelle des moines et des chanoines dura près de cinquante années, mais fut particulièrement vive de 1120 à 1150[4]. Dans leur désir de convaincre, les polémistes forçaient leurs arguments, exagéraient leurs situations, allaient jusqu'à malmener durement leurs adversaires, voire à les injurier[5].

Cette époque a laissé beaucoup d'écrits polémiques, de qualités et d'origines fort diverses. Quelques grands noms y ont participé : l'abbé de Clairvaux, Bernard, celui de Cluny, Pierre le Vénérable, au premier chef, et puis Rupert de Deutz, Philippe de Harvengt, Arno et Gerhoch de Reichersberg, Pierre Abélard et Honorius Augustodunensis, le cardinal Mathieu d'Albano[6]. Ces personnages savants n'étaient pas toujours plus amènes que de nombreux moines et clercs anonymes, au premier rang

---

2. Voir plus haut.

3. P. G. LUNARDI, *L'ideale monastico nelle polemiche del secolo XII sulla vita religiosa*, Noci, 1970, avec une présentation par dom Jean LECLERCQ, p. 5-8.

4. Cf. la table chronologique proposée par P.G. LUNARDI, *op. cit.*, p. 20.

5. Les cisterciens reprochent aux moines noirs d'être efféminés (Pierre le Vénérable, *Lettre 111*, éd. G. CONSTABLE, I, p. 274-299). Les clunisiens parlaient d'une « nouvelle race de pharisiens » (Pierre, *Lettre 2*, éd. CONSTABLE, I, p. 57) ; les autres répliquaient en traitant leurs adversaires de « prévaricateurs de la règle » (Orderic Vital, *Hist. eccl.*, éd. M. CHIBNAL, éd. Le Prévost, Paris, 1845, III, p. 951). Cf. LUNARDI, *op. cit.*, p. 29.

6. Pour Bernard de Clairvaux, voir la lettre à Robert (*PL* 182, col 67-79) et l'apologie de l'abbé Guillaume (*Sancti Bernardi opera*, éd. LECLERCQ-ROCHAIS, III, p. 81-108) ; pour Pierre le Vénérable, voir ses lettres, éd. G. CONSTABLE ; les lettres de Rupert de Deutz se trouvent dans la *PL* 170, col. 537-544 (avec l'« *altercatio monachi et clerici quod liceat monacho praedicare* ». Le *De institutione clericorum tractatus sex* de Ph. de Harvengt : *PL* 203, col. 668-1206, le *scutum canonicorum* d'Arno de Reichersberg, *PL* 194, col. 1493-1528 et pour Gerhoch, *De aedificio Dei*, *PL* 194, col. 1091-1136 (cf. P. CLASSEN, *Gerhoch von Reichersberg*, Wiesbaden 1960, p. 407). Une lettre d'Abélard contre un chanoine régulier est donnée *PL* 178, col. 348-352 et les dialogues d'Honorius A. sur la vie apostolique, *PL* 170, col. 613-664.

ND-Viollet

L'abbaye de Saint-Benoît-sur-Loire (Loiret).

desquels l'auteur du fameux *Dialogus duorum monachorum*[7]. Si les moines clunisiens et cisterciens s'affrontaient entre eux à propos de l'interprétation à donner à la règle de saint Benoît, clercs et moines avaient encore plus de domaines de friction : l'éloignement du monde, l'état de perfection, le sacerdoce, le perception des dîmes, la prédication, le travail et la pauvreté ; conservateurs contre novateurs d'un côté, moines contre chanoines de l'autre. Il est bien vrai que dans une vie où les moindres gestes et les moindres mots avaient une signification précise, les exégètes et les scolastiques, les moines fervents et les clercs convaincus trouvaient mille raisons de montrer que leur propre choix était le meilleur tandis que celui des autres était fautif ; il n'est pas moins vrai que, de l'extérieur et pris dans l'ensemble, des éléments identiques appartiennent à tous et qu'il convient de les prendre en compte.

Et d'abord ce monde des religieux se connaissait, s'appréciait, correspondait, multipliait les contacts, constituait un groupe important face aux clercs, face aux laïcs

---

7. R.B.C. Huyghens, *Le moine Idung et ses deux ouvrages : Argumentum super quatuor questionibus* et *Dialogus duorum monachorum*, Spolète 1980. Il s'agit d'Idung de Prüfening dont les deux œuvres sont à dater d'après 1143 pour la première et de 1153-1156 pour la seconde ; A. M. Bredero, « Le "dialogus duorum monachorum". Un rebondissement de la polémique entre cisterciens et clunisiens » *NSMed*, XXII (1981), p. 501-585 (repr. dans *Cluny et Cîteaux au douzième siècle*, Amsterdam 1985, p. 185-276).

surtout, nobles et paysans. Les lettres, les libelles, les dialogues et les poèmes dont les auteurs attaquaient leurs adversaires, circulaient autant que les traités de théologie et de morale où, sous couvert d'enseignement, les érudits exprimaient des opinions bien tranchées sur les prérogatives de leur ordre[8]. Bien des œuvres modestes, découvertes par dom Jean Leclercq au hasard du dépouillement des manuscrits médiévaux[9], étaient sans doute peu connues, alors que les lettres de saint Bernard et son apologie, celles de Pierre le Vénérable et de Guillaume de Saint-Thierry avaient une diffusion méritée et mettaient à la disposition du public tous les éléments de ce débat[10].

Les cisterciens se moquaient de l'oisiveté des clunisiens, de leur goût pour le confort et la bonne chère, des aises qu'ils prenaient à l'égard de la règle du saint père Benoît, défendaient leur propre choix d'une ascèse rigoureuse, du travail manuel qui sanctifie, de leur rapprochement avec la vie des apôtres. Les seconds défendaient leur option liturgique, tournée vers une contemplation plus conforme à l'idéal monastique, s'étonnaient de ce que des moines, voués à une stricte clôture, acceptant le contact avec le monde extérieur et travaillant de leurs mains, prétendent encore pouvoir s'adonner à la contemplation divine. Tout en débattant entre eux la question de savoir qui respectait le mieux la tradition des conseils des anciens Pères, les deux groupes devaient encore répliquer aux clercs, qui entendaient se réserver l'usage du sacerdoce, la prédication, le contact avec les fidèles et interdisaient à ceux qui se disaient morts au monde de le fréquenter[11].

Ces querelles troublaient bien des consciences et le vœu de stabilité se trouva souvent mis à mal par les glissements qui s'opéraient d'un ordre à l'autre. Glissements de groupes entiers, quand des abbayes avec leurs dépendances abandonnaient l'observance bénédictine ancienne pour demander leur rattachement à Cîteaux, quand des abbayes de chanoines réguliers basculaient en bloc de ce même côté, glissements individuels quand le cousin de saint Bernard, Robert, quitta Clairvaux pour rallier Cluny, quand un chanoine se faisait moine, quand un moine fuyait une maison où la vie était douce pour une autre de tradition plus rigoureuse. À ce jeu, saint Bernard fut souvent gagnant; avant sa mort, plus de trente abbayes avaient ainsi, dans l'ordre bénédictin, changé d'observance pour adopter celle de Cîteaux[12]; à la frontière de la Champagne et de la Lorraine, l'action des moines de Trois-Fontaines fit perdre aux chanoines réguliers plusieurs maisons fondées depuis peu[13]. Ainsi dans toute l'étendue

---

8. Certains traités toutefois ont peu circulé. Ainsi le dialogue des deux moines n'est connu que par quelques manuscrits cisterciens.

9. C'est pour aider à les faire connaître que dom J. LECLERCQ créa la revue *Analecta monastica*, où l'on trouve plusieurs textes de cette polémique (dont « Un débat sur le sacerdoce des moines au XIIᵉ siècle », édité par R. FOREVILLE dans le tome 4 (1957) StAns, 1941, p. 8-111.

10. Une liste des manuscrits est donnée dans l'édition de J. LECLERCQ et H. ROCHAIS, *Sancti Bernardi opera* (dans celle des *Lettres de Pierre le Vénérable* par G. CONSTABLE). Pour la Lettre de Guillaume de Saint-Thierry aux frères du Mont-Dieu, voir *PL*. 184, col. 307-354, et *Saint-Thierry, une abbaye du VIᵉ au XXᵉ siècle*, Saint-Thierry, 1979, p. 261-438.

11. Sur tous ces points, voir la synthèse de LUNARDI (*op. cit.*)

12. *Bernard de Clairvaux*, Paris, 1953, p. 567 et suiv.; A. DIMIER, « Saint Bernard et le droit en matière de "transitus" », *RMab*, XLIII (1953), p. 48-82.

13. L. MILIS, *L'ordre des chanoines réguliers d'Arrouaise*, Bruges, 1969, p. 160-166. Les acquisitions de Cîteaux furent réalisées au détriment d'Arrouaise. L'influence personnelle de Guy, abbé de Trois-Fontaines, ne fait ici aucun doute, mais c'est saint Bernard qui conseille à l'évêque de Verdun de remplacer les bénédictins de Saint-Paul, dans cette ville, par des chanoines réguliers de l'ordre de Prémontré.

de la chrétienté occidentale, les habitants des cloîtres avaient de fréquents contacts, et, dans une société qui était la même pour tous, affrontaient les mêmes problèmes et leur donnaient fréquemment la même solution.

1. LES MONASTÈRES NOUVEAUX : FONDATIONS ET GROUPEMENTS

Chaque région a vu au cours du XIIe siècle le nombre de ses communautés religieuses multiplié par deux, trois ou quatre. Les créations se faisaient dans des conditions un peu différentes de celles qui avaient présidé à la fondation des grandes abbayes bénédictines du haut Moyen Âge. La noblesse conserva une initiative prépondérante ; il appartenait toujours aux princes, comtes et grands seigneurs de manifester et leur piété et leur générosité en offrant un terrain et la dotation initiale d'une abbaye cistercienne ou d'un monastère de chanoines réguliers[14]. Ce qui était alors offert n'était pas, de loin, aussi important que l'étaient les ensembles généreusement confiés aux premiers bénédictins. Au lieu d'implantation, qui pouvait correspondre à plusieurs dizaines d'hectares de forêt et de terres cultivables, voire à un hameau, ils ajoutaient seulement quelques exploitations rurales dispersées[15]. Les bénéficiaires ne souhaitaient pas tous obtenir la même chose. Les bénédictins, invités à peupler un prieuré proche d'un château devenu nouveau centre de gestion, recevaient des espaces déjà mis en valeur, avec les paysans qui y travaillaient ; il en était de même pour les hospices et les hôpitaux, dont le personnel avait besoin de revenus fixes. Les cisterciens et les chanoines réguliers préféraient des territoires incultes.

On connaît la description classique, devenue lieu commun des chartes, des espaces forestiers, peuplés de bêtes sauvages, où les nouveaux moines voulaient bâtir eux-mêmes leur église et leurs officines, qu'ils entendaient défricher et faire produire à la sueur de leur front[16]. À cet égard, certaines fondations, notamment à l'est de l'Allemagne, ont eu essentiellement pour but le peuplement de nouvelles terres[17]. Mais une caractéristique importante des fondations de cette époque fut la participation complémentaire, immédiate ou postérieure, de la petite noblesse, des chevaliers, des ministériaux, des paysans riches, qui offraient l'un un fief ou une partie de village, l'autre un pré, un bois, un moulin. Tout nouveau monastère attirait ainsi et rassemblait une poussière de dons modestes. C'est très souvent dix ans après le premier geste et l'arrivée des douze moines nécessaires à chaque nouvelle maison, que la première charte de confirmation de l'évêque diocésain énumérait en détail toutes les générosités qui avaient assuré le succès de la fondation. Par la suite et assez régulièrement, des pancartes livraient de longues listes de nouveaux généreux donateurs, qui faisaient de ces monastères de véritables fondations collectives. Dans beaucoup de cas, les nobles

---

14. C. BROOKE, « Princes and kings as patrons of monasteres », *Il monachesimo, le riforme ecclesiastica (1044-1122), La Mendola 1968.* Milan 1971, p. 125-152.

15. A titre d'exemple : P. GRESSER, R. LOCATELLI, M. GRESSET, E. VUILLEMIN, *L'abbaye Notre-Dame d'Acey,* Acey, 1986.

16. Le lieu commun est repris de l'*exordium.*

17. C. HIGOUNET, *Les Allemands en Europe centrale et orientale au Moyen Âge,* Paris, 1989, p. 259.

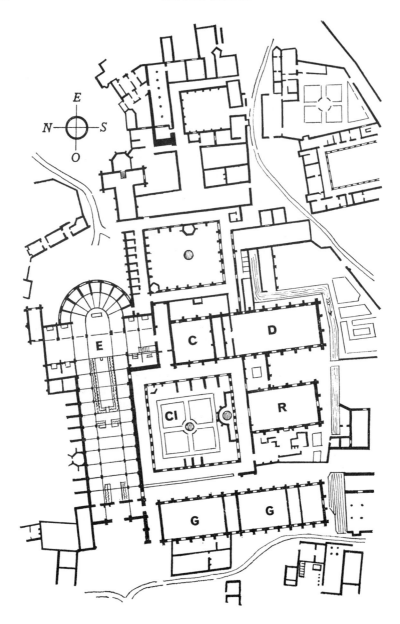

Plan-type d'une abbaye cistercienne.

E : église, Cl : grand cloître, C : salle de réunion du chapitre, R : réfectoire,
G : granges et cellier. En haut, noviciat, logis des visiteurs, appartements de l'abbé.
A côté du réfectoire, les cuisines ; à droite des granges, la scierie, le moulin
à huile, les ateliers. Les écuries se trouvaient en avant de l'église sur sa gauche.

initiateurs choisissaient un ordre ou un autre en fonction de critères familiaux plus que religieux; ils pouvaient être, il est vrai, séduits par le verbe d'un abbé cistercien ou d'un chanoine de passage à leur cour; ou plus simplement ils imitaient un proche parent qui les incitait ou les conseillait, répondaient à la sollicitation d'un évêque de leur parenté[18]. L'effet de contagion explique de la sorte que certaines régions aient eu davantage de cisterciens tandis que d'autres accueillaient plus de chanoines réguliers. Leurs deux ordres avaient, aux yeux des laïcs, un comportement très voisin, ce qui explique leur essor parallèle.

Le XIIe siècle marque la fin des fondations totalement indépendantes, comme l'étaient les anciens monastères bénédictins. Cluny avait donné l'exemple d'un regroupement sous l'autorité d'un seul abbé; Gorze, Saint-Bénigne de Dijon et d'autres avaient laissé à chaque abbaye réformée une totale liberté. Entre ces deux solutions extrêmes, d'autres furent adoptées. Trois degrés de groupement peuvent alors être distingués. À l'échelon inférieur se retrouvaient les grandes abbayes bénédictines, qui créaient ou recevaient des prieurés en nombre variable, prieurés de gestion ou prieurés cures de deux à six moines et plus; Gorze disposa de six prieurés, Saint-Bénigne de Dijon en eut quarante, dont quatre de femmes, Molesme en reçut jusqu'à quatre-vingts, sans que l'on parlât jamais à leur sujet de congrégation ou d'ordre[19]. En second lieu venaient les petites congrégations juxtaposant une dizaine de monastères, dont les fondateurs se référaient à une maison mère. Tel était les cas des « ordres » de Savigny, de Tiron, de Cadouin, ou de quelques congrégations locales de chanoines réguliers ayant des institutions propres, comme il en fut pour Saint-Fridien (Freddiano) de Lucques ou Marbach. Enfin l'histoire a retenu, en priorité, les grands ensembles, distribués sur plusieurs provinces ou pays, ordre cistercien, ordre de Prémontré ou d'Arrouaise. Aux groupes moyens ou grands se posait la question d'un esprit communautaire concernant aussi bien l'idéal observé que la gestion matérielle.

2. LES ABBÉS

Aux prélats que sont les évêques dans le clergé séculier répondent les abbés du monde régulier, et aussi certains prévôts et des prieurs. La règle de saint Benoît a institué l'abbé, père des moines, chef du monastère, responsable de ceux que l'élection lui a confiés. La fonction abbatiale était prestigieuse, et bien des chefs de communautés religieuses refusaient de prendre le titre abbatial, se contentant de celui de prieur. Dans l'ordre de Cluny, où comptait avant tout l'abbé de la maison mère, bien des prieurs avaient cependant une importance supérieure à bon nombre d'abbés bénédictins. Les chanoines réguliers avaient dans beaucoup de congrégations adopté aussi la référence à l'abbé. Dans la vie politique, religieuse, sociale de chaque région, de chaque pays, les abbés ont une place dans les premiers rangs. Ils sont

---

18. R. LOCATELLI, « L'implantation cistercienne dans le comté de Bourgogne », *Aspects de la vie conventuelle au XIIe siècle, CH*, 1975, p. 59-117.

19. On trouvera beaucoup d'autres exemples dans P.R. GAUSSIN, *L'Europe des ordres et des congrégations. Des Bénédictins aux Mendiants (VIe-XVIe s.)*, Saint-Étienne, 1984.

d'indispensables rouages du fonctionnement diocésain, figurent parmi les premiers témoins des chartes épiscopales, parmi les interlocuteurs privilégiés des évêques aux synodes. Certaines abbayes ont donné naissance à des bourgades et l'abbé, comme parfois l'abbesse, est devenu un seigneur de la ville, dont relevait le groupe des échevins. À Metz ce sont cinq abbés bénédictins qui, le jour de la Saint-Benoît, procédaient à l'élection du maître-échevin. À la tête de patrimoines considérables, certains abbés bénédictins détiennent une véritable puissance économique. On l'imagine aisément quand il s'agit de chefs de communautés comme celles de Farfa, du Mont-Cassin, de Fulda, de Saint-Germain, du Bec, de Saint-Pierre de Gand; on pourrait en citer encore bien d'autres car le nombre des abbés dans la chrétienté occidentale est très élevé. Les plus notables se trouvent souvent dans la cité épiscopale où ils constituent un contrepoids à l'autorité de l'évêque; par privilège pontifical, ils peuvent jouir de l'exemption qui les délivre du contrôle diocésain et les laisse libres de choisir l'évêque qu'ils préfèrent. Bien plus il leur est loisible, en l'absence du titulaire, de célébrer à la cathédrale; ne portent-ils pas dans certains cas la mitre et la crosse? Ne voit-on pas surtout bien des abbés devenir un jour évêques? On ne connaît guère en revanche de chanoines devenant abbés, et surtout pas abbés de ces très grandes maisons de bénédictins. Bénéficiaire de l'aura monastique, l'abbé est et se sait un personnage important dans les domaines politique et ecclésiastique.

À l'intérieur de son cloître, l'abbé — ou le prieur — a beaucoup à faire, car il est responsable de la bonne marche de sa maison à tout moment de la journée et de l'année, même s'il est assisté d'un ou plusieurs prieurs, d'un intendant, d'un hôtelier et d'un infirmier. Tous les jours il réunit le chapitre et y reçoit l'aveu des fautes, inflige des pénitences, reçoit les plaignants qui relèvent de son abbaye, établit des contrats, contrôle ventes et achats, reçoit la profession des novices. Il ne néglige pas la vie intellectuelle et spirituelle, la sienne propre et celle de ses frères. Beaucoup d'abbés ont eu une activité d'écriture, composé des traités de liturgie ou de théologie. C'est encore l'abbé qui doit, quasiment chaque année, rallier le chef d'ordre pour y rendre des comptes, rencontrer les autres abbés du même ordre, recevoir des missions. Cela ne concerne toutefois qu'une partie des abbés et des prieurs, car beaucoup de maisons sont indépendantes. Son élection a été normalement confiée aux frères, mais l'influence de l'évêque ou du prince n'a pas fini de s'exercer, et il n'est pas rare que l'abbé, élu à vie, désigne son successeur. Les abbés cisterciens n'hésitent pas à déposer leur charge et à rentrer dans le rang, ce qui se fait moins souvent dans les autres ordres.

On peut se contenter d'en citer quelques-uns seulement parmi les plus connus. Comme on sera conduit à parler ailleurs de Bernard de Clairvaux, Norbert de Prémontré et Pierre le Vénérable de Cluny, et bien des fondateurs d'ordres, l'occasion est offerte de mentionner Suger, abbé de Saint-Denis, Wibald, abbé de Corvey et Stavelot, Guillaume de Saint-Thierry, au risque de laisser dans l'ombre d'autres personnalités attachantes. Avec l'abbé Suger on a l'exemple idéal d'une forte personnalité bénédictine, jouant un rôle de premier plan à la fois dans l'Église et dans son royaume. On ne sait trop ce qu'on doit mettre en avant, de la place qu'il a tenue auprès des rois de France Louis VI et Louis VII, devenant même régent durant l'absence du souverain parti pour la Croisade, ou de l'influence qu'il a exercée comme gestionnaire et mécène. Il a laissé des écrits qui nous introduisent dans une conception rude du gouvernement d'un monastère ; on le voit quand il s'ingénie à récupérer Argenteuil dont il chasse les moniales avec Héloïse, quand il dénombre les possessions les plus anciennes de son monastère pour en établir le compte exact. On se souvient de lui comme de celui qui a voulu rebâtir une église abbatiale grandiose, inspirée par le nouvel art gothique et dans laquelle il a rassemblé un double trésor, celui des moines et celui des rois qui avaient choisi de reposer à jamais dans l'abbatiale fondée par les rois mérovingiens. Un peu plus jeune que lui, Wibald offre des traits parallèles par son rôle de scribe et chancelier royal, par sa gestion conjointe de deux grandes abbayes et ses interventions dans la vie des bénédictins de son pays, par son mécénat réputé. Wibald a laissé une correspondance abondante qui offre un reflet admirable de la vie quotidienne, des préoccupations et de l'influence de ce grand prince de l'entourage royal des Staufen. À côté, Guillaume de Saint-Thierry présente l'image d'une grande intelligence, soucieuse de réflexion spirituelle et qui a vécu intensément sa vocation monastique et sa foi de chrétien. Trois noms dans une foule d'anonymes, qui mériteraient à leur tour de tenter les amateurs de prosopographie[20].

3. Le chapitre général

Jusqu'au XIIe siècle, la gestion d'un groupe de monastères avait reposé sur l'action d'un homme, sur la fidélité à une abbaye principale où se réglaient ponctuellement les problèmes de discipline ou de gestion. L'abbé Étienne de Cîteaux eut l'idée d'organiser les rapports entre les filiales et proposa un schéma d'entraide dans la première Charte de charité (1119). C'était la *caritas*, l'amour mutuel, qui devait régler les relations entre les membres d'un même ordre, comme elle réglait aussi les rapports entre ordres différents. Chaque abbaye soumettait à une visite annuelle ses filiales, et la fille pouvait faire appel à sa mère. Une fois par an, un chapitre général étudiait les cas délicats, réglait les questions de discipline ; les quatre abbés des premières fondations de Cîteaux retrouvaient l'abbaye-mère pour gérer l'Ordre[21]. Cette initiative fut certainement connue de certains abbés bénédictins ou de l'archevêque de Reims, et vers 1130 ou un peu plus tard, des réunions, analogues à des chapitres généraux, rassemblèrent bon nombre d'abbés de cette province pour examiner des questions disciplinaires[22]. Une lettre de saint Bernard adressée aux abbés réunis à Soissons donne à penser qu'il y eut un lien direct entre l'initiative cistercienne et l'action rémoise[23]. Innocent II (1135-1136) approuva un tel projet qui devait conduire à une

---

20. P. Salmon, *L'abbé dans la tradition monastique*, Paris, 1962. M. Bur, *Suger, abbé de Saint-Denis, régent de France*, Paris, 1991. F.-J. Jakobi, *Wibald von Stablo und Corvey, benediktinischer Abt in der frühen Stauferzeit*, Münster, 1979.

21. J.B. Mahn, *op. cit.* (note 73). J.B. Van Damme, « Les pouvoirs de l'abbé de Cîteaux aux XIIe et XIIIe siècles » *ACi*, 24 (1968), p. 47-85.

22. S. Ceglar, « Guillaume de Saint-Thierry et son rôle directeur aux premiers chapitres des abbés bénédictins, Reims 1131 et Soissons 1132 », *Saint-Thierry, op. cit.*, p. 299-350 (avec les textes correspondants). Le rôle de Guillaume, influencé par saint Bernard, fut décisif.

23. *Sancti Bernardi opera*, lettre 123.

réunion annuelle, dont il se promettait de ratifier les décisions. Dans le cas présent, l'aspect exceptionnel venait du fait que des monastères indépendants se rapprochaient et s'entendaient, impuissants qu'ils étaient à s'imposer des décisions sans l'aide de l'archevêque ou du pape. Ce fut un essai seulement, sans suite immédiate. Prémontré emboîta le pas et rapidement les abbés de cet ordre prirent l'habitude de se retrouver chaque année à l'abbaye chef d'ordre. Le pli était pris. Bientôt il n'y eut plus beaucoup d'ordres sans un chapitre général[24]. Cluny ne tarda pas à suivre et Pierre le Vénérable fut ainsi conduit à rassembler, pour la première fois en 1132, 200 abbés et prieurs et près de 1200 moines de son ordre pour étudier un plan de réformes[25].

4. CONVERS ET DOMESTIQUES

Depuis longtemps, les moines et les moniales avaient besoin de l'assistance d'une abondante domesticité, d'hommes et de femmes qui vivaient dans le monastère ou à proximité immédiate, assuraient les tâches matérielles, cuisaient le pain et brassaient la cervoise, transportaient les produits, allaient au marché, protégeaient l'abbé et les frères en voyage, cousaient et réparaient les vêtements[26]. Ce personnel attaché à l'abbaye n'avait rien à voir avec la paysannerie qui entretenait et mettait en valeur les domaines. À quel point les serviteurs des moines étaient-ils associés à la vie religieuse du monastère, il est malaisé de le savoir. La création et le développement de frères convers montrent que la question se posait et qu'elle reçut un développement sans rapport avec les problèmes pratiques posés initialement. Le vocable « convers » se rencontrait avant 1100 ; employé comme adjectif, il désignait certains moines ou familiers venus tard à la vie religieuse ; c'est seulement au XIIᵉ siècle qu'il devint un nom commun pour désigner une certaine catégorie de moines, plus précisément des laïcs menant une vie religieuse proche de celle des frères de chœur et néanmoins assez différente pour qu'ils constituent un groupement juridique particulier[27]. Leur apparition et leur développement avaient été, à tort selon dom J. Dubois, mis en relation avec des modifications parfois négatives de la vie bénédictine : abandon du travail manuel par les moines attirés par la cléricature et dévorés par une liturgie abondante, nécessité de gérer des biens lointains, ou encore avec un désir accru des membres de la *familia* de mener une vie religieuse[28]. Au vrai, le phénomène serait lié à la forte poussée des vocations laïques, et à l'impossibilité d'accueillir chaque candidat pour en faire un moine formé à la vie liturgique ; sans doute aussi offrirait-il un moyen de

24. Un chapitre général est attesté pour Savigny, Grandmont, La Chartreuse.
25. M. PACAUT, *L'ordre de Cluny*, Paris, 1986, p. 212.
26. Leo MOULIN, *La vie quotidienne des religieux au Moyen Âge*, Paris, 1987.
27. Sur ce sujet souvent débattu, on retiendra surtout l'article « frères » du *DSp*, 5 (1964), col. 1193-1204, par M. LAPORTE, les études de K. HALLINGER (« Woher kommen die Laienbrüder ? » *ASOC*, XII (1956), p. 1-104) et de J. DUBOIS (« L'institution des convers au XIIᵉ siècle, forme de vie monastique propre aux laïcs », *I laici nella « societas christiana » dei secoli XI e XII*, Milan 1965, p. 183-261, repris dans *Histoire monastique en France au douzième siècle*, Variorum reprint, Londres, 1982, p. 183-26). Un ouvrage général en traite : *Ordenstudien I. Beiträge zur Geschichte der Konversen im Mittelalter*, éd. Berlin, 1980 sous la dir. de K. ELM.
28. Voir note précédente. L'hypothèse d'une poussée de la *familia* est exprimée par dom LAPORTE.

Roger-Viollet

L'abbaye de Fontenay en Côte-d'Or : les ateliers.

recevoir des non nobles, des non libres, sans les mêler nécessairement à l'élite monastique[29].

Cîteaux trouva la solution du problème, ou plutôt la développa car elle avait déjà été amorcée en Italie par les camaldules. L'*Exordium parvum* contient ces quelques lignes explicatives : « Ayant méprisé les richesses de ce siècle, les nouveaux soldats du Christ, pauvres avec le Christ pauvre, commencèrent à se demander par quels moyens ils pourraient se soutenir et recevoir les hôtes riches et pauvres que la règle prescrit de recevoir comme le Christ. Ils décidèrent qu'ils recevraient, avec la permission de leur évêque, des laïcs convers portant la barbe, et qu'ils les traiteraient en tout comme eux-mêmes durant leur vie et à leur mort, à l'exception du monachat. Ils emploieraient aussi des salariés. Les moines ne pensaient pas pouvoir sans leur soutien observer pleinement, de jour et de nuit, les préceptes de la règle[30]. »

---

29. Le chapitre général de Cîteaux décida en 1188 qu'un chevalier converti serait nécessairement moine et non convers (CANIVEZ, *SCGOC*, 1188, n. 8, t. I, p. 18). Les chevaliers convertis n'avaient pas une formation intellectuelle leur permettant d'être moines.

30. J. DUBOIS, *op. cit.*, p. 187.

Tout, ou presque, est dit dans ces phrases. Les fondateurs de Cîteaux connaissaient la situation de ces moines isolés, délégués pour gérer une exploitation lointaine, invités à respecter leur état dans des conditions qui ne le permettaient pas. Le coutumier clunisien d'Ulric contenait des prescriptions déterminant le comportement et la vie quotidienne des doyens, chefs d'exploitation, et veillait à leur faire respecter au mieux ce que la règle et la coutume leur imposaient pour être pleinement moines[31]. L'animation de prieurés, reproduisant en petit la vie de l'abbaye, n'était pas toujours possible. En créant une catégorie de moines soumis à une moindre astreinte, Cîteaux respectait son intention première de faire assurer la gestion du temporel par les moines. D'un côté, les frères de chœur vivaient à l'abbaye suivant les règlements de l'ordre, de l'autre, des frères laïques (lais), distingués par le vêtement et le port de la barbe, vivant en particulier dans des « granges », avaient des usages particuliers ; tous étaient cisterciens. Comme dans les anciennes abbayes bénédictines, des domestiques et des ouvriers salariés apportaient le nécessaire complément de bras[32].

Les chartreux séparèrent les clercs, confinés dans leur cellule, des laïcs, voués au travail matériel. Ces derniers n'étaient pas rejetés de la communauté comme domestiques, mais demeuraient membres du groupe et de l'ordre avec des contraintes religieuses aménagées[33]. L'institution des convers est donc bien propre à des laïcs par définition inaptes à mener la vie liturgique souhaitée pour les frères de chœur. Bien des convers, dans différents ordres, accomplissaient les tâches confiées autrefois à des moines ou à des domestiques. L'institution avait été mise en place non pas pour éviter certains travaux aux moines mais pour faire entrer les convers dans la communauté monastique. C'est lentement au cours du XIIe siècle que les convers apparaissent dans les actes de la pratique et les institutions[34]. Ils représentaient sans aucun doute, sous la forme qui était la leur, une nouveauté imposée par les nouvelles conditions sociales et religieuses du XIIe siècle, dans le cadre d'un monachisme renouvelé. Cîteaux, Chalais, la Chartreuse, fournissent les exemples les plus clairs, mais les convers se répandaient partout dans l'ordre monastique et la *Chronique* de Petershausen dénombra régulièrement côte à côte les moines et les frères barbus, ce qu'elle n'aurait pas fait s'il s'était agi de domestiques.

Les chanoines réguliers n'ont pas échappé à cette évolution, et ils ont eu aussi à leurs côtés des convers et des converses. Au XIIe siècle, ceux qui assurent un travail domestique auprès des chanoines de Rolduc, d'Arrouaise ou de Prémontré sont non seulement cités, mais dénombrés ; on sait bien qu'il ne s'agit pas de la *familia*, mais de laïcs qui se sont engagés dans le même idéal de vie que les religieux[35]. Le fait devient

---

31. W. TESKE, « Laien, Laienmönche und Laienbrüder in der Abtei Cluny. Ein Beitrag zum "Konversen-Problem" », *FMSt* 10 (1976), p. 248-322, et 11 (1977), p. 288-339.

32. O. DUCOURNEAU, « De l'institution des us des convers dans l'ordre de Cîteaux (XIIe et XIIIe siècles) », *Saint Bernard et son temps*, Dijon, 1929 ; J. DUBOIS, *op. cit.* ; M. TOEPFER, *Die Konversen der Zisterzienser. Untersuchungen über ihren Beitrag zur mittelalterlichen Blüte des Ordens*, Berlin, 1983.

33. J. DUBOIS, *op. cit.*, notamment p. 215-217. On ne saurait en rapprocher, même à titre de comparaison, les converses de l'ordre de Prémontré, car elles étaient des religieuses. Les convers cisterciens faisaient partie de l'ordre au même titre que les moines de chœur.

34. Il y en aurait eu dès 1127 à Chalais selon J. DUBOIS, *op. cit.* p. 205-212. Il s'en trouve dans le prieuré bénédictin d'Ulmoy, où la limitation des membres inclut les moniales (30), les convers (6) et les converses (8) (Arch. dép. Marne 73 H 1).

35. C.D. FONSECA, « I conversi nella communita canonicali », *I laici, op. cit.*, p. 262-305.

paradoxal quand il s'agit de chanoines réguliers, clercs par excellence, car les convers laïcs ne devraient pas leur être assimilés. En réalité, ce qui compte est le choix d'un idéal de vie, la décision de porter un certain vêtement, de se vouer à la parfaite obéissance et à l'humilité, de s'adonner au travail manuel au profit de la communauté et à la prière. Le texte cistercien des *Usages des convers* a connu une large diffusion auprès des chanoines réguliers[36]. Incontestablement l'innovation des convers est remarquable, elle est une œuvre de charité des hommes et des femmes de chœur pour ces indispensables *illiterati*, une manière de s'ouvrir aux laïcs en les intégrant à la communauté, en les inscrivant aussi dans les livres de vie[37].

5. Une vaste communauté

Ainsi donc les ordres monastiques et canoniaux s'influencent-ils constamment. La contagion des chapitres généraux, la création simultanée des convers permettent de souligner l'osmose fréquente entre les ordres et les congrégations. L'analyse attentive des coutumiers fait apparaître dans le même sens des influences respectives des cisterciens et des chanoines réguliers les uns sur les autres[38]. Il n'est pas surprenant que saint Bernard soit intervenu dans l'élaboration d'une règle pour le Temple. Travail manuel, chapitre général, décor et architecture, dans ces domaines et dans d'autres, Cîteaux servit souvent d'incitateur, mais naturellement toutes les communautés se trouvaient confrontées avec les mêmes problèmes, auxquelles elles donnaient des solutions voisines. Hors de la clôture, tous se retrouvaient, qu'ils le veuillent ou non, sur les routes de pèlerinage, en route vers Rome, à la cour de l'évêque ou du prince, aux synodes et aux conciles. Les abbés se connaissaient, se rendaient visite, s'estimaient, témoignaient ensemble au bas des chartes épiscopales, conseillaient leur évêque pour faire justice, ou étaient groupés par la papauté pour rendre un arbitrage[39]. Les *scriptoria* échangeaient les livres[40], puisaient à un fond commun d'écriture. Moines et chanoines s'entendaient surtout pour prier les uns pour les autres. Après les livres de confraternité carolingiens et ottoniens, les nécrologes laissent voir en transparence les réseaux d'une même réforme[41]. Le principe de

---

36. *Ibid.*, p. 3.

37. Un nécrologe de l'abbaye de Saint-Pierremont (dioc. Metz) a retenu et classé successivement les chanoines, les convers, enfin les converses (*Bibl. Metz* ms 1174).

38. Le coutumier d'Oignies présente un exemple.

39. Dans certains cas exceptionnels, ils ont un droit de regard dans une abbaye voisine. Ce fut le cas avec l'élection d'un abbé de Fulda par d'autres abbés saxons en 1146 (F.J. JAKOBI, « Die Auseinandersetzungen um den Fuldaer Abbatiat in den Jahren 1147-1150 », *Die Klostergemeinschaft von Fulda im früheren Mittelalter*, 2-2, Munich, 1978, p. 963-987). C'est au xiie siècle que la papauté entreprend de désigner des groupes de deux abbés d'ordres différents pour régler des conflits régionaux.

40. F. DOLBEAU, « Quelques aspects des relations entre bibliothèques d'établissements religieux (xiie-xve siècles) », *Naissance et fonctionnement des réseaux monastiques et canoniaux*, Saint-Étienne, 1991 (Collection du CERCOR, 1), p. 495-510.

41. Gorze continue de constituer un réseau bénédictin au xiie siècle (M. PARISSE, *Le nécrologe de Gorze*, Nancy, 1971, p. 46) dans la mesure où ses moines deviennent abbés d'abbayes messines. Le nécrologe de Schwarzenthann, en Alsace, comme celui de Gorze, traduit dans ses inscriptions un rétrécissement au niveau régional et local du champ couvert par les inscriptions (M. PARISSE, « L'enseignement historique du nécrologe », *Le codex Guta-Sintram*, dir. B. Weis, Lucerne, 1983, p. 145-147).

l'association de prières entre les monastères, élaboré par les bénédictins, s'est maintenu au-delà des distinctions des ordres, et les confraternités du XIIᵉ siècle effaçaient les conflits d'idéaux et les désaccords doctrinaux.

La chrétienté européenne donne beaucoup d'exemples de ces regroupements provoqués par la *caritas* monastique et canoniale, la *fraternitas* des religieux confondus dans la milice du Christ. Un exemple peut servir d'illustration, celui de Solignac[42]. Cette abbaye bénédictine du diocèse de Limoges, née en 632, a conservé une belle série de documents nécrologiques, qui livrent des commémorations de frères défunts incluant un grand nombre de maisons : trente-sept, réparties sur dix-sept diocèses, et plusieurs ordres : bénédictin, cistercien, chanoines réguliers, avec plusieurs chefs d'ordre comme La Chaise-Dieu, la Sauve-Majeure, l'Artige, Grandmont. Le plus grand nombre se pressent à proximité géographique de Solignac, dans les provinces de Bordeaux et de Bourges, mais l'abbaye limousine était aussi liée à Saint-Éloi de Noyon, Saint-Amand (diocèse de Tournai), Saint-Remacle de Stavelot (diocèse de Liège), Saint-Michel de la Cluse (diocèse de Turin). Une seule abbaye de femmes, celle de Ligneux en Périgord, se glisse dans cette confraternité toute masculine. Cette entente suppose l'annonce mutuelle des décès de sorte que le couvent associé célèbre l'office des morts pour un frère défunt ; une inscription dans le livre des morts s'ensuit souvent. Dans le cas particulier de Stavelot très éloignée, étant donnée l'impossibilité d'assurer une information suffisante, il était convenu de célébrer chaque année sept offices complets pour les défunts de l'abbaye sœur[43]. De tels accords ont encore des prolongements pratiques avec l'offre d'hospitalité mutuelle[44].

À ces confraternités organisées s'ajoutent les associations occasionnelles dont les rouleaux des morts offrent un exemple. La mort d'un abbé donnait occasion aux moines de confier à un porteur un rouleau de parchemin sur lequel les maisons religieuses successivement visitées portaient quelques phrases, inscrivaient quelques noms[45]. Ainsi une centaine de prieurés et d'abbayes de tous ordres se trouvaient-ils associés au décès d'un frère dans le Christ. Des 320 rouleaux répertoriés ou connus par des mentions, le plus ancien original conservé est celui de Gauzbert, moine de Saint-Martial de Limoges († 968/977). Le XIIᵉ siècle a légué à la postérité de longs rouleaux comme ceux des abbés Hugues de Saint-Amand († 1107), Vital de Savigny († 1122/23)[46], Boson de Suse. Les bénédictins et les chanoines réguliers ont apprécié cette pratique, mais les porteurs n'ont pas réservé leur passage aux seules maisons de leur observance, faisant jouer à plein la règle commune de l'hospitalité bien au-delà d'une *societas* organisée. Cette pratique permet de souligner l'importance de l'esprit

---

42. J.-L. LEMAÎTRE, *Les documents nécrologiques de l'abbaye Saint-Pierre de Solignac*, Paris, 1984, p. 53-81 (avec carte).

43. *Ibidem*, p. 78-79 (convention de 1134).

44. *Ibidem*, p. 66-67. D'après un acte de 1265, renouvelant un accord plus ancien, l'abbé de Solignac allant chez les moniales de Ligneux devait leur offrir deux bassins de bronze neufs pour l'ablution des mains ; à l'inverse, l'abbesse en visite à Solignac devait apporter deux très belles nappes pour les tables du réfectoire ; dans les deux cas, en raison de la « *societas* », abbé et abbesse pouvaient jouer l'un chez l'autre un rôle d'arbitre.

45. L. DELISLE, *Rouleaux des morts du IXᵉ au XIVᵉ siècles*, Paris, 1866 ; Jean DUFOUR, « Les rouleaux et encycliques mortuaires de Catalogne (1008-1102) », *CCM*, 20 (1977), p. 13-48.

46. *Rouleau mortuaire du B. Vital, abbé de Savigny, contenant 207 titres écrits en 1122-1123 dans différentes églises de France et d'Angleterre*. Édition phototypique avec introduction, Paris, 1979.

communautaire qui rapprochait les religieux, au moment où chaque ordre et chaque congrégation tentaient de définir leur spécificité par la rédaction de coutumiers, de manifester leur particularisme par le choix d'un vêtement distinctif, de se donner davantage corps par la réunion annuelle d'un chapitre général.

6. Habits

La vision des moines qu'avaient les chrétiens jusqu'au XIIᵉ siècle était celle de ces hommes vêtus de noir jusqu'aux pieds, la tête recouverte d'un capuchon, allant en procession comme les clercs, mais qui n'erraient pas à travers le monde. En revanche, les cisterciens et les chanoines réguliers, les hospitaliers et les moines soldats, les religieux en général pouvaient être vus par tous, car ils parcouraient les villes et les campagnes, et le choix de couleurs différentes pour leur habit les désignait plus encore à l'attention[47]. Les cisterciens, les premiers, avaient abandonné entre 1110 et 1120 la couleur noire pour revêtir des tuniques en laine écrue, par refus du luxe que pouvait représenter la teinture de l'étoffe. La couleur naturelle de la laine de leurs vêtements les fit appeler moines gris et, du même coup, les bénédictins devinrent les moines noirs. Ce choix fut ratifié par les chanoines de Prémontré, rassemblés autour de Norbert qui souhaitait oublier son ancienne condition de clerc séculier ; ils adoptèrent le blanc, couleur de la laine écrue.

L'habit monastique comprenait alors, outre la simple tunique, vêtement principal, une coule qui devait couvrir la tête et les épaules et était rattachée à la tunique ou au manteau, un scapulaire sans manches, posé sur les épaules, un capuchon. Ces pièces de vêtement et leur couleur prirent une importance qu'elles n'avaient pas jusque-là. Les clercs se distinguèrent mieux des moines, les bénédictins des cisterciens, les chanoines réguliers de Prémontré de ceux d'autres congrégations. Un changement d'habit ou de couleur provoquait des oppositions comme on le vit à Saint-Pierremont quand un nouvel abbé, adepte de Prémontré, voulut imposer le blanc dans son abbaye ; le pape ordonna le retour aux couleurs antérieures[48]. Le choix du gris-blanc par Cîteaux et Prémontré, ajouté à un mode de vie bien proche, contribua sans nul doute à les confondre et à assurer leur double succès. Ces ascètes reprochaient durement aux clunisiens d'user de fourrure, tandis que Pierre le Vénérable soulignait l'absence de contre-indication dans la règle bénédictine, et la nécessité de protéger du froid les moines malades ou faibles. Noir contre blanc, chacun trouvait une vertu particulière à la couleur qu'il portait.

L'élan était donné. Il fallait aménager les vêtements, les distinguer. Le convers de Cîteaux fut vêtu de brun et porta une tunique qui ne devait pas entraver ses gestes. La tonsure ajoutait aux habits son signe distinctif ; pour d'autres, la barbe était un autre signe, celui des convers. Les frères des hôpitaux eurent un habit plus simple ; laïcs, ils se distinguaient des chapelains. Vinrent les ordres portant la croix ; outre la couleur

---

47. *Diz. Ist. Perf.*, s.v. Abito religioso, 1 (1974), col. 50-61.
48. M. Parisse, « Les chanoines réguliers en Lorraine. Fondations, expansion », *AEst*, 1968, p. 347-388.

blanche, templiers et hospitaliers arboraient sur leur tunique et leur manteau la célèbre croix, rouge ou noire, qui assura leur gloire, en attendant les teutoniques et leur grand manteau noir. L'ordre des moines avait en un demi-siècle fait place aux ordres religieux; le changement était de taille[49].

II. COMMUNAUTÉS MONASTIQUES

1. CLUNY ET PIERRE LE VÉNÉRABLE

En avril 1109, l'abbé Hugues de Cluny rendit son âme à Dieu. Cette mort marquait incontestablement la fin d'une époque. Ce moine pieux et autoritaire avait été mêlé aux grands événements de la vie religieuse de son temps. Il régnait, le mot n'est pas trop fort, sur un nombre considérable d'abbayes ou de prieurés dont le point commun était, hors de l'obéissance à sa personne, la soumission à l'abbé et l'observance de Cluny[50]. Au moment de sa mort, le monachisme était en effervescence; les ermites avaient secoué les vénérables traditions, des chanoines réguliers étaient venus concurrencer les moines, et, de l'autre côté de la Saône, dans la forêt de Cîteaux, une fondation encore modeste cherchait sa voie hors du salut que symbolisait l'impression-nante église en construction à Cluny. La mort d'Hugues pouvait libérer des flots de violence contenue chez ceux qui le craignaient, laïcs ou clercs, elle pouvait conduire à concevoir autrement la gestion de son « empire ».

Dès la mort d'Hugues, les moines de Cluny élirent un des leurs, Pons de Melgueil, un jeune noble languedocien dont l'historien ne sait guère quelles avaient été ses responsabilités jusque-là, un homme mûr de trente-cinq ans et dont les qualités devaient être bien connues de ses électeurs[51]. En tout cas, le grand abbé défunt ne l'avait pas désigné comme successeur. Pons fut reconnu sans peine par la papauté, car celui qui occupait alors le siège de saint Pierre, Pascal II, avait été son parrain. Le nouvel abbé de Cluny poursuivit les grands travaux de l'abbatiale, vit encore augmenter le nombre des abbayes qui lui étaient confiées, en Bourgogne et jusqu'en Angleterre. Il sollicita et obtint le renouvellement des privilèges anciens ou récents de son ordre, de ceux qui étaient attachés à la personne même de l'abbé de Cluny. Il fut invité à servir d'arbitre dans le conflit qui dressait l'empereur contre la papauté. S'il eut des difficultés, l'écho n'en fut pas public; en 1119 seulement, il dut soutenir un rude assaut de son diocésain, l'évêque de Mâcon, et du métropolitain, l'archevêque de Lyon, sur une question de dîmes[52].

---

49. La variété des habits des moines était considérée comme un signe de désunion et de faiblesse, comme on peut le voir d'après une bulle d'Innocent III datée de 1201 (M.H. VICAIRE, « Vie commune et apostolat missionnaire. Innocent III et la mission de Livonie », *Dominique et ses prêcheurs*, Fribourg, 1977, p. 185).

50. Voir plus haut. On trouvera une carte complète de l'ordre clunisien dans l'*Atlas für Kirchengeschichte*, p. 61.

51. H.E.J. COWDREY, « Abbot Pontius of Cluny (1109-1122/6) », *SGSG*, 11 (1978), p. 177-277.

52. Un bref résumé de son activité est donné par M. PACAUT, *L'ordre de Cluny*, Paris, 1986, p. 188-194.

Puis éclata une crise, quand en 1122 la gestion de Pons fut mise en cause par ses moines. L'abbé se rendit à Rome, on ne sait pas bien pourquoi[53], et là Pons perdit ou abandonna sa charge abbatiale. Le vieux prieur de Marcigny lui succéda pour quelques mois, puis le prieur de Domène, Pierre de Montboisier, fut élu. La vie reprit son cours à Cluny. Soudain, en 1125, Pons reparut et voulut, en l'absence de son successeur, reprendre sa charge. Son retour suscita de gros remous, rendit manifestes les antagonismes de deux clans à Cluny. Honorius II convoqua les deux parties, puis fit jeter en prison Pons qui mourut un an plus tard. Celui que l'histoire connaît sous le nom de Pierre le Vénérable garda sa place et entama un abbatiat de trente ans, qui allait lui permettre de stabiliser un ordre, que les événements récents venaient de secouer profondément.

Ce n'est pas ici le lieu de reprendre en détail, pour chercher les causes de cette secousse, une analyse que les érudits ont conduite dans deux directions différentes : soit en voyant les causes de la chute de Pons dans une hostilité des évêques aux privilèges excessifs de Cluny[54], soit en se fondant sur le refus de certains moines d'accepter les projets réformateurs de Pons[55]. Ce dernier a-t-il dû quitter sa fonction parce que les conservateurs de Cluny refusaient tout changement les rapprochant de Cîteaux, ou parce que les évêques, après la longue Querelle des investitures, entendaient recouvrer tous leurs droits diocésains, fût-ce contre l'ordre exempt le plus privilégié? Les raisons officielles avancées font état d'un excès de dépenses engagées par l'abbé déposé[56].

Il est prouvé que les revenus de Cluny étaient très amoindris alors que les besoins se maintenaient ou croissaient[57] : constructions coûteuses, aumônes à distribuer en masse[58], modification des données économiques. Maintenir la perception des dîmes et de droits paroissiaux contre l'avis des évêques était sans doute alors une nécessité; provoquer des aménagements et des restrictions dans la vie interne des moines pouvait en être une autre. En tout état de cause, on le vit bien avec Pierre le Vénérable, la gestion de saint Hugues ne pouvait être poursuivie sans modification, le confort satisfait des moines fiers de leur ordre les conduisait vers un oubli de l'idéal primitif; il fallait agir.

La polémique anticlunisienne engagée avec brutalité par Bernard de Clairvaux, furieux de voir son cousin quitter son abbaye pour rallier Cluny[59] eut-elle un effet pervers profond ou fut-elle seulement un élément de plus? On en discutera encore

---

53. Ou bien les moines ont fait appel au pape, ou bien Pons voulait s'entretenir de lui-même avec Calixte II revenu à Rome, ou bien encore il était sur le chemin de la Terre sainte, où il se rendit effectivement.

54. Point de vue avancé par P. ZERBI, « Intorno a lo scisma di Ponzio, abbate di Cluny (1122-1126) », *Tra Milano e Cluny (IS*, 28) Rome, 1978, p. 309-371. On lui ajoutera le point de vue de G. TELLENBACH, plus axé sur les rapports de Pons et de la papauté : « La chute de l'abbé Pons et sa signification historique », *AMidi*, 1964, p. 355-363.

55. Le dossier complet présenté par A.H. BREDERO est rassemblé dans *Cluny et Cîteaux au douzième siècle, L'Histoire d'une controverse monastique*, Amsterdam, 1986.

56. C'est l'objet des plaintes des moines.

57. G. DUBY, « Économie domaniale et économie monétaire : le budget de l'abbaye de Cluny entre 1080 et 1155 », *Annales ESC*, VII (1952), p. 155-171.

58. J. WOLLASCH, « Die mittelalterliche Lebensform der Verbrüderung », *Memoria*, (*Münst. Mitt. Schr.*, 48), Munich, 1984, p. 215-232.

59. Lettre à Robert et Apologie, voir plus haut la note 6.

longtemps. Cette crise illustre de toute manière les questions que pouvaient se poser les moines noirs, et pas seulement les clunisiens, devant l'expansion soudaine des moines gris, à leurs portes, puis partout sur leurs traces. Pierre le Vénérable ne pouvait l'ignorer, et c'est pourquoi il suscita en 1132 une assemblée de près de 1500 clunisiens pour revoir avec eux certains aspects fondamentaux de leur observance[60]. La liturgie devait retrouver un peu de modestie[61], le recrutement être surveillé pour que l'ordre accueille plus de candidats à la vie monastique, et moins d'incapables, seulement intéressés par une vie matérielle sans souci; dans toutes les maisons de l'ordre, même petites, le silence, le jeûne, l'abstinence, le travail intellectuel devaient retrouver leur niveau des premiers temps clunisiens. Que cela soit appelé retour à la tradition ou restauration, alias réforme, importe peu; Cluny montrait qu'elle pouvait se mettre au diapason des autres.

Tout cela fut écrit dans des statuts qui sont le fruit de l'inlassable activité de Pierre le Vénérable, soucieux de stabiliser son ordre, en le structurant avec plus de fermeté, en réunissant chaque année un chapitre général qui assurait mieux cette liaison, que saint Hugues avait réalisée au prix d'innombrables voyages. Cette rencontre annuelle offrait le moyen de régler des conflits, d'apaiser des querelles, de soumettre des révoltes. Dans le même temps, la remise en ordre financière se fit grâce à la richesse et à générosité du frère du roi d'Angleterre, Henri de Blois, ancien évêque de Winchester retiré à Cluny[62]. L'ordre avait connu l'acuité spirituelle de Maïeul et d'Odon, l'aura et l'autorité d'Hugues, il trouva la pondération de Pierre.

La bibliographie clunisienne est abondante jusqu'à l'abbatiat d'Hugues inclus; elle devient déficiente ensuite. Seul Pierre le Vénérable échappe à ce naufrage[63]. Parce que sa personnalité est extraordinaire et attachante. Les mots qui reviennent à son sujet sont ceux d'intelligence, de sensibilité, de science et de sagesse. Élu à l'âge de trente ans après avoir donné des preuves de ses capacités d'administrateur, il avait reçu une formation intellectuelle très poussée à Vézelay. Il appartenait à une famille auvergnate qui donna à l'Église des moines, des moniales et des clercs[64]. Sa qualité première était sa charité, la *caritas* chère aux moines, qui est générosité et humanité, et donc aussi justice. Il la manifesta par l'accueil qu'il réserva à Abélard en difficulté[65], par son rapprochement final avec saint Bernard[66]. Ces vertus n'ôtaient rien à sa fermeté, aussi sensible dans la défense de la foi chrétienne face aux juifs et aux musulmans, face aux hérétiques pétrobrusiens, que face à ses frères dans le Christ qui

---

60. Les nouveautés furent entérinées en 1146 (G. CHARVIN, *Statuts, Chapitres généraux et visites de l'ordre du Cluny*, t. I, Paris, 1965, p. 20-40).

61. R. FOLZ, « Pierre le Vénérable et la liturgie », *Pierre Abélard - Pierre le Vénérable*, Paris, 1975, p. 143-164.

62. Henri était le frère du roi Étienne de Blois (1135-1154). Il avait été évêque de Winchester (L. VOSS, *Heinrich von Blois, Bischof von Winchester (1129-1171)*, Diss. Berlin, 1932).

63. J. LECLERCQ, *Pierre Le Vénérable*, Saint-Wandrille, 1946; *Petrus Venerabilis, 1156-1956*, Rome, 1956 (*StAns*, 40); *Pierre Abélard - Pierre le Vénérable*, Paris 1975, p. 99-235; Gustavo VINAY, « Pietro il venerabile », *Spiritualita cluniacense*, Todi, 1960, p. 57-81. Parmi ses œuvres, pour connaître sa personnalité, consulter G. CONSTABLE, *The Letters of Peter the Venerable*, 2 vol., Cambridge Mass., 1967.

64. Parmi ses frères, Pons fut abbé de Vézelay (1138), Armand, abbé de Manglieu; Jourdan, abbé de la Chaise-Dieu (1146-1187), Héraclius, archevêque de Lyon (1153-1163). La mère de Pierre s'est retirée à Marcigny.

65. Lettre de Pierre le V. à Héloïse, éd. G. CONSTABLE, I, p. 303-308.

66. A. PROULX LANG, « The Friendship between Peter the Venerable and Bernard of Clairvaux », *Bernard of Clairvaux, CistS*, 23 (1973), p. 35-53.

critiquaient Cluny et mettaient en doute la ferveur et les choix des moines de son ordre. Enfin il était savant. Son sens pratique le porta à gouverner de façon efficace la masse d'abbayes et de prieurés placés sous son contrôle ; sa culture lui permit de laisser à la postérité des traités et des lettres de grande qualité[67]. Il voulut donner des arguments aux chrétiens catholiques en faisant traduire le Coran pour mieux le connaître et le combattre, en dénonçant les erreurs de Pierre de Bruis ; il voulut édifier les moines en relatant des miracles[68]. Par ses lettres, il distribua le réconfort et la consolation. Pourtant cet homme de paix et de dialogue ne reçut pas la consécration des autels qui fut accordée à ses deux contemporains, aux deux abbés dont les noms sont associés à une expansion plus rapide encore et plus étonnante que celle de Cluny, saint Bernard pour l'ordre cistercien, saint Norbert pour l'ordre prémontré.

2. Cîteaux et Bernard de Clairvaux

Quand Étienne Harding donna la première version de sa Charte de charité en 1119, dix abbés se pressaient autour de lui, venus des diocèses de Chalon-sur-Saône, Auxerre, Langres, Châlons-sur-Marne, Besançon, Autun, Sens, Orléans et Vienne[69]. Toutes les filles de Cîteaux se trouvaient à moins de 150 km de l'abbaye-mère ; chacune constituait un nouveau point de départ ; en cercles concentriques, vite plus étendus, l'ordre se propagea comme une onde impossible à arrêter, vers Périgueux, Laon, Bâle, Cologne, Wurtzbourg[70]. En 1127, Morimond avait douze filles et petites-filles, Pontigny six, Clairvaux quatre, La Ferté une. Les chiffres gonflèrent rapidement : environ 340 abbayes à la mort de saint Bernard, en 1153. Cette date a été tenue pour significative par ceux qui appellent bernardin l'ordre cistercien et disent qu'il doit son expansion à l'abbé de Clairvaux[71]. Cela est certainement excessif. Les fondations de la lignée claravallienne datent surtout des années 1132-1150, celles de Morimond sont beaucoup plus denses de 1127 à 1140 que plus tard. Bien d'autres éléments que le rayonnement personnel du plus célèbre abbé de l'ordre ont joué.

L'examen de la carte de l'expansion de l'ordre de Cîteaux montre qu'elle n'a guère d'équivalent au XIIe siècle que celle de Prémontré. Ce qui frappe, c'est d'abord le territoire couvert, de la Sicile et l'Andalousie au golfe d'Oslo, de l'ouest irlandais à la Vistule, puis la répartition des influences : à Morimond, l'Empire et le nord-est de l'Espagne, à Clairvaux, le nord-est de la France et l'Angleterre, et la bordure

---

67. Dans *Pierre Abélard - Pierre le Vénérable*, études de L.K. Little et R. Thomas, p. 235-269.
68. *Ibid.*, études de J. Châtillon (p. 165-176) et J. Le Goff, (p. 181-187).
69. F. van der Meer, *Atlas de l'ordre cistercien*, Paris-Bruxelles, 1971, p. 22-28.
70. Camp, diocèse de Cologne, date de 1123, Lucelle, dioc. de Bâle, de 1124, Ebrach, dioc. de Wurtzbourg, de 1127, Heiligenkreuz, dioc. de Passau, aux portes de Vienne, de 1135 ; dans la lignée de Morimond. À celle de Clairvaux, on doit Foigny, dioc. de Laon, en 1124 et Eberbach, dioc. de Mayence en 1135. Le cas de Cadouin (1119), dioc. de Périgueux, est particulier ; deuxième fille de Pontigny, cette abbaye était une fondation de Giraud de Sales et se retira bientôt de l'ordre de Cîteaux.
71. A. Dimier, « Le monde claravallien à la mort de saint Bernard », *Mélanges saint Bernard*, Dijon, 1954, p. 248-253.

occidentale de la péninsule ibérique [72]. Cîteaux et ses quatre filles étaient en plein cœur de l'ordre. Cluny avait surtout récolté, rassemblé, récupéré beaucoup plus que fondé,

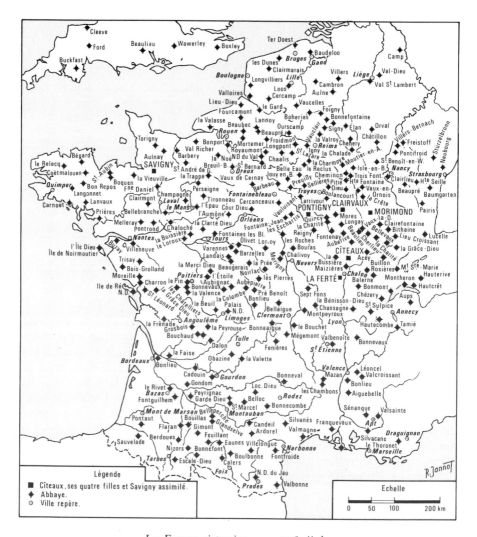

La France cistercienne au XIIe siècle.

---

72. L'expansion géographique de Cîteaux dans les différents pays. La Ferté toucha l'Italie par Tiglieto (1120) et Locedio (1124) ; Clairvaux dirigea le mouvement en Angleterre par Rievaulx (1132), Fountains (1135), en Italie par Milan (1135). La lignée de Morimond a couvert l'Empire depuis la Lorraine jusqu'à l'Elbe : on trouvera dates, filiation et cartes dans l'*Atlas de l'ordre cistercien* (voir note 69).

et son succès frappait d'étonnement. Cîteaux, à quelques exceptions près, créa ou fit créer; c'était un ordre fait de neuf, dans un délai bref, suivant un mécanisme de contagion qui ne s'explique que par la démultiplication des pouvoirs seigneuriaux. Cluny avait connu des temps où les seigneurs étaient des comtes, des princes, déjà nombreux certes, mais beaucoup moins que ne l'étaient au XIIe siècle les petits seigneurs et les chevaliers. Cîteaux apportait aux chrétiens du XIIe siècle une solution monastique neuve, qui explique son succès foudroyant à une époque où les modes couraient vite, où l'émulation provoquait la copie.

D'où vient le succès des cisterciens? Ces moines, qui assuraient comme leurs prédécesseurs les prières et les services liturgiques dont avait besoin le monde chrétien, demandaient qu'on ne leur donnât rien qui rapportât un revenu, rien qui fût le fruit du travail d'autrui; ils ne voulaient pas de dîmes, ni d'églises avec le casuel, pas de domaines exploités par des serfs, ni de moulins ou de fours aux rentes fécondes[73]. Ils voulaient de la terre, de celle que personne ne cultivait parce qu'elle était isolée, « épineuse ». Aux seigneurs et aux chevaliers, ces moines offraient leurs prières et leurs bras, assurant à la fois le salut de l'âme des donateurs et la fécondité de leurs terres. Ils n'étaient pas des ermites hirsutes, prompts à accabler de sarcasmes les curés du voisinage ou à provoquer la contestation, mais bien des moines organisés, soumis à l'évêque du lieu, hostiles à se mêler d'affaires paroissiales et féodales[74]. Ils avaient de quoi plaire aux laïcs, ils avaient aussi de quoi plaire aux amateurs de vie religieuse, avec la règle de saint Benoît reprise sans fioriture, ni excès, une large ouverture au travail manuel aussi bien qu'intellectuel, une liturgie raisonnable, une grande attention aux hôtes et aux pauvres sans se mêler au monde. La mode clunisienne était passée, elle irritait même certains, celle de Cîteaux venait à point.

Ce sens de la mesure qui séduisait, l'ordre cistercien en dut en grande partie l'application à son troisième abbé, Étienne Harding. Cet homme, qu'en d'autres temps on aurait canonisé spontanément, voulut reprendre les choses à zéro, comme le souhaitait son maître Robert; il avait vu assez de monastères pour avoir beaucoup appris, et il en fit son profit. Il voulut le « désert », favorable à la méditation, l'isolement à l'égard des villes et des espaces habités, la pauvreté. Comme Robert et Aubri, ses prédécesseurs, il éloignait de lui les laïcs dont les visites troublaient la quiétude des monastères, il demandait au seul Benoît de Nursie son inspiration, voulait ses propres livres[75]. De ce qu'il avait vu dans les abbayes bénédictines françaises et italiennes, il retint l'idée des moines laïques (convers)[76] et rejeta celle d'une

---

73. J.B. MAHN, *L'ordre cistercien et son gouvernement, des origines au milieu du XIIIe siècle (1095-1265)*, Paris, 1945; J.-M. CANIVEZ, *SCGOC*, Louvain, 1933, 8 vol. La bibliographie cistercienne est considérable et plusieurs revues peuvent être consultées : *Analecta sacri ordinis cisterciensis, Cîteaux. Commentarii cisterciensis, Collectanea ordinis Cisterciensis*, les points de vue les plus récents avec une bibliographie mise à jour se trouvant dans *Zisterzienser, Ordensleben zwischen Ideal und Wirklichkeit*, Catalogue d'une exposition d'Aix-la-Chapelle, 1980, avec articles introductifs, plus un volume de compléments, édité par K. ELM et P. JOERISSEN, Cologne, 1982. Mais il faut encore voir aussi *Saint Bernard et son temps*, 2 vol., Dijon, 1929, *Bernard de Clairvaux*, Paris, 1953, *Mélanges saint Bernard*, Dijon, 1954, *San Bernardo*, Milan, 1954; *Die Cistercienser. Geschichte. Kunst*, éd. A. SCHNEIDER et autres, Cologne, 1976.

74. J. LECLERCQ, « Les intentions des fondateurs de l'ordre cistercien », *CCist*, 30 (1968), p. 233-241.

75. S.R. MAROSZEKI, « Les origines du chant cistercien. Recherches sur les réformes du plain-chant cistercien au XIIe siècle », *ACi*, 8 (1952), p. 1-179.

76. Étienne Harding avait visité Vallombreuse et Camaldoli où il a pu apprécier les coutumes en usage et en emprunter.

congrégation où tous les membres sont liés à une seule tête sans corps. Chaque abbaye aurait son indépendance, son abbé, ses biens, sa vie, et ne tiendrait à l'ordre que par les liens qui l'unissaient à une abbaye mère[77]. On parle de généalogie à propos de cet ordre à cause de la relation des abbayes avec leurs filiales; Cîteaux fut un arbre avec ses grosses branches jusqu'aux plus fins rameaux, où la sève circulait bien et où tout revenait au tronc s'il le fallait. Les filiations de Clairvaux et de Morimond ont bien eu chacune leur courant propre[78].

3. Saint Bernard

L'importance de l'abbé de Clairvaux pour l'ordre cistercien et pour l'Église, et même pour tout le XIIe siècle, ne saurait en aucun cas être minimisée[79]. Il fut d'abord abbé de Clairvaux et dut gérer une grosse abbaye, riche et peuplée. Pendant quinze ans, il ne quitta guère cette région et ses filiales étaient assez proches de Clairvaux : Trois-Fontaines et Fontenay, puis plus loin Foigny, Igny, Reigny. La filiation claravallienne fut de loin la plus féconde, et cela est dû sans conteste au charisme personnel de l'abbé. Le nombre des hommes qu'il convertit par son exemple et ses sermons et ramèna à Clairvaux est colossal, et en permanence son monastère abritait plusieurs centaines de moines et un peu moins de convers. Il ne tarda pas à quitter son cloître pour s'occuper des affaires de l'ordre ou de l'évêché de Langres dont il relevait. Quand éclata la crise de Morimond, suite à des difficultés économiques, et que l'abbé Arnold repartit pour sa patrie coloniale, en l'absence de l'abbé de Cîteaux, il s'efforça de régler l'affaire, envoya lettre sur lettre aux fautifs et pour finir plaça son prieur à la tête de l'abbaye vacante. On a coutume de dire que ces deux monastères, fondés (artificiellement) le même jour, étaient devenus concurrents; en réalité l'influence de Bernard fut certainement aussi vive dans les filiales de Morimond en Empire qu'elle l'était en Angleterre dans celles de Clairvaux. Bernard aima toujours voyager et l'on a calculé qu'il passa un tiers de sa vie hors de son cloître; cela doit être modulé, car à la fin de sa vie la proportion était sûrement inversée[80].

Quand éclata le schisme d'Anaclet, Bernard prit le parti de soutenir Innocent II (concile d'Étampes, 1130), avec une argumentation qui n'était pas sans faille, et une fougue partisane qui ne le quitta jamais. Il était déjà connu et apprécié pour sa science et sa piété; sa campagne en faveur de son pape le conduisit en beaucoup de pays[81]. Dès lors, saint Bernard s'identifia à l'ordre qui s'identifia à lui; il fut pour tous un

---

77. J.A. Lefèvre et B. Lucet, « Les codifications cisterciennes aux XIIe et XIIIe siècles, d'après les manuscrits », ASOC, XV (1959), p. 3-22; J. de la Croix-Bouton et J.B. Van Damme, « Les plus anciens textes de Cîteaux », Studia et documenta 2, Achel, 1974.

78. Cela est particulièrement net dans le cas de la diffusion des différentes versions de la Vie de saint Bernard (A.H. Bredero, « Études sur la vita prima de saint Bernard », ACi, 1961-1962).

79. E. Vacandard, Vie de saint Bernard, abbé de Clairvaux, 2 vol., Paris, 1902; Bernard de Clairvaux, Paris, 1953; E. Gilson, La théologie mystique de saint Bernard, Paris, 1947; Bernard théologien, Rome-Paris, 1953; J. Leclercq, Saint Bernard et l'esprit cistercien, Paris, 1966. L'année 1990 a vu fleurir les colloques et les publications sur saint Bernard, dont Bernard de Clairvaux. Histoire, mentalités, spiritualité (Sources chrétiennes n° 380), Paris, 1992.

80. E. Vacandard, op. cit., 1, p. 390 et suiv.

81. Ibidem, p. 280-294.

exemple. Son activité, déjà grande, allait être inlassable pendant les vingt-cinq dernières années de sa vie. Il prêchait, dictait sermons, traités, lettres[82], arbitrait des conflits, intervenait même quand il n'était pas sollicité, refusait d'être évêque pour être pleinement moine. Il avait inspiré la règle du Temple, il se montra sans pitié pour combattre Abélard[83], pour critiquer Cluny[84], encore plus ardent pour prêcher la croisade[85], honorer la Vierge[86], soutenir la papauté, qui fut justement confiée à un cistercien en 1145[87].

Bernard de Clairvaux eut une destinée exceptionnelle, car il était un être d'exception comme chrétien, moine et prédicateur. Chrétien, il l'était de toutes ses fibres, connaissant à fond les Saintes Écritures qu'il pouvait citer à tout moment, commenter, expliciter, sachant prier et trouver les formules les plus profondes pour exprimer sa foi et convaincre les hésitants. Moine, il considérait que la vie monastique était état de perfection; il vécut la règle de saint Benoît dans sa chair, dans l'ascèse et même la maladie; il allait cependant trop loin quand il pensait que le cistercien seul était le vrai moine. Prédicateur, il mettait dans ses lettres, ses traités, ses sermons toute sa conviction, servie par une langue d'une étonnante richesse et d'une finesse surprenante; ses qualités littéraires ont été amplement démontrées. D'exception il l'était par sa véhémence: intolérance du chrétien face aux juifs, aux musulmans, aux païens, aux hérétiques, dureté intransigeante du cistercien envers les moines des autres ordres et les clercs, même s'il soutint l'action des chanoines réguliers, violence à la limite de l'honnêteté dans sa lutte contre Abélard. L'année 1990 a permis de reprendre l'analyse de l'ordre cistercien et de son plus illustre représentant; bien des correctifs furent apportés aux ouvrages parfois vieillis et aux hypothèses contradictoires. Bernard, qui fut canonisé en 1174, n'en est pas sorti diminué.

La mort du grand abbé de Clairvaux marqua inévitablement la fin de la première époque cistercienne. L'expansion se ralentit considérablement, mais il est vrai qu'il fallait à l'ordre assimiler tant de fondations récentes. Au chapitre de 1147, Savigny et Obazine avaient obtenu leur affiliation à l'ordre, lui ajoutant d'un coup plus de cinq maisons, mais Sempringham était repoussée, non pas parce que cet ordre anglais avait été créé pour des femmes, mais parce que sa structure canoniale était trop particulière[88]. Le chapitre général, imaginé par Étienne Harding, avait beaucoup à faire pour aménager sans cesse les institutions, jugeant les affaires qui mettaient en cause des maisons ou des hommes[89]. Les prescriptions premières de l'ordre subirent rapidement des distorsions: les nouvelles abbayes s'installaient parfois en des lieux

---

82. J. Leclercq, « Aspects littéraires de l'œuvre de saint Bernard », *CCM*, I (1958), p. 425-450 et VIII (1965), p. 299-326.

83. R. Oursel, *La Dispute et la Grâce*, Paris, 1959; J. Verger et Jolivet, *Bernard - Abélard ou le cloître et l'école*, Paris, 1982.

84. Voir plus haut.

85. E. Delaruelle, « l'Idée de croisade chez saint Bernard », *L'idée de croisade au Moyen Âge*, Turin, 1980, p. 153-170.

86. J. Leclercq, « "Dame Reine" dans les sermons de saint Bernard », *CCist*, XXV (1904), p. 265-275.

87. Le pape Eugène III avait été moine à Clairvaux, puis abbé de Saint-Anastase, près de Rome (*DHGE*, 15 (1963), col. 1349 et suiv.)

88. Voir plus loin p. 401.

89. J.M. Canivez (cf. note 73).

déjà habités dont elles chassaient les occupants[90], constituaient, à coup de dons et d'échanges sollicités, de puissants ensembles domaniaux partagés en granges[91], donnaient vigueur au groupe des convers, devenus essentiels à la bonne gestion des temporels, se laissaient convaincre d'accepter des dîmes et refusaient d'en payer[92], ajoutaient à ses propres moulins des constructions d'autrui. La rigueur des premières années cédait devant les besoins et les goûts des moines des deuxième et troisième générations. L'ordre cistercien, qui avait voulu se dégager de la société féodale clunisienne, se trouvait pour sa part profondément mêlé à l'économie d'une société de profit en plein essor ; ses moines devenaient en Espagne et en Angleterre les maîtres de l'élevage du mouton et alimentaient le grand commerce de la laine ; là où se trouvaient des lentilles ferrugineuses, ils étaient les plus habiles à la forge ; partout ils creusaient des canaux, créaient des biefs et des écluses, faisaient tourner leurs « usines ». Dans la campagne, ils tenaient un rôle pionnier comme éleveurs et comme cultivateurs ; leur réussite les rendit prisonniers d'un monde et d'une pratique que les pères fondateurs auraient condamnés sans réserve. L'ordre rayonnait, donnant aussi des évêques à l'Église, des érudits à la science, des architectes à l'art.

4. AUTRES ORDRES MONASTIQUES

Savigny et Cadouin avaient rallié l'ordre cistercien ; mais Tiron, qui avait choisi une orientation voisine, garda son indépendance[93]. À l'inverse, Flore, sous l'impulsion de son abbé Joachim, se détacha de Cîteaux pour appliquer une austérité accrue et gouverner dans cette voie plusieurs maisons d'Italie du Sud[94]. La Chartreuse de saint Bruno mit longtemps à s'organiser, et c'est le cinquième prieur qui composa des coutumes, trente-cinq ans après la fondation (vers 1121-1127)[95]. Clercs et convers étant séparés, les premiers menaient une vie monastique sous l'autorité du prieur et demeuraient ermites dans leur cellule, les seconds assuraient le travail matériel. En 1136, Le Mont-Dieu (diocèse de Reims) adopta cette observance ; puis l'expansion se fit régulièrement, et au chapitre général de 1155 il y avait quinze prieurés. Des

90. R. LOCATELLI, *op. cit.* (note 18). Voir sur ce sujet les paroles très dures de W. MAP, citées par R. MANSELLI (« Certosini e Cisterciensi », I, *Il monachismo e la riforma*, p. 79-104).

91. Ch. HIGOUNET, *La grange de Vaulerent. Structure et exploitation d'un terroir cistercien de la plaine de France, XIIᵉ-XVᵉ siècles*, Paris, 1965. *Diz. Inst. Perf., s.v.* Grangia (J. DUBOIS), 4 (1977), col. 1391-1402.

92. À titre d'exemple, B. CHAUVIN, « La possession d'églises par les abbayes cisterciennes au duché de Bourgogne au Moyen Âge : catalogue critique des documents et directions de recherche », *Actes du 109ᵉ congrès nat. des soc. sav.*, Dijon, 1984, t. I, p. 559-595.

93. *Bernard de Tiron*, (par C. Calenderi), *DHGE*, VII, col. 754. Tiron, dioc. Chartres, rassembla 104 dépendances, dont 16 abbayes (carte dans P.R. GAUSSIN, *L'Europe des ordres et des congrégations des Bénédictins aux Mendiants*, CERCOM, Saint-Étienne, 1984, p. 184-185). J. van MOOLENBROEK, *Vitalis van Savigny († 1122). Bronnen en vroege cultus, met editie van diplomatische Texten*, Amsterdam, 1982.

94. D.C. WEST, *Joachim of Fiore in Christian Thought. Essays on the influence of the Calabrian Prophet*, 2 vol., New York(2), 1975. H. GRUNDMANN, *Neue Forschungen über Joachim von Fiore*, Münst. Forsch. 1, Marbourg (1950) ; M. REEVES et B. HIRSCHREICH, *The Figurae of Joachim of Fiore*, Oxford 1972 ; *Catholicisme, s.v.* Joachim, 6 (1965), 879.

95. B. BLIGNY, *L'Église et les ordres religieux dans le royaume de Bourgogne aux XIᵉ et XIIᵉ siècles*, Paris, 1960, p. 245-318.

moniales demandèrent leur rattachement en 1145[96]. L'originalité de cet ordre à la fois cénobitique et érémitique attira la sympathie ; en 1200, on pouvait compter trente-trois maisons affiliées[97]. Solitude totale et redoutable de la cellule, pauvreté absolue, humilité et silence, contemplation et vie spirituelle intense, l'ordre cartusien offre le rude visage de l'érémitisme avec les rares commodités du cénobitisme[98].

Grandmont représentait un autre mouvement encore, proche de Cîteaux par l'adoption du travail manuel, et issu de l'érémitisme[99]. Étienne de Muret, mort en 1124, avait donné des *Enseignements*, se montrant soucieux de fixer un règlement, attentif seulement au respect de l'obéissance, de la célébration liturgique, et surtout de la plus grande humilité[100]. Le quatrième prieur de Grandmont, Étienne de Liciac (1139-1163), donna une grande impulsion à l'ordre qui se diffusa vers la Champagne et en Angleterre, et groupa une centaine de fondations avant 1200[101]. Dans les celles, les clercs se consacraient à la prière et à la lecture, des laïcs convers aux tâches matérielles. Les seconds avaient la responsabilité administrative des celles. Un chapitre général, qui rassemblait un clerc et un convers par maison, élisait le prieur chef d'ordre, qui avait toute autorité sur les frères. La règle ne pouvait permettre la gestion saine des maisons ; vers 1185-1188 éclata la première d'une longue série de crises[102]. Les interventions extérieures, dont celles des papes, ne purent régler tous les problèmes posés, malgré des mesures de centralisation de l'ordre et les assouplissements de la règle. Néanmoins l'expansion de Grandmont et son rayonnement ont marqué les régions que cet ordre a touchées, et présentent des points communs avec Cîteaux.

III. CHANOINES RÉGULIERS, FRÈRES HOSPITALIERS ET MOINES SOLDATS

1. CHANOINES RÉGULIERS

Urbain II avait reconnu et officialisé la vocation de chanoines à mener la vie commune à l'instar de celle des premiers apôtres à Jérusalem, dans une autre optique

---

96. M. de FONTETTE, « Recherches sur les statuts des moniales chartreuses », *Et. d'histoire de droit dédiée à Gabriel Le Bras*, t. II, Paris, 1965, p. 1143-1151.

97. Carte des fondations dans *LThK*, t. 7, col. 1208-1209.

98. G. HOCQUARD, « La solitude cartusienne, d'après les plus anciennes coutumes », *Bull. Fac. cath. Lyon*, LXX (1948) ; *id.*, « La vie cartusienne d'après le prieur Guigues I », *RevSR*, 31 (1957), p. 364-382 ; B. BARROFIO, « Recenti studi sulla storia della liturgia e della spiritualita nell'ordine certosino », *RivLi*, 63 (1976), p. 399-410.

99. Toutes les études récentes sont de J. BECQUET : Grandmont, dans le *DHGE*, t. 21 (1986), col. 1129-1140 ; « Les institutions de l'Ordre de Grandmont au Moyen Âge », *RMab*, XLII (1952), p. 31-42 ; « Les premiers écrivains de l'Ordre de Grandmont », *ibid.*, XLIII (1953), p. 121 et suiv., « l'"Institution", premier coutumier de l'Ordre de Grandmont », *ibid.*, XLVI (1956), p. 15-32. J. HOURLIER, *Les religieux*, t. X, *L'âge classique, Hist. du droit et des inst. de l'Église en Occident* Paris, p. 74-78. *L'ordre de Grandmont. Art et histoire*, Études sur l'Hérault, 1992.

100. Et. de Muret (1140-1170) (ou de Thiers), voir J. BECQUET, *Scriptores ordinis Grandmontensis*, CChr. CM, VIII, Turnhout, 1968.

101. El. M. HALLAM, « Henry II, Richard I and the Order of Grandmont », *JMRS*, 1 (1975), p. 165-186.

102. J. BECQUET, « La première crise de l'ordre de Grandmont », *BSAHL*, LXXXVII (1958-1960), p. 288-324.

Vue du cloître de Saint-Trophime d'Arles, galerie Est.

que celle qu'avaient conçue Chrodegang et Benoît d'Aniane, une vocation à constituer des communautés religieuses isolées, comme celles des moines[103]. Il leur restait alors à manifester leur idéal d'action sous son double aspect : la charge des âmes, la charité et l'amour du prochain[104]. Le moine est tout entier tourné vers le cloître et il cherche sa propre édification. Le chanoine régulier regarde vers les autres, veut prêcher, convaincre, mener sur la voie du salut, assister les pauvres et les malheureux[105]. Ce n'est pas le face-à-face avec la divinité crainte et révérée, c'est une marche côte à côte avec un Christ prédicateur, qui soulage les souffrances. Les chanoines réguliers sont dans la ligne du mouvement christocentrique. Comment pouvaient-ils espérer exercer cette vocation ? Il leur fallait obtenir des églises car ils ne pouvaient se substituer aux

---

103. En 1092, bulle d'Urbain II pour Rottenbuch (*Monumenta Boica*, 8, Munich, 1767, p. 8-11) ; DEREINE, *RHE*, 46 (1951), p. 546 (J. MOIS, *op. cit.*, p. 75).

104. St. WEINFURTER, « Norbert von Xanten als Reformkanoniker und Stifter des Prämonstratenserordens », *Norbert von Xanten*, dir. K. ELM, p. 159-165.

105. J. LECLERCQ, « La spiritualité des chanoines réguliers », *La vita comune del clero*, note p. 117-135. Les théoriciens de l'exercice de la *cura animarum* par les chanoines réguliers sont surtout Anselme de Havelberg et Arno de Reichersberg.

curés en place. Il est certain que dans certaines régions christianisées depuis moins longtemps, l'est de l'Empire notamment, ces chanoines réguliers ont tenu un rôle important dans le clergé diocésain, sous l'autorité de l'évêque qui avait besoin d'eux[106]. Il n'en fut pas de même dans les régions depuis longtemps chrétiennes, où les églises paroissiales et les chapelles, entre les mains des chapitres, des bénédictins et des laïcs, étaient bien pourvues en curés et vicaires. Prémontré, suivant en cela Cîteaux, refusa même d'abord toute donation d'église.

Les chanoines réguliers pouvaient plus aisément accueillir les pauvres, les voyageurs, les pèlerins, assurer leur nourriture temporelle et spirituelle ; ils peuplèrent naturellement les hôpitaux, et les ordres hospitaliers adoptèrent spontanément la règle de saint Augustin. Clerc voulant exercer le sacerdoce, le chanoine régulier devait être instruit, lettré par excellence, apte à rentrer dans la hiérarchie diocésaine. Beaucoup d'évêques et plusieurs papes sortirent de l'ordre canonial augustinien[107].

Les ordres nés à la fin du XIᵉ et au début du XIIᵉ siècle connurent un lent développement, se constituèrent en congrégations, et se forgèrent des coutumes, mais ne débordèrent guère une aire géographique limitée : Rottenbuch eut 8 fondations, Springiersbach 11, Saint-Pierremont 5, Marbach peut-être une trentaine, Salzbourg autant, Oulx (diocèse de Turin) plus de cinquante[108]. Saint-Victor de Paris fut créé vers 1108 par l'écolâtre de Notre-Dame, Guillaume de Champeaux, futur évêque de Châlons-sur-Marne[109]. Abbaye reconnue en 1113 par le roi et en 1114 par le pape, elle connut un développement rapide et une réelle célébrité dans le domaine de l'enseignement. Les noms d'Hugues et de Richard de Saint-Victor suffisent déjà à sa gloire[110]. Elle réunit autour d'elle, vers 1114, une douzaine de prieurés d'abord, puis elle annexa plus tard d'autres groupements. Les fondations avaient opté pour un régime assez sévère sans adopter néanmoins l'*Ordo monasterii*. Un *liber ordinis Sancti Victoris*[111] servait de coutumier pour cette congrégation dont l'organisation n'était pas très ferme, et qui s'étendait très largement de la France (Sancerre, Orléans, Noyon, Senlis, Bourges) à la Scandinavie. Le modèle cistercien avait été copié en beaucoup de points, comme il le fut par Arrouaise et particulièrement par Prémontré.

106. St. WEINFURTER, « Neuere Forschung zu den Regularkanonikern im deutschen Reich des 11. und 12. Jahrhunderts », *HZ*, 224 (1977), p. 393-394.

107. M. MACCARRONE, « I Papi del secolo XII e la vita comune e regulare del clero », *La vita comune, op. cit.* p. 349-398 (Honorius II, Innocent II, Luce II, Adrien IV, Grégoire VIII).

108. St. WEINFURTER, *op. cit.* (voir note 106).

109. F. BONNARD, *Histoire de l'abbaye royale et de l'ordre des chanoines réguliers de Saint-Victor de Paris (1130-1500)*, Paris, 1904.

110. J. CHATILLON, « La culture de l'école de Saint-Victor au XIIᵉ siècle », *Entretiens sur la renaissance du XIIᵉ siècle. Décades du Centre culturel international de Cerisy la-Salle*, nouv. série, 9, Paris, 1968, p. 147-160.

111. Éd. L. JOCQUÉ et L. MILIS, Turnhout, 1984.

2. DES CONGRÉGATIONS

Comme l'Italie, la France et l'Empire, l'Espagne s'ouvrit aux chanoines réguliers, mais assez tard, dans la seconde moitié du XIIe siècle, et Saint-Ruf y fut influente[112]. L'Angleterre fut touchée plus rapidement, dès l'extrême fin du XIe siècle[113]. Le cœur du mouvement est incontestablement en rapport avec l'axe lotharingien comme cela a été souligné avec l'étude de l'érémitisme, la contagion s'est faite lentement de part et d'autre. Il faut revenir sur le cas particulier des régions orientales de l'empire, éloignées des pays rhénans touchés les premiers (Marbach, Springiersbach, Siegburg, Rottenbuch). L'élan avait été donné à Passau sans grand succès ; le début du XIIe siècle et surtout la fin de la Querelle des investitures furent plus favorables. Quatre évêques au moins jouèrent un rôle capital dans l'expansion du mouvement canonial : Reinhard de Halberstadt (1107-1123), Conon de Ratisbonne, Otton de Freising (1138-1158) et surtout Conrad de Salzbourg (1106-1147)[114]. Les prélats se sont tournés vers les églises privées de l'évêché, et sans qu'il y ait au départ influence du mouvement érémitique (présent jusqu'en Forêt-Noire), ils ont réformé leur chapitre cathédral et confié des tâches importantes aux centres canoniaux qu'ils fondaient. En Bavière, le nombre de ces chapitres réguliers passa de 5 en 1100 à 10 en 1120 et 50 vers 1150[115]. L'évêque réunissait les prieurs, comme s'il était lui-même le seul chef possible de la « congrégation ». L'accent était mis très fortement sur la *cura animarum*, avec des tâches précises, d'exercice pastoral et de surveillance (des chanoines réguliers sont parfois archidiacres). Dans cette région, les femmes furent bien accueillies, comme elles l'avaient été dans les fondations de l'ouest de la France. L'ordre de Prémontré n'eut pas de filiales dans ces régions.

Des deux frères théoriciens mentionnés déjà, Gerhoch de Reichersberg (1092/93-1117) est le plus important[116]. Originaire du diocèse d'Augsbourg, il a étudié à Freising et Hildesheim avant de revenir à Augsbourg comme écolâtre (1118). Adepte d'une vie ascétique, il s'est réfugié à Rottenbuch, centre d'un parti pontifical ; il a tenté, en vain comme beaucoup d'autres qui ont eu la même tentation, de convaincre ses collègues d'Augsbourg, et s'est résolu à faire profession à Rottenbuch (1124). Gerhoch avait l'ambition de réformer tout le clergé pour un meilleur exercice de la *cura animarum*. Il se montra très violent contre les clercs « propriétaires », les curés nicolaïtes et simoniaques, les vicaires mercenaires, parla d'hérésie, allait plus loin dans sa théorie que la papauté même. Il voulut être prêtre, prêcheur, faire condamner les fautifs. Le diocèse d'Augsbourg lui offrit l'espace nécessaire pour s'exprimer. Il continua longtemps avec vivacité sa lutte contre le clergé séculier fautif, n'obtint pas le secours escompté des papes qui avaient été chanoines réguliers ou cisterciens, et aménagea peu

---

112. J.F. RIVERA, « Cabildos regulares en la provincia ecclesiastica de Toledo durante el siglo XII, » *La vita comune*, note p. 220-237.

113. J.C. DICKINSON, *The origins of the Austin Canons and their Introduction into England*, Londres, 1950.

114. St. WEINFURTER, *Salzburger Bistumsreform und Bischofspolitik im 12. Jahrhundert. Der Erzbischof Konrad I. von Salzburg (1106-1147) und die Regularkanoniker*, Cologne-Vienne, 1975.

115. P. CLASSEN, *Gerhoch von Reichersberg. Eine Biographie mit einem Anhang über die Quellen, ihre handschriftliche Überlieferung und ihre Chronologie*, Wiesbaden, 1960.

116. P. CLASSEN, *op. cit. Lexikon des Mittelalters*, IV, col. 1320-1322.

à peu sa théorie d'une manière pragmatique, ne démordant pas de la nécessité du retour des clercs à la *vita communis*. Il avait le sentiment de la supériorité de son état sur celui des moines, à cause de sa tâche pastorale. Dans le dernier tiers du XIIe siècle, dès le schisme de 1159 et avant la mort de Gerhoch, la place des chanoines réguliers, selon les vœux de l'ardent théoricien, se fit notablement plus réduite ; le clergé séculier demeura le plus fort.

Si les mouvements allemands ne connurent pas une diffusion très grande, Arrouaise et Prémontré peuvent se prévaloir d'un succès beaucoup plus considérable. Au départ d'Arrouaise, un groupe d'ermites installés dans une forêt au diocèse d'Arras, à une date indéterminée voisine de 1087, puis un lent développement et une première confirmation de biens en 1097[117]. Un des clercs, Conon, dirige la communauté, choisit les options, organise ; en 1107, il est appelé prévôt par Pascal II, la règle de saint Augustin a été retenue. Conon devient archevêque de Préneste et cardinal, il soutient son monastère d'origine. Son successeur est dit abbé, puis de nouveau prieur, les frères sont appelés chanoines et font vœu de pauvreté et de vie commune, suivent les textes augustiniens qui définissent l'*ordo antiquus*. C'est l'abbé Gervais (1121-1147) qui assure l'expansion de ce qui va être l'ordre d'Arrouaise[118]. Le domaine s'agrandit, s'enrichit de nouvelles cures, des autels sont acceptés. Des affiliations ont lieu, Hénin-Liétard (1123)[119], Ruisseauville (1125), Notre-Dame de Boulogne (1129). Le mouvement s'accélère : en 1133, des chanoines de Ruisseauville partent pour l'Angleterre ; en 1139, l'Écosse et l'Irlande sont atteintes[120], l'espace français est couvert peu à peu. Hors du continent, ce sont les Îles Britanniques qui ont largement adopté cet ordre. La Pologne a été également une terre privilégiée pour l'ordre d'Arrouaise avant 1145[121]. Cet ordre n'a pas eu une stabilité suffisante, malgré une organisation analogue à celle d'autres ordres et apparemment solide (accueil de convers et de converses, chapitre général annuel). L'abbatiat manqua de continuité à Arrouaise même ; le soutien pontifical fut insuffisant ou trop peu sollicité. L'ordre ne se fit remarquer ni par son activité hospitalière, ni par celle de l'enseignement. Dès 1150, il connaissait des difficultés. Incontestablement, il y eut pour les chanoines réguliers, après une période d'euphorie générale de 1080 à 1150, une période de stagnation ou de déclin, auxquels Prémontré seul semble avoir échappé.

3. PRÉMONTRÉ

Prémontré, dans la galerie des ordres canoniaux, représente à ce point un cas particulier qu'on finit par distinguer les « prémontrés » des autres chanoines réguliers comme on fait des « cisterciens » en face des autres moines[122]. Au départ du

---

117. L. MILIS, *L'ordre des chanoines réguliers d'Arrouaise. Son histoire et son organisation, de la fondation de l'abbaye-mère (vers 1090) à la fin des chapitres annuels (1471)*, tome I : texte ; tome II : cartes, Bruges, 1969.
118. C'est sous son abbatiat, vers 1133-1134, que furent rédigées les coutumes de l'ordre : *Constitutiones canonicorum regularium ordinis Aroasiensis*, éd. L. MILIS, Turnhout, 1970 (pour la datation voir p. XLIX-LII).
119. J. BECQUET, *L'abbaye d'Hénin-Liétard. Introduction historique. Chartes et documents (XIIe-XVIe s.)*, Paris, 1965.
120. L. MILIS, *op. cit.*, p. 275-377.
121. *Ibidem*, p. 378-413.
122. St. WEINFURTER, Norbert von Xanten, *op. cit.*, (note 104), p. 159.

mouvement, une carrière brillante, celle de Norbert. Noble, fondateur d'ordre, puis prince d'Église, ce fils du seigneur rhénan de Gennep fut voué très tôt à une carrière cléricale[123]. Doué pour les études, il entra au chapitre Saint-Victor de Xanten, et devint diacre et prêtre. « Miraculeusement » converti en 1115 à l'âge d'environ trente ans, il entra au monastère de Siegburg, puis fréquenta les écoles de Laon. Il se remit à prêcher, ce qui lui fut reproché par le cardinal Conon de Préneste en 1118 à Fritzlar[124]. Ne pouvant convaincre les autres chanoines de Xanten de se convertir, il abandonna sa prébende, donna tous ses biens, prit le bâton de pèlerin et adopta une vie d'ermite sous ses aspects les plus rudes. Approuvé par Gélase II dans son intention de prêcher, il fut soutenu par Calixte II. L'évêque de Laon, Barthélémy de Joux, lui offrit le lieu de Prémontré pour s'y installer avec ses disciples (1120), car ses exigences lui imposaient de créer quelque chose de nouveau[125]. Il adopta la règle de saint Augustin.

Dès 1121, Floreffe lui fut donné pour qu'il y installe des chanoines. Norbert adopta la liturgie particulière de l'*Ordo monasterii*[126]. Pour organiser la vie quotidienne, se sentant très proche de Cîteaux, il opta pour le gros habit de laine, se montra exigeant pour le silence, le travail manuel, garda son goût pour la prédication et le soin des âmes; il était à la fois ermite et chanoine. Norbert dirigea les maisons qu'il fonda, Prémontré, Floreffe, Cappenberg, Varlar, Ilbenstedt, y ajouta Saint-Martin de Laon et Saint-Michel d'Anvers. En 1126, il fut élu archevêque de Magdebourg, et transporta sur les bords de l'Elbe ses ardeurs novatrices, organisant sous son autorité des réformes et des fondations, plaçant ses disciples sur des sièges épiscopaux voisins[127]. En 1128, il abandonna à son second, Hugues de Fosses, la direction de Prémontré. Les choses se mirent peu à peu en place. Chaque monastère reçut un abbé particulier. L'*Ordo monasterii* fut abandonné, des coutumes écrites, proches de celles de Springiersbach, un chapitre général organisé. L'ordre de Prémontré était né. Dans cette région, l'initiative était venue des nobles, et la noblesse se montra ardente à donner des monastères à cet ordre, comme elle le faisait dans le même temps pour Cîteaux. Il ne s'agissait pas ici de faire appel à des chanoines dont la tâche serait de prêcher et d'instruire les chrétiens; les prémontrés recherchaient la solitude, défrichaient des territoires oubliés, constituaient un réseau de granges. Si l'on ajoute le vêtement blanc, le choix du travail manuel et le refus initial de recevoir églises et dîmes, on comprendra qu'il y ait eu de l'extérieur assimilation à l'ordre cistercien. Le succès fut aussi rapide que celui de Cîteaux, mais le territoire couvert fut différent : les fondations de cet ordre se développèrent au nord et au nord-est d'une ligne allant de l'embouchure de la Seine au lac Léman avec une densité qui se relâcha au sud de la Seine et en Espagne.

---

123. St. Weinfurter, « Norbert von Xanten, Ordenstifter und "Eigenkirchenherr" », *AKuG*, 59 (1977), p. 68-98; Alfons Alders, « Norbert von Xanten als rheinischer Adliger und Kanoniker an St-Viktor », *Norbert von Xanten, op. cit.*, p. 35-68.

124. Franz J. Felten, « Norbert von Xanten. Vom Wanderprediger zum Kirchenfürsten », *ibidem*, p. 69-155, et *Id.*, « Norbert von Xanten. Reisen und Aufenthaltsorte », *ibidem*, p. 210-215 (avec carte).

125. Norbert fit d'abord une vaine tentative pour convertir les chanoines de Saint-Martin de Laon (F. Felten, « Norbert, Wanderprediger », *op. cit.*, p. 83-84).

126. Ch. Dereine, « Le premier ordo de Prémontré », *RBen*, 58 (1948), p. 84-92.

127. B. Schwineköper, « Norbert von Xanten als Erzbischof von Magdeburg », dans *Norbert von Xanten, op. cit*, p. 189-209.

4. Ordres hospitaliers et militaires

Depuis le milieu du XIe siècle, des laïcs assuraient l'accueil des pèlerins et des voyageurs désireux de franchir le col du Grand-Saint-Bernard[128]; en 1145, il est fait mention, pour la première fois à leur propos, de frères, qui, en 1190, se disent chanoines. Une des caractéristiques des ordres hospitaliers est la lenteur de leur mise en forme, comme on le voit en particulier avec les antonites. À la Motte-aux-Bois, existait un prieuré de bénédictins de Montmajour[129]. Des reliques de Saint-Antoine l'ermite y avaient été déposées. Vers 1085-1090, se constitua une confrérie de laïcs qui accueillaient les pèlerins et surtout ceux qui venaient chercher la guérison pour une maladie, appelée feu sacré, plus tard feu de Saint-Antoine, et que l'on attribue à la consommation de pain empoisonné par l'ergot du seigle. Les malades étaient accueillis, nourris de pain sain et invités à boire du saint vinage (vin avec herbes aromatiques, dans lequel avaient plongé les reliques de saint Antoine, le jour de l'Ascension). Les guérisons provoquèrent un afflux de pèlerins, qui donna une soudaine impulsion à la confrérie. Comme toujours dans ce cas, des donations furent faites en abondance aux hospitaliers de la Motte. Un hôpital fut construit, Calixte II consacra une nouvelle église[130]. La pratique de la quête publique pour rassembler des aumônes destinées aux malades et aux pauvres se répandit; plus tard l'idée vint d'élever dans les villes un « cochon de saint Antoine » au profit de ces hospitaliers. C'est à la fin du XIIe siècle que commença la marche des antonites vers l'indépendance, l'élection d'un supérieur et la création de préceptoreries.

Le Grand-Saint-Bernard et Saint-Antoine du Viennois donnent deux exemples de groupements de laïcs à but hospitalier, mais l'on sait que l'accueil du prochain, les soins aux malades, le secours des pauvres faisaient partie des tâches habituelles des communautés religieuses, et de leur service hospitalier, et provoquaient de plus en plus de créations de maisons-dieu. C'est en Terre Sainte que prit corps l'idée de l'organisation d'un ordre hospitalier à vocation militaire. Au lendemain de la prise de Jérusalem (1099), le Saint-Sépulcre fut transformé en cathédrale chrétienne et un chapitre y fut installé. Les chanoines se soumirent à la régularité en vogue en Occident et attachèrent à leur état la double fonction pastorale et hospitalière[131]. Le patriarche avait la lourde tâche de réorganiser une hiérarchie catholique romaine; avec le chapitre cathédral, il eut le souci de l'accueil des pauvres et des pèlerins. Il porta son attention à l'hôpital Sainte-Marie-Latine et prit des chevaliers à son service[132]. C'est dans ce cadre que prit corps la création de groupes de chevaliers chargés de la défense

---

128. *LThK* (2), IX, col. 135.
129. A. Mischlewski, *Grundzüge der Geschichte des Antoniterordens bis zum Anfang des 15. Jahrhunderts*, Cologne-Vienne, 1976, p. 17-33. La Motte-au-Bois est aujourd'hui Saint-Antoine en Viennois (France, dép. Isère).
130. La bulle qui en fait état (20 mars 1119) serait falsifiée, mais l'itinéraire de Calixte II a pu passer par cet endroit.
131. K. Elm, « Kanoniker und Ritter vom Heiligen Grab. Ein Beitrag zur Entstehung und Frühgeschichte der palästinensischen Ritterorden », *Die geistlichen Ritterorden Europas*, éd. J. Fleckenstein und M. Hellmann, (Vorträge und Forschungen, XXVI), Sigmaringen, 1980, p. 141-170. J. Leclercq (« Un document sur les débuts des Templiers », *RHR*, 52 (1957), p. 85) va jusqu'à parler d'une sorte de tiers ordre attaché aux chanoines réguliers du Saint-Sépulcre à Jérusalem.
132. Voir p. 303.

des pèlerins sur la route de Jaffa à Jérusalem, templiers, hospitaliers, enfin teutoniques[133].

À l'autre extrémité de la Méditerranée, les musulmans étaient établis dans la péninsule ibérique; une lutte analogue à celle de la Terre Sainte y était conduite. Pascal II interdit aux Espagnols de détourner leur force militaire au profit du royaume de Jérusalem[134]. Depuis 1085, l'idée de la *reconquista* s'était imposée, et toutes les forces en place devaient y être consacrées. Les armées régulières ne suffisaient pas et il se créa plusieurs confréries militaires qui donnèrent naissance à des ordres[135]. La confrérie de Belchite (v. 1118-v. 1130), à qui était promise une part du butin de la conquête, n'eut pas de succès[136]. Un appel fut lancé aux templiers et aux hospitaliers qui occupèrent quelques fortins. En Léon, se créa l'ordre de San Julian de Pereyro (v. 1156), approuvé en 1177, puis la confrérie de Caceres donna le jour à l'ordre de Santiago (Saint-Jacques) à l'instigation du roi Ferdinand II (v. 1170-1171), confirmé en 1175 par Rome avec adoption de la règle augustinienne[137]. Cet ordre acceptait les hommes mariés parmi ses membres, ce qui provoqua le départ du comte Rodrigue, fondateur de l'ordre de Montjoie dans un esprit plus exigeant et proche de Cîteaux. Au Portugal, le roi Alphonse Ier, en 1151, créa à Coïmbre une milice qui, à partir de 1162, devint indépendante et reçut une règle d'un abbé cistercien, ce furent les frères de Santa Maria d'Evora (ordre d'Avis)[138].

En Castille, le dynamisme de l'abbé cistercien Raymond de Fitero permit la création d'un mouvement attaché à la défense du château de Kalaat-Rawaah (qui avait été tenu par des templiers) et relevant de l'ordre de Cîteaux (1158); il devint l'ordre de Calatrava, le plus important et le plus actif dans la péninsule[139]. Tous ces ordres se développèrent et se structuèrent au XIIIe siècle, où coexistèrent Calatrava, Alcantara (Pereyro) et Santiago. Patronnés par des chanoines augustiniens ou par des moines cisterciens, les ordres hospitaliers et militaires représentaient, sous de multiples formes de détail, un unique courant nouveau d'aide aux pauvres, pèlerins et malades, dans une communauté où l'accent portait sur le dévouement à autrui plus que sur la prière et la contemplation.

---

133. Voir p. 300-305.
134. A. Noth, *Heiliger Krieg und Heiliger Kampf in Islam und Christentum* (Bonn. Hist. Forsch., 28), Bonn, 1965.
135. *Dicc. hist. ecl. Espana*, t. III (1973), *s.v. Ordenes militares* : Calatrava, p. 1813-1815; San Juan de Jerusalem, p. 1817-1820; Santiago, p. 1820-1824; San Sepulcro, p. 1825; Templarios, p. 1825-1828; Teutonica, p. 1828-1830. Bonne présentation par B. Schwenk, « Aus der Frühzeit der geistlichen Ritterorden Spaniens », *Die geistlichen Orden*, p. 109-139. D.W. Lomax, *Las Ordenes Militares en la Peninsula Iberica durante la Edad Media*, Salamanque, 1976.
136. P. Rassow, « La cofradia de Belchite », *AHDE*, 3 (1926), p. 200-227.
137. D.W. Lomax, « Las milicias cistercienses en el reino de Leon », *Hispania*, 23 (1963), p. 29-42. *Lex. des Mittelalters, s.v.* Alcantara.
138. B. Schwenk, *op. cit.*, p. 130-132.
139. H. Marin, « San Raimundo de Fiero, abd y fundator de Calatrava », *Cistercium*, 15 (1963), p. 259-274. J.F. O'Callaghan, « The Spanish military Order of Calatrava and its Affiliates », *Coll. Stud.*, Londres, 1975; F. Gutton, *La chevalerie militaire en Espagne. L'ordre de Calatrava*, Paris, 1957; D.W. Lomax, *Las milicias cistercienses, op. cit.*

IV. LES FEMMES ET LE CLOÎTRE – PROBLÈMES SPÉCIFIQUES

Quand Hugues de Semur, abbé de Cluny, décida de fonder Marcigny pour y accueillir des femmes, il déclara que les monastères pouvant accueillir des candidates à la vie religieuse faisaient cruellement défaut[140]. Il est de fait que la vague de fondations monastiques féminines avait été forte dans le royaume franc jusqu'au VIIIe siècle, que beaucoup de maisons avaient périclité ou avaient été détruites, et qu'à l'exception de l'Empire, il restait relativement peu d'abbayes de moniales, notamment dans la moitié sud de la France. Les XIe et XIIe siècles se caractérisèrent par l'abondance des fondations destinées aux femmes, monastères doubles, abbayes et prieurés indépendants. Le monachisme féminin doit donc faire l'objet d'une analyse attentive pour cette période où les nouveautés ne manquèrent pas.

1. LES MONASTÈRES DOUBLES

Il est incontestable que les fondations spontanées intéressant les femmes furent, du milieu du XIe au milieu du XIIe siècle, de façon prédominante des monastères liés à des abbayes d'hommes et parfois même des monastères doubles[141]. D'abord de la part des bénédictins, comme à Marcigny-Cluny, ou en Souabe dans la filiation de Hirsau et de Saint-Blaise, ensuite par structuration de communautés assemblées par des ermites et des prédicateurs, telles qu'on les voit à Obazine ou à Fontevrault, enfin par création progressive d'un accord entre deux groupes sans intention préalable de constituer un monastère double.

L'institution du monastère double est venue d'Orient ; elle organisait la cohabitation de deux communautés de moines et de moniales, vivant sous une autorité unique (abbé plutôt qu'abbesse), en un même lieu et sous un patrimoine commun. Si les bâtiments d'habitation étaient naturellement distincts, l'église était commune et la séparation des deux sexes y était sévèrement réglementée, avec des instructions précises touchant le service des prêtres. La justification du monastère double était dans la complémentarité des besoins et la répartition des tâches. Les femmes avaient besoin des hommes pour le service divin et l'administration extérieure ; les hommes utilisaient les capacités de travail propres aux femmes, dans le vêtement, les cuisines. Les dangers de cette cohabitation n'échappaient pas aux autorités religieuses et civiles. Justinien, par deux fois, avait ordonné et organisé la dissolution des monastères doubles[142]. Appliqué en Italie, son décret explique l'absence de tels monastères dans la péninsule italienne. L'Espagne leur fit bon accueil et les vit se développer et prospérer jusqu'au XIIe siècle, notamment dans la région de Cordoue. La diffusion de la règle bénédictine leur fut

---

140. E.M. WISCHERMANN, *Marcigny-sur-Loire. Gründungs- und Frühgeschichte des ersten Cluniacenserinnenpriorates (1055-1150)*, (Münstersche Mittelalter-Schriften, bd 42), Munich, 1986, p. 31-57. La fondation est datée de 1055.
141. U. BERLIÈRE, *Les monastères doubles aux XIIe et XIIIe siècle*, Bruxelles, 1923. Stephan HILPISCH, *Die Doppelklöster, Entstehung und Organisation*, Münster/W., 1928.
142. M. BATESON, *Origin and Early History of Double Monasteries*, Londres, 1899.

néfaste comme elle le fut aux fondations doubles du royaume franc, à peine encore représentées après 800. C'est de la même date qu'est la dernière mention de monastères doubles dans l'île anglo-saxonne. Dans ce domaine, le XIe siècle a donc connu un renouveau remarquable.

Les monastères doubles des XIe et XIIe siècles se distinguaient de ceux des siècles précédents. L'unité d'autorité demeura, mais l'unité de lieu et l'unicité du patrimoine ne furent pas totales; il en fut de même pour la règle qui pouvait différer dans le cas de frères suivant la règle de saint Augustin aux côtés de moniales bénédictines. La question de l'importance numérique relative des deux communautés peut être posée. Non seulement l'égalité était rarement atteinte, mais il pouvait y avoir une grande disparité. La question fondamentale était celle de l'organisation pratique de la symbiose des religieux des deux sexes. Les solutions offertes à un même problème furent donc fort diverses selon les ordres et il convient de les rapporter.

Le premier cas est celui des prieurés bénédictins de femmes souhaités par l'aristocratie et adjoints à une abbaye d'hommes. Le cas de Marcigny, où résidaient en permanence deux à vingt moines clunisiens, est typique. Au reste les textes sont clairs à ce propos : en 1088 la comtesse de Mâcon, Reine, désirant « accéder à l'asile du monastère de Cluny » décide donc d'entrer au cloître de Marcigny, pour y être soumise à la « discipline clunisienne »[143]. L'entrée en religion de Reine s'accompagne d'une riche dotation qui permettra à Cluny d'ouvrir au diocèse de Liège le prieuré d'Aywaille. Un prieuré comme celui-là répondait aux désirs de familles entières d'entrer en religion, sans leur donner le sentiment de se disperser. Dans la même année 1088, Geoffroy III de Semur, neveu de l'abbé Hugues, se convertit avec sa famille : son épouse Ermengarde et trois filles Achis, Agnès, Cécile entrent à Marcigny; lui-même et son fils Renaud se font moines à Cluny. En devenant plus tard prieur de Marcigny, le seigneur de Semur côtoie de nouveau sa famille. Toute la villa de Bagny est alors offerte en remerciement à Cluny. La fondation de saint Hugues répondait ainsi en premier lieu à une demande familiale, celle de sa mère, veuve, celle de sa sœur, abandonnée par son mari; deux autres de ses sœurs encore se retirèrent à Marcigny[144]. Ce cas n'est pas unique. Les monastères doubles de Souabe à la même époque sont dus à la générosité des grandes familles nobles[145]. Il faut toutefois en distinguer les prieurés de femmes indépendants, dont le contrôle était confié à des abbayes d'hommes, comme par exemple ceux de Saint-Bénigne de Dijon (Rupt, Ulmoy) et d'Affligem, ou à des abbayes de femmes, comme ceux du Ronceray[146].

Le second cas est celui des communautés regroupant les deux sexes et organisées par l'animateur en monastères doubles. Ces exemples sont ceux qui se rapprochent le plus du modèle oriental primitif. Obazine présente un exemple très clair; il nous est expliqué dans la vie de saint Étienne, quand celui-ci rend visite aux femmes : « Il leur

---

143. J. RICHARD, *Le cartulaire de Marcigny-sur-Loire (1045-1144). Essai de reconstitution d'un manuscrit disparu*, Dijon, 1957, p. 26.

144. J. WOLLASCH, « Parenté noble et monachisme réformateur », *RH*, 1980, p. 3-24.

145. E. GILOMEN-SCHENKEL, « Frühes Mönchtum und Benediktinische Klöster des Mittelalters in der Schweiz », *Helvetia sacra*, III-1, Berne, 1986, p. 55-82.

146. J. AVRIL, « Les fondations, l'organisation et l'évolution des établissements de moniales dans le diocès d'Angers (du XIe au XIIIe siècle) », *Les religieuses en France au XIIIe siècle*, Nancy, 1985, p. 27-68.

fit un sermon, leur enseigna à l'aide d'exemples et leur définit de vive voix quel devait être désormais, en toute circonstance, leur genre de vie. Il les quitta avant le coucher du soleil, après les avoir mises en sécurité par un ordre de clôture perpétuelle. Bientôt après, par une très ferme ordonnance, il décida que dorénavant, aucune d'entre elles, aussi longtemps qu'elle vivrait, ne pourrait franchir la clôture du monastère, quelque occasion ou nécessité qui puisse se présenter et de quelque manière que ce soit. Il paraît incroyable à beaucoup de gens qu'un si grand nombre de femmes aient pu vivre ainsi enfermées ensemble : elles furent bientôt cent cinquante. » Il fallut instaurer quelques aménagements, tels que celui-ci : « Dans le mur qui sépare l'église en deux parties, il a été aménagé un guichet carré, garni de barreaux de fer et fermé d'un voile du côté des religieuses. Vers le bas, il a été laissé un espace libre pour permettre à la main du prêtre de distribuer la sainte Eucharistie. Quand les religieuses veulent communier, toutes ensemble ou spécialement les malades, le prêtre, après avoir communié à l'autel, apporte avec grand respect le corps du Seigneur à cet endroit. Une fois le voile retiré, toutes celles qui s'approchent communient ainsi de la main du prêtre avec respect et crainte [147]. »

Fontevraud et Sempringham permettent de poser plus nettement le problème des monastères doubles, car la tradition a constamment considéré qu'ils offraient deux exemples d'un véritable ordre de monastères doubles. La naissance de Fontevraud a été présentée plus haut. La mort de Robert d'Arbrissel laissa Pétronille de Chemillé libre d'organiser l'ordre naissant. En quelques décennies, les grands traits furent dessinés. L'autorité y revenait à la seule abbesse de Fontevraud, à laquelle les frères, chanoines et laïcs, furent totalement soumis, sans avoir véritablement voix au chapitre, ce qui provoqua de leur part par la suite des réactions assez fortes. Le nombre des frères fut rapidement très inférieur à celui des religieuses, et cela était encore plus sensible dans les nombreux prieurés fondés au XIIᵉ siècle que dans l'abbaye mère. Les frères adoptèrent la règle augustinienne, alors que les femmes étaient des bénédictines. Des statuts séparés furent élaborés pour les deux groupes, d'abord vers la fin de l'abbatiat de Pétronille († 1149), puis encore un peu plus tard. L'intention première de Robert d'Arbrissel fut peu à peu oubliée et Fontevraud fut très vite un ordre de nobles moniales [148].

Gilbert de Sempringham (Lincolnshire) fonda deux monastères de femmes, l'un dans son village (1131), l'autre à Haverholm (1139) ; il mit des converses au service des moniales, puis y ajouta des frères laïques, pour la mise en valeur des terres qu'on leur donnait [149]. Les hommes suivaient les offices dans la grande église des moniales. Le chapitre général de Cîteaux refusa d'incorporer ces fondations à son ordre en 1147. Gilbert ajouta alors aux trois groupes de chaque maison des chanoines chargés de tâches administratives, liturgiques et pastorales. Deux règles coexistèrent alors,

---

147. *Vie de saint Étienne d'Obazine*, éd et trad. M. AUBRUN, Clermont-Ferrand 1970, p. 99.
148. Voir p. 148. On trouvera les statuts de Fontevraud imprimés dans la *PL*, 162, col. 1079-1086. P.S. GOLD, *The Lady and the Virgin. Image, Attitude and Experience in Twelfth Century France*, Univ. of. Chicago Press, 1985, p. 93-115.
149. R. FOREVILLE et G. KEIR, *The Book of saint Gilbert*, Oxford, 1987 (Introduction) ; R. FOREVILLE, « Naissance d'un ordre double - L'ordre de Sempringham », *Naissance et développement des réseaux monastiques et canoniaux*, Saint-Étienne, 1991, p. 163-174.

comme à Fontevraud, celle de saint Benoît pour les femmes et celle de saint Augustin pour les clercs. Dès 1165, un conflit éclata entre frères lais et chanoines. Un appel fut lancé à Rome, une enquête eut lieu, Gilbert s'expliqua. Après dix ans de procédure, des décisions furent prises : création de deux blocs de bâtiments voisins, interdiction faite aux hommes de fréquenter l'église des femmes, à l'exception des chanoines assurant le service. Était-ce possible d'assurer l'égalité entre moniale, chanoines, converses et frères lais? Les derniers nommés ne voulaient pas être des subalternes. La crise se calma et un règlement intervint en 1176. Ce fut la naissance de monastères dédoublés. À la mort de Gilbert, l'ordre comptait treize maisons; au cours du siècle suivant l'évolution ne maintint que deux maisons dans le sens où l'avait voulu le fondateur.

Le troisième cas est plus complexe : le monastère double n'y est pas consciemment organisé et débouche sur une fondation féminine distincte. L'exemple le plus net est offert par Klosterrath et Marienthal, présentés dans les *Annales* de Rolduc[150]. Au départ il y a fondation d'un monastère de chanoines réguliers par Ailbert, prêtre et chanoine de Tournai. Arrive un ministérial, Embricho, avec sa femme Adelaïde, leur fils et leur fille, événement conforme à ceux de Marcigny cités plus haut. Au bout de quelque temps, Ailbert se déclare gêné par la cohabitation avec les femmes et propose de les éloigner. C'est Adelaïde qui refuse de se déplacer après avoir d'abord accepté et elle est soutenue par son mari, qui gère l'intendance de la communauté. Un jugement de grands ecclésiastiques donne tort à Ailbert, qui quitte les lieux peu après et reprend son errance. Cela se passait vers 1095. Vingt ans plus tard, en 1116, l'abbé Richer échoue dans sa tentative de dissoudre le groupe et de transplanter les sœurs près de l'église voisine. Le nombre des sœurs ne cesse de croître; des bâtiments sont édifiés dans le cimetière de l'église paroissiale de Rolduc, et les sœurs y sont finalement installées, après qu'on leur eût accordé une part du patrimoine commun. Cela ne suffit pas; en 1140, les femmes, dont le nombre s'élève à 37, sont encore déplacées et installées dans un monastère à Marienthal, tout en demeurant sous la discipline et le contrôle religieux de Rolduc, donc des chanoines. L'abbé Jean se jura de ne plus accepter des femmes aux abords de son monastère; pourtant son successeur immédiat, Erpon, en accepta huit, pour entretenir les vêtements, parce que, selon lui, l'église ne pouvait se passer de leur service, puisque des personnes religieuses de l'autre sexe avaient également été au service des apôtres.

La première phase de l'histoire de Rolduc-Klosterrath était bien celle d'un monastère double : les sœurs assistaient à la messe aux côtés des frères, faisaient des vœux, elles n'étaient pas de simples domestiques. Dans la deuxième phase, elles reçurent de quoi vivre du leur, demeurèrent soumises à l'autorité des frères et donc de leur abbé. Le monastère double avait cessé d'exister en raison de l'éloignement géographique, du partage de la mense commune; les frères de Rolduc devaient participer à l'administration temporelle des sœurs comme le faisaient l'abbé et les moines de Saint-Bénigne pour celles des prieurés de Rupt et d'Ulmoy. Une telle

· 150. *MGH.SS*, 16, p. 699-723. M. Parisse, *Les nonnes au Moyen Âge*, Paris, 1983, p. 53-58. Ch. Dereine, *Chanoines réguliers au diocèse de Liège avant saint Norbert*, Bruxelles, 1952.

séparation paraissait difficilement évitable à plus ou moins long terme, car le risque de scandale était toujours menaçant. Ainsi pour le monastère double de Saint-Benoît de Padoue, fondé en 1095, un projet de séparation provoqué par un scandale fut élaboré en 1150 dans le cadre des décrets de Justinien, mais la communauté subsista cependant telle jusqu'en 1195. La plupart des fondations doubles du duché de Souabe furent rompues après des délais variables; seuls Muri et Engelberg se maintinrent comme telles, leurs nécrologes donnant la preuve formelle de leur double recrutement[151].

2. LES FEMMES ET LES ORDRES NOUVEAUX

Des femmes de tous âges et de toutes conditions suivirent aussi bien Norbert de Xanten, Theoger de Saint-Georges en Forêt-Noire que Gaucher d'Aureil. Chaque nouvelle congrégation, chaque nouvel ordre eut à se préoccuper de la forte demande féminine des années 1090-1150. La plupart du temps, l'accueil leur fut favorable; parfois il y eut refus irréductible, ou encore renoncement progressif, de la part des nouveaux moines et chanoines. Le cheminement de Prémontré et de Cîteaux apparaît à cet égard assez contradictoire. Norbert de Xanten accepta l'établissement de converses à un jet de pierre des abbayes de l'ordre et il n'est guère d'établissement qui n'ait eu alors son « parthénon », sa nonnerie. La tradition admet que le chapitre général décida leur suppression en 1150[152]. Aucun texte précis ne vient à l'appui de cette assertion, et la décision, si elle fut réellement prise ne fut pas suivie d'effet immédiat. Il est de fait que les converses disparaissent lentement des chartes des abbayes prémontrées. Il y eut un retour des chanoinesses dans cette congrégation à la fin du XIIᵉ siècle, soit avec des prieurés établis à bonne distance de l'abbaye mère comme Belletanche pour Salival au diocèse de Metz, soit avec des fondations neuves. Les chanoines réguliers d'Arrouaise acceptèrent également les religieuses dont ils se séparèrent au XIIIᵉ siècle (1247).

Saint Bernard est considéré généralement comme responsable du rejet des femmes par l'ordre cistercien. Cette assertion n'a pas de raison d'être[153]. Sous l'abbatiat d'Étienne Harding et avec son accord, une abbaye de femmes fut fondée au Tart, avec des moniales venues de Jully. À Jully étaient entrées notamment des femmes des chevaliers convertis de Molesme et de Cîteaux. Dès avant 1120, certaines quittèrent Jully pour habiter le Tart, à 12 km de Cîteaux, sur un terrain acquis grâce à l'abbé cistercien. Tandis que Jully en 1128 devint prieuré dans l'obédience de Cluny, le Tart fut d'emblée gouverné par une abbesse. Les prieurés féminins d'Obazine et de Savigny, comme un certain nombre d'abbayes de femmes, adoptèrent l'esprit cistercien, sans toutefois être véritablement incorporés à l'ordre de Cîteaux. Dans la seule Bourgogne comtale, on vit plusieurs créations se faire au voisinage des maisons

---

151. E. GILOMEN-SCHENKEL, *op. cit.*
152. Les renseignements nous manquent sur les décisions prises par les plus anciens chapitres généraux de l'ordre.
153. B. DEGLER-SPENGLER, « Die Zisterzienserinnen in der Schweiz », *Helvetia sacra*, III-3, Berne, 1982, p. 507-574. S. THOMPSON, « The problem of the Cistercian Nuns in the Twelfth and Early Thirteenth Centuries », *Medieval women*, éd. D. BAKER, Oxford 1978, p. 227-252.

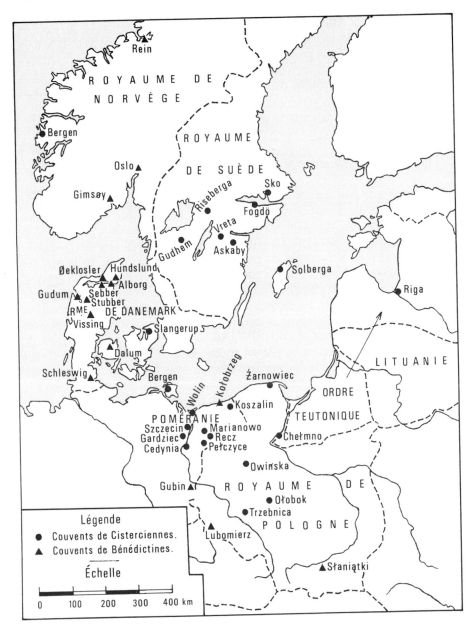

Les monastères des bénédictines et des cisterciennes en Scandinavie et en Pologne à la fin du XIIIe siècle.

(© Zofia Zuchowska, Institut de Géographie historique de l'Église en Pologne, Lublin).

de cisterciens, à une distance à peu près égale à celle qui séparait le Tart de Cîteaux[154]. Après 1180, deux nouveautés interviennent : le Tart prit la tête des dix-huit abbayes de femmes fondées dans l'esprit de Cîteaux, et l'abbé de Cîteaux officialisa ce groupement en définissant de quelques traits le contrôle qu'il se réservait sur elles. Las Huelgas, abbaye espagnole de moniales, demanda son affiliation à l'ordre cistercien, avec un groupe d'autres maisons. À partir de là, le chapitre général fut amené à prendre des dispositions particulières à propos des moniales ; et au XIIIe siècle les demandes d'affiliation affluèrent.

Les femmes se trouvèrent associées à tous les mouvements monastiques et canoniaux du XIIe siècle, soit intégrées véritablement dans des monastères doubles, progressivement ou durablement, soit admises à résider à proximité des hommes et à participer à leurs activités religieuses. Une association encore trop peu étudiée est celle des hommes et des femmes qui travaillaient dans les hôpitaux, frères gestionnaires et chapelains, d'une part, sœurs chargées du soin des malades et des mourants, de l'autre. Des femmes furent également associées de la sorte aux communautés des ordres hospitaliers et militaires.

L'établissement d'un monastère de religieuses, abbaye ou prieuré, posait toujours deux problèmes : le service divin et la *cura monialium*, d'une part, la gestion du patrimoine, de l'autre, questions réglées d'office dans le cadre du monastère double, mais posées avec souvent beaucoup d'acuité aux établissements indépendants. La solution la plus courante consistait à détacher de l'abbaye masculine voisine des prêtres ou des frères comme prieurs ou convers pour assurer ces tâches. Il en fallait plusieurs ; aux prêtres hebdomadiers intervenant à tour de rôle s'ajoutaient les diacres et les sous-diacres ; le prieur gestionnaire se faisait aider également. Ce sont trois à dix hommes, parfois bien plus, qui aidaient ainsi au bon fonctionnement du monastère féminin. Le prieuré d'Ulmoy avait de la sorte, outre sa douzaine de moniales, huit converses et six convers, sous la direction de la prieure, et du moine-prieur de Saint-Bénigne. Les grandes abbayes anciennes des bénédictins avaient les moyens financiers d'entretenir un clergé important de quatre à huit chanoines-prêtres et de plusieurs officiers laïques. Les chanoines étaient de simples prébendés ou constituaient un petit chapitre adjacent[155]. Dans les chapitres de dames nobles, un certain nombre de prébendes était réservé aux chanoines par les institutions, souvenir lointain du monastère double. La *cura monialium* fut assurée de façon généralement satisfaisante au XIIe siècle ; il en fut différemment dans les périodes suivantes.

3. Recrutement et vie quotidienne

À la lecture des récits qui décrivent le succès obtenu par les prédicateurs errants, l'impression dominante est qu'enfin les femmes de toutes conditions pouvaient avoir

---

154. J. de La Croix Bouton, B. Chauvin, E. Grosjean, « L'abbaye de Tart et ses filiales au Moyen Âge », *Mélanges Anselme Dimier*, Arbois, 1984, p. 19-61.

155. Tel est le cas du petit chapitre Sainte-Croix relevant de l'abbaye verdunoise des bénédictines de Saint-Maur de Verdun (Bulle de Léon IX, *PL* 143, col. 626).

accès au cloître et donner à leur vocation religieuse une réalité. On le vit notamment à Fontevraud où un bâtiment était réservé aux « femmes repenties ». Une généralisation serait certainement trop hâtive. Dans la mesure où des renseignements précis sont fournis par les chartes, ou par les documents nécrologiques, il ressort que l'aristocratie est restée de loin la mieux représentée, sinon parfois la seule présente. Les converses des nonneries comme les moniales des prieurés bénédictins et des abbayes cisterciennes étaient des filles et femmes de chevaliers et de seigneurs et sortaient donc de familles fortunées. La forte demande féminine était en fait parallèle à l'augmentation du groupe chevaleresque et seigneurial. En France, un siècle plus tôt qu'en Allemagne, la chevalerie obtint une position dominante, disposa de fiefs, vécut dans l'entourage des seigneurs, et comme ces derniers, les chevaliers envisagèrent pour leurs filles un beau mariage ou une place dans le confort du cloître.

La haute aristocratie se réservait l'accès aux plus riches et plus anciennes abbayes bénédictines et aux chapitres de dames nobles. Chaque fois qu'une donation était faite, qu'une parenté était précisée, qu'une abbesse se montrait active, l'origine noble des moniales et des dames est attestée. Selon une tradition ancienne, les descendants des fondateurs ou les vassaux du roi gardaient ou recevaient le contrôle des patrimoines monastiques, qui étaient parties intégrantes de leur principauté; l'intervention des abbesses était alors inévitable.

La vie quotidienne des religieuses était différente de celle des moines et des chanoines. Certes, elles étaient soumises à la récitation de l'office, chantaient les heures, assistaient à une ou plusieurs messes, lisaient et méditaient les Saintes Écritures, mais elles n'avaient pas accès au sacerdoce. Elles étaient, comme on l'a vu, tributaires des prêtres, pour la messe, la confession et la communion, l'enterrement. Certaines abbesses auraient aimé jouer le rôle de diaconesses, confesser les sœurs à défaut de faire davantage; leurs prétentions furent surveillées[156]. Chanoinesses séculières ou régulières, elles voyaient leur échapper tout ce qui faisait l'intérêt de la vie canoniale. Elles ne se tournaient au reste dans l'ensemble qu'assez peu vers l'étude; les livres autres que liturgiques manquaient dans leurs bibliothèques et l'école qu'elles fréquentaient leur apportait surtout, avec l'apprentissage de la lecture, une formation pratique. Les occupations quotidiennes étaient peu variées. Hormis quelques cisterciennes qui sont allées travailler aux champs, elles devaient entretenir le monastère, faire la cuisine à leur tour, broder, ou n'avaient rien à faire.

La clôture devait être strictement respectée, le rappel en était fait, mais la pratique en était certainement autre. C'est à la fin du XIIIe siècle que le Siège apostolique en rappela fermement la nécessité. Le contrôle exercé visait surtout à éviter tout contact avec la gent masculine, et l'attention portée par l'Église à tout ce qui touchait la vie sexuelle, autant que les actes et annales qui relatent en traits caricaturaux la vie relâchée de certaines communautés, montrent que ce problème n'était pas négligeable.

---

156. Tel fut le cas à Las Huelgas (A. RODRIGUEZ LOPEZ, *El real monasterio de Las Huelgas de Burgos*, 2 vol., Burgos, 1907; M. GOMEZ-MORENO, *El panteon real de las Huelgas de Burgos*, Madrid, 1946.

4. Les extrêmes : les recluses et les chanoinesses séculières

Ces deux catégories de femmes, l'une peu représentée, l'autre abondante, ne peuvent être mêlées aux religieuses considérées en bloc, bénédictines, cisterciennes, chanoinesses régulières. La femme du Moyen Âge ne pouvait se faire ermite ; les quelques cas d'ermites féminines sont exceptions. La réclusion était une forme d'érémitisme au féminin, qui fut recherchée et appréciée depuis le haut Moyen Âge [157]. Des règles furent écrites pour cette institution ; l'une des plus fameuses était due à l'abbé cistercien anglais, Aelred de Rievaulx, qui la composa pour sa sœur et nous donna en même temps un tableau très coloré de la vie des recluses urbaines [158]. L'élan du nouveau monachisme profita autant à la recluserie qu'au cénobitisme, et les nécrologes notamment ont conservé beaucoup de noms de ces recluses, citées d'après le nom de l'église à laquelle était accolée leur logette. L'Église ne rejetait pas cette forme de vie religieuse, et un rituel très minutieux était prévu pour l'emmurement solennel, une cérémonie qui avait bien des aspects de l'ensevelissement. La recluse ne devait, ne pouvait plus sortir sans avoir été autorisée par l'autorité ecclesiastique. Elle vivait seule ou se faisait assister d'une servante qui allait quêter sa nourriture. Elle se mettait en symbiose avec la vie de l'église voisine, une fenêtre lui permettant de suivre les offices.

Les chanoinesses séculières représentaient un mode de vie, attesté surtout dans l'Empire et en Italie [159]. Elles étaient proches des bénédictines par certains aspects de leur vie, elles avaient souvent été elles-mêmes bénédictines avant d'adopter le mode canonial, calqué sur celui des chanoines des cathédrales et des collégiales. Comme eux, elles ne prêtaient pas de vœux, possédaient des biens propres, disposaient d'une habitation privée. Le mouvement n'était pas aussi ancien qu'il est parfois écrit. Les premiers monastères de femmes, animés par la ferveur des premiers temps missionnaires, du VIᵉ au VIIIᵉ siècle, suivaient une règle monastique, celle de Césaire, de Colomban ou de Benoît. À partir du IXᵉ siècle, les fondations anciennes se rallièrent souvent à un régime canonial que les conciles relèvent dès le VIIIᵉ siècle ; les nouvelles abbayes adoptèrent souvent d'emblée ce régime, et l'on vit fonder en grand nombre des monastères pour filles et femmes de l'aristocratie allemande. Au XIIᵉ siècle, quelques retours en arrière, vers la vie monastique, sont à noter. Pour l'essentiel, le régime quotidien des chanoinesses séculières se confirma dans une direction opposée. La mense monastique fut divisée en prébendes selon des systèmes parfois très divers qui avantageaient plus ou moins fortement l'abbesse, incluaient ou non les chanoines.

Grande dame de la haute noblesse, parfois même princesse d'Empire et égale des ducs et des marquis, l'abbesse des plus grandes maisons gouvernait une institution richement dotée, bien protégée par le roi et les princes, maîtresse d'une véritable petite

---

157. P. Leclercq, *op. cit.* (note 1).
158. Aelred de Rievaulx, *La vie de recluse, la prière pastorale*, Sources chrétiennes 76, Paris, 1961. Bruno Griesser, « Eine ungedruckte, angeblich von Cistercienseräbten, verfasste Inklusenregel », *ACi*, V (1949), p. 89-93.
159. *Diz. Ist. Perf.*, *s.v.* Canonichesse secolari, 2, col. 41-45 : exemples : V. Barbier, *Le chapitre noble de Moustier-sur-Sambre*, Namur, 1885 ; J.J. Hoebanx, *L'abbaye de Nivelles des origines au XIVᵉ siècle*, Bruxelles, 1952. M. Parisse, « Les monastères de femmes en Saxe, Xᵉ-XIIᵉ siècle », *RMab*, n. s. 2 (1991), p. 27-46.

ville au centre de laquelle se trouvait l'église environnée des maisons canoniales. À Quedlinburg, Gandersheim, Essen, Remiremont, les prébendes étaient recherchées; limitées par des statuts coutumiers stricts, elles accueillaient de dix à cinquante filles bien nées, obligées de prouver l'ancienneté de leur noblesse pour être acceptées. La vie commune ancienne était oubliée; le réfectoire réunissait encore à peine les dames, qui s'efforçaient au moins d'assister quotidiennement à l'office, mais passaient le plus clair de leur temps dans leur maison à gérer leurs affaires, pouvaient avec l'autorisation de l'abbesse sortir du cloître dans la journée, ou aller en visite chez leurs parents, soigner leurs maladies ou se rendre en pèlerinage. Le recrutement nobiliaire accentuait le caractère séculier de ces maisons et beaucoup de bénédictines tendaient à les imiter, n'y réussissant que partiellement tant qu'une abbesse ou une autorité extérieure veillait à maintenir la pratique monastique.

BIBLIOGRAPHIE

J.B. AUBERGER, *L'unanimité cistercienne primitive, mythe ou réalité?*, Achel, 1986.
J. BECQUET, *Vie canoniale en France aux Xe-XIIe siècles*, Londres, 1985.
Bernard de Clairvaux. Histoire, mentalités, spiritualité (Sources chrétiennes 380), Paris, 1992.
J. DUBOIS, *Histoire monastique en France au XIIe siècle*, Londres, 1982.
K. ELM, (éd.) *Ordenstudien I. Beiträge zur Geschichte der Konversen im Mittelalter*, Berlin, 1980.
P.D. JOHNSON, *Equal in monastic Profession. Religious women in Medieval France*, Chicago-Londres, 1984.
P.G. LUNARDI, *L'ideale monastico nelle polemiche del secolo XII sulla vita religiosa*, Noci, 1970.
L. MILIS, *L'ordre des chanoines réguliers d'Arrouaise*, Bruges, 1969.
L. MOULIN, *La vie quotidienne des religieux au Moyen Âge. X^e-XVe siècle*, Paris, 1978.
Naissance et fonctionnement des réseaux monastiques et canoniaux (CERCOR, Travaux et recherches 1), Saint-Étienne, 1991.
Norbert von Xanten, éd. K. ELM, Berlin, 1985.
M. PACAUT, *L'ordre de Cluny*, Paris, 1986.
M. PARISSE, *Les nonnes au Moyen Âge*, Le Puy, 1983.
S. THOMPSON, *Women religious. The Founding of english Nunneries after the Norman Conquest*, Oxford, 1991.
Die Zisterzienser. Ordensleben zwischen Ideal und Wirklichkeit, Bonn, 1980.

CHAPITRE II

Christianisation de la société

par Michel PARISSE

L'alliance étroite de l'Église et du pouvoir aristocratique a dominé sans conteste la vie politique et sociale de l'Occident au Xe siècle. L'imbrication de l'une et de l'autre était telle que seul un lent mouvement de réaction a permis à l'Église de se détacher progressivement de l'emprise des laïcs et d'acquérir sa *libertas*. Que ce soit dans l'Église impériale ou dans celles des autres royaumes occidentaux, la noblesse était maîtresse du jeu. Au cours du XIe siècle, les priorités ont changé ; en gagnant une certaine liberté, l'Église eut les mains plus libres pour s'occuper des plus démunis, privilégier les instructions de l'Évangile qui la rendaient attentive aux pauvres, aux femmes, aux pénitents ; et, en même temps, les laïcs prirent à leur compte les trois injonctions majeures faites au clergé, l'obéissance, la chasteté et la pauvreté. L'obéissance était celle qui est due à Dieu, qui a fixé l'ordre du monde, c'était la soumission à l'ordre social voulu par lui, à la tripartition, ou à la quadripartition quand les *negotiatores* eurent une place à côté des hommes d'Église, des combattants et des paysans[1]. La chasteté ne changeait pas de signification ; elle était la résistance aux pulsions sexuelles, et, par extension, elle entraînait un certain respect de la femme, à laquelle une reconnaissance juridique plus développée était faite. La pauvreté, dans un monde économique en croissance, c'était bien la pénurie, le dénuement, à côté de ceux que Dieu a faits riches, et à qui il était interdit de faire de l'argent avec de l'argent ; la reconnaissance de la pauvreté, c'était l'appel fait à la richesse en faveur de l'assistance, la mise en valeur de l'ascèse, vertu salvatrice.

1. L'ÉGLISE, L'ARGENT ET LES PAUVRES

L'Église admettait la richesse, mais plaçait la pauvreté plus haut, que ce fût celle de Pierre, du clerc et du moine, ou celle de Lazare, c'est-à-dire du démuni[2] ; elle lui donnait le caractère d'une vertu, mais avait tout de même le souci du statut social

---

1. G. DUBY, *Les trois ordres ou l'imaginaire du féodalisme*, Paris, 1976. O.G. OEXLE, « Die funktionale Dreiteilung der "Gesellschaft" bei Adalbero von Laon. Deutungsschemata der sozialen Wirklichkeit im früheren Mittelalter », *FMSt*, 12 (1978), p. 1-54. Adalbéron de Laon, *Poème au roi Robert*, éd. par C. CAROZZI, Paris, 1979, p. CXX-CXXXV.
2. Cité par B. GEREMEK, *La potence ou la pitié. L'Europe et les pauvres du Moyen Âge à nos jours*, Paris, 1987, p. 35, d'après Gerhoch de Reichersberg.

quand elle interdisait aux membres du haut clergé de mendier ou d'avoir l'air misérable. L'Église possédait elle-même la richesse, mais elle ne la comparait pas à celle des marchands ; elle avait des terres, des hommes, des bâtiments, de l'or, de l'argent, des objets et des tissus précieux ; ses prélats vivaient à l'aise dans un monde de faim, mais elle avait le sentiment que tout cela était à la gloire de Dieu. Elle n'était pas à un paradoxe près ; elle connaissait la théorie et les particularités de la pratique et la dure réalité ; elle comptait parmi ses membres les ascètes les plus rigoureux aussi bien que les bénéficiaires les plus notoires du profit. Pendant longtemps, elle avait été la seule à thésauriser, à prêter de l'argent et de l'or aux puissants, et les marchands sont souvent sortis de sa *familia*. L'éloge de la pauvreté entraînait la critique de l'argent, du gain pour le gain, et la théorie du prêt changea progressivement de couleurs ; l'usure, le prêt à intérêt, fut condamnée sans réserve, en 1049 au synode de Reims[3].

L'achat pur et simple des charges ecclésiastiques, leur acquisition par la pression, la parenté, les cadeaux, tout cela était condamné sous le nom de simonie ; la simonie prenait même la teinte de l'hérésie ; l'argent sans lequel la reprise commerciale n'était pas possible, l'argent que frappaient surtout les ateliers du clergé, l'argent devenait abondant, tentant. La *superbia*, l'orgueil, considéré jusque-là comme le premier des péchés capitaux, cédait parfois cette place peu enviable à la *cupiditas*, au sens double, avarice qui fait garder pour soi au lieu de partager, et cupidité qui donne l'envie d'avoir encore plus. Or c'est cela que désignait l'usure, cette petite somme exigée en retour en plus du montant d'un prêt[4]. Seul le travail devait produire de l'argent, celui du paysan qui laboure et qui sème, celui de l'artisan qui de ses mains crée l'objet. L'Église admettait la rétribution de la peine du marchand, le coût du transport, mais elle refusait le commerce du seul argent, la banque pour tout dire, la production d'argent à partir de l'argent. Elle prit les mêmes sanctions contre les usuriers que contre les chevaliers tournoyeurs, leur refusant les sacrements et la sépulture en terre chrétienne. (Latran II, 1139)

L'opposition au commerce de l'argent allait de pair avec une aide accrue aux pauvres. Au XIᵉ siècle, la paix de Dieu protégeait tout un groupe de personnes faibles, dont le caractère principal était d'être désarmées en face des brutaux, des méchants, des soldats et des seigneurs : clercs, moines, voyageurs, hommes sans armes, femmes, enfants, paysans ; tous étaient d'une certaine manière pauvres par opposition aux puissants. Cette pauvreté, qui était faiblesse, devint de plus en plus une pauvreté-dénuement, sans que pour autant les faibles aient disparu. Mais à un moment de croissance économique et démographique, quand l'argent circulait davantage, que les marchés et les foires offraient leurs produits aux acheteurs, dans un monde où la richesse pécuniaire se répandait et était reconnue, l'attention à ceux qui souffraient de pénurie et de maladie devint plus vive ; on sait en effet qu'elle avait toujours existé[5].

3. Mansi, XIX, col. 742 : « *ne quis clericus vel laicus usuras exerceret.* »
4. *DDC, s.v.* usure.
5. M. Mollat, *Les pauvres au Moyen Âge. Étude sociale*, Paris, 1977 ; *Études sur l'histoire de la pauvreté*, dir. M. Mollat, Paris, 1974, 2 vol. *Povertà et ricchezza nella spiritualità dei secoli XI e XII*, CCSSM, XIII, Todi, 1969.

La pauvreté donc fut placée au centre de la vie religieuse ; avec une double face, l'indigence et l'abnégation. Le christianisme a toujours été une religion des pauvres ; le partage de la dîme leur faisait une place importante, un quart à un tiers devait leur en revenir. Au XIᵉ siècle, la pauvreté, érigée en vertu spirituelle, procédait alors du libre choix d'un clerc, d'un moine ou d'un laïc désireux de suivre à la lettre les préceptes évangéliques, de se dépouiller de tous ses biens pour suivre le Christ ou de manifester son amour du prochain par une charité de tous les instants. L'ermite se trouva souvent au centre de ce double mouvement ; il faisait un choix décisif en s'isolant, en se nourrissant de ce qu'il pouvait produire seul par son travail, en manifestant extérieurement son choix par ses haillons, sa paillasse, sa hutte, sa saleté même. Son ascèse extrême attirait sur lui l'attention de ses voisins, qui, par charité, pitié et dévotion, apportaient de la nourriture, donnaient des vêtements, des animaux, de l'argent, assuraient des éléments de confort, tout un ensemble que l'ermite, soucieux de respecter son propos, s'empressait de donner à son tour aux autres pauvres, à ceux qui souffraient du dénuement et ne l'avaient pas choisi comme règle de vie[6].

Le pauvre étant un représentant du Christ sur la terre, il fallait l'accueillir, le réchauffer, l'habiller, le nourrir. L'aumône publique s'organisa sous le contrôle de l'Église. Depuis l'origine, les cathédrales, les grandes églises, les monastères ouvraient leurs portes aux voyageurs, aux pèlerins, aux pauvres. À la matricule ancienne répondait le marguillier des chapitres du XIIᵉ siècle, aux *xenodochia* succédaient les hôtelleries des monastères. Des ordres religieux assumèrent la vocation charitable ; ils constituaient l'aspect le plus visible d'une œuvre charitable beaucoup plus ample. Avec la croissance démographique et la multiplication des grosses agglomérations, sont ouverts un peu partout des hospices au nom évocateur de maisons-dieu, *domus dei*, et l'on peut même admettre que la présence d'une telle maison était un signe d'activité urbaine[7]. Le mouvement naquit véritablement au XIᵉ siècle et prit vite de l'importance. Ces hospices n'avaient pas un rôle bien défini, ils assumaient la fonction fondamentale d'accueil et étaient placés pour cette raison aux portes des enceintes urbaines ; ils s'ouvraient à tous ceux qu'on appelait *infirmi*, malades et aussi infirmes, toutes personnes incapables de subvenir à leurs besoins pour incapacité physique. Leur système de gestion n'était pas encore élaboré suivant le régime que décrivent des statuts dont les plus anciens sont de la fin du XIIᵉ siècle[8]. À quelque distance des villes en formation, ou seulement des gros bourgs, les lépreux étaient isolés dans des léproseries, maladreries ou bordes[9], là encore sous la surveillance de clercs et de laïcs, qui géraient une maigre dotation et des dons irréguliers, mais surtout, comme dans toute institution du même genre, assuraient une vie religieuse, des prières quotidiennes, une mort pieuse.

---

6. Tel est le cas pour Ailbert, l'ermite de Rolduc (*MGH.SS*, XVI, p. 692). J.-M. BIENVENU, « Pauvreté, misères et charité en Anjou aux XIᵉ et XIIᵉ siècles », *Le Moyen Âge*, 1967, p. 5-34, 189-216.
7. J. CAILLE, *Hôpitaux et charité publique à Narbonne au Moyen Âge*, Toulouse, 1978, p. 33-37.
8. J.-M. BIENVENU, *op. cit.*, p. 208 et suiv., pour Saint-Jean d'Angers. L'hôpital d'Aubrac avait des statuts dès 1162 (L. LE GRAND, *Statuts d'hôtels-Dieu et de léproseries*, Paris, 1901, p. XI ; pour Angers, p. 21-33).
9. F. BÉRIAC, *Les lépreux et les léproseries en France au Moyen Âge*, Paris, 1987.

La nouveauté, sensible ici et là à partir du milieu du XIIe siècle, est la part toujours croissante des bourgeois dans la gestion de l'assistance sociale. Où qu'on regarde, les dates les plus anciennes fournies par les chartriers d'hôpitaux urbains se placent en cette période. Les conditions de fondation de ces maisons sont généralement inconnues, ou à peine évoquées par des textes narratifs ; mais elles se laissent aisément deviner. On le voit à deux exemples contemporains empruntés à deux villes voisines : à Verdun, Constant est un marchand, sans doute issu de la *familia* de l'évêque, qui prend à son compte la construction d'un pont sur la Meuse et d'un hôpital voisin[10] ; à Metz, Liétaud est un riche qui jette les bases de l'hôpital Saint-Nicolas, dont le patronage rappelle celui des marchands[11]. Mais des exemples analogues seraient facilement donnés de Cologne à Narbonne, plus précoces en Flandre et en Italie du Nord[12]. On est aussi passé, pour reprendre une terminologie d'Étienne de Tournai, de la *liberalitas* spontanée et sélective à l'*hospitalitas* organisée et générale. Même encore quand des laïcs sont au départ d'une bonne action, l'Église a sa place obligée ; l'hôpital « civil » n'existe pas encore.

Les pauvres étaient surtout nombreux dans les villes, où l'égoïsme, joint à la masse de population, isolait le faible et l'abandonnait à lui-même, tandis qu'à la campagne et dans le village la solidarité jouait encore à plein. Hors des villes, l'Église prenait à sa charge ceux qui voyageaient, et par priorité les pèlerins, tous ceux qui se déplaçaient pour de pieux motifs. À ceux-là, qu'une sorte d'uniforme distinguait, l'Église portait toute son attention, en jalonnant les parcours et en munissant les lieux visités de maisons d'accueil. Si la route contenait des passages difficiles, gués, col, marais, des mesures étaient prises : un hospice élevé au pied de la montagne, des guides avertis chargés de conduire les groupes par les chemins muletiers, un bac assurant une traversée sans risque de la rivière ; à la limite, l'édification ou l'entretien d'un pont suscitaient la naissance d'une confrérie. Celles du pont d'Avignon, de Pont-Saint-Esprit sont parmi les plus connues[13].

D'autres faibles encore avaient besoin du clergé pour survivre : les isolés, vieilles personnes, enfants et orphelins, veuves et femmes seules. L'Église recommandait leur sécurité aux détenteurs de l'autorité laïque, mais cela ne suffisait pas. Les vieux étaient assimilés aux malades et aux infirmes, ils étaient aidés à leurs derniers instants. L'ordre du Saint-Esprit, né à Montpellier vers 1160, se préoccupa du sort des enfants trouvés[14]. Leur destination naturelle était le monastère. Combien de portiers des prieurés et des abbayes, combien de sacristains des villes ont trouvé, au lever du jour, devant la porte, des enfants au maillot ? L'Église luttait contre l'infanticide, toléré dans les familles nombreuses, et contre la vente des enfants comme esclaves. L'enfant recueilli était alors élevé dans le monastère, où il devenait novice à l'instar des oblats traditionnels, où il avait peut-être la chance de fréquenter l'école. La femme, jeune fille, mariée ou veuve, livrée aux hommes de sa famille, père, époux, fils, n'avait

---

10. *MGH.SS*, X, p. 513. *Histoire de la France urbaine*, t. II.
11. J. SCHNEIDER, *La ville de Metz aux XIIIe et XIVe siècles*, Nancy, 1950, p. 92.
12. G. SCHNÜRER, *L'Église et la civilisation au Moyen Âge*, Paris, 1935, II, p. 652-666.
13. G. SCHNÜRER, *Kirche und Kultur im Mittelalter*, t. 2, Paderborn, 1926, p. 453-470.
14. *Dizionario degli Istituti di Perfezione*, VI, 1980, *s. v.* Ospitalieri di Santo Spirito, col. 988-993.

normalement pas besoin d'être secourue, mais, dans les cas extrêmes, le monastère jouait aussi le rôle de refuge, avec cependant moins de générosité que pour les garçons. Les religieuses, peu nombreuses et nobles, surveillaient le niveau de leurs revenus; elles pouvaient accueillir des fillettes pour leur domesticité, mais elles ouvraient leurs rangs plus volontiers aux veuves riches.

2. L'ÉGLISE, LE SEXE ET LES FEMMES

Par la religion et la morale, l'Église a toujours été amenée à définir un comportement sexuel idéal de l'homme et de la femme, en tenant compte notamment des interdits dictés par les Saintes Écritures. Le pénitentiel de Burcard de Worms est à cet égard éclairant. L'Église intervenait dans la vie privée dans la mesure où elle interdisait le mariage des clercs à partir du sous-diaconat, prônait pour certains chasteté ou continence, devait juger l'adultère, la polygamie, mais le mariage n'était pas encore sous son contrôle; il le fut de plus en plus précisément à partir du xie siècle[15]. Quel rapport y a-t-il entre l'acquisition de la *libertas* par l'Église et le contrôle plus strict de la vie des couples? En exigeant d'être seule maîtresse des élections et de certains choix sociaux, de ce qu'elle estimait la concerner seule, l'Église s'écartait progressivement d'une société laïque avec laquelle elle était jusque-là confondue. La vie sexuelle publique des personnes relevait normalement de tribunaux publics, car tout comportement illégal rompait la paix publique, l'adultère au même titre que le rapt. L'Église élabora le sacrement de mariage dans un sens strictement religieux. En même temps, elle put définir le comportement sexuel à partir du mariage. En principe, la seule union charnelle autorisée était celle destinée à la procréation et elle avait lieu à l'intérieur du couple, réuni par consentement mutuel. Toute autre union tombait sous le coup d'un interdit, ou d'une tolérance dans la mesure où l'Église n'avait pas les moyens d'imposer ici totalement sa volonté : pratiques sexuelles des jeunes avant le mariage, des célibataires, des veufs, mais elle intervenait par la condamnation qu'elle jetait sur les prostituées et les femmes adultères. Le contrôle de la vie sexuelle prit donc une importance nouvelle à partir du xie siècle. Burcard de Worms avait ouvert un livre de son *Décret* sur l'inceste, un autre sur la fornication, ce qui constituait le prolongement des anciens pénitentiels. Une collection de 231 chapitres était consacrée dans son ouvrage au mariage. Bonizon de Sutri et Yves de Chartres, vers 1090-1095, publièrent de nombreux chapitres relatifs au mariage; 129 chapitres des 334 d'Yves concernaient les unions incestueuses[16].

La question de l'inceste était une autre manière de traiter des empêchements au mariage pour cause de parenté. On connaît l'attention que leur portait l'Église; un des meilleurs exemples était fourni par l'attaque de l'abbé Sigefroid de Gorze contre le mariage de Henri III et d'Agnès de Poitou avec son enquête sur la généalogie des deux

---

15. Voir G. DUBY, *Le chevalier, la femme et le prêtre*, Paris, 1981.
16. W. BERSCHIN, *Bonizo von Sutri. Leben und Werk*, Berlin-New York, 1972.

fiancés[17]. Mais plus surprenante est celle qui fut lancée contre le couple ducal de Normandie, Guillaume et Mathilde, les accusant d'une parenté trop proche qu'en fait on ne savait guère prouver. La papauté imposa une lourde pénitence qui obligea chaque époux à fonder une abbaye à ses frais. Le cas, plus patent, du roi de France Philippe Ier, enlevant et épousant Bertrade de Montfort, provoqua des recherches et des commentaires d'Ives de Chartres ; un siècle après, le cas de Philippe-Auguste et d'Ingeborg de Danemark mettait de nouveau en émoi la curie pontificale[18]. Ces exemples, puisés au plus haut niveau de la société, ne doivent pas faire oublier de nombreux autres cas contemporains. Ainsi à Reims, où Léon IX décidait de lutter contre les incestes et contre ceux qui épousaient une autre femme après avoir abandonné leur légitime épouse, il eut à excommunier deux comtes incestes, puis Hugues de Braine remarié du vivant de sa première femme, et il interdit au comte de Flandre de donner sa fille au duc de Normandie ; on vient de le dire, cette dernière mesure fut sans effet.

L'Église surveillait donc les unions matrimoniales et fixait les interdits, de sorte que les transgressions fussent réduites au minimum, et, par suite, les risques encourus par les femmes d'être répudiées ou rejetées. Elle se montra très sévère en remontant l'interdit de mariage au septième degré de parenté, choisissant entre les solutions romaine et germanique la plus exigeante. Choix excessif au demeurant, qui contraignit les pères de Latran IV à revenir au quatrième degré. En effet, bien que très informés de leur parenté, les hommes du XIIe siècle, à l'intérieur du village et de la région, ou dans le groupe social, se trouvaient vite dans l'impossibilité de reconnaître sûrement les parents qui ne leur étaient pas très proches. L'interdiction de relations sexuelles entre personnes du même sang était étendue au-delà des relations de parenté, jusqu'à ce qu'on appelait affinité, à la belle-sœur par exemple, c'est-à-dire à des parents par alliance, alors qu'il n'y avait pas là de cette communauté de sang qui justifiait les interdits incestueux. S'ajoutait encore l'affinité spirituelle qui rapprochait le parrain de sa filleule, le filleul de sa marraine, voire de leur proche parenté ; ainsi un jeune homme ne pouvait épouser la fille de sa marraine.

L'Église défendit l'épouse en restreignant les conditions qui rendaient possibles la répudiation, la séparation de corps, le divorce. Elle fixa le degré de parenté certes, mais certains maris s'abritèrent souvent derrière une soudaine découverte de cette parenté pour se débarrasser d'une épouse encombrante et faire un mariage plus prometteur. Quel argument a pu trouver le comte Thiébaut de Bar en 1197 pour abandonner sa seconde femme qui lui avait donné plusieurs enfants et épouser la toute jeune Ermesinde, héritière unique du comte de Luxembourg ? L'Église disait que le mariage avait pour but la procréation et la continuation d'une lignée, et elle acceptait les propositions de nullité fondées sur l'absence ou l'impossibilité de relations sexuelles, sur la stérilité, sur le fait que seules des filles étaient nées. La protection qu'elle assurait aux femmes dans ce domaine n'était pas totale, et ne résistait guère à la volonté politique des seigneurs. Nombreux cependant étaient les cas où l'Église a pu

17. M.-L. BULST-THIELE, *Kaiserin Agnes*, Leipzig-Berlin, 1933, p. 18.
18. G. DUBY, *op. cit.*, p. 173-177.

l'emporter; comme par exemple pour ce qui concerne Henri IV quand il désira se séparer de sa première épouse, Berthe de Savoie.

Dans l'analyse qu'ils faisaient de la société, les clercs et les moines des XIe et XIIe siècles s'attachaient particulièrement à la femme, à son rôle, lui faisaient au total une place plus large tout en la lui mesurant. Si des thèmes toujours rebattus demeuraient à l'ordre du jour, d'autres interprétations s'exprimaient. Au centre des références fondamentales, demeurait la *Genèse* avec la création de l'homme et de la femme et leur passage au Paradis; le texte en était repris mot pour mot dans les préambules des actes de dotation des fiancées. Les Pères de l'Église en ont donné une interprétation qui faisait presque loi et que les théologiens de la scolastique ne modifièrent guère [19]. La discussion portait sur la part respective d'Ève et d'Adam dans le péché originel et sur le degré de soumission de la femme à l'homme. Ève est née de la côte d'Adam, elle lui est donc inférieure. Adam est né à l'image de Dieu, Ève à sa ressemblance; Adam a été créé hors du Paradis, mais Ève est née dans le Paradis, donc dans un lieu supérieur. Le diable a tenté Ève qui a convaincu Adam. À partir de là les interprétations divergeaient : la femme, inférieure à l'homme, était-elle son esclave ou son associée? Hugues de Saint-Victor défendait une égalité généralement contestée, Rupert de Deutz voyait la femme également digne. Adam, pour d'aucuns, avait une part égale de responsabilité dans le péché originel; il devait d'autant plus l'assumer qu'Ève était née de lui. Ève était le symbole de la Vie, elle était la mère de tous les hommes, mais elle symbolisait aussi la misère de l'humanité, car elle vivait dans la crainte de l'homme et devait enfanter dans la douleur.

La femme était par principe jugée mauvaise et dangereuse. Cette affirmation était un *topos* chez la plupart des moralistes du XIIe siècle qui développaient un thème ancien; la fille d'Ève était la cause unique du malheur du genre humain, elle entraînait l'homme vers le péché par la tentation que représentait son corps, sa coquetterie, son bavardage. Chez les clercs et les moines, on le devine, préoccupés par leur vœu de chasteté, la condamnation était la plus vive. L'iconographie allait dans leur sens en faisant de la femme le symbole de la luxure [20]. Mais c'étaient aussi des clercs et des moines qui avaient à cette époque une autre vision de la femme. Ève, née du corps de l'homme, est l'Église née du corps du Christ, le péché originel est effacé par la mort du Christ; celui-ci est le nouvel Adam, né de la nouvelle Ève qui est Marie. Le culte rendu à Marie l'est autant à la mère du Christ, à la Vierge, qu'à la nouvelle Ève, rédemptrice du genre humain, symbole de pureté grâce à sa virginité intacte. Marie ainsi réconcilie l'homme et la femme. Le culte de la Madeleine, développé aussi au XIIe siècle, apportait sa contribution au rachat de la femme, car la pécheresse repentie servait de relais entre Ève et Marie, un relais nécessaire qui permettait le rapprochement de la femme pécheresse et de la Vierge immaculée [21].

---

19. M.-Th. d'ALVERNY, « Comment les théologiens et les philosophes voient la femme », *CCM*, 1977, p. 105-129. P. GOLD, *The Lady and the Virgin. Image, Attitude and Esperience in Twelfth Century France*, Chicago-Londres, 1985. Bibliographie générale de C. ERICKSON et K. CASEY, « Women in the Middle Ages : a Working bibliography », *MS*, XXXVII (1975), p. 340-359.

20. Ch. FRUGONI, « L'iconographie de la femme au cours des Xe-XIIe siècles », *CCM*, 1977, p. 177-187.

21. V. SAXER, *Le culte de Marie-Madeleine en Occident des origines à la fin du Moyen Âge*, Paris, 1959. *Marie-Madeleine dans la mystique des arts et des lettres*, Paris, 1989.

*L'offrande de l'amour d'après la légende de Pyrame et Thisbé,
chapiteau du déambulatoire du monastère de Bâle*
(Stadt-und Münstermuseum, Bâle).

Il n'est pas étonnant qu'Abélard se soit montré compréhensif à l'égard de la femme ; il admettait cependant, avec d'autres, que l'homme avait plus de sagesse et de raison, la femme ayant davantage de sensualité ; pour lui le Paradis était la patrie naturelle de la femme. Il était prêt à faire à l'abbesse une place dans l'Église comme diaconesse, contrairement aux prescriptions des Pères de l'Église qui s'étaient montrés très fermes, après saint Paul, en interdisant aux femmes de parler dans les assemblées chrétiennes, en leur ordonnant de se voiler la tête pour que leur chevelure abondante n'attire pas les regards. Abélard admettait sans doute aucun l'égalité spirituelle à défaut de l'égalité matérielle. Héloïse, ou l'auteur qui écrivait en son nom, reprenait aussi des préceptes anciens, en déconseillant le mariage qui détournait l'homme de la sagesse et de l'étude. Hildegarde de Bingen, abbesse elle aussi mais après des expériences bien autres que celles d'Héloïse, se montrait plus ouverte, défendait le mariage, et soulignait la grandeur du rôle de la femme par la procréation : elle donne la vie, et la *proles* est le profit principal du mariage.

L'Église ne pouvait plus se fermer aux femmes, même si elle répugnait à leur ouvrir largement la porte des monastères, et si elle les ouvrait, c'était pour les refermer bien vite derrière elles. Le concile de Reims (1148) s'éleva contre les religieuses qui, à l'instar des chanoines, étaient en contact avec le siècle ; l'Église devait faire face à la pression des femmes qui suivaient les prédicateurs errants, à leur demande de création de prieurés, d'abbayes, de maisons d'accueil. Chaque fois, elle s'efforçait de les embrigader, de déterminer les règles de la clôture. Mais elle connaissait et contenait parmi ses membres des modèles de religion et de vertu. Quand tout se passait bien, si les conditions étaient réunies, dotation des maisons, autorité de la supérieure, protection des laïcs, les monastères étaient créés pour être le refuge des vierges et des veuves, des lieux de prière pour les vivants et les morts. La canonisation de la femme devint plus fréquente, non seulement pour quelques saintes reines, comme Cunégonde, l'épouse de Henri II, portée sur les autels à la fin du XIIe siècle, ou Marguerite d'Écosse († 1093), mais aussi pour des abbesses, ou des femmes laïques, des épouses et des mères, comme Ida de Boulogne, mère de Godefroid de Bouillon, ou Godelieve de Ghistelles († 1070), assassinée par ordre de son mari, mais il y aurait beaucoup d'exemples à citer[22].

3. LES LAÏCS ET LEUR FOI

Dans la répartition de la société en deux groupes : l'ordre des clercs et l'ordre des laïcs, la séparation était nette ; dans la tripartition chanoines, moines, laïcs ; les moines, qui demeuraient à l'état laïque tout en appartenant au clergé, étaient opposés aux chanoines, qui vivant normalement au contact des laïcs, pouvaient servir de liens entre les deux autres groupes. L'entrée de plus en plus fréquente des moines dans la hiérarchie cléricale comme évêques, ou recevant les ordres, rétablissait une coupure. Avec le mouvement monastique du XIe siècle, les laïcs

---

22. *Histoire des saints et de la sainteté chrétienne*, t. VI, *Au temps du renouveau évangélique, 1054-1274*, dir. A. VAUCHEZ, Paris-Hachette, 1986, p. 40-41.

firent leur entrée dans l'Église ; ils trouvèrent en outre de nombreux succédanés à la vie monastique dans les confréries et les groupes de convers. Cette conscience chrétienne saisit toute la société.

Les fidèles, les chrétiens, les paroissiens

Les laïcs, dont la foi devient plus assurée, participent plus étroitement à la vie de l'Église. On le voit déjà dans le cadre paroissial, les statuts synodaux, les chartes, les conflits de gestion l'attestent. Dans quelques cas la communauté gère la paroisse, sinon elle est intéressée à sa gestion. Comme cela a été dit déjà, l'église et le cimetière qui l'entoure est au cœur de la vie des laïcs, qui y trouvent refuge en cas de danger et y ont leur dernier séjour. La tour, qui domine la nef, parfois fortifiée, est le dernier recours en cas d'attaque du village et, pour cette raison, son entretien est à la charge des paroissiens, avec les cloches qu'on y suspend. La nef est le territoire religieux des villageois qui s'y retrouvent régulièrement, y discutent leurs affaires, y apportent les prémices, céréales, vin, et les offrandes des grandes fêtes annuelles. Les taxes ou les dons consistent souvent en cire pour le luminaire, qui consomme en abondance chandelles et cierges. Au cours du XIIe siècle, on les connaît mieux un peu plus tard, naissent les « fabriques », ces conseils de paroissiens chargés de l'entretien, de l'agrandissement, voire de la reconstruction de l'église, car le patron ne suffit pas à tout faire et renacle souvent à engager des frais. Pour payer, il fallait compter sans doute sur les quêtes et les collectes ; quand un pèlerinage était possible, cette chance était abondamment exploitée. Les laïcs viennent ajouter leurs efforts à ceux que faisait l'Église dans ses œuvres de miséricorde et d'assistance sociale. On l'a vu aussi plus haut, des marchands créent des hospices et des hôpitaux, des maladreries, les dotent, les soutiennent[23]. Les lépreux, que l'on contient à l'écart de la communauté, sont bien des laïcs à qui l'Église tente de donner un caractère religieux en leur imposant une vie régulière, fondée sur des statuts[24]. De nombreux laïcs sains, hommes et femmes, se dévouent dans les établissements hospitaliers, sous la direction de chapelains ou de curés. On en viendra bientôt à la table des pauvres. Le relais des *xenodochia* était ainsi assuré.

Les laïcs donnent davantage à l'église, aux chapelles et aux autels, aux paroisses et aux monastères. Dans les nécrologes des grandes abbayes, les laïcs font leur entrée ; on ne les y inscrit pas pour rien, et en face de leurs noms, dans les « livres de vie » des bénédictins de la ville, figurent souvent les mentions de cens sur des maisons, remis à jour s'il le faut. Quand il s'agit de nécrologes des cisterciens et des chanoines réguliers, des paysans sont inscrits aussi, avec la mention de leur don, pré, vigne, champ, rente. Le changement est sensible à la comparaison des patrimoines des anciens bénédictins et des nouveaux adeptes du saint de Nursie qui suivent les institutions de Cîteaux : sur les grandes pancartes que délivrent les évêques au milieu du XIIe siècle se succèdent

---

23. À titre d'exemple, cf A. BOURGEOIS, *Lépreux et maladreries du Pas-de-Calais (x^e-xviiie s.)*, Arras, 1972.
24. A. UYTTEBROUCK, « Hôpitaux pour lépreux ou couvents de lépreux ? Réflexions sur le caractère des premières grandes léproseries à leurs origines », *Annales de la société belge d'histoire des hôpitaux*, 1972, p. 3-29.

sans ordre les dons, grands et menus, faits par les seigneurs, les chevaliers et aussi ces personnes que n'accompagne aucun déterminatif et qui ne peuvent être que des paysans, propriétaires de leur fonds. Cela est nouveau, car cela signifie que la communauté paysanne apporte sa quote-part au bon fonctionnement de l'abbaye voisine. Elle ne s'en contente pas, car c'est elle aussi qui fournit ces convers que l'on rencontre en grand nombre et qui font marcher les granges des uns et des autres, ou qui sont domestiques, hommes et femmes vivant dans l'ombre du couvent. Quand il s'agissait d'un prieuré, l'alliance était encore plus étroite, car l'église était commune aux moines et aux fidèles, lesquels étaient seulement cantonnés à un autel secondaire.

Le réflexe associatif se manifeste et l'on voit que des groupes de laïcs constituent des associations de prières avec les monastères, ce que les moines seuls connaissaient jusque-là. Bernold de Constance présente des conversions de villages entiers en 1091[25]. Hommes et femmes se donnaient à une église, comme le faisaient individuellement les sainteurs de Flandre et d'Empire. Si les seconds recherchaient surtout la sécurité de leurs personnes et de leurs biens, d'autres avaient le désir d'une vie communautaire et de pénitence. C'était le cas des communautés de pénitents ruraux d'Italie du Nord à la fin du XIIe siècle, de simples cultivateurs[26]. Les époux étaient naturellement incorporés à ces communautés et organisaient leur vie conjugale en fonction des mêmes principes, se distinguant ici des pénitents mariés qui se séparaient par consensus mutuel. Leurs efforts généreux les désignaient naturellement pour prendre en charge des hôpitaux.

L'élan des laïcs s'est manifesté de manière plus spectaculaire dans l'accueil fait aux prédicateurs de tous bords, comme cela a été dit à l'occasion; on l'a vu avec Robert d'Arbrissel et ses compagnons ermites, le phénomène a laissé plus de traces dans l'imaginaire collectif à propos de la première croisade et les récits ont été sans cesse repris de ces masses en mouvement, poussant leurs bêtes et portant un maigre bagage, s'arrachant à la misère de leur village pour gagner Jérusalem dont ils guettaient l'apparition derrière chaque colline. Plus discret mais plus fréquent était le mouvement vers les sanctuaires à reliques, la presse à l'occasion des montres, du passage des reliquaires portés sur des épaules de fidèles méritants, puisque les récits de miracles montrent comment les indignes étaient vite dénoncés par le saint transporté. On pourrait reprendre le cas cent fois cité de Conques et de sainte Foy, adulés.

Les pénitents volontaires connurent une certaine reviviscence au XIIe siècle[27]. Ils existaient depuis le Ve siècle et étaient parfois regardés avec suspicion; ils se soumettaient à ce que G.G. Meersseman appelle un monachisme domestique. Les femmes de ce groupe étaient désignées de l'expression *Deo devotae*, vierges ou veuves qui s'imposaient un régime de vie très strict sans référence à une règle précise. Le concile de Latran II (1139) ne souhaita pas leur maintien, il s'en méfiait autant que des chanoinesses séculières dont elles étaient extérieurement assez proches par le mode de

---

25. *MGH.SS*, V, p. 453.

26. G.G. MEERSSEMAN, « Pénitents ruraux communautaires en Italie au XIIe siècle », *RHE*, XLIX (1954), p. 343-390 (trad. ital. *Ordo fraternitatis*, I, p. 305-354)

27. G.G. MEERSSEMAN, « I penitenti nei secoli XI e XII », dans *Ordo fraternitatis. Confraternita e pietà dei laici ne medioevo*, Rome, 1977, vol. 1, p. 265-304.

vie séculier, mais dont elles étaient en fait très éloignées sur le plan religieux. La pénitence publique volontaire demeura importante, elle se manifestait par certains signes : port du cilice, choix d'un vêtement médiocre proche de ceux de nouveaux ordres, tonsure, barbe abondante ou soignée, comme on le voit chez certains ermites de l'ouest de la France. Les femmes qui choisissaient un régime de vie analogue, revêtaient un habit noir, portaient un voile et faisaient vœu de virginité ou de continence. Des activités, licites aux laïcs, leur étaient interdites : réunions pour manger ou pour boire, spectacles divertissants, et même le commerce, à cause de la possibilité de frauder ou de spéculer. Saint Homebon de Crémone († 1197) représentait à cet égard une notable exception, car il était marchand, mais son activité commerciale disparaissait derrière son comportement pénitentiel et charitable[28]. Les gains illicites devaient être restitués. Les pénitents n'exerçaient pas de fonctions d'autorité, ne portaient pas les armes et s'imposaient une grande ascèse physique : nourriture frugale, jeûnes, abstinences, travail manuel. Tels sont les *Umiliati* ou « Humiliés » de la fin du XIIe siècle dans l'Italie du Nord, autour de Milan.

Nobles et chevaliers

Les textes nous renseignent assez précisément sur la christianisation de la chevalerie et du monde noble. Les nobles avaient des conditions particulières favorables à un développement de leur conscience chrétienne, car ils étaient en contact permanent avec des représentants de l'Église. Le prince avait son chapelain et l'on insiste trop peu sur cette présence constante de l'Église auprès du pouvoir laïque. Le prêtre, qui assurait la messe à la chapelle castrale, était aussi un conseiller permanent, interprète, lecteur et scribe pour son maître. Il en fut d'illustres auprès des souverains. Le nom de Suger, l'abbé de Saint-Denis, ministre et conseiller des rois de France et historien de Louis VI le Gros, vient naturellement à l'esprit. L'empereur notamment avait une chapelle dispersée dans l'Empire, formée d'hommes qui n'étaient pas seulement au service de l'État, mais qui, choisis avec soin, étaient des correspondants, des informateurs et avaient donc une influence à exercer sur le souverain[29]. Le plus important du groupe était sans doute le confesseur, mais à cette époque la participation de l'élément clérical à la vie politique était d'une autre sorte que celle de directeur de conscience. Le chancelier, qui énonçait le préambule d'un diplôme, exprimait autant la volonté du prince que l'idéal royal selon l'Église ; le rôle d'un Renaud de Dassel auprès de Frédéric Barberousse fut par moments capital. Le chapelain ou un de ses égaux assurait la bonne éducation des héritiers, voire écrivait un « miroir » pour les guider, leur apprenait l'histoire de la lignée. À un échelon inférieur, ducs, comtes, et seigneurs, avaient un clergé personnel, constitués de chanoines ou de moines[30] ; chapitres et prieurés étaient fondés dans cette intention.

---

28. Homebon, dans *Histoire des Saints, op. cit.*, p. 179-184.

29. H.W. KLEWITZ, Königtum, Hofkapelle und Domkapitel im 10. und 11. Jahrhundert, *AUF*, 16 (1939).

30. Cf. le rôle joué au cours de la première croisade par Arnoul de Chocques, chapelain du duc de Normandie, par Foucher de Chartres, chapelain de Baudouin de Boulogne (H.E. MEYER, « Zur Beurteilung Adhémars von Le Puy », *DA*, 16 (1960), p. 547-552). Gislebert de Mons, chancelier du comte de Hainaut et auteur d'une chronique (Fernand VERCAUTEREN, « Note sur Gislebert de Mons, rédacteur de chartes », *MIÖG*, 62 (1954)).

En Flandre, les collégiales fournissaient le personnel clérical du comte ; en Lorraine, les gros châteaux avaient dans leur voisinage immédiat un prieuré bénédictin ; en Bourgogne au XIIe siècle, les abbayes cisterciennes jouèrent le même rôle. Quoi qu'il en soit, nulle société noble et chevaleresque n'existait sans le clerc ou le moine. Le noble, qui exerce le pouvoir, a peut-être le sentiment d'avoir plus d'occasions de contrevenir aux commandements de l'Église ; il était amené à tuer, de façon légitime ou non, et la guerre privée qu'il menait volontiers n'avait pas toujours de justification ; il vivait dans un milieu où l'adultère était plus que toléré, bien considéré ; il avait des occasions fréquentes de donner libre cours à sa gourmandise, de manifester de l'orgueil et de se mettre en colère, autant de motifs de repentance. Il lui fallait donc souvent se faire pardonner par des dons aux églises, aux saints ; il fondait le monastère, dont les occupants seraient chargés de prier pour lui, il faisait des donations, accordait des privilèges, renonçait parfois aux abus que suscite la protection qu'il prétendait accorder aux établissements religieux de ses terres. Les chevaliers qui n'avaient pas les moyens de faire édifier même un simple prieuré, se regroupaient au XIIe siècle pour donner vie à un monastère de cisterciens ou de chanoines réguliers, ou ajoutaient leurs générosités à celle de l'initiateur ; ils obtenaient ainsi un rôle de fondateur auquel ils étaient attachés. Ils se considéraient à juste titre comme les protecteurs obligés des églises de leur terre, avoués avant d'être gardes, et si certains, la plupart hélas, ne voyaient dans cette tâche qu'un moyen d'accroître leurs revenus, d'autres l'assumaient avec un grand zèle. La noblesse enfin avait d'autant plus besoin de se montrer large qu'elle demandait aux églises d'accueillir ses fils et ses filles et de leur assurer une vie conforme à leur état nobiliaire.

La chevalerie, née au XIe siècle, connut un apogée au XIIe siècle avant de se restreindre à une élite fortunée. Au temps de la première et de la deuxième croisades, quand le terme de chevalier n'était pas encore réservé aux membres du groupe social noble, ce qui advint à partir de 1180 ou environ, quand la prise d'armes était un passage initiatique plus que l'entrée dans ce groupe social, l'Église s'est efforcée d'intervenir auprès des combattants sur lesquels elle avait jusque-là peu de prise[31]. Paix de Dieu et trêve de Dieu avaient eu un premier effet modérateur : l'Église dictait des interdits ; bientôt elle prit le mouvement à son compte en lui fixant des objectifs. Elle réussit cette opération à la faveur des croisades en détournant la force brutale des soldats professionnels au bénéfice du Christ : chevalier, chevalier du Christ. En protégeant les biens et la famille du chevalier parti pour Jésuralem, elle s'en faisait plus sûrement un allié. En dénonçant les guerres privées et en exaltant la guerre contre les païens, l'Église intervenait directement dans la vie quotidienne du chevalier. Si le chevalier puisait sa fierté dans le fait de combattre, il fallait justifier son combat. Saint Bernard en louant la nouvelle milice du Temple stigmatisait la milice du siècle, la chevalerie. Or celle-ci pouvait s'élever si elle avait des modèles ; on lui en donna.

L'adoubement était avant tout, on l'a dit, une remise solennelle des armes au passage à l'âge adulte ; il était l'héritier d'une vieille tradition germanique, il rappelait

---

31. J. FLORI, *L'essor de la chevalerie, XIe-XIIe siècles*, Genève, 1986.

aussi les rites du couronnement par la remise des insignes du pouvoir : le roi recevait un vêtement, une épée, une couronne ; le chevalier recevait une cuirasse, une épée, un casque. Les *ordines* créés pour le second découlaient naturellement du premier, les formules furent reprises[32]. L'Église, qui couronnait et sacrait les souverains, intervint peu à peu dans l'adoubement des princes, puis des seigneurs, et plus tard des simples chevaliers. La collée devint une intronisation à une vie au service de Dieu, et des faibles ; l'épée, le casque, la cuirasse puis les éperons et même la chemise furent tenus pour des symboles de force, de courage, de pureté, de résistance au démon et de défense des autres. Les livres liturgiques s'enrichirent d'*ordines* pour les chevaliers, de

Saint-Maurice, Châsse des enfants de saint Sigismond
(argent repoussé XIIe siècle).
Abbatiale de Saint-Maurice d'Agaune (Valais, Suisse).

---

32. J. FLORI, « Chevalerie et liturgie. Remise des armes et vocabulaire chevaleresque dans les sources liturgiques du IXe au XIVe siècle », *Le Moyen Âge*, 1978, p. 247-278, 409-442.

bénédictions des armes. Mourir pour Jérusalem était digne, le faire en tournoi était un défi jeté à Dieu ; dans le premier cas, c'était l'honneur, et dans le second, le déshonneur de la sépulture en terre non chrétienne.

Le modèle, autre que celui des chevaliers-moines de la Terre Sainte, fut celui des chevaliers devenus moines ou clercs, entrés au panthéon des chrétiens. Géraud d'Aurillac avait été le premier laïc canonisé. Les XIᵉ et XIIᵉ siècles ont connu beaucoup d'exemples d'anciens soldats portés sur les autels : citons parmi d'autres Simon de Valois, Jean de Montmirail, Thibaud de Provins, Bertrand de Comminges ; trois venaient justement de la Champagne qui donna tant de croisés. Le dernier entra dans les ordres après avoir été élevé en chevalier, mais sans avoir vécu comme tel ; il réalisa une grande œuvre comme évêque (v. 1080-1123)[33] ; Simon de Valois, en revanche, eut à défendre le patrimoine de son père contre le roi Philippe Iᵉʳ, il souffrait de ce que son père Raoul était mort excommunié et il voulut payer pour lui ; il refusa de se marier et s'enfuit dans le Jura pour s'y faire moine de Saint-Claude[34]. Avant lui, Thibaud avait reçu, comme Bertrand, une éducation de chevalier, et s'était fait ermite près de Vicence, en Italie du Nord, où il mourut en 1066 et fut promptement canonisé[35]. À ces modèles, s'ajoutèrent ceux des seigneurs et des chevaliers, qui rejetaient le baudrier du siècle pour rallier la milice ecclésiastique, se faisaient à la fin de leur vie moines ou templiers ; des exemples célèbres sont là encore fournis par la Champagne et la Bourgogne[36]. L'influence des saints chevaliers était sensible dans le choix des noms donnés aux garçons, tandis que, d'une façon générale, toujours plus de lignages n'hésitaient pas à délaisser des noms à consonance ancienne pour adopter ceux de saints et de saintes des litanies. Les Catherine, Élisabeth, Béatrice, Marie remplaçaient les Swanhilde, Ermesinde, Liutgarde ; des Sigismond devenaient Simon, Judinta, Judith[37].

4. De la paix de Dieu à la guerre juste

Dès la fin du Xᵉ siècle et surtout au cours de la première moitié du XIᵉ siècle, la hiérarchie ecclésiastique avait favorisé la constitution d'associations de paix, dont les membres s'engageaient par serment à se mobiliser contre les actes de violence qui s'étaient multipliés dans de nombreuses régions. Assumant jusqu'au bout un rôle de suppléance là où les pouvoirs publics étaient trop affaiblis pour réagir, évêques et moines firent appel aux laïcs pour rétablir, dans une société en voie de féodalisation rapide, un ordre conforme aux aspirations du plus grand nombre et à la sauvegarde de leurs propres intérêts temporels, menacés par les accaparements des *milites*[38]. Dans

33. Bertrand de Comminges, *Vita sancti Bertrandi*, AASS, oct. VII, 2, 1140-1184.
34. Simon de Valois, *Vita beati Simonis Crispeiensis*, RHF, 14, 37-38.
35. Thibaud de Provins, *Acta Sanctorum*, juin V, col. 593.
36. Hugues de Champagne templier (M. Bur, *La formation du comté de Champagne*, Nancy, 1977, p. 273-277).
37. M. Parisse, « La conscience chrétienne des nobles », *La cristianità dei secoli XI e XII in Occidente : coscienza e strutture di una società* (Miscellanea del centro, X), Milan, 1983, p. 259-280.
38. G. Duby, « Les laïcs et la Paix de Dieu », in *Hommes et structures du Moyen Âge*, Paris-La Haye, 1973, p. 227-243 ; Th. Head et R. Landes, *Essays on the Peace of God and the People in Eleventh Century France*, Waterloo, 1987 (Historical Reflections, 14, 3).

certains cas, comme à Bourges en 1038, on vit de véritables milices diocésaines affronter militairement les fauteurs de troubles et s'employer au rétablissement de la paix. En 1040, l'abbé Odilon de Cluny et de nombreux prélats du sud-ouest de la France préconisèrent l'institution de la Trêve de Dieu, qui visait à imposer à tous les chrétiens l'abstention des combats, chaque semaine, depuis le mercredi soir jusqu'au lundi matin. Simultanément, divers conciles régionaux placèrent alors sous la protection de l'Église la quasi-totalité des gens sans armes, depuis les clercs jusqu'aux paysans et aux marchands, dans le cadre de la Paix de Dieu. Ces initiatives locales furent bientôt relayées par la papauté qui étendit la Paix et la Trêve de Dieu à des pays où elles n'avaient pas encore cours (Espagne en 1068, Italie du Sud vers 1090)[39].

C'est dans cette perspective qu'il convient de situer, pour en comprendre la signification, la campagne de prédication entreprise par Urbain II en 1095, qui fut couronnée par un appel solennel adressé à tous les fidèles à l'occasion du concile de Clermont. Pour étendre la paix à l'ensemble de la chrétienté et rétablir l'harmonie entre les Églises d'Orient et d'Occident, le pèlerinage de Terre Sainte et la reconquête de Jérusalem allaient constituer des moyens privilégiés, comme l'atteste l'octroi d'indulgences à ceux qui acceptaient de risquer leur vie dans cette aventure. La guerre sainte, cette nouveauté dans l'histoire du christianisme, apparaît bien, dans cette perspective, comme le point d'aboutissement d'un processus au terme duquel l'Église s'institua tutrice et garante du nouvel ordre social, géré en commun par les deux *ordines* dominants, celui des clercs et celui des guerriers, ou chevaliers[40]. Le *Décret* de Gratien, première synthèse du droit canonique médiéval, reflète bien cette évolution, dans la mesure où il met l'accent — contrairement à toute la tradition antérieure — sur la possibilité de se sanctifier dans l'exercice du métier des armes. À la question : « Est-ce un péché de faire la guerre ? », le moine de Bologne répond en effet par la négative, en alléguant l'exemple de « saint David » et précise même que « le chevalier qui a tué un homme pour obéir à son seigneur n'est pas coupable d'homicide »[41]. Cette réhabilitation de la condition militaire s'inscrit dans une perspective plus large qui est celle de la christianisation de la société chevaleresque. Elle se situe aussi dans le droit fil du programme théocratique formulé par Grégoire VII et par certains de ses successeurs, qui visait à faire du pape le suzerain des rois d'Occident et la seule autorité habilitée à décider si une guerre était juste ou pas, en fonction des intérêts supérieurs de la chrétienté. Or toute guerre entre souverains chrétiens était répréhensible, aux yeux de la papauté, dans la mesure où elle faisait obstacle à la lutte contre les infidèles et contre l'hérésie, dont les progrès commencèrent à l'inquiéter après 1160. Au XIIIe siècle, les canonistes développèrent toute une réflexion dans ce domaine, qui conduisit à l'élaboration de la notion de guerre juste[42]. Ses critères furent définis pour la première fois par Laurent d'Espagne en 1210, dans son *Apparatus* et codifiés vers le

39. H. HOFFMANN, *Gottesfriede und Treuga Dei*, Stuttgart, 1964 ; H.E.J. COWDREY, « The Peace and the Truce of God in the Eleventh Century », in *Past and Present*, 1970.

40. G. DUBY, *Les trois ordres ou l'imaginaire du féodalisme*, Paris, 1976, p. 168-182.

41. GRATIEN, *Decretum*, éd. FRIEDBERG, IIa p. , c. XXIII, q.I-VIII ; cf. T. ORTOLAN, *s.v.* « Guerre » in *DTC*, VI, c. 1915, Paris, 1924.

42. F. H. RUSSELL, *The Just War in the Middle Ages*, Cambridge, 1975.

milieu du XIIIᵉ siècle par Hostiensis dans sa *Summa aurea*. Ce dernier distingue en effet sept types de guerre, dont quatre étaient, à ses yeux, licites et trois illicites. Parmi les premières figure la guerre dite « romaine », qui opposait les chrétiens à des infidèles ou à des hérétiques, à l'initiative de la papauté ; mais on y trouve également la guerre dite « judiciaire » dans laquelle des fidèles affrontaient, en vertu de l'autorité d'un juge légitime, des contumaces ou des rebelles, ainsi que toute guerre menée par un pouvoir auquel ce droit avait été concédé dans les formes juridiques. Enfin, il était toujours licite de repousser un envahisseur par la force, en vertu du droit à la légitime défense, reconnu aux communautés comme aux individus. Étaient en revanche déclarées illicites les guerres « volontaires », comme celles menées par des seigneurs sans l'autorisation du prince, « présomptueuses » ou « téméraires », c'est-à-dire entreprises par des hommes qui se soulevaient contre une autorité ayant un fondement juridique incontestable[43].

Au-delà des distinctions subtiles des juristes et, plus tard, des théologiens sur le thème de la guerre juste, l'élément le plus nouveau dans ce domaine fut la place reconnue aux combattants dans la société chrétienne. La conception de la croisade comme *opus Dei*, en conférant à l'action guerrière un rôle actif dans la vie de l'Église — pourvu qu'elle fût ordonnée à la défense ou à la propagation de la foi — offrit à la chevalerie un moyen d'accéder au salut, sans avoir à renoncer à son état. Celle-ci fut sans aucun doute sensible à cet appel, comme le montre l'afflux de combattants chrétiens qui quittèrent leur lieu d'origine pour aller guerroyer contre les Sarrasins d'abord en Espagne, puis en Orient, entre le milieu du XIᵉ et le début du XIIIᵉ siècle[44].

BIBLIOGRAPHIE

F. Bériac, *Les lépreux et les léproseries en France au Moyen Âge*, Paris, 1987.

C.E. Boyd, *Tithes and Parishes in Medieval Italy. The Historical Roots of a Modern Problem*, 1952.

J.A. Brunage, *Medieval Canon Law and the Crusades*, Madison-Londres, 1969.

R. Bultot, « Le mépris du monde au XIᵉ siècle », *Annales*, 22, 1967.

G. Duby, *Les trois ordres ou l'imaginaire du féodalisme*, Paris, 1976.

G. Duby, *Le chevalier, la femme et le prêtre. Le mariage dans la France féodale*, Paris, 1981.

Études sur l'histoire de la pauvreté, dir. M. Mollat, 2 vol., Paris, 1974.

Femmes, mariages, lignages, XIIᵉ-XIVᵉ siècle. Mélanges offerts à Georges Duby (Bibliothèque du Moyen Âge 1), Bruxelles, 1992.

R.C. Finucane, « The Use and Abuse of Medieval Miracles », *History*, 60, 1975.

J. Flori, *L'idéologie du glaive. Préhistoire de la chevalerie*, Genève, 1983.

J. Flori, *L'essor de la chevalerie, XIᵉ-XIIᵉ siècle*, Genève, 1986.

B. Geremek, *La potence ou la pitié. L'Europe et les pauvres du Moyen Âge à nos jours*, Paris, 1987.

P. Gold, *The Lady and the Virgin. Image, Attitude and Experience in Twelfth Century France*, Chicago-Londres, 1985.

A.A. Häussling, « Mönchskonvent und Eucharistiefeier. Eine Studie über die Messe in der abendländischen Klosterliturgie des frühen Mittelalters und zur Geschichte der Meßhäufigkeit », *LQF*, 58, 1973.

Histoire des femmes en Occident, dir. G. Duby et M. Perrot, t. 2, Paris, 1990.

J. Leclercq, *L'amour des lettres et le désir de Dieu*, 1957.

Militia Christi e Crociate ner secoli XI-XIII (La Mendola, 1989), Milan, 1992.

M. Mollat, *Les pauvres au Moyen Âge. Étude sociale*, Paris, 1978.

O. Nussbaum, *Kloster, Priestermönche und Privatmessen*, 1961.

---

43. Henri de Suse *(Hostiensis)*, *Summa Aurea*, Bâle, 1573, c.286.
44. A. Vauchez, *Les laïcs au Moyen Âge. Pratiques et expériences religieuses*, Paris, 1987, p. 61-72.

F.H. RUSSELL, *The Just War in the Middle Ages*, Cambridge, 1975.

W. SOUTHERN, *Kirche und Gesellschaft im Abendland des Mittelalters*, 1971.

U. WEINMANN, *Mittelalterliche Frauenbewegungen. Ihre Beziehungen zur Orthodoxie und Häresie*, Pfaffenweiler, 1990.

Women and Power in the Middle Ages, éd. M. ERLER, M. KOWALESKI, Athens-Londres, 1988.

Chapitre III

L'Église et la culture : mutations et tensions

par André Vauchez

Au cours des xie et xiie siècles, l'Église a disposé d'une situation de quasi-monopole en Occident dans le domaine culturel, du moins en ce qui concerne l'expression écrite du savoir et de l'expérience, et ce n'est certes pas un hasard si, à cette époque, le mot clerc (*clericus*) désigne indistinctement l'ecclésiastique et le lettré. Mais cette identification du culturel au religieux, qui allait de soi depuis le Haut Moyen Âge, commença à être mise en question, surtout à partir de la seconde moitié du xiie siècle, tandis qu'au sein même de l'institution ecclésiale on assistait à des déplacements significatifs en matière d'élaboration et de transmission des connaissances, les moines se voyant concurrencés et bientôt distancés par d'autres catégories de clercs.

I. LA CULTURE MONASTIQUE : ESSOR ET VICISSITUDES

Depuis la fin de l'Antiquité en Occident au cours des vi[e] et viie siècles, les seuls foyers de culture écrite étaient les monastères[1]. Mais on se tromperait en imaginant que ces derniers avaient pris simplement le relais des institutions scolaires défaillantes. Le monachisme a certes joué, dans une certaine mesure, un rôle de substitution dans le domaine culturel entre le viiie et le xiie siècle, mais il ne s'est pas contenté de transmettre à la postérité une part réduite de l'héritage antique[2]. Saint Benoît, le père des moines d'Occident, avait, selon son biographe Grégoire le Grand, abandonné les écoles urbaines de Rome, après sa conversion, pour partir dans les montagnes et les grottes des Apennins. Cela ne signifie pas qu'il ait rejeté ou méprisé les études qu'il avait faites précédemment mais simplement qu'il entendait les dépasser en vue de conquérir le royaume de Dieu et de parvenir à une sagesse supérieure, d'ordre spirituel et non intellectuel[3]. Cette attitude se reflète dans sa règle, qui requiert du moine la

---

1. Comme l'a bien montré P. Riché, *Écoles et enseignement dans le Haut Moyen Âge*, Paris, 1989[2].
2. Voir à se sujet, N. Cilento, *Medio Evo monastico e scolastico*, Milan, 1961, et W. Lourdaux et D. Verhelst (éd), *Benedictine Culture, 750-1050*, Louvain, 1983 (Miscellanea Lovaniensia, I, XI).
3. « *Scienter nescius et sapienter indoctus... solus in superiori speculatoris oculo habitavit secum.* » Grégoire le Grand, *Dialogues*, II, prologue, éd. A. de Vogüé et P. Antin, Paris, 1979, p. 127 (Sources chrétiennes, 260).

connaissance des lettres et prévoit plusieurs heures par jour pour la *lectio divina*, c'est-à-dire la lecture méditée de la Parole de Dieu[4]. Les écoles publiques ayant disparu, les monastères bénédictins se virent contraints d'avoir chacun la leur pour enseigner à leurs recrues, en particulier aux oblats, jeunes enfants voués par leurs parents à la vie religieuse, les rudiments de la langue et de la littérature latines, qui dans certains pays comme l'Angleterre ou la Germanie, leur étaient totalement étrangères. À l'époque carolingienne, l'option définitive faite par l'Église d'Occident en faveur du latin comme seule langue liturgique autorisée accrut encore la nécessité pour le clergé de disposer d'écoles où il pouvait s'initier à la *grammatica*, afin d'être capable de lire les Écritures et leurs commentaires. En fait, la plupart d'entre elles se situaient dans des abbayes disposant de ressources suffisantes, de livres et d'un personnel compétent pour donner ce type d'éducation, qui faisait la synthèse de l'école antique — dans la mesure où on y apprenait surtout la grammaire et la rhétorique — et de l'école rabbinique, puisque tout l'enseignement portait sur un texte unique, la Bible, et sur ses gloses[5].

Le latin qu'étudiaient les moines et dans lequel ils s'exprimaient par écrit était le latin biblique et patristique, mais ils ne pouvaient pas faire l'impasse sur la littérature classique, païenne, qui jouissait d'un grand prestige au niveau du style et de l'expression. L'étude de cette dernière était en principe considérée comme bienfaisante et légitime, mais elle comportait des risques : le jeune moine Guibert de Nogent, au début du XIIe siècle, ne fut-il pas séduit, comme il nous le raconte lui-même dans son autobiographie, par Virgile et Ovide au point de préférer la lecture de leurs œuvres à celle d'auteurs chrétiens plus austères, jusqu'à ce qu'une vision lui représentant les dangers que lui faisaient courir ces mauvaises fréquentations ne le remette opportunément sur le droit chemin[6]? En fait, la culture monastique est marquée par un dualisme d'inspiration car elle doit autant à Horace ou Lucain qu'à saint Augustin, saint Jérôme ou Bède. Mais les moines avaient le culte de l'Antiquité comme idéal de la forme, non comme idéal de l'homme. Aussi s'efforcèrent-ils de christianiser l'héritage classique et, pour tout dire, de le convertir en l'orientant vers ce qui était à leurs yeux sa vraie fin : le culte de Dieu dans l'Église. Cette entreprise de récupération leur permit ainsi d'intégrer dans leur culture aussi bien le *De amicitia* de Cicéron que les lettres de Sénèque[7].

Sur le fond cependant, la littérature qui fut alors produite en milieu monastique avait bien d'autres finalités que celle des moralistes de l'Antiquité. Elle était en effet inséparable de la vie religieuse et cherchait à favoriser chez les cénobites l'élévation de l'âme et la dévotion au ciel[8]. Ne négligeant pas la beauté de la forme, comme on peut

---

4. Cf. *La règle de saint Benoît*, chapitre 48, éd. A. de VOGÜÉ et J. NEUFVILLE, Paris, 1972, p. 599-605 (Sources chrétiennes, 182).

5. R. KOTTJE, « Klosterbibliotheken und monastische Literatur in der zweiten Hälfte des 11. Jahrhunderts », in *Il monachesimo e la riforma ecclesiastica (1049-1122)*, Milan, 1971, p. 351-371. (La Mendola, 6).

6. Guibert de Nogent, *Autobiographie*, éd. et trad. E.R. LABANDE, Paris, 1981, p. 134-139.

7. Sur l'attitude du monachisme vis-à-vis de la culture antique, cf. P. LEHMANN, « The Benedictine Order and the Transmission of the Literature of Ancient Rome », in *Erforschung des Mittelalters*, III, Stuttgart, 1960, p. 174-183, et B. MUNK-OLSEN, *L'étude des auteurs classiques latins aux XIIe et XIIIe siècles*, Paris, 4 vol., 1982-1989.

8. Cette dimension fondamentale de la culture monastique a été bien mise en relief par J. LECLERCQ dans son grand livre, *L'amour des lettres et le désir de Dieu*, Paris, 1957, réédité en 1963 sous le titre *Initiation aux auteurs monastiques du Moyen Âge*.

le voir chez un saint Bernard, elle voulait en faire un tremplin pour la contemplation et un moyen d'accéder à cette « sobre ivresse », vécue dans la foi et l'ascèse, qui permettait au moine d'anticiper dès ici-bas la vie céleste et de mener une existence à tous égards comparable à celle des anges (*vita angelica*). Le climat dans lequel elle baigne est celui de la liturgie, qui unifiait toutes les manifestations d'une culture monastique et associait intimement la lecture (le plus souvent à haute voix), la méditation et l'oraison. Les ouvrages qui furent composés à cette époque dans les monastères revêtent avant tout un aspect exégétique. Ce sont des commentaires de l'Écriture sainte, envisagée dans une perspective à la fois littérale et mystique : d'un côté en effet, la pensée s'accroche aux mots du texte sacré, dont on s'efforce de bien comprendre le sens en s'aidant de glossaires et de répertoires ; de l'autre, elle cherche à

Saint Michel terrassant le dragon,
Saint Augustin, Traité des Psaumes,
xie siècle, ms. 76, f° 1 v°
(Bibliothèque municipale d'Avranches).

en dégager la signification dans le plan de Dieu. La Bible en effet n'est pas considérée par les moines comme un moyen de connaissance ou d'information, mais comme l'instrument de salut. Ainsi s'explique le soin apporté à la copie et à l'enluminure de manuscrits, qui tous contiennent des fragments de la Parole divine, et le respect qu'on leur témoigne aussi bien dans les *scriptoria* qu'au chœur. Le moine cultivé n'est pas un savant, un homme de lettres ou un intellectuel. C'est un spirituel qui croit certes, avec saint Bernard, que « la science des lettres orne l'âme » mais qui n'y a recours que pour mieux proclamer la gloire de Dieu et accéder à son insondable mystère[9].

On a débattu entre historiens, dans les années 1960/70, pour savoir si l'on pouvait parler, aux XIᵉ et XIIᵉ siècles, d'une théologie monastique[10]. L'expression est légitime si l'on entend par là que cette littérature issue des monastères véhicule un message très précis et vise avant tout à faire grandir en l'homme l'influence de l'homme parfait, le Christ, fils de Dieu, qui doit revenir dans la gloire. Mais cet objectif n'est pas atteint par le raisonnement logique ou la démonstration philosophique, même s'il arrive à certains de ces auteurs de définir leur démarche comme la « vraie philosophie ». En fait, leur approche de Dieu passe uniquement par la lecture et l'exégèse des textes sacrés (*sacra pagina*) interprétés à plusieurs niveaux, suivant le schéma traditionnel des quatre sens de l'Écriture : les faits (*historia*), le sens spirituel (*allegoria*), le sens moral (*tropologia*) et la signification par rapport à l'histoire spirituelle de l'humanité (*anagogia*)[11]. Tout cela relève évidemment d'une mentalité symbolique : les auteurs monastiques étaient convaincus que toute réalité naturelle ou historique, avait une signification qui débordait son contenu brut. Dans cette perspective, rendre raison des choses ne consistait pas seulement à les expliquer par des causes internes ; c'était surtout découvrir leur mystérieuse densité et les nombreuses virtualités qu'elles recèlent. Cette façon de voir s'appliquait tout particulièrement à la Bible, dont la littérature monastique tend à faire une lecture complètement allégorique : en effet, comme ce livre a pour auteur Dieu lui-même, il n'est pas seulement signifiant par les mots qu'il contient mais par les événements qu'il raconte, qu'il convient d'interpréter dans un sens spirituel. Cette démarche intellectuelle ne manque ni de grandeur ni parfois de beauté. Mais elle comportait le risque de tourner abusivement en symbole ce qui n'était qu'élément littéraire du récit et de dissoudre les faits rapportés dans un jaillissement de lyrisme faisant une large part à la subjectivité du commentateur[12].

Il serait toutefois injuste et excessif de réduire toute la culture monastique de l'époque à la seule exégèse scripturaire, même si celle-ci y occupe une place prépondérante. Elle a en effet porté bien d'autres fruits savoureux dans des domaines aussi variés que l'hagiographie, l'histoire, la prédication et la liturgie (hymnologie mais aussi comput)[13]. Vers 1100, les principaux foyers de vie culturelle et artistique en

---

9. « *Scientia litterarum quae ornat animam.* » S. Bernard, *Super Cant.*, 37, 2, cité par J. LECLERCQ, *op. cit.*, p. 240.

10. Cf. J. LECLERCQ, *L'amour des lettres…*, cité, p. 179-216, et, en sens contraire, G.G. MEERSSEMAN, « Teologia monastica e riforma ecclesiastica da Leone IX (1049) a Callisto II († 1124) », in *Il monachesimo e la riforma…*, cité, p. 256-270 et 303.

11. H. de LUBAC, *Exégèse médiévale. Les quatre sens de l'Écriture*, 4 vol., Paris, 1959-1964, et J. DUBOIS, « Comment les moines du Moyen Âge chantaient et goûtaient les saintes Écritures », in P. RICHÉ et G. LOBRICHON (éd.), *Le Moyen Âge et la Bible*, Paris, 1984, p. 261-298.

12. Cf. M.D. CHENU, *La théologie au XIIᵉ siècle*, Paris, 1957, chapitre 3 : « La mentalité symbolique. »

13. J. LECLERCQ, « L'historiographie monastique de Léon IX à Calixte II » in *Il monachesimo e la riforma…*, cité, p. 272-302 ; M. VAN UYTFANGHE, « Modèles bibliques dans l'hagiographie » in *Le Moyen Âge et la Bible*, cité, p. 449-487.

Occident étaient quelques grandes abbayes comme Fleury (Saint-Benoît-sur-Loire), Cluny ou le Mont-Cassin, en Italie du Sud, qui possédait une très riche bibliothèque et qui joua un rôle important dans la transmission en Occident de textes provenant du monde byzantin et même musulman, en raison des liaisons étroites qu'il entretenait avec l'école médicale de Salerne. C'est là en particulier que furent remises en honneur les règles de la forme littéraire classique, ou *cursus*, qui furent ensuite introduites à la curie romaine par Jean de Gaète, et que s'épanouit l'écriture dite bénéventaine[14]. Plus original encore fut le rôle de l'abbaye du Bec, en Normandie, qui devint, sous la direction du Lombard Lanfranc de Pavie (1045-1089), une des meilleures écoles de France et d'Occident[15], où se formèrent quelques-uns des grands esprits de ce temps, comme l'évêque et canoniste Yves de Chartres, qui élabora un habile compromis dans la Querelle des investitures[16], et saint Anselme qui succéda à Lanfranc à la tête de

Patère en bronze représentant la crucifixion
et des scènes bibliques. Trésor de la cathédrale
de Gniezno (Pologne), dernier tiers du XIIe siècle.

---

14. Sur Fleury au XIe siècle, cf. R. LOUIS (éd.), *Études ligériennes d'histoire et d'archéologie médiévales*, Auxerre, 1975, et ι.. VERGNOLLE, *Saint-Benoît-sur-Loire et la sculpture du XIe siècle*, Paris, 1985 ; sur le Mont-Cassin, cf. H.E. COWDREY, *The Age of Abbot Desiderius*, Oxford, 1983, et H. TOUBERT, *Un art dirigé. Réforme grégorienne et iconographie*, Paris, 1990, p. 93-238. Les travaux récents ont sensiblement relativisé l'opposition établie par K. HALLINGER, *Gorze und Cluny. Studien zu den monastichen Lebensformen und Gegensätzen im Hochmittelalter*, 2 vol., Rome, 1951, entre un monachisme de culture représenté par les grandes abbayes germaniques et un monachisme axé sur la liturgie et le culte divin incarné par Cluny. Cf. J. LECLERCQ, « Spritualité et culture à Cluny », in *Spiritualità cluniacense*, Todi, 1960, p. 101-151, et D. IOGNA-PRAT, « Raoul Glaber et l'historiographie clunisienne », in *StMed*, 3e s., 26, 1985, p. 537-572.
15. M. GIBSON, *Lanfranc of Bec*, Oxford, 1978.
16. R. SPRANDEL, *Ivo von Chartres und seine Stellung in die Kirchengeschichte*, Stuttgart, 1962.

l'abbaye[17]. Mais ces centres particulièrement brillants ne doivent pas nous faire oublier les innombrables monastères ou prieurés plus modestes dont les écoles externes, surtout dans le monde germanique, permirent à des clercs séculiers et parfois à des fils de nobles d'apprendre à lire et à écrire dans le psautier[18].

Même si la finalité de ces établissements n'était pas prioritairement culturelle, au sens où nous entendons ce mot aujourd'hui, il est évident qu'ils ont joué un rôle essentiel, non seulement dans la préservation et la transmission d'une partie de l'héritage antique, mais dans la survie même de l'expression écrite en ce premier âge féodal, caractérisé globalement par une fuite généralisée devant l'écriture et par la prépondérance de la « raison des gestes » au niveau des formes d'expression et de communication sociale[19]. Parmi les nombreux auteurs qui illustrèrent la conception monastique de la sagesse, au XIIe siècle, de Rupert de Deutz à Guillaume de Saint-Thierry et au grand abbé de Cluny que fut Pierre le Vénérable[20], il faut faire une place à part à saint Bernard, qui fut à la fois le miroir de son temps, à l'histoire duquel il fut étroitement mêlé, et « le dernier des Pères de l'Église » avec lequel s'achève un certain âge de la foi et de la culture[21]. Né en 1090 à Fontaine-lès-Dijon, dans une famille de petits seigneurs bourguignons, Bernard avait fait d'excellentes études chez les chanoines de Saint-Vorles, à Châtillon-sur-Seine. Les polémiques dans lesquelles il se lancera plus tard contre Abélard et ses diatribes contre les écoles urbaines ont pu donner le change et faire croire qu'il avait été un ennemi de toute culture. Mais il suffit de lire une page de ses écrits pour s'apercevoir qu'il n'en est rien. Au contraire, il est à sa manière « un poète qui écrit souvent un prose rythmée, un rhéteur qui se laisse griser par le cliquetis des mots, voire un sophiste qui préfère parfois à une dialectique proprement scientifique... un argument musical »[22]. Loin d'être un ignorant, il connaît à fond non seulement la Bible et saint Augustin, mais aussi Cicéron, dont il utilise le *De Amicitia* pour sa réflexion sur l'amitié de Dieu, et les Pères grecs alors peu répandus en Occident, et qu'il intègre pour la première fois à une synthèse théologique : Origène, le Pseudo-Denys, Grégoire de Nysse, Maxime le Confesseur[23]. Hostile à l'orgueil de la raison, même si sa vigueur spéculative n'a rien à envier aux meilleurs esprits de son temps, il préfère explorer les voies de la mystique et vise à l'union à Dieu. Pour lui, le monastère est par excellence « l'école de la charité », notion centrale à ses yeux et à laquelle il ramène — pour la première fois en Occident — toute la vie religieuse. Dans son *Traité de l'amour de Dieu* et dans ses *Sermons sur le Cantique des Cantiques*, il décrit les étapes par lequel le chrétien pourra passer du « pays de dissemblance » (*regio dissimilitudinis*), que constitue le monde d'ici-bas, au

---

17. R. FOREVILLE, « L'École du Bec et le studium de Cantorbéry aux XIe et XIIe siècles », in *BPH*, 1955/56, p. 357-374.
18. P. RICHÉ, « Recherches sur l'instruction des laïcs du IXe au XIIe siècle », in *CCM*, 5, 1962, p. 175-182.
19. J.C. SCHMITT, *La raison des gestes dans l'Occident médiéval*, Paris, 1990.
20. Sur Rupert de Deutz, cf. J. VAN ENGEN, *Rupert of Deutz*, Berkeley-Los Angeles, 1983 ; sur Pierre le Vénérable, cf. G. CONSTABLE et J. KRITZEK (éd.), *Petrus Venerabilis*, Rome, 1956, et *Pierre Abélard, Pierre le Vénérable. Courants philosophiques, littéraires et artistiques en Occident au milieu du XIIe siècle*, Paris, 1975.
21. Sur saint Bernard, l'ouvrage le plus à jour est *Bernard de Clairvaux. Histoire, Mentalités, spiritualité (Actes du colloque de 1990)*, Paris, 1991.
22. E. DELARUELLE, A. LATREILLE, J.R. PALANQUE, *Histoire du catholicisme en France*, t. I, Paris, 1957, p. 319. Cf. aussi C. MOHRMANN, « Le style de saint Bernard », in *Études sur le latin des chrétiens*, t. II, Rome, 1961, p. 347-357.
23. E. GILSON, *La théologie mystique de saint Bernard*, Paris, 1934.

paradis de la similitude : humilité et mortification, charité et pratique de la pauvreté, lecture de l'Écriture et méditation de l'humanité du Christ, enfin union transformante de l'âme avec son Époux céleste. Ainsi se trouve défini et jalonné un itinéraire du retour à Dieu, qui sera suivi par beaucoup d'hommes et de femmes après lui, ce qui explique le prestige durable de ses œuvres spirituelles au cours des siècles suivants[24].

« Représentant d'un passé qui n'a dû qu'à son génie de survivre », selon l'excellente formule d'Étienne Delaruelle, saint Bernard est fondamentalement conservateur sur le plan culturel tout comme dans le domaine social. Mais avec lui, l'exégèse monastique, littéraire et scripturaire, a brillé d'un dernier éclat avant d'être éclipsée par d'autres formes de pensée et d'expression, tandis que disparaissait la vision unitaire du savoir et de la vie que les fils de saint Benoît se transmettaient sans heurts de génération en génération[25]. Désormais, le champ de la connaissance va se fractionner, la théologie se séparer de la spiritualité et l'attitude critique devenir la règle. Sa mort, en 1153, marque vraiment un tournant dans l'histoire intellectuelle de l'Occident.

II. LES MUTATIONS DU XIIᵉ SIÈCLE : ESSOR DES ÉTUDES ET RENOUVEAU INTELLECTUEL

1. DES MONASTÈRES AUX ÉCOLES URBAINES

Au contraire de l'époque précédente, le XIIᵉ siècle se caractérise en Occident par une augmentation sensible de la demande culturelle au sein de la société, qui entraîna un développement de la scolarisation, surtout au sein de l'aristocratie[26]. Celle-ci emprunta des formes très variées : certains nobles faisaient instruire leur fils par un précepteur, comme on le constate dans le cas du jeune Guibert de Nogent ; d'autres les confiaient à des institutions religieuses, afin qu'il y reçoivent une formation élémentaire. Mais un problème ne tarda pas à se poser à ce niveau dans la mesure où, dans beaucoup des régions, les moines se montrèrent moins enclins que par le passé à admettre parmi eux des enfants ou des adolescents pour les instruire. Les réformateurs du monachisme étaient en effet unanimes à voir dans les écoles une source de perturbation et même de relâchement dans la vie des communautés. Dès le milieu du XIᵉ siècle, un saint Pierre Damien félicitait les moines du Mont-Cassin de ne pas en avoir et Cluny semble y avoir renoncé dès avant 1100. Au XIIᵉ siècle, le mouvement qui tendait à séparer toujours davantage le cloître du monde s'accentua et les

---

24. Cf. le dossier de textes établi et commenté par E. GILSON, *Saint Bernard. Un itinéraire de retour à Dieu*, Paris, 1964 ; sur l'influence et la postérité spirituelles de saint Bernard, cf. J. LECLERCQ, F. VANDENBROUCKE et L. BOUYER, *La spiritualité du Moyen Âge*, Paris, 1968, p. 233-274.

25. E. DELARUELLE, *op. cit.*, p. 347 ; cf. C. LEONARDI, « L'intellettuale nell'alto Medio Evo », in *Il comportamento dell'intellettuale nella società antica*, Gênes, 1980, p. 119-139.

26. Sur cette demande culturelle et ses motivations, cf. J.W. THOMPSON, *The Literacy of the Laity in the Middle Ages*, New York, 1963, et P. CLASSEN, « Die hohen Schulen und die Gesellschaft im 12. Jahrhundert », in *AKuG*, 48, 1966, p. 155-180.

cisterciens, qui n'acceptaient pas les oblats, se refusaient à donner le moindre enseignement, tout en développant les bibliothèques à l'usage des moines de chœur soucieux d'enrichir leur culture religieuse[27]. Même dans les régions de l'Empire, plus traditionnelles à cet égard, les moines cessèrent souvent à cette époque d'enseigner eux-mêmes et se déchargèrent de cette tâche sur des clercs appartenant à la *familia* du monastère. On mesure l'évolution rapide des esprits dans ce domaine au scandale causé par Abélard lorsqu'il reprit ses cours à Paris, après avoir fait profession à Saint-Denis. Son adversaire, Roscelin, le lui reprocha en des termes sévères qui reflètent sans doute ce qui était devenu l'opinion commune : « Puisque tu enseignes, tu as cessé d'être moine »[28]. Quelques décennies plus tôt, une telle phrase n'aurait eu aucun sens.

Les moines abandonnant la partie à une époque où précisément le besoin d'éducation se faisait plus pressant, le relais fut pris par les chanoines réguliers et surtout par les clercs séculiers. Ainsi à Paris, Guillaume de Champeaux, ancien chanoine et écolâtre de Notre-Dame, fonda en 1108 la collégiale Saint-Victor de Paris qui devint un établissement prestigieux et prit la tête d'une véritable congrégation, qui compta bientôt 44 maisons dispersées dans toute la chrétienté, de l'Italie à la Scandinavie[29]. En 1148, Saint-Victor acquit la collégiale de Sainte-Geneviève et la réforma. Ces deux établissements furent, jusqu'à la fin du siècle, des foyers de culture et d'éducation particulièrement réputés, comme en témoignent les noms prestigieux de théologiens et d'exégètes comme Hugues et André de Saint-Victor, ou de maîtres spirituels comme Richard[30]. À côté d'écoles internes, on y trouvait également des écoles externes où enseignaient des maîtres qui bénéficiaient du privilège d'exemption de l'abbaye et étaient soustraits de ce fait à la juridiction du chapitre de Notre-Dame. On y faisait une large part à l'enseignement des arts libéraux ainsi qu'à la réflexion pédagogique, comme en témoigne le *Didascalicon* de Hugues[31]. Mais c'est évidemment l'étude de la théologie et de l'Écriture qui y occupait la place prépondérante. Si certains victorins, comme Gauthier, demeurèrent fidèles à une exégèse allégorique de type monastique, d'autres s'orientèrent vers des voies plus novatrices et appliquèrent aux sciences sacrées les nouvelles méthodes de la scolastique[32].

Pour l'essentiel cependant, ce furent les chapitres séculiers qui assumèrent les tâches, de plus en plus importantes, de scolarisation[33]. Ce n'était pas une nouveauté car, depuis l'époque carolingienne, les chapitres urbains s'étaient vu confier des

---

27. Ph. DELHAYE, « L'organisation scolaire au XIIe siècle », in *Traditio*, 5, 1947, et E. LESNE, *Histoire de la propriété ecclésiastique en France*, t. V : *les écoles de la fin du VIIIe à la fin du XIIe siècle*, Lille, 1940.

28. Lettre de Roscelin à Abélard, in *PL*. 178, 370.

29. J. CHÂTILLON, « La culture de l'école de Saint-Victor au XIIe siècle », dans M. de GANDILLAC et E. JEAUNEAU (éd.), *Entretiens sur la renaissance du XIIe siècle*, Paris-La Haye, 1968, p. 147-161.

30. R. BARON, *Hugues et Richard de Saint-Victor*, Tournai, 1961 ; B. SMALLEY, *The Study of the Bible in the Middle Ages*, Oxford, 1984, p. 112-195.

31. C.H. BUTTIMER, éd. *Didascalicon. De studio legendi. A Critical Text*, Washington, 1969 ; J. CHÂTILLON « Le Didascalicon de Hugues de Saint-Victor », in *CHM*, 9, 1966 ; p. 539-552.

32. M.D. CHENU, « Civilisation urbaine et théologie. L'École de Saint-Victor au XIIe siècle », in *Annales ESC*, 29, 1974, p. 1253-1263, et J. CHÂTILLON, « Les écoles de Chartres et de Saint-Victor » in *La scuola nel Occidente latino nell'Alto Medio Evo*, t. II, Spolète, 1972, p. 795-839 (*SSAM*, 19).

33. Ph. DELHAYE, art. cité, et G. PARÉ, A. BRUNET et P. TREMBLAY, *La renaissance du XIIe siècle. Les écoles et l'enseignement*, Paris-Ottawa, 1933.

responsabilités particulières dans ce domaine. Mais la dureté des temps ou l'incurie des chanoines avaient limité leur action aux Xe et XIe siècles et seules quelques villes comme Reims, Chartres ou Laon avaient alors conservé des écoles cathédrales d'un bon niveau[34]. Au XIIe siècle, de telles écoles se multiplièrent un peu partout en Occident et, à l'occasion du IIIe concile de Latran, en 1179, le pape Alexandre III rappela aux évêques qu'il était de leur devoir d'en ouvrir et d'en entretenir une au chef-lieu du diocèse, où les clercs pourraient recevoir une formation adéquate de la part de maîtres qualifiés[35]. Cette injonction fut plus ou moins rapidement suivie d'effets selon les régions mais il est indéniable, au total, qu'il était beaucoup facile de s'instruire à la fin du XIIe siècle qu'au début, grâce à l'effort accompli dans ce domaine par le clergé séculier.

Il ne faut cependant pas se leurrer sur le niveau moyen de ces établissements, dont quelques-uns seulement parvinrent à la notoriété sur le plan national ou international, et l'on considérait alors comme normal d'avoir à voyager et parfois à s'exiler pour faire des études de niveau supérieur dans des centres prestigieux comme Paris, Chartres ou Bologne. Ces écoles cathédrales dépendaient en principe de l'évêque du lieu; en fait, elles étaient sous la coupe d'un chanoine, l'écolâtre, généralement le chancelier du chapitre. L'enseignement se donnait dans le cloître et dans des salles attenantes. Les élèves étaient assimilés aux membres du clergé et bénéficiaient à ce titre des libertés et privilèges ecclésiastiques. Parmi eux, on comptait certes de futurs prêtres, mais aussi un nombre croissant d'étudiants qui n'envisageaient pas d'entrer dans les ordres, si bien qu'à la fin du XIIe siècle, on éprouva le besoin de distinguer, au sein du groupe des clercs, les *scolares*, terme qui désignait ceux qui fréquentaient les écoles[36].

Dans la plupart des cas, à cette époque, l'écolâtre n'enseignait pas lui-même mais faisait appel pour cela à des maîtres (*magistri*), c'est-à-dire à des clercs qualifiés, spécialisés dans l'enseignement[37]. En droit, nul ne pouvait enseigner s'il n'avait reçu une délégation de l'écolâtre, qui possédait le monopole de l'enseignement dans les limites territoriales de la juridiction épiscopale. Comme la ruée vers les écoles et l'« explosion scolaire » qui marquèrent la seconde moitié du XIIe siècle avaient multiplié le nombre des étudiants et que l'enseignement devenait une profession lucrative, les maîtres cherchèrent à échapper à la tutelle du chapitre pour se mettre à leur compte. Mais les écolâtres, soucieux de maintenir leurs prérogatives en ce domaine, n'accordaient que difficilement la *licentia docendi* sans laquelle nul n'était autorisé à ouvrir une école.

2. L'AFFIRMATION DES NOUVELLES DISCIPLINES

Cette évolution des structures scolaires s'accompagna d'importantes innovations dans la forme et les contenus de l'enseignement. Sur le plan méthodologique, on

---

34. Voir, par exemple, J.R. WILLIAMS « The Cathedral School of Reims in the Time of Master Alberic (1118-1136) », in *Traditio*, 20, 1964, p. 93-114, et B. MERLETTE, « École et bibliothèques à Laon du déclin de l'Antiquité au développement de l'Université », in *Actes du 95 ème congrès des Sociétés Savantes*, Paris, 1975, p. 21-53.

35. Concile de Latran III, canon 18, éd. et trad. in R. FOREVILLE, *Latran I, II, III et Latran IV*, Paris, 1965, p. 219.

36. J. VERGER, « Des écoles aux universités. La mutation institutionnelle », dans R. BAUTIER (éd.) *La France de Philippe Auguste. Le temps des mutations*, Paris 1984, p. 817-846.

37. M.D. CHENU, *La théologie au XIIe siècle*, cité, en particulier le chapitre XV, et J.W. BALDWIN, « Masters at Paris

assista alors à la dissolution du régime des sept arts libéraux, vieux schéma hérité de
l'Antiquité et fondé sur une distinction entre le *trivium* (grammaire, rhétorique,
dialectique) et le *quadrivium* (arithmétique, géométrie, astronomie, théorie musi-
cale)[38]. En fait, ce dernier était presque partout négligé en Occident et les efforts de
quelques clercs, surtout anglais, comme Adélard de Bath et Daniel de Morley, pour y
introduire certains acquis de la science arabe connus par l'intermédiaire de traductions
effectuées pour la plupart en Espagne, ne furent guère couronnés de succès. En dehors
de la médecine et de l'optique, cette greffe scientifique ne prit pas, faute de bases
intellectuelles et d'intérêt chez la plupart des clercs de ce temps plus préoccupés de
théorie que de pratique[39]. Mais le *trivium* lui-même, pourtant exclusivement littéraire,
n'était pas enseigné dans son intégralité, sinon à un niveau élémentaire. Les écoles
monastiques avaient privilégié l'étude de la grammaire, leur objectif étant de former
les futurs moines à une meilleure compréhension du vocabulaire et de la lettre des
textes bibliques. Les écoles urbaines du XIIe siècle feront une place plus grande à la
rhétorique, c'est-à-dire à la mise en forme des textes et à la confection de modèles
rédactionnels pour les différents types d'actes que l'on demandait aux clercs et aux
chancelleries de rédiger en nombre croissant (*ars dictaminis*), et, dans les meilleures
d'entre elles, à la dialectique, art du raisonnement logique[40]. De façon générale, on
assiste au développement d'une tendance à la spécialisation des études et à
l'élargissement des programmes, certains centres mettant l'accent sur l'étude du droit
(en particulier Bologne, en Italie, à partir des années 1130), d'autres, comme Orléans,
sur celle de la poésie et de l'*ars dictaminis*, ou encore de la médecine (Salerne,
Montpellier)[41]. Mais les foyers de vie intellectuelle les plus prestigieux à l'époque se
situent en France : à Chartres, les écolâtres Bernard et Thierry s'efforcèrent de réaliser
une synthèse entre la pensée platonicienne, connue à travers le *Timée* et surtout les
œuvres de Boèce, et la doctrine chrétienne dans le domaine de la philosophie de la
nature[42]. À Paris enfin, Abélard, dont l'influence s'exerça sur de nombreux élèves et
disciples entre 1108 et 1141, privilégia la méthode dialectique, c'est-à-dire l'application
du raisonnement logique et du doute méthodique à toutes les questions, y compris
l'élucidation des mystères divins. À la différence de ses prédécesseurs, il ne partait pas

---

from 1179 to 1215 » in R. BENSON, C. CONSTABLE et D. LANHAM (éd.), *Renaissance and Renewal in the Twelfth Century*,
Cambridge (Mass.), 1982.

38. D.E. LUSCOMBE, « Trivium, Quadrivium and the Organization of Schools », in *L'Europa dei secoli XI e XII fra
novità e tradizione : sviluppi di una cultura*, Milan, 1989, p. 81-100 (*La Mendola*, 12).

39. R. SOUTHERN, *Medieval Humanism and Other Studies*, Oxford, 1970, p. 165-171, et G. BEAUJOUAN, « L'enseignement du Quadrivium », in *La scuola...* cité, t. II, p. 639-677.

40. J. MURPHY, *Rhetoric in the Middle Ages. A History of Rhetorical Theory from St. Augustine to the Renaissance*,
Berkeley, 1974, et W. PATT, « The Early "ars dictaminis" as Response to a Changing Society », in *Viator*, 9, 1978,
p. 133-155.

41. Cf. G. CENCETTI, « Studium fuit Bononiae. Nota sulla storia dell'Università di Bologna nel primo mezzo secolo
della sua esistenza », in *StMed*, 3e s., 7, 1966, p. 781-823, reproduit in G. ARNALDI, *Le origini dell'università*, Bologne,
1974, p. 101-151, et P.O. KRISTELLER, « The School of Salerno. Its Development and its Contributions to the History of
Learning », in *Studies in Renaissance Thought and Letters*, Rome, 1969, p. 495-551.

42. La bibliographie sur l'école de Chartres est trop abondante pour être recensée ici. On se contentera de citer les
études les plus récentes : R. SOUTHERN, « Humanism and the School of Chartres », in *Medieval Humanism*, cité, p. 61-85 ;
E. JEAUNEAU, « Note sur l'École de Chartres », in *StMed*, 3e s., 5, 1964, p. 821-868, N. HÄRING, « Chartres and Paris
revisited », in *Essays in Honour of Charles Pegis*, Toronto, 1974, p. 268-329.

de la foi mais de la raison et prétendait élaborer une science de Dieu, une théologie, concept nouveau qui fut créé dans son entourage. Ni agnostique ni rationaliste, Abélard fut véritablement l'inventeur de la scolastique qui se caractérise par un primat de la philosophie, entendue comme l'organisation systématique des concepts fondamentaux de la doctrine chrétienne au sein d'un système cohérent[43].

3. ÉVOLUTION DES MÉTHODES ET LES CONTENUS DE L'ENSEIGNEMENT

Cette nouvelle approche du problème de la connaissance eut évidemment des répercussions dans le domaine de l'enseignement. Dans la pédagogie traditionnelle, l'acte essentiel était la *lectio*, c'est-à-dire la lecture des textes sacrés et de leurs principaux commentateurs, considérés comme des autorités dont les interprétations faisaient loi, qu'il s'agisse de saint Augustin ou de Grégoire le Grand. Au fur et à mesure que les domaines de l'enseignement s'étendirent, le nombre des *auctoritates* s'accrut et chaque domaine eut les siennes : Donat et Priscien pour la grammaire, Virgile, Cicéron et Sénèque pour la rhétorique, Boèce et Platon pour la dialectique[44]. Mais le changement majeur, qui se fit jour progressivement dans les écoles les plus avancées, réside dans le fait que le maître ne se contentait plus de lire et de donner un commentaire littéral des auteurs, mais cherchait à en dégager le sens profond et, le cas échéant, le contenu doctrinal. L'exposition se développe en une glose plus ample qui tend à se détacher du texte de base et à devenir une réflexion autonome. Bientôt les « autorités » ne seront plus que des références obligées, intégrées dans une démarche critique qui vise à l'originalité. « L'autorité a un nez de cire » n'hésite pas à écrire Alain de Lille († 1203), ce qui signifie clairement qu'on peut lui faire dire des choses contradictoires. Ce changement d'attitude se marquera, sur le plan pédagogique, par le développement de la *quaestio*, qui consiste à opposer deux ou plusieurs textes contradictoires sur un même sujet pour dépasser, si possible, leurs contradictions, selon la méthode dialectique mise en œuvre par Abélard en 1134 dans le *Sic et non*. Au total, la nouveauté réside surtout, à ce niveau, dans le passage du commentaire exégétique à la discussion des textes et à l'organisation en un corpus cohérent des questions disputées à l'école ainsi que des réponses fournies par les maîtres[45].

Ce mouvement de renouveau intellectuel ne se limita pas au domaine de la philosophie et de la théologie. Au moins autant que cette dernière, le droit fut une discipline de pointe au XIIe siècle et connut une évolution très rapide sous l'impulsion principalement des maîtres de l'école de Bologne, dont on attribue traditionnellement la fondation à Irnerius, dans les années 1110/20[46]. En fait ce renouveau des études

43. J. JOLIVET, *Abélard ou la philosophie du langage*, Paris, 1969 ; D.E. LUSCOMBE, *The School of Peter Abelard. The Influence of Abelard's Thought in the Early Scholastic Period*, Cambridge, 1969.

44. Cf. L. HOLTZ, *Donat et la tradition de l'enseignement grammatical*, Paris, 1981 ; K. KLIBANSKY, *The Continuity of the Platonic Traditions during the Middle Ages*, Londres, 1939, et T. GREGORY, *Platonismo medievale*, Rome, 1958.

45. M.D. CHENU, *La théologie au XIIe siècle*, cité, en particulier le chap. 8 : « Les maîtres de la science théologique », et J.De GHELLINCK, *Le mouvement théologique au XIIe siècle*, Bruxelles, 1948.

46. G. *Le Bras*, « Bologne monarchie médiévale des droits savants », in *Studi e memorie per la storia dell'università di Bologna*, I, 1956, p. 1-18, et J. GAUDEMET, *Église et société en Occident au Moyen Âge*, Londres, 1984, ch. VII.

juridiques ne peut se comprendre que dans le contexte des polémiques soulevées par la réforme grégorienne et la Querelle des investitures. Dans les deux camps qui s'affrontèrent alors, des recherches furent entreprises pour chercher dans les collections canoniques antérieures et dans les législations impériales des arguments propres à fonder leurs revendications présentes; de fait, on ne tarda pas à retrouver quantité de textes de décrets conciliaires ou de fragments de compilations législatives remontant à Justinien ou à Théodose. Pendant la première moitié du XIIᵉ siècle, l'effort des maîtres bolonais porta surtout sur la reconstitution du texte intégral des principales collections juridiques de l'Antiquité tardive, du Digeste aux Pandectes. Mais bientôt on assista à l'apparition de gloses, véritables commentaires fondés sur l'application aux textes juridiques des méthodes dialectiques mises au point dans les écoles parisiennes[47]. Le meilleur exemple est celui du Décret du moine Gratien, composé à Bologne vers 1140, qui utilise près de 4000 textes, fournis surtout par les papes, les conciles et les Pères de l'Église, classés et ordonnés en fonction des besoins et des objectifs qui étaient ceux de l'Église romaine au sortir du long conflit qui l'avait opposée à l'Empire[48]. Non content de mettre de l'ordre dans une législation diffuse et pleine de contradictions, Gratien fut le premier à élaborer une théorie du Droit, désormais nettement distingué de la théologie et des lettres[49]. Pour lui et pour ses successeurs, toute législation devait se conformer au droit naturel, qui est l'expression de la volonté de Dieu, et les lois humaines contraires à cette dernière devaient être rejetées ou abolies[50]. Soucieux d'affirmer la primauté juridictionnelle des pouvoirs ecclésiastiques, le maître de Bologne n'accordait au droit romain qu'une place restreinte et subordonnée. Selon lui, l'Église pouvait certes y recourir dans la mesure où il était conforme à la législation canonique et utile à ses besoins, par exemple dans les domaines où le droit canon ne disait rien, mais elle demeurait seule juge de l'opportunité d'admettre ou de refuser ses prescriptions.

Après Gratien, l'activité des canonistes consista, pour une part, à interpréter la somme monumentale que constituait son Décret. C'est essentiellement à cette tâche que sont restés attachés les noms de Huguccio († 1210), le maître du pape Innocent III à Bologne, et de Jean le Teutonique, auteur de la *Glose ordinaire* qui devait s'imposer dans les écoles. Mais l'évolution fut surtout marquée, dans ce domaine, par la part croissante faite, à côté du Décret, aux décrétales des papes contemporains. Gratien n'avait certes pas ignoré ces textes, qui indiquaient la position prise par les souverains pontifes, à diverses époques, en réponse à des questions précises qui leur avaient été posées par écrit. Mais leur importance s'accrut considérablement à la fin du XIIᵉ siècle, dans la mesure même où l'Église rencontrait de nouveaux problèmes, comme ceux que posait par exemple le régime bénéficial, et où le rôle de la papauté comme source principale du droit de l'Église ne cessait de se renforcer. Innocent III accéléra

---

47. F. CALASSO, *Medio Evo del Diritto*, t. I : *Le Fonti*, Milan, 1954; P. FOURNIER et G. LE BRAS, *Histoire des collections canoniques en Occident depuis les Fausses décrétales jusqu'au Décret de Gratien*, Paris, 2 vol., 1931/32.

48. Gratien, *Decretum*, in *Corpus iuris canonici*, éd. E. FRIEDBERG, Leipzig, 1889, t. I; cf. aussi A. STICKLER, *Historia iuris canonici latini*, Turin, 1950, et la série des *Studia Gratiana*.

49. J. RAMBAUD-BUHOT, « Le Décret de Gratien legs du passé, avènement de l'âge classique », in *Entretiens sur la renaissance du XIIᵉ siècle*, cité, p. 493-506, et S. KUTTNER, *Gratian and the Schools of Law, 1140-1234*, Londres, 1983.

50. Ph. DELHAYE, *Permanence du Droit naturel*, Louvain-Montréal, 1960.

l'évolution en cours en faisant préparer par les juristes de la curie des textes qui étaient approuvés par les cardinaux en consistoire et qui avaient force de loi dès qu'ils avaient été promulgués. Ce fut le cas, par exemple, des fameuses décrétales *Per venerabilem* de 1202 et *Novit* de 1204, dans lesquelles il s'efforça de définir la nature exacte des relations entre la papauté et la monarchie française, à l'occasion des conflits qui avaient opposé le roi Philippe Auguste à l'un de ses vassaux et au roi d'Angleterre, Jean sans Terre. Désormais, le problème des dissonances et des discordances entre les textes canoniques, qu'avait dû affronter Gratien, était dépassé puisqu'il n'y avait plus qu'une autorité − le pape − habilité à légiférer pour l'ensemble de l'Église[51].

4. LE SENS DE L'HISTOIRE

Les conflits prolongés qui opposèrent la papauté aux empereurs germaniques entre la fin du XIe et celle du XIIe siècle et le spectacle des périls qui menacèrent alors l'Église, de la reconquête de Jérusalem par les musulmans jusqu'à la prolifération des hérésies au sein même de la chrétienté, suscitèrent par ailleurs un approfondissement de la réflexion sur l'histoire et du discours eschatologique[52]. Celui-ci fut surtout le fait de clercs allemands et italiens qui s'interrogeaient avec anxiété sur la signification de ces événements et se demandaient comment concilier la conception chrétienne de l'histoire du salut avec le spectacle affligeant qu'ils avaient sous les yeux. En 1157, un grand prélat comme Otton de Freising, parent et contemporain de Frédéric Ier Barberousse, nourrissait encore l'espoir, dans ses *Gesta Friderici*, que le rétablissement de l'autorité impériale mettrait un terme au désordre qui régnait dans la société chrétienne[53]. Mais, en 1167, Gerhoch, prévôt de Reichersberg en Haute-Autriche, dans son traité *Sur la quatrième veille de la nuit*, n'exprimait plus que découragement devant le déclin de l'Église impériale. Pour lui, l'histoire du monde s'apparente à une course à l'abîme. Dans cette nuit profonde, quelques veilleurs − apôtres, martyrs, réformateurs monastiques − avaient assuré la pérennité du message chrétien. Mais la « quatrième veille » à laquelle il consacre son ouvrage, qui avait commencé avec Grégoire VII et devait durer jusqu'à la fin du monde, verrait se consommer la ruine de l'Église, minée par les déchirements intérieurs, en dépit de la résistance de quelques « pauvres chrétiens » refusant de pactiser avec les forces du Mal[54]. Le conflit qui opposa par la suite l'empereur germanique à la papauté fut également ressenti comme une catastrophe tragique par l'abbesse visionnaire, Hildegarde de Bingen († 1179), dont l'orthodoxie fut cautionnée par saint Bernard, qui annonça la chute simultanée de l'Église et de l'Empire et interpréta les progrès du catharisme dans la région rhénane comme le signe de l'approche de la catastrophe finale décrite dans l'Apocalypse[55].

---

51. G. LE BRAS, Ch. LEFEBVRE, J. RAMBAUD, *Histoire du droit et des institutions de l'Église en Occident*, t. VII : *l'âge classique, 1140-1378*, Paris, 1965, et G. FRANSEN, *les décrétales et les collections de décrétales*, Turnhout, 1972.
52. Cf. M.D. CHENU, *La théologie au XIIe siècle*, chapitre 5.
53. Otton de Freising, *Gesta Friderici I imperatoris*, éd. G. WAITZ et B. von SIMSON, *MGH.SS in usum scholarum*, Hanovre, 1912; cf. R. FOLZ, « Otton de Freising historien des deux cités », in *COCR*, 20, 1958, p. 329-345.
54. Gerhoch de Reichersberg, *De quarta vigilia noctis*, éd. E. SACKUR, *MGH.LL*, 3, p. 503-525; cf. P. CLASSEN, *Gerhoch von Reichersberg. Eine Biographie*, Wiesbaden, 1960.
55. M. SCHRADER, s.v. « Hildegarde de Bingen (sainte) » in *DSp*, VII, Paris, 1969, c. 505-521, et *Hildegard von Bingen. Festschrift für Todestag der Heiligen*, Mayence, 1979.

C'est précisément cette contradiction entre des signes des temps de plus en plus négatifs et le message évangélique de rédemption que chercha à résoudre un des penseurs les plus originaux de ce temps, l'abbé Joachim de Flore, qui mourut en 1202 dans le petit monastère de San Giovanni in Fiore, au fond de la Calabre[56]. Joachim n'a rien d'un historien, mais sa réflexion sur l'Écriture et le dogme chrétien le conduisit à élaborer une authentique philosophie de l'Histoire, dont l'influence devait être considérable aux derniers siècles du Moyen Âge. Mettant l'accent sur la distinction des personnes divines au sein de la Trinité plus que sur leur unité, il en déduisit l'idée d'une évolution progressive de l'humanité allant de pair avec les étapes de la Révélation et s'accompagnant d'une clarification progressive du message divin. À la différence de beaucoup de clercs de son temps qui considéraient que la perfection chrétienne s'était réalisée à l'origine et que l'Église, au fil des siècles, n'avait fait que s'éloigner du modèle idéal que constituait la communauté primitive de Jérusalem, l'abbé de Flore distingue trois âges successifs dans l'histoire du salut : celui du Père, qui coïncide approximativement avec l'Ancien Testament, celui du Fils qui a commencé avec l'Incarnation et celui de l'Esprit, encore à venir, mais qui devait débuter, selon ses calculs, vers 1260. Le premier, âge préchrétien, a correspondu à l'époque où l'humanité vivait sous la Loi et selon la chair ; les laïcs mariés y avaient joué un rôle de premier plan car il s'agissait alors de peupler le monde ; le second, après la venue du Christ, marque un approfondissement de la connaissance de Dieu ; c'est le temps de l'Église et des clercs, chargés de diffuser parmi les hommes le message évangélique. Mais ce dernier ne sera compris dans son intégralité que dans le troisième âge. Alors seulement le peuple chrétien accédera, non sans des difficultés et des résistances qui sont annoncées dans l'Apocalypse, à une intelligence supérieure et purement spirituelle de la révélation. L'Église n'aura plus besoin de clergé ni d'institution, l'« Évangile éternel » prêché par un nouvel ordre religieux, « l'ordre des justes », étant désormais parfaitement assimilé et compris par tous en esprit et en vérité[57].

Si complexe soit-il dans le détail, ce schéma évolutif que nous avons résumé à grands traits exerça une séduction profonde sur beaucoup d'esprits. Pour la première fois en effet, le temps de l'Église s'inscrivait nettement dans une perspective de croissance, tout en faisant leur part à l'action des forces du Mal qui, à chaque étape du processus, se déchaînaient pour faire obstacle à l'évolution en cours. L'abbé de Flore avait bien prévu que l'avènement du troisième âge ne se ferait que dans la douleur et que les efforts des « hommes spirituels » seraient contrecarrés par ceux des « hommes charnels ». Mais, au terme de ces épreuves et d'autres tribulations, les fils de lumière l'emporteraient sur les puissances des ténèbres[58]. Joachim ne vécut pas assez longtemps pour voir se réaliser ses prophéties et le petit ordre de Flore qu'il avait fondé, après sa rupture avec Cîteaux, ne devait jamais connaître un grand essor. Mais

---

56. Sur Joachim, cf. H. GRUNDMANN, *Studien über Joachim von Flore*, Leipzig, 1927, et B. McGINN, *The Calabrian Abbot Joachim of Fiore in the History of Western Thought*, New York-Londres, 1985. On trouvera des extraits des principales œuvres de Joachim en traduction française chez C. CAROZZI et H. TAVIANI-CAROZZI, *La fin des temps. Terreurs et prophètes au Moyen Âge*, Paris, 1982, p. 93-148 et 213-226. C. BARAUT, *s.v.*, « Joachim de Flore », in *DSp*, VIII, Paris, 1974, c. 1179-1201.

57. Cf. H. de LUBAC, *Exégèse médiévale...* cité, t. III. Paris, 1961, p. 437-558.

58. Cf.Y. CONGAR, *L'Église de saint Augustin à l'époque moderne*, Paris, 1970, p. 209-214.

le flambeau sera repris, quelques décennies plus tard, par les frères mineurs qui verront dans saint François le promoteur d'une rénovation de l'Église fondée sur la renonciation à la richesse et à toute forme de puissance extérieure[59].

5. AUX ORIGINES DE LA MYSTIQUE OCCIDENTALE

On se ferait cependant une idée inexacte du renouveau culturel du XIIe siècle si on le définissait comme un phénomène purement intellectuel ou conceptuel. À côté de la théologie, qui cherchait à pénétrer le contenu de la foi par la méthode discursive, et de la réflexion sur l'histoire, anxieuse de trouver un sens aux vicissitudes du présent, on vit également se développer en Occident la mystique, entendue comme une science de l'union à Dieu. Certes, nous l'avons vu, le monachisme avait fait une large place à ce type de préoccupation, mais, avant les années 1100, il avait rarement dépassé le niveau de l'ascèse, c'est-à-dire de la recherche de la purification préalable à la contemplation. Au XIIe siècle en revanche, apparaît une véritable mystique spéculative, qui, sans rien renier des expériences spirituelles antérieures, n'hésite pas à affirmer la possibilité pour l'âme humaine de parvenir à l'illumination et même à l'union avec la divinité. Dans ce domaine, l'auteur qui exerça sans doute la plus forte influence sur les spirituels de ce temps fut le Pseudo-Denys l'Aréopagite, néoplatonicien chrétien dont les œuvres avaient été traduites en latin au IXe siècle et diffusées par l'école d'Auxerre, qui en avait transmis la connaissance à Fleury et à Cluny[60]. Mais c'est auprès des victorins que ces thèmes trouvèrent le plus large écho. Hugues († 1141) et surtout Richard de Saint-Victor († 1173) développèrent dans leurs écrits toute une théorie de la contemplation, fondée sur l'idée de la naissance de Dieu dans l'âme humaine en liaison avec la grâce baptismale[61]. Leur démarche fait une large place à la psychologie humaine. Pour Richard en particulier, l'amour, loin de constituer une fatalité écrasante comme dans *Tristan et Iseut*, se fonde sur la volonté et la liberté, attributs qui attestent la dignité royale de l'âme. C'est là que la mystique rejoint la théologie et se fond avec elle. Il met en effet l'accent dans ses ouvrages (en particulier le *Benjamin major* et *minor*) sur la relation trinitaire qui n'est pas simple dialogue entre des personnes distinctes, mais charité parfaite qui les fait se complaire en ce que chacune donne et reçoit. Dieu, selon lui, a mis dans l'âme humaine un désir lancinant et comme une nostalgie de cet amour qui transcende les différences sans les abolir. Par la contemplation, elle pourra accéder elle-même à la vie intime des personnes divines et se fondre en Dieu dans un *excessus mentis* qui est davantage une illumination de toutes les facultés qu'une extase proprement dite[62].

Moins spéculatif et plus pratique, saint Bernard fut cependant le véritable fondateur,

---

59. Sur l'influence de Joachim de Flore au XIIIe siècle, cf. dans ce volume, Ve partie, chapitre 4, *infra*, p. 832-836.
60. Cf.R. ROQUES, *L'univers dionysien. Structures hiérarchiques du monde selon le Pseudo-Denys*, Paris, 1954, et J.J. VANNESTE, *Le mystère de Dieu. Essai sur la structure rationnelle de la doctrine mystique du Pseudo-Denys l'Aréopagitique*, Paris, 1959.
61. J. LECERCQ; *La spiritualité du Moyen Âge...*, cité, p. 282-298, et J. CHÂTILLON, *s.v.* « Richard de Saint-Victor », in *DSp*, XIII, Paris, 1988, c.593-654.
62. G. DUMEIGE, *Richard de Saint-Victor et l'idée chrétienne de l'amour*, Paris, 1952.

en Occident, de la mystique, qui chez lui procède à la fois d'un acte de volonté et d'une démarche affective. Au centre de son expérience spirituelle se situent la considération et l'imitation de l'homme-Dieu. Dans ses ouvrages, en particulier le *De diligendo Deo*, et dans ses 86 homélies sur le Cantique des Cantiques, il développe avec une ardeur entraînante son thème favori qui est celui des relations nuptiales de l'âme avec le Christ, Verbe de Dieu, et parle de ce dernier comme d'un ami, s'attendrissant sur sa naissance dans l'humilité et versant des larmes sur sa Passion douloureuse[63]. Mais l'abbé de Clairvaux ne s'en tient pas à la contemplation de l'humanité du Christ : ce n'est qu'une étape dans un processus ascensionnel au cours duquel le désir de Dieu doit s'épurer pour devenir totalement désintéressé, c'est-à-dire bannir toute crainte et renoncer à tout espoir de récompense. L'âme qui parvient à cet état sera alors entraînée hors d'elle-même et plongée dans le ravissement. Unie au Christ, elle s'engloutira dans l'être même de Dieu. Dépouillée de toute volonté propre, elle se trouvera replacée dans l'état d'innocence et d'harmonie qu'elle avait connu au paradis avant la chute[64].

La mystique dite bernardine n'est pas propre à l'abbé de Clairvaux, car on retrouve des thèmes similaires chez son contemporain et ami, Guillaume de Saint-Thierry et l'école cistercienne, avec Aelred de Rievaulx et Guerric d'Igny, les reprendra en les amplifiant[65]. Mais toute cette littérature, appelée à connaître de nouveaux développements au XIIIe siècle, illustre bien l'importance de la mutation religieuse et culturelle du XIIe siècle à la faveur de laquelle le christianisme occidental s'ouvrit largement à l'intelligence et à l'amour dans une perspective où ces deux facultés, loin de s'opposer, s'épaulaient et se complétaient harmonieusement[66].

III. DE NOUVEAUX PROBLÈMES

Une évolution aussi rapide et profonde ne pouvait manquer de faire naître des problèmes. De fait, l'Église eut à affronter un certain nombre de difficultés dans le domaine de la vie intellectuelle et de l'enseignement, où les tensions se multiplièrent dès les premières décennies du XIIe siècle.

1. LES INTELLECTUELS, L'ÉGLISE ET LES POUVOIRS

L'une des premières questions qui se posèrent fut celle du statut des maîtres et des étudiants qui suivaient leurs cours en nombre sans cesse croissant. Ces clercs, nous

---

63. M.M. DAVY « Le thème de l'âme-épouse chez Bernard de Clairvaux et Guillaume de Saint-Thierry », in *Entretiens sur la renaissance du XIIe siècle*, cité, p. 247-261.

64. E. GILSON, *La théologie mystique de saint Bernard*, Paris, 1934 ; J. LECLERCQ, *Saint Bernard mystique*, Paris, 1946.

65. M.M. DAVY, *Théologie et mystique chez Guillaume de Saint-Thierry*, Paris, 1954, et M. BUR (éd.) *Saint-Thierry. Une abbaye du VIe au XXe siècle. Actes du colloque interntional de Reims-Saint-Thierry*, Saint-Thierry, 1979.

66. R. JAVELET, « Intelligence et amour chez les auteurs spirituels du XIIe siècle », in *RAM*, 37, 1961, p. 273-290 et 429-450.

l'avons vu, ne se destinaient plus tous à la carrière ecclésiastique et les études avaient tendance à devenir de plus en plus longues et spécialisées. Un nouveau type social apparaît, l'intellectuel, qui se définit avant tout par le goût de l'étude et aspire à une certaine autonomie par rapport aux pouvoirs établis, qu'il s'agisse de l'Église ou des autorités civiles[67]. Il est significatif à cet égard que le premier texte officiel dans lequel il soit question des universitaires — l'authentique *Habita* par laquelle l'empereur Frédéric Barberousse accorda des privilèges aux juristes qui fréquentaient le *studium* de Bologne, en 1158 — les désigne comme « les écoliers qui voyagent pour cause d'études et sont devenus des exilés par amour de la science »[68]. Mais si ces migrants suscitaient un intérêt particulier de la part de l'empereur et bientôt du pape, c'est qu'ils pouvaient rendre de grands services aux institutions tant laïques qu'ecclésiastiques en raison même de leur savoir et des compétences qu'ils avaient acquises par l'étude et la réflexion. Aussi certains d'entre eux se laissèrent-ils séduire par les perspectives brillantes, en particulier sur le plan financier, que leur offraient les pouvoirs désireux de s'attacher leurs services. En 1159, le futur évêque de Chartres, Jean de Salisbury — un des meilleurs esprits de son temps — dénonça dans son *Métalogicon* la conception purement utilitaire de la culture prévalant chez certains intellectuels contemporains, désignés sous le nom énigmatique de Cornificiens, qui préconisaient une réduction de la durée des études à deux ou trois ans, sous le fallacieux prétexte que l'intelligence est un don naturel[69]. À leurs yeux, l'apprentissage des arts libéraux était inutile, l'essentiel étant d'acquérir une qualification professionnelle permettant d'obtenir un emploi lucratif, de préférence au service des princes. Entre ces derniers, qui fuyaient le professorat et ne voulaient être que de simples praticiens, et les tenants — encore nombreux à cette date — de la conception traditionnelle selon laquelle l'étude était indissociable de la vie religieuse, l'Église eut du mal à trouver une voie moyenne, et ceci d'autant plus qu'avec la renaissance de l'État et le développement d'administrations curiales autour des souverains, les clercs s'orientaient de plus en plus vers les études juridiques qui leur permettaient de faire ensuite de belles carrières[70].

Des mesures furent prises pour enrayer cette dérive. Dès 1131, un concile tenu à Reims sous la présidence d'Innocent II avait interdit aux moines de sortir de leur monastère pour aller étudier le droit civil et la médecine ; en 1163, cette interdiction fut aggravée par une menace d'excommunication pour les contrevenants. Enfin en 1179, le concile de Latran III défendit à tous les clercs vivant de revenus ecclésiastiques d'exercer des fonctions d'avocat devant les tribunaux civils, sauf s'ils devaient y défendre la cause de leur église ou celle des pauvres. Mais le renouvellement même de

---

67. J. LE GOFF, *les intellectuels au Moyen Âge*, Paris, 1985², et M.T. FUMAGALLI-B. BROCCHIERI, « L'intellectuel », in J. LE GOFF (éd.), *L'homme médiéval*, Paris, 1989, p. 201-233.

68. L'empereur l'adresse « *omnibus scolaribus qui causa studiorum peregrinantur... amore scientiae facti exules* ». Le texte est reproduit *in extenso* in G. ARNALDI, *Le origini dell'Università*, cité, p. 140.

69. Sur ce personnage et son œuvre, cf. M. WILKS (éd.), *The World of John of Salisbury*, Oxford, 1984 (*SCH, Subsidia*, 3, en particulier p. 22-26).

70. Sur les oppositions suscitées par l'évolution des écoles, cf. J. FERRUOLO, *The Origins of the University. The Schools and their Critics, 1100-1250*, Stanford, 1985 ; sur les conflits autour de la notion de travail intellectuel, cf. G. POST, « The Medieval Heritage of a Humanistic Ideal : "scientia donum Dei est, unde vendi non potest" », in *Traditio*, 11, 1955, p. 195-234.

ces condamnations suffit à prouver leur inefficacité; la papauté elle-même y contribuait d'ailleurs en attirant en nombre croissant à la curie romaine des clercs issus des écoles de droit de Bologne et elle était bien consciente de la nécessité de relever le niveau culturel du clergé, ne serait-ce que pour lui permettre de réfuter les attaques et les doctrines des hérétiques qui se multipliaient un peu partout en Occident. Aussi le concile de Latran III, en 1179, insista-t-il sur la gratuité de l'enseignement et de la collation des grades et condamna-t-il les pratiques restrictives de certains écolâtres, rappelant que nul ne pouvait refuser le droit d'enseigner à quiconque avait compétence pour le faire[71].

Cette décision, très importante, contenait en gestation les bases de ce qui sera, au siècle suivant, la politique scolaire de l'Église, soucieuse d'interdire toute acception de personnes dans l'attribution des chaires magistrales et de permettre aux pauvres d'accéder eux aussi au savoir. Mais c'est seulement à partir d'Innocent III que celle-ci s'engagera nettement dans une nouvelle voie − celle du soutien aux universités naissantes − en favorisant tout particulièrement l'Université de Paris, spécialisée dans l'étude de la théologie, et en interdisant qu'on y enseigne le droit civil.

Entre-temps cependant, le monde des clercs s'était diversifié. Nombre d'entre eux, en particulier en Angleterre, servaient à la fois le pouvoir royal et l'Église et cette tradition se prolongera jusqu'à la fin du Moyen Âge dans la plupart des pays de la chrétienté[72]; d'autres allèrent plus loin et s'adonnèrent à la contestation systématique : c'est le cas des Goliards, clercs en rupture de ban qui chantaient en vers latins leur goût des femmes et du bon vin, tout en critiquant l'hypocrisie des mœurs ecclésiastiques et l'enrichissement des prélats, comme ce Nigellus qui composa un *Miroir des fous*, entre 1170 et 1187, satire virulente des religieux corrompus ou encore Nivard, un Allemand résidant à Gand qui, dans son *Ysengrin*, tourne en dérision la vie monastique en présentant sous les traits d'un loup un moine glouton et ignare[73]. La nécessité d'une reprise en main du monde des étudiants et des maîtres, passant par une définition plus précise de leur statut et de leur *ratio studiorum*, était donc évidente au début du XIIIe siècle. Sans quoi l'Église risquait de ne tirer aucun avantage pour elle-même du renouveau des études qu'elle n'avait cessé de favoriser.

2. L'HÉRITAGE ANTIQUE ET LA DOCTRINE CHRÉTIENNE

Plus graves encore étaient les problèmes posés par l'évolution des idées et par un certain nombre de défis que posaient à la doctrine chrétienne la redécouverte de certains textes de l'Antiquité et la pénétration de courants philosophiques difficilement assimilables par le christianisme[74]. Un des principaux débats d'idées, qui se développa alors dans les écoles les plus avancées, tourna autour de la recherche d'une nouvelle

71. Canon 18 du concile de Latran III, texte français in R. FOREVILLE, *op. cit.*, p. 219. Cf. G. POST, « Alexander III, the « licentia docendi » and the Rise of the Universitie », in *Anniversary Essays... Charles Haskins*, Boston-New York, 1929, p. 255-277.

72. J. BALDWIN, « "Studium et regnum". The Participation of the University Personal into French and English Administration at the time of the Twelfth and Thirteenth Centuries », in *REI*, 44, 1976, p. 199-215.

73. Cf. O. DOBIACHE-RODJESVENSKY, *La poésie des Goliards*, Paris, 1981, et H. Wadell, *The Wandering Scholars*, Londres, 1934.

74. Vue d'ensemble de la question dans R.R. BOLGAR, *The Classical Heritage and its Beneficiaries*, Cambridge, 1963.

définition des rapports que la nature et l'homme entretenaient avec Dieu. Même s'ils ont eu dans ce domaine plus de prétentions que de réalisations à leur actif, les intellectuels du XIIᵉ siècle se sont voulus scientifiques et ont redécouvert la Nature en tant que réalité cohérente et distincte de l'homme. Sous l'influence de la philosophie platonicienne, les maîtres de l'École de Chartres affirmèrent en effet que, loin de n'être qu'une simple juxtaposition de phénomènes visibles et sensibles, elle constituait un ensemble harmonieux malgré la diversité des êtres et des choses[75]. Mais, dans la mesure où elle était ordonnée, cette Nature devait être intelligible à l'homme, dont la raison était capable de découvrir ses lois internes. Ces propositions, posaient cependant problème : affirmer le caractère rationnel de la Nature, comme le firent Bernard et Thierry de Chartres dans les années 1115/50, n'était-ce pas la désacraliser et mettre en cause l'idée communément admise d'une intervention permanente et directe de la volonté divine dans le monde ? Que devenait, dans cette perspective, la notion de miracle, fondamentale dans l'univers mental de l'époque ? Et, en dernière analyse, comment concilier l'idée de l'autonomie de l'ordre naturel avec celle de la toute-puissance divine ? N'était-ce pas offenser Dieu, créateur de toutes choses, que de prétendre mettre fin au monde enchanté ? À ces demandes fondamentales les maîtres chartrains répondirent en affirmant qu'il fallait distinguer l'acte créateur de Dieu, qui est bien à l'origine du monde, et les forces de la Nature, désignées par eux sous le nom d'« âme du monde » et parfois assimilées au Saint-Esprit, qui régissent actuellement son existence[76]. Loin d'être sacrilège, la démarche cognitive de l'esprit humain accomplit un acte religieux en recherchant les lois de la Nature, qui sont l'expression de la volonté divine. La même hardiesse et le même optimisme fondamental se retrouvent chez les Chartrains lorsqu'ils envisagent la place de l'homme dans la création. Sous l'influence des conceptions néoplatoniciennes transmises principalement par le Pseudo-Denys, ils soutenaient en effet l'idée d'une continuité entre l'homme et le cosmos, fondée sur l'identité de leurs éléments constitutifs (eau, air, feu, terre). Aussi Bernard Silvestris et Gilbert de la Porrée n'hésitèrent-ils pas à affirmer qu'en cherchant à pénétrer les secrets de la Nature, l'humanité progressait également dans la compréhension de son propre destin : en déchiffrant l'univers, c'est lui-même que l'homme déchiffre[77]. D'où le succès, à partir de cette époque, des ouvrages d'astronomie et d'astrologie, ainsi que des bestiaires et des lapidaires, plus adaptés au niveau des connaissances et aux curiosités d'esprit de l'époque que les ouvrages proprement scientifiques, qui arrivaient du monde musulman à travers l'Espagne et l'Italie du Sud[78]. Mais, même s'il prit souvent des formes pour nous déconcertantes, cet intérêt nouveau pour le monde et pour les phénomènes naturels n'en constitue pas moins une rupture importante par rapport à la tradition monastique du *contemptus mundi*, qui ne voulait voir dans les choses d'ici-bas que des objets périssables susceptibles de faire obstacle à la vocation spirituelle de l'homme[79].

---

75. T. GREGORY, *Anima mundi. La filosofia di Guglielmo di Conches e la scuola di Chartres*, Florence, 1955, et M.D. CHENU, *La théologie au XIIᵉ siècle*, en particulier le chapitre I.
76. J.M. PARENT, *La doctrine de la création du monde dans l'école de Chartres*, Paris-Ottawa, 1938.
77. Cf. J. LE GOFF, *Les intellectuels au Moyen Âge*, Paris, 1985.
78. B. STOCK, *Myth and Science in the XIIth Century. A Study of Bernard Silvestris*, Princeton, 1972.
79. R. BULTOT, *Christianisme et valeurs humaines. La doctrine du mépris du monde en Occident de saint Anselme à Innocent III*, Louvain, 1963/4.

Tout naturellement, le débat autour de la signification de la Nature et de l'homme en recoupa un autre, plus fondamental encore, qui portait sur la place de l'homme dans la création et sur le sens de sa destinée. Celui-ci fut engagé par saint Anselme, abbé du Bec puis archevêque de Cantorbéry de 1093 à 1109. Très influencé par Platon et saint Augustin, ce dernier est un penseur original qui a abordé dans une perspective nouvelle les dogmes essentiels du christianisme, en partant certes de la foi et des données de la révélation, mais en s'efforçant de les fonder sur des arguments rationnels[80]. Son ouvrage le plus important est sans doute le traité *Cur deus homo?*. Contrairement à l'opinion communément admise de son temps selon laquelle l'homme aurait été créé par Dieu pour remplacer les anges déchus, après la révolte de Lucifer, Anselme soutint que, même si celle-ci ne s'était pas produite, la nature humaine aurait été créée car elle le méritait. Affirmation très importante car, si l'être humain n'est pas une créature de remplacement, cela implique qu'il a été prévu de toute éternité par Dieu qui, en s'incarnant, a montré son estime pour notre condition[81]. L'école de Chartres ira encore plus loin sur ce point en soulignant que l'homme, comme le démiurge de Platon, est le maître de la Nature et doit continuer sur cette terre l'œuvre de Dieu. Cet éloge de l'*homo artifex* contribua sans aucun doute à revaloriser le travail humain, qui, dans cette perspective, n'apparaît plus simplement comme la conséquence du péché mais bien comme une participation à l'activité créatrice de Dieu[82].

3. RAISON ET FOI

Mais le principal défi que l'Église eut alors à relever de la part des intellectuels se situe sans doute au niveau de la constitution d'une science théologique, ce qui posait la question essentielle des rapports entre la raison et la foi. L'enjeu de ce débat était d'autant plus important que la croyance en Dieu — et dans le Dieu chrétien — constituait le fondement idéologique de la chrétienté occidentale. Saint Anselme déjà avait énoncé dans son *Proslogion* ce qu'il est convenu d'appeler l'argument ontologique, ouvrant ainsi la voie à une approche philosophique du mystère divin. Ses élèves, Anselme de Laon († 1117), « lumière de la France et du monde » selon Guibert de Nogent, et Guillaume de Champeaux († 1121), écolâtre de Notre-Dame de Paris, composèrent des recueils de *Sentences*, c'est-à-dire des synthèses systématiques de la doctrine chrétienne sur la base des enseignements et des affirmations (*sententiae*) des Pères de l'Église[83]. Mais ces ouvrages manquaient encore de clarté et ne résolvaient

---

80. R. FOREVILLE (éd.), *Les mutations socio-culturelles des XIe et XIIe siècles. Études anselmiennes*, Paris, 1984; M. CORBIN, (éd.), *L'œuvre de saint Anselme*, t. 1 à 5, Paris, 1986-1990.

81. Anselme de Cantorbéry, *Pourquoi Dieu s'est-il fait homme?*, éd. et trad. R. ROQUES, Paris, 1963. Sur l'importance de l'œuvre philosophique et théologique de saint Anselme, cf. E. GILSON, *A History of Medieval Philosophy*, Londres 1955 (supérieure à l'édition française de 1944), F. COPPLESTON, *Histoire de la philosophie*, t. 2 : *Le Moyen Âge*, Paris, 1964, et S. VANNI ROVIGHI, *Introduzione a san Anselmo d'Aosta*, Bari, 1987.

82. M.D. CHENU, *La théologie au XIIe siècle*, chap. I.

83. Cf. O. LOTTIN, *L'école d'Anselme de Laon et Guillaume de Champeaux*, in *Psychologie et morale au XIIe siècle*, t. 5, Louvain, 1959.

pas les contradictions qui existaient sur certains points entre les diverses « autorités ».

Ce fut le rôle historique d'Abélard (1079-1142) et, dans une moindre mesure, de Gilbert de la Porrée, évêque de Poitiers de 1142 à 1154, de jeter les bases de ce qu'on commence alors à appeler la théologie, en appliquant la méthode dialectique à l'élucidation des mystères divins[84]. Abélard ne niait pas l'importance de la Révélation, mais il estimait que, dans ce domaine, il fallait s'appuyer sur des arguments logiques et qu'on pouvait rendre compte des dogmes fondamentaux du christianisme en utilisant les notions de la philosophie païenne. Cette démarche proprement révolutionnaire ainsi que son penchant pour les affirmations hardies et paradoxales lui valurent bientôt de sérieux ennuis. En 1121, son traité *De unitate et trinitate divina*, destiné à faire comprendre le mystère de la Trinité à l'aide d'arguments purement rationnels, fut condamné au feu par le synode de Soissons et, en 1141, dix-neuf propositions extraites de ses œuvres postérieures furent déclarées hérétiques par le concile de Sens, à l'instigation de saint Bernard[85]. Ce dernier lui reprochait fondamentalement de rabaisser les mystères chrétiens au niveau des vérités rationnelles en ayant recours à des analogies et de subordonner la crédibilité des vérités de la foi à leur démonstration logique. Ce conflit emblématique entre la théologie monastique, respectueuse de la distance qui sépare l'homme de son créateur, et la nouvelle théologie scolastique cherchant à « nommer » Dieu avec des mots empruntés au vocabulaire philosophique ou empirique, s'acheva dans un premier temps par la défaite d'Abélard, qui finit par trouver refuge à Cluny où il mourut en 1142. Mais, à terme, il devait être le véritable gagnant car, peu de temps après, la théologie telle qu'il l'avait conçue obtint droit de cité dans l'Église, en particulier à travers l'œuvre de Pierre Lombard qui rédigea entre 1150 et 1152 ses *Quatre livres de Sentences*, exposé complet de la doctrine chrétienne qui sera ensuite le manuel de base des théologiens jusqu'à la fin du Moyen Âge[86]. Comme son maître Abélard, le futur évêque de Paris (1159/60) y rendit compte des choses de la foi sans s'appuyer sur l'Écriture et chercha à en expliquer le contenu par la spéculation intellectuelle, convaincu qu'il était de la rationalité des dogmes. Mais son œuvre fut dans l'ensemble bien reçue, car elle était dominée par le souci de s'en tenir strictement aux données traditionnelles et comportait de très nombreuses références aux Pères de l'Église[87]. Dans ce domaine comme dans d'autres, c'est donc une voie moyenne qui finit par s'imposer, mais en intégrant pour l'essentiel l'acquis des innovations les plus valables. Au terme des recherches et des conflits qui avaient marqué la première moitié du XIIe siècle s'affirmait une discipline nouvelle, la scolastique, qui s'était fixé pour tâche l'élaboration d'une vision du monde universelle-ment satisfaisante, dans laquelle les « raisons nécessaires » de la philosophie et les

---

84. On trouvera un état récent des recherches sur Abélard dans les volumes collectifs suivants : E.M. BUYTAERT, *Peter Abelard*, Louvain-La Haye, 1974 (*Miscelleanea Lovanensia*, I, II) et *Abélard et son temps*, Paris, 1981. Sur Gilbert de la Porrée, cf. H.C. Van ELSWIJK, *Gilbert Poreta. Sa vie, son œuvre, sa pensée*, Louvain, 1966.

85. Sur le conflit entre saint Bernard et Abélard, cf. J. VERGER et J. JOLIVET, *Bernard-Abélard ou le cloître et l'école*, Paris, 1982.

86. Cf. Ph. DELHAYE, *Pierre Lombard, sa vie, son œuvre*, Paris-Montréal, 1961.

87. Même si certains aspects de son œuvre furent contestés sur le moment : cf. J. CHÂTILLON, « Latran III et l'enseignement christologique de Pierre Lombard », in J. LONGÈRE (éd.), *Le troisième concile de Latran (1179), sa place dans l'histoire*, Paris, 1982, p. 75-90.

données de la révélation s'accordaient harmonieusement[88]. Les dogmes chrétiens étaient analysés et éclairés par un enchaînement de conclusions rigoureusement logiques, éprouvées face à toutes les objections imaginables et rassemblées en des synthèses appelées « sommes », remarquables par leur cohérence organique.

Dans un autre domaine, celui du droit civil, une conciliation fut également trouvée, au cours de la seconde moitié du XIIe siècle, entre la tradition ecclésiastique et les innovations apportées par la redécouverte des textes juridiques de l'Antiquité romaine[89]. D'abord méfiante face à ces œuvres qui exaltaient le rôle de l'empereur comme source du Droit et fournirent des arguments à ses adversaires pendant la Querelle des investitures, l'Église finit par en comprendre l'intérêt et par aller au-delà de l'attitude prudente de Gratien qui avait affirmé la primauté du droit canonique — c'est-à-dire ecclésiastique — sur toute autre législation. Ce principe ne fut pas formellement remis en cause mais les papes de la fin du XIIe siècle, surtout à partie d'Alexandre III (1159-1181), eurent recours de plus en plus souvent au droit romain, si bien qu'on assista alors à la naissance de ce qu'on a appelé le droit « romano-canonique »[90]. À Bologne, on voit apparaître, vers 1180, les premiers docteurs in utroque jure, c'est-à-dire gradués à la fois en droit civil et en droit canonique, pratique qui semble avoir été inaugurée par Bazian et son successeur Azon, mais s'étendit rapidement à d'autres parties de la chrétienté comme l'Angleterre, avec Jean de Tynemouth et Richard l'Anglais, et la France avec Étienne de Tournai — un ancien élève de Rufin à Bologne — et Pierre de Blois[91]. Les causes de ce changement d'attitude de la hiérarchie ecclésiastique dans ce domaine sont complexes. Les canonistes avaient été très tôt sensibles à la clarté du droit civil et à l'intérêt qu'il pouvait offrir dans la lutte contre la diversité, malsaine à leurs yeux, des coutumes locales. En outre, le droit de la Rome impériale offrait à la Rome chrétienne un modèle d'État centralisé et garantissait aux temples et aux prêtres des privilèges considérables. À une époque où l'Église, avec Innocent III, allait faire du pape son empereur et affirmer la « plénitude du pouvoir » pontifical sur l'ensemble de la société chrétienne, il était tentant pour elle de reprendre à son compte l'héritage juridique de l'Antiquité. Aussi assista-t-on, entre 1190 et 1215, à une pénétration massive dans le droit canonique de textes romains qui confortèrent la prétention du « Vicaire du Christ » de devenir le législateur suprême, au détriment des prérogatives des conciles et des Églises locales.

À peine ce bel équilibre avait-il été établi qu'il fut remis en cause par une crise qui devait se révéler extrêmement dangereuse pour l'orthodoxie. Il s'agit des problèmes que posa à la pensée chrétienne la redécouverte de pans entiers de l'œuvre du

---

88. M. GRABMANN, *Die Geschichte der scholastichen Methode*, Fribourg en Br. 2. vol, 1911, et A.M. LANDGRAF, *Introduction à la littérature théologique de la scolastique naissante*, Paris-Montréal, 1973.

89. K.F. SAVIGNY, *Geschichte des römischen Rechts in Mittelalter*, Heidelberg, 7 vol, 1834-1851 ; J. GAUDEMET, *Église et société en Occident au Moyen Âge*, Paris, 1984, chap. X à XII ; A. GOURON, *La science du droit dans le midi de la France au Moyen Âge*, Londres, 1984.

90. P. LEGENDRE, *La pénétration du droit romain dans le droit canonique de Gratien à Innocent IV (1140-1234)*, Paris, 1964 ; S. KUTTNER, *The History of Ideas and Doctrines of Canon Law in the Middle Ages*, Londres, 1980.

91. S. KUTTNER et E. RATHBONE, « Anglo-Norman Canonists of the Twelfth Century », in *Traditio*, 7, 1949/51, p. 279-386.

philosophe grec Aristote, dont l'Occident n'avait connu jusque-là qu'une partie de la *Logique*[92]. Mais, à partir de 1170/80, un certain nombre de ses traités, concernant aussi bien la politique, les sciences naturelles que la métaphysique, furent traduits de l'arabe en latin en Espagne — en particulier à Tolède — par des équipes de traducteurs qui se montrèrent souvent incapables de faire la distinction entre les écrits du Stagirite et les adjonctions de ses commentateurs musulmans, en particulier Ibn Badja († 1136), appelé en Occident Avempace, et surtout Ibn Roshd († 1198), plus connu sous le nom d'Averroès. Or ces derniers avaient encore accentué le côté naturaliste et panthéiste d'Aristote, affirmant par exemple l'éternité du monde et niant l'immortalité de l'âme individuelle[93]. Dans ces conditions, on s'explique facilement la réaction de rejet que suscita, dans un premier temps, la philosophie nouvelle de la part des autorités ecclésiastiques, dans la mesure où celle-ci mettait en cause certaines données fondamentales du dogme chrétien. C'est dans cette perspective qu'il faut situer les condamnations lancées en 1210 par le concile de Paris contre deux maîtres de la faculté des arts de Paris, Amaury de Bène et David de Dinant, ainsi que leurs disciples, et l'interdiction faite en 1215 par le légat pontifical Robert de Courçon de lire publiquement et de commenter dans les écoles parisiennes les livres d'Aristote sur la philosophie de la nature et la métaphysique[94]. Ce n'est qu'à la génération suivante qu'un effort pourra être entrepris par les théologiens pour tenter de résoudre les problèmes difficiles soulevés par cette œuvre décapante.

Au total cependant, le bilan de l'action de l'Église, en Occident, dans le domaine culturel était assez positif au début du XIIIe siècle : les institutions scolaires avaient connu un grand essor, les méthodes et les contenus de l'enseignement avaient évolué en fonction des besoins et les principaux défis auxquels elle s'était trouvée confrontée du fait de la redécouverte des textes de l'Antiquité, tant dans le domaine juridique que philosophique, avaient été surmontés sans trop de drames. Mais ce renouveau culturel avait largement débordé les frontières du milieu ecclésiastique et le succès de la littérature profane — romans courtois, fabliaux, théâtre — avait provoqué la mise en circulation d'idées et de conceptions morales sur lesquelles les clercs n'avaient guère de prise[95]. Même dans le domaine religieux, un certain nombre de laïcs aspiraient à avoir un contact direct avec la Parole de Dieu et se faisaient traduire la Bible ou des textes liturgiques en langue vulgaire pour leur usage personnel. Si l'Église conservait pour l'essentiel le monopole de l'enseignement et de la culture savante, elle n'avait plus celui du savoir ni même de l'écrit et allait se trouver de ce fait confrontée à une situation entièrement nouvelle.

---

92. L. Minio-Paluello, « Aristotele dal mondo arabo a quello latino » in *L'Occidente e l'Islam nell'Alto Medio Evo*, t. II, *SSAM*, Spolète, 1965, p. 603-657.

93. M. Th. d'Alverny, « Les traductions d'Aristote et ses commentateurs », in *RSyn*, 89, 1968, p. 65-162.

94. F. Van Steenberghen, *Aristote en Occident. Les origines de l'aristotélisme parisien*, Louvain, 1946. Sur les conflits doctrinaux liés à l'influence des doctrines aristotéliciennes, cf. *infra*, V[e] partie, p. 808-814.

95. Voir, par exemple, J. Frappier, « Vues sur les conceptions courtoises dans les littératures d'oc et d'oïl au XIIe siècle », in *CCM*, 2, 1959, p. 135-56; G. Duby, *Mâle Moyen Âge. De l'Amour et autres essais*, 1988.

BIBLIOGRAPHIE

R.L. Benson, G. Constable et C.D. Lanham, (éd.), *Renaissance and Renewal in the Twelfth Century Europe*, Cambridge (Mass.), 1982.

F. Calasso, *Medio Evo del Diritto*, t. I : *le Fonti*, Milan, 1954.

M.-D. Chenu, *La théologie au XIIe siècle*, Paris, 1957.

A. Forest, F. Van Steenberghen, M. de Gandillac, *Le mouvement doctrinal du XIe au XIVe siècle*, (*HE*, t. XIII).

M. de Gandillac et E. Jeauneau (éd.), *Entretiens sur la renaissance du XIIe siècle*, Paris-La Haye, 1968.

N. Kretzmann *et alii*, *The Cambridge History of Medieval Philosophy*, Cambridge, 1982.

J. Leclercq, *L'amour des lettres et le désir de Dieu*, Paris, 1957.

J. Le Goff, *Les intellectuels au Moyen Âge*, Paris, 1985.

J. Paul, *Histoire intellectuelle de l'Occident médiéval*, Paris, 1973.

J. Paul, *L'Église et la culture en Occident*; t. I : *La sanctification de l'ordre temporel et spirituel*; t. II : *L'éveil évangélique et les mentalités religieuses*, Paris, 1986.

P. Riché et G. Lobrichon (éd.), *Le Moyen Âge et la Bible*, Paris 1984.

Schulen und Studium im sozialen Wandel des hohen und späten mittelalters, Sigmaringen, 1986 (Vorträge und Forschungen, XXX).

R. Southern, *Medieval Humanism and Other Studies*, Oxford, 1970.

A. Vauchez, *La spiritualité du Moyen Âge occidental (VIII-XIIe s.)*, Paris, 1975.

CHAPITRE IV

Contestations et hérésies
en Orient et en Occident

I – À BYZANCE : CONTESTATIONS ET DISSIDENCES
par Evelyne PATLAGEAN

La chrétienté grecque assiste entre 1054 et 1204 à l'essor d'une double dissidence, aux racines plus anciennes, les spirituels et les bogomiles. Il ne s'agit plus là d'infraction à l'unité dogmatique de l'empire, comme dans le cas des Arméniens et des Syriens, mais d'une subversion que le pouvoir réprime avec des modalités appropriées[1]. La question met en jeu dès le XIe siècle, et en toute clarté au XIIe, les rapports entre l'orient et l'occident du monde chrétien, notamment par les routes des Balkans[2].

Les sources ne manquent pas. Du côté de la répression, le *Synodikon de l'Orthodoxie*, office commémoratif de la restauration des images en 843, réunit bénédictions et anathèmes, et il est tenu à jour : il offre une information substantielle pour l'époque des Comnènes[3]. Il conserve par exemple, dans sa tradition textuelle, l'abjuration du moine Nil le Calabrais, que l'on verra plus loin. Les manuscrits de mélanges des deux droits ont livré, et pourraient livrer encore, des comptes rendus de procès[4]. Ils présentent aussi des groupes de formules d'abjuration, dont le Scorial. gr. R-I-15 du XIIe siècle offre un bel exemple[5]. Theodoros Balsamon fait état dans ses commentaires de décisions aujourd'hui perdues[6]. Puis, l'hérésiologie, genre traditionnel

---

1. J. GOUILLARD, « L'hérésie dans l'Empire byzantin des origines au XIIe siècle », in *TMCB*, 1 (1966), p. 299-324, s'attache aux problèmes de nomenclature et de filiation des mouvements. On préfèrera l'ouverture historique de M. LOOS, *Dualist heresy in the Middle Ages*, Prague, 1974, précédé de M. LOOS, « Certains aspects du bogomilisme byzantin des XIe et XIIe siècles », in *Byzantinoslavica*, 28 (1967), p. 39-53. Le dossier textuel grec, moyennant l'état des éditions à une date déjà lointaine, se trouve dans H.Ch. PUECH, A. VAILLANT, *Le Traité contre les Bogomiles de Cosmas le Prêtre*, Paris, 1945 (commentaire de Puech, p. 129-343). D. OBOLENSKY, *The Bogomils. A study in Balkan neo-manichaeism*, Oxford, 1948 (rééd. 1972 et 1978) est moins éclairant.
2. OBOLENSKY, *Bogomils*, cit. ; H.Ch. PUECH, « Catharisme médiéval et bogomilisme » (1957), repris dans son livre *Sur le manichéisme et autres essais*, Paris, 1979, p. 394-427 ; aussi E. WERNER, « Die Bogomilen in Bulgarien. Forschungen und Fortschritte », in *StMed*, 3e s., 3 (1962), p. 249-278.
3. J. GOUILLARD, « Le Synodikon de l'Orthodoxie : édition et commentaire », in *TMCB*, 2 (1967), p. 183-327.
4. J. GOUILLARD, « Quatre procès de mystiques à Byzance (vers 960-1143). Inspiration et autorité », in *REByz*, 36 (1978), p. 5-81.
5. Étude classique de G. FICKER, « Eine Sammlung Abschwörungsformeln », in *ZKG*, 27 (1906), p. 443-464.
6. Sur Balsamon, cf. p. 332.

s'il en fût, rentre en activité. Le couvent de la Theotokos-Peribleptos[7], fondé par Romain III Argyros (1028-1034) après 1030, et dévoué à l'accueil de la misère de la capitale, semble assumer en fait une fonction de lutte contre l'hérésie bogomile. Un certain moine Euthymios, originaire d'Akmoneia, dans l'ouest de l'Asie Mineure, y rédige vers le milieu du xie siècle une enquête fondée sur des interrogatoires d'hérétiques et des souvenirs de sa propre enfance dans une région de tradition hérétique[8]; le couvent sera aussi attesté comme lieu d'internement, dans l'affaire du moine Niphon citée plus loin. Ensuite, à la demande d'Alexis Ier Comnène, un moine de la capitale, Euthymios Zigabênos, compose une importante *Panoplie Dogmatique*, qui doit évidemment beaucoup, mais non pas tout, à la compilation[9]. On retrouve le personnage dans les entretiens de 1112 avec Pierre Grossolano, archevêque de Milan[10]. On peut joindre à cette catégorie de textes le réquisitoire préparé par Psellos en 1058 pour le procès du patriarche Kêroularios, quelle qu'en soit la vérité à l'endroit de celui-ci[11]. De l'historiographie se détache l'*Alexiade*, où Anne Comnène retrace entre autres la lutte de son père contre l'hérésie ainsi que les grandes affaires du règne[12]. De l'autre côté, la tradition du monachisme spirituel se poursuit dans la *Vie de Syméon le Nouveau Théologien*, composée après 1054 par Nikêtas Stêthatos, son fils spirituel[13], par les écrits de Syméon lui-même[14], et par ce qui subsiste de l'œuvre de Chrysomallos[15]. La déviance spirituelle partait en effet de prémisses acceptées dans la tradition monastique grecque, tandis qu'il ne reste aucun témoignage grec direct de la pensée bogomile. Les sources latines arrivent en force au xiie siècle, après de maigres allusions dans l'historiographie de la première croisade[16]. C'est en effet l'époque où, dans le cadre des relations internationales toujours plus actives, les rapports du catharisme occidental avec l'Orient deviennent manifestes[17], attestés par la lettre d'Everwin de Steinfeld à Bernard de Clairvaux (vers 1143/44)[18], la lettre du patriarche Kosmas (Attikos?) au métropolite de Larissa[19], la présence d'un certain *papas* Nikêtas

7. Cf. R. JANIN, *La géographie ecclésiastique de l'empire byzantin*. 1re partie, *Le siège de Constantinople et le patriarcat œcuménique*. t. 3, *Les églises et les monastères*, Paris, 1969, p. 218-222.

8. Éd. G. FICKER, *Die Phundagiagiten. Ein Beitrag zur Ketzergeschichte des byzant. Mittelalters*, Leipzig, 1908, p. 1-86.

9. *PG* 130, col. 20-1360. Le ch. 27 sur les bogomiles est à lire dans l'éd. FICKER, *Die Phundagiagiten*, cit., p. 89-111. Il serait œuvre plus personnelle de l'auteur, comme le ch. 23 sur les Arméniens, selon G. PODSKALSKY, « Euthymios Zigabenos », in *TRE*, X, 3/4, 1982, p. 557-558.

10. Cf. *infra*, p. 355.

11. Éd. L. BRÉHIER, « Un discours inédit de Psellos. Accusation du patriarche Michel Cérulaire devant le synode (1059) », in *REG*, 16 (1903), p. 375-416; 17 (1904), p. 35-76.

12. Anne Comnène, *Alexiade*, éd. B. LEIB, 3 vol., Paris, 1937-1945.

13. I. HAUSHERR, G. HORN, *Vie de Syméon le Nouveau Théologien (949-1022) par Nicétas Stéthatos*, Rome, 1928.

14. Syméon le Nouveau Théologien, *Catéchèses*, éd. B. KRIVOCHÉINE, J. PARAMELLE, 3 vol., Paris, 1963-65; *Traités théologiques et éthiques*, éd. J. DARROUZÈS, 2 vol., Paris, 1966-67; *Hymnes*, 3 vol., éd. J. KODER, J. PARAMELLE, L. NEYRAND, Paris, 1969-73; *Chapitres théologiques, gnostiques et pratiques*[2], éd. J. DARROUZÈS, L. NEYRAND, Paris, 1980.

15. J. GOUILLARD, « Constantin Chrysomallos sous le masque de Syméon le Nouveau Théologien », in *TMCB*, 5 (1973), p. 313-327.

16. Guibert de Nogent, repris par d'autres, mentionne aux abords de Pelagonia *« quoddam Haereticorum castrum »* (*Gesta Dei per Francos* III, 2, Rec. Hist. Croisades, Hist. Occ., t. 4, Paris 1879, p. 153). Pauliciens (*Publicani*) dans l'armée turque, *Histoire anonyme de la première croisade*, éd. L. BRÉHIER, Paris 1924, *passim*.

17. Voir la bibliographie citée ci-dessus n. 2.

18. *PL* 182, col. 676-680.

19. J. GOUILLARD, « Une source grecque du Sinodik de Boril. La lettre inédite du patriarche Cosmas », in *TMCB*, 4,

au concile cathare tenu à Saint-Félix de Caraman vers 1176[20], enfin la traduction latine, vers la fin du XIIe siècle, de l'*Interrogatio Johannis*, sur un original grec ou slave, perdu, apporté de Bulgarie en Italie par le cathare Nazarius de Concorezzo entre 1168 et 1185[21]. C'est à Constantinople en revanche que le Pisan Hugues Ethérien, engagé avec son frère Léon Toscan au service de Manuel Ier, compose un traité *Adversus Patherenos* (sic)[22].

Mais avant tout de qui parle-t-on? et sommes-nous fondés à réunir bogomiles et spirituels? On fera d'abord place à la chronologie. Entre 1052 et 1082, un anathème est lancé contre Gerontios de Lampê, qui s'était déclaré « oint » en Crète[23]. Le moine Nil le Calabrais, spirituel et fol en Christ, abjure sa doctrine christologique entre 1084 et 1094[24]. Un autre inspiré, le prêtre Theodosios, archiprêtre de l'église des Blachernes, est condamné par le synode en 1087[25]. Mais l'épisode le plus marquant est la prédication du moine bogomile, Basilios, dans la capitale, entouré de douze disciples, et de femmes. Son succès déclenche une enquête, et un grand procès. Les repentis sont relâchés, ceux qui persistent maintenus en prison jusqu'à leur mort, et Basilios lui-même brûlé à l'hippodrome, après avoir attendu jusqu'au dernier instant un salut miraculeux; ceci se passe entre 1084 et 1102/04[26]. Les écrits de Constantin Chrysomallos sont condamnés en 1140[27]. En 1143, se déroule le procès de deux moines, Leontios et Klemens, devenus irrégulièrement évêques dans la région de Tyane, en Cappadoce, et convaincus de diffusion de la doctrine bogomile[28]. En 1143/44, on juge le moine Niphon, pour propagande bogomile, notamment en Cappadoce[29]. Sa condamnation entraîne la déposition du patriarche Kosmas II, qui s'était déclaré garant de sa piété; ce fut du moins la raison officielle[30]. Enfin, le canoniste Theodoros Balsamon (mort après 1195) mentionne dans son commentaire au *Nomokanon* des bûchers de bogomiles en 1143/46[31].

1970, p. 361-374. Conservée dans le Synodikon bulgare, traduit du grec en 1211, ce texte émane soit de Kosmas de Jérusalem (1075-1081), soit du patriarche œcuménique Kosmas Attikos (1146-47). Le texte vieux-slave est traduit par A. VAILLANT in VAILLANT-PUECH, *Traité contre les Bogomiles*, cit., p. 344-46.

20. D. OBOLENSKY, « Papas Nicétas : a Byzantine dualist in the land of the Cathars », in *Okeanos* (Mél. I. Ševčenko), *Harvard Ukrainian studies*, 7 (1983), p. 489-500. Critique textuelle exhaustive et datation (entre 1174 et 1177) par B. HAMILTON, « The Cathar council of Saint-Felix reconsidered », *AFP*, 48 (1978), p. 23-53.

21. E. BOZÓKY, *Le livre secret des Cathares. Interrogatio Iohannis. Apocryphe d'origine bogomile*, Paris, 1980.

22. Cf. A. DONDAINE, « Hugues Ethérien et Léon Toscan », in *AHDL*, 19 (1952), p. 67-134.

23. GOUILLARD, « Synodikon de l'Orthodoxie », cit., p. 57/180 et suiv.

24. Anne Comnène, *Alexiade*, cit., X, I, 1-5; GOUILLARD, « Synodikon de l'Orthodoxie », cit., p. 299-303. *Regestes* n° 945.

25. Anne Comnène, *ibid.*, X, I, 6. *Regestes* n° 946. Texte de l'abjuration retrouvé et publié par GOUILLARD, « *Quatre procès de mystiques* », cit., p. 52-57.

26. Anne Comnène, *ibid.* XV, VIII, 3-X, 4. *Regestes* n° 988.

27. Texte dans GOUILLARD, « Quatre procès de mystiques », cit., p. 57-67. *Regestes* n° 1007. Cf. GOUILLARD, « Constantin Chrysomallos », cit.

28. Dossier publié par GOUILLARD, « Quatre procès de mystiques », cit., p. 68-81. *Regestes* n° 1011-1013.

29. *Regestes* n° 1013, 1015. Éd. L. ALLATIUS, *De Ecclesiae occidentalis atque orientalis perpetua consensione*, Cologne, 1648 (repr. anast. 1970, introd. de K.T. WARE), col. 678-680.

30. P. WIRTH, « Patriarch Kosmas II. Attikos und die Bogomilen », in *ByF*, 6 (1979), p. 331-343, reprend tout le dossier.

31. K. RHALLIS, M. POTLIS, *Syntagma kanônôn*, t. I, Athènes, 1852, p. 190-191. Sur le *Nomokanon*, concordance systématique du droit impérial et du droit canon, BECK, *Kirche und theologische Literatur im byzantinischen Reich*, Munich, 1959, p. 145 et suiv.

La nomenclature des hérésies obéit alors à un procédé d'amalgame caractéristique, qui tire les hérétiques contemporains vers les grandes dénominations classiques, et avant tout vers le manichéisme. Nos auteurs sont inspirés en cela par un constat de permanence, conforté par la compilation assidue de la littérature antérieure; mais aussi par la démarche d'une culture savante qui ne sait identifier le présent que par référence au passé, qualifiant les bogomiles de messaliens ou de manichéens comme les Russes de Tauroscythes. Une telle référence est au surplus nécessaire à l'action, puisqu'elle fonde l'application de normes juridiques et canoniques antérieures. Il faudrait examiner de près la ventilation des étiquettes séculaires, manichéens, messaliens, euchites (« ceux qui prient »), et des appellations du temps, pauliciens, bogomiles, patarins. Le débat sur les filiations historiques en paraîtrait sans doute moins urgent, et ce serait tant mieux, car l'état actuel des sources laisse une grande part aux hypothèses[32]. Constatons seulement que les xıe-xııe siècles qui nous occupent ici sont traversés par un courant de subversion cohérent sous la diversité des dénominations, et sans nul doute des orientations. Il conviendrait en revanche d'y examiner la part de la modernité du temps et celle de la tradition héritée[33]. En tout état de cause, cette subversion se manifeste par un rejet de l'Église établie, de ses sanctuaires, de ses prêtres et de ses sacrements, fondé sur une interprétation dissidente de l'Incarnation, que manifestent des attitudes négatives à l'égard de la Vierge Mère et de la Croix. Une obéissance feinte à la liturgie orthodoxe, un nouveau baptême spirituel, sans eau, une science diabolique des Écritures canoniques en même temps que le recours aux apocryphes, une fonction directrice reconnue à ceux que distingue une inspiration immédiate de l'Esprit Saint, enfin une action liturgique collective du conventicule et une capacité d'enseignement et de célébration reconnue aux femmes, tout cela, résumé ici à gros traits, constitue l'application logique de ce qui précède. Euthymios Zigabênos atteste, plus clairement qu'Euthymios d'Akmoneia avant lui, un mythe bogomile des origines, clairement dualiste, auquel on rattachera la condamnation du mariage dans une certaine mesure, et le refus d'aliments d'origine animale. La polémique orthodoxe et les anathèmes du *Synodikon* prêtent aux hérétiques des transgressions abominables, dont les stéréotypes ont d'ailleurs des siècles d'existence. Nous ignorons en revanche s'ils pratiquaient régulièrement la profanation ostentatoire de la croix, attestée par un procès tenu vers 1030[34].

Milan Loos a magistralement montré comment, dans les faits, une proximité s'établit entre les bogomiles, radicalement hérétiques, et les spirituels qui, à partir de principes orthodoxes, confèrent à l'Esprit Saint une primauté en vertu de laquelle l'autorité transmise dans l'Église se trouve réduite à néant[35]. L'usage fait de la nomenclature ancienne montre bien l'amalgame opéré par l'autorité ecclésiastique entre les uns et les autres, non sans raison de son point de vue. Les spirituels étaient alors, de leur côté, les héritiers d'une longue tradition grecque et syriaque. Toutefois, leur mouvement des

---

32. GOUILLARD, *Hérésie dans l'Empire*, cit., est caractéristique de cette perspective.
33. Le dossier textuel est présenté dans l'admirable commentaire de H.Ch. PUECH à un opuscule hérésiologique bulgare composé peu après 972, cf. PUECH, VAILLANT, *Traité contre les Bogomiles*, cit.
34. *Regestes* n° 850. Texte publié par J. GOUILLARD, « Quatre procès de mystiques », cit., p. 44-53.
35. M. LOOS, « Courant mystique et courant hérétique dans la société byzantine », in *JÖB*, 32/2 (1982), p. 237-246.

XIe-XIIe siècles trouve une figure initiale en Syméon le Nouveau Théologien. Sa mort remonte à 1022, mais sa *Vie* est composée après 1054 par son disciple et fils spirituel au couvent de Stoudiou, Nikêtas Stêthatos, qui se déclare l'éditeur de ses œuvres[36]. Nikêtas décrit l'expérience mystique de Syméon, la voix qui lui enseigne des « mystères étranges et cachés », l'inspiration qui lui dicte hymnes, catéchèses, exégèse, réponses théologiques. Et il rapporte sa propre vision d'un Syméon revêtu d'ornements pontificaux. Lui-même formé au couvent de Stoudiou, Syméon avait été le disciple et fils spirituel de Syméon le Stoudite, dont l'*apatheia* caractéristique le rendit rétrospectivement suspect à l'autorité patriarcale. Et bien que le Nouveau Théologien soit revêtu du sacerdoce, la *Vie* manifeste clairement que la hiérarchie où il prend place est fondée sur l'inspiration. Nikêtas se déclare inspiré à son tour. Il a laissé un petit traité significatif sur les degrés d'accès à la sainteté[37]. Cela dit, le courant spirituel n'est ainsi subversif que pour une partie, car telle est l'ambiguïté de la notion ascétique de « repos » (*hesychia*). Un spirituel du XIIe siècle tel que Pierre Mansur ou Damascène demeure par exemple étranger à la ligne du Nouveau Théologien[38].

Le prêtre Theodosios des Blachernes, dont le procès se place en 1087, est signalé pour sa fréquentation des *enthousiastai* — toujours le même registre[39]. Son abjuration atteste l'amalgame des dénominations, et dans une certaine mesure la proximité entre les faits eux-mêmes[40]. Les hérétiques qu'elle vise affirment avoir la vision sensible de l'Esprit Saint, le recevoir en eux avec une sensation analogue à celle d'une femme enceinte en travail; ils contestent l'inspiration des apôtres, au profit des révélations faites à eux-mêmes par vision divine, et communiquées dans leur enseignement aux seuls initiés; et ils se donnent comme devant être seuls sauvés dans la perdition du monde. Le « livret de pénitence » du moine Nil le Calabrais (1084/1094) lui fait avouer qu'il a enseigné ses interprétations personnelles de l'Écriture, de sa propre autorité[41]. La condamnation des écrits de Chrysomallos relève dans leur contenu des traits bogomiles, enthousiastes, et avant tout spirituels[42]. On rapprochera de ces affaires la condamnation patriarcale réitérée, en 1195, de toutes les *Visions* ou *Enseignements* apostoliques autres que les écrits du canon[43]. La *Lettre tombée du Ciel* offre un exemple plus vulgaire de ces marges où disparaissait l'autorité de l'Église[44]. Une version vernaculaire de ce vieux texte a beau jeter l'anathème — à quelle date ? — sur

---

36. Éd. I. HAUSHERR, G. HORN, *Vie de Syméon le Nouveau Théologien*, cit. On consultera encore J. GOUILLARD, « Syméon le jeune, le théologien ou le Nouveau Théologien », in *DTC*, XIV/2 (1941), col. 2941-2959. Sur l'orientation du Stoudiou à l'époque de Nikêtas, E. PATLAGEAN, « Les Stoudites, l'empereur et Rome : figure byzantine d'un monachisme réformateur », in *Bisanzio, Roma e l'Italia nell'alto Medioevo*, SSAM, 34, Spolète 1988, ici p. 454-458.

37. Éd. HAUSHERR-HORN, *Vie de Syméon*, cit., p. XXXIV-XXXV.

38. J. GOUILLARD, « Un auteur spirituel byzantin du XIIe siècle : Pierre Damascène », in *EOr*, 38 (1939), p. 257-278; cf. BECK, *Kirche und theologische Literatur*, cit., p. 644-45.

39. Anne Comnène, *Alexiade*, cit., X, I 6.

40. GOUILLARD, « Quatre procès de mystiques », cit., p. 52-57.

41. GOUILLARD, *Synodikon de l'Orthodoxie*, cit., p. 299-303.

42. GOUILLARD, « Quatre procès de mystiques », cit., notamment p. 60.

43. *Regestes* n° 1184. Texte rédigé par Théodore Balsamon, RHALLIS-POTLIS, *Syntagma*, cit., t. 4 (1854), p. 447-496, en réponse à diverses questions posées par le patriarche d'Alexandrie à la demande des chrétiens sous domination arabe (ici p. 449-50).

44. H. DELEHAYE, « Note sur la légende de la Lettre du Christ tombée du Ciel » (1899), *Mélanges d'hagiographie grecque et latine*, Bruxelles, 1966, p. 150-178.

les « bogomiles et patarins », et sur « ceux qui piétinent la croix[45] », la *Lettre* n'en demeure pas moins constamment frappée de censure, parce qu'elle prétend transcrire un message directement reçu d'en haut ; et pour cette même raison elle ne cesse d'être diffusée.

L'Église ne peut infliger que des peines spirituelles, l'empereur est le gardien de l'orthodoxie, et l'hérésie un crime contre l'État, enfin il faut, avant de châtier l'hérétique, chercher à le ramener : tels sont les principes officiels de la répression[46]. Ils expliquent la composition mixte du tribunal synodal, et la conduite d'Alexis Ier. Dans l'affaire de Basilios par exemple, il déclenche l'enquête, il interroge lui-même le meneur, et il se rend encore dans la prison pour discuter avec les bogomiles détenus[47] ; il procède de même avec les « Manichéens », Arméniens et Jacobites de la région de Plovdiv[48]. Manuel Ier ne s'engage pas de la même façon. Ensuite, une fois le crime d'hérésie établi, par des témoignages, des écrits, des aveux, les juges tentent d'abord d'obtenir de l'accusé qu'il condamne les opinions qu'il a professées, et reconnues devant le tribunal. La seule mention de torture se trouve dans le récit de l'enquête sur les disciples de Basilios[49] ; et il s'agit de l'instruction. Qui se soumet s'en tire avec une pénitence, et des restrictions variées. Les récalcitrants peuvent être maintenus en prison autant qu'il le faut, le cas échéant jusqu'à leur dernier jour. Le moine Niphon est mis au secret au couvent de la Peribleptos, réduit au silence par la privation de tout contact avec l'extérieur, et aux seuls livres autorisés par le tribunal[50]. Le bûcher de Basilios et celui des bogomiles anonymes de 1143/46 apparaissent ainsi à la fois comme des exceptions, et des innovations. Influence de l'Occident[51], sentiment d'un péril particulièrement urgent, ou plus simplement documentation lacunaire, nous ne saurions le dire. Balsamon condamne en tout cas les bûchers dont il fait mention comme contraires aux principes du droit canon[52]. La combustion des livres était en revanche pratiquée depuis le IVe siècle.

Où se trouvent, dans la société, les fauteurs d'hérésie ? Nos sources n'autorisent pas un tableau d'ensemble, mais seulement des vignettes. On observe d'emblée le rôle primordial des moines dans l'enseignement et la conduite de la dissidence ; il va de pair avec la valeur suprême assignée au sein de celle-ci à l'état monastique. « Nul laïc ne peut être sauvé, quand bien même il pratiquerait toutes les vertus, s'il ne se fait moine », enseignaient les moines bogomiles devenus évêques, Leontios et Klemens. Mais il faut y regarder de plus près. Des anathèmes conservés dans un manuscrit du *Synodikon* copié au XIe siècle, et remontant eux-mêmes au début du Xe[53], attestent

---

45. Éd. M. Bittner, « Der vom Himmeln gefallene Brief Christi in seinem morgenländischen Versionen und Rezensionen », in *Denkschr. d. k. Akad. d. Wissensch., Phil. Hist. Kl.* 51/1, Vienne, 1906, p. 14 et p. 19.

46. Cf. E. Patlagean, « Aveux et désaveux d'hérétiques à Byzance (XIe-XIIe siècles) », in *L'aveu. Antiquité et Moyen Âge*, École française de Rome, 1986, avec les sources et la bibliographie de ce qui suit.

47. Anne Comnène, *Alexiade*, cit., XV, VIII, 3-X, 4.

48. *Ibid*. XIV, VIII, 7-9.

49. *Ibid*. XV, VIII, 1.

50. Texte cité ci-dessus n. 29.

51. Sur la peine du feu pour les hérétiques en Occident, qui apparaît au XIe siècle pour devenir loi au XIIIe, cf. L. Havet, « L'hérésie et le bras séculier au Moyen Âge jusqu'au XIIIe siècle », in *BECh*, 41 (1880), p. 488-517, 570-607, 670.

52. Rhallis-Potlis, *Syntagma*, cit., t. 1, p. 190-191.

53. Éd. Gouillard, *Synodikon de l'Orthodoxie*, cit., p. 311-313, d'après le cod. Vat. gr. 511, fol. 74-75.

deux pratiques : le rejet de l'habit monastique, suivi, semble-t-il, d'une autre vêture sans formes liturgiques (c. 5) ; et, d'autre part, la vêture de femmes que le célébrant aurait d'abord dénudées, exhortées à la confession, et qu'il aurait ensuite habillées de tuniques blanches et embrassées, pensant en faire ainsi des nonnes (c. 7). Au début du XIᵉ siècle, Jean Tzourillas, peut-être pope, et apôtre de l'hérésie en Thrace et dans la région de Smyrne, avait renvoyé son épouse, dont il avait fait alors une « fausse sainte femme » (*pseudabbadia*), tandis que lui-même, endossant l'habit noir de sa propre autorité, devenait un « faux saint homme » (*pseudabbas*)[54]. Ce cas antérieur à notre période évoque le trio dépeint par Psellos dans le réquisitoire préparé par lui contre le patriarche Michel Kêroularios, deux moines encadrant une femme vêtue en moine elle aussi, une prophétesse taxée par Psellos de toutes les hérésies à la fois[55]. On sait bien que les moines errants sont condamnés par l'Église, sans succès d'ailleurs, et d'emblée suspects[56]. Il s'avère ainsi qu'ils ne comptaient pas seulement des réfractaires au couvent, mais des hérétiques revêtus d'un habit qui prenait pour eux un autre sens, et qui entretenait l'équivoque autour de leur parole. On se rappelle alors les silhouettes truquées entrevues dans les rues de la capitale par Jean Tzetzes et ses contemporains[57]. Le laïcat hérétique, pour ce que nous en savons, ne semble pas socialement circonscrit. D'un côté, en effet, les meilleures maisons de la capitale accueillent l'enseignement de Basilios, et le moine Niphon entraîne dans sa chute rien moins que le patriarche lui-même. De l'autre, l'affaire de Klemens et Leontios documente le fond d'une province, la Cappadoce, vers laquelle le moine Niphon envoie lui aussi ses messages. Le *kastron* de Balbissa, lieu de l'action, est au surplus sous l'autorité d'un représentant de l'émir voisin, auquel Leontios a livré une chrétienne adultère. Leontios et Klemens ont ordonné des femmes diaconesses. Les femmes en tant que telles apparaissent donc dans le mouvement hérétique, comme le suggéraient les anathèmes cités plus haut, et cela n'est pas nouveau. On pourrait observer que l'essor du courant bogomile à Byzance est contemporain de celui d'un clergé, et surtout d'un monachisme, dont les appétits sont blâmés à la même époque par des voix orthodoxes : mais on ne peut rien en conclure, d'autant que, dénominations mises à part, bogomiles et spirituels prennent place dans une continuité qui remonte au IVᵉ siècle, en même temps qu'ils sont de leur époque.

Période d'activité urbaine aussi, dira-t-on : l'enquête byzantine reste à faire sur ce point, et elle ne serait pas facile. Les sources offrent en revanche des suggestions géographiques. Dans une diffusion sans nul doute large se détachent, d'une part, la capitale, cela va sans dire, de l'autre, de vieilles provinces d'Asie Mineure, foyers d'hérésie depuis toujours, et enfin la marche balkanique. L'Asie Mineure est entrée au XIᵉ siècle dans l'ère de la pression turque, et l'incidence de cette dernière sur l'hérésie est une question à poser. La province byzantine de Bulgarie n'est autre que le territoire

---

54. Selon Euthymios de la Peribleptos, éd. FICKER, *Die Phundagiagiten*, cit., p. 66.

55. BRÉHIER, « Un discours inédit de Psellos », cit., p. 415.

56. Voir la tirade de la *Vie de Cyrille le Philéote*, éd. E. SARGOLOGOS, Bruxelles, 1964, c. 24, 4 et suiv., dont l'auteur est un moine du couvent de Kataskepê dans la capitale (*BHG, 3*, 468). Cyrille est mort en 1110.

57. Excellente étude de P. MAGDALINO, « The Byzantine Holy Man in the twelfth century », in *The Byzantine saint*, S. HACKEL, éd., Londres, 1981, p. 51-66.

où l'hérésie de Bogomil s'est affirmée au Xe siècle. Les « Manichéens » de la région de Plovdiv, descendants de Pauliciens déportés d'Asie Mineure au Xe siècle, jouissent évidemment d'un statut particulier en raison de leur compétence militaire ; celle-ci est peut-être en jeu du reste lorsqu'Alexis Ier s'efforce de les ramener par la controverse ou par la prison. Les Latins, marchands, croisés, clercs, rencontrent les bogomiles à Constantinople, mais aussi sur les routes provinciales, en Asie Mineure, et surtout dans les Balkans. L'influence ressentie en Occident au XIIe siècle, et la politique mise en œuvre par Innocent III à l'égard des États danubiens, n'appartiennent pas plus au présent chapitre que le développement original de l'hérésie dans des territoires marqués certes de l'empreinte byzantine, mais devenus indépendants.

La subversion peut sortir aussi du travail sur la philosophie antique − Platon, Aristote, le néo-platonisme − essentiel dans la conscience de soi des élites comme dans les rapports avec les Latins[58]. La surveillance officielle n'en est que plus vigilante. Les anathèmes lancés contre Jean l'Italien au terme de son procès en 1082[59] lui imputent « une recherche et un enseignement nouveaux » sur l'Incarnation, au moyen de « raisonnements dialectiques », ainsi que l'introduction des « doctrines impies des Grecs » dans l'Église orthodoxe[60]. Le patriarche Eustratios Garidas se serait presque laissé séduire, et dut d'ailleurs abdiquer en 1084[61]. Psellos appartient au même courant, avec prudence. En 1117, on juge Eustratios de Nicée, élève de l'Italien, et il rétracte ses propositions sur les deux natures du Christ, initialement inspirées par la recherche d'une conciliation avec les Arméniens ; les écrits incriminés sont envoyés au feu[62]. Mais l'affaire est rouverte aussitôt par un parti épiscopal que mène Nikêtas d'Héraclée. Ce parti impose à Alexis Ier, alors près de sa fin, la suspension à vie d'Eustratios, comme fauteur d'hérésie, non sans rappeler son association avec Jean l'Italien[63]. Il entre peut-être dans la position de ces hommes une part d'hostilité aux Latins ; mais celle-ci n'aurait pu que les conforter dans une fidélité sourcilleuse à une tradition orthodoxe au regard de laquelle le travail philosophique peut apparaître comme un entreprise dangereuse. Dès le XIVe siècle le conflit grec entre les humanistes et l'Église pèsera lourd dans le destin de Byzance. Le XIIe siècle n'en est pas là. Une philosophie acceptable s'élabore dans le milieu impérial, notamment autour d'Anne Comnène, morte en 1153. Dans l'éloge funèbre qu'il compose à la fin de 1154 ou en 1155, Georges Tornikès, métropolite d'Éphèse, place des mots clés comme « démarches logiques » (*logikoi methodoi*) ou « nature » (*physis*) dans l'exposé de l'instruction donnée jadis à la fille d'Alexis Ier[64]. Puis, il évoque le cercle philo-

58. Voir *supra*, p. 343-345.

59. *Regestes* n° 923-927. Éd. J. Gouillard, « Le procès officiel de Jean l'Italien. Les actes et leurs sous-entendus », in *TMCB*, 9 (1985), p. 133-174. Anne Comnène, *Alexiade*, cit., V, VIII 8-IX 6.

60. Gouillard, *Synodikon de l'Orthodoxie*, cit., p. 192/185 et suiv. Sur la philosophie d'Italos, P.E. Stephanou, *Jean Italos philosophe et humaniste*, Rome 1949 ; P. Joannou, *Christliche Metaphysik in Byzanz*. I. *Die Illuminationslehre des Michael Psellos und Joannes Italos*, Ettal, 1956.

61. *Regestes*, n° 937.

62. *Regestes*, n° 1003.

63. Cf. P. Joannou, « Eustrate de Nicée. Trois pièces inédites de son procès (1117) », in *REByz*, 10 (1952), p. 24-34 ; du même, « Le sort des évêques hérétiques réconciliés. Un discours inédit de Nicétas de Serres contre Eustrate de Nicée », in *Byzantion*, 28 (1958), p. 1-30 ; J. Darrouzès, *Documents inédits d'ecclésiologie byzantine*, Paris, 1966, p. 54-62.

64. Georges et Dèmètrios Tornikès, *Lettres et Discours*, éd. J. Darrouzès, Paris, 1970, p. 220-323.

sophique présidé au palais par Anne adulte, dans lequel il mentionne Michel métropolite d'Éphèse, nommé plus haut[65]. On y lisait Aristote et Platon, Euclide et Ptolémée, du moins, précise l'auteur, les œuvres qui n'étaient pas interdites par la loi. Tornikès s'empresse d'aborder à ce propos la compatibilité des théories de Platon et d'Aristote sur la nature et l'âme avec la création divine selon le christianisme : Anne pensait ce qu'il fallait, on s'en doute, sur le commencement du monde et sur l'âme. La philosophie relève, comme la théologie, de la compétence et de la vigilance du palais.

On serait tenté de penser que l'aristotélisme latin apporta une sorte de choc en retour à la tradition aristotélicienne continue de Byzance, ce qui signifierait que les deux aristotélismes ont entretenu des rapports directs, aussi bien par l'Italie méridionale que par les rencontres officielles à Constantinople[66]. Autrement dit, la vraie question serait celle de l'Aristote permis ou subversif, plus que de l'Aristote grec ou latin, juif ou arabe. Mais la richesse des commentateurs byzantins d'Aristote est loin d'être encore entièrement disponible[67]. L'enjeu des rapports avec l'Occident, qui affleure déjà sous Alexis Ier, devient évident, et peut-être primordial après 1150, dans les affaires où le synode présidé par l'empereur s'oppose à des clercs philosophes[68]. Enfin, on se rappelle que, dans l'expérience du temps, il n'y a pas de césure entre hérésie et magie, si du moins l'historien conserve ces catégories coutumières ; et que la tradition néo-platonicienne peut être le vecteur savant de cette continuité[69].

II. EN OCCIDENT : DE LA CONTESTATION À L'HÉRÉSIE
par André Vauchez

Le XIIe siècle a été, pour l'Occident médiéval, une grande période d'essor des mouvements religieux dissidents qui ont plus ou moins rapidement fini par être condamnés par l'Église comme hérétiques. Cette soudaine efflorescence des hérésies contraste avec leur rareté pendant la seconde moitié du XIe siècle : tout se passe comme si la virulence du mouvement réformateur à l'intérieur de l'Église et les combats menés par la papauté contre le pouvoir impérial et ses partisans avaient alors accaparé toutes les énergies et absorbé les ferments de contestation qui s'étaient manifestés entre 990 et 1050 un peu partout en Occident. Mais, après 1110/20, l'agitation reprit de plus belle et évolua rapidement vers des formes radicales qui

---

65. *Ibid.*, p. 280-293.
66. Sur ce second point, cf. L. Minio Paluello, « Iacobus Veneticus Grecus canonist and translator of Aristotle », in *Traditio*, 8 (1952), p. 265-304, et plus largement, du même, « Giacomo Veneto e l'aristotelismo latino », in A. Pertusi, éd., *Venezia e l'Oriente fra tardo Medioevo e Rinascimento*, Firenze, 1966, p. 53-74.
67. Sur les commentaires aristotéliciens d'Eustratios de Nicée et de son contemporain Michel d'Ephèse, cf. H. Hunger, *Die hochsprachliche profane Literatur der Byzantiner*, Münich, 1978, t. 2, p. 34-35, avec l'état à cette date des *Commentaria in Aristotelem graeca, ibid.*, p. 57-58.
68. Ci-dessus, p. 345.
69. *Infra*, p. 483.

allaient mettre en cause non seulement les structures ecclésiastiques mais aussi certains éléments fondamentaux de la croyance catholique[70].

1. LES PRINCIPAUX FACTEURS DU DÉVELOPPEMENT DES HÉRÉSIES

Au début du XIIe siècle, l'Église en Occident a traversé une phase particulièrement difficile. Le mouvement réformateur avait profondément ébranlé ses structures et les attaques lancées par Grégoire VII et ses partisans contre les évêques simoniaques et les prêtres « nicolaïtes » — c'est-à-dire vivant maritalement — mettaient en cause le prestige du clergé, tandis que les affrontements prolongés entre la papauté et l'empire perturbaient les esprits, surtout dans le monde germanique et en Italie. Dès les années 1100, il devint évident que l'ordre ecclésiastique ancien — tel qu'il existait depuis l'époque carolingienne au moins — avait vécu. Mais l'ordre nouveau qui se mettait alors en place se heurtait à bien des résistances, tant au sein de l'Église que de la société. Il s'ensuivit une période de flottement au cours de laquelle un clergé divisé et des institutions ecclésiastiques affaiblies ne furent pas en mesure de s'opposer à des leaders charismatiques, dont le message, empreint de radicalisme évangélique, rencontrait un vif succès auprès des fidèles. Mais l'enthousiasme avec lequel la prédication de ces derniers fut accueillie est lié également à un changement d'attitude de la papauté vis-à-vis d'un des principes fondamentaux du mouvement réformateur du XIe siècle : celui qui faisait dépendre la validité des sacrements de la dignité de vie des prêtres qui les célébraient[71]. Cette conception, qui était celle des Patarins milanais mais aussi des moines-ermites de Toscane dans les années 1060/70, avait été approuvée par Grégoire VII. Mais, à l'extrême fin du XIe siècle, l'aile réformatrice de la hiérarchie, soucieuse de se rallier la partie importante du clergé qui, en Allemagne et en Italie, demeurait attaché au parti impérial, l'abandonna et le pape Urbain II affirma nettement que la validité des sacrements n'était en aucune façon liée à la valeur morale ou intellectuelle du célébrant, mais seulement à la régularité de sa situation canonique ; s'il avait été régulièrement ordonné par son évêque, il n'y avait aucune raison de lui dénier le pouvoir de consacrer valablement le corps et le sang du Christ. Ce retournement devait être lourd de conséquences. En l'espace de quelques années en effet, les laïcs, qui avaient joué un rôle de premier plan dans certaines régions dans le combat réformateur, se trouvèrent en porte-à-faux. Un certain nombre d'entre eux choisirent de rester fidèles à leurs conceptions antérieures et entrèrent de ce fait en conflit avec la hiérarchie. C'est à ce moment-là que le terme de Patarins, qui jusque-là — en Italie du moins — s'appliquait à des mouvements laïcs réformateurs, agréés et

---

70. La meilleure synthèse sur les hérésies des XIe et XIIe siècles est l'ouvrage de R.I. MOORE, *The Origins of European Dissent*, 2e éd., Oxford-New York, 1985, qui surclasse les travaux antérieurs du même type, dont on trouvera la liste dans la bibliographie en fin de chapitre. Il existe en anglais de bons recueils de documents concernant les hérésies médiévales, en particulier celui de W. WAKEFIELD et A.P. EVANS, *Heresies of the High Middle Ages*, New York, 1969.

71. Sur la signification et l'importance de ce tournant, cf. G. MICCOLI, « La storia religiosa », in *Storia d'Italia*, t. II : *Dalla caduta dell'impero romano al secolo XVIII*, Turin, 1974, p. 431-1079.

soutenus par la papauté, prit un sens nettement péjoratif et servit bientôt à désigner les hérétiques[72].

La réforme grégorienne, d'autre part, en mettant l'accent sur la supériorité du Spirituel par rapport au Temporel, avait incontestablement accru le rôle des clercs dans l'Église. Or cette évolution allait à l'encontre des aspirations de nombreux laïcs, désireux au contraire de revenir au modèle de l'Église primitive, dont ils pensaient trouver l'expression la plus parfaite dans la première communauté chrétienne de Jérusalem, telle qu'elle est décrite dans les *Actes des Apôtres* (Act. V, 42-47)[73]. Cet idéal de la Vie apostolique était apparu au XIᵉ siècle et la papauté avait recommandé aux prêtres de s'y conformer[74]. Au XIIᵉ siècle, il trouva impact considérable auprès des fidèles grâce à des prédicateurs itinérants − les « Wanderprediger » − qui mirent l'accent dans leurs diatribes enflammées sur l'importance de la pauvreté dans la vie chrétienne et sur la nécessité, pour parvenir au salut éternel, de « suivre nu le Christ nu », selon une expression de saint Jérôme qui connut alors un grand succès. Or la plus grande partie du clergé, tant séculier que régulier, était loin de se conformer à cet idéal. Au contraire, l'essor économique, surtout sensible dans le domaine de l'agriculture, ne cessait d'accroître les revenus des évêques, des chapitres et des monastères. D'autre part, l'Église, qui avait sévèrement condamné la détention des droits paroissiaux et des dîmes par les laïcs, s'efforça tout au long du siècle de les récupérer par le biais de « restitutions » dont les moines et les chanoines furent les principaux bénéficiaires. Les fidèles, qui étaient frappés de sanctions canoniques comme l'excommunication lorsqu'ils se refusaient ou s'opposaient à ce transfert de biens et de droits, ne pouvaient manquer d'être sensibles aux discours de certains ermites ou clercs en rupture de ban, qui dénonçaient l'enrichissement du clergé ainsi que l'indignité morale ou le zèle pastoral insuffisant de beaucoup de ses membres, à tous les échelons[75]. Ces facteurs contribuèrent au développement, dans beaucoup de régions, d'un anticléricalisme virulent qui devait constituer un terrain favorable pour le développement des hérésies.

2. ANTICLÉRICALISME ET SPIRITUALISME : LES PRÉDICATEURS ITINÉRANTS CONTRE L'ÉGLISE ÉTABLIE

Dès la fin du XIᵉ siècle, apparurent en effet dans certaines régions comme la France de l'Ouest des prédicateurs qui acquirent une grande popularité en dénonçant les vices

---

72. Sur l'étymologie des mots Pataria et Patarins, cf. G. CRACCO, « Pataria : *opus* e *nomen* (tra verità e autorità) », in *RSCI*, 28, 1974, p. 357-387. Dès les années 1100, l'évêque de Rennes Marbode parlait de « l'erreur nouvelle de ceux qui sont appelés Patarins » parce qu'ils refusent les sacrements des prêtres indignes. Cf. G. GRACCO, *art. cité*, p. 386, et *MGH.LL*, III, p. 693.

73. Sur ces aspirations, cf. E.W. Mc DONNELL, « The Vita apostolica. Diversity or Dissent? », in *ChH*, 24, 1955, p. 15-31, et A. VAUCHEZ, *Les laïcs au Moyen Âge. Pratiques et expériences religieuses*, Paris, 1987, p. 49-60. Mais l'ouvrage de référence sur ces problèmes reste celui de H. GRUNDMANN, *Religiöse Bewegungen im Mittelalter*, 2ᵉ éd. Darmstadt, 1961.

74. Cf. *supra*, p. 150-155, et M.H. VICAIRE, *La vie apostolique*, Paris, 1974.

75. Sur ces transferts de richesses et sur les réactions qu'elles provoquèrent, cf. A. VAUCHEZ, « Le christianisme roman et gothique », in J. LE GOFF et R. RÉMOND (éd.), *Histoire de la France religieuse*, t. I, Paris, 1988, p. 330-365.

et les tares du clergé. Certains d'entre eux, comme Robert d'Arbrissel, Bernard de
Tiron ou Vital de Savigny, étaient des clercs qui, en réaction contre leur milieu,
s'étaient livrés à des expériences érémitiques et s'adonnaient à un apostolat itinérant,
visant à sensibiliser le clergé et les fidèles aux valeurs évangéliques, en particulier la
pauvreté, la charité et la chasteté. Soutenus par la papauté et par certains évêques, ils
finirent en général par fonder, bon gré mal gré, des communautés religieuses de type
monastique ou canonial[76]. Mais d'autres ne se prêtèrent pas à ce processus de
régularisation et entrèrent en conflit avec la hiérarchie ecclésiastique. Tel semble avoir
été le cas, par exemple, du clerc Tanchelm dont l'éloquence enflammée enthousiasma
les foules dans les villes et les campagnes des Pays-Bas, de la Zélande à la Flandre,
entre 1111 et 1115, et qui tenta d'utiliser le pouvoir qu'il avait ainsi acquis pour obliger
le clergé à se réformer, en particulier à Anvers où il finit par être assassiné par un
prêtre. Le personnage est ambigu : ses adversaires l'ont présenté comme un illuminé et
un démagogue ; mais s'il fut condamné par l'archevêque de Cologne, défenseur de
l'Église impériale, il n'a jamais été, à notre connaissance, déclaré hérétique par la
papauté, ce qui a conduit certains historiens à penser qu'il n'était peut-être qu'un
réformateur, qui avait tenté de mettre en œuvre le programme grégorien le plus radical
dans une région où le clergé était resté traditionaliste[77].

La même ambiguïté se retrouve, au moins au début de sa carrière, dans le cas
d'Henri, appelé souvent − à tort − de Lausanne, un ermite de la France de l'Ouest
qui fut invité à prêcher au Mans par l'évêque de cette ville, Hildebert de Lavardin en
1116[78]. Mais, en l'absence du prélat parti en voyage à Rome, les sermons de cet ascète
prirent un tour de plus en plus polémique et s'accompagnèrent de violences contre
certains clercs, ses diatribes contre la richesse et la puissance des prêtres ayant trouvé
un large écho dans une ville qui, dès 1070, avait tenté de former une commune et de se
libérer de la tutelle du pouvoir épiscopal. Chassé du Mans avec ses partisans au retour
du prélat, il s'adonna ensuite à un apostolat itinérant qui le mena à Lausanne, Poitiers
et Bordeaux, puis dans le comté de Toulouse et en Provence. Arrêté en 1135 par
l'archevêque d'Arles, il fut conduit au concile de Pise. Condamné, il abjura ses erreurs
et on l'envoya à Cîteaux pour y faire pénitence. Mais il s'échappa et gagna alors le
Languedoc. Il est possible − mais pas certain − qu'il ait alors collaboré avec Pierre de
Bruis, un ancien prêtre originaire des Hautes-Alpes qui avait dû entrer dans la
clandestinité vers 1119 et rejetait tous les aspects matériels de la religion chrétienne
− rites, églises, sanctuaire − et même les sacrements[79]. Ce dernier avait poussé si loin

---

76. Cf. T. MANTEUFFEL, *Naissance d'une hérésie : les adeptes de la pauvreté volontaire au Moyen Âge*, Paris, 1970, qui
ne dispense pas de consulter l'ouvrage de J. von WALTER, *Die ersten Wanderprediger Frankreichs*, Leipzig, 1903-1906.

77. Cf. C. DEREINE, « Les prédicateurs "apostoliques" dans les diocèses de Thérouanne, Tournai et Cambrai dans les
années 1075-1125 », in *APraem*, 59, 1983, p. 171-189 ; J. De SMET, « De monnik Tanchelm... in 1112-1114 », in *Scrinium
Lovaniense. Mélanges historiques E. Van Cauwenbergh*, Louvain, 1961, p. 207-234 ; bonne mise au point sur les sources
dans J.B. RUSSELL, *Dissent and Reform in the Early Middle Ages*, Berkeley-Los Angeles, 1965, p. 265-269.

78. A. BREDERO, « Henri de Lausanne : un réformateur devenu hérétique », in *Pascua medievalia. Studies voor Prof.
J.M. De Smet*, Louvain, 1983, p. 108-123. Nous nous séparons cependant de cet auteur lorsqu'il affirme, contre le
témoignage de saint Bernard, qu'Henri était un laïc inculte. Voir aussi E. MAGNOU, « Note critique sur les sources de
l'histoire d'Henri l'hérétique depuis son départ du Mans », in *BPH*, 1965, p. 539-547.

79. R. MANSELLI, *Il secolo XII. Religione popolare ed eresia*, Rome, 1983, p. 67-100 et R.I. MOORE, *The Origins...*,
p. 82-114.

son désir d'une religion purement spirituelle qu'il arrachait les crucifix des églises pour les brûler. Cela finit par entraîner sa perte à Saint-Gilles du Gard, où il se heurta à la résistance des habitants de cette cité de pèlerinage qui, en 1138 ou 39, le jetèrent dans le bûcher qu'il avait lui-même allumé[80]. Qu'il ait été ou non en relation avec lui auparavant, Henri prit en tout cas le relais et continua à prêcher avec succès contre l'Église établie. Son influence devint bientôt si considérable dans les régions situées entre Albi et Toulouse que saint Bernard dut intervenir personnellement pour la combattre, en 1145. L'action énergique de l'abbé de Cîteaux permit de rétablir, au moins pour un temps, le prestige de l'orthodoxie en Languedoc et Henri, qui s'était enfui à son arrivée, finit par être arrêté et par mourir en prison[81].

Parti de la critique des mœurs et de la richesse du clergé, Henri en est venu, dans la dernière partie de sa longue carrière d'agitateur, à affirmer que les sacrements donnés par les prêtres catholiques n'étaient pas valables et il est le premier hérétique médiéval, semble-t-il, à avoir rebaptisé ses disciples[82]. Mettant l'accent sur la responsabilité personnelle du chrétien, il affirmait que chacun serait jugé sur ses œuvres et que la prière de l'Église pour les morts ne servait à rien. De façon générale, il rejetait le rôle médiateur du clergé : les fidèles pouvaient se confesser leurs péchés les uns aux autres et n'avaient pas besoin pour cela de l'intervention d'un prêtre. Au total, il apparaît plutôt comme le tenant d'un littéralisme évangélique et d'un anticléricalisme radical que comme un véritable hérésiarque, terme qui s'appliquerait de façon plus exacte à Pierre de Bruis. Mais il n'est pas exclu que leurs auditeurs soient demeurés insensibles aux nuances qui les séparaient et aient surtout retenu de leurs prêches l'idée que l'on pouvait très bien faire son salut en dehors des institutions ecclésiastiques et sans recourir aux sacrements.

En Italie, à la même époque, le principal contestataire fut un chanoine régulier, Arnaud de Brescia, qui se signala à partir de 1138, dans sa ville natale, en proclamant publiquement que le clergé devait renoncer à tous ses biens et vivre dans la pauvreté évangélique[83]. Excommunié par le pape Innocent II, il s'enfuit en France et trouva refuge à Paris, auprès de son ancien maître, Abélard. En 1140, il fut expulsé du royaume, à l'instigation de saint Bernard, et gagna la Suisse, puis la Bohême. Quelques années plus tard, il rentra en Italie et fit sa soumission au pape Eugène III. Mais ce dernier commit l'erreur de l'assigner à résidence à Rome, où se développait alors une vive agitation en faveur du régime communal. Arnaud prit bientôt la tête de la révolte contre le pouvoir pontifical, et s'acquit une grande popularité en affirmant que les clercs n'avaient pas à exercer des droits d'origine publique et que l'Église

---

80. On connaît bien les idées et les agissements de Pierre de Bruis grâce au traité polémique que lui consacra l'abbé de Cluny Pierre le Vénérable, vers 1140 : *Tractatus contra Petrobrusianos*, éd. J. FEARNS, Turnhout, 1968 (*CC.CM.*, X). Voir aussi J. FEARNS, « Peter von Bruis und die religiöse Bewegung des 12. Jahrhunderts », in *AKuG*, 48, 1966, p. 311-335.

81. Sur cette mission de saint Bernard, cf. E. VACANDARD, « Les origines de l'hérésie albigeoise », in *RQH*, 55, 1894, p. 50-83, R. I. MOORE, « Saint Bernard's Mission in 1145 », in *BIHR*, 47, 1974, p. 1-10, et E. GRIFFE, *Les débuts de l'aventure cathare en Languedoc*, Paris, 1969, p. 21-52.

82. Ses idées sont connues par la réfutation que rédigea en 1135 le moine Guillaume, qui l'avait rencontré à Toulouse. Le texte en a été édité et commenté par R. MANSELLI, « Il monaco Enrico e la sua eresia », in *BISI*, 65, 1953, p. 1-63.

83. Sur ce personnage, l'étude fondamentale demeure celle de A. FRUGONI, *Arnaldo di Brescia nelle fonti del secolo XII*, Rome, 1954 (*StStor*, 8-9). Cf. aussi R.I. MOORE, *The Origins...*, p. 115-136, et G.G. MERLO, *Eretici ed eresie medievali*, Bologne, 1989, p. 33-38.

romaine devait renoncer à toute autorité de type politique. Au bout de quelques années, la papauté finit par se réconcilier avec les éléments aristocratiques de la commune, qu'inquiétaient les tendances démocratiques du tribun et, en 1155, ce dernier fut livré à l'empereur Frédéric Ier Barberousse, venu en Italie pour se faire couronner, qui le livra lui-même au pape. Le préfet de Rome fit brûler Arnaud et ses cendres furent dispersées dans le Tibre. Mais, ici encore, il est significatif que ce grand contestataire ait été condamné en tant que rebelle, et non pour hérésie.

Au-delà des différences dues à la personnalité des leaders et à la spécificité des situations locales, ces mouvements religieux dissidents de la première moitié du XIIe siècle présentent certains traits communs : le plus frappant est leur agressivité à l'égard du clergé et de l'Église qu'ils aspirent à changer, par la force au besoin. À la différence des hérétiques de l'an mille qui constituaient des conventicules secrets et non violents, cherchant le salut dans la fuite du monde, les prédicateurs déviants des années 1110-1150 s'affichaient au grand jour et s'efforçaient de mobiliser les foules contre les mauvais prêtres et la hiérarchie qui les protégeait ou les tolérait[84]. Il s'agit donc moins d'hérésies à proprement parler que d'une contestation des structures et du personnel ecclésiastiques, dans la ligne du mouvement réformateur du XIe siècle. Mais l'idéal de la Vie apostolique, poussé à ses dernières conséquences par quelques leaders charismatiques et par des foules enthousiastes, finit par déboucher sur la revendication d'une Église pauvre et sans pouvoir, et sur l'aspiration à un christianisme à la fois plus spirituel et plus « moral », dans lequel l'authenticité de la foi se traduirait par des comportements conformes aux exigences évangéliques.

3. LE CHOC DU CATHARISME

À partir des années 1140/50, apparurent en Occident de nouveaux groupements hérétiques qui, par certains traits, se distinguaient des précédents[85]. Ainsi, en 1143, un correspondant de saint Bernard, le prémontré Ewervin de Steinfeld, signala à l'abbé de Clairvaux qu'on venait d'arrêter à Cologne les membres d'une secte qui rejetait, non seulement les sacrements et le mariage, mais prétendait aussi se rattacher à une ancienne Église, restée cachée depuis l'époque des martyrs, qui subsistait en Grèce et dans d'autres pays sous la direction d'apôtres ou d'évêques. Par certains côtés, ils étaient proches des courants évangéliques que nous avons évoqués précédemment : rejetant toute propriété, même commune, ils erraient de ville en ville, comme les

---

84. Cela pouvait aller jusqu'à des agressions contre les établissements religieux, comme on le constate dans le cas de l'agitateur Eon l'Étoile, qui mena une véritable guérilla en Bretagne avec ses partisans entre 1145 et 1148, avant d'être arrêté et condamné par le concile de Reims. Cf. J.Ch. CASSARD, « Eon de l'Étoile, ermite et hérésiarque breton du XIIe siècle », in *MSHAB*, 57, 1980, p. 171-198, et t. 67, 1990 p. 297-301.

85. L'historiographie du Catharisme est si abondante qu'on ne s'aurait en donner qu'une faible idée. Outre les ouvrages classiques de A. BORST, *Die Katharer*, Stuttgart, 1953 (malheureusement défiguré dans sa traduction française, *Les Cathares*, Paris 1974, par des annotations et des gloses ridicules) et de R. MANSELLI, *L'eresia del Male*, Naples, 1963, les mises au point sérieuses les plus récentes sont celles de J. DUVERNOY, *Le Catharisme : la religion des Cathares*. Toulouse, 1976 et Id., *Le Catharisme : l'histoire des Cathares*, Toulouse, 1979. Voir aussi *Cathares en Languedoc* (CF, 3) Toulouse, 1968, et R.I. MOORE, *The Origins...*, p. 168-240.

apôtres, et prêchaient la bonne parole. Mais ils s'en distinguaient par leur ascétisme rigoureux, qui leur faisait refuser de boire du lait, par exemple, et par l'importance qu'ils accordaient au baptême de l'Esprit, le seul qui comptait à leurs yeux, transmis par l'imposition des mains[86]. On ne peut manquer d'être frappé par la parenté existant entres les idées défendues par ces hérétiques rhénans, que l'on retrouve quelques années plus tard à Liège, en Flandre et en Champagne, avec celles des Bogomiles, secte qui s'était développée au Xᵉ siècle en Bulgarie et avait gagné Constantinople à la fin du XIᵉ siècle. Or les années 1140 sont précisément celles où Manuel Comnène relança la persécution contre les Bogomiles de la capitale et de l'empire byzantin[87]. Il est tentant de penser, dans ces conditions, qu'un certain nombre de ces derniers ont alors cherché refuge, les uns dans la région balkanique (on commence à mentionner la présence d'hérétiques en Dalmatie à partir de 1140), les autres en Occident en passant par les vallées du Danube et du Rhin[88]. Mais il est possible également, bien que les preuves manquent pour l'affirmer, que des contacts aient eu lieu à l'occasion des croisades entre les chevaliers et les pèlerins « francs » qui traversaient la Bulgarie et Constantinople, en se rendant en Terre Sainte par la voie terrestre.

À partir de 1157 (concile de Reims), les sources ecclésiastiques puis les chroniques mentionnent la présence en France, aux Pays-Bas et en Angleterre − où ils ne parviendront pas à s'implanter − d'hérétiques désignés sous les noms de « Popelicans », « Publicains » ou « Piphles »[89]. Ces termes sont nouveaux, mais on ne sait s'ils s'appliquent aux sectes d'inspiration bogomile dont nous venons de parler ou à une seconde vague d'infiltrations hérétiques, qui dériverait des pauliciens, bien implantés depuis longtemps dans l'empire byzantin et nombreux dans ses armées. L'hypothèse est séduisante car ces « Popelicans » se différenciaient des précédents par l'absence d'organisation hiérarchique et de la distinction entre Parfaits et simples croyants qui caractérisait les cathares proprement dits. Mais comme ils ne cherchaient pas à se cacher et qu'ils professaient leurs opinions sans se faire prier, ils furent les victimes désignées de la répression et semblent avoir disparu à la fin du XIIᵉ siècle[90]. À partir des années 1200 en tout cas, la terminologie évolue et les sources désignent les

---

86. *PL.* 182, 676-680. Cf. R. MANSELLI, *Il secolo XII...*, p. 149-164. Quelques années plus tard, en 1163, Eckbert de Schönau, alors chanoine de Bonn, résuma dans ses treize *Sermons* l'expérience qu'il avait acquise au contact des Cathares de Rhénanie. Cf. *PL.* 195, 11-102, et R. MANSELLI, « Ecberto di Schönau e l'eresia catara », in *Il secolo XII...*, p. 227-250. C'est Eckbert qui a, le premier en Occident, employé le mot cathare pour désigner les nouveaux hérétiques.

87. Voir dans ce chapitre, *supra*, p. 451-459, la contribution de E. PATLAGEAN sur les hérésies dans le monde byzantin. Sur les rapports entre les Bogomiles, les Pauliciens et les Cathares d'Occident, cf. M. LOOS, *Dualist Heresy in the Middle Ages*, Prague, 19-74, qui a profondément renouvelé notre approche de cette question controversée.

88. Cf. H. Ch. PUECH, « Catharisme médiéval et Bogomilisme », in *Oriente e Occidente nel Medio Evo. AANL, Convegno 12*, Rome, 1957, p. 56-84, et D. OBOLENSKY, *The Bogomils*, Cambridge, 1948. Cf. aussi D. ANGELOV, *Le Bogomilisme en Bulgarie*, Toulouse, 1972 (à utiliser avec prudence) et B. HAMILTON, *Monastic Reform, Catharism and the Crusades (900-1300)*, Londres, 1979.

89. Sur les débuts du Catharisme dans l'actuelle Belgique et la Champagne, cf. M. SUTTOR, « Le *Triumphus Sancti Lamberti* et le catharisme à Liège », *MA*, 91, 1985, p. 227-264, et Y. DOSSAT, « L'hérésie en Champagne aux XIIᵉ et XIIIᵉ siècles », dans *Id., Église et hérésie en France au XIIIᵉ siècle*, Londres, 1982, chap. XI.

90. L'hypothèse a été avancée, à la suite de S. RUNCIMAN, *The Medieval Manichee*, Cambridge, 1947, p. 46, par R.I. MOORE, *The Origins...*, p. 182-185. M. LOOS, *op. cit.*, p. 118 et 126, pense plutôt que le terme « Poplican » viendrait de la ville de Plodviv, en Bulgarie, qui était au cœur d'une région où les hérétiques étaient nombreux.

nouveaux hérétiques sous le nom d'Albigeois ou de Bulgares (Bougres en français), ce qui va aussi dans le sens d'une connexion avec les régions balkaniques et orientales[91].

Même si la nature exacte des filiations entre le catharisme occidental et les sectes hérétiques du monde byzantin demeure sujette à caution, il n'en demeure pas moins qu'un nouveau pas a été franchi, vers le milieu du XIIe siècle, avec l'apparition des cathares. Ceux-ci se déclaraient certes chrétiens et leurs sectes se présentaient comme des communautés apostoliques, ce qui n'avait rien d'original dans la chrétienté du XIIe siècle. Mais à la différence des mouvements antérieurs, ils n'avaient plus aucun lien avec l'Église catholique, qu'ils ne se souciaient nullement de réformer ou de faire évoluer. D'autre part, ils devaient à leurs origines orientales une cohérence doctrinale, qui conférait à leur prédication clandestine une redoutable efficacité et leur permettait d'intégrer leurs pratiques religieuses et ascétiques dans un ensemble de croyances et de mythes susceptible d'exercer une réelle fascination sur les esprits. Enfin le zèle missionnaire ardent de ses adeptes permit au catharisme de se diffuser rapidement dans la plus grande partie de la chrétienté occidentale. À partir de la France du Nord-Est (Artois, Champagne) très tôt touchée, il gagna en effet le Midi languedocien et sans doute l'Italie du Nord. Dans les deux cas, il trouva dans ces régions un terrain bien préparé par la prédication anticléricale, d'un côté, de Pierre de Bruis et d'Henri, de l'autre, des arnaldistes, disciples d'Arnaud de Brescia. On ne sait pas grand-chose sur les voies et les modalités de cette infiltration des cathares dans les pays méditerranéens. Mais divers signes témoignent qu'ils y étaient déjà solidement implantés dans les années 1160. En 1163 en effet, l'archevêque de Narbonne lança un appel au concile réuni à Tours, sous la présidence du pape Alexandre III, pour qu'il condamne une « nouvelle hérésie » apparue dans la région de Toulouse, et à Lombers, en 1165, se tint une réunion contradictoire où les évêques d'Albi et de Lodève s'opposèrent en public à un groupe de « bons hommes » qui critiquaient l'Église avec virulence[92]. Même si ces derniers durent finalement prononcer une profession de foi catholique, une telle confrontation sur un plan d'égalité supposait que les hérétiques bénéficiaient de soutiens influents au sein de l'aristocratie laïque qui assistait au débat. Dès cette époque, il paraît évident que l'Église, dans les régions s'étendant entre Albi et Toulouse, ne pouvait plus compter sur le bras séculier pour réprimer la dissidence religieuse qui s'y développait en toute impunité.

Quelques années plus tard, à une date qu'il convient de situer vers 1174/76 plutôt qu'en 1167, comme on le fait traditionnellement, se produisit un événement lourd de conséquences pour l'histoire du catharisme occidental : il s'agit du fameux « concile cathare » de Saint-Félix de Caraman, connu par un document provenant des archives de l'Inquisition de Carcassonne − dont il ne subsiste qu'une copie du XVIIe siècle − qui nous a transmis, sous une forme résumée, les principales décisions qui furent prises pendant et à la suite de cette rencontre[93]. Y participèrent des représentants des

---

91. L'intéressante étude de M. ZERNER, « Du court moment où on appela les hérétiques des Bougres, et quelques déductions », in *CCM*, 32, 1989, p. 305-324, aboutit à des conclusions discutables en raison du refus a priori de l'auteur de considérer comme authentiques les actes du concile cathare de Saint-Félix de Caraman.

92. Cf. R. SOMMERVILLE, *Pope Alexander III and the Council of Tours*, Los Angeles, 1957, p. 50, et MANSI, XXII, 158-166.

93. L'authenticité de ce document a été niée par divers historiens et, en dernier lieu, par Y. DOSSAT, *Église et*

différentes communautés cathares du Languedoc ainsi que les évêques cathares de la France du Nord et de Lombardie. Mais le personnage central en fut un haut dignitaire de l'Église cathare de Constantinople, le « papas » Nicétas, qui rallia ses auditeurs au dualisme absolu, alors que toutes les communautés occidentales avaient jusque-là professé le dualisme mitigé, c'est-à-dire la conviction que le monde était bien le théâtre d'un conflit entre deux principes — le Dieu bon et son adversaire, le Mauvais — mais qui n'étaient pas de puissance égale. En reconnaissant les deux principes comme égaux et coéternels, le catharisme occidental s'éloignait encore davantage du christianisme. En outre, à l'occasion de cette réunion, l'Église cathare renforça ses structures diocésaines et de nouveaux évêques furent consacrés par Nicétas. Là encore il s'agissait d'un défi lancé à l'Église catholique qui ne pouvait tolérer le développement d'institutions ecclésiastiques parallèles et concurrentes. Aussi les décisions qui furent prises à Saint-Félix de Camaran sont-elles d'une extrême importance, puisqu'elles portent en germe la lutte impitoyable qui devait opposer au siècle suivant les deux confessions rivales[94].

On aurait tort cependant de se représenter le catharisme comme un bloc cohérent et une doctrine homogène. Chaque Église locale gardait une large autonomie et aucune autorité fédérale ou centrale n'y imposait d'orthodoxie. Si les cathares languedociens semblent avoir adhéré dans leur grande majorité au dualisme absolu, il n'en alla pas de même en Italie où se produisirent des schismes, liés à la fois à des questions de personne et de doctrine. Dès les dernières années du XIIᵉ siècle, on vit s'y affronter l'Église de Concorezzo, revenue au dualisme mitigé, celle de Desenzano (ou *Albanenses*), restée fidèle au dualisme absolu, ainsi qu'un tiers parti désigné sous le nom de *Bagnolenses*[95]. Mais l'importance des conflits qui opposèrent ces tendances entre elles ne doit pas être surestimée et ce qui les unissait — un rejet total de l'Église catholique et de ses croyances — était plus important que ce qui les divisait. En tout cas, à la fin du XIIᵉ siècle, il n'est pas exagéré de voir dans le catharisme un phénomène européen, dont l'expansion conquérante finit par mettre en cause, au moins dans certaines régions comme le Languedoc et l'Italie septentrionale et centrale, le monopole religieux et la domination idéologique de l'Église catholique.

Il reste à expliquer les raisons de ce succès. Les sources contemporaines ont mis l'accent sur la fascination exercée sur les esprits par les Parfaits cathares, auxquels leur austérité ascétique et leur rigueur morale, qui contrastaient avec le niveau souvent très médiocre du clergé catholique, valurent un grand prestige. Mais, si important qu'ait pu être ce facteur humain, c'est cependant au niveau des croyances religieuses des cathares qu'il faut rechercher la cause principale du succès de leur apostolat. Or ces croyances sont difficiles à connaître avec exactitude, car nous ne les saisissons guère qu'à travers la réfutation qu'en ont faite les polémistes catholiques, toujours enclins à

---

hérésie..., chap. XII. Mais la plupart des spécialistes considèrent aujourd'hui qu'ils ne peut s'agir d'un faux. Cf. B. HAMILTON, « The Cathar Council of Saint-Felix Reconsidered », in *Id., Monastic Reform...*, chap. XI, avec une nouvelle édition du texte.

94. Comme l'a bien montré E. GRIFFE, *Les débuts du catharisme en Languedoc (1140-1190)*, Paris, 1969, et *Id., Le Languedoc cathare de 1190 à 1210*, Paris, 1971.

95. Cf. A. DONDAINE, *Les hérésies et l'Inquisition, XIIᵉ-XIIIᵉ siècles*, Londres, 1990, chap. III et IV, et G.G. MERLO, *Eretici...*, p. 39-48.

situer les hérésies médiévales dans le prolongement de celles de l'Antiquité tardive, en particulier du manichéisme réfuté et combattu par saint Augustin. Dans cette perspective, on a longtemps défini le catharisme comme une religion dualiste et certains écrits cathares italiens du XIIIᵉ siècle comme le *Livre des Deux Principes*, composé par Jean de Lugio vers 1230, vont en effet dans ce sens[96]. Mais ce texte est loin d'être représentatif de tout le catharisme dans lequel l'affirmation centrale n'est pas l'idée d'un conflit fondamental entre le Bien et le Mal, mais bien la certitude qu'il existe une voie par laquelle l'homme peut se soustraire au pouvoir du Mal qui régit le monde et toute la création[97]. Contrairement à ce qu'on a trop souvent écrit à leur propos, les cathares n'étaient pas particulièrement pessimistes. Ils annonçaient au contraire un message de libération permettant à la parcelle de divinité existant en chaque être humain de s'arracher à la prison de la matière. Le seul moyen d'y parvenir était de suivre le Christ, messager angélique de Dieu, qui avait délivré dans l'Évangile une révélation permettant à l'homme de retrouver la pureté de l'âme par la prière — en particulier la récitation fréquente du *Notre Père* — et par une ascèse rigoureuse. L'Église catholique avait trahi l'Évangile en dissimulant sa vérité profonde. Rejeton corrompu d'une communauté primitivement pure, elle avait choisi le camp du Malin en recherchant le pouvoir temporel et la richesse. Au contraire, la véritable Église de Dieu — celle des « bons hommes » ou « bons chrétiens » — était purement spirituelle et ne présentait aucune revendication d'ordre économique ou politique, tout en acceptant les dons en nature ou en argent qui permettaient aux Parfaits de vivre sans travailler de leurs mains pour pouvoir se consacrer pleinement à leur mission. Le catharisme — et c'est là une des raisons principales de sa réussite — s'est présenté comme le christianisme authentique et ceux qui y adhéraient n'avaient nullement l'impression de changer de religion, mais au contraire de se rattacher à l'Église primitive, renouant avec ses origines apostoliques, tant au niveau de la liturgie que des sacrements. Ces derniers étaient réduits à un seul : la transmission du Saint-Esprit par l'imposition des mains, ou *consolamentum*[98].

Confrontée à cette contestation radicale, l'Église catholique eut du mal à élaborer une réponse adéquate. Si les évêques de la France du Nord, de Flandre et d'Angleterre, fermement soutenus par le bras séculier, firent preuve, dès les années 1160, d'une impitoyable rigueur vis-à-vis des nouveaux hérétiques[99], elle fut incapable de trouver une parade efficace dans les régions méridionales — Languedoc et Italie — où la société civile se refusait à sévir contre eux et où l'épiscopat lui-même était impuissant. De nombreux légats pontificaux furent envoyés dans les États du comte de

---

96. S. Runciman, *Le manichéisme médiéval. L'hérésie dualiste dans le Christianisme*, Paris, 1949 ; H. Söderberg, *La religion des Cathares. Études sur le Gnosticisme de la Basse Antiquité et du Moyen Âge*, Uppsala, 1949 ; C. Thouzellier (éd.), *Le livre des deux principes*, Paris, 1973 (Sources chrétiennes, 198).

97. E. Bozóky (éd.), *Le livre secret des Cathares : Interrogatio Iohannis, apocryphe d'origine bogomile*, Paris, 1980. Il s'agit d'un traité qui fut apporté de Bulgarie en Italie vers 1180/90. Satan y est désigné comme le Fils rebelle de Dieu et non son égal et le Christ n'y est pas présenté comme un ange. Sur ce texte, cf. M. Loos, *Dualist Heresy...*, p. 133-146.

98. C. Thouzellier (éd.), *Rituel cathare*, Paris, 1977 (Sources chrétiennes, 236). Les analyses de E. Delaruelle sur les facteurs de succès du Catharisme demeurent toujours valables : « Le Catharisme en Languedoc vers 1200. Une enquête », in *AMidi*, 72, 1960, p. 149-167.

99. En particulier en Angleterre où les quelques hérétiques qui étaient venus du continent furent condamnés à l'errance par le concile d'Oxford et moururent de faim et de froid. Cf. J.B. Russell, *Dissent...*, p. 224-227 et 309-310.

Toulouse, mais ils n'obtinrent jamais de résultats durables. Les premières mesures juridiques de portée générale contre les hérésies furent prises en 1184, avec la décrétale *Ad Abolendam*, qui condamnait de façon explicite toutes les hérésies qui s'étaient développées en Occident au cours des décennies précédentes et prévoyait des sanctions sévères à l'égard des coupables [100]. Mais, dans l'immédiat, la situation des hérétiques ne changea pas beaucoup car l'Église ne pouvait mettre en application ces mesures de répression qu'avec l'appui du pouvoir temporel, qui était loin de lui être acquis partout.

4. LES MOUVEMENTS ÉVANGÉLIQUES ET LES CONFLITS AUTOUR DU DROIT DE PRÉDICATION : VAUDOIS ET HUMILIÉS

À partir des années 1170, parallèlement à l'essor du catharisme mais sans relation avec lui, se développèrent divers mouvements religieux se réclamant de l'Évangile et revendiquant pour tous les fidèles le droit d'annoncer librement la Parole de Dieu. Le plus important d'entre eux eut pour initiateur un marchand lyonnais du nom de Vaudès (*Valdesius*) qui se convertit, vers 1173, à une vie religieuse plus fervente, après avoir entendu le récit, par un jongleur, de la *Chanson de saint Alexis* [101]. Il consulta alors un prêtre qui lui exposa les conseils évangéliques en matière de pauvreté, à la suite de quoi il abandonna sa profession et ses biens, distribuant ceux-ci aux pauvres. De façon significative, il se fit alors traduire en langue vulgaire les Évangiles, certains livres de l'Ancien Testament et quelques extraits des Pères de l'Église. Ayant ainsi acquis une certaine familiarité avec la Parole de Dieu, il se sépara de son épouse, fit entrer ses filles dans une communauté religieuse et se mit à prêcher dans les rues et sur les places publiques. Bientôt il entraîna à sa suite un certain nombre d'hommes et de femmes qu'il envoya en mission, à l'instar des apôtres, dans les villes et les villages de la région lyonnaise. Des difficultés ne manquèrent pas de surgir du côté du clergé qui opposa à ces laïcs fervents les règles canoniques — codifiées vers 1140 dans le Décret de Gratien — qui interdisaient la prédication aux simples fidèles. En mars 1179, Vaudès se rendit à Rome, où se tenait le concile de Latran, pour tenter de faire approuver son mode de vie et celui de sa communauté par Alexandre III. L'accueil qu'il reçut à Rome fut mitigé. Si le pape le traita affectueusement, il ne lui donna qu'une autorisation orale de prêcher, sous réserve de l'accord du curé du lieu, et la réaction de la commission curiale chargée d'examiner l'orthodoxie des vaudois et leurs requêtes fut extrêmement réservée. Le clerc anglais Walter Map, qui la présidait, s'exprima en effet peu de temps après à leur sujet en termes peu amènes :

---

100. Sur l'évolution de l'attitude de l'Église et de la société vis-à-vis des hérétiques aux XIe et XIIe siècles, cf. A. VAUCHEZ, « Diables et hérétiques », in *Santi e demoni nell' Alto Medio Evo occidentale*, SSAM, Spolète, 1989, t. II, p. 573-601, et H. MAISONNEUVE, *Études sur les origines de l'Inquisition*, 2e éd., Paris, 1960.
101. Sur les débuts du Valdéisme, cf. W. MOHR, *Waldes von seiner Berufung bis zu seinem Tod*, Horn, 1970, et G. GONNET, « Les cheminement des vaudois vers le schisme et l'hérésie », in *CCM*, 19, 1976, p. 309-345.

« Nous avons vu, dit-il, les vaudois, gens simples et sans culture, ainsi appelés du nom de leur chef, citoyen de Lyon sur le Rhône... Ils demandaient avec insistance qu'on leur confirmât l'autorisation de prêcher, se jugeant assez instruits, alors qu'ils n'étaient que des demi-savants... Telle la perle aux pourceaux, la Parole sera-t-elle donnée à des simples que nous savons incapables de la recevoir et plus encore de donner ce qu'ils ont reçu ? Cela ne saurait être et il faut l'écarter... Ces gens-là n'ont nulle part de domicile fixe ; ils circulent deux par deux, nu-pieds, vêtus de laine, ne possédant rien, ayant tout en commun comme les apôtres. Ils suivent le Christ nu. Ils commencent très humblement parce qu'ils n'ont pas encore pris pied. Si nous les laissons faire, c'est nous qui serons mis dehors [102] »

Le mélange d'inquiétude et de morgue méprisante qui caractérise la réaction de ce clerc face aux vaudois permet de comprendre les difficultés qui ne tardèrent pas à se multiplier quand ceux-ci furent revenus de Rome. Vaudès dut faire une profession de foi orthodoxe entre les mains du cardinal cistercien Henry de Marcy, puis le nouvel archevêque de Lyon, Jean de Belles Mains, tenta de placer le mouvement sous son contrôle [103]. N'y étant pas parvenu, il lui retira son autorisation de prêcher. Mais Vaudès ne se soumit pas, estimant − comme l'avait dit saint Pierre au sanhédrin, d'après les *Actes des Apôtres* − « qu'il faut obéir à Dieu plutôt qu'aux hommes ». Les vaudois furent alors excommuniés et chassés de Lyon par l'archevêque, en 1182, puis condamnés comme hérétiques par la papauté en 1184. Cela n'empêcha pas, au contraire, le mouvement de se diffuser d'abord, dans un premier temps, en Languedoc où ils polémiquèrent contre les cathares avec lesquels il ne voulaient pas être confondus [104], et en Lombardie, puis ensuite dans d'autres régions comme la France du Nord-Est et la vallée du Rhin [105]. Ils ne rejetaient pas l'Église ni même sa hiérarchie, mais voulaient pouvoir accéder librement à la Parole de Dieu et l'annoncer autour d'eux. Or le clergé s'opposait à cette revendication en rappelant que le droit à la prédication était réservé à ceux qui en avait reçu la mission, c'est-à-dire aux ministres du culte [106].

De façon générale, c'est dans les milieux urbains et les régions économiquement les plus développées que les revendications religieuses des laïcs prirent les formes les plus originales. On le constate par exemple en Lombardie qui, dans les dernières décennies du XIIe siècle, fut à la fois le domaine d'élection des communes autonomes et le « réceptacle de toutes les hérésies », selon l'expression des auteurs ecclésiastiques de l'époque. C'est là qu'apparurent, vers 1175, à Milan et dans les grandes villes de la

---

102. Walter MAP, *De nugis curialium*, dist. 1, c. 31, éd. M.R. JAMES, Oxford, 1914, p. 62. Ce texte a été commenté par P. ZERBI, « Humillimo nunx incipiunt modo », dans *Studies voor Prof. J.M. De Smet*, Louvain, 1983, p. 124-132.

103. A. DONDAINE, « Aux origines du Valdéisme. Une profession de foi de Valdès », dans *Id., Les hérésies...*, chap. I, et R. MANSELLI, *Il secolo XII...*, p. 119-133.

104. Cf. C. THOUZELLIER, *Catharisme et Valdéisme en Languedoc à la fin du XIIe siècle et au début du XIIIe siècle*, 2e éd., Louvain-Paris, 1969, et K.V. SELGE, *Die ersten Waldenser, mit edition des Liber antihaeresis des Durandus von Osca*, Berlin, 1967, 2 vol.

105. J. GONNET et A. MOLNAR, *Les vaudois au Moyen Âge*, Turin, 1974 ; K.V. SELGE, « Caractéristiques du premier mouvement vaudois et crises au cours de son expansion », in *Vaudois languedociens et Pauvres Catholiques*, Toulouse, 1967, p. 110-142 (*CF*, 2).

106. Sur l'importance de cette question, très débattue à la fin du XIIe siècle, cf. R. ZERFASS, *Der Streit um die Laienpredigt*, Fribourg-en-B.-Bâle-Vienne, 1974, et Ph. BUC, « "Vox clamantis in deserto". Pierre le Chantre et la prédication laïque », in *RMab*, n.s., 3, 1993.

plaine du Pô, des groupements laïcs qui prirent le nom d'Humiliés[107]. La *Chronique anonyme de Laon* les présente comme « des citadins qui, tout en restant dans leurs foyers avec leurs familles, s'étaient choisi une certaine forme de vie religieuse : ils s'abstenaient de mensonges et de procès, se contentaient d'un vêtement simple et s'engageaient à lutter pour la foi catholique »[108]. Il s'agissait d'artisans qui, affirmant le caractère sanctifiant de toute vocation humaine et de toute condition sociale, aspiraient à vivre conformément à l'Évangile, tout en demeurant dans le monde et sans renoncer à leur vie familiale et professionnelle. Mais, comme les vaudois, les Humiliés de Lombardie rejetaient le serment et réclamaient le droit à la prédication[109]. De fait, on les voyait annoncer la Parole de Dieu dans les lieux de travail et sur les places publiques, dans ce style direct et concret qui était celui des assemblées urbaines. Une telle audace leur valut d'être englobés dans la condamnation lancée en 1184, à Vérone, par le pape Lucius III contre tous les mouvements religieux qui mettaient en cause l'autorité de la hiérarchie ecclésiastique et la suprématie du clergé. Cela ne mit pas fin pour autant à leur mouvement, qui survécut dans la clandestinité, jusqu'à ce que le pape Innocent III, en 1201, reconnaisse leur profonde orthodoxie et réintègre les Humiliés dans l'Église sous la forme d'un ordre religieux où coexistaient des communautés régulières de type monastique ou canonial et un tiers ordre qui réunissait ceux d'entre eux qui étaient mariés. Ces derniers étaient invités à suivre une règle de vie originale, associant le travail à la pauvreté et à la prière[110].

Ainsi, dans les premières années du XIIIe siècle, l'Église catholique se trouva affrontée au plus vaste défi hérétique qu'elle ait jamais rencontré dans son histoire, depuis la fin de l'Antiquité. Face à la montée du catharisme, elle était restée longtemps sans réaction, avant de prendre des mesures répressives qui, dans beaucoup de régions, demeuraient lettre morte. En revanche, la hiérarchie et le clergé avaient réagi avec une brutalité excessive vis-à-vis de mouvements évangéliques comme les vaudois ou les Humiliés que rien de fondamental ne séparait de l'orthodoxie sur le plan doctrinal, mais qui remettaient en cause le schéma tripartite qui était à la base de la société féodale, en affirmant que la fonction religieuse n'était pas l'apanage exclusif des prêtres[111]. Même si la papauté, avec Innocent III, commençait à faire preuve d'un certain discernement dans ce domaine, comme en témoigne l'attitude relativement ouverte de ce dernier vis-à-vis des Humiliés, l'idée qui dominait alors dans les milieux ecclésiastiques était celle d'un vaste complot satanique, aux ramifications innombrables, visant à détruire la chrétienté[112]. Un des meilleurs esprits de l'époque,

---

107. Bonne mise au point par A. MENS, *s.v.* « Humiliés », in *DSp*, t. VII, 1, Paris, 1968, c. 1129-1136; voir aussi B. BOLTON, « Sources for the Early History of the Humiliati », in *Studies in Church History*, XI, Cambridge, 1974, p. 125-133, et G.G. MERLO, *Eretici...*, p. 57-61.

108. *Chronicon universale Anonymi Laudunensis*, in *MGH.SS*, XXVI, 447/449.

109. Cf. L. ZANONI, *Gli Umiliati nei loro rapporti con l'eresia*, 2ᵉ éd., Rome, 1970.

110. B. BOLTON, « Innocent's III Treatement of the Humiliati », in *SCH*, VIII, p. 73-82, Cambridge, 1974, et « The Poverty of the Humiliati », in D. FLOOD (éd.), *Poverty in the Middle Ages* (= *Franziskanische Forschungen*, 27, 1975).

111. Cf. B. BOLTON, « Tradition and Temerity. Papal Attitudes to Deviants, 1159-1216 », in *SCH*, IX, Cambridge, 1972, p. 79-91.

112. Les clercs de l'époque, à commencer par les papes, étaient convaincus que les hérésies, tout en ayant des apparences diverses, étaient liées les unes aux autres. Cf. A. BORST, « La transmission de l'hérésie au Moyen Âge », in J. LE GOFF (éd.), *Hérésies et sociétés dans l'Europe préindustrielle, xiᵉ-xviiiᵉ siècles*, Paris-La Haye, 1968, p. 273-277.

Joachim de Flore († 1202) accusera même les hérétiques d'avoir partie liée avec les Sarrasins et de saper du dedans les défenses qu'elle pouvait opposer aux forces du Mal[113]. Aussi n'est-il pas étonnant que, dans ce contexte mental marqué par la crainte d'une subversion généralisée de la foi et de l'ordre chrétien, l'Église en soit venue à envisager la confrontation avec les hérétiques comme un duel à mort, dans lequel il ne pouvait y avoir qu'un vainqueur et un vaincu.

BIBLIOGRAPHIE

Sources

Le traité contre les Bogomiles de Cosmas le prêtre, éd. H.C. PUECH, Paris, 1945.
Pierre le Vénérable, *Tractatus contra Petrobrusianos*, éd. J.V. FEARNS, Turnhout, 1968, (*CC.CM.*, X).
Rituel cathare, éd. C. THOUZELLIER, Paris, 1977 (Sources chrétiennes, 236).
Corpus documentorum inquisitionis hereticæ pravitatis Neerlandicæ, t. I, éd. P. FREDERICQ, Gand, 1889.
Le Livre secret des cathares : Interrogatio Ihoannis, apocalypse d'origine bogomile, éd. E. BOZOKY, Paris, 1980.
Enchiridion fontium Valdensium, éd. G. GONNET, Torre Pellice, 1958.
   Il existe également des recueils de sources médiévales traduites en anglais : W. WAKEFIELD et A.P. EVANS, *Heresies of the High Middle Ages*, New York, 1969 ; R.I. MOORE, *The Birth of Popular Heresy*, Londres, 1975, et E.M. PETERS, *Heresy and Authority in Medieval Europe*, Londres, 1980.

Ouvrages généraux comportant une bibliographie

H. GRUNDMANN, *Ketzergeschichte des Mittelalters*, 2e éd., Göttingen, 1967.
J. LE GOFF (éd.), *Hérésies et sociétés dans l'Europe préindustrielle, xie-xviiie siècles*, Paris-La Haye, 1968 (Bibliographie par H. GRUNDMANN, p. 407-467).
C.T. BERKHOUT et J.B. RUSSELL, *Medieval Heresy. A Bibliography, 1960-1979*, Toronto, 1981.

Principales études

A. BORST, *Die Katharer*, Stuttgart, 1953.
H. GRUNDMANN, *Religiöse Bewegungen im Mittelalter*, 2e éd., Darmstadt, 1961.
M.D. LAMBERT, *Medieval Heresy from Bogomil to Hus*, Londres, 1977.
J. LE GOFF (éd.), *Hérésies et sociétés...*, cité *supra*.
M. LOOS, *Dualist Heresy in the Middle Ages*, Prague, 1974.
W. LOURDAUX et D. VERHELST (éd.), *The Concept of Heresy in the Middle Ages (11-13 c.)*, Louvain-La Haye, 1976.
R. MANSELLI, *Il secolo XII. Religione popolare ed eresia*, Rome, 1983.
G.G. MERLO, *Eretici ed eresie medievali*, Bologne, 1989.
R.I. MOORE, *The Origins of European Dissent*, 2e éd., New York-Londres, 1985.
J.B. RUSSELL, *Dissent and Reform in the Early Middle Ages*, Berkeley-Los Angeles, 1965.
Ch. THOUZELLIER, *Hérésie et hérétiques : Vaudois, Cathares, Patarins, Albigeois*, Rome, 1969.

---

113. Joachim de Flore, *Expositio in Apocalypsim*, (à la date de 1194/5), Venise, 1527, f° 134. Cf. Ch. THOUZELLIER, *Catharisme et Valdéisme...*, p. 110-126.

CHAPITRE V

Le chrétien devant Dieu

I. ÊTRE UN CHRÉTIEN GREC
par Evelyne PATLAGEAN

I. L'AUTRE MONDE ET CELUI-CI

Qu'est-ce qu'être chrétien dans l'Église grecque au lendemain de 1054 ? D'abord une représentation du monde, de ce monde et de l'autre[1]. L'autre monde est dépeint en détail, déjà, dans la *Vie de Basile le jeune*, composée peu après 950/959[2], et à nouveau dans l'*Apocalypse d'Anastasie*[3], que l'on peut situer entre la fin du Xe et le début du XIIe siècle. Après la mort, les réprouvés sont emmenés par les démons en bas, pour y subir des tourments à l'image de leurs fautes, tandis que les élus s'élèvent vers le séjour céleste, franchissant dans leur ascension les « guichets de douane » (*telonia*) placés sur la route[4]. Anges gardiens et démons se disputent les vivants. Entre ce monde et l'autre la Mère du Christ exerce une médiation : un récit déjà ancien à cette date, et très aimé à en juger par sa tradition textuelle, la montre guidée à sa demande à travers les cercles de l'enfer par l'archange Michel, conducteur des âmes ; et elle pleure sur les souffrances des damnés, avant d'intercéder pour eux[5]. Or, deux pratiques lient ce monde à l'autre, la commémoration des défunts accompagnée d'aumônes, et la confession. Anciennes aussi toutes deux, elles sont en voie d'évolution. Le rituel funéraire lui-même s'est étendu jusqu'au premier anniversaire du décès[6]. Puis, la règle

---

1. Cf. E. PATLAGEAN, « Byzance et son autre monde. Observations sur quelques récits », in *Faire Croire. Modalités de la diffusion et de la réception des messages religieux du XIIe au XVe siècle*, École française de Rome, 1981, p. 201-221.
2. *BHG* 3, 263-264f. L'œuvre a été étudiée par C. ANGELIDI, *Bios tou 'Osiou Basileos tou Neou*, Janina, 1980. Datation de L. RYDÉN, « The *Life* of saint Basil the Younger and the *Life* of saint Andreas Salos », in *Okeanos*, (Mél. I. Ševčenko), Cambridge, Mass., 1983, p. 568-586.
3. *BHG*, 3, 1868-1870b.
4. Cf. G. EVERY, « Toll-gates on the air way », in *Eastern Churches review*, 8/2 (1976), p. 139-151.
5. *BHG*, 3, 1050-1054m. Le canevas serait du IXe siècle, et le plus ancien manuscrit connu du XIe, d'après M.R. JAMES, *Biblical texts and studies*, II. 3, Cambridge 1893, *Apocrypha Anecdota*, p. 115-126 (avec un texte).
6. D. ABRAHAMSE, « Rituals of death in the Middle Byzantine period », in *Greek Orthodox theological review*, 29 (1984), p. 125-134, cf. G. DAGRON, « Troisième, neuvième et quarantième jours dans la tradition byzantine : temps chrétien et anthropologie », in *Le temps chrétien de la fin de l'Antiquité au Moyen Âge. IIIe-XIIIe siècles*, Paris 1984, p. 419-430.

du couvent de l'Evergétis dans la capitale, rédigée vers 1054[7], propose un modèle monastique de commémoration annuelle que suivront les fondations des laïcs, avec des jours fixés pour la lecture liturgique de l'obituaire, la mesure du luminaire et des pains bénits, et des distributions aux pauvres à la porte. Les moines sont les médiateurs des commémorations et des prières laïques, et ceci explique les fondations comme celle du juge Michel Attaleiatês, établie par son testament de 1077, pour ne citer qu'un exemple[8]. Les souverains sont à cet égard des laïcs comme les autres, témoin la fondation de Notre-Dame-Pleine-de-Grâce par Irène Doukas, épouse d'Alexis Ier, avant 1118[9], dont le *typikon* suit, parfois littéralement, celui de l'Evergétis. Tous ces documents donnent clairement aux prières des moines et aux commémorations des défunts le pas sur la distribution charitable, alors que la capitale connaît au XIe siècle un essor manifeste, qui aurait pu raviver les intentions en ce sens. La mesure des aumônes est du reste précisée, ce qui les rend plus emblématiques que pratiques[10].

Confession et paternité spirituelle

Les moines sont également les médiateurs préférés de la confession, autre instrument du salut. À la fin du IXe et au Xe siècle en effet s'est affirmée, pour moines, clercs et laïcs, la figure du « père spirituel », pratiquement toujours un moine, au point que cette qualité vient manifestement pour les fidèles avant le sacerdoce, indispensable en revanche du point de vue canonique. Certes, beaucoup de moines sont alors prêtres. Mais une réponse adressée du patriarcat à un moine reclus de Corinthe, à la fin du XIe ou au début du XIIe siècle, atteste que le monachisme, fort de son autorité sans rivale, tendait à négliger tant l'autorisation épiscopale requise que la qualité sacerdotale[11] : la confession n'était en effet que la forme sacramentelle de la paternité spirituelle, monopole de fait des moines comme on vient de le dire. Un texte attribué dans le manuscrit au patriarche Nicolas III (1084-1111) souligne en revanche le caractère obligatoire du sacerdoce et de l'autorisation; il insiste également sur l'obligation de se confesser et de communier au-dessus de douze ans, identique pour les deux sexes, que l'Église tend à soumettre à une règle unique, et sur la confession avant Pâques[12]. Vers 1105, une réponse patriarcale distingue les pénitents éclairés, justiciables du recueil canonique en vigueur, et le tout-venant, que l'on jugera selon le vieux pénitentiel dit de Jean le Jeûneur[13]. Les règlements monastiques prescrivent non seulement la confession, mais un aveu permanent entre les mains de l'higoumène, père

---

7. Éd. P. GAUTIER, « Le typikon de la Théotokos Evergétis », in *REByz*, 40 (1982), p. 5-101.

8. Éd. P. GAUTIER, « La Diataxis de Michel Attaliate », *ibid.*, 39 (1981), p. 5-143.

9. Éd. P. GAUTIER, « Le typikon de la Théotokos Kecharitôménè », *ibid.*, 43 (1985), p. 5-165.

10. Sur cette évolution, cf. E. PATLAGEAN, « Les donateurs, les moines et les pauvres dans quelques documents byzantins des XIe et XIIe siècles », in H. DUBOIS, J.C. HOCQUET, A. VAUCHEZ éd., *Horizons marins, itinéraires spirituels (Ve-XVIIIe siècles)*, Paris, 1987, t. 1, *Mentalités et sociétés*, p. 223-231.

11. Éd. P. GAUTIER, « Le chartophylax Nicéphore. Œuvre canonique et notice biographique », in *REByz*, 27 (1969), p. 159-165 (c. 1 et 3).

12. *Regestes* n° 995[10 et 3].

13. *Ibid.* n° 982[22-24 et 15].

spirituel de toute la fratrie monastique. L'abbesse joue ce même rôle dans les couvents de femmes, témoins le *typikon* de Notre-Dame-Pleine-de-Grâce déjà cité, et l'étrange figure de moine au féminin qu'est Irène abbesse de Chrysobalanton[14]. La fonction sacramentelle est alors toutefois forcément dévolue à un prêtre venu du dehors, et quelquefois eunuque. Le courant spirituel incarné dans la première moitié du XIe siècle par Syméon le Nouveau Théologien († 1022) porte au comble l'obéissance absolue du moine à son père spirituel, vertu au demeurant ancienne. Syméon fut convoqué devant le tribunal patriarcal à cause du culte public qu'il avait instauré en l'honneur de son propre père spirituel défunt, Syméon le Stoudite[15]. Ce dernier avait fait preuve, à l'évidence, d'une « insensibilité » (*apatheia*) charnelle, qu'un tribunal ecclésiastique ne pouvait que trouver suspecte[16]. Sans aller même si loin, l'intimité entre père et fils spirituels, que le second fût moine ou laïc, pouvait ouvrir la porte à un enseignement hérétique. Aussi Alexis Ier établit-il une police doctrinale des confessions et des confesseurs dans sa réforme ecclésiastique de 1107[17].

2. Le culte et les images du culte

À l'intérieur des Églises, la liturgie et l'iconographie constituent deux systèmes à mettre en relation l'un avec l'autre, selon l'expression de J.M. Spieser[18], puisque le programme iconographique des mosaïques ou des fresques accompagne et signifie, depuis le narthex jusqu'à l'abside et au sommet de la coupole centrale, le rituel qui est lui-même la traduction du dogme. C'est donc ce dernier qui fournit en fait le véritable sujet du décor des XIe-XIIe siècles, dont l'histoire trouve son point de départ dans la seconde moitié du IXe siècle, après la restauration des images en 843, et plus précisément avec l'Église Neuve (*Nea*) de Basile Ier (867-887), aujourd'hui disparue[19]. La forme en croix inscrite dans un carré, cube sommé d'une coupole centrale et de quatre coupoles d'angle, se généralise au cours du Xe siècle. Le lieu même de la célébration eucharistique, le sanctuaire proprement dit (*templon*) reste séparé des fidèles, qui se tiennent dans la nef, par une barrière qui évoluera jusqu'à devenir, à la fin de l'époque byzantine, l'iconostase tel qu'il est aujourd'hui, cette cloison haute percée d'une porte centrale et chargée d'icônes mobiles[20]. Le programme iconogra-

---

14. Éd. J.O. ROSENQVIST, *The Life of saint Irene abbess of Chrysobalanton. A critical edition with introduction, translation*, etc., Uppsala, 1986.

15. Nicétas Stethatos, *Vie de Syméon le Nouveau Théologien (949-1022)*, 81 (éd. trad. I. HAUSHERR sj et G. HORN sj, Rome, 1928, p. 110). Cf. H.J.M. TURNER, *Saint Symeon the New Theologian and spiritual fatherhood*, Leyde, 1990.

16. E. PATLAGEAN, « Les Stoudites, l'empereur et Rome : figure byzantine d'un monachisme réformateur », in *Bisanzio, Roma e l'Italia nell'alto Medioevo*, SSAM, XXXIV, Spolète 1988, p. 56.

17. P. GAUTIER, « L'édit d'Alexis Ier Comnène sur la réforme du clergé », in *REByz*, 31 (1973), p. 193/234-236 notamment.

18. J.M. SPIESER, « Liturgie et programmes iconographiques », in *TMCB*, 11 (1991), p. 575-590.

19. Cf. Ch. DIEHL, *Manuel d'art byzantin*, Paris, 1926, t. 2, p. 496-504.

20. Cf. A. GRABAR, « Deux notes sur l'histoire de l'iconostase d'après les monuments de Yougoslavie », *L'art de la fin de l'Antiquité et du Moyen Âge*, Paris, 1968, t. 1, p. 403-411 ; M. CHATZIDAKIS, « L'évolution de l'icône au XIe-XIIIe siècles et la transformation du templon », in *Actes du XVe congrès internat. d'études byzantines (1976)*, Athènes, 1979, t. 1, p. 333-366.

phique retrace donc l'histoire de la rédemption, que manifeste l'eucharistie[21]. La nef
en est le registre terrestre. Elle aligne les saints et les martyrs, ces derniers plus proches
de l'autel, et déroule, d'autre part, les Douze Fêtes : Annonciation, Nativité,
Présentation au Temple, Baptême, Résurrection de Lazare, Transfiguration, Entrée à
Jérusalem, Crucifixion, Descente aux Limbes, Ascension, Pentecôte, et Mort de la
Vierge. Les scènes de la vie de celle-ci se développeront dans le narthex. Le Jugement
Dernier prendra place au mur occidental au-dessus de l'entrée. Au-delà de la clôture
est figurée l'Église terrestre. Elle est personnifiée dans l'abside par la Vierge, qui prie
ou tient l'Enfant, et qu'entourent les archanges Michel et Gabriel. La voûte en avant
de l'abside porte le « trône préparé », qui signifie à la fois le retour du Christ
(*parousia*) et la Trinité[22]. Au-dessus de l'autel, l'Eucharistie est représentée par les
grands prêtres de l'Ancien Testament et surtout par la communion des apôtres. Enfin,
la coupole montre l'Église céleste, où le Christ Maître-de-l'Univers (*Pantokratôr*)
trône dans une gloire impériale, entouré d'archanges et d'apôtres, ou plus souvent de
prophètes, tandis que les évangélistes prennent place dans les pendentifs.

Ce programme de principe admet des choix. L'iconographie de la Vierge y est
nourrie de la littérature apocryphe, à l'instar des peintures de manuscrits sur le même
sujet[23]. On discerne, d'autre part, une cléricalisation croissante des représentations qui
culminaient dans la figure du Pantokrator. Les évêques occupent en effet une place de
plus en plus marquée dans le champ de l'Église terrestre[24], ce qui va bien de pair avec
un développement des images mêmes de l'Eucharistie, elle-même image du Christ, tels
le Christ défunt, ou l'Agneau sur l'autel attesté après le milieu du XIIe siècle[25]. Dans la
clôture du sanctuaire seule est ornée d'abord l'architrave du portillon, dès 1100 : elle
porte l'Annonciation. Les icônes s'installent peu à peu entre le milieu du XIe et le
XIIIe siècle, notamment la *Déésis* (Imploration), qui présente le Christ entre la Vierge
et le Baptiste. Enfin, toute église majeure offre des chapelles annexes, contiguës ou
séparées, et affectées soit à une fête de saint, avec procession le cas échéant, soit à la
commémoration des défunts, moines du monastère, ou laïcs fondateurs[26].

Des reliques et des icônes

Reliques ou icônes ? La question pourrait bien être sans fondement lorsqu'il s'agit de
la piété commune. La richesse écrasante de Constantinople en reliques est alors
notoire, en Occident comme en Russie, et elle contribue à la présentation byzantine de

---

21. Exemples commentés dans O. DEMUS, *Byzantine mosaic decoration. Aspects of monumental art in Byzantium*,
Londres, 1948; J. LAFONTAINE-DOSOGNE, « L'évolution du programme décoratif des Églises de 1071 à 1261 », in *Actes du
XVe congrès internat.*, cit., t. 1, p. 287-329.

22. Cf. G. BABIĆ, « Les discussions christologiques et le décor des églises byzantines au XIIe siècle », in *FMSt*, 2 (1968),
p. 368-386.

23. Cf. J. LAFONTAINE-DOSOGNE, *Iconographie de l'enfance de la Vierge dans l'Empire byzantin et en Occident*, 1-2,
Bruxelles, 1992².

24. Cf. Ch. WALTER, *Art and ritual of the Byzantine Church*, Londres, 1948.

25. Cf. BABIĆ, « Discussions christologiques », cit.

26. Étude de G. BABIĆ, *Les chapelles annexes des églises byzantines. Fonction liturgique et programmes iconographiques*, Paris, 1969.

Constantinople comme Nouvelle Jérusalem[27]. Bien avant la colossale dispersion qui suit la prise de la ville en 1204[28], la convoitise occidentale s'est manifestée par le rapt des reliques de saint Nicolas de Myra, emportées à Bari en 1082[29]. Les lieux des saints légendaires ou historiques sont honorés toute l'année par des fidèles qui en attendent, le cas échéant, un de ces miracles que raconte l'hagiographie liée au culte[30]. Le tombeau lui-même, la « myrrhe » qui en découle, par exemple dans le cas de Theodora, la moniale de Thessalonique, comme elle ruisselle du tabernacle de son compatriote Dêmêtrios, et puis l'icône, et l'huile miraculeusement abondante de la lampe placée devant celle-ci, sont autant de relais entre le fidèle et le corps saint[31]. Des reliquaires de cette époque se sont d'ailleurs conservés. Mais la position des icônes entre les personnages représentés et les fidèles qui implorent ces derniers est exactement la même. Publiques, privées, palatiales, elles sont peintes sur bois, ou encore exécutées en émail, en mosaïque, en pierre dure, et elles peuvent recevoir une garniture précieuse[32]. Elles sont les interlocutrices constantes de la piété grecque.

3. LA LITURGIE, SES FÊTES ET SES SAINTS

La liturgie accompagne et rythme la vie des personnes, d'une part, le calendrier chrétien, de l'autre. Elle se lit essentiellement dans l'*euchologion* (recueil de prières), qui suit en principe l'usage de la Grande Église[33]. La tradition textuelle atteste des variantes selon la date et la provenance des manuscrits, et révèle les prières de la pratique[34] : on n'en voudra pas de meilleur exemple que le rite qui consacre l'adoption

---

27. Sur cette identification, voir A. PERTUSI, *Fine di Bisanzio e fine del mondo. Significato e ruolo storico delle profezie sulla caduta di Costantinopoli in Oriente e in Occidente*, Rome, 1988, p. IX-X.

28. Cf. la somme de P.E. RIANT, *Exuviae Constantinopolitanae*, 2 vol., Genève, 1877-78.

29. Cf. A. PERTUSI, « Ai confini tra religione a politica. La contesa per le reliquie di S. Nicola tra Bari, Venezia e Genova », in *Quaderni Medievali*, 5 (1978), p. 6-56.

30. P. ex. la collection de miracles de saint Eugène de Trébizonde, composée par Jean Xiphilin, neveu du patriarche homonyme, et originaire de la ville (BECK, *Kirche und theologische Literatur*, cit., p. 557 et 629 et suiv.). Cf. B. MARTIN-HISARD, « Trébizonde et le culte de saint Eugène (VIe-XIe s.) », in *REArm*, n.s. 14 (1980), p. 307-343; *BHG*, 3, 610.

31. Cf. E. PATLAGEAN, « Theodora de Thessalonique. Une sainte moniale et un culte citadin (IXe-XXe siècles) », in S. BOESCH GAJANO, L. SEBASTIANI éd., *Culto dei santi, istituzioni e classi sociali in età preindustriale*, L'Aquila-Rome, 1984, ici p. 45-46.

32. D'une bibliographie sans fin on détachera ici F. DE' MAFFEI, *Icona, pittore e arte al concilio Niceno II*, Rome, 1974 (comme point de départ); D. et T. TALBOT RICE, *Icons and their dating. A comprehensive study of their dating and provenance*, Londres, 1974; R. CORMACK, *Writing in gold. Byzantine society and its icons*, Londres, 1986; G. DAGRON, « Mots, images, icônes », in *Destins de l'image, Nouvelle revue de psychanalyse*, 44 (1991), p. 151-168. Citons aussi H. BELTING, *Bild und Kult. Eine Geschichte des Bildes vor dem Zeitalter der Kunst*, Munich, 1990.

33. On se reportera encore à l'édition procurée par le dominicain Jacques GOAR, *Euchologion sive Rituale Graecorum...*, Paris, 1647, Venise, 1730, anast. Graz, 1960, cf. A. STRITTMATER, « The "Barberinum S. Marci" of Jacques Goar », in *EL*, 47 (1933), p. 329-367. À compléter par A. DMITRIJEVSKIJ, *Opisanie liturgičeskih rukopisej...*, t. 2, Kiev, 1901, qui a collationné les manuscrits des bibliothèques d'Orient. Sur les livres liturgiques de l'Église grecque, BECK, *Kirche und theologische Literatur*, cit., p. 246-253. Textes avec introduction critique dans F.E. BRIGHTMAN, *Liturgies Eastern and Western*. I. *Eastern liturgies*, Oxford, 1896, repr. 1965. Sur les interprétations, R. BORNERT, osb, *Les commentaires byzantins de la divine liturgie*, Paris, 1966. Voir aussi O. STRUNK, « The Byzantine office at Haghia Sophia », in *DOP*, 9-10 (1956), p. 175-202.

34. Nombreuses études sur les *euchologia* d'Italie méridionale. On peut citer p. ex. A. JACOB, « L'evoluzione dei libri liturgici bizantini in Calabria e in Sicilia dall'VIII al XVI secolo con particolare riguardo ai riti eucaristici », in *Calabria bizantina*, Reggio Calabria, 1974, p. 47-69.

en frère alors que celle-ci est formellement interdite par l'Église[35]. Le calendrier déroule les fêtes du Christ, de sa Mère, des apôtres, et des saints[36]. Un manuscrit fondamental du Xe siècle témoigne sur ce point pour la Grande Église[37]. Une décision de 1107 environ fixe la liste des jeûnes prescrits[38]. Celle des jours chômés ou à demi chômés par les tribunaux est publiée par Manuel Ier en 1166[39], afin de mettre un terme à des abus qui lésaient les justiciables, et encourageaient les infractions.

Le calendrier officiel des saints présentés à la vénération publique est dressé dans le Synaxaire de la Grande Église, où chaque jour offre une série de notices courtes. La tradition textuelle montre que la liste et son ordre ne sont ni uniformes ni fixes[40]. L'autorité publique peut interdire un culte porté devant le public, comme celui de Syméon le Stoudite un temps, ou au contraire décider une inscription, par exemple celle d'Irène, épouse de Jean II Comnène, après sa mort en 1134[41]. Mais, habituellement, la piété collective conserve son initiative coutumière et locale, ce que montre le cas de l'Italie méridionale grecque[42]. Les ménologes, collections rangées par mois comme leur nom l'indique, rassemblent des *Vies* détaillées[43]. Les rares inventaires de bibliothèques laïques conservés pour cette époque attestent que livres de prières et ménologes y trouvent leur place; pour les bibliothèques monastiques cela va de soi[44]. Les calendriers institués par les fondateurs, moines ou laïcs, révèlent pour leur part des préférences dévotes, marquées par l'importance relative du luminaire, et de l'offrande de pain bénit selon la fête.

Jours de fête

Les jours de fête des grands saints traditionnels conservent leur affluence antérieure, l'accroissent même peut-être alors, dans la mesure où ce sont des cultes citadins. La célébration religieuse, par le concours qu'elle attire, peut être en effet l'occasion d'une

---

35. Cf. E. PATLAGEAN, « Christianisation et parenté rituelles : le domaine de Byzance », in *Annales ESC*, 1978, p. 625-636.

36. Cf. GRUMEL, *Chronologie*, cit., p. 319 et suiv.

37. Ed. J. MATEOS, *Le typikon de la Grande Église. MS Sainte-Croix, n° 40, x° siècle. 1. Le cycle des douze mois. 2. Le cycle des fêtes mobiles*, Rome, 1962-1963.

38. *Regestes*, n° 985.

39. *Jus Graeco-Romanum*, éd. P. et I. ZEPOS, Athènes, 1931, t. 1, IV. LXVII (p. 397-402).

40. Édition critique par H. DELEHAYE, *Synaxarium Ecclesiae Constantinopolitanae e codice Sirmondiano nunc Berolinensi*, Bruxelles, 1902 (*AA. SS. Propylaeum* Novembris); cf. H. DELEHAYE, « Le Synaxaire de Sirmond », in *AnBoll*, 14 (1895), p. 396-434.

41. *Synaxarium*, cit., 887[27]-890. Version du « Synaxaire de Chifflet » publiée par F. HALKIN, « L'impératrice Irène fondatrice du couvent du Pantocrator », in *AnBoll*, 66 (1948), p. 29-30, cf. G. MORAVCSIK, « Die Tochter Ladislaus des heiligen und das Pantokrator-Kloster in Konstantinopel », in *Mitteil. des Ungar. Wissenschaftl. Institutes in Konstantinopel*, 7-8, Budapest-Istanbul, 1923, p. 41 et suiv.

42. Cf. E. FOLLIERI, « Il culto dei santi nell'Italia greca », in *La Chiesa greca in Italia dall' VIII al XVI secolo*, 2, Padoue, 1972, p. 553-577.

43. Voir J. NORET, « Ménologes, synaxaires, ménées : essai de clarification d'une terminologie », in *AnBoll*, 86 (1968), p. 21-24. H. DELEHAYE, « Les Ménologes grecs », *ibid.*, 16 (1897), p. 311-329, a proposé une reconstitution du Ménologe dominant, diffusé à partir de la capitale dans la seconde moitié du XIe siècle.

44. Cf. J. BOMPAIRE, « Les catalogues de livres-manuscrits d'époque byzantine (XIe-XVe s.) », in *Byzance et les Slaves. Études de civilisation. Mél. I. Dujčev*, Paris, 1979, p. 58-81.

foire, enveloppée avec la fête du saint dans le même mot de *panêgyris*[45] : telles sont la Saint-Jean d'Éphèse, la Saint-Eugène de Trébizonde, ou la Saint-Dêmêtrios de Thessalonique, dont on lit une description devenue classique dans une parodie de descente aux Enfers, *Timarion*, composée au XIIe siècle[46]. Toutefois, la piété commune et publique continue de privilégier nettement le Christ et sa Mère. Et à cet égard il y a du nouveau. La liturgie de la semaine sainte s'enrichit d'indications sur la douleur de la Mère qui viennent des monastères de la capitale, Evergêtis en tête, et qui alimentent dès le XIe siècle la piété laïque et aristocratique, alors que la Grande Église ne suivra pas avant le XIIIe siècle. Déjà ébauchée dans le passé, cette inflexion s'affirme alors au point de susciter une iconographie nouvelle du Christ, l'image de l'Homme de Douleurs, que l'on voyait aussi dans les processions[47]. Au XIIe siècle, le souverain donne l'exemple de cette dévotion. Jean II Comnène s'adresse au Christ Pantokratôr d'empereur à empereur dans le préambule du *typikon* de sa fondation à lui dédiée, non sans édifier à côté une église dédiée à la Miséricordieuse (Eleousa). Il retire en son palais la célèbre icône de Celle-qui-montre-la-voie (Hodigitria), conductrice de sa victoire sur les Petchénègues en 1122, et la procession hebdomadaire a lieu désormais entre le palais et la fondation impériale du Pantokratôr[48]. Manuel Ier porte publiquement sur son dos la pierre sur laquelle avait été déposé le Christ mort, et qu'il avait fait prendre à Éphèse pour être incorporée à son propre tombeau, et vénérée ainsi[49]. Ces gestes impériaux sont évidemment riches d'un sens que nous ne pouvons développer ici.

Le calendrier n'ordonne pas tout. Les autorités peuvent décider des supplications exceptionnelles. Jean, patriarche d'Antioche, bloqué dans la capitale en 1091 par la double pression des Petchénègues et des Turcs, évoque la prière publique des corps constitués, et les malheureux artisans contraints d'acheter chacun une lampe à cet effet, en dépit de leur détresse fiscale[50]. Des sanctuaires chers à tous, et d'une illustration déjà ancienne, sont courus chaque jour en plus de leur fête annuelle : on va prier Notre-Dame des Blachernes[51], de la Source[52], ou l'Hodigitria déjà nommée[53], au sanctuaire de laquelle les aveugles viennent chercher la guérison. La liste des sanctuaires de la Vierge à Thessalonique est comparable[54]. Constantinople tout entière est d'ailleurs un but de pèlerinage, à preuve le pèlerin occidental, anglais

---

45. Cf. Sp. VRYONIS jr., « The *Panegyris* of the Byzantine saint : a study in the nature of a medieval institution, its origin and fate », *in* S. HACKEL, ed., *The Byzantine Saint*, Londres, 1981, p. 196-226.
46. Ps. Luciano, *Timarione*, éd. R. ROMANO, Naples, 1974, p. 54-56.
47. Évolution analysée par H. BELTING, « An image and its function in the liturgy : the man of sorrows at Byzantium », *in DOP*, 34 (1980), p. 1-16. Sur les antécédents, D.I. PALLAS, *Die Passion und Bestattung Christi in Byzanz. Der Ritus-das Bild*, Munich, 1956.
48. JANIN, *Géographie ecclésiastique*, cit. p. 203.
49. Choniates, *Historia*, cit., p. 222/71 et suiv.
50. P. GAUTIER, « Diatribes de Jean l'Oxite contre Alexis Ier Comnène », *in REByz*, 28 (1970), p. 5-55; sur le personnage, P. GAUTIER, « Jean V l'Oxite patriarche d'Antioche. Notice biographique », *ibid.*, 22 (1964), p. 128-157.
51. JANIN, *Géographie ecclésiastique*, cit., p. 161-171.
52. *Ibid.*, p. 223-228.
53. *Ibid.*, p. 199-207.
54. R. JANIN, *Les Églises et les monastères des grands centres byzantins (Bithynie, Hellespont, Latros, Galèsios, Trébizonde, Athènes, Thessalonique)*, Paris, 1975, p. 375-385.

peut-être, qui savait le grec, et qui vint y faire ses dévotions à la fin du XI⁰ siècle[55], ou le Russe Antoine, futur évêque de Novgorod, qui la visite vers 1200[56] : la Nouvelle Rome est en effet une Nouvelle Jérusalem, on l'a dit. On trouve néanmoins des Grecs sur les routes des Lieux Saints de Palestine : Marina de Scanion en Sicile[57] et Lazare le Galèsiote[58] au XI⁰ siècle, dans les *Vies* desquelles la Palestine offre au moins autant un séjour ascétique, plus ou moins prolongé, qu'un pèlerinage proprement dit; ou ce Jean Phokas, devenu moine à Patmos après une carrière militaire, qui entreprit en 1177 un voyage d'Antioche à Jérusalem dont il a laissé une relation[59]

Certains groupes ont des solennités propres. L'empereur lui-même, avec ses proches et sa cour, suivent quant à eux un calendrier palatial de processions et de dévotions à des églises du palais et de la capitale[60]. La copie d'un document de 1048 faite au XII⁰ siècle atteste l'existence à Thèbes d'une « fraternité » de Sainte-Marie de Naupacte, avec une procession annuelle[61]. Le cas semble isolé à ce jour pour les XI⁰-XII⁰ siècles[62]. Pourtant, deux mentions de confréries pourraient se cacher dans le discours prononcé par Eustathios de Thessalonique après la prise de la ville par les Normands en 1185. L'une paraît certaine : une « fraternité » a porté en procession pendant le siège l'icône thessalonicienne de l'Hodigitria — laquelle a ensuite refusé de rentrer dans son église[63]. L'autre est seulement possible : il s'agit des « garçons » serviteurs de saint Dêmêtrios qui, dépourvus d'armes, ont fait néanmoins acte de courage dans cette même conjoncture, à l'instar des milices citadines de l'Antiquité tardive[64]. Puis, à Constantinople, des femmes, qui semblent être des ouvrières du textile avec leur maîtrise, célèbrent la fête de la martyre Agathè, tandis que la fête des saints Notaires est marquée d'une procession carnavalesque par les élèves du notariat et leurs maîtres[65]. Mais nous sommes dès lors sur une limite.

On sait bien que la chrétienté grecque n'a pas que des festivités strictement chrétiennes : l'enquête du concile *in Trullo* avait dressé à la fin du VII⁰ siècle un précieux constat d'un état de choses qui traversera les siècles jusqu'au XX⁰ siècle, et où se mêlaient rituels antiques de carnaval, interprétations populaires de pratiques sacramentelles, et apports slaves. Les canons qui en étaient résultés sont commentés d'abondance par les canonistes du XII⁰ siècle, tandis qu'un Michel Psellos apporte son

---

55. K.N. Ciggaar, « Une description de Constantinople traduite par un pèlerin anglais », in *REByz*, 34 (1976), p. 211-267, avec l'état de la question textuelle.

56. Ed. Hr.M. Loparev, « Kniga palomnik. Skazanie mest svjatyh vo Caregrade Antonija arhiepiskopa Novgorod-skago v 1200 godu », in *Pravoslavnyj Palestinskij sbornik*, 51 (1899), p. 1-39, trad. M. Ehrhard, « Le livre du pèlerin d'Antoine de Novgorod », in *Romania*, 58 (1932), p. 44-65.

57. *Vita di Santa Marina*, éd. G. Rossi Taibbi, Palerme, 1959, *passim*.

58. *Vie de Lazare le Galèsiote*, *AA. SS.* Novembris, III, 513-517 (c. 14-23).

59. *PG*, 133, 927-962.

60. Détail dans le répertoire de Janin, *Géographie ecclésiastique*, cit., *passim*.

61. J. Nesbitt, J. Wiita, « A confrery of the Comnenian era », in *ByZ*, 68 (1975), p. 360-384.

62. Cf. la discussion de P. Horden, « The confraternities of Byzantium », in *Voluntary religion*, W.J. Sheils, D. Wood éd., Oxford, 1986, p. 25-45.

63. Eustazio di Tessalonica, *La espugnazione di Tessalonica*, éd. S. Kyriakidis, Palerme, 1961, p. 142.

64. *Ibid.*, p. 94/25 (mais cf. p. 124/22-24).

65. A. Laïou, « The festival of "Agathe" : comments on the life of Constantinopolitan women », in *Byzantion* (Mélanges A. Stratos), t. 1, Athènes, 1986, p. 111-122.

témoignage au XIᵉ[66]. L'Église patriarcale se fait stricte au XIIᵉ siècle. Lucas Chrysobergês (1157-1169/70) interdit les jeux scéniques de la fête des Saints Notaires[67], et Michel III (1170-1178) les présages et les feux de la Saint-Jean[68]. Une lettre canonique adressée au tournant du siècle à un évêque de Bulgarie condamne une fête carnavalesque (*satanika paignia*), désignée par le mot slave de « semaines » (*nedalai*)[69] : la suspicion de paganisme attachée à de telles réjouissances demeure une constante. Un tel document, aussi bien que les commentaires de Theodoros Balsamon, ou les observations d'Eustathios de Thessalonique[70], attestent à la fois la pratique coutumière et populaire qui abordera aux rives du XXᵉ siècle et la répression délibérément exercée au XIIᵉ siècle par le haut clergé lettré. C'est ainsi encore que le patriarche Nicolas IV Mouzalon (1147-1151) ordonne de brûler une *Vie de sainte Paraskevi*, composée par un villageois, et en commande une plus convenable à un diacre[71]... Or, il s'agit d'une « sainte Vendredi », figure grecque et slave trop populaire, dans tous les sens du terme, pour n'être pas surveillée[72].

4. LA PAROLE ADRESSÉE AUX FIDÈLES

Après les images et les temps, les paroles. Et d'abord un texte de nature liturgique en réalité, le *Synodikon de l'Orthodoxie*, qui commémore la restauration des images en 843. Il est lu ce jour anniversaire, publiquement, dans toutes les églises de l'empire. Or, il fait entendre aux fidèles réunis les prières pour les empereurs, les impératrices, et les patriarches, mais aussi, soigneusement tenus à jour et circonstanciés, les anathèmes contre les hérétiques. C'est donc une pièce capitale de l'édifice religieux. Sa tradition textuelle révèle, par définition, des états historiques, dont celui du siècle des Comnène est peut-être le plus riche, mais aussi des variantes régionales. L'admirable travail de Jean Gouillard permet d'en tirer pleinement parti[73].

La prédication est également significative des accents mis en même temps par le clergé et les fidèles. L'homélie prononcée chaque année par l'archevêque de Thessalonique en l'honneur de saint Dêmêtrios en est un exemple[74]. Au XIIᵉ siècle, le fait urbain n'est sans doute pas étranger à l'importance marquée de l'éloquence sacrée à Constantinople et en province. Pour la capitale, le recueil propre au patriarche, dit homéliaire patriarcal, est commencé par Jean IX Agapêtos (1111-1134)[75]. Athènes

---

66. Cf. G.A. MEGAS, « 'O Mihaêl Psellos 'Os laographos », in *Laographia*, 25 (1967), p. 57-66.

67. *Regestes*, n° 1093 (RHALLIS-POTLIS, *Syntagma kanônôn*, cit., II, p. 451-52).

68. *Ibid.* n° 1140 (RHALLIS-POTLIS, *ibid.*, p. 458-59).

69. Éd. P. GAUTIER, « Mœurs populaires bulgares au tournant des XIIᵉ-XIIIᵉ siècles », in *Byzance et les Slaves... Mélanges I. Dujčev*, cit., p. 181-189.

70. Le répertoire établi par Ph. KOUKOULÈS, *Thessalonikês Eustathiou ta laographika*, Athènes, 2 vol. 1950, porte surtout sur la vie matérielle et quotidienne.

71. *Regestes* n° 1032.

72. K. ONASCH, « Paraskeva-Studien », in *OstKSt*, 6 (1957), p. 121-141.

73. J. GOUILLARD, « Le Synodikon de l'Orthodoxie : édition et commentaire », *TMCB*, 2 (1967), p. 1-316.

74. *BHG 3*, 534 et suiv.

75. Cf. BECK, *Kirche und theologische Literatur*, cit., p. 631.

vénère hors la ville l'évêque martyr saint Leonidas : Michaël Choniatês compose son éloge[76]. Outre l'éloge de saint Dêmêtrios[77], Eustathios de Thessalonique a répondu au sac normand de 1185 par une déploration où il tire la leçon morale et spirituelle de la catastrophe[78]. En Italie méridionale, l'auteur du cycle d'homélies transmis sous des noms divers a été en fin de compte identifié comme Philagathos, un contemporain de Roger II, né à Cerami près de Troina, de formation monastique, et prédicateur renommé[79]. À Chypre, la prédication de Neophytos le Reclus dépasse les murs de sa retraite[80]. On citera encore les homélies sur la Vierge du moine Jacques, du couvent de Kokkinobaphos[81], nourries de la littérature apocryphe comme l'iconographie mariale[82]; les deux manuscrits, identiques[83], ont peut-être été illustrés par l'auteur lui-même. Ce sont là des exemples. Il reste de l'inédit, et aussi à discuter, sans nul doute, de l'auditoire, et du rapport entre les textes conservés et le discours qui a pu être prononcé. La fécondité du genre n'en est pas moins frappante.

Une bonne partie de ces discours célèbre des saints, dont beaucoup anciens. Il se fait aussi un travail hagiographique sur des saints contemporains, qui relève d'une histoire des modèles ascétiques chrétiens[84]. Des branches traditionnelles de l'hagiographie demeurent toutefois vivantes. Paul, higoumène de l'Evergêtis, est l'auteur d'un recueil de sentences des pères (paterikon)[85].

5. L'INVISIBLE TRADITIONNEL ET LES MARGES DE LA CROYANCE

Ce que l'on vient d'exposer n'ouvrait pas de vraie distinction entre les niveaux sociaux et culturels de la chrétienté grecque. Même représentation du monde visible et invisible, même pratique, sur toute la hauteur de l'échelle sociale, à quelques festivités populaires près. Or, il en va de même pour la croyance aux démons, et pour les procédés destinés à contraindre les forces invisibles, ou à percer le secret de l'avenir. Notre meilleur informateur pour le XIe siècle est ainsi Psellos, observateur, mais aussi participant[86]. Il connaît par exemple Gyllu, le démon femelle fatal aux nouveau-nés depuis l'Antiquité, et jusque dans la Grèce du XXe siècle[87]. D'un autre côté, sa Vie de

---

76. *BHG 3*, 984.

77. *Ibid.*, 539.

78. Eustazio di Tessalonica, *Espugnazione di Tessalonica*, cit.

79. Éd. G. ROSSI TAIBBI, Filagato da Cerami, *Omilie, 1. Omilie per le feste fisse*, Palerme, 1969.

80. Cf. C. GALATARIOTOU, *The making of a saint. The life, times and sanctification of Neophytos the Recluse*, Cambridge, 1991.

81. *PG* 127, 544-700.

82. J. LAFONTAINE-DOSOGNE, *Iconographie de l'enfance de la Vierge*, cit.

83. Codd. Paris. gr. 1208 et Vat. gr. 1162.

84. *Supra*, p. 29-31.

85. J.M. SAUGET, « Paul Evergetinos et la collection alphabético-anonyme des Apophtegmata Patrum. À propos d'un livre récent », in *OrChrP*, 37 (1971), p. 222-235.

86. Références dans J. GROSDIDIER de MATONS, « Psellos et le monde de l'irrationnel », in *TMCB*, cit., 6 (1976), p. 325-349. Excellente étude de K. SVOBODA, *La démonologie de Michel Psellos*, Brno, 1927. P. GAUTIER a privé le dossier d'un opuscule célèbre, attribué à Psellos, et restitué par lui au XIIIe ou à la première moitié du XIVe siècle : « Le *De Daemonibus* du Pseudo-Psellos », in *REByz*, 38 (1980), p. 105-194.

87. Cf. J.C. LAWSON, *Modern Greek folklore and ancient Greek religion. A study in survivals* (1910), repr. with foreword by A.N. OIKONOMIDES, New York, 1964, p. 177 et suiv. Textes de Psellos sur « Gyllô », éd. K. SATHAS, *Mesaiônikê Bibliothêkê*, 5, Paris, 1876, p. 572-578.

saint Auxentios[88] et d'autres textes montrent que les démons sont pour lui les dieux déchus et les anges tombés, ce qui est aussi ancien qu'ambigu. On saisit clairement que sa préoccupation procède bien du néo-platonisme, en une filiation déjà perceptible au IVe siècle, et ravivée au XIe par la floraison savante de l'hellénisme classique. La vraie question serait alors de faire la part d'une érudition antiquisante. Mais on peut la retourner, et se demander si, lecteur de Proklos autant que de Platon, Psellos n'est pas un témoin plus disert parce que plus savant d'une tradition aussi durable que générale, dont la *theourgia*, action divine et rituel humain à la fois, est l'expression néo-platonicienne. En fait, toute l'époque et toute la société pratiquent des opérations qui visent à contraindre l'invisible. Voici une affaire tirée de la *Vie d'Irène de Chrysobalanton*[89]. Une jeune Cappadocienne de bonne famille tourne le dos à un soupirant pour entrer au couvent d'Irène. Le jeune homme a recours à un sorcier de sa province, qui, avec l'aide du diable, provoque chez la pauvre nonne une crise de désir furieux pour l'amoureux éconduit. Irène obtient sa délivrance avec l'aide de la Vierge, de sainte Anastasie et de saint Basile. À la fin, ces deux derniers jettent du haut des airs un paquet contenant les instruments de l'opération magique, deux figurines de plomb enlacées et liées par des cheveux et des fils, avec d'autres « trucs » (*sophismata*) portant le nom du diable et des démons qui le servent ; le tout est brûlé, et des plaintes s'échappent de la braise. Un tel épisode montre parfaitement la christianisation de schémas antiques. Christianisées tout autant les amulettes étudiées par André Grabar[90]. L'interrogation des astres demeure jusqu'au sommet de l'État aussi importante qu'elle l'a été depuis l'Antiquité, à preuve la liste où les enfants d'Alexis Ier ont été inscrits dans l'ordre, mais avec la mention pour chacun du jour et de l'heure de la naissance, à des fins évidentes d'horoscope[91].

Manuel Ier à son tour fait régulièrement appel à l'astrologie, pour fixer le départ de la flotte[92], ou lorsqu'un enfant doit lui naître[93]. Le *logothêtês* Jean Kamatêros lui dédie un poème sur ce sujet antique et toujours actuel[94]. Pourtant, à son lit de mort, Manuel signe une renonciation, à la demande du patriarche[95]. C'est que la question est controversée[96], parce qu'il y a une bonne et une mauvaise astrologie[97], et que, pour reprendre les termes de Choniatês[98], « le mot d'astronomie » peut dissimuler le fait de

---

88. Éd. P.P. JOANNOU, *Démonologie populaire — démonologie critique au XIe siècle. La Vie inédite de saint Auxence par M. Psellos*, Wiesbaden, 1971.

89. *Life of St. Irene of Chrysobalanton*, cit., ch. 13 (p. 52-65).

90. A. GRABAR, « Amulettes byzantines du Moyen Âge », in *Mélanges d'histoire des religions... H.Ch. Puech*, Paris, 1974, p. 531-541.

91. Éd. A.P. KAŽDAN, « Die Liste der Kinder Alexios I », in *Festschrift F. Altheim*, Bd. 2, Berlin, 1970, p. 233-237 ; P. SCHREINER, *Die byzantinischen Kleinchroniken*, 1. *Einleitung und Text*, Vienne, 1975, p. 54-56 (*Chronik*, 5).

92. Nicetae Choniatae, *Historia*, éd. J.A. Van DIETEN, Berlin, 1975, p. 95/23 et suiv.

93. *Ibid.*, p. 168/79 et suiv.

94. Cf. H. HUNGER, *Die hochsprachliche profane Literatur der Byzantiner*, Münich, 1978, t. 2, p. 242.

95. Choniates, *Historia*, cit., p. 221/44.

96. *Catalogus codicum astrologorum graecorum*, t. 5/1, F. CUMONT et al. éd., Bruxelles, 1904, p. 108-125 (Manuel défend l'astrologie contre un moine du Pantokratôr) et 125-140 (réplique de celui-ci).

97. Georges Tornikês, « Éloge d'Anne Comnène », dans Georges et Démétrios Tornikês, *Lettres et Discours*, éd. J. DARROUZÈS, Paris, 1970, p. 297.

98. Choniates, *Historia*, cit., p. 148/84-85.

« machinations démoniaques ». Autrement dit, l'interprétation des astres est à la frontière d'une activité interdite, suspecte de paganisme, et néanmoins présente, qui est la magie.

Plusieurs affaires de magie éclatent en effet non loin de Manuel Ier. Les fauteurs sont passibles de l'aveuglement, qui sanctionne depuis des siècles le crime contre l'État et le sacrilège. Un juif de Corinthe, Isaac Aron, interprète impérial pour le latin, avait chez lui, outre une forme de tortue renfermant une petite figurine entravée, un « livre salomonien », qui donnait la nomenclature et l'ordre des démons, de manière qu'on pût les appeler et s'en faire servir[99]. Entre 1134 et 1143, se place un procès synodal consécutif à la mort de Zoé, épouse du fils d'un frère d'Alexis Ier, qui, malade, avait été soignée par des procédés magiques[100]. Balsamon se préoccupe de telles pratiques chez les clercs eux-mêmes[101]. Choniatês enfin rapporte l'aveuglement infligé à Seth Sklêros et à Michaël Glykas Sikiditês[102]. Le premier avait envoyé une pomme à une fille qui l'avait dédaigné, et le fruit l'avait rendue folle d'amour. Le second, lettré, historiographe, secrétaire au palais, donnait à ses interlocuteurs des visions qui les égaraient. Contraint à devenir moine, il écrit une œuvre impie sur l'Eucharistie, jugée telle du moins par le synode qui en interdit la lecture en 1199/1200[103]. Magie, hérésie, fidélité au vieux polythéisme demeurent ainsi visées ensemble dans la répression.

La tradition chrétienne conserve encore un autre héritage. En février 1195, Georges II Xiphilin répond à une question du patriarche d'Alexandrie sur « les divers livres (qui) se trouvent dans les régions de l'est et du sud sous le titre d'*Enseignements des apôtres* ou de *Visions de saint Paul* » : il condamne une fois de plus cette antique littérature, en rappelant la liste ancienne des livres canoniques[104].

Officielles, licites, marginales, toutes les composantes de la piété et de la croyance byzantines des XIe-XIIe siècles poursuivront leur cours dans le monde différent du XIIIe.

BIBLIOGRAPHIE

R. BORNERT, osb, *Les commentaires byzantins de la divine liturgie*, Paris, 1966.
F.E. BRIGHTMAN, *Liturgies Eastern and Western*. I. *Eastern liturgies*, Oxford 1896, repr. 1965.
O. DEMUS, *Byzantine mosaic decoration. Aspects of monumental art in Byzantium*, Londres, 1948.
J. LAFONTAINE-DOSOGNE, *Iconographie de l'enfance de la Vierge dans l'Empire byzantin et en Occident*, 2 vol. Bruxelles, 1992².

---

99. *Ibid.*, p. 146/42-51. Une « science des noms » et la pratique d'asservir les démons sont prêtées aux Juifs de Byzance par un voyageur juif contemporain de Benjamin de Tudèle, cf. E. CARMOLY, éd. trad., *Tour du monde ou voyage du rabbin Péthachia de Ratisbonne, dans le douzième siècle*, Paris, 1831 (extr. du *Nouveau Journal Asiatique*), p. 108-109.
100. *Regestes* n° 1010 (RHALLIS-POTLIS, *Syntagma kanônôn*, cit., IV, p. 251-252).
101. RHALLIS-POTLIS, *Syntagma kanônôn*, cit., I, p. 190-191).
102. Choniates, *Historia*, cit., p. 147-149.
103. *Regestes* n° 1195. Sur Michel Glykas Sikiditès, cf. HUNGER, *Hochsprachliche profane Literatur*, cit., t. 1, p. 422 et suiv.
104. *Regestes* n° 1184 (RHALLIS-POTLIS, *Syntagma kanônôn*, IV, p. 447-496).

D. et T. TALBOT RICE, *Icons and their dating. A comprehensive study of their dating and provenance*, Londres, 1974.
Sp. VRYONIS jr., « The *Panēgyris* of the Byzantine saint : a study in the nature of a medieval institution, its origin and fate », in S. HACKEL, éd., *The Byzantine saint*, Londres, 1981, p. 196-226.
Chr. WALTER, *Art and ritual of the Byzantine Church*, Londres, 1982.

II. LE CHRÉTIEN OCCIDENTAL
par Michel PARISSE

Combien de chrétiens du XIIe siècle étaient-ils instruits de leur religion? Qu'en savaient-ils? Quels moyens avaient-ils d'en être informés? Le clerc normalement lettré, le moine qui méditait constamment les Saintes Écritures, peut-être l'homme des villes qui fréquentait la cathédrale ou quelque grande église, pouvaient parler de Dieu et de la Trinité, interpréter chaque moment de la vie liturgique. Le chevalier, qui faisait une donation, avait sans doute connaissance des préceptes qu'un scribe formulait dans le préambule de la charte alors délivrée. Mais où en était le paysan, le campagnard isolé dans son hameau? L'assistance à la messe dominicale, les mises en garde du prêtre, l'instruction religieuse transmise par les parents apportaient chacune leur lot d'informations, de conseils, d'expériences; Dieu, oui, le Christ et la Vierge aussi grâce aux offices et aux litanies, la foi exprimée en quelques prières, les obligations assorties de menaces, et enfin les saints du voisinage, les statues et les fresques, tout cela représentait certainement l'essentiel de son savoir. On est renseigné sur la foi des premiers, on se pose beaucoup de questions sur celles des humbles. Cependant, même si les réponses ne viennent que rarement, une chose paraît assurée, c'est que la religion chrétienne était désormais vécue autrement que dans les siècles précédents, et cela, les faits et les textes de la période dite de réforme le manifestent clairement.

1. LE SENTIMENT RELIGIEUX

Jusqu'au Xe siècle, les croyances populaires étaient demeurées assez frustes; puis après l'an 1000, des signes de la vie d'une foi plus intime se sont multipliés. Divers comportements religieux, considérés avec suspicion dans la première moitié du XIe siècle, le traduisent; en effet, dans les diocèses de Turin, d'Orléans, de Châlons-sur-Marne, d'Arras, des clercs, des hommes instruits et peut-être des illettrés adoptèrent des attitudes et exprimèrent des théories qui les firent juger avec sévérité, condamner et parfois brûler. Ils prônaient, par exemple, l'abstinence et la continence, rejetaient le mariage, refusaient les sacrements; Adhémar de Chabannes les appelait manichéens[105]. Certains ermites exprimèrent avec force des convictions qui allaient à

---

105. R. MORGHEN, « Aspetti ereticali dei movimenti religiosi popolari », *I laici*, p. 582-596. Sur les sources de ces mouvements, voir ILARINO da MILANO, « Le eresie popolari del secolo XI nell'Europa Occidentale », *SGSG*, II, 1947, p. 43-89. R. MANSELLI, *Studi sulle eresie del secolo XII*, Rome 1953.

l'encontre de tendances laxistes. C'est au nord de la péninsule italienne que le mouvement érémitique prit naissance, chez des hommes comme Nil de Rossano, Romuald, Gualbert, qui avaient des relations avec le midi de la France. Les ermites furent les véritables propagateurs d'une action qui se réclamait de l'Évangile et des apôtres, ils s'imposaient un mode de vie ascétique, dont la finalité a convaincu beaucoup d'autres, qui a fait tache d'huile et s'est répandue largement en direction du nord. Ce qui était alors considéré avec méfiance sera bientôt accepté, et même défendu avec ferveur; d'autres attitudes seront, à l'opposé, qualifiées d'hérétiques.

Le comportement et la vie même des clercs et des moines furent fondamentalement critiqués. Le rejet du mariage sera certes un aspect du futur catharisme, mais il visait ici directement les seuls clercs. Ce n'était évidemment pas les paysans qui étaient en cause quand il était question de prôner abstinence et chasteté; rejeter les sacrements, c'était en fait rejeter les clercs et les moines que le jeûne et la chasteté ne préoccupaient pas assez ou pas du tout; telle était l'attitude des patarins, qui refusaient de voir passer l'effet divin par des intermédiaires impurs. Le rappel de la vie de la communauté apostolique, telle que souhaitaient la vivre les premiers chanoines réguliers, conduisait à la mise en commun de tous les biens, à la pauvreté, à l'abstinence et à l'ascèse corporelle. Ces manifestations spontanées, non comprises et mal interprétées dans un milieu où la réforme n'avait pas encore pris naissance, étaient les premiers indices d'une progression de la foi chrétienne aux XIe et XIIe siècles : si les aspects les plus spectaculaires en furent la réforme grégorienne et la création d'ordres nouveaux, monastiques et canoniaux, il en était d'autres plus diffus mais au moins aussi profonds qui touchaient tous les domaines de la vie chrétienne et surtout tous les groupes et échelons de la société, les laïcs autant que les clercs, les femmes autant que les hommes, les pauvres autant que les riches.

Les détails de ces manifestations seront donnés plus loin, le moment venu, mais quelques remarques générales vont permettre d'en mieux saisir la variété et le foisonnement. En premier lieu, comme il vient d'être dit, l'attention portée à la pauvreté, à la privation, à l'abstinence, à l'ascèse, était un regard nouveau jeté sur l'Évangile et sur la croyance. Elle provoqua l'attaque lancée contre les prêtres simoniaques et nicolaïtes, dont on refusait l'impureté; elle donna une nouvelle dimension à la liturgie, à la messe et aux sacrements, que l'on souhaitait débarrassés des souillures. De telles attitudes étaient le fait de chrétiens qui vivaient intensément leur foi, s'interrogeaient et réagissaient. Ces hommes, pour la plupart, rejetaient le milieu clérical ou monastique dans lequel ils avaient vécu jusque-là; et nombreux étaient et seront par ailleurs les laïcs qui adoptèrent aussi une attitude de conversion. Ils tranchaient par là même avec ceux qui avaient été « donnés » à l'Église dans leur tendre enfance. Des hommes rejetaient soudain le confort du cloître et de la vie quotidienne bien réglée pour se faire ermites, plonger dans l'isolement et rechercher un contact direct avec Dieu, que seule permettait une rupture totale avec les autres. Sans aller jusqu'à fuir la foule, d'autres réagissaient de la même façon et réclamaient cette césure, voulant plus de lumière et de sagesse, comme il est écrit de certains clercs d'Orléans. De telles conversions étaient insupportables à la hiérarchie. Mais le mouvement lancé était le plus fort, il entraînait des adultes conscients et expérimentés.

C'est à quarante ans ou environ que Brunon de Reims, Robert de Turlande, Robert d'Arbrissel, Robert de Molesme entamèrent une nouvelle étape de leur vie qui en fit des fondateurs d'ordres ; ce furent des adultes qui suivaient en masse les prédicateurs errants qui leur imposaient un mode de vie très dur, mais leur parlaient de Dieu comme nul ne l'avait fait avant eux.

Au moment où des masses s'enthousiasmaient pour la vie au désert, dans cette même région occidentale du royaume de France, un moine venu d'Italie et installé dans l'abbaye du Bec en Normandie posait des questions fondamentales : Anselme, qui adoptait pour programme « la foi en quête de l'intelligence » se demandait « pourquoi Dieu s'est fait homme »[106]. Cet homme exceptionnel était totalement absorbé par la contemplation des mystères de Dieu, il voulait en faire profiter sa raison, en même temps qu'il cherchait à comprendre avec toute sa foi. Il rompait avec la tradition carolingienne, qui appuyait tout raisonnement sur les *auctoritates*, Écritures Saintes et Pères de l'Église, et mettait en œuvre sa propre intelligence. Cette démarche n'était pas sans danger, et ses plus fidèles amis la condamnaient autant que d'autres en saluaient l'audace. La sainteté de vie d'Anselme, son action réformatrice en Normandie et en Angleterre empêchaient de suspecter la démarche de son interrogation sur les motifs de l'incarnation. Ses interrogations et sa curiosité se retrouvent d'une certaine manière dans quelques manifestations de la foi au XIIe siècle, l'intensification du culte de la Vierge, l'intérêt majeur porté à tout ce qui concerne la passion du Christ, l'adoration de l'hostie sur l'autel, le face-à-face avec Dieu dans la confession privée. Dans tous ces domaines, tous les chrétiens étaient confondus et c'est leur communauté qui doit être donc étudiée sous cet angle.

Pour une vie dans l'au-delà

Les anciennes croyances, que le christianisme a détournées, à son profit, de leurs orientations originelles, se manifestaient encore dans la peur devant l'imprévisible et le malheur, la volonté et la puissance divines, dans l'attention portée aux gestes, le signe de la croix qui écarte le maléfice, l'agenouillement, le respect du temple, le regard posé sur la statue, sur l'hostie consacrée, la répétition des paroles apprises et non comprises, et puis aussi l'interpellation douloureuse et brutale, quand la demande ne reçoit pas de réponse. Mais il serait injuste de ne pas voir que l'interrogation a gagné en réflexion ; le mouvement va dans le sens d'une foi vécue avec confiance et espérance. L'infirme, le malade, le paysan accablé par la faim et les intempéries, la mère désolée de perdre ses enfants acceptent le jugement de Dieu et admettent le poids de leurs péchés et de leurs insuffisances. Le chevalier qui brutalise les pauvres, celui qui bâtit une seigneurie, le comte qui exerce la justice à sa guise et à son seul profit, tous savent la nécessité de troquer les biens terrestres contre les biens célestes, la vie éternelle, la seule qui compte : le pauvre offre le peu qu'il a, le riche doit se dépouiller. La soumission est

---

106. Anselme de Cantorbéry, *Lettre sur l'incarnation du Verbe. Pourquoi un dieu-homme ?*, Œuvre, t. 3, éd. M. CORBIN et A. CALONNIER, 1988.

aussi un moyen de ne pas mettre en cause la vie dans l'au-delà, car ce qui se passe après la mort préoccupe chacun. Le diable est sur terre, en permanence, recrutant ses victimes pour peupler l'enfer ; on le connaît, on le voit ou on l'imagine, on le décrit, on le représente, bouc ou serpent, humain ou difforme, avec les flammes, la souffrance et l'appel de détresse de tous ceux qu'il a séduits[107]. À l'opposé, le Paradis offre ses arbres fertiles, les joies permanentes de la vie avec Dieu et les saints, pour tous ceux qui ont suivi les commandements du premier, et pris les seconds pour modèles. Entre les deux va prendre place le Purgatoire, compris comme un lieu d'attente et d'espoir pour les rachetés[108]. La peur de la mort explique bien des comportements, la rédaction précoce du testament, la riche donation ou fondation, le geste qui consistait à revêtir le froc des moines à la dernière heure. Le plus simple aurait alors été de mener la vie de ceux qui ont réussi à passer le cap, les saints, les martyrs, les apôtres, le Christ même, grâce à la trilogie du don de soi : la prière, le jeûne, l'aumône, c'est-à-dire le dialogue avec Dieu, la privation, l'aide du prochain.

Prières, aumônes et jeûnes

Les chrétiens priaient ; ils apprenaient des formules, et, selon leurs moyens, et selon les circonstances, en improvisaient, prenant Dieu à témoin, appelant les saints au secours[109]. Chacun devait pouvoir exprimer sa foi par le *Credo*, le symbole de Nicée, énumérant les articles fondamentaux de la foi chrétienne : *Credo in unum Deum*, qui n'est pas « je crois en Dieu », mais « je crois en un seul Dieu », affirmation solennelle face au paganisme[110]. Et le prêtre se devait d'expliquer, le dimanche, le *Credo* à ses paroissiens, de le faire réciter aux mourants. Les Saintes Écritures avaient transmis les deux principales prières, fondements de la piété quotidienne : le *Pater noster*, la patenôtre qui est l'appel à Dieu, récité avec conviction ou ânonné par les moins instruits, et puis l'*Ave Maria*, la salutation angélique, où est mentionné le mystère de l'Incarnation. L'Esprit Saint est rappelé plus discrètement, à la faveur du *Credo*. Les trois personnes centrales de la prière sont Dieu le Père, Jésus-Christ et Marie ; ce sont celles qui sont invoquées en priorité par les pauvres et les faibles[111].

---

107. *Rodulfus Glaber opera*, ed. by J. FRANCE, N. BULST and P. REYNOLDS *(Oxford Medieval Text)*, Oxford, 1989, p. 218 et suiv. (livre 5).
108. J. LE GOFF, *La naissance du purgatoire*, Paris, 1982.
109. *La prière au Moyen Âge* (littérature et civilisation) *Sénéfiance* n° 10, Paris, 1981, comprenant notamment pour cette période : D. BUSCHINGER, « La prière dans le Rolandslied », p. 45-66 ; D. COLOMBANI, « La prière du cœur dans *Les Miracles de Notre-Dame* de Gautier de Coinci », p. 73-90 ; M. de COMBARIEU, « La prière à la Vierge dans l'épopée », p. 91-120 ; Ch. CONNOCHE-BOURGNE, « La prière à travers l'*Image du Monde* », p. 133-146 ; G. GOUIRAN, « La prière comme indice des idées religieuses de Bertrand de Born », p. 283-298 ; J. LARMAT, « Prières au cours de tempêtes en mer », p. 349-360 ; H. LEGROS, « Les prières d'Isembart et de Vivien, dissemblances et analogies : la fonction narrative de la prière », p. 361-373. Voir par ailleurs, A. WILMART, « Le manuel de prières de saint Jean Gualbert », *RBen*, 48 (1936), p. 259-299. A. WILMART, « Les prières de saint Pierre Damien pour l'adoration de la croix », *RevSR*, 9 (1929), p. 513-526. J. LECLERCQ, « Prières attribuées à Guillaume et à Jean de Fruttuaria », *Monasteri in alta Italia dopo le invasioni saracene e magiare (sec. x-xii)*, Turin, 1966, p. 159-166. En dernier lieu, *Prier au Moyen Âge. Pratiques et expériences (v^e-xve siècles)*, Témoins de notre histoire, textes traduits et commentés sous la direction de N. BÉRIOU, J. BERLIOZ et J. LONGÈRE, Turnhout, 1991.
110. R. MANSELLI, *La religion populaire au Moyen Âge. Problèmes de méthode et d'histoire*, Conférences Albert le Grand 1973, Montréal-Paris, 1975, p. 48.
111. Les prières d'Anselme du Bec unissent Jésus et Marie.

Invoqué, acclamé ou imploré, Dieu est au centre de la vie quotidienne, lui-même ou ses représentants, ceux dont on espère l'intercession. Pour eux, le cœur s'exclame ou la bouche récite, et le corps se manifeste entièrement : les bras se lèvent, on se jette à genoux, on se lance à terre pour se prosterner, pour s'aplatir sur le sol, bouche dans la poussière, bras déployés[112]. Le geste est beau, sa répétition est souhaitée : les agenouillements se multiplient, puis ne se comptent plus chez les athlètes de l'ascèse, dont le genou se durcit d'un cal, dont les muscles raidissent. C'est à ceux-là aussi qu'est donné le privilège de pleurer la mort du Christ et la déchéance de l'homme ; ils veulent pleurer avec la Vierge, pleurer le martyre des saints, verser des larmes en abondance pour exprimer leur participation aux douloureux mystères[113].

La prière, interpellation de la divinité, est improvisée par le chrétien sous une forme souvent brève, par celui qui se porte au tombeau d'un saint et implore sa guérison, par le chevalier qui se lance au combat, par le marin que bouscule la tempête. Dans les situations calmes, d'autres manières de prier s'expriment : par la répétition interminable des litanies, listes de saints communs à tous ou de réputation locale, par l'énumération des vertus de la Vierge sous forme d'images : Étoile de la mer, Porte du ciel, Avocate céleste. Il y a ceux qui en savent plus, qui peuvent inventer d'autres prières, réciter le *Miserere*, lire ou répéter les psaumes, parfois même les sept Psaumes de la Pénitence, ou le psautier tout entier, en un jour, voire plusieurs fois par jour pour certains. Les psaumes ont toujours une vogue prodigieuse. Ils sont les textes de l'Ancien Testament les plus répandus, les mieux connus, les plus souvent cités ; réunis en un livre, ils offrent un noyau incomparable de méditation, car ils sont directement des interpellations à la divinité. Dans les psautiers enluminés, partagés en séquences de douze psaumes, chaque série s'orne d'une initiale au décor vite stéréotypé[114]. Un degré encore, et l'on rencontre les invocations savantes, adaptées à chaque circonstance, celles que contiennent les sacramentaires, les *ordines*, invocation pour le roi qu'on sacre, pour l'abbesse qu'on bénit, prière pour demander la pluie ou le soleil, pour délivrer un captif ; la liste en est longue, très longue[115]. Elles se trouvent dans les livres des clercs et des moines, mais il en est d'autres dans les livres de prières privés, comme en possèdent des rois et des nonnes[116].

La prière était fondamentale, l'aumône ne l'était pas moins. Elle était le partage

---

112. J.-Cl. SCHMITT, *La raison des gestes*, Paris, 1990.
113. *DSp, s.v.* larmes, IX (1975), col. 297-300. Voir *Prier au Moyen Âge* (note 109), et introduction de G. ACHTEN, dans *Das christliche Gebetbuch im Mittelalter*, 1987.
114. Le psautier contient 150 psaumes. Cf. V. LEROQUAIS, *Les Psautiers manuscrits latins des bibliothèques publiques de France*, 3 vol. Mâcon, 1940-1941. A. HASELOFF, *Die Psalterillustration im 13. Jahrhundert*, Kiel, 1938. Il y a en réalité plusieurs systèmes de décoration ; le plus courant orne l'initiale pour ouvrir les différentes séries aux psaumes 1, 26, 38, 52, 68, 80, 97, 109.
115. J. DESHUSSES, *Le Sacramentaire grégorien*, Fribourg, 1971-1982. C. VOGEL et R. ELZE, *Le pontifical romano-germanique du Xe siècle*, 3 vol., Cité du Vatican, Rome, 1963-1972. Voir encore A. FRANZ *Die kirchlichen Benediktionen im Mittelalter* 2 vol., Graz, 1960, qui comprend surtout des bénédictions.
116. J.A. ENDRES-A. EBNER, « Ein Königsgebetbuch des elften Jahrhunderts », *Festschr. zum elfhundertjährigen Jubiläum des deutschen Campo Santo in Rom*, Fribourg, 1897, p. 296. Un livre de prières pour nonnes a été conservé, Munich Clm 14848 (XIIe s.), cf. F. X. HAIMERL, *Mittelalterliche Frömmigkeit im Spiegel der Gebetbuchliteratur Süddeutschlands*, Munich, 1952.

avec le pauvre, la donation à une église, l'offrande au prêtre. Il faut « rendre à Dieu ce que Dieu a donné », « échanger les richesses matérielles et périssables contre des biens éternels » ; « l'aumône éteint le péché comme l'eau éteint le feu », « ne vous faites pas de l'argent un dieu », innombrables sont les formules que répètent les préambules des chartes. Les donations faites aux églises et inscrites sur le parchemin sont les offrandes dont on est le mieux informé, les aumônes faites pour obtenir des prières en échange, celles qui coûtent le plus aux donateurs et dont l'importance est telle qu'elles justifient la rédaction d'un texte devant témoins. Mais il y a aussi toutes les aumônes que citent les récits de miracles, les relations de pèlerinage : le béquilleux fouille dans sa besace pour en extraire ce qu'il a de plus précieux, la mère d'un infirme accepte de se séparer d'un bétail dont elle a pourtant grand besoin ; à la paroisse, le paysan dépose sur l'autel des légumes, du blé, de la volaille, le seigneur donne quelques pièces de monnaie. Le rite de l'offrande est lié à celui de l'offertoire au milieu de la messe, il est particulièrement important aux jours de fête, il n'est pas tarifé, mais la tradition en fixe le montant. L'aumône cependant la plus appréciée est celle qui est faite au pauvre, au faible, au malheureux, et, à cette époque, ils sont nombreux ceux qui ont faim tous les jours.

Jeûne et abstinence s'imposent autant par pénitence que par nécessité de participer à la pénurie dont souffre le prochain. La privation de nourriture était péremptoire à certaines périodes de l'année : la suppression de viande ne pesait guère sur une population dont la nourriture était à base de céréales, de légumes, d'œufs ; elle valait seulement quand elle portait sur une longue durée, comme le Carême[117]. Le mardi gras sonnait « Carême entrant », précédant le mercredi des Cendres, puis le dimanche des Bures (Bordes ou Brandons) : à partir de là et jusqu'à Pâques, toute consommation de viande était bannie, les bouchers se faisaient poissonniers. Pour ceux qui avaient les moyens de faire deux repas par jour, le Carême était aussi temps de jeûne, ce qui voulait dire un seul repas quotidien. Les coutumiers monastiques et canoniaux traitaient de ce sujet, car moines et clercs avaient les moyens de se bien nourrir, voire de disserter de la définition précise du jeûne et de l'abstinence, de la viande autorisée et défendue, celle des quadrupèdes, celle des volailles[118]. Les plus exigeants ne s'interrogeaient pas et se privaient durement, étendaient très largement la période du jeûne en commençant, pour certains, dès le 1er septembre ou au lendemain de l'Exaltation de la Sainte Croix[119], en augmentant le nombre des jours imposés.

Une religion incarnée

Le chrétien veut imiter le Christ, qui, en se faisant homme, a montré la voie à suivre. L'Évangile décrit cette voie, ses injonctions doivent être respectées. La Vierge, plus

---

117. Pour le Carême, voir P. JOUNEL, dans A.G. MARTIMORT, *L'Église en prière*, t. IV, nouv. éd. Paris 1983, p. 78-90. *DTC, s.v.* Carême 2 (1905), col. 1736-1744.

118. Les questions débattues portaient sur l'extension du Carême et les autres jours de jeûne dans l'année, fixes pour certains, variables pour d'autres ; sur l'heure de rupture du jeûne : le soir et vêpres légalement, en réalité plutôt none.

119. Il y a beaucoup de variété : voir *DACL*, VII-2 (1927), col. 2481-2501, par F. CABROL, V. STALEY, *The Fasting Days Appointed to be observed in the English Church*, 2e éd., 1899 ; A.J. MACLEAN, « Fasting and Abstinence », dans W.K.L. CLARKE, *Liturgy and Worship*, 1932, p. 245-256. C. BAYNUM, *Holy Fast and Holy Feast*, New York, 1984.

qu'auparavant encore, devient l'avocate privilégiée. Comme l'indique saint Bernard, la Vierge est un aqueduc qui transmet la prière, elle est l'échelle du pécheur qui lui permet d'accéder au sommet, la médiatrice grâce à sa maternité virginale. Le XIIe siècle fut sans conteste un grand moment pour la dévotion à la Vierge ; en 1134, le chapitre général de Cîteaux décida de lui vouer tous les monastères de l'ordre ; Prémontré fit presque de même. La Vierge, « Notre Dame », était représentée en majesté, triomphante comme son fils : elle a aussi connu son Assomption, la montée au ciel. La virginité qu'elle représente, est un but suprême qui rejette dans l'ombre la chasteté et la continence. La Vierge a même une position si élevée que des relais sont nécessaires ; Marie-Madeleine en est un, la pécheresse repentie et pardonnée devient l'objet d'un culte actif[120]. C'est enfin la Vierge qui offre à l'humanité son Enfant dans des représentations statuaires majestueuses.

L'incarnation est dans le christianisme le fait capital. Pour Guillaume de Saint-Thierry, méditer la passion du Christ équivalait à communier[121]. Pour une partie des pays chrétiens, le début de l'année fut fixé au 25 mars à partir de la fin du XIIe siècle[122]. La Passion du Christ fut vécue avec une ferveur nouvelle et la semaine de Pâques plus que jamais l'apogée de l'année liturgique. Durant cette semaine-là, la trêve de Dieu interdisait toutes les actions militaires, contraignait les couples à la continence. Le jeu théâtral s'empara des trois jours qui séparent la Cène de la Résurrection : à ce moment-là l'évangile était lu à trois voix ; au lecteur anonyme s'ajoutaient le ténor qui prononçait les paroles du Christ et le chœur qui lui répondait. Des personnages masqués jouaient le drame. Le point culminant était la visite des saintes femmes au tombeau : « *Quem quaeritis ?* »[123].

Il était justement important de rendre visite au tombeau du Christ et d'en garantir l'accès à Jérusalem. Le pèlerinage en Terre sainte et au Saint Sépulcre était particulièrement désiré. Les lieux saints étaient parcourus et chacun revivait en esprit les moments de la Passion. Dès lors que les musulmans s'étaient emparés de Jérusalem et gênaient l'accès au temple sacré, la chrétienté devait se lever en bloc pour sa délivrance. Avec un langage simple, un Pierre l'Ermite n'eut pas de mal à entraîner des milliers d'hommes vers la Palestine ; les chevaliers suivirent. La victoire du 15 juillet 1099 ouvrit la voie à de nouvelles croisades, à d'incessants voyages, à l'établissement d'un lien sacré entre l'Orient et l'Occident. Le XIIe siècle fut dominé par le phénomène majeur de la croisade en Terre sainte. Le pèlerin croisé savait en partant qu'il pouvait ne pas en revenir, il allait au-devant d'une mort prometteuse, d'un martyre dans le combat pour la foi, même s'il n'atteignait pas son but, même s'il ne périssait pas sous les coups des Sarrasins. Avoir tout quitté et souffrir rapprochait du Dieu incarné.

Le Christ enfin était placé au cœur de l'interprétation des Saintes Écritures. Depuis longtemps, les Pères de l'Église et les théologiens avaient recherché et trouvé dans

---

120. V. SAXER, *Le culte de Marie-Madeleine en Occident des origines à la fin du Moyen Âge*, Paris 1959. *Marie-Madeleine dans la mystique des arts et des lettres*, Paris, 1989.

121. *Epistola ad fratres de monte Dei*, I, 10 (*PL* 184, col. 327), cité par CATTANEO, *I laici*, p. 409.

122. A. GIRY, *Manuel de Diplomatique*, Paris, 1894, p. 107.

123. K. YOUNG, *The Drama of the medieval Church*, Oxford, 1933.

Lauros-Giraudon

Le jugement dernier. Basilique Sainte-Madeleine à Vézelay, narthex,
Tympan central (v. 1150).

l'Ancien Testament les personnages et les événements, qui annonçaient le Christ et les grands événements et les faits principaux de sa vie. Ainsi, en Melchisédech le roi-prêtre, on voyait naturellement le Christ, comme Samson, s'échappant du temple de Gaza où le retenaient prisonnier ses ennemis, préfigurait Jésus quittant son tombeau. Au milieu du XIIᵉ siècle, la réflexion menée sur ce sujet conduisit à la réalisation de cette « typologie » en un cycle complet dont la plus belle illustration fut le retable de Nicolas de Verdun, réalisé pour les chanoines réguliers de Klosterneubourg à l'instigation du prévôt Wernher. Trois démarches parallèles y sont présentées : avant la Loi, après la Loi (c'est-à-dire après que Moïse a reçu les tables de la Loi), sous la grâce enfin. Les premières images mettent donc en parallèle Isaac, Samson et Jésus, pour l'annonce de leur naissance, pour la présentation du nouveau-né, puis sa circoncision ; l'Adoration des Mages est de la même façon encadrée par l'offrande d'Abraham au roi-prêtre Melchisédech et par l'hommage de la reine de Saba à Salomon, et ainsi de suite jusqu'à l'Ascension et au jugement dernier[124]. Des illustrations de la même veine figuraient sur les vitraux, dans les livres liturgiques, dans la statuaire. Le chrétien avait appris à voir dans les hommes qui portaient une gigantesque grappe de raisin sur un bâton la représentation de l'Ancien et du Nouveau Testament, encadrant le fruit de la vigne, dont le vin devient symbole du sang du

---

124. Fl. RÖHRIG, *Der Verduner Altar*, Klosterneuburg, 1955.

Crucifié. Les chanoines réguliers se montraient particulièrement attentifs à cette présentation.

Le culte des reliques et des saints

Le culte des reliques tient une grande place dans la vie du chrétien. À partir du milieu du XIIe siècle, être compté parmi les saints ne peut guère se faire sans le contrôle de plus en plus rigoureux de la papauté. Les chrétiens ont à leur disposition les saints du premier millénaire, les martyrs transportés de Rome dès les temps carolingiens, puis les évêques, les abbés, quelques pieux moines, des religieux, dont les restes sacrés reposent dans des *martyria* proches des villes ou le sol des abbayes. Le culte s'organise autour des plus vénérables tombeaux et les architectes vont créer le déambulatoire qui permettra à la foule chrétienne de tourner autour de la crypte sacrée[125]. À défaut d'un sarcophage où le saint repose tout entier, un reliquaire peut être présenté au fidèle ; on lui donne la forme de l'objet qu'il contient : tête, bras, pied, buste. Les reliquaires les plus remarquables ont la forme d'une maison, et le groupe le plus prestigieux appartient au monde mosan et lotharingien. Dans cette région au cœur de l'Europe furent réalisées, du XIe au XIIIe siècle, des châsses de grandes dimensions, de 80 cm à plus d'un mètre de long pour 50 à 70 cm de large et autant de haut, comme il ne s'en trouvait alors pas ailleurs et sur un modèle vite stéréotypé[126]. Aux deux pignons sont représentés, d'un côté, le Christ ou la Vierge en majesté, seuls ou accompagnés, de l'autre, le saint, lui aussi seul ou assisté. Sur les côtés sont alignés les apôtres ou les prophètes, voire quelques évêques, au nombre de six en moyenne par côté. Sur les deux pans du toit, des médaillons reproduisent des scènes de la vie du saint ou du Christ. Les personnages sont en métal repoussé, plaqué d'or ou d'argent, les surfaces planes sont ornées d'émaux, de pierres précieuses, et portent des sentences. Ces châsses se rencontrent tout le long de l'axe lotharingien, celles de saint Maurice à Agaune et de saint Hadelin à Visé pour les plus anciennes, celles des saints Domitien et Maingold à Huy, Georges à Amay, Vanne à Verdun jusqu'aux prestigieux chefs-d'œuvre de Nicolas de Verdun au tournant du XIIe siècle, Notre-Dame à Tournai, les rois mages à Cologne, et de façon exceptionnelle Godehard (Gotthard) et Épiphane à Hildesheim. Dans le Massif central, le buste de sainte Foy à Conques apporte un autre témoignage d'un culte à succès, d'un pèlerinage recherché, d'une réalisation artistique originale. Partout ailleurs existent, moins prestigieuses, mais tout aussi vénérées, ces « fiertes » que l'on transporte à travers la campagne pour demander la fin d'une calamité atmosphérique, que l'on transfère d'une église à une autre, ou d'un lieu à un autre dans la même église, dont on change le meuble lors de translations

---

125. N. Herrmann-Mascard, *Les reliques des saints. Formation coutumière d'un droit*, Paris, 1975 ; P.J. Geary, *Furta sacra. Thifts of Relics in the central Middle Ages*, Princeton, 1978. P. Brown, *Le culte des saints*, Paris, 1984. Les premiers déambulatoires sont attestés à Clermont et Thérouanne (C. Heitz, *L'architecture religieuse carolingienne*, Paris, 1980, p. 185).

126. M.-M. Gauthier, *Les routes de la Foi*. Deux expositions ont fait une grande place aux châsses mosanes : *Rhin et Meuse*, catalogue de l'exposition, Cologne, 1972. *Ornamenta ecclesiae. Kunst und Künstler der Romanik*, 3 vol., Cologne, 1985.

qui attirent les foules, car c'est alors que les miracles se multiplient[127]. Les visiteurs sont littéralement fascinés par la châsse ou le reliquaire, se bousculent pour les approcher, les toucher, s'écrasent au risque de perdre la vie. C'est à propos de sainte Foy que les récits sont à ce sujet les plus poignants.

Le panthéon des saints s'est enrichi au XIIe siècle malgré les restrictions apportées par le Siège apostolique et la mise en place d'un processus de canonisation après enquête. Parmi les membres du clergé, à côté de religieux fondateurs d'ordres (Bruno, Norbert, Bernard), plusieurs évêques, qui ont retenu l'attention des fidèles, étaient souvent d'anciens moines ; tel fut le cas d'Anselme de Cantorbéry, ancien abbé du Bec, de Jean Sordi, évêque à Vicence († 1183), mais on peut retenir déjà, parce qu'ils ont vécu à cette période : Hugues d'Avallon († 1200), Étienne de Châtillon († 1208), Guillaume de Donjeon († 1209), évêques à Lincoln, Die et Bourges. Celui qui néanmoins l'emporte sur tous en raison de la diffusion rapide de son culte est Thomas Becket, vrai martyr de la foi[128]. Deux catégories de saints doivent être mises à part, celles des chevaliers et des marchands. Dans la première, il en est qui sont devenus évêques, comme Bertrand de Comminges († 1123). Simon de Valois et Thibaud de Provins se sont retirés dans la solitude ; deux rois peuvent en être rapprochés, Knut de Wagrie († 1131) et Éric de Suède († 1160). L'entrée en scène de pieux laïcs préoccupés de charité a lieu en Italie grâce à Rainier de Pise († 1160), Raymond Gayrard de Toulouse († 1118), Homebon de Crémone († 1197)[129]. Leur reconnaissance doit être mise en parallèle avec l'essor des ordres hospitaliers dont les fondateurs ont été parfois portés aussi sur les autels ou se sont signalés par une vie sanctifiante.

C'est au XIe et au XIIe siècle sans doute que furent rédigés le plus de récits de miracles, à un moment où le pèlerinage, qui fut toujours en usage, prit davantage d'ampleur[130]. Le pèlerin devient une figure commune[131]. Il est d'abord celui qui vient simplement prier, ou demander une faveur, à peu de distance de son lieu d'habitation, à un saint qui est de sa région et qui le soutiendra. C'est le malade, l'infirme, qui demeure plusieurs jours à l'entrée du sanctuaire, ou tout près du tombeau sacré, n'a presque rien à donner en échange de sa guérison, ou le riche qui promet des dons grandioses. Le chrétien pense que plus grands sont les mérites acquis par les saints durant leur vie, plus leurs demandes ont de chances d'être entendues par Dieu ; pour être exaucé ou pardonné, il faut donc aller prier auprès des saints les plus prestigieux, des martyrs ou de ceux qui ont été le plus proches de la divinité, les apôtres, la Vierge, enfin le Christ. Cela explique la vogue des grands lieux de pèlerinage et la classification qui peut en être faite : après le sanctuaire d'audience locale, les rencontres régionales se font autour du saint Michel du Mont, de la Madeleine de Vézelay, de la Vierge du

---

127. M. HEINZELMANN, *Translationsberichte und andere Quellen des Reliquienkultes*, Turnhout, 1979 (Typologie des sources de l'Occident médiéval).

128. E. WALBERG, *La tradition hagiographique de saint Thomas Becket avant la fin du XIIe siècle*, Paris, 1929. R. FOREVILLE, *Thomas Becket dans la tradition historique et hagiographique*, Londres, 1981.

129. *Histoire de saints et de la sainteté chrétienne*, t. VI, *Au temps du renouveau évangélique, 1054-1274*, dir. A. VAUCHEZ, Paris, 1986, *passim*.

130. P.-A. SIGAL, *L'homme et le miracle dans la France médiévale (XIe-XIIe siècles)*, Paris, 1985.

131. P.-A. SIGAL, *Les marcheurs de Dieu. Pèlerinages et pèlerins au Moyen Âge*, Paris, 1974.

Puy, de saint Jean à Angély, puis, au degré au-dessus, de saint Jacques à Compostelle, enfin de saint Pierre à Rome. Le voyage auprès de l'apôtre de la Galice était devenu si fréquent qu'un guide fut écrit pour décrire aux voyageurs les pays traversés[132], et que des églises plus vastes furent édifiées aux points de passage obligé du voyage sur le « chemin français »[133]. Le déplacement vers Rome était une opération au moins aussi longue, mais, on l'a dit, rien ne dépassait la visite au Saint-Sépulcre, le voyage outre-mer, vers Jérusalem la cité sainte, préfiguration de la cité céleste.

2. L'EXPRESSION DE LA FOI

Baptême et confirmation

Dès l'époque carolingienne, on se mit à considérer que l'enfant devait devenir chrétien le plus tôt possible. Le baptême lui était donné quelques heures après sa naissance ou le lendemain[134]. C'était le seul sacrement que pouvait à l'occasion donner un laïc et cette qualité exceptionnelle en faisait bien un événement extraordinaire. L'accoucheuse ondoyait le nouveau-né, si sa vie paraissait en danger, on voulait éviter qu'il meure avant d'avoir reçu les gouttes d'eau salvatrices et entendu les paroles de bénédiction. L'éloignement géographique des fonts baptismaux présentait un grand inconvénient, car il fallait s'y rendre rapidement. Le baptême pouvait alors se dérouler en deux opérations, la seconde ayant lieu à l'église avec la solennité désirable et l'entourage humain souhaité, fait de parrains, de marraines et d'amis. Chacun était préoccupé de fêter chrétiennement l'entrée d'un enfant dans la vie ; les plus grands y manquaient moins encore. Ainsi l'empereur Henri III, qui souhaitait obtenir pour son fils la présence de l'abbé de Cluny, Hugues, reporta-t-il les cérémonies pour atteindre son but.

Longtemps une église baptismale, vouée à saint Jean le Baptiste et unique pour le diocèse, avait existé auprès de la cathédrale[135]. Et puis, par nécessité, des fonts baptismaux, des baptistères avaient été installés dans les principaux lieux de culte ; ils servirent à définir l'église-mère, l'édifice central du culte d'une région, le centre de la vaste *pieve* en Italie, la petite église paroissiale champêtre ou villageoise de première importance partout dans l'ouest européen. Avoir à sa disposition la source de vie céleste était un privilège dont ne pouvait volontiers se défaire un curé de paroisse. Les fonts les plus modestes et les plus répandus se présentaient sous la forme d'un bloc de

---

132. *Guide du pèlerin de Saint-Jacques de Compostelle*, éd. et trad. J. VIELLIARD, 3ᵉ éd., Mâcon, 1963.

133. R. CROZET, « Les églises de pèlerinage », dans *Pellegrinagie culto dei santi in Europa fino alla la crociata, 8-11 ottobre 1961, CCSSM*, IV, Todi, 1963.

134. *Dictionnary of the Middle Ages*, vol. 2, 1984, *s.v.* Baptism, p. 83-86. J.D.C. FISHER, *Christian Initiation : Baptism in the Medieval West*, 1965.

135. A. STENZEL, *Die Taufe. Eine genetische Erklärung der Taufliturgie*, Innsbruck, 1958. P.M. GY, « Du baptême pascal des petits enfants au baptême *quamprimum* », dans *Haut Moyen Âge. Culture, éducation et société, Études offertes à Pierre Riché*, éd. Erasme, 1990, p. 353-365. G. KRETSCHMAR, « Die Geschichte des Taufgottesdienstes der alten Kirche », *Liturgia, Handbuch des evangelischen Gottesdienstes*, 5 (1970), p. 1-348.

pierre, creusé en vasque, grossièrement taillé en cercle ou en polygone, en forme de colonne avec chapiteau. Les plus beaux étaient décorés de quelques dessins géométriques ou sculptés de scènes où dominaient la représentation du baptême du Christ dans le Jourdain, l'histoire d'Adam et Ève, c'est-à-dire les scènes qui évoquent le mieux le péché originel et le Rédempteur qui a permis de l'effacer[136]. L'île de Gotland, en mer Baltique, possède de nombreuses petites églises, riches de fonts ainsi sculptés. Quelques édifices avaient le bénéfice d'une cuve baptismale en bronze, de petite taille ou vaste comme les célèbres fonts de Notre-Dame de Liège, fondus par Godefroid de Huy : sur les douze bœufs de l'arche d'alliance, l'immense cuve offre quatre scènes d'une grande beauté, le baptême du Christ, la prédication dans le désert, le baptême du philosophe Craton et le centurion Corneille[137].

L'Italie surtout était demeurée attachée aux baptistères, tours élevées à l'écart de l'église pour accueillir les catéchumènes, qu'on venait plonger autrefois dans la piscine. Depuis le IXe siècle, à cause du baptême des nouveaux-nés, l'aspersion a remplacé l'immersion. La construction de ces baptistères offrait l'occasion de réaliser quelques chefs-d'œuvre, tours hexa- ou octogonales, dont la vaste salle intérieure surmontée d'une coupole était richement décorée de mosaïques comportant les mêmes scènes qui évoquaient le péché des premiers parents et son rachat, la vie de pieux chrétiens.

La confirmation était un sacrement réservé à l'évêque, qui le conférait aux très jeunes enfants à la faveur de tournées dans le diocèse. On comprend que ces occasions étaient peu fréquentes au milieu du Moyen Âge et que, par conséquent, la confirmation était assez rarement donnée. Les sources la mentionnent peu avant le XIIIe siècle[138].

La pénitence

Le péché! Il était le reproche permanent, le rappel quotidien de la fragilité de l'homme, stigmatisé par les confesseurs et les prédicateurs, ressenti douloureusement par les plus saints des chrétiens. Le péché n'était pas clairement défini ; la loi divine était supposée connue et toute infraction était faute, autant que le défaut d'application des divers commandements. Il y avait des choses et des actes sur lesquels pesait l'interdit divin ou humain ; le détail des pénitentiels renseignait les confesseurs sur la variété infinie des péchés possibles[139]. Ils en étaient, de plus, souvent dénoncés, notamment les péchés qui fermaient à jamais la porte de la vie éternelle, ceux qu'on

---

136. Par exemple, les fonts baptismaux de l'abbaye de Freckenhorst, près de Münster (Westphalie). J.G. DAVIES, *The architectural Setting of the Baptism*, Londres, 1962. NORDSTRÖM, *The Iconography of the Baptismal Fonts*, 1982.

137. *Les fonts baptismaux ou le chef-d'œuvre de l'art roman. Renier de Huy. Liège, église Saint-Barthélemy*, Bruxelles, 1978. *La Wallonie. Le pays et les hommes*, t. I., Bruxelles, 1977, p. 231-250.

138. *DACL, s.v.* Confirmation, 3-2 (1948), col. 2515-2543. *ODCC*, 1974-2, p. 331 ; NATHUSIUS, *Handbuch des kirchlichen Unterrichts. I. Die Konfirmation in ihrer geschichtlichen Entwicklung*, Leipzig, 1903. P.-M. GY, « Histoire liturgique du sacrement de confirmation », *MD*, 58 (1959), p. 135-145. Paul de CLERCK, « La dissociation du Baptême et de la Confirmation au Haut Moyen Âge », *MD*, 168 (1986), p. 47-75.

139. C. VOGEL, *Le pécheur et la pénitence dans l'Église ancienne*, Paris 1966, rééd. 1982. P. ANCIAUX, *La théologie du sacrement de pénitence au XIIe siècle*, Louvain, 1949.

disait mortels et dont Grégoire le Grand, dans ses *Moralia in Job*, avait contribué à fixer la liste : la gourmandise (*gula*), la luxure (*luxuria*), la convoitise (*cupiditas*), la colère (*ira*), l'orgueil (*superbia*), l'envie (*invidia*), le découragement (*acedia*)[140], et, comme souvent au Moyen Âge, chacun reconnaissait l'expression d'un péché capital dans l'attitude de tel qui plantait ses poings sur ses hanches, tel autre qui dévorait la nourriture. Face à eux, une liste correspondante de vertus était offerte.

Le rachat du péché était ressenti comme une possibilité matérielle, un troc ; plus le péché était grand, ou plus grand était le pécheur, plus grandes devaient être la

Dietrich délivre Sintram, d'après la légende de Tidrek,
chapiteau du déambulatoire du monastère de Bâle
(Stadt-und Münstermuseum, Bâle).

---

140. J. Wenzel, « The Seven Deadly Sins : Some Problems of Research », *Speculum*, 43 (1968), p. 1-22. « Seven Deadly Sins », dans *ODCC*, 2ᵉ éd., 1974.

pénitence et aussi l'aumône, qui était la restitution à Dieu des biens qu'il avait permis d'avoir. Longtemps le péché fut tarifé. La procédure du pardon était lente. L'aveu était suivi d'une pénitence, dont l'importance et la durée étaient fixées précisément dans les pénitentiels; quand la peine était accomplie, l'absolution venait enfin. De l'un à l'autre, il pouvait s'écouler beaucoup de temps. Une première évolution eut lieu avec les rédemptions ou commutations pénitentielles : dès lors, une longue période de jeûne pouvait par exemple être changée en prières, messes, ou coups de verges, un pèlerinage pouvait être accompli par un autre que le coupable ou remplacé par des aumônes; l'absolution venait ainsi plus rapidement. Au XIIe siècle, un changement important fut la généralisation de la confession privée : à l'aveu, qui devient essentiel, succède l'absolution suivie de la pénitence; la confession de la faute était donc déjà expiation [141]. La pénitence publique et solennelle subsistait pour les fautes connues de tous; mais la pénitence privée, le sacrement de confession s'imposa.

Parfois l'homme se sentait incapable de trancher clairement et n'hésitait pas à mettre le fautif face à face avec Dieu. L'antique ordalie, devenue jugement de Dieu, demeurait un recours ultime [142]. Des exemples existent de combats de champions, d'accusés affrontant les socs de charrue chauffés à blanc ou obligés de marcher sur des charbons ardents, d'innocents plongés dans l'eau froide : Dieu tranchait, et marquait sa faveur à celui dont les plaies guérissaient rapidement, à celui que l'eau ne rejetait pas spontanément [143]. Ces pratiques seront interdites par l'Église au XIIIe siècle.

D'autres condamnations décidées par les clercs rejetaient le coupable hors de la communauté chrétienne, ou réclamaient sa damnation perpétuelle avant même le jugement dernier. L'excommunication était de plus en plus employée; solennellement proclamée par l'évêque, ou lue par un clerc en chaire, elle était terrifiante par le choix des formules de rejet de la communion et le piétinement symbolique de cierges allumés : l'excommunié se voyait interdire l'accès à l'église, l'assistance aux offices, l'aide du prochain, la sépulture en terre bénie [144]. Plus terrible était l'anathème jeté sur le chrétien fautif, comme s'il était un pestiféré, la condamnation définitive. Cette menace, si l'on en croit l'eschatocole de maintes chartes, pesait sur toute personne qui aurait contrevenu à un accord, contesté ou annulé une donation : « anathema maranatha! », le fautif se trouvait maudit en compagnie de Dathan et Abiron, avec Judas le traître, Anne, Caïphe et Pilate [145]. De telles formules manquaient singulière-

---

141. P.-M. Gy, « Le précepte de la confession annuelle et la nécessité de la confession », *RSPhTh*, 63 (1979), p. 529-547.

142. E. Vacandard, *L'Église et les ordalies, Études de critique et d'histoire religieuse*, 1re série, 4e éd., Paris 1909, p. 191-215. Ch. Leitmaier, « Die Kirche und die Gottesurteile. Eine rechtshistorische Studie », *WRGA*, II, Vienne 1951, p. 104-111. Un choix des prières dites à cette occasion figure dans A. Franz, *Die kirchlichen Benediktionen im Mittelalter*, Graz, 1960, t. II, p. 365-390. Voir encore B. Bartlett, *Trial by Fire and Water. The Medieval Judicial Ordeal*, Oxford, 1986. *L'aveu. Antiquité et Moyen Âge*, Rome, 1986.

143. Le prêtre venait bénir le lieu et l'objet de l'ordalie. Par ex., pour l'eau froide, il disait : « *Si culpabilis sis de hac re, aqua, que in baptismo te recepit, nunc non te recipiat; sin autem innocens sis, aqua, que in baptismo te recepit, nunc te recipiat* ». Dans l'ordalie du morceau de pain ou de fromage, l'accusé était censé de ne pas pouvoir avaler une bouchée contenant une inscription des objets du vol dont il pouvait être coupable.

144. F.D. Logan, *Excommunication and the Secular Arm in Medieval England*, Toronto, 1968.

145. *DACL, s.v.* anathème, I-2, col. 1926-1939; *DTC*, 1 (1903), col. 1168-1171.

ment d'efficacité, quand elles s'adressaient à des puissants, plus préoccupés de mener une politique et de s'enrichir que de respecter la religion. Combien de princes et de barons ne voyait-on pas, menacés d'excommunication pour avoir usurpé des biens d'Église, aller jusqu'au bout de leur politique, supportant la condamnation pendant plusieurs années avant de solliciter une absolution contre des promesses dont ils faisaient rapidement fi, pour reprendre sans vergogne leurs méfaits. Restait alors la solution de l'interdit, quand l'Église, lassée de l'insuccès de ses démarches, fermait toute une région au culte : plus d'église ouverte aux chrétiens pour la messe et la prière[146] ; un synode de Limoges en 1031 a décrit une telle situation[147]. Si le seigneur visé persistait dans son attitude, c'était alors toute une population qui protestait et faisait pression pour obtenir la soumission du condamné. Puisque la foi était grande, puisque la croyance en la vie future était vive, et le désir du salut permanent, l'Église avait ainsi les moyens d'être puissante, de se faire obéir, de guider la marche politique et le comportement social.

Le mariage devient un sacrement

Le septième sacrement, celui du mariage, prit lentement sa forme au XIIe siècle. Les doctrines des théologiens et des canonistes se rapprochèrent et donnèrent la priorité au consensus mutuel, de préférence à l'union charnelle, pour définir le mariage[148]. Celle-ci, qu'on assimilait à l'union de l'Église et du Christ qui font une seule chair, réalisait la consommation du mariage, acte complémentaire qui venait après l'engagement des époux et l'échange des anneaux. C'est là qu'intervenait la bénédiction du prêtre et que se situait l'aspect sacramentel. On comprend la force qu'avaient les fiançailles, caractérisées par un accord, la plupart du temps intervenu entre les parents, et qui engageait l'avenir ; le même terme de *sponsus* désignait aussi bien le fiancé que l'époux. De Pierre Damien à Roland Bandinelli (Alexandre III), la thèse consensualiste l'avait emporté. Faisant la synthèse des écoles de Paris et de Bologne, des traditions germaniques et romaines, Alexandre III donna tout son prix à l'engagement verbal mutuel des époux qui rendait l'union en principe indissoluble, mais reconnut que seule la consommation rendait le mariage stable et irréversible. Les canonistes s'attachèrent à définir précisément l'importance des différents actes pour aider au règlement de litiges toujours nombreux. En 1181, Lucius III considérait le mariage comme un sacrement au même titre que les autres. Par ce sacrement, l'Église intervenait très précisément dans la vie sociale et pouvait peser sur elle par tous les interdits jetés sur certains comportements politiques, familiaux, religieux et sexuels.

---

146. A. HAAS, *Das Interdikt nach geltendem Recht mit einem geschichtlichen Überblick*, 1923 E.J. CORAN, *The Interdict*, Washington, 1930.

147. MANSI, XIX, 541.

148. A. ESMEIN, *Le mariage en droit canonique*, 2 vol., Paris, 1891, 2e éd. mise à jour par R. GENESTAL et J. DAUVILLIER, 2 vol., Paris, 1929-1935 ; E. SCHILLEBEECK, *Le mariage en Occident*, Paris, 1987 ; *Love and mariage in the twelfth Century*, éd. W. Van HOECKE et A. WELKENHUYSEN, Louvain, 1981. J.B. MOLIN et P. MUTEMBE, *Le rituel du mariage en France du XIIe au XVIe siècle*, Paris, 1974. J. GAUDEMET, *Le mariage en Occident. Les mœurs et le droit*, Paris, 1987.

Elle manifesta ainsi une claire opposition aux mariages mixtes qui faisaient intervenir les infidèles et les hérétiques. Le prêtre, qui avait jusque-là un rôle second dans le mariage, fut alors de plus en plus invité à présider la cérémonie, comme il l'avait fait pour les épousailles (fiançailles) et il perçut même à cette occasion quelque offrande.

La mort et la commémoration des défunts

La mort était redoutée, mais elle n'était crainte que dans la mesure où son heure n'était pas connue, et qu'il fallait se préparer sans cesse à l'accueillir, d'où les précautions multiples prises à son sujet. On connaît la forme la plus curieuse de cette préparation, celle qui consistait à enfiler le froc du moine *ad succurrendum*, pour être secouru au dernier moment, lors d'une maladie grave dont l'issue paraissait fatale[149]. Tel comte portait toujours dans ses bagages le vêtement salutaire, afin de ne pas se laisser surprendre s'il recevait une blessure mortelle au combat. La forme la plus courante était celle de la fondation obituaire. Les nécrologes du xii⁰ siècle s'ouvrirent largement à d'autres personnes que celles qu'ils accueillaient jusque-là. Aux membres de la communauté, aux bienfaiteurs, aux grands de ce monde, s'ajoutèrent de plus en plus de simples laïcs, des voisins[150]. S'ils avaient le privilège d'être inscrits, c'est qu'ils avaient fait le nécessaire pour cela, en donnant quelque chose, en argent ou en nature. Bientôt cela ne suffit plus ; ils durent alors fonder un anniversaire en offrant un bien-fonds dont le cens annuel paierait la messe et les prières à dire au jour anniversaire de la mort, suivant la formule vite devenue classique : « Obit un tel qui nous a donné un cens sur telle maison pour le salut de son âme. » Les documents nécrologiques comportent tous des traces de ce large accueil qui n'était pas désintéressé. Car les communautés religieuses étaient des gestionnaires de la mort, inscrivant des noms qui seraient lus le matin au chapitre, puis évoqués au canon de la messe.

Le mourant se préoccupait de sa destinée ; il recevait les derniers sacrements et choisissait, s'il le pouvait, sa sépulture. Pour la presque totalité des chrétiens, le cimetière, autour de l'église paroissiale, la terre bénie de l'aître, était le lieu normal de l'ensevelissement. Pour faire la cérémonie dans l'église, et offrir au mort l'asile de la terre sacrée, le curé recevait quelques piécettes. Deux groupes de personnes ne se retrouvaient pas dans le cimetière commun : celles qu'on en rejetait, et celles qui voulaient davantage. Les premières étaient maudites de Dieu et des hommes, c'étaient les criminels, les pécheurs non repentis, les chevaliers morts en tournoi, les excommuniés ; s'ils avaient été ensevelis par ignorance en terre sacrée, leur corps était déterré et rejeté hors des limites du cimetière. Il y avait ceux qui, au contraire,

---

149. J.L. LEMAITRE, « L'inscription dans les nécrologes clunisiens, xi⁰-xii⁰ s. », *La mort au Moyen Âge*, Strasbourg, 1976, p. 153-167. Quant au souvenir des morts, tel qu'il s'est développé dans toute son ampleur, on le trouve évoqué dans : *Memoria. Der geschichtliche Zeugniswert des liturgischen Gedenkens im Mittelalter*, éd. K. SCHMID et J. WOLLASCH (Münster. Mittelalterl. Schriften, 48), Munich, 1984.

150. P. MARCHEGAY, « Un enterrement au xii⁰ siècle », *Revue de l'Anjou*, I, 1852, p. 177-186. *Id.* « Le droit de sépulture, charte de l'an 1075 », *BEC*, 15 (1854), p. 528-531.

Les damnés, portail des Princes, cathédrale de Bamberg, XIIIe siècle.

trouvaient un asile en un lieu plus saint encore, dans l'église elle-même. La cathédrale gardait sous son dallage les évêques qui y avaient eu leur siège[151], s'ouvrait aux chanoines dignitaires, parfois aux princes laïques. Le sol des autres églises accueillait aussi des privilégiés ; les abbatiales étaient réservées aux chefs de la communauté religieuse, tandis que les moines étaient placés sous l'herbe du petit cimetière proche du cloître ou dans celui-ci. Dans ces églises, quelques seigneurs et chevaliers bienfaiteurs et protecteurs trouvaient aussi une place.

La messe

La prière s'exprimait à tout moment du jour et de la nuit, en toute circonstance, en tout lieu, mais l'église, l'oratoire, la chapelle en étaient les lieux privilégiés et la messe l'élément essentiel. Tout chrétien devait, la règle était rappelée par les conciles et les synodes, assister à la messe du dimanche, c'était sa première obligation. Au XIIe siècle, les lieux de culte étaient multiples et partout présents ; la plupart des villages disposaient d'un édifice de prière, une chapelle. En tout cas, les chrétiens se retrouvaient à la messe du dimanche, même s'il fallait parcourir de longues distances pour s'y rendre. Cela signifiait-il que les habitations étaient chaque dimanche et d'un seul coup désertées, livrées sans surveillance aux malfaiteurs ? Il est difficile de le croire ; des vieillards ne se déplaçaient plus, des femmes restaient avec leurs jeunes enfants, quelques adultes assuraient la garde ou se dispensaient de l'office, quand l'église était trop éloignée.

Le déroulement de la messe était fixé depuis plusieurs siècles ; toutefois des changements étaient intervenus à partir du milieu du XIe siècle et une véritable floraison de traités liturgiques doit être signalée pour le XIIe siècle. Parmi les nombreux auteurs d'*Ordo missae*, quelques-uns émergent, Honorius Augustodunensis, Jean d'Avranches, Étienne de Baugé, Alger de Liège, Bernold de Constance, Rupert de Deutz, Bonizon de Sutri, qui, à différents degrés, présentaient et interprétaient les cérémonies, les objets, les actes de la liturgie[152]. La messe comportait quelques points forts : la lecture de l'évangile, le sermon qui offrait l'occasion aux moins croyants de sortir un moment de l'église, la consécration des saintes espèces, l'élévation surtout, annoncée par la clochette (la dévotion à l'eucharistie devient telle qu'elle se traduit par le récit de « miracles eucharistiques »), l'offrande[153]. La communion, qui cessa au

---

151. Cattaneo, « La partecipazione dei laici alla liturgia », *I laici*, p. 396-423. A. Kolping « Der aktive Anteil der Gläubigen an der Darbringung des eucharistischen Opfers. Dogmengeschichtliche Untersuchung frühmittelalterlicher Messerklärungen », *DT*, 27 (1949), 369-380, 28 (1950), 79-110, 147-170.

152. Pour la présentation des différents traités, voir A. Franz, *Die Messe im deutschen Mittelalter, Beiträge zur Geschichte der Liturgie und des religiösen Volkslebens*, Darmstadt, 1963, p. 407-408. La plupart des traités sont publiés dans la *Patrologie latine* : Honorius, t. 172, col. 541-738 ; Jean d'Avranches, t. 147, col. 27-62 ; Étienne, évêque d'Autun, t. 172, col. 1273-1308 ; Bernold, t. 151, col. 977-1022 ; Rupert, t. 170, col. 9-332 ; Bonizo, t. 150, col. 857-866. J. A. Jungmann, *Missarum solemnia. Eine genetische Erklärung der römischen Messe*, 2 vol., Vienne-Fribourg-Bâle, 1962. Rohault de Fleury, *La Messe*. R. Delamare, *Le De officiis ecclesiasticis de Jean d'Avranches*, Paris, 1923.

153. E. Dumoutet, *Le désir de voir l'hostie et les origines de la dévotion au Saint-Sacrement*, Paris 1926. *Id.*, « L'élévation de l'hostie est introduite au XIIe siècle à Milan » (Cattaneo, *I laici*, p. 425). Un miracle eucharistique est signalé au XIIe siècle dans J. van der Straeten, *Les manuscrits hagiographiques de Charleville, Verdun et Saint-Mihiel*, Bruxelles, 1974, p. 72-73.

XIIe siècle d'être donnée sous les deux espèces, n'intervenait qu'aux grandes occasions, à tout le moins trois fois par an, Pâques, Pentecôte et Noël[154]. Celle de Pâques était la plus observée, Latran IV en imposera l'observance. À cette occasion, des offrandes étaient déposées sur l'autel de l'église-mère, dont la visite était obligatoire à ces mêmes fêtes, c'était un apport dont les curés n'entendaient pas se priver. Les réticences à la communion étaient nombreuses, recul devant la confession préalable, obligation de continence pour les gens mariés. Aux yeux de certains, la communion du prêtre valait pour toute l'assemblée.

Paysans et citadins pouvaient avoir la chance d'assister à un office chanté, célébré par un groupe de clercs ou de moines, et le spectacle des hommes en habits religieux, des processions, le parfum de l'encens, l'abondance des lumières donnaient à la messe dominicale une solennité appréciée. L'ignorant se laissait instruire par les peintures et l'ornementation, comprenait les gestes et quelques paroles, pouvait donner de brèves réponses en latin[155], était sensible au théâtre sacré. Il y avait loin de l'office campagnard, donné par un vicaire démuni, au déploiement des fastes et des moyens des églises abbatiales, capitulaires, priorales. Ce n'était pas une messe, mais deux ou trois par jour qu'entendaient et chantaient les hommes et femmes d'Église, messes basses, grand-messes chantées, messes des morts, de la Vierge, du Saint-Esprit, simples ou doubles, assurées par un clergé abondant où le prêtre officiant était assisté d'un diacre, d'un sous-diacre, environné des autres clercs dont un portait un livre, un autre donnait l'encens, tandis que deux autres entretenaient le luminaire ou offraient le vin et l'eau.

Le déroulement de l'année liturgique

L'année liturgique commençait avec l'Avent, l'annonce de la venue du Seigneur, que certains ordres religieux accueillaient par une première période de jeûne. Noël était jusque-là dans l'Empire la fin et le début de l'année, avant d'être relayé dans cette fonction par le 25 mars, jour de l'Annonciation[156]. Noël était fêté avec une solennité particulière, tous les fidèles devaient se retrouver à l'église-mère de la paroisse, apporter les offrandes au nouveau-né. Puis venait la fête des rois mages. Les évangiles apocryphes ont illustré des épisodes de la vie du Christ, et créé un monde coloré auquel appartiennent le bœuf et l'âne de la crèche ; les trois rois venus d'Orient étaient connus de tous par leur nom, apportaient certains cadeaux, et les présentaient dans un certain ordre, respecté par l'iconographie : le plus vieux à genoux, tête nue offrant l'or à la Vierge, l'adulte debout derrière portant l'encens, et le plus jeune à l'arrière donnant la myrrhe, tout en montrant du doigt l'étoile qui les avait guidés[157]. Il fallut attendre encore le XIVe siècle pour que s'imposât la pratique de faire de Gaspard, l'un des trois, un noir.

154. P. Browe, *Die Pflichtcommunion im Mittelalter*, Münster, 1940.
155. Cela est attesté par Jean d'Avranches (*De officiis, op. cit.*, note).
156. A. Giry, *Manuel de diplomatique*, Paris, 1894, p. 107.
157. Cela se voit aussi bien sur les manuscrits que, par exemple, sur la châsse des rois mages de Cologne.

La Semaine sainte était le centre de la vie liturgique et ses trois derniers jours, du jeudi au samedi, voyaient se multiplier les cérémonies solennelles. Déjà l'habitude était prise de faire taire les cloches et de les remplacer par des instruments de bois que l'on fait claquer, ces futures crécelles que le folklore a conservées dans les campagnes[158]. Le jour de Pâques était la deuxième grande fête de l'année et marquait la fin du temps de Carême, Pentecôte la troisième, le temps qui suit étant dénué de grands moments jusqu'aux deux fêtes de la Vierge, son Assomption (15 août) et le jour de sa naissance (8 septembre). Quelques saints prenaient une grande place dans la vie liturgique et dans la vie quotidienne, comme saint Pierre, plusieurs fois fêté : le 29 juin avec Paul, le 1er août avec Saint-Pierre-aux-Liens, le 16 avril dans sa translation, Chaire de saint Pierre le 22 février; ou saint Jean fêté le 24 juin, saint Martin le 11 novembre, mais chaque région, chaque pays avait ses coutumes déjà bien ancrées et son *ordo* particulier, au point que la seule lecture du calendrier d'un manuscrit liturgique permet au spécialiste, dans la plupart des cas, de déterminer sa région d'origine[159]. Ces saints locaux avaient leurs litanies, leurs hymnes, leurs leçons; ils acquéraient une importance et une puissance considérables.

L'année enfin était scandée de moments éclatants par les cérémonies qui les accompagnaient et où les processions jouaient le premier rôle. L'anniversaire de la dédicace de l'église était souligné. Les Rameaux, le jour des Palmes, en offraient l'exemple le plus frappant; c'est alors que le clergé, précédé des porteurs de croix et de cierges, se déplaçait dans l'église et au-dehors en chantant, en s'arrêtant à des moments précis, pour exorciser, pour appeler la bénédiction de Dieu. La procession était un bon moyen de couvrir tout l'espace sacré, elle faisait sortir le clergé de son espace réservé, le mêlait au peuple jusqu'au-dehors, dans le cimetière et même sur les routes, les jours où, aux Rogations, le prêtre allait bénir les champs et attirer la bienveillance divine sur les futures récoltes, à l'époque des semailles de printemps, au moment où les ventres étaient creux, et quand la végétation commence à se réveiller[160].

L'office

Il était, dans la population, des hommes et des femmes voués à Dieu, dont la vocation était de prier tout le jour, ceux qui, suivant les prescriptions de leur règle, récitaient les « heures canoniales », se levaient au milieu de la nuit pour chanter les matines, priaient ensemble une ou deux heures avant de se recoucher brièvement, se levaient de nouveau avec le soleil pour laudes et prime, la première des douze heures qui partageaient le jour des Romains. À partir de là, le rythme s'accélérait, prières, chants, messes se succédaient sans interruption jusqu'à tierce et la messe principale.

---

158. J. SAUER, *Symbolik des Kirchengebäudes und seiner Ausstattung in der Auffassung des Mittelalters*, Münster 1964, p. 151 (*signa lignea, crepitacula, tabulae*).

159. On pourra se reporter sur ce point aux différents ouvrages de V. LEROQUAIS, notamment *Les livres d'Heures, manuscrits de la Bibliothèque nationale*, 3 vol., Paris 1927, et *Les Bréviaires manuscrits des bibliothèques publiques de France*, 6 vol., Paris, 1934.

160. Les rogations conduisaient d'abord les processions d'une église à l'autre dans une ville avant d'en sortir pour rallier une chapelle située dans la campagne.

Un premier intervalle consacré au travail ou à l'étude menait aux prières du milieu du jour, distinctes ou regroupées, sexte et none; à la fin de l'après-midi, vêpres et complies mettaient un terme à la journée. Après le dernier mot des complies, le silence tombait sur la communauté, habituée à se coucher tôt pour se lever aux matines. Quatre rencontres quotidiennes de prières, qui pouvaient durer plus ou moins, augmentées parfois, doublées chez les clunisiens[161], plus brèves pour les cisterciens travaillant dans les champs, observées autrement par les chanoines et les chanoinesses dispersés dans leurs maisons que par les moines et les moniales maintenus dans le cloître à deux pas du chœur. Au cours de ces Heures, des prières étaient dites, des textes, empruntés aux Écritures et aux Pères de l'Église, lus, des psaumes, chantés; le chantre planté au milieu de tous, devant son lutrin, dirigeait les chants.

L'office se prolongeait au réfectoire, où étaient données des lectures au cours du repas pris en silence, que ne devaient normalement rompre ni le bruit d'un couvert lâché par mégarde, ni la moindre interjection d'un convive. Du haut d'une chaire, un membre de la communauté, toujours le même ou chacun à son tour, mais il devait savoir bien lire, reprenait ou achevait un texte de l'office, lisait des Expositions sur l'Évangile, des œuvres des Pères de l'Église ou des vies de saints. Nulle communauté ne pouvait se soustraire à cette obligation, associée à celle du repas en commun[162]. La liturgie canoniale se déroulait dans la cathédrale ou dans des églises ouvertes à tous et revêtait ainsi une forme de liturgie publique.

Le chant avait sa place dans la liturgie, et la musique religieuse ne cessait alors d'inventer de nouveaux modes de s'exprimer. Les livres ont longtemps porté des neumes au-dessus des mots et des syllabes pour moduler le son de la voix. Guy d'Arezzo a défini les notes, les a placées sur une portée à quatre lignes, qui permit de donner plus d'assurance et de fidélité aux sons. Des tropes et des séquences amplifièrent le texte, insérèrent des mots et des modulations entre les phrases fixes du Kyrie ou les greffèrent sur la dernière voyelle de l'Alleluia. Un style de transition est sensible à cette époque, le maître en fut l'abbé de Reichenau, Hermann le Contract (†1054), puis les compositeurs de Saint-Victor de Paris jouèrent à leur tour un rôle considérable dans les modifications intervenues au début du XIIe siècle; dans les textes la rime prit la place de l'assonance. Les tropes firent leur entrée dans le graduel[163].

Les nouveaux ordres monastiques voulaient avoir le meilleur chant. Étienne Harding envoya deux moines recopier des textes à Metz, où, depuis le VIIIe siècle, l'école de chant était réputée. Mais ils trouvèrent des livres qu'ils jugèrent inadéquats et durent chercher ailleurs. Le chant accompagnait une liturgie qui, épurée, avait

---

161. A.G. Martimort, « La prière des heures », dans L'Église en prière, IV, La liturgie et le temps, Paris, 1983, p. 197-290. R. Folz, « Pierre le Vénérable et la liturgie », Pierre le Vénérable, 1975, p. 143-161. Ph. Schmitz, « La liturgie de Cluny », Spiritualità Cluniacense, 1960, p. 85-99.

162. Pour les lectures des moines, voir D. Nebbiai-della Guarda, La bibliothèque de l'abbaye de Saint-Denis en France, Paris, 1985, p. 36 et suiv.

163. Geschichte der katholischen Kirchenmusik, par K.G. Fellerer, Bd I, Von den Anfängen bis zum Tridentinum, 1972, p. 265-272 (par G. Göller); J.-B. Pelt, Études sur la cathédrale de Metz, I, La liturgie, Metz, 1937, p. 213-234 (Tropaire et recueil de séquences, manuscrit du XIIe siècle). Dictionnaire de la Musique, Science de la Musique, Paris 1977, s.v. séquence, trope (avec bibliogr.).

besoin de beaucoup de livres, comme les énumère le troisième chapitre de la deuxième partie des coutumes de Cîteaux : « missel, épistolier, collectaire, graduel, anti-phonaire, règle, hymnaire, psautier, lectionnaire, calendrier »[164], et ils devaient être les mêmes partout. Plus tard, Bernard, l'abbé de Clairvaux, créa une commission chargée de rédiger un livre-modèle ; l'abbé Gui de Cherlieu en eut la charge et dans les années 1135-1145 introduisit de nombreuses nouveautés[165], mais nouveautés limitées dans la mesure où les cisterciens voulaient retrouver le chant choral grégorien ancien. Les chartreux, eux aussi, ont fixé leur musique dans la première moitié du XIIᵉ siècle, tandis que les prémontrés n'ont pas recherché d'harmonisation, se satisfaisant des traditions locales de la Lotharingie rhénane et de la France occidentale. Le deuxième abbé de cet ordre, Hugues de Fosses, qui fixa la coutume, élabora cependant un *liber ordinarius*, avec des indications liturgiques. On imagine donc assez bien qu'hors des grandes églises cathédrales et des abbatiales, la plus grande variété régnait. C'est à cette époque que l'on vit se répandre l'orgue pour accompagner les voix[166].

La prédication et l'instruction des fidèles

Si la musique était l'apanage de privilégiés, le sermon en revanche devait atteindre tous les assistants de l'office. Conciles et synodes laissent entendre ce que pouvait et devait être celui du curé de campagne, rappel du *Credo*, avertissement aux chrétiens peu fidèles à l'enseignement de l'Église et de moralité douteuse, appel à la vertu et à la charité, accent sur les grandes fêtes, éloge des mérites des saints ; au XIIᵉ siècle, le niveau de la prédication dominicale était sans doute encore médiocre. L'autorité ecclésiastique insistait sur la nécessité de l'homélie pour instruire le peuple, pour combattre l'hérésie ; en même temps, les ordres monastiques et canoniaux se consacraient beaucoup à la prédication, et les fidèles sollicitaient un enseignement. Parce que celui-ci était peu accessible, des prédicateurs errants, parlant en langue vulgaire sans y être autorisés, apparurent ici et là au XIᵉ siècle, pour le plus grand plaisir du peuple, comme on le sait par le récit des activités des ermites de l'ouest de la France qui attiraient les foules. Le XIIᵉ siècle vit faire un effort de prédication ; des collections de sermons furent constituées[167]. Mais ceux qui nous sont parvenus étaient des textes savants, écrits ou réécrits par des hommes érudits qui composaient des homélies à l'intention d'un certain public, commentaient des phrases de la Sainte Écriture, analysaient les points délicats de théologie, illustraient les grands moments de l'année liturgique, fêtes solennelles et vies des saints.

Quelques noms de prédicateurs ressortent d'un ensemble particulièrement riche et complexe, des bénédictins comme le moine de Saint-Evroul, Guillaume de Merle

---

164. *PL* 181, col. 1725. Le manuscrit à consulter est le n° 114/82 de la Bibliothèque publique de Dijon.
165. *PL* 182, 1122.
166. *Dictionnaire de la Musique, s.v.* orgue, p. 730. Au XIᵉ siècle apparaissent deux séries de tuyaux. L'orgue portatif, puis l'orgue de tribune sont créés à une date indéterminée au XIIᵉ siècle ou peu après.
167. J. LONGÈRE, *La prédication médiévale*, Paris, 1983 ; M. ZINK, *La prédication en langue romane avant 1300*, Paris, 1976.

(†1087), des cisterciens comme saint Bernard et Guerric d'Igny (†1187), des chanoines de Saint-Victor, Godefroid (†1130), Achard (†1170), Richard (†1173), Gautier (†1180), qui illustraient bien la vocation érudite et pastorale des chanoines réguliers, des évêques comme Pierre Lombard ou Maurice de Sully, des maîtres des écoles comme Pierre Abélard, Alain de Lille ou Étienne Langton[168]. Les écolâtres se penchèrent sur l'art de prêcher, la composition des sermons, la façon de convaincre. L'analyse du contenu de leurs œuvres donne un bon reflet de la société du moment et des défauts que les prédicateurs se proposaient de corriger avant tout : cupidité du clergé, orgueil des moines, négligence des pasteurs, ignorance des prêtres, tandis que chasteté, charité et modération étaient proposées comme vertus communes. Le plus illustre de ces prédicateurs fut certainement l'abbé de Clairvaux, qui a traité de tout avec verve, ironie et passion, dans un style et une langue incomparables, faisant aussi bien l'éloge de la Vierge que celui des templiers, analysant et reprenant sans cesse le *Cantique des cantiques*, convaincant plus que nul autre, invitant les fidèles autant que ses moines à tout attendre de Dieu et à tout demander à eux-mêmes[169].

3. LES LIEUX DE CULTE

Le nombre des lieux du culte chrétien a considérablement augmenté du Xe au XIIe siècle, de même que leur diversité dans la taille, la localisation, la présentation extérieure. Tous portent, à un degré plus ou moins prononcé, des caractères de l'art roman, dont l'apogée se situe du milieu du XIe à la fin du XIIe siècle. La distribution de l'espace, le décor, les phases actives de la liturgie constituent quelques-uns des aspects de la vie religieuse dans ses manifestations quotidiennes.

Les édifices et l'espace sacré

C'est la présence de l'autel contenant des reliques qui détermine le lieu du culte, peu importe la grandeur de l'espace où il se trouve établi. À l'extrême limite, on le sait, le culte peut se dérouler en plein air, un autel portatif permettant de supporter le calice avec le pain et le vin. La pratique de la chapelle portative était ancienne, bien qu'elle fût alors moins développée qu'elle le sera au XIIIe siècle où l'on voit les papes en autoriser l'usage à beaucoup de nobles; calice, burettes, livre, vêtements sacrés étaient transportés dans les bagages du clergé qui entourait le prélat ou le prince de manière à pouvoir répéter chaque jour le sacrifice de la messe. Mais les oratoires, les chapelles, les églises existaient partout; l'ermite, perdu dans la forêt, au fond d'un vallon,

---

168. J. LECLERCQ, « Prédicateurs bénédictins aux XIe et XIIe siècles », *RMab* 33 (1943), p. 48-73. R. CRUEL, *Geschichte der deutschen Predigt im Mittelalter*, Hildesheim, 1966, p. 128-200 (cite notamment les collections d'Honorius Augustodunensis et de l'abbé de Saint-Blaise Wernher). J. CHATILLON « Sermons et prédicateurs victorins de la seconde moitié du XIIe siècle », *AHDL*, 32 (1966) ; P. L. BOURGAIN, *La chaire française au XIIe siècle d'après les manuscrits*, Paris, 1879. J. LONGÈRE, *Les œuvres oratoires des maîtres parisiens au XIIe siècle. Étude historique et doctrinale*, Paris, 1975.
169. Voir introductions diverses dans J. LECLERCQ-H. ROCHAIS, *Sancti Bernardi opera*, 8 vol., Rome, 1957-1977 ; J. LECLERCQ, *Recueil d'études sur saint Bernard et ses écrits*, 3 vol., Rome, 1962, 1966, 1969.

bâtissait une chapelle en même temps que sa hutte, et les romans de chevalerie ne manquaient pas de citer ces petits lieux de culte, signalés par leur croix et une cloche, rencontrés par les héros au hasard de leurs pérégrinations.

Les plus petits édifices fixes, où la messe était dite, où le fidèle priait devant le crucifix couvraient une surface de quelques dizaines de mètres carrés. La chapelle d'un château, à peine éclairée par une meurtrière, occupait peu de place dans une tour ; l'oratoire villageois n'était guère plus grand. Certaines des églises de la campagne catalane ou italienne se présentaient déjà à l'époque préromane sous la forme d'une masure au toit bas, aux murs de pierres sèches, où seule la lumière du soir pénétrait par l'ouverture de la porte, un chœur carré trahissant le respect de l'orientation traditionnelle vers l'est et l'emplacement de l'autel. Ces édifices primitifs étaient construits sommairement dans les régions peu peuplées et montagneuses ; une vingtaine de personnes pouvaient facilement s'y tenir pour y suivre l'office à la lueur des chandelles[170].

L'église, qui desservait un ou plusieurs hameaux, telle que nous l'a laissée l'élan de construction évoqué par la phrase fameuse de Raoul Glaber, offrait les caractères habituels de l'art roman. La plus simple avait une nef de dix à quinze mètres de long ; au-dessus de la porte de bois un tympan portait une sculpture sommaire, les montants avaient des motifs géométriques ; les murs de la nef étaient percés de quelques fenêtres et supportaient un plafond de bois ou les premiers essais d'un voûtement en pierre. L'extrémité comportait une abside arrondie où l'on avait placé l'autel éclairé grâce à quelques baies vitrées. Sur le côté du bâtiment, une tour pouvait accueillir les habitants du village en cas de danger ; ses murs épais et aveugles la protégeaient autant que sa situation dans l'espace sacré qui réunissait l'église et le cimetière. Si les habitants étaient plus riches et le patron plus généreux, l'église était plus somptueuse, dotée de plusieurs tours à l'ouest de la nef ou aux extrémités du transept, les chapiteaux étaient alors sculptés et figurés. Pendant des siècles souvent, ces solides édifices romans se rencontraient dans toutes les campagnes européennes et même dans les villes[171].

L'entretien de ces petites églises n'étaient pas une mince affaire, car les fidèles comptaient sur le patron pour payer les frais, tandis que celui-ci ne s'empressait pas de faire le nécessaire. C'est pourquoi, dès le XIIᵉ siècle, des accords intervenus devant l'évêque ont en certaines régions défini les responsabilités de chacun : les villageois avaient la charge de la tour, qui était leur refuge, le curé avait la charge du chœur, le patron, véritable propriétaire de l'église, qui percevait une partie parfois importante des revenus, devait entretenir les murs et le toit de la nef, fournir aussi les objets liturgiques. On a quelques exemples d'églises construites à l'initative des gens du village, qui en assurent ensuite l'entretien[172].

---

170. X. BARRAL I ALTET, *L'art pre-romanic a Catalunya, segles ix e x*, Barcelone, 1981 (donne de très nombreux exemples et des illustrations de ces petites églises de campagne).

171. À titre d'exemple, H. COLLIN (*Les églises romanes de Lorraine*, Nancy, 1981-1986), dresse un panorama complet et détaillé des petites églises de campagne de la région lorraine.

172. M. PARISSE, « Recherches sur les paroisses du diocèse de Toul au XIIᵉ siècle : l'église paroissiale et son desservant », *Le istituzioni ecclesiastiche*, p. 567-568.

Les églises moyennes et les grandes églises étaient celles d'une institution religieuse, prieurés, abbatiales, cathédrales ; leur architecture était plus soignée et possédait des peintures et des sculptures. Quand l'église d'un village était prise en charge par une abbaye, elle pouvait devenir le centre d'un prieuré, pour accueillir en permanence quelques moines, aussi parce que le propriétaire en avait les moyens financiers. L'édifice était alors plus vaste, la nef était agrandie par deux bas-côtés, et des fenêtres étaient ouvertes dans l'espace compris entre les toits de l'une et des autres, un transept donnait plus d'espace aux mouvements du clergé ; à l'abside principale pouvaient s'ajouter deux ou quatre absidioles, car il y avait plusieurs autels. L'autel des moines était parfois différent de celui du peuple, que l'on confinait dans un bas-côté ou au fond de la nef. Dans les meilleurs cas, un cloître flanquait le bâtiment. De telles églises, semblables à celles de petits chapitres séculiers, se multipliaient aux XIe et XIIe siècles, notamment parce que les abbayes bénédictines mirent en place des prieurés sur des groupes de leurs possessions, ou parce que les seigneurs multiplièrent les « collégiales ». Telles étaient aussi les premières constructions suscitées par un ermite dont le groupe de disciples devenait important.

Nous frappent surtout, quand elles existent encore, les grandes abbatiales et cathédrales romanes, disparues souvent au moment des reconstructions gothiques. Les annales, les chroniques abondent en indications sur leur construction aux XIe et XIIe siècles, où de grandioses édifices succèdent aux oratoires primitifs. L'ambition fut parfois telle que le successeur gothique a conservé les substructions et le plan dans ses grandes lignes. Les abbayes cisterciennes conservent sans doute aujourd'hui le mieux le souvenir des églises du XIIe siècle ; elles ont trois nefs assez vastes, chacune ouverte d'un portail rarement décoré, chacune surmontée d'une couverture de pierre, voûtée en berceau, ou voûte d'arêtes ; le transept y constituait presque une nef transversale, ample par son développement et sa hauteur, avant les absidioles décalées qui permettent de dessiner un chevet harmonieux, que le chœur soit carré ou arrondi.

Au centre de la France, du Poitou à la Bourgogne en passant par l'Auvergne, sont nées alors ces splendides églises romanes aux chevets majestueux à plusieurs niveaux, masses harmonieuses dominées par une tour, où la nef apparaît presque comme un appendice. D'un bout à l'autre de l'Europe, jouait déjà la concurrence des architectes, d'une région à l'autre, d'un ordre à l'autre. Y avait-il une architecture clunisienne, cistercienne, prémontrée ? française, catalane, allemande, italienne ?

L'art roman s'exprime dès l'extérieur par le choix des masses reposantes, où domine l'arrondi, mais d'une masse qui ne signifie pas toujours lourdeur, d'une opacité qui ne veut pas dire obscurité[173]. Certes bon nombre des églises de cette époque, surtout

---

173. E. MÂLE, *L'art religieux du XIIe siècle en France. Études sur les origines de l'iconographie du Moyen Âge*, 2e éd. Paris, 1924. M. DURLIAT, *L'art roman*, Paris, 1982 ; G. DUBY, *L'art cistercien*, Paris, 1977. F. AVRIL, X. BARRAL I ALTET, D. GABORIT-CHOPIN, *Le monde roman, 1060-1220*. I. *Le temps des croisades* ; II. *Les royaumes d'Occident*, Paris, 1982-1983.

parmi les plus petites et les plus sommairement construites, sont sombres et réclament du luminaire en abondance, mais beaucoup aussi sont hautes et claires, comme le montre l'exemple du *Dom* de Brunswick, où Henri le Lion faisait ses dévotions. Harmonie des absidioles et de l'abside, des colonnes engagées avec demi-chapiteaux, des bandes lombardes, des fragments de murs plats s'élevant lentement vers le toit et les tours, dessin rectiligne de la nef soutenue par de solides contreforts, qui permettent d'évider les fenêtres. L'église romane offre sa grande façade nue à l'œil du visiteur, les portails y occupent une faible place. Il y en a peu qui, comme Notre-Dame la Grande de Poitiers, ont une façade chargée de sculptures, la règle est plutôt dans le mur plat et la régularité des grosses pierres taillées. Les portes sont parfois peuplées d'un monde de saints, d'apôtres et de prophètes, le tympan accueille une vision du Christ ou de la Vierge en majesté, le trumeau, s'il existe, est travaillé, le linteau supporte des images en registre; Moissac à soi seul parle pour les autres à ce sujet. Cette abondance de personnages et de scènes, de paix ou de violence, l'enseignement de l'Ancien et du Nouveau Testament, les chapiteaux l'offrent aux yeux, dans la nef, le cloître, du Mont-Saint-Michel à la collégiale Saint-Ours d'Aoste, de Saint-Julien de Brioude à Hirsau.

Comment parler d'obscurité quand la couleur est partout, sur les statues et sur les piliers, sur les murs et au plafond! L'église romane est peinte, riche en fresques, non pas sans doute que la peinture couvre toutes ses surfaces, mais elle est partout présente[174]. Au clerc la lettre, au laïc la peinture, dirait-on volontiers. La peinture avait un triple but : instruire les ignorants, rappeler les choses à la mémoire, décorer l'édifice. Les plus grands chefs-d'œuvre comme la voûte de Saint-Savin ou la chapelle de Berzé ne sont pas des exceptions, ce sont seulement des exemples majeurs de ceux qui nous restent à ce degré de conservation et de qualité. Partout des restaurations font resurgir des saints, des cavaliers, des christs, des miracles et des enseignements, dans une tradition vivante depuis les temps carolingiens, si vivante même que les cisterciens l'ont refusée pour favoriser la méditation devant des murs aux pierres nues. Le pavement des parties privilégiées de l'édifice est orné d'une mosaïque qui figure des thèmes de l'Ancien Testament, des images cosmologiques ou inspirées des bestiaires, des histoires hagiographiques. Le Nouveau Testament et les représentations du Christ ou de la Vierge sont exclus du sol sur lequel on marche.

La statue de bois ou de pierre, peinte aussi, reproduisant la Vierge à l'Enfant, assise généralement, est déjà fréquente, ou bien on peut voir le patron tutélaire[175]. Dans le mobilier de l'église, il faut faire une place aux tentures, savantes représentations de la Genèse comme en Espagne (Gérone), épisodes de la vie du prince comme en Scandinavie, ce sont là des objets fragiles dont peu ont subsisté jusqu'à nos jours[176].

---

174. M. Hirmer, *La peinture murale romane*, Paris, 1970.
175. G. Duby, X. Barral I Altet, S. Gutot de Suduiraut, *La sculpture du Moyen Âge*, Genève, 1989.
176. P. de Palol, *El tapis de la creacio de la catedral de Girona*, Barcelone, 1986. F. Joubert, *La tapisserie médiévale au Musée de Cluny*, Paris, 1988.

Collection Viollet

*Vierge romane en bois du XIIᵉ siècle
de l'église de Corneilla-de-Conflent,
Pyrénées-Orientales.*

La distribution spatiale

L'église comme la chapelle se pénètre lentement de l'extérieur à l'intérieur, du plein jour au mystère. Autour d'elle, l'évêque a délimité lors de la dédicace un espace plus ou moins vaste, que soulignent bientôt un fossé, une murette, des arbres, limites interrompues par une ou deux portes ; c'est l'aître, l'atrium latin, lieu d'asile, espace d'accueil. C'est trop vite dit que de parler d'un cimetière, même si son usage est aussi d'accueillir les dépouilles ; qu'on ne l'imagine pas comme aujourd'hui, couvert de plaques tombales, hérissé de croix. L'aître — « pour le refuge des vivants, non pour la sépulture des morts », écrit un évêque de Rennes vers 1160 — est un espace où l'on vit, où l'on construit des maisons d'habitation pour lesquelles un cens est payé ; on y rend la justice au portail ou sous un arbre, on y tient commerce, on y ouvre la foire, on y bavarde, on s'y presse si l'ennemi menace[177]. L'aître sert aussi de cimetière, c'est son usage second ; les morts, jetés dans la terre enveloppés d'un linceul, n'ont pas de tombes désignées à l'attention du passant qui les foule avec indifférence ; l'espace de vie à l'air libre est plus important que le sous-sol ouvert aux morts. Que de conflits entre les moines et les curés, entre les patrons et les desservants, pour disposer totalement des revenus en argent que l'aître peut offrir ! Que de batailles pour disposer d'un corps à ensevelir quand le mourant a préféré la terre sacrée de l'abbaye voisine à celle de l'aître paroissial ! Le choix de la tombe devient important et les premiers gisants, qui rappellent à tous la personne du défunt, font leur apparition[178].

Le catéchumène n'a normalement pas le droit d'aller plus avant que la porte de l'église. Certains édifices ont un narthex développé qui leur sert de lieu d'accueil. Le vaste porche de l'abbatiale de Fleury (Saint-Benoît-sur-Loire) en conserve le souvenir[179]. De là les chrétiens à baptiser ont accès directement aux fonts baptismaux quand ceux-ci ne sont pas dans une tour extérieure. La tour qui surmonte le portail et le massif occidental ou Westwerk des églises allemandes, sont des lieux de refuge et de prière[180]. Parfois closes au rez-de-chaussée et accessibles seulement de l'intérieur, elles offrent la sécurité de murs épais, la hauteur d'où on surveille l'horizon, les étages où sont installées les cloches (on parle encore de tour plus que de clocher)[181], et aussi la chapelle en hauteur, généralement consacrée à saint Michel ou au Sauveur. À la pointe de la tour, une croix est fichée, de plus en plus remplacée par un coq ; on en voit poser un sur Westminster au moment de son achèvement, sur la Tapisserie de Bayeux[182].

La nef est un vaste espace libre, où l'on reste debout ; seuls des bancs plaqués aux murs permettent à quelques personnes de se reposer ou de suivre l'office assis. Trois groupes sont distingués dans l'église : les clercs dans le chœur, les femmes à droite dans la nef, c'est-à-dire du côté nord, et les hommes à gauche[183]. Si des fidèles sont fatigués ou veulent écouter le sermon plus confortablement, ils s'asseoient par terre. La nef bruit du monde qui l'occupe ; ceux qui la fréquentent à l'office dominical en profitent pour régler quelque affaire, parler à des amis ; elle est un espace pour le peuple, coupé de l'espace sacré des clercs. Elle est aussi un lieu de liturgie, car il s'y trouve de plus en

---

177. L. MUSSET, « Cimiterium ad refugium tantum virorum, non ad sepulturam mortuorum », *RMAL*, 4 (1948), p. 56-60. P. DUPARC, « Le cimetière, séjour des vivants (XIᵉ-XIIᵉ s.) », *Bull. phil.*, 1964, Paris, 1967, p. 483-504 ; H. GUILLOTEL, « Du rôle des cimetières en Bretagne dans le renouveau du XIᵉ et de la première moitié du XIIᵉ siècle », *MSHAB*, 52 (1972-1974), p. 1-26. Élisabeth ZADORA-RIO, « Les cimetières habités en Anjou aux XIᵉ et XIIᵉ siècles », *105ᵉ Congrès Soc. Sav., Archéologie*, Caen, 1980, Paris, 1983, p. 319-329

178. A. ERLANDE-BRANDENBURG, *Le roi est mort*, Paris-Genève, 1975. *La figuration des morts dans l'Occident médiéval jusqu'à la fin du premier quart du XIVᵉ siècle*, Abbaye royale de Fontevraud, 26-29 mai 1988, Fontevrault, 1989.

179. E. VERGNGLLE, *Saint-Benoît-sur-Loire et la sculpture du XIᵉ siècle*, Paris, 1985.

180. C. HEITZ, *La France pré-romane. Archéologie et architecture du Haut Moyen Âge, du IVᵉ siècle à l'an mille*, Paris, 1987.

181. J. SAUER, *Symbolik des Kirchengebäudes und seiner Ausstattung in der Auffassung des Mittelalters*, Munster, 1964, p. 140-155. Clocca : *PL* 134, col. 1017, « *turrim signorum quam rustici cloccarium dicimus* » récit par Guillaume de Chalon de l'incendie de Saint-Pierre de Chalon en 956.

182. *Ibidem* : *galli in summo pomo*. M. PARISSE, *La Tapisserie de Bayeux. Un documentaire du XIᵉ siècle, Paris, 1983*, p. 2, 76.

183. J. HUBERT, « La place faite aux laïcs dans les églises monastiques et cathédrales », dans *I laici*, op. cit., p. 470-478. I. MUELLER, « Frauen rechts, Männer links. Historische Platzverteilung in der Kirche » *Schweiz-Archiv für Volkskunde*, Bâle, 57 (1961), p. 65-81.

plus d'autels, de ceux que les particuliers commencent peu à peu à fonder et pour lesquels ils donnent un cens annuel à un chapelain chargé de dire la messe au jour anniversaire de leur mort et, en général, à leur mémoire. En attendant que s'ouvrent des chapelles sur les bas-côtés, les autels privés sont plaqués contre les murs ou les piliers de la nef, car il y en a d'autres, nombreux, dans le transept et les absides.

La limite entre les fidèles et le clergé est en outre marquée par le chancel, barrière de pierre sur laquelle est placé l'ambon, d'où le prêtre exhorte les chrétiens[184]. Dans certaines grandes églises, le chancel s'élève, devient un mur de pierre qui dérobe aux regards la liturgie de l'autel, le mystère que développe le prêtre, dos tourné à la foule, entouré des clercs qui l'assistent et constituent une autre barrière. Seuls peuvent voir directement l'autel et l'officiant ceux qui se tiennent dans les tribunes, car leur regard est plongeant. Tout change un court instant quand l'officiant élève l'hostie aux regards, après que la clochette a averti les assistants de se tenir cois un moment. Il est donc des lieux consacrés, réservés au clergé et où le peuple n'a pas accès. Le centre de la vie liturgique des clercs est le chœur ; s'y ajoute parfois une crypte, église souterraine où se trouve de préférence le sarcophage du saint patron, la « confession »[185]. Cette construction en profondeur, parfois très vaste et décorée (qu'on songe à celle de Saint-Bénigne de Dijon, à celles de Saint-Germain d'Auxerre) contribue à surélever le niveau du chœur. Dans les abbatiales et les cathédrales, entourant l'autel principal, apparaissent peu à peu les stalles qui peuvent occuper même une partie du transept, où se rangent par ordre d'ancienneté les chanoines ou les moines. On connaît bien la richesse des sculptures des miséricordes des sièges des chanoines[186]. Les religieuses, quant à elles, n'ont pas le droit de se tenir dans le chœur et se réfugient à l'écart, sur des tribunes placées dans le transept ou tout au fond de l'église[187].

La vie intérieure de l'Église

Tout un monde s'active dans l'édifice et en garde l'accès et les trésors. L'église n'est pas ouverte à tout vent ; les portes sont closes avec soin durant la nuit, un portier s'en charge, ferme aussi l'accès à la sacristie, surveille l'entrée, chasse les importuns. Combien de malades et d'infirmes ne cherchent-ils pas à entrer les premiers après avoir veillé à la porte une partie de la nuit, ou ne tentent-ils pas de se laisser enfermer près du tombeau vénéré dans l'espoir d'une guérison qui peut survenir en pleine nuit ! L'abbatiale est une église réservée aux moines, mais il serait faux de croire que les fidèles n'y pénètrent pas ; même les églises des moniales ont une porte qui donne sur le dehors, et s'ouvre aux chrétiens, mais que les religieuses ne doivent pas franchir. Il est d'autres accès pour elles comme pour les moines et les chanoines, la porte du cloître,

184. *Le paysage monumental de la France de l'an Mil*, dir. X. BARRAL I ALTET, Paris, 1987, p. 116-117. J. THIRION, « L'ancienne cathédrale de Nice et sa clôture de chœur du XIᵉ siècle, d'après des découvertes récentes », *CAr*, 17 (1967), p. 12-160.

185. L. GRODECKI, *L'architecture ottonienne. Au seuil de l'art roman*, Paris, 1958.

186. D. et H. KRAUS, *Le monde caché des Miséricordes*, Paris, 1986.

187. H. E. KUBACH, *Architettura romanica*, Milan, 1972.

celle qui donne parfois accès directement au dortoir, grâce à un escalier placé dans le transept. Le plan de Saint-Gall faisait ainsi apparaître quatre portes ayant des utilisateurs différents. Les églises de moindre importance n'ont que la porte de la façade, ce qui constitue une sécurité supplémentaire ; le bâtiment de pierre est alors peu accessible, il est même souvent organisé pour la défense comme la tour, a des combles aménagés, une bretèche au-dessus de la porte, quelques archères, voire des créneaux ; les églises fortifiées sont nombreuses dès cette époque [188].

Le portier parfois s'occupe aussi des cloches, celles-ci sont placées dans la tour ou dans un clocheton approprié, les cordes qui permettent de les mouvoir pendant à l'intérieur de l'édifice. « Ils firent faire des cloches en bronze et en d'autres métaux, au signal desquelles les frères qui les entendaient se hâtaient aussitôt vers l'église, et le peuple, qui devait les écouter, se précipitait en bloc », écrit Albert d'Aix à propos de moines de la Terre sainte [189]. Les cloches rythment la vie quotidienne, au village et à la ville, dans chaque église. Elles ont une importance particulière dans les monastères en raison de la régularité des heures de prière à sonner ; le mot *signum* sert à désigner la cloche plus souvent que celui de *campana*, notamment dans les règles monastiques, car l'idée de signal à donner est ici primordiale.

Le véritable maître de l'église est le *custos*, chargé de l'entretien du bâtiment, de son mobilier, de ses objets précieux, de ses reliques. S'il n'y a pas de portier, il tient les clés, sonne les cloches. La traduction de son nom en langue vulgaire donne coutre, mot souvent éclipsé par celui de sacristain *(sacrista, sacristanus)*. Avec lui c'est toute la vie intérieure du bâtiment qui défile. Au premier chef, il a le souci de la fourniture des objets nécessaires à la vie liturgique. On a vu déjà que dans les églises de campagne c'est le patron qui les fournit. Là où il y a une communauté religieuse, les revenus permettent d'accumuler un trésor où tout ce qu'il y a de plus précieux est conservé. Le sacristain pouvait être assisté de la « fabrique » pour le financement des gros travaux [190]. L'église et le prêtre recevaient des offrandes, les prémices de la récolte, des gâteaux, du grain, du vin, de la cire, à l'occasion des grandes fêtes et pour les sacrements. De l'argent était perçu, des dîmes recueillies et le patron avait soin de s'en réserver une large part. Seules, les grandes églises, disposant d'un abondant clergé, avaient un sacristain ; dans les autres, le curé en faisait office, avec toutes les difficultés que représentaient son incompétence en matière de gestion et la pression permanente du patron, qu'il fût au reste ecclésiastique ou laïc. Le curé ou le sacristain devaient encore gérer la dot de l'église, qui consistait en terres, en vignes, en prés, dont le rapport était censé subvenir aux besoins des desservants ; là encore la générosité des paroissiens n'était pas un vain mot.

Les trésors d'églises

Au chapitre des dépenses figurait le cens qui pesait sur chaque lieu de culte et que percevait, en argent, la caisse de l'évêque ; bien des églises en obtenaient l'affran-

---

188. R. TRUTTMANN, « Églises fortifiées de l'Est de la France », *Le Pays Lorrain*, 1959, p. 1-46.
189. *PL* 166, col. 557A. *DACL, sv.* Cloche (H. Leclercq), 3, 1914, col. 1954-1977.
190. P. du COLOMBIER, *Les chantiers des cathédrales*, Paris, 1973.

chissement au XIIe siècle; d'autres taxes étaient à verser, elles représentaient le rachat d'obligations anciennes, comme le droit de gîte, le droit synodal. L'évêque avait cessé de parcourir le diocèse avec sa suite à la charge des paroisses qui devaient le loger et le nourrir, il percevait en échange quelques pièces. L'archidiacre faisait parfois de même. L'exemption d'aller au synode, deux fois par an, au siège de l'évêché, se payait également. Avec le grain et le vin reçus, le prêtre fournissait les hosties, avait son vin de messe; la communion sous les deux espèces était en voie de disparition totale, mais la pratique de l'offrande du vin subsistait[191].

Enfin le sacristain entretenait le mobilier, d'autant plus abondant que l'église était riche. Si la chapelle ou l'église de campagne se contentaient d'un seul livre, de la vaisselle minimale, jalousement surveillée, et de quelques habits sacerdotaux, les abbatiales conservaient un véritable trésor, dont on a maints inventaires et qui se répartissait en trois parts : les vêtements, les objets de métal ou en ivoire, les livres[192]. Les vêtements de la liturgie sont les mêmes tout au long des siècles; il en est d'indispensables, d'autres le sont moins[193]. Pour dire la messe, le prêtre revêt une aube *(alba)*, normalement en toile blanche, rappel du vêtement du baptisé; puis il couvre son cou et ses épaules de l'amict, enfile par la tête la chasuble *(casula)*, l'ancienne dalmatique étant portée par les diacres, ajoute par-dessus l'étole *(stola)*, qui pour l'archevêque s'allonge et devient ce pallium qu'il reçoit du pape comme insigne de sa fonction; pour finir il suspend à son bras gauche le manipule. La chasuble est le vêtement le plus luxueux, d'une couleur qui varie avec les offices, orné plus tard d'une croix brodée avec au centre la reproduction de l'agneau pascal, et parfois beaucoup de scènes pieuses en rapport avec le déroulement de la messe et sa symbolique. Une église monastique ou capitulaire possède en plusieurs exemplaires de tels vêtements, car il arrive que plusieurs prêtres officient en même temps, mais les chapelains affectés à un autel particulier ont leur « chapelle » privée. Beaucoup d'autres pièces de tissus sont dénombrées dans les trésors, des nappes d'autel *(palla)*, des corporaux, des devants d'autels, des tapis et des tapisseries *(tapetia)*.

La vaisselle liturgique pouvait se résumer à un calice et deux burettes, pour l'eau et le vin, ou être multiplié par deux ou trois; s'y ajoutaient les indispensables chandeliers, car la messe commençait après qu'on avait allumé les cierges, (auxquels s'ajoutaient les lustres énormes, couronnes de lumière, comme celui que Frédéric Barberousse fit suspendre au sommet de la chapelle palatine d'Aix; ou les lampadaires de bronze, tel le Wolfram d'Erfurt), les croix de différentes tailles et plus ou moins somptueuses, les monstrances, les encensoirs *(thuribulum)*, en argent, en or, ou en métal plaqué[194]. On sait que l'habitude s'était prise de stocker le métal précieux sous forme d'objets d'art.

---

191. G. Constant, *Concession à l'Allemagne de la communion sous les deux espèces*, Paris, 3 vol. *BEFAR*, fasc. CXXVIII).

192. J. Sauyer, *op. cit.*, p. 171. De nombreux inventaires seraient à citer (*Mittelalterliche Schatzverzeichnisse*, t. 1, *Von der Zeit Karls des Grossen bis zur Mitte des 13. Jh.*, Munich, 1967). Voici un exemple moins connu, il date de 1083-1095 et concerne l'abbaye Saint-Martin de Pannonhalma en Hongrie : *A Pannonhalmi Föapatsag törtenete*, éd. Erdelyi Laszlo, Budapest, 1902, n° 2, p. 590-592. H. Appuhn, « Schatzkammern in Deutschland, Österreich und der Schweiz. Führer zu Kirchlichen und weltlichen Kostarbeiten », *Heimer Handlexikon*, Düsseldorf, 1984.

193. J. Braun, *Die liturgische Gewandung im Occident und Orient, nach Ursprung und Entwicklung, Verwendung und Symbolik*, Fribourg/Br, 1907. Joseph Sauer, *op. cit., passim*.

194. J. Sauer, *op. cit.*, p. 200-210.

Les livres liturgiques étaient nombreux, très divers, et ils reflétaient dans leurs changements l'évolution de la liturgie[195]. Grâce au regroupement d'ouvrages aux usages précis opéré peu à peu, le missel pouvait suffire à lui seul pour remplacer tous ceux qui étaient utilisés aux temps carolingiens, comme faisait le bréviaire pour celui qui disait les Heures, mais la tradition faisait encore leur place à l'évangéliaire des diacres, au sacramentaire du célébrant, au pontifical de l'évêque, au lectionnaire des moines, au graduel du chantre. Les livres étaient précieux; certains, d'usage quotidien, demeuraient enchaînés au lutrin qui les portait. Le livre principal des communautés régulières demeurait sur l'autel, car c'était le livre du chapitre[196], qui rassemblait le martyrologe, le nécrologe, la règle et des homélies; il fallait qu'au memento des morts l'officiant pût retrouver la liste des défunts du jour dont la mémoire était à rappeler précisément. Sur le *Liber memorialis* de Remiremont, figuraient en plus des notices de tradition, donations faites à saint Pierre, patron de l'abbaye, que leur présence sur l'autel authentifiait plus sûrement; partout le nécrologe s'imposait dans cette intention, c'est au XIIe siècle qu'il devient obituaire dans la mesure où sont portées de plus en plus nombreuses les fondations de laïcs désireux de participer aux prières de la communauté. Certains livres portaient une couverture d'ivoire et de pierres précieuses, contenaient des enluminures, devenant ces objets convoités, que les pillards de passage et les voleurs occasionnels emportaient en second après la vaisselle précieuse.

---

195. P. Gy, « Typologie et ecclésiologie des livres liturgiques médiévaux », *MD*, 121 (1975), p. 7-21 ; V. Fiala et W. Irtenkauf, « Versuch einer liturgischen Nomenklatur. Zur Katalogisierung mittelalterlicher und neuerer Handschriften », *ZfBB.S*, 1953, p. 105-137. A. Hugues, *Medieval manuscripts for mass and office. A guide of their organization and terminology*, Toronto, 1982.

196. J. Lemaître, « Liber capituli. Le livre du chapitre, des origines au XVIe siècle, l'exemple français », *Memoria* ; *Der geschichtliche Zeugniswert des liturgischen Gedenkens im Mittelalter*, Munich, 1984, p. 625-648.

QUATRIÈME PARTIE

La centralisation romaine et l'unification de la chrétienté

CHAPITRE PREMIER

L'Église romaine d'Innocent III à Grégoire X (1198-1274)

par Agostino PARAVICINI BAGLIANI

I. UNE PAPAUTÉ FORTE

1. LA SUCCESSION DES PAPES

De l'élection d'Innocent III en 1198 à celle de Grégoire X en 1271, c'est-à-dire en soixante-treize ans, neuf papes se sont succédé. Pour la première fois depuis des siècles, en tout cas depuis la réforme grégorienne, une longue période d'histoire de la papauté ne fut troublée par aucune élection d'antipape. À l'inverse, la période qui s'étend de la mort de Grégoire IX (1241) à l'élection de Grégoire X (1271) a connu une série de très longues vacances du Siège apostolique, dont la plus longue (1268-1271) de toute l'histoire de la papauté.

	Date de l'élection	Fin du pontificat
Innocent III (Lothaire de Segni)	1198, 8 janvier	1216, 16 juillet
Honorius III (Cencius, Romain)	1216, 18 juillet	1227, 18 mars
Grégoire IX (Ugolino de Segni)	1227, 19 mars	1241, 22 août
Célestin IV (Goffredo Castiglioni, Milanais)	1241, 25 octobre	1241, 10 novembre
Innocent IV (Sinibaldo Fieschi, Génois)	1243, 25 juin	1254, 7 décembre
Alexandre IV (Rainaldus de Jenne)	1254, 12 décembre	1261, 25 mai
Urbain IV (Jacques de Troyes)	1261, 29 août	1264, 2 octobre
Clément IV (Gui Foucois)	1266, 5 février	1268, 29 novembre
Grégoire X (Tedaldo Visconti, de Plaisance)	1271, 1er septembre	1276, 10 janvier

Entre 1198 et 1271, la durée moyenne des pontificats fut élevée (huit ans et demi). Quatre papes, ayant tous régné entre 1198 et 1254, ont gouverné l'Église romaine pendant plus de dix ans chacun (Innocent III : dix-sept et demi ; Honorius III : onze et demi ; Grégoire IX : quatorze ; Innocent IV : onze et demi) : une donnée importante, non sans relation avec le renforcement de la fonction pontificale à cette époque, soutenue par la possibilité d'une ligne de gouvernement de longue durée.

2. L'ÉLECTION DU PAPE AU XIIIe SIÈCLE : ÉVOLUTION LÉGISLATIVE

La constitution *Licet de vitanda*, promulguée en 1179 par le troisième concile du Latran[1], introduisait dans la procédure d'élection du pape un critère tout à fait neuf : pour élire le pape, une majorité des deux tiers des cardinaux présents était désormais nécessaire. Tous les cardinaux étaient habilités à participer à l'élection du pape, sans distinction de rang (ordre). La constitution de Latran III consacrait définitivement le droit exclusif des cardinaux à participer à une élection pontificale. Le principe de la majorité des deux tiers, remplaçant celui, moins clair et plus ancien, de la *maior et sanior pars*, dérivait du droit romain[2], qui ne l'utilisait que pour définir le *quorum* d'une assemblée, une notion qui fut considérée ici comme superflue. L'élection du pape pouvait être valide, malgré l'absence motivée d'un nombre important de cardinaux.

La longue période de schismes qui avait frappé l'Église romaine pendant tout le XIIe siècle avait incité à rechercher des procédures permettant une élection relativement rapide et contraignante du pape. Elles se fixèrent d'abord dans le canon 24 de Latran IV, destiné à régler les élections ecclésiastiques en général. Trois modes d'élections ecclésiastiques étaient envisagés : *per scrutinium* (un collège de trois scrutateurs était chargé de recueillir secrètement, un à un, toutes les voix, puis de les publier devant tous, après les avoir couchées par écrit), *per compromissum* (l'élection était alors laissée aux bons soins d'une commission d'arbitres, composée généralement aussi de trois membres), et par inspiration (*quasi per inspirationem*)[3].

Après la mort d'Honorius III (1227), une première élection *per compromissum* désigna le cardinal-évêque de Porto, Conrad d'Urach, qui refusa. Grégoire IX (Hugolin d'Ostie) semble avoir été élu *per inspirationem*. Dans le cas d'Innocent IV (25 juillet 1243), nous ne savons pas quel fut le mode d'élection : l'unanimité dont parle le biographe du pape, Nicolas de Calvi[4], avait-elle été obtenue par compromis ou

---

1. V. plus haut, p. 215 et suiv. ; trad. fr. FOREVILLE, *Latran I*, p. 210.
2. J. GAUDEMET, J. DUBOIS, A. DUVAL, J. CHAMPAGNE, *Les élections dans l'Église des origines au XVe siècle*, Paris, 1979 ; J. GAUDEMET, « L'élection épiscopale d'après les canonistes de la deuxième moitié du XIIe siècle », *Id.*, *Église et société en Occident au Moyen Âge*, Londres, 1984.
3. C. 24 (*COD*, p. 246) ; trad. FOREVILLE, *Latran I*, p. 359 ; sur l'élection pontificale au XIIIe siècle v. en général R. ZÖPFFEL, *Die Papstwahlen und die mit ihnen im nächsten Zusammenhang stehenden Ceremonien in ihrer Entwicklung vom 11. bis zum 14. Jahrh.* Göttingen, 1871 ; O. JOELSEN, *Die Papstwahlen des 13. Jahrhunderts bis zur Einführung der Conclaveordnung Gregors X*, Berlin, 1928 ; A. PARAVICINI BAGLIANI, « Versi duecenteschi su un conclave del secolo XIII », *Miscellanea Gilles Gérard Meersseman*, Padoue, 1970, p. 151-168 ; P. HERDE, « Election and Abdication of the pope : Practice and Doctrine in the Thirteenth Century », *Proceedings of the Sixth International Congress of Medieval Canon Law*, Cité du Vatican, 1985, p. 411-436 ; *Id.*, « Die Entwicklung der Papstwahl im dreizehnten Jahrhundert », *ÖAKR*, 32, 1981, p. 11 et suiv. Survol récent : N. ZACOUR, « The Cardinals' View of the Papacy, 1150-1300 », *The Religious Roles of the Papacy*, p. 430-434.
4. F. PAGNOTTI, « Niccolò da Calvi e la sua Vita d'Innocenzo IV, con una breve introduzione sulla istoriografia pontificia nei secoli XIII e XIV », *ASRSP*, 21, 1898, p. 80.

per scrutinium? La crise des années 1241-1243 exigea en tout cas un renforcement de la législation en la matière. Par sa constitution *Quia frequenter*[5], Innocent IV ordonna aux cardinaux de mettre tout en œuvre pour que l'élection se déroule, sans aucune interférence d'une autorité séculière, au lieu même de la mort du pape et après un délai de temps raisonnable, permettant aux autres cardinaux d'être présents. Les cardinaux qui auraient quitté ce lieu perdaient *ipso facto* le droit de vote. La majorité des deux tiers ne pouvant pas comprendre le vote de l'élu, l'auto-élection n'était pas permise. Cette constitution, qui tendait à résoudre un problème institutionnel majeur, celui du lieu de l'élection pontificale, ne reçut cependant pas de force légale[6]. De plus, jusqu'à la constitution *Ubi periculum* de Grégoire X, toutes les autres élections pontificales furent obtenues *per compromissum*, indice manifeste des fortes rivalités, aussi bien politiques que personnelles, qui divisaient le collège des cardinaux.

La procédure d'élection allait être réglementée une nouvelle fois, et de manière durable, par le IIe concile de Lyon, à travers la constitution *Ubi periculum* de Grégoire X[7], qui devait fixer de manière encore plus précise le délai (10 jours) après lequel l'élection devait être entamée, et ordonner la réclusion des cardinaux (*unum conclave*) et l'exclusion de toute personne étrangère au collège des cardinaux, à l'exception de deux familiers par cardinal. Si l'élection n'avait pas été obtenue dans les trois jours, les cardinaux réunis en conclave ne devaient recevoir que deux mets par jour, pendant cinq jours, ensuite seulement du pain, du vin et de l'eau. Pendant le conclave, les cardinaux ne devaient recevoir aucun revenu de la Chambre apostolique. Grégoire X, qui n'avait pas appartenu au collège des cardinaux avant son élection, se montra donc très sévère envers les membres du collège cardinalice, faisant siennes les critiques qui s'étaient élevées de toute part face aux interminables vacances pontificales, qui étaient du reste une source d'enrichissement pour les cardinaux, grâce aux revenus de l'Église romaine.

Au concile de Lyon II, Grégoire X rencontra de fortes résistances auprès des cardinaux et dut s'appuyer sur les évêques pour faire publier sa constitution (le 1er novembre 1274). L'*Ubi periculum* fut appliquée, semble-t-il, pendant les trois vacances de 1276, mais fut suspendue, peut-être même révoquée, par Adrien V (1276) et Jean XXI (1276-1277). Le premier, décédé (18 août) seulement quelques jours après son élection (11 juillet), n'eut pas le temps de mettre par écrit sa décision; Jean XXI, élu pape le 2 septembre 1276, publia son décret de suspension le 30 de ce même mois. Quelques mois après son élection (5 juillet 1294), Célestin V rétablit (28 septembre) la constitution de Grégoire X[8]. Son successeur, Boniface VIII, fut effectivement élu selon la constitution grégorienne[9].

---

5. Herde, « Die Entwicklung », p. 16.

6. J.P. Kessler, « Untersuchungen über die Novellen-Gesetzgebung Papst Innocenz' IV. », *ZSRG. K*, 31, 1942, p. 142 et suiv.; 32, 1943, p. 300.

7. *COD*, p. 314; cf. E. Petrucci, « Il problema della vacanza papale e la costituzione "Ubi periculum" di Gregorio X », *VII centenario del 1° conclave (1268-1271)*, Viterbo, 1975, p. 69-76; B. Roberg, « Der konziliare Wortlaut des Konklave-Dekrets "Ubi periculum" von 1274 », *AHC*, 2, 1970, p. 231-262.

8. M. Dykmans, « Les pouvoirs des cardinaux pendant la vacance du Saint-Siège d'après un nouveau manuscrit de Jacques Stefaneschi », *ASRSP*, 104 (1981), 125 et suiv.

9. Dans son *Opus metricum*, Jacopo Caetani Stefaneschi, éd. F.S. Seppelt, *Monumenta Caelestiniana*, t. II, vv. 24-32, Paderborn, 1921, p. 89, dit que l'élection de Boniface VIII survint *excusso bis quino lumine Phebi*.

3. LA NAISSANCE DU « CONCLAVE »

Pendant cette période, seulement deux fois au XIIIe siècle, les cardinaux ont élu un successeur de saint Pierre à Rome (Grégoire IX et Célestin IV). Signe des temps, à l'exception de celle qui se termina par l'élection d'Alexandre IV (Naples : 1254), toutes les autres vacances du Siège apostolique se sont déroulées dans des villes du jeune État pontifical (Pérouse : 1198, 1216, 1265; Anagni : 1243; Viterbe : 1261, 1271).

La forte personnalité des membres du collège des cardinaux, leur importance numérique relativement faible, ainsi que l'existence d'irréductibes factions cardinalices ont provoqué les vacances pontificales les plus longues de toute l'histoire de la papauté. En un siècle, le Siège apostolique a été vacant plus de quatre ans; à trois reprises pendant plusieurs mois : dix-huit mois et quinze jours entre Célestin IV (1241) et Innocent IV (1243); quatre mois et trois jours entre Urbain IV (1264) et Clément IV (1265); trente-six mois et deux jours entre Clément IV (1268) et Grégoire X (1271).

À la mort de Grégoire IX (1241), le collège des cardinaux était divisé à cause du conflit entre la papauté et Frédéric II. Pour forcer la main aux cardinaux, le sénateur Matteo Rosso Orsini les enferma dans le palais romain du *Septizonium*, sorte de forteresse, où avaient eu lieu auparavant plusieurs élections pontificales, comme celles d'Innocent III (1198) et de Grégoire IX (1227). Ce geste, qui peut être considéré, au sens strict, comme le « premier conclave » de l'histoire, avait, semble-t-il, été inspiré par la procédure d'élection des doges de Venise et de podestats d'un certain nombre de communes italiennes, ainsi que de quelques ministres généraux d'ordres ecclésiastiques[10]. Au mois de juin 1270, une année et demie après la mort de Clément IV (29 novembre 1268), le capitaine du peuple de Viterbe, Ranier Gatti[11], par un coup de force semblable à celui de 1241, enferma les cardinaux dans le palais de l'évêque, et en démantela le toit, afin de les forcer à une décision rapide. Pour se protéger un tant soit peu des intempéries, les cardinaux construisirent de petites cabanes de bois. Le cardinal Jean de Tolède, célèbre pour ses mots polémiques[12], aurait conseillé d'ouvrir le toit pour laisser passer le Saint-Esprit[13]. La période de reclusion proprement dite, pendant laquelle le célèbre canoniste Henri Suse, dit l'Hostiensis, fut autorisé à sortir pour cause de maladie, ne dura probablement pas au-delà de la fin du mois de juin 1270; ce n'est que pendant l'été 1271 qu'on commença à entrevoir la fin du « plus long conclave de l'histoire ». Le patriarche de Jérusalem, Tedaldo Visconti, originaire de Plaisance, fut finalement élu pape sous le nom de Grégoire X le 1er septembre 1271[14].

---

10. K. HAMPE, « Ein ungedruckter Bericht über das Conclave von 1241 im römischen Septizonium », *SHAW, PH*, 1913.
11. *Atti del Convegno di studio. VII Centenario del 1° conclave.*
12. PARAVICINI BAGLIANI, « Versi duecenteschi », p. 151-169.
13. Bernard de Gui, *Vita Gregorii X, RIS*, III, c. 597.
14. V. plus loin, p. 523.

C'est donc sous la pression des autorités laïques de Rome et de Viterbe — une trop longue vacance apostolique étant néfaste aux intérêts politiques et économiques de leur ville —, qu'est né, au XIIIe siècle, le type d'élection pontificale qui existe encore aujourd'hui : le « conclave »[15].

II. LES PAPES DU XIIIe SIÈCLE (1198-1271) : ORIGINE ET FORMATION

Sortie des grandes querelles ecclésiologiques et politiques du XIIe siècle, la papauté devient « romaine », par l'accession au trône de saint Pierre de trois papes originaires de Rome ou du Latium : Innocent III, Honorius III, Grégoire IX. Cette série de papes romains fut interrompue en 1241 par l'élection d'Italiens, dont les familles étaient intimement liées aux classes dirigeantes d'importantes villes commerçantes du Nord : le Milanais Goffredo Castiglioni (l'éphémère Célestin IV), puis, surtout, le Génois Sinibaldo Fieschi (Innocent IV). L'interruption fut de courte durée. En 1261, déjà, un nouveau cardinal originaire du Latium, Réginald de Jenne, devint pape sous le nom d'Alexandre IV. L'avènement d'Urbain IV, le premier pape français depuis Urbain II (1088-1099), et encore plus celui de Clément IV, reflètent les bouleversements provoqués par la mort de Frédéric II et la naissance d'un nouveau lien politique privilégié entre Rome et la royauté française (et le comte de Provence, Charles Ier d'Anjou). Le « plus long conclave » de l'histoire (1268-1271) amena sur le trône de saint Pierre le seul pape de cette période — Grégoire X — à ne pas avoir appartenu au collège des cardinaux. Il s'agissait d'un Italien, né, comme Célestin IV et Innocent IV, dans une ville de l'Italie du Nord : Plaisance.

Non seulement tous les quatre papes romains de cette période, mais tous les autres papes italiens, à l'exception de Grégoire X, ont eu auparavant une brillante carrière curiale. Les cardinaux Cencius (le futur Honorius III) et Sinibaldo Fieschi (devenu Innocent IV) avaient dirigé, respectivement, la Chambre et la Chancellerie, avant et pendant leur cardinalat ; la légation lombarde du cardinal Hugolin (Grégoire IX) fut l'une des plus importantes du siècle.

Malgré une certaine tendance de l'historiographie, même moderne, à amplifier l'origine sociale des papes romains de la première moitié du XIIIe siècle[16], seule la famille d'Innocent IV (Fieschi)[17] était d'un rang social très élevé. D'une manière générale, en dehors de la carrière curiale, c'est la formation universitaire, acquise dans les grands centres de Paris et de Bologne, qui constitua le principal tremplin pour la

---

15. Dont la signification est « cum clavibus », « sous clef ». À propos des intéressants sermons d'Eudes de Châteauroux, prononcés pendant le très long conclave de 1268-1271, riches d'informations et d'exhortations, v. maintenant J.G. BOUGEROL, « La papauté dans les sermons médiévaux français et italiens », *The Religious Roles of the Papacy*, p. 258-263.

16. Voir pour Innocent III, par exemple, plus bas, p. 524.

17. V. plus loin, p. 534.

plus haute charge de la chrétienté. Le cas d'Urbain IV, Jacques Pantaléon, fils d'un cordonnier de Troyes, est reconnu comme emblématique des liens, réels et profonds, existant au XIIIe siècle, entre formation universitaire et ascension dans la hiérarchie ecclésiastique[18]. Les ouvrages personnels de plusieurs papes du XIIIe siècle (Innocent III, Honorius III, Innocent IV)[19] ont connu un large succès.

Tous les papes de cette période ont appartenu au clergé séculier. Les ordres monastiques traditionnels (bénédictins, clunisiens, cisterciens, etc.) ne furent plus représentés, modestement d'ailleurs, qu'au sein du collège des cardinaux[20]. Le mouvement amorcé dès la deuxième moitié du XIIe siècle, privilégiant le clergé séculier, écarta également de l'accession au pontificat les ressortissants du mouvement des chanoines réguliers.

Ce sont donc des éléments biographiques individuels (formation intellectuelle, personnalité, carrière curiale), relativement homogènes, beaucoup plus que la descendance lignagère ou l'appartenance à tel ou tel ordre monastique, qui déterminèrent, au XIIIe siècle, le choix des candidats au sommet de la hiérarchie de l'Église romaine. Cela explique sans doute le fait que les papes qui se sont succédé entre 1198 et 1271 composent une série de personnalités fortes, l'une des plus significatives, de ce point de vue de l'histoire de la papauté médiévale et moderne.

1. LES PAPES ROMAINS

Innocent III

Naissance, famille

D'après les *Gesta*, Lothaire aurait eu vingt-neuf ans lors de sa promotion[21] au cardinalat et trente-sept lors de son accession au pontificat[22], ce qui permet de placer la date de sa naissance autour de 1160. D'après une source contemporaine digne de foi[23], le futur Innocent III serait né dans le château de Gavignano près de Segni. Le père s'appelait Transmond *de comitibus Signiae*[24], ce qui ne signifie pas qu'il était titulaire d'un comté de Segni : au XIIe siècle, de nombreuses familles de la campagne romaine ayant exercé des charges dans le gouvernement des villes étaient désignées par le nom de *comes*, *dux* ou *iudex*, destiné à devenir plus tard nom de famille[25]. Les nombreuses hypothèses concernant l'ancienneté et le haut niveau social de la famille

---

18. A. MURRAY, *Reason and Society in the Middle Ages*, Oxford, 1978, p. 226.
19. V. plus loin, p. 527-531 et p. 536.
20. V. plus loin, p. 554-558.
21. *PL* 214, c. XVIII.
22. *PL* 214, c. XIX.
23. *Catalogue de pontifes romains dit de Viterbe*, éd. *MGH.SS*, XXII, p. 351.
24. *PL* 214, c. XVII. Il n'y a pas lieu de penser qu'il fût d'origine allemande, ni qu'il puisse être identifié à Transmond de Zancate, recteur d'Anagni en 1201.
25. P. TOUBERT, *Les structures du Latium médiéval*, II, Rome, 1973, p. 1127 et suiv.

du père du pape ne semblent pas pouvoir être confirmées[26]. Transmond avait en tout cas épousé Claricia Scotti, la mère du futur pape, descendante d'une des plus influentes familles romaines de son temps[27]. La véritable ascension de la famille Conti di Segni n'est cependant attestée que depuis l'élection de Lothaire au pontificat[28].

Formation

D'après les *Gesta*, Innocent III étudia successivement à Rome, Paris et Bologne[29]. En souvenir de ses études romaines, Innocent III nomma son maître, Pierre Ismaël, en 1202, évêque de Sutri[30]. Celui-ci est généralement identifié avec l'abbé d'un monastère romain de Saint-André dont Innocent III parle dans une lettre[31] et l'on se plaît ainsi à penser qu'Innocent III aurait été élevé dans le monastère de Saint-André sur le mont Célius, construit sur la maison qui avait appartenu au père de Grégoire le Grand, et qui possédait au XIIe siècle une importante bibliothèque. P. Ismaël ne figure cependant pas dans la liste des abbés de ce monastère[32].

Après ses études romaines, le jeune Lothaire, qui possédait peut-être déjà, à ce moment-là, un bénéfice canonial à Saint-Pierre[33], se rendit à Paris pour fréquenter les écoles des arts et de théologie[34]. Il suivit en cela l'exemple de tant d'autres familles romaines socialement élevées, pour lesquelles le séjour parisien à des fins d'études était devenu traditionnel dès le milieu du XIIe siècle[35]. Innocent III se sentit toute sa vie très proche de la France et des écoles parisiennes[36]. Les *Gesta* rappellent explicitement le nom de son maître à Paris, Pierre de Corbeil, auquel le pape fit accorder un canonicat à York par le roi d'Angleterre[37].

Pierre de Corbeil ne semble avoir connu une certaine célébrité que vers 1190. Il ne fut pas une figure de tout premier plan et appartenait à un courant traditionaliste. Nommé en 1199 évêque de Cambrai, il fut promu en 1200, à l'instigation du pape lui-même, à l'archevêché de Sens, siège métropolitain de très grand prestige à l'époque. C'est en sa qualité de métropolite de Paris, que P. de Corbeil présida en 1210 le synode de Paris, chargé de promulguer l'interdiction d'Aristote[38].

---

26. M. MACCARRONE, « Innocenzo III prima del suo pontificato », *ADRSP*, 65, 1942, p. 62 et suiv.

27. *Bobo domne Scotte* est l'un des sénateurs de Rome qui signe un pacte entre Clément III et le Sénat en 1188 : A. SALIMEI, *Senatori e Statuti di Roma nel Medio Evo*, I, Rome, 1925, p. 57.

28. MALECZEK, *Papst und Kardinalskolleg*, p. 101 et suiv. Nous ne savons pas depuis combien de temps la famille de Transmond était installée à Rome. Le frère de Lothaire, Richard, futur comte de Sora est appelé *civis Romanus* : MACCARRONE, « Innocenzo III », p. 69.

29. *PL* 214, c. XVII.

30. EUBEL, I, p. 469.

31. *Reg.* X, 145 (*PL* 215, c. 1243).

32. MACCARRONE, « Innocenzo III », p. 127.

33. *Reg.* I, 296, éd. *Die Register*, I, p. 418. Cf. M. MACCARRONE, « Die Cathedra Sancti Petri im Hochmittelalter. Vom Symbol des päpstlichen Amtes zum Kultobjekt », *RQ*, 76, 1981, p. 157 n. 199, repris dans *Id.*, *Romana ecclesia, Cathedra Petri*, II, Rome, 1991, p. 1351, n. 286.

34. *Reg.* I, 478, éd. *Die Register*, I, p. 700.

35. V. à ce propos, *infra*, p. 202-203.

36. V. la lettre au roi de France, in *Reg.* I, 171, éd. *Die Register*, I, p. 243, et à l'épiscopat français, in *Reg.* II, 188, *ibid.*, II, p. 360; cf. TILLMANN, *Papst Innocenz III.*, p. 5 n. 25.

37. *Die Register*, I, p. 700-702.

38. M. GRABMANN, *I divieti ecclesiastici di Aristotele sotto Innocenzo III e Gregorio IX*, Rome, 1941, p. 64-65.

Innocent III favorisa la carrière de plusieurs prélats qu'il avait connus à Paris. Étienne Langton et Robert de Courçon, devenus de célèbres maîtres en théologie, furent créés cardinaux, l'un en 1206, l'autre en 1212[39]. Lothaire avait aussi fait la connaissance à Paris de David de Dinant, un philosophe de la nature et médecin que le concile de Paris de 1210 condamna à cause de son « panthéisme matérialiste »[40]. David avait fait partie sous Innocent III de la chapelle du pape, mais il est impossible de préciser l'influence de ce maître sur sa pensée.

À l'époque du séjour parisien de Lothaire, la principale école de théologie était tenue par Pierre le Chantre, fondateur d'une littérature théologique aux objectifs éminemment pratiques[41] et aux préoccupations sociales évidentes[42]. Il n'est pas exclu que le jeune Lothaire ait suivi son enseignement à Paris. Ce qui est certain, c'est que les deux hommes se sont rencontrés à Rome sous le pontificat de Célestin III[43]. Son influence sur Innocent III est indiscutable, en ce qui concerne la doctrine du mariage de Latran IV[44] et les interventions pontificales en matière d'ordalies[45]. D'autre part, la *Summa de sacramentis et animae consiliis*, rédigée par Pierre le Chantre entre 1192 et 1197, a été considérée comme la source directe du traité de Lothaire sur les mystères de la messe[46]. Pendant son séjour en France, Lothaire alla en Angleterre et visita, à la fin de 1186 ou au début de 1187, le monastère de Cantorbéry et le tombeau de Thomas Becket, qui ne le laissa pas indifférent[47].

La date de son retour en Italie est difficile à établir. Nous savons seulement que le pape Grégoire VIII l'ordonna personnellement sous-diacre entre le 18 et le 20 novembre 1187, ce qui présuppose que Lothaire était à l'époque déjà rentré à Rome. C'est à peu près à cette période que doit être placé le séjour bolognais dont nous parle les *Gesta*, qui ne nous disent cependant pas pour quel genre d'études le jeune *magister* parisien s'était rendu à Bologne, un séjour auquel Innocent III ne fait jamais allusion dans ses écrits.

Innocent III juriste

Depuis longtemps domine dans l'historiographie l'image d'un Innocent III essentiellement juriste, une formation que le jeune Lothaire aurait reçue directement du

39. MALECZEK, *Papst und Kardinalskolleg*, p. 175 et suiv.

40. M. KURDZIALEK, « David de Dinant als Ausleger der aristotelischen Naturphilosophie », *MM* 10, 1976, p. 181-192 et *Id.*, « L'idée de l'homme chez David de Dinant », *Symbolae*, s. A, 1, 1976, p. 311-322.

41. M. GRABMANN, *Geschichte der scholastischen Methode*, II, Freiburg i. Br., 1911, p. 478.

42. J.W. BALDWIN, *Masters, Princes and Merchants. The social views of Peter the Chanter and his circle*, II, Princeton, 1970.

43. *Reg.* I, 14, éd. *Die Register*, I, p. 24 ; cf. la *Summa de Sacramentis* de P. Le Chantre, III, 1, éd. J.A. DUGAUQUIER, *Pierre le Chantre. Summa de Sacramentis et animae consiliis*, I, Louvain-Lille, 1954, p. 317.

44. J.W. BALDWIN, « Critics of the Legal Profession in Peter the Chanter and his Circle », *Proceedings of the Second International Congress of Medieval Canon Law*, Cité du Vatican, 1965, p. 258.

45. *Id.*, « The Intellectual Preparation for the Canon of 1215 against Ordeals », *Speculum*, 36, 1961, p. 613-636.

46. J.-A. DUGAUQUIER, *Pierre le Chantre. Summa de Sacramentis et animae consiliis*, I, Louvain, 1954 ; cf. MACCARRONE, « Innocenzo III », p. 360-361.

47. TILLMANN, *Papst Innocenz III.*, p. 290-291.

plus grand juriste de son temps, Huguccio. Cette thèse mérite d'être partiellement revisée. Une relation de maître à élève entre Huguccio et Lothaire n'est attestée que tardivement[48], et, d'une manière générale, il ne faut pas exagérer le rôle que le droit a pu jouer dans la pensée d'Innocent III, qui fut avant tout théologien[49]. Il est certain cependant qu'Huguccio a laissé de profondes traces dans l'œuvre législative d'Innocent III[50], qui a entretenu une importante correspondance avec le grand maître bolognais[51]. Dans un ouvrage aussi personnel que le *De missarum mysteriis*, le futur Innocent III suit fidèlement Huguccio, bien qu'il s'en écarte sur un point important dans le texte[52]. Sur un plan plus général, il faudra aussi tenir compte du témoignage des *Gesta* et de Matthieu Paris, qui soulignent la compétence d'Innocent III en matière de droit[53]. De plus, l'importante activité judiciaire du cardinal Lothaire[54] et un autre passage des *Gesta*[55], selon lequel d'importants juristes se rendaient aux consistoires du pape parce qu'ils y apprenaient plus qu'aux écoles, ne laissent pas de doute sur le fait que les contemporains ont considéré Innocent III comme étant très versé dans le droit[56].

Œuvres[57]

a) Le *De miseria conditionis humane*

C'est avec le *De miseria conditionis humane*[58] que Lothaire de Segni acquit sa notoriété en tant que théologien et écrivain. Écrit entre le 25 décembre 1194 et le

---

48. Johannes Andreae († 1348) est le premier à en parler, dans son commentaire aux décrétales, éd. Venise 1581, f. 158v : « *Noluit Innocentius aperte reprobare opinionem Huguccionis magistri sui, quam tamen reprobat in effectu* », cf. K. PENNINGTON, « The Legal Education of Pope Innocent III », *Bulletin of the Institute for Medieval Canon Law*, 4, 1974, p. 72. Huguccio quitta Bologne en 1190, après avoir été nommé évêque de Ferrare le 4 avril 1190.

49. Cette révision historiographique a été proposée énergiquement par PENNINGTON, « The Legal Education », (v. aussi *Id.*, « Pope's Views on Church and State. A Gloss to "Per Venerabilem" », *Law, Church and Society in Honor of Stephan Kuttner*, éd. K. PENNINGTON et R. SOMERVILLE, Philadelphia, 1977, p. 50-52) ; v. toutefois les doutes avancés par CHENEY, *Pope Innocent III*, p. 2, n. 3 et surtout, par S. KUTTNER, « Universal Pope or Servant of God's Servants. The Canonists, Papal Titles and Innocent III », *RDC*, 31, 1981, p. 122 n. 51 et p. 133-135.

50. F. KEMPF, *Papsttum und Kaisertum bei Innocenz III.*, Rome, 1954 ; C. LEONARDI, « La vita e l'opera di Uguccione da Pisa decretista », *STGra*, 4, 1957, p. 39.

51. IMKAMP, *Das Kirchenbild*, p. 38-41.

52. La validité du sacrement de l'Eucharistie célébré par un prêtre hérétique ou excommunié est niée par Lothaire, défendue par Huguccio, suivant l'avis général des canonistes et théologiens ; cf. MACCARRONE, « Innocenzo III », p. 358.

53. *PL* 214, c. XVIII : « *quantum fuerit in humano quam in divino iure peritus* », Matthieu Paris, éd. LUARD, III, p. 460 : « *in scientia erat magnus, audax simul iurisperitus* », cf. K.W. NÖRR, « Kontroversen legistischer Glossatoren in päpstlichen Dekretalen », *RDC* 29, 1979, p. 74-80.

54. MALECZEK, *Papst und Kardinalskolleg*, p. 104.

55. *PL* 214, c. LXXX-LXXXI.

56. Dans son commentaire aux décrets de Latran IV, V. Hispanus cite un avis de droit exprimé par le pape : GARCIA Y GARCIA, *Constitutiones*, p. 318 1. 20 et suiv. ; cf. MALECZEK, *Papst und Kardinalskolleg*, p. 103, n. 359.

57. D'après les *Gesta*, Innocent III aurait écrit, avant son pontificat des « *libros de miseria conditionis humane et de missarum misteriis et de quadripartita specie nuptiarum et postillam super septem psalmos penitentiales* » et pendant son pontificat des : « *libros sermonum, epistolarum, regestorum et decretalium, quae manifeste declarant quantum fuerit tam in humano quam in divino iure peritus* ». *PL* 214, c. XVII-XVIII.

58. Le titre de *contemptu mundi*, qui n'est pas original, a été utilisé par Albertano de Brescia dans son *Liber consolationis et consilii* ; dans les mss., le titre le plus fréquent correspond à celui des *Gesta*. Editions : M. MACCARRONE, *Lotharii cardinalis (Innocentii III). De miseria humanae conditionis*, Lucques, 1955 (p. X-XX liste de 435 mss.) ; R.E. LEWIS, *Lotario di Segni (Pope Innocent III) De miseria humanae conditionis*, Athens (Georgia), 1978 (p. 236-53 : liste de 672 mss.).

13 avril 1195[59], lorsqu'il était momentanément libre des occupations harassantes de la curie[60], ce traité célèbre, conservé dans presque 700 manuscrits, traduit et adapté dès le XIIIe siècle, a exercé une influence considérable aussi bien dans le monde ecclésiastique (Alexandre de Halès, Bernardin de Sienne) que sur la culture profane (Pétrarque, Chaucer, Guillaume le Clerc). Selon les intentions de l'auteur, le *De miseria* n'était que le premier volet d'un dyptique. Dans sa dédicace à son collègue cardinal, Pietro Gallocia, Lothaire affirmait vouloir écrire un deuxième ouvrage sur « la dignité de la nature humaine ». Ce projet ne semble pas avoir abouti[61].

Le traité comporte trois parties : origine et condition de la misère humaine ; les turpitudes de l'âme humaine ; la misère de l'homme au moment de son trépas. Le ton est donné dès le premier paragraphe du livre I, qui est une sorte de lamentation générale sur l'existence, considérée, à la suite de l'Ecclésiastique (Si XL, 1) comme « une pénible occupation imposée à tous les hommes », « un joug pesant ». L'auteur préférerait n'être pas né. La condition humaine est misérable, le corps humain lui-même est déprécié, ainsi que les conditions de sa naissance, l'enfance et toutes les activités de la vie terrestre, accablées de souffrances et d'accidents de toute sorte. Le deuxième livre, moins stéréotypé, examine les perturbations dont souffre l'esprit de l'homme, agité par trois malheurs principaux : richesses, voluptés, honneurs[62]. Le troisième livre traite des *novissima* : nous assistons à une dramatisation des souffrances dues à la mort, aux peines de l'enfer ; la description de la putréfaction des cadavres et l'attente exacerbée du jugement anticipent les *topoi* traditionnels de la littérature des *artes moriendi*[63].

Bien que la doctrine du mépris du monde ne constitue pas l'essentiel de son ouvrage, elle y est bien présente, puisqu'on ne semble pas pouvoir y déceler au premier abord, « aucune promotion des valeurs profanes »[64], ni aucune valorisation du corps ou du monde terrestre, sur lesquels l'homme n'a aucune emprise. L'on s'accorde généralement à penser que, débitrice de la tradition platonicienne du XIIe siècle, pour laquelle le corps, corruptible, est un fardeau et une prison pour l'âme, dont la pureté ne sera sauvegardée qu'en s'en libérant, la vision du monde de Lothaire semblerait exclure toute possibilité d'intervention de l'homme sur la nature et sur son corps.

La seule intervention prévue est d'ordre moral : une humilité à toute épreuve peut seule sauver et purifier la nature humaine. Dans ce sens, le *De miseria* appartiendrait à un courant de pensée opposé aux nouvelles valeurs corporelles et temporelles qu'une idée de nature basée sur l'aristotélisme des premières décennies du XIIIe siècle

---

59. MACCARRONE, *Lotharii cardinalis*, p. XXXVI.

60. Ce qui ne signifie pas que Lothaire soit tombé en disgrâce auprès de Célestin III ; cf. MALECZEK, *Papst und Kardinalskolleg*, p. 372.

61. Bien des passages d'autres œuvres d'Innocent III permettent toutefois de le reconstituer : R. BULTOT, « Mépris du monde, misère de l'homme dans la pensée d'Innocent III », *CCM* 4, 1962, p. 442.

62. Il est toutefois difficile d'affirmer que le *De miseria* s'inscrit dans la tradition des invectives satiriques contre la curie romaine, comme l'affirme J.C. MOORE, « Innocent's "De Miseria humane conditionis" : A "Speculum Curiae" ? », *CHR*, 67, 1981, p. 553-564.

63. M. SOT, « Mépris du monde et résistance des corps aux XIe et XIIe siècles », *Médiévales*, 8, 1985, p. 6-17.

64. BULTOT, « Mépris du monde », p. 452.

permettra d'épanouir : l'être-dans-le-monde, loin de conduire à son aliénation, est instrument d'épanouissement de l'homme[65].

Les thèmes du *De miseria* avaient été traités précédemment par une série d'ouvrages : l'*Apologeticum saeculi* de Bernard de Clairvaux, le *De vanitate mundi* de Hugues de Saint-Victor, le *De contemptu mundi* du moine clunisien Bernard de Morlay, le *De cognitione humanae conditionis*, attribué à tort à l'abbé de Clairvaux. Les argumentations de Lothaire en diffèrent toutefois fréquemment et n'offrent que peu de contacts avec cette littérature. Longtemps négligé par l'historiographie moderne, le *De miseria* est aujourd'hui considéré comme une œuvre non dépourvue d'une certaine originalité. Son auteur avait réussi, grâce à son langage clair et saisissant, et une écriture adaptée à une mentalité scolastique, à renouveler un thème traditionnel, empreint d'idéaux monastiques. Ce fut là la raison de son extraordinaire succès.

b) Le *De missarum sollempnis*

Œuvre peu originale, composée entre 1195 et 1197, au milieu de ses occupations curiales[66] et réélaborée par la suite[67], le *De missarum sollempnis* de Lothaire de Segni a pourtant connu un très large succès, sans doute à cause de la clarté de la structure qui la distingue de la plupart des œuvres liturgiques précédentes. Une place très importante est occupée par la théologie de l'eucharistie, mais de fait, ce traité contient une claire vision ecclésiologique : la doctrine du *Corpus mysticum*, la structure hiérarchique de l'Église, les fondements du primat pontifical. La définition de la messe elle-même est ecclésiologiquement significative : « *Missa (est) illud ecclesiae repraesentans convivium* »[68].

c) Le *De quadripartita specie nuptiarum*

Terminé, dans une première version, avant l'accession au pontificat[69], ce traité fut, comme d'autres œuvres d'Innocent III, réélaboré postérieurement. Il ne connut pas une grande diffusion manuscrite ; un seul manuscrit reproduit le texte dans son intégralité[70]. Considéré longtemps comme une compilation négligeable[71], ce premier traité médiéval sur le mariage mystique[72], apparaît aujourd'hui comme l'œuvre la plus

---

65. M.-D. CHENU, *La théologie au xiie siècle*, Paris 1957, p. 19-61 ; *Id.*, « Situation humaine. Corporalité et temporalité », *L'homme et son destin d'après les penseurs du Moyen Âge. Actes du Ier Congrès international de philosophie médiévale*, Louvain, 1960, p. 23-49.

66. Édition : *PL* 217, c. 763-916.

67. IMKAMP, *Das Kirchenbild*, p. 47.

68. *Id.*, p. 45-63 ; cf. M. MACCARRONE, « Innocenzo III teologo della eucaristia », *Divinitas*, 10, 1966, p. 362-412 (réimpr. dans *Id.*, *Studi*, p. 425-431) : liste de 144 mss. ; D.F. WRIGHT, « I manoscritti del "De missarum mysteriis" di Innocenzo III », *RSCI*, 29, 1975, p. 444-52 (194 mss.) ; H. JØRESSEN, *Die Entfaltung der Transsubstantionslehre bis zum Beginn der Hochscholastik*, Münster, 1965.

69. Ms. Arras 750 ; édition : *PL* 217, c. 923-48 ; trad. E.J. CROOK, « Lothario dei Segni (Pope Innocent III). On the Four Kinds of Marriage, de quadripartita specie nuptiarum », *Spiritualität heute und gestern*, Salzburg, 1982, p. 1-95.

70. IMKAMP, *Das Kirchenbild*, p. 54.

71. TILLMANN, *Papst Innozenz III.*, p. 14.

72. M. MACCARRONE, « Innocent III », *DSp*, VII, 2, Paris, 1971, c. 1768.

originale d'Innocent III[73]. Les noces y sont traitées sous leur forme quadruple : liaison entre l'homme et sa femme légitime, entre le Christ et l'Église, entre Dieu et l'âme et entre le *Logos* et la nature humaine.

d) Les sermons

Conservés dans plus de 60 manuscrits, les sermons d'Innocent III ont été rassemblés dans une première collection autour de 1202-1204[74]. Ils ont connu une large diffusion et ont servi, comme les sermons des Pères de l'Église, de lecture pour le bréviaire[75]. Prédicateur chevronné, Innocent III, dans ses sermons, prononcés souvent d'abord en langue italienne[76], complète sur bien des points les réflexions théologiques et ecclésiologiques avancées dans ses autres ouvrages[77].

Les contemporains ont admiré Innocent III pour ses talents oratoires[78]. Salimbene définit Innocent III « *potens in opere et sermone* » et rappelle qu'en prêchant le pape tenait un livre devant lui pour montrer qu'il n'improvisait pas[79]. D'après un témoin oculaire de Pérouse (1216), la « voix du pape était sonore; elle était entendue et comprise par tous, même si le pape parlait à basse voix »[80]. Un sénateur de Rome, après avoir entendu un de ses sermons, aurait ainsi apostrophé le pape : « Ta bouche est de Dieu, mais tes œuvres sont du diable »[81].

e) Le commentaire aux sept psaumes pénitentiels

Cet ouvrage était généralement considéré comme douteux[82], parce qu'il ne figure pas dans la liste des *Gesta*[83], ce qui est compréhensible : le ms. Vat. lat. 699[84] donne comme date de composition le 9 avril 1216, or les *Gesta* s'arrêtent en 1208. Exemplaire en ce qui concerne l'exégèse allégorique et scolastique[85], ce dernier ouvrage d'Innocent III, qui se fonde sur la traduction *Itala* des Psaumes, dont la liturgie romaine s'était servie jusqu'à une époque toute récente[86], et dont la tradition manuscrite permet de confirmer l'authenticité, mérite une certaine attention sur le

73. C.M. MUNK, *A Study of Pope Innocent III's Treatise : De quadripartita specie nuptiarum*, Diss. Univ. of Kansas, Lawrence, 1976, p. 510; IMKAMP, *Das Kirchenbild*, p. 53-63.

74. IMKAMP, *Das Kirchenbild*, p. 64-66. Édition : *PL* 217, c. 309-688.

75. S.J.P. VAN DIJK, J.H. WALKER, *The Origins of the Modern Roman Liturgy. The Liturgy of the Papal Court and the Franciscan Order in the Thirteenth Century*, Londres, 1960, app. 31, p. 489-492.

76. *PL* 217, c. 311.

77. Comme à propos du lien entre l'évêque et son diocèse (*PL* 217, c. 649-660), ou du primat de Pierre (*PL* 217, c. 543-548; 547-556).

78. T. de Celano, *Vita prima de s. François*, XIII, 33, éd. QUARACCHI 1926-1941, p. 26 : « *Vir gloriosus, doctrina quoque affluentissimus sermone clarissimus...* »

79. Salimbene de Adam, *Cronica*, éd. G. SCALIA, Bari, 1966, p. 44.

80. M. PETROCCHI, « L'ultimo destino perugino di Innocenzo III », *Bullettino della Deputazione di storia patria per l'Umbria*, 64, 1967, p. 206-207.

81. Cesarius Heisterbacensis, *Dialogus miraculorum*, éd. J. STRANGE, Cologne, 1851, p. 103.

82. Migne le publia dans les « *dubia* » (*PL* 217, c. 967-1130). IMKAMP, *Das Kirchenbild*, p. 68-69 donne une liste des (8) mss.

83. V. plus haut, n. 57.

84. MACCARRONE, *Studi*, p. 123 n. 3.

85. C. SPICQ, *Esquisse d'une histoire de l'exégèse latine au Moyen Âge*, Paris, 1944, p. 139-140.

86. Éd. critique : R. WEBER, *Le Psautier romain et les autres anciens psautiers latins*, Cité du Vatican, 1953, p. 10.

plan dogmatique et doctrinal, notamment pour la doctrine de la confession, du péché originel, de la symbolique de l'autel ou de Sion-Jérusalem.

Honorius III

Romain de naissance, Cencius aurait appartenu à la famille Savelli[87]. Au moment de son élection (1216) il avait atteint un âge mûr : les chroniqueurs le décrivent comme *senior venerandus*[88] ou *iam aevo grandior*[89], ce qui implique qu'il était né au plus tard autour de 1160, soit au début du pontificat d'Alexandre III. Toute sa carrière s'effectua au sein de la curie romaine. D'abord procureur du cardinal Hyacinthe, le futur pape Célestin III, il fut nommé à la direction de la Chambre apostolique par Clément III[90]. Grâce à l'accession au pontificat (1191) de son premier patron, son importance au sein de l'administration curiale ne fit que grandir : depuis 1194 et jusqu'en 1198, il dirigea en même temps les deux principaux organes de la curie romaine, la Chambre et la chancellerie. Cencius laissa des marques importantes de son passage à la direction de la Chambre[91] : dans le cloître du Latran il fit poser de magnifiques portes de bronze, encore aujourd'hui visibles dans le baptistère et le cloître du Latran, et, surtout, il composa (1192) le *Liber censuum* de l'Église romaine, recueil destiné à rassembler tous les documents attestant les droits censitaires et vassaliques de la papauté[92], ce qui lui valut, vraisemblablement, d'être nommé cardinal de Sainte-Lucie in Orthea[93]. Pendant tout le pontificat de Célestin III, Cencius prit également une part active à l'administration de la justice, en qualité d'*auditor*[94]. Son rôle fut réduit sous Innocent III, qui ne renouvela aucune de ses deux charges, qui ne furent du reste jamais plus réunies sous une seule personne. Cencius joua un rôle effacé pendant tout ce pontificat : Innocent III le promut cardinal-prêtre en 1200, mais il ne lui confia aucune légation. Cet effacement, considérable si l'on juge le prestige dont Cencius avait joui sous Clément III et Célestin III, ne peut être expliqué que par l'hostilité du nouveau pape[95]. Il est l'auteur de nombreux sermons, dont il édita une nouvelle version après son accession au pontificat[96]. Son élection au

---

87. Curieusement, dans son introduction au *Liber Censuum* (I, 2), Cencius dit avoir été élevé dès son enfance par l'Église romaine mais ne fait aucune allusion à sa famille, qui n'était donc peut-être pas d'un rang élevé. O. Panvinio (1557) est le premier à le relier à la famille romaine des Savelli. Récentes reconstitutions biographiques : SAYERS, *Papal Government*, p. 1-12 et MALECZEK, *Papst und Kardinalskolleg*, p. 111-113.

88. *MGH.SS*, XVII, p. 574. Il est dit de santé très fragile par Burchard d'Ursperg, éd. O. HOLDER-EGGER, B. v. SIMSON, *MGH.SRG*, 1916, p. 101. Son grand âge est aussi visible dans les portraits, comme p. ex., la mosaïque de Saint-Paul-hors-les-Murs (LADNER, *Papstbildnisse*, II, p. 80-91).

89. Gualterus de Coventria, *Memoriale*, éd. W. STUBBS, II, Londres, 1873, p. 230-231.

90. Il y est attesté pour la première fois le 22 janvier 1188.

91. V. PFAFF, « Aufgaben und Probleme der päpstlichen Finanzverwaltung am Ende des 12. Jahrhunderts », *MIÖG*, 64, 1956, p. 1-24.

92. V. p. 561.

93. Sa première souscription porte la date du 4 mars 1192 : MALECZEK, *Papst und Kardinalskolleg*, p. 369 n° 93.

94. *Ibid.*, p. 112 n. 15.

95. SAYERS, *Papal Government*, p. 16. Fréquentes absences dans la liste des souscriptions cardinalices : MALECZEK, *Papst und Kardinalskolleg*, p. 112.

96. Il fit parvenir des manuscrits de ses sermons aux dominicains de Bologne, à Cîteaux ainsi qu'au chapitre de Sainte-Marie-Majeure, auquel il avait appartenu : v. J.M. POWELL, « Honorius III's "Sermo in Dedicatione Ecclesiae Lateranensis" and the Historical-Liturgical Traditions of the Lateran », *AHP*, 21, 1983, p. 195-209.

pontificat eut lieu à Pérouse trois jours après la mort d'Innocent III, le 18 juillet 1216. Le 24 juillet, il fut consacré évêque par le cardinal-évêque d'Ostie. Le couronnement n'eut vraisemblablement pas lieu à Pérouse même, mais à Saint-Pierre de Rome, le 31 août, et quatre jours plus tard, le dimanche 4 septembre, eut lieu la cérémonie de prise de possession du Latran.

Grégoire IX

Hugo (ou Hugolin, comme il est appelé dans de nombreuses sources contemporaines)[97] appartenait à la famille des Conti de Segni, possessionnée dans la région d'Anagni, où il naquit vers 1170[98] et fut élevé. Ses liens de parenté avec Innocent III ne peuvent être précisés[99]. Comme beaucoup d'autres jeunes appartenant à d'importantes familles du Latium, destinés à une carrière ecclésiastique et curiale, Hugolin fut envoyé à Paris[100]. Le séjour à Bologne n'est pas attesté, mais une source contemporaine considérait le pape comme *iuris peritus*[101], ce qui est confirmé par l'intense activité de juge qu'il exerça sous le pontificat d'Innocent III en qualité d'*auditor*[102]. Les liens noués avec des personnages qui ont compté dans le panorama culturel de son temps — le cistercien Rainier, Jacques de Vitry et Michel Scot — sont des indices du fait que Grégoire IX avait de larges intérêts intellectuels, notamment dans le domaine nouveau des sciences de la nature[103]. Dès son avènement, Innocent III le fit entrer dans sa chapelle, lui confia des causes judiciaires, puis le nomma cardinal de Saint-Eustache dans sa première promotion cardinalice (1198). Jusqu'à la mort d'Innocent III, Hugolin est attesté dans l'entourage du pape, dont il fut sans doute l'un des principaux conseillers. Le pape le chargea de missions difficiles, aussi bien politiques (négociations avec Marquart d'Arweiler) que judiciaires. Évêque d'Ostie dès 1206, il devint l'un des personnages les plus influents du collège des cardinaux. Au cours des années 1207-1209, il entreprit une légation en Allemagne pour tenter de convaincre les deux prétendants au trône (Otton de Brünswick et Philippe de Souabe) d'accepter l'arbitrage pontifical. En 1216, il fut l'un des deux

---

97. La monograhie de E. BREM, *Papst Gregor IX. bis zum Beginn seines Pontifikats*, Heidelberg, 1911 garde encore aujourd'hui toute sa valeur. Reconstitution biographique récente jusqu'au pontificat : MALECKZEK, *Papst und Kardinalskolleg*, p. 126-133. Son appartenance aux Conti de Segni est attestée par la *Vita Gregorii IX, RIS*, III/1, p. 575 (éd. aussi dans *Le Liber Censuum*, II, p. 18-36), dont l'auteur est très vraisemblablement le camérier du pape, Jean de Ferentino (A. PARAVICINI BAGLIANI, « La storiografia pontificia nel secolo XIII », *RöHM*, 18, 1976, p. 53). Son rattachement à la famille romaine des Papareschi ou Paparone, avancé par G. MARCHETTI-LONGHI, « Ricerche sulla famiglia di Gregorio IX », *ASRSP*, 65, 1944, p. 275-307, reste très problématique. L'affirmation de Matthieu Paris (*Chronica Maiora*, éd. LUARD, IV, p. 162), selon lequel Grégoire IX mourut « presque centenaire » ne doit pas être prise à la lettre.
98. Selon son propre témoignage : UGHELLI, *Italia Sacra*, I, p. 312.
99. Les *Gesta Innocentii III* ne les mentionnent pas. La *Vita Gregorii IX, RIS*, III/1, p. 575 le dit « *tertio gradu consanguinitatis coniunctus* ».
100. Honorius III lui-même y fit allusion dans le privilège accordé aux maîtres et étudiants de l'université de Paris : *Chartularium universitatis Parisiensis*, I, p. 147 n° 95.
101. BREM, *Papst Gregor IX*, p. 4, n. 4.
102. MALECZEK, *Papst und Kardinalskolleg*, p. 128, n. 21.
103. C'est aux chanoines d'Anagni des toutes premières décennies du XIII° siècle que l'on doit les fresques de la crypte de la cathédrale d'Anagni qui présentent, entre autres, les figures d'Hippocrate et Galien ; cf., p. ex., F.W.N. HUGENHOLTZ, « The Anagni Frescoes — A Manifesto », *MNHIR*, 6, 1979, p. 139-166.

cardinaux chargés de trouver un compromis, en vue de l'élection du successeur d'Innocent III. La légation la plus importante de son cardinalat le conduisit, à trois reprises, au nord de l'Italie[104] : en 1217, à Pise, Gênes, Lucques, Volterra, il tenta de résoudre des conflits politiques locaux; en 1218, à Florence, Bologne et dans les villes lombardes, il œuvra pour imposer l'autorité de Frédéric II; en 1221, il rechercha le soutien des villes lombardes en faveur de la Terre Sainte après l'échec de la cinquième croisade, ainsi que leur collaboration dans la lutte contre les hérésies. Partout, il fit preuve d'une diplomatie habile et d'une connaissance parfaite des problèmes juridiques, de sorte qu'Honorius III ne put que s'en féliciter[105]. Après la mort du cardinal Jean de Saint-Paul, François d'Assise[106] le choisit pour protéger sa jeune communauté. Dès 1217, le futur Grégoire IX sut sauvegarder les intérêts de la curie romaine en encourageant l'indépendance des frères mineurs par rapport aux églises locales. Hugolin prit part vraisemblablement à la rédaction de la *Regula bullata*, qui prévoyait, entre autres, l'institution du cardinal protecteur, une charge qu'il fut le premier à assumer. Dès 1218, il s'occupa également de la communauté de sainte Claire, pour laquelle il rédigea la Règle[107] entre 1219 et 1227. Il n'est pas exclu que François d'Assise ait rencontré le cardinal à Subiaco en 1222, ce qui expliquerait la présence d'un portrait du cardinal dans la chapelle de Saint-Grégoire[108]. Sans jamais en devenir le protecteur institutionnel, Hugolin entretint d'excellents rapports également avec l'ordre naissant des frères prêcheurs, dont il avait rencontré plusieurs fois le fondateur, saint Dominique : peut-être en 1215 lors du concile Latran IV, sûrement en 1217, durant l'hiver 1219-1220 et pendant la légation lombarde en 1221[109]. Élu pape le 19 mars 1227[110], il resta fidèle aux grandes lignes de son activité cardinalice. Son engagement pour la croisade et l'expansion de l'Église vers l'Est constituèrent sans doute les points forts de son pontificat. Pour soutenir le mouvement de croisade, dont il tempéra les aspects militaires sous l'influence pacifique de François d'Assise[111], il se tourna vers l'ordre teutonique; ouvrant de nouveaux horizons géographiques à l'expansion de l'Église, il encouragea les efforts missionnaires des franciscains et des dominicains, de la Finlande à la Roumanie, et incita les prémontrés à s'établir en Lettonie[112].

---

104. Chr. THOUZELLIER, « La légation en Lombardie du cardinal Hugolin, 1221 », *RHE*, 45, 1950, p. 508-542.

105. MALECZEK, *Papst und Kardinalskolleg*, p. 131-132. Sur la légation de 1221 nous possédons un registre de lettres, éd. G. LEVI, « Documenti ad illustrazione del registro del cardinale Ugolino d'Ostia », *ASRSP*, 12, 1889, p. 241-326.

106. K.V. SELGE, « Franz von Assisi und die römische Kurie », *ZThK*, 67, 1970, p. 129-161; cf. MALECZEK, *Papst und Kardinalskolleg*, p. 132. Plus en général v. R.J. ARMSTRONG, « "Mira circa nos". Gregory IX's view of the Saint Francis of Assisi », *Laurentianum*, 25, 1984, p. 385-414.

107. M. BARTOLI, « Gregorio IX, Chiara d'Assisi e le prime dispute all'interno del movimento francescano », *AAL.R*, 35, 1980, p. 97-108.

108. G.B. LADNER, « Das älteste Bild des hl. Franziskus von Assisi. Ein Beitrag zur mittelalterlichen Porträtikonographie », *Festschrift P.E. Schramm*, I, Wiesbaden, 1964, p. 449-460.

109. M.-H. VICAIRE, *Histoire de saint Dominique*, 2 vol., Paris, 1957 (2ᵉ éd., 1982); R. MANSELLI, « S. Domenico, i papi e Roma », *StRo*, 19, 1971, p. 133-43.

110. V. plus haut, n. 105.

111. F. BASETTI-SANI, *Mohammed et S. François*, Ottawa, 1959.- A propos de la bulle « Quo elongati » v. maintenant D. FLOOD, « The Politics of "Quo Elongati" », *Laurentianum*, 29, 1988, p. 370-85.

112. R. SPENCE, « Pape Gregory IX and the Crusade on the Baltic », *Catholic Historical Review*, 69, 1983, p. 1-19.

Le « premier conclave » de l'histoire et l'élection de Célestin IV (1241)

À la mort de Grégoire IX (22 août 1241) s'ouvrit une longue période d'incertitude pour l'Église romaine, qui conduisit à deux très longues vacances du Siège apostolique, entrecoupées par le très court pontificat de Célestin IV.

Deux cardinaux étaient prisonniers de Frédéric II. Jacques de Pecorara et Otton de Tonengo étaient tombés dans les mains de l'empereur le 1er mai 1241. Les autres membres du Sacré Collège tentèrent en vain d'obtenir la libération de leurs collègues auprès de l'empereur. Frédéric II se limita à transférer ses prisonniers dans les environs de Rome. Vers la fin du mois d'août 1241, le sénateur Matteo Rosso Orsini renferma les cardinaux dans l'ancien palais en ruines de Septime Sévère, appelé *Septizonium*. Aucun accord ne s'étant réalisé pour l'élection d'un cardinal, le choix se porta à un certain moment sur une personnalité étrangère au Collège (Humbert de Romans?). Contraire à cette décision, le sénateur Orsini imposa aux cardinaux de choisir l'un des leurs. Impressionnés par la mort (26 septembre) d'un de leurs collègues (Robert de Somercotes), victime des graves restrictions en vigueur lors de « ce premier conclave de l'histoire »[113], les cardinaux finirent par élire pape, le 25 octobre, après une soixantaine de jours de clôture forcée, le cardinal milanais Geoffroi Castiglione, qui prit le nom de Célestin IV. Libérés des contraintes du sénateur, les cardinaux se réfugièrent à Anagni, d'où ils écrivirent une lettre très importante pour la reconstitution des événements.

Geoffroi descendait de la noble famille milanaise qui prit le nom de son principal fief, le château de Castiglione Olona (près de Seprio). Geoffroi avait été chancelier de l'Église de Milan avant d'être créé cardinal par Grégoire IX le 18 septembre 1227. Dans les années 1228-1229, il accomplit une légation importante dans les villes lombardes[114].

Le pontificat de Célestin IV ne dura que dix-sept jours. Selon certaines chroniques[115], le pape serait tombé gravement malade deux jours après l'élection; il n'aurait pas pu recevoir le pallium et n'aurait même pas été consacré; la chancellerie n'aurait effectué aucune expédition de lettres pendant son pontificat. Selon d'autres, Célestin IV aurait été couronné le 28 octobre et aurait même célébré solennellement le jour de la fête de la Toussaint. Mort le 10 novembre 1241, Célestin IV fut enseveli dans la basilique Saint-Pierre au Vatican[116].

Plus d'une année et demie s'écoula avant que le successeur de ce pape éphémère pût être choisi par un collège des cardinaux très divisé. Sinibaldo Fieschi fut élu pape prenant le nom d'Innocent IV le 25 juin 1243.

Innocent IV

La famille paternelle de Sinibaldo Fieschi était l'une des plus puissantes de la côte orientale de la Ligurie[117]. Son père, le comte de Lavagna, Hugues, fut le premier à

---

113. V. plus haut, p. 522.
114. Paravicini Bagliani, *Cardinali di curia*, I, p. 32-40.
115. Potthast, I, p. 940 et suiv.
116. A. Paravicini Bagliani, « Celestino IV », *DBI*, XXIII, p. 401.
117. Meilleures études biographiques : V. Piergiovanni, « Sinibaldo dei Fieschi decretalista. Ricerche sulla vita »,

porter ce nom *(Fliscus)*, lié à sa charge impériale d'exacteur de charges fiscales. Dès 1166, il avait établi sa résidence à Gênes, à la suite d'accords avec les consuls. Le jeune Sinibaldo, né entre 1180 et 1190, fit ses premières études à Parme sous la responsabilité de son oncle Obizzo, évêque de la ville depuis 1195. Sinibaldo y posséda un canonicat au moins depuis 1216. Suivant, peut-être, la tradition familiale, il étudia à Bologne, où il est attesté en 1213. Aucun indice documentaire ne confirme cependant qu'il y ait enseigné. En 1223 le jeune Fieschi est en relation avec le cardinal-légat Hugolin, le futur Grégoire IX. Sa première fonction curiale, d'*auditor litterarum contradictarum*, attestée dès le 14 novembre 1226[118], consacrait son excellente réputation de juriste[119]. Son ascension à la curie romaine fut extrêmement rapide[120] : le 31 mai 1227, peu après son élection au pontificat, Grégoire IX l'appela à la tête du plus important organisme curial, la chancellerie pontificale[121], et le 18 septembre, le créa cardinal-prêtre du titre de Saint-Laurent in Lucina[122]. Presqu'aussitôt après[123], Sinibaldo quitta la chancellerie, qui ne fut plus dirigée, après lui, et pendant tout le XIIIe siècle, par un membre du collège des cardinaux. Recteur de la Marche d'Ancône en 1234-1239[124], il continua à résider à la curie, comme l'atteste la liste de ses souscriptions aux privilèges du pape Grégoire IX[125]. Il prit une part sans doute importante au projet de concile décidé par Grégoire IX en 1241, qui n'eut pas lieu à cause de la capture des prélats au large de l'île du Giglio le 3 mai 1241 et de la mort de Grégoire IX. Le biographe d'Innocent IV voit en tout cas une continuité entre ce projet et le premier concile de Lyon[126]. Le 25 juin 1243, Sinibaldo fut élu pape à la suite d'une très longue vacance, au cours de laquelle il était tombé gravement malade[127]. Frédéric II salua la nouvelle *gaudio magno*[128]. Cette élection avait été le fruit d'un compromis au sein des cardinaux qui préfigure les capitulations du début du XIVe siècle[129], portant sur deux objectifs : la réforme de l'Église et la paix avec l'empereur. Dans un premier temps, Frédéric II accepta les propositions de paix du nouvel élu, exigeant la libération des prisonniers de l'île du Giglio et le libre accès de la ville de Rome pour le pape, mais soudainement, et pour des raisons difficiles à percer, il retira ses ambassadeurs. Le pape entra à Rome le 20 octobre 1243. Le 28 mai de l'année suivante, il procéda à la nomination de dix

Collectanea Stephan Kuttner, IV, Studia Gratiana, 14, 1967, p. 126-154; A. MELLONI, *Innocenzo IV. La concezione e l'esperienza della cristianità come regimen unius personae*, Genova, 1990.

118. POTTHAST 7610. Cf. PARAVICINI BAGLIANI, *Cardinali di Curia*, I, p. 65.

119. P. HERDE, *Audientia litterarum contradictarum. Untersuchungen über die päpstlichen Justizbriefe und die päpstliche Delegationsgerichtsbarkeit vom 13. bis zum Beginn des 16. Jahrhunderts*, I, Tübingen, 1970, p. 75.

120. Il est impossible de vérifier d'anciennes hypothèses, selon lesquelles Sinibaldo aurait profité de la présence en curie d'un cousin de son père, Manfred, cardinal entre 1163 et 1177 : v. PIERGIOVANNI, « Sinibaldo », p. 133.

121. Première attestation : 8 juin 1227 (*Les registres de Grégoire IX*, n. 100).

122. PARAVICINI BAGLIANI, *Cardinali di Curia*, I, p. 66.

123. Sa dernière souscription porte la date du 23 septembre 1227 : POTTHAST 8039.

124. WALEY, *The Papal State*, p. 314, n° 5.

125. PARAVICINI BAGLIANI, *Cardinali di curia*, II, p. 407 et suiv.

126. Ed. PAGNOTTI, « Niccolò da Calvi », p. 94.

127. *Ibid.*, p. 79.

128. J.-L.-A. HUILLARD-BRÉHOLLES, *Historia diplomatica Friderici secundi*, VI, Paris, 1861, p. 101 et 98-104.

129. M. SOUCHON, *Die Papstwahlen von Bonifaz VIII. bis Urban VI. und die Entstehung des Schismas 1378*, Braunschweig, 1888.

nouveaux cardinaux. Une rencontre aurait dû avoir lieu entre l'empereur et le pape à Narni le 7 juin 1244, mais cette fois-ci c'est le pape qui décida de fuire des États de l'Église. Un bateau génois le conduisit dans sa ville natale, où il tomba malade (juillet-octobre). À l'automne, il prit le chemin des Alpes et se rendit à Lyon, ville impériale à proximité du royaume de France, éloignée des conflits italiens, offrant de grandes possibilités d'accès. Innocent IV choisit donc une ville sûre, possédant une cathédrale-forteresse. Lorsqu'il fut élu, Sinibaldo était en train de composer son chef-d'œuvre, le Commentaire aux décrétales de Grégoire IX, appelé *Apparatus*, un ouvrage difficile, même pour les contemporains[130]. Sa législation pontificale comprend trois collections de décrétales. Les deux premières collections auraient dû être ajoutées au *Liber extra*, mais le pape préféra envoyer au *Studium* de Bologne une liste définitive et séparée de ses décrétales officielles qui furent appelées *Novellae* et connurent une diffusion indépendante[131]. La plupart d'entre elles furent incorporées par la suite dans le *Liber Sextus* (1298).

Appartenant aux élites intellectuelles de son temps, juriste d'une très grande profondeur, le génois Sinibaldo Fieschi, habitué aux grands espaces géo-politiques, porta les conceptions hiérocratiques à une sorte d'apogée, aussi bien sur le plan de la réflexion que de l'action politique. Selon Innocent IV, la *christianitas* devait servir les prétentions universelles de la papauté. Le pouvoir juridictionnel du pape était le pivot de l'ordre social de la chrétienté tout entière. Des positions aussi extrêmes ne pouvaient pas — à terme — ne pas susciter des réactions, de la part des religieux spirituels, des mouvements liés aux idéaux de pauvreté...

Innocent IV mourut à Naples le 7 décembre 1254. Il fut enseveli dans l'ancienne cathédrale de Naples (détruite en 1294). Au début du xive siècle, l'archevêque Humbert d'Ormont (1308-1320) fit transférer le tombeau dans la nouvelle cathédrale. Le tombeau actuel est presque entièrement œuvre du xvie siècle. Comme aussi le gisant.

Alexandre IV

Contrairement à une très ancienne thèse historiographique, Réginald, le futur Alexandre IV, né vers 1185[132], ne descend pas de la famille Conti de Segni, à laquelle sont traditionnellement rattachés les papes Innocent III et Grégoire IX. Les témoignages contemporains[133] font indubitablement de Réginald un fils de Philippe, seigneur de Jenne, possessionné dans le territoire de Subiaco et le diocèse d'Anagni. Selon Matthieu Paris[134], souvent très bien informé sur les affaires de Rome, il aurait

---

130. Ch. LEFEBVRE, « Sinibalde dei Fieschi », *DDC*, VII, Paris 1965, (avec bibl.); G. LE BRAS, « Innocent IV romaniste. Examen de l'Apparatus », *SG*, 11, 1967, p. 305-26.

131. P.J. KESSLER, « Untersuchungen über die Novellengesetzgebung Papst Innocenz IV », *ZSRG.K*, 31, 1942, p. 142-320; II, 32, 1943, p. 300-83; III, 33, 1944, p. 56-128.

132. S. ANDREOTTA, « La famiglia di Alesandro IV e l'abbazia di Subiaco », *Atti e memorie della Società tiburtina di storia e d'arte*, 35, 1962, p. 122-123.

133. *Ibid.*, p. 117-120. V. aussi PARAVICINI BAGLIANI, *Cardinali di Curia*, I, p. 41-45.

134. *Chronica Maiora*, éd. LUARD, V, p. 472. Sur la valeur de ce témoignage v. G. MARCHETTI-LONGHI, « Richerche sul la famiglia di papa Gregorio IX », *ASRSP*, 67, 1944, p. 282 n. 1.

été le neveu du pape Grégoire IX. Réginald fut pendant longtemps, peut-être dès 1208[135], chanoine de la cathédrale d'Anagni. Déjà, sous le pontificat d'Honorius III, il était en contact étroit avec la cour pontificale. Il porte très tôt le titre de *magister*[136], ce qui pourrait indiquer qu'il avait effectué des études universitaires, sur lesquelles nous ne sommes toutefois pas renseignés[137]. Chapelain pontifical dès 1221, Réginald fut l'un des principaux collaborateurs du cardinal Hugolin, le futur Grégoire IX, qu'il accompagna lors de son importante légation en Italie septentrionale. Indubitablement, Réginald jouissait de la confiance de Grégoire IX, qui lui attribua les mêmes titres cardinalices qu'il avait lui-même occupés[138] et le nomma, dès son accession au pontificat, chef de la Chambre apostolique. Pour le jeune cardinal, le pontificat de Grégoire IX fut une période d'intense activité diplomatique, qui fit de lui l'un des personnages clefs de la cour pontificale. Dans les années 1231 et 1232, il intervint au nom du pape pour résoudre des problèmes de politique locale dans les villes d'Anagni, Pérouse et Viterbe. C'est peut-être à cette période qu'il entra en contact avec l'empereur Frédéric II, avec lequel il noua d'excellentes relations. Il ne joua certainement pas le même rôle sous Innocent IV, mais il faut noter que ce pape lui demanda de rester en Italie, en qualité de vicaire apostolique, pendant tout le séjour de la curie romaine à Lyon[139].

Élu le 12 décembre 1254 comme successeur d'Innocent IV, Alexandre IV résida, comme son prédécesseur, durant presque tout son pontificat en dehors de Rome[140], ville sous la domination du sénateur Brancaleone. Son pontificat prolonge, sur bien des plans, celui d'Innocent IV, notamment en direction de l'Orien latin et de l'empire de Nicée-Constantinople. En vue de l'union avec les Grecs, il entama des négociations, restées infructueuses, avec l'empereur Théodore II Lascaris ; dans l'île de Chypre, il tenta de régler les rapports entre latins et grecs ; au chef des maronites, qui venaient de reconnaître sa supériorité, le pape conféra le titre de patriarche d'Antioche pour leur nation. Dans la mise en place des procédures d'inquisition, Alexandre IV fut le premier pape à établir que les inquisiteurs pouvaient combattre les pratiques magiques « manifestement » liées à l'hérésie (*sapere heresim manifeste*). Ces cas particuliers concernaient avant tout la divination et le sortilège, encore vaguement définis. D'une manière générale, le pape réaffirmait cependant que « c'est dans l'hérésie que les inquisiteurs devaient engager toutes leurs forces »[141]. Dans son action, Alexandre IV resta fidèle aux engagements pris lors de sa précédente carrière cardinalice. C'est ainsi qu'il favorisa les franciscains (il leur adressa une quarantaine de bulles), en canonisant

---

135. Paravicini Bagliani, *Cardinali di Curia*, I, p. 43.

136. Dès 1219 : v. Marchetti-Longhi, « Ricerche », p. 282.

137. Salimbene le désigne comme homme « litteratus... et studium theologie diligens... » : éd. Scalia, p. 658.

138. La diaconie de Saint-Eustache (18 sept. 1227) et l'évêché d'Ostie (1231) ; cf. Paravicini Bagliani, *Cardinali di Curia*, I, p. 51.

139. *Ibid.*, I, p. 52.

140. A. Paravicini Bagliani, « La mobilità della Curia romana nel secolo XIII. Riflessi locali », *Società e istituzioni dell'Italia comunale : l'esempio di Perugia (secoli XII-XIV)*, Pérouse, 1988, p. 250.

141. M. d'Alatri, *L'inquisizione francescana nell'Italia centrale del secolo XIII*, Rome, 1954 ; S. Brufani, *Eresia di un ribelle al tempo di Giovanni XXII : il caso di Muzio di Francesco d'Assisi con l'edizione del processo inquisitoriale*, Perugia-Firenze, 1989, p. 97 et suiv.

sainte Claire et en restituant les privilèges qui avaient été supprimés par son prédécesseur. En particulier, Alexandre IV prit nettement la défense des ordres mendiants dans le conflit avec le clergé séculier[142].

À sa mort, survenue à Viterbe le 25 mai 1261, la papauté passa, pour une petite décennie, dans les mains de deux prélats, sujets du roi de France.

2. Les papes français

Urbain IV

Né à Troyes[143] dans les dernières décennies du xiie siècle, d'une famille modeste — son père, Pantaléon, exerçait la profession de savetier ou cordonnier — Jacques fit une brillante et rapide carrière, grâce au fait qu'il put entreprendre des études à l'université de Paris dès son jeune âge. Il y avait peut-être été envoyé par les chanoines de Troyes[144]. Vers 1225, il est chanoine de la cathédrale de Laon. Il jouit de la protection de l'évêque de cette ville, Anselme. Plus tard, Urbain IV se rappellera que c'est à Laon que « ses études ont connu leurs premiers succès »[145]. En qualité de chanoine, il rédige le cartulaire du chapitre : le manuscrit original, écrit d'une très belle écriture, est encore aujourd'hui conservé.

Nommé entre-temps archidiacre de Campine (Liège), il est envoyé en 1247 par le pape Innocent IV en Pologne, Prusse et Poméranie. Devenu pape, il approuvera les décisions d'un concile qu'il réunit en ces régions en 1248 et où figuraient les évêques de Gniezno, Breslau, Cracovie et celui de Cujavie. Rentré en France il fut nommé, en tout cas avant le 22 octobre 1249, archidiacre de Laon. Une nouvelle mission pontificale le conduisit en Allemagne, auprès de princes allemands, qu'il devait gagner à la cause du roi de Germanie, Guillaume de Hollande. Le 18 décembre 1253, Innocent IV le nomme évêque de Verdun. Cette promotion n'avait pas été sollicitée par le chapitre. Elle est donc une nouvelle preuve de la confiance dont il jouissait auprès d'Innocent IV et des milieux de la curie romaine, en particulier auprès du cardinal Pierre de Collemezzo, évêque d'Albano, cardinal légat en France et dans les Flandres, l'un des meilleurs connaisseurs de l'Église de France. Deux ans plus tard, le 9 avril 1255, soit quelques mois après son élection, le pape Alexandre IV le nomma patriarche de Jérusalem. Cette fois aussi, le pape avait réussi à imposer son candidat

---

142. V. plus loin, p. 816. À propos de cette polémique, v. surtout M. Dufeil, *Guillaume de Saint-Amour et la polémique universitaire parisienne 1250-1259*, Paris, 1972.

143. *Urbain IV, pape troyen*, n° spécial de la revue *Vie en Champagne*, 12, Troyes, 1964. V. aussi le *Catalogue de l'exposition VIIe centenaire de la mort du pape Urbain IV, Troyes, Musée des Beaux-Arts, 23 mai-30 août 1964*, Mémoires de la Société Académique d'Agriculture du Département de l'Aube, 104, 1964-66, p. 57-71.

144. W. Sievert, « Das Vorleben des Papstes Urbain IV. », *RQ*, 10, 1986, p. 450 et suiv. Sulle biografie di Urbano IV, e soprattutto sull'autore della *Vita* in prosa, v. A. Paravicini Bagliani, « Gregorio da Napoli, biografo di Urbano IV », in *RöHM*, 11, 1969, p. 59-78.

145. J. Foviaux, « Sermons donnés à Laon en 1242 par le chanoine Jacques de Troyes, futur Urbain IV », *RechAug*, 20, 1985, p. 203-56.

contre la volonté d'un certain nombre de chanoines. Le 7 décembre, le pape lui confie la charge de légat pontifical pour la province de Jérusalem et l'armée des croisés. Le 3 juin 1256, vigile de la Pentecôte, le patriarche arrive à Saint-Jean-d'Acre. Très actif, il laissa un bilan très positif des longues années passées dans le royaume latin de Jérusalem. Au début de 1261, il voulut se rendre auprès du pape, pour tenter de résoudre personnellement un certain nombre de problèmes juridictionnels, en liaison notamment avec sa légation (l'évêque Thomas de Bethléhem, de l'ordre des prêcheurs, avait été nommé légat pour la Palestine, ce qui avait fait surgir des conflits de compétence). Il se trouvait à Viterbe, où résidait la curie romaine, lorsque le pape Alexandre IV, avec qui il avait pu commencer à traiter de ses problèmes, mourut le 25 mai 1261. La vacance du Siège apostolique dura trois mois. Les cardinaux ne réussirent pas à s'entendre sur l'un des leurs, et finirent par élire, après de longues discussions, le 29 août, le patriarche de Jérusalem, Jacques, qui se trouvait occasionnellement à Viterbe. Il est vrai que Jacques de Troyes n'était pas un inconnu pour la plupart d'entre eux, ses relations avec les milieux de la curie romaine étant fort anciennes. Il semble avoir choisi le nom d'Urbain, parce que son prédécesseur était mort le jour de la fête de saint Urbain I. Il est vrai aussi qu'Urbain IV était le premier ressortissant du royaume de France à être élu pape depuis Urbain II (1088-1099)... La consécration et le couronnement eurent lieu le 4 septembre à Viterbe, dans l'église des dominicains de Santa Maria in Gradi.

Doté d'une forte personnalité et d'une grande culture, notamment dans le domaine des sciences de la nature[146], Urbain IV avait reçu un lourd héritage. Plusieurs grands problèmes traversent son pontificat : la question de la succession de Sicile[147] et du Saint-Empire[148], les rapports avec les Grecs[149], la question de la Terre Sainte, les rapports de la papauté avec les Mongols[150], et ceux, difficiles et tendus, avec certaines régions de la chrétienté, comme, par exemple, les royaumes de la péninsule ibérique[151]. Dans toutes ces grandes questions politiques, il continua à s'inspirer des options prises par ses prédécesseurs; dans plusieurs cas (succession de Sicile), les problèmes trouvèrent leur solution définitive après son pontificat. Il donna une nouvelle impulsion à l'Inquisition; il favorisa de nouveaux ordres religieux : carmel, ermites de Saint-Augustin, chevaliers de Marie, établis à Bologne, chevaliers du Saint-Sépulcre[152]. Il donna une règle aux clarisses[153].

---

146. V. plus loin, p. 572.

147. P. DI FRANCO, « Urbano IV e la genesi della conquista angivina del Regno di Sicilia (1261-1264) », *Rivista storica siciliana*, 2, 1977, p. 28-39; E. PASZTOR, « Lettere di Urbano IV super negotio Regni Siciliae », *Aus Kirche und Reich. Studien zu Theologie, Politik und Recht im Mittelalter. Festschrift für Friedrich Kempf*, Sigmaringen, 1983, p. 383-395.

148. K. HAMPE, *Urban IV. und Manfred*, Heidelberg, 1905.

149. A. FRANCHI, *La svolta politico-ecclesiastica tra Roma e Bisanzio (1249-1254). La legazione di Giovanni da Parma. Il ruolo di Federico II*, Rome, 1981.

150. J. RICHARD, « Une ambassade mongole à Paris en 1262 », *Journal des Savants*, 1979, p. 295-303 (réimpr. *Id., Croisés, missionnaires et voyageurs. Les perspectives orientales du monde latin médiéval*, Londres, 1983).

151. P. LINEHAN, « The "Gravamina" of the Castilian Church in 1262-1263 », *Id., Spanish Church and society 1150-1300*, Londres, 1983. Pour la documentation v. aussi I. RODRIGUEZ-R. DE LAMA, *La documentacion pontificia de Urbano IV (1261-1264)*, Rome, 1981.

152. G. BRESC-BAUTIER, « Bulles d'Urbain IV en faveur de l'Ordre du Saint-Sépulcre (1261-1264) », *MEFRM*, 85, 1973, p. 283-310.

153. J.M. SEGARRA, « Elements de vida fraterna en les primeres constitucions de les clarisses caputxines de

La dernière période de son pontificat est marquée par l'institution de la fête du Saint-Sacrement. Le pape publia le 11 août 1264 la bulle *Transiturus de hoc mundo*[154] qui étendait la fête du Saint-Sacrement à l'Église universelle. L'initiative était partie de béguines belges, en particulier de sainte Julienne, première abbesse des augustines du Mont-Cornillon, qui avait même fait composer un premier office. Jacques de Troyes avait connu sainte Julienne au temps où il était archidiacre de Campine (Liège). De cette institution, le pape prévenait, le 8 septembre suivant, une sainte recluse de Saint-Martin de Liège, Ève, qui avait demandé la célébration d'une fête annuelle en l'honneur du *Corpus Christi*[155].

Urbain IV est le premier pape du XIIIe siècle à n'être même pas entré à Rome. Les deux autres papes français de ce même siècle (Clément IV et Martin IV) suivront en cela son exemple[156]. Urbain IV passa presque tout son pontificat à Viterbe (1261-1262) et à Orvieto (1262-1264). Le 9 septembre 1264, il quitta Orvieto pour Todi et Pérouse; il était déjà malade. Sa mort survint le 2 octobre 1264, peut-être pendant le trajet. Certaines sources tardives donnent comme lieu de la mort la petite ville de Deruta[157]. Il fut inhumé à Pérouse, dans la cathédrale Saint-Laurent.

Clément IV

Guy Foucois[158] naquit probablement peu avant 1200 à Saint-Gilles (Gard). Son père, Pierre Foucois, avait été juge et chancelier au service du comte Raimond V de Toulouse, de 1185 à 1204 environ, avant de se retirer à la Grande-Chartreuse où il mourut vers 1210. Guy embrassa la même carrière que son père. Après des études de droit à Paris, il rentra dans son pays natal où il exerça, en tout cas dès 1234, la profession de jurisconsulte. Dès 1241, sa présence est attestée à la cour du comte de Toulouse, Raimond VII. Résidant à Saint-Gilles, il se maria avec une femme dont le nom nous est resté inconnu et qui lui donna deux filles. Il fit partie du conseil de jurisconsultes qui examinèrent la validité du testament du comte Raimond VII; leurs conclusions permirent à Alphonse de Poitiers de se décharger des clauses les plus lourdes. En 1252, il participa, en tant que seul membre juriste, à une commission importante, mise en place par Alphonse de Poitiers, chargée de préparer des projets de réforme politique. Bien que laïc, Guy dut s'occuper de l'Inquisition pour l'extirpation

---

Barcelona », *EstFr*, 84, 1983, p. 1-84; R. Mattick, « Eine Nürnberger Übertragung der Urbanregel für den Orden der hl. Klara und der ersten Regel der hl. Klara für die Armen Schwestern », *FS*, 69, 1987, p. 173-232.

154. *VII Centenario della Bolla « Transiturus » 1264-1964. Studi eucaristici*, Orvieto, 1966; T. Bertamini, « La bolla "Transiturus" di papa Urbano IV e l'Ufficio del "Corpus Domini" secondo il codice di S. Lorenzo di Bognanco », *Aevum*, 42, 1968, p. 29-58; E. Franceschini, « Origine e stile della bolla "Transiturus" », *Id.*, *Scritti di filologia latina medievale*, I, Padoue, 1976, p. 322-65.

155. C. Lambot, « Un précieux manuscrit de la Vie de sainte Julienne du Mont-Cornillon », *RBen*, 79, 1969, p. 223-31; *Id.*, « La bulle d'Urbain IV à Ève de Saint-Martin sur l'institution de la Fête-Dieu », *ibid.*, p. 261-70. Pour un récit détaillé du développement du culte eucharistique au XIIIe siècle, v. *DSp*, 4, 2, Paris, 1961, c. 1625 et suiv.

156. V. plus loin, p. 558.

157. Paravicini Bagliani, « La mobilità », p. 237.

158. La graphie de son nom est très variée: *Fulcodii, Fulcadi, Fulcaudi, Folcadio*, etc.; le surnom Le Gros lui a été faussement attribué par d'anciens érudits du XVIe siècle, O. Panvinio et A. Chacon.

des derniers foyers hérétiques; il la confia aux frères prêcheurs. Plus tard, il mit à profit ses connaissances dans le domaine des rapports entre le droit et l'Inquisition en rédigeant un opuscule — *Quaestiones quindecim ad inquisitores* — qui fut encore publié au XVIIᵉ siècle[159]. En 1254-1256, saint Louis le chargea de la mise en place des structures du pouvoir royal dans la France méridionale. Au mois de mai 1255, Guy Foucois publia à Béziers de nouveaux statuts royaux, en compagnie de l'archevêque d'Aix, Philippe et de deux frères prêcheurs. Nous ne savons pas à quel moment il perdit sa femme, mais il est certain que, dans des documents du mois de février et d'avril 1255, il porte déjà le titre de clerc. Membre de la chapelle royale, Guy obtint rapidement un canonicat à la cathédrale du Puy. Le 11 juin 1257, quatre semaines après la mort de l'évêque Armand, il fut élu évêque par le chapitre du Puy. La confirmation pontificale se fit attendre jusqu'au mois d'octobre 1257, on ne sait pour quelles raisons. Le 10 octobre 1259, le chapitre de Narbonne l'élut comme successeur de l'archevêque Jacques. La prise de possession de la cathédrale n'eut lieu qu'au début 1261. Membre du Parlement de Paris, Guy continua à exercer, comme par le passé, sa fonction de conseiller juridique et politique du roi, arbitrant des conflits juridictionnels importants. Dès la première création cardinalice de son pontificat (1261), Urbain IV[160] lui offrit l'évêché de Sabine. Il semble avoir hésité longtemps avant d'accepter, retenu peut-être par le roi. En automne 1262, Guy Foucois finit par se rendre à la curie romaine, qui résidait alors à Orvieto. Eu égard à son passé, il ne semble pas avoir joué un rôle prépondérant sous Urbain IV. Il est vrai que le pape lui confia en 1263 la direction de la Pénitencerie apostolique. La seule fonction importante de son cardinalat fut une légation en Angleterre, Irlande et Pays de Galles[161]. Son objectif était de ramener la paix entre les barons et Henri III. Nommé le 22 novembre 1263, le légat retarda son départ d'une demi-année, après que l'arbitrage de saint Louis, exigé par les barons et partisans du roi eût échoué. Le dit d'Amiens (24 janvier 1264) avait annulé les provisions d'Oxford et confirmé à Henri III la plupart de ses droits politiques, notamment celui de choisir ses propres conseillers. L'opposition baronale ayant refusé de se soumettre à l'arbitrage du roi de France, le légat dut partir le 9 avril 1264. Simon de Montfort eut beau jeu d'empêcher le légat de pénétrer sur le sol anglais. Le légat résida tout l'été à Amiens. Exaspéré par d'interminables artifices, le légat finit par trahir sa véritable pensée, en définissant les provisions d'Oxford d'« exécrables et iniques ». La légation fut un échec complet. Les tentatives de régler les affaires anglaises depuis le continent n'eurent aucun succès. Le légat rentra à la curie romaine après avoir appris que le pape Urbain IV était décédé. Il y parvint après que les cardinaux l'eurent élu, le 5 février 1265, par voie de compromis. Il fut couronné pape le 22 février à Pérouse. Clément IV n'alla jamais à Rome. Tout ce pontificat se passa à Pérouse, puis à Viterbe, jusqu'à sa mort. Il fit preuve de ses qualités de médiateur en ne créant pas de cardinaux, désirant conserver des équilibres

---

159. Lyon, 1669; cf. C. DOUAIS, *Documents pour servir à l'histoire de l'Inquisition dans le Languedoc*, Paris 1910.

160. E. JORDAN, « Les promotions de cardinaux sous Urbain IV », *RHLR*, 5, 1900, p. 322-334.

161. J. HEIDEMANN, *Papst Clemens IV. Das Vorleben des Papstes und sein Legationsregister*, Münster, 1903, p. 194-248 (éd. du registre de la légation d'Angleterre).

fragiles à l'intérieur du collège, alors fortement divisé en factions, conduites d'une main ferme par deux cardinaux puissants : Richard Annibaldi et Jean Gaëtan Orsini, le futur Nicolas III.

Les papes français du XIIIᵉ siècle : un bilan

L'avènement de deux papes français (Urbain IV, Clément IV) eut des répercussions considérables au sein de l'administration de l'Église romaine du XIIIᵉ siècle, notamment avec l'accession au pontificat de Clément IV[162]. D'importants postes clés furent confiés à des personnages des États toulousains, fidèles et amis du pape[163]. Ainsi, Michel de Toulouse exerça les fonctions de vice-chancelier; Pierre de Montbrun, celles de chef de la Chambre apostolique; Bernard de Languissel fut l'un des membres les plus influents du collège des notaires apostoliques; Raimond Marc, qui avait fait en Provence une carrière toute semblable à celle de Guy Foucois, devint à la curie romaine auditeur général des causes du palais. La centralisation romaine progressa fortement sous Clément IV, qui s'employa à fournir à l'Église romaine des revenus plus réguliers et sûrs, pour subventionner les grandes entreprises politiques du moment. Ainsi, le pape, qui avait reçu l'approbation de saint Louis, put accroître encore la pression fiscale sur le clergé français, qui payait déjà un lourd tribut à la croisade, pour financer la politique italienne du Siège apostolique (écrasement des Gibelins, expédition sicilienne). La réaction fut virulente. Le courant anti-curial, teinté d'un gallicanisme destiné à grandir avec les décennies, s'exprima avec vigueur contre « la voracité de la cour romaine », « l'appétit de la curie qui ne s'apaiserait que le jour où cesseraient l'obéissance et le dévouement du clergé »[164]. Les décisions de Clément IV en matière de politique bénéficiale furent l'un des points les plus marquants de tout son pontificat, dont les conséquences à la longue furent considérables[165]. Fort de son expérience provençale, Clément IV promulgua d'importantes constitutions relatives à l'Inquisition, que Bernard Gui contribua à diffuser par son *Manuel*[166]. Le fait le plus notable concerne la torture, dont l'usage fut autorisé par le pape le 3 novembre 1265[167].

Clément IV, dont les liens avec Charles Iᵉʳ d'Anjou étaient anciens, continua avec détermination la politique italienne de son prédécesseur. Il la hâta même, de crainte que Manfred n'enlevât Rome, que le pape ne put tenir que grâce à une garnison provençale. L'investiture du nouveau roi de Sicile eut lieu à la date fixée par le pape, le 28 juin 1265[168]. La victoire de Charles d'Anjou sur Manfred (Bénévent, 26 février

---

162. S. MENACHE, « Réflexions sur quelques papes français du bas Moyen Âge. Un problème d'origine », *RHE*, 81, 1986, p. 117-30.

163. A. PARAVICINI BAGLIANI, « Il testamento di Isembardo di Pecorara († 1279). Note di prosopografia curiale duecentesca », *Palaeographica, Diplomatica et Archivistica. Studi in onore di Giulio Battelli*, Rome, 1979, p. 234 et suiv.

164. *Majus chronicon Lemovicense, Recueil des historiens de la France*, XXI, p. 770.

165. V. p. 610-614.

166. Ed. Lyon, 1669 (Le manuel de B. Gui a été édité par C. DOUAIS, Paris, 1884). Le tome I du *Bullarium ordinis Fratrum Praedicatorum*, de Ripoll, publie l'ensemble de l'œuvre législative de Clément IV en matière inquisitoriale.

167. P. FIORELLI, *La tortura giudiziaria nel diritto comune*, 2 vol., 1953-1954.

168. Pour la fresque de la paroi de la Tour Ferrande à Pernes, v. LADNER, *Die Papstbildnisse*, II, p. 161-165 et pl. XXXIII.

1266) allait soulager la papauté des graves problèmes financiers encourus pour soutenir la lutte contre les Staufen. Clément IV s'était endetté auprès des banquiers italiens, allant même jusqu'à donner pour gages à ses créanciers des propriétés foncières d'églises et de monastères romains, ainsi que de la vaisselle d'or et d'argent, joyaux de la chapelle et du trésor, ce qui ne pouvait pas ne pas soulever des problèmes de conscience, comme il l'expliqua lui-même à Charles d'Anjou dans une lettre du 2 août 1265 : « C'est le pape seul qui affronte les difficultés de l'action, qui compromet sa conscience, qui s'expose à l'infamie perpétuelle de passer pour un dissipateur des biens d'Église »[169]. Après la prise de possession du royaume de Sicile, les rapports avec Charles d'Anjou furent tout sauf pacifiques. Clément IV exigea sans succès que le nouveau roi de Sicile renonçât au titre de sénateur de Rome, pour éviter de nouveaux conflits dans la ville. Le pape accusa le roi de Sicile de violation des droits du Siège apostolique à Bénévent, d'exactions indues, de violence contre le clergé et de retard dans le paiement du cens. Par l'envoi d'une légation, il tenta d'intervenir directement dans la politique ecclésiastique sicilienne. Un tiers des évêchés du royaume fut occupé par des hommes qui lui étaient fidèles. Vis-à-vis des classes seigneuriales et dirigeantes locales, il prêcha une politique de modération, qu'il conseilla à Charles lui-même.

III. L'ŒUVRE CONCILIAIRE (1215, 1245)

1. LE CONCILE DE LATRAN IV (1215)

Convocation et objectifs

Le projet d'un concile général de la chrétienté préoccupa Innocent III pendant tout son pontificat mais n'aboutit qu'après dix-sept ans de règne. L'idée semble lui être venue d'Orient. Le 12 novembre 1199, à la proposition de l'empereur de Byzance, Alexis Comnène, et du patriarche de Constantinople de tenir un concile pour discuter des divergences doctrinales les séparant de Rome, le pape répondit en acceptant l'idée d'un concile utile à la réforme de l'Église, à la condition que les Orientaux s'y soumettent[170]. Ce ne sont toutefois pas les problèmes ecclésiologiques dérivant de la rupture avec les Églises orientales, que la conquête de Constantinople par les Latins, en 1204, avait contribué à exacerber[171], qui ont incité Innocent III à convoquer le IVe concile du Latran. Toujours ajournée, l'idée d'un concile, ravivée en 1213, faisait partie d'une stratégie d'ensemble, visant à relancer vers l'extérieur, un projet de croisade permettant de reconquérir ce que les croisés avaient perdu en 1212, et vers

---

169. POTTHAST 19296.
170. « *ut membrum ad caput et ad matrem filia revertatur* ». POTTHAST, 862-863.
171. V. la lettre du pariarche Jean X Kamateros de 1206-1207, éd. A. HEISENBERG, « Neue Quellen zur Geschichte des lateinischen Kaisertums und der Kirchenunion », *SBAW.PPH*, 5, 1922, p. 63-66.

l'intérieur de la chrétienté elle-même, un vaste débat de réforme, sous l'égide d'une Église romaine raffermie.

La décision de convoquer un concile général fut annoncée par le pape le 10 avril 1213 dans une série de lettres adressées aux principales autorités ecclésiastiques et civiles[172]. Les objectifs y étaient clairement définis : extirper les vices et planter les vertus, corriger des abus et réformer les mœurs, supprimer les hérésies et fortifier la foi, apaiser les discordes et affermir la paix, réprimer l'oppression et favoriser la liberté, et, finalement, induire les princes et les peuples chrétiens à secourir la Terre sainte[173]. En d'autres termes, pour Innocent III la réforme de l'Église et le succès d'un grandiose projet de croisade n'étaient possibles qu'après avoir résolu les grands conflits politiques déchirant la chrétienté. Le concile devait donc s'occuper de tous les grands problèmes du moment, aussi bien politiques que spirituels et pastoraux : dans l'Empire, la substitution de Frédéric II à Otton IV ; en Angleterre, l'excommunication des barons et le soutien des évêques à Jean sans Terre ; en France, l'excommunication de Raimond VI de Toulouse ; dans la péninsule ibérique, la primatie de Tolède ; en Orient, la séparation avec les Grecs...

Le pape avait pris la décision seul, apparemment sans consultations préalables. Prévoyant que la préparation du concile, convoqué à Rome pour le 1er novembre 1215, durerait deux ans, il ordonna « qu'une enquête soit menée par des personnes prudentes en chaque province sur les abus requérant vigilance et correction apostolique »[174]. En France, le cardinal Robert de Courçon tenta d'influencer plusieurs conciles provinciaux (Paris, Rouen, Bordeaux)[175]. Jamais auparavant, un concile n'avait été précédé par une préparation aussi minutieuse. Indubitablement, le pape voulait montrer que le concile était affaire de l'Église universelle, devant affronter les principaux problèmes de la société chrétienne dans son ensemble.

Participants

Dans la bulle de convocation, Innocent III avait insisté sur une représentation la plus large possible : il enjoignit aux évêques de « mander à tous les chapitres des églises, des cathédrales mais aussi des autres, d'envoyer pour les représenter au concile les prévôts et doyens, ou autres personnes capables »[176]. Les chefs des grands ordres religieux ayant une organisation centralisée (Cîteaux, Prémontré) et des ordres militaires (Hospitaliers, Templiers), plusieurs souverains – des rois irlandais à l'empereur de Constantinople –, ainsi que les autorités civiles d'importantes villes italiennes furent également invités à envoyer des représentants[177].

Seul parmi les conciles du Latran à avoir été désigné comme *generale concilium* par

---

172. *Vineam Domini Sabaoth* : POTTHAST 4706 (*PL* 216, c. 823-825) ; trad. fr. FOREVILLE, *Latran I*, p. 329-330.
173. Trad. FOREVILLE, *Latran I*, p. 329.
174. POTTHAST 4725 : 19-23 avril 1213.
175. BALDWIN, *Masters*, I, p. 317.
176. Trad. FOREVILLE, *Latran I*, p. 328.
177. Le roi d'Angleterre ne fut pas invité, parce qu'excommunié (avril 1213) : CHENEY, *Pope Innocent III*, p. 44.

les canonistes du XIIIe siècle[178] Latran IV, aux yeux d'Innocent III, devait s'approcher du modèle des grands conciles de l'Église ancienne[179]. La liste officielle des membres du concile[180] dénombre 402 cardinaux, patriarches, archevêques ou évêques, représentant 80 provinces ecclésiastiques (contre 62 à Latran III), dont plus de la moitié d'origine italienne, ainsi que plus de 800 prélats inférieurs (abbés, prieurs, prévôts et doyens). Ces chiffres sont considérables et marquent une nette progression par rapport aux précédents conciles du Latran[181]. L'appel du pape à la plus large représentation possible des responsables ecclésiastiques, y compris des prélats « inférieurs »[182], a donc été largement entendu[183].

Représentativité

Bien que la nature et les prérogatives des prélats « inférieurs » restent obscures, cette large représentativité est marquée par les conceptions parlementaires qui avaient pris corps vers la fin du siècle en Europe (notamment en Angleterre)[184]. D'autres motivations ont sans doute incité le pape à rechercher une représentativité aussi générale. L'un des objectifs du concile – la taxation des revenus ecclésiastiques (c. 71) – exigeait le maximum de consensus, et c'est bien dans cette perspective qu'Innocent III exhuma une règle de procédure romaine relevant du droit privé, figurant dans une constitution impériale : la maxime « *Quod omnes tangit ab omnibus tractari et approbari debet* » fut appliquée en matière de taxation, avant de devenir un principe général de gouvernement[185].

Le déroulement du concile

Les comptes rendus conciliaires permettent de reconstituer de manière assez précise le déroulement du concile[186]. L'inauguration officielle eut lieu au Latran le

---

178. A. Hauck, « Die Rezeption und Umbildung der allgemeinen Synode im Mittelalter », *HV*, 10, 1967, p. 469 ; F.-J. Schmale, « Systematisches zu den Konzilien des Reformpapsttums im 12. Jahrhundert », *AHC*, 6, 1974, p. 23-27, 36-39.

179. Selon Foreville, *Latran I*, p. 158, Latran IV fut « le seul des conciles médiévaux susceptible d'être confronté à la fois au concile de Nicée et au concile de Trente », le premier des 70 décrets conciliaires était une confession de foi : Cheney, *Pope Innocent III*, p. 44.

180. J. Werner, « Die Teilnehmer des Laterankonzils vom Jahre 1215 », *NA*, 31, 1906, p. 584-592. Réédition de la liste : Foreville, *Latran I*, p. 391-395.

181. Foreville, *Latran I*, p. 35 ; Cheney, *Pope Innocent III*, p. 44.

182. Bulle d'indiction : trad. fr. Foreville, *Latran I*, p. 383-386.

183. Pour les cas anglais, v. Cheney, *Pope Innocent III*, p. 44. Plusieurs dessins de l'époque illustrent la présence de tel ou tel personnage à Latran IV : cf. R. Foreville, « L'iconographie du XIIe concile œcuménique, Latran IV (1215) », *Mélanges offerts à René Crozet*, II, Poitiers, 1966, p. 1121-1130.

184. Cheney, *Pope Innocent III*, p. 44.

185. Y.M.-J. Congar, « "Quod omnes tangit" », *Revue d'histoire du droit français et étranger*, 1958, p. 210-259.

186. Comptes rendus conciliaires contemporains : S. Kuttner-A. Garcia y Garcia, « A new eyewitness account of the Fourth Lateran Council », *Traditio*, 20, 1964, p. 115-178 (d'après un ms. de Giessen et le ms. Vat. lat. 3555) ; chronique de Richard de S. Germano (éd. Gaudenzi, *Chronica priora*, Naples, 1888, p. 90-94 ; trad. Foreville, *Latran I*, p. 339-340) ; brève *notitia* officielle ou semi-officielle des participants : Kuttner-Garcia y Garcia, « A new eyewitness account », p. 118, n. 15 (éd. Mansi, XXII, 1079) ; une liste détaillée des personnes présentes au concile, conservée dans un ms. unique (Zurich Car. C. 148), a été éditée par A. Luchaire, « Un document retrouvé », *Journal des Savants*, 1905, p. 584-591 (trad. Foreville, *Latran I*, p. 391-395).

11 novembre 1215. Le pape et le patriarche de Jérusalem évoquèrent la croisade dans leurs sermons[187]. Le lendemain, le concile délibéra du problème de la succession au siège de Constantinople, vacant depuis la mort de Thomas Morosini (1211), et, le surlendemain, de l'épineuse question des droits primatiaux de l'archevêque de Tolède[188]. Plusieurs séances, souvent dramatiques[189], furent consacrées au conflit opposant Raimond de Saint-Gilles à Simon de Montfort. Celui-ci obtint du pape la confirmation de ses possessions provençales[190].

La seconde session plénière (20 novembre) fut entièrement occupée par un débat contradictoire à propos du schisme impérial et de la légitimité d'Otton IV. L'archevêque de Palerme, Bérard, exigea que soit approuvée l'attribution de la couronne de Germanie au jeune Frédéric de Hohenstaufen, qui jouissait du reste des faveurs du concile. Des clameurs s'élevèrent en effet lorsque le représentant des Milanais voulut donner lecture à l'assemblée d'une lettre d'Otton IV.

Le 30 novembre, le concile tint la troisième et dernière assemblée plénière. Innocent III fit réciter et approuver les articles de la foi (c. 1) et prononça un sermon[191]. Le concile procéda ensuite à la condamnation solennelle des thèses hérétiques de Joachim de Flore et d'Amaury de Bène (c. 2), ainsi que des hérésies en général (c. 3). Prenant la défense du roi d'Angleterre Jean sans Terre, qui venait de se déclarer vassal du Siège apostolique, le pape excommunia les barons anglais en conflit avec leur souverain. Il profita de l'occasion pour approuver publiquement la récente décision des princes allemands d'élire et de couronner (25 juillet 1215) roi des Romains Frédéric, le jeune roi de Sicile.

Ce n'est qu'à la fin de cette longue session publique, au cours de laquelle la question de la croisade fut rediscutée, que le concile prit connaissance des constitutions conciliaires, ou « du pape », comme les appelle un témoin oculaire[192].

Concile et collégialité

La liberté d'expression au concile est attestée au moins par un témoignage important : l'abbé de Saint-Albans reçut en assemblée plénière satisfaction sur un point liturgique[193]. À plusieurs reprises, les décrets conciliaires font explicitement allusion à des plaintes de la part des églises locales[194]. D'autre part, l'auteur de la

---

187. Trad. FOREVILLE, *Latran I*, p. 333-339.
188. Sur la « question espagnole », v. la notice contenue dans un ms. de Madrid, offrant des détails inédits, MANSI, XXII, p. 1071-1075 ; nouvelle transcription du texte et reprod. de l'ill. dans FOREVILLE, *Latran I*, p. 304.
189. KUTTNER-GARCIA Y GARCIA, « A new eyewitness account », p. 124.
190. *La Chanson de la croisade contre les Albigeois*, éd. E. MARTIN-CHABOT, II, Paris, 1931-1961, p. 40-89, sect. 143-151.
191. Le texte se conservait autrefois dans le registre perdu de la 18e année de son pontificat : M. MACCARRONE, « Il IV Concilio Lateranense », *Divinitas*, 2, 1961, p. 288, n. 25.
192. « *Deinde leguntur constitutiones domini pape* » : c'est ainsi que les décrets conciliaires sont appelés par le chroniqueur anonyme de Giessen : KUTTNER-GARCIA Y GARCIA, « A new eyewitness account », p. 128.
193. Inclusion du nom du saint dans la liturgie de la messe, pour une église possédant le corps : *Gesta abbatum*, I, p. 261-262 ; cf. CHENEY, *Pope Innocent III*, p. 47.
194. C. 56, c. 60 ; cf. aussi les c. 63, 65, 66 et 70 ; sur ce point v. GARCIA Y GARCIA, *Constitutiones*, p. 10-11.

Chanson de la croisade indique que 300 évêques avaient été favorables à Simon de Montfort, ce qui plaide en faveur du fait que l'assemblée conciliaire prit ses décisions sur la base d'un scrutin majoritaire des deux tiers (les participants ayant été environ 400), instrument juridique dont l'usage avait été rendu obligatoire par Alexandre III en matière d'élection pontificale et que Latran III avait peut-être déjà utilisé[195]. Dans l'ensemble, Latran IV fut pourtant l'œuvre du pape[196]. En parlant du concile, les contemporains, chroniqueurs ou canonistes, renvoient toujours à sa personne[197]. Les décrets, qui se présentent comme des ordres, sont formulés à la première personne du pluriel. L'usage constant de la formule *sacro approbante concilio* et le ton autoritaire et personnel des décrets ne laissent pas de doute sur le fait que les séances plénières (11 au 30 novembre 1215) n'ont guère eu d'influence sur la formulation des décrets. Les contemporains prirent l'habitude de les appeler d'un terme réservé aux décisions relevant de l'autorité pontificale : *constitutiones*[198]. La lecture du compte rendu le plus détaillé suggère que les constitutions elles-mêmes n'ont pas été l'objet de débats conciliaires, à l'exception des déclarations dogmatiques (c. 1-3) et de la croisade (c. 71)[199].

Dans une quarantaine de cas, les constitutions de Latran IV contiennent des passages que l'on retrouve, de manière identique, dans des écrits antérieurs d'Innocent III[200]. Dans le c. 8, le pape se réfère expressément à de précédentes décisions législatives. D'autres sources d'inspiration ont été les grands conciles de l'antiquité chrétienne (Constantinople I et IV, Chalcédoine, Nicée I et II), les conciles du Latran I-III, les instruments canoniques forgés au XIIe siècle : le Décret de Gratien et les trois premières *compilationes antiquae*[201] ainsi que le travail d'élaboration doctrinale des grandes écoles parisiennes[202].

L'autorité éminente du pape sur le concile était généralement admise. Pierre le Chantre affirmait dans son *Verbum abbreviatum* : « Il est clair que les décrets peuvent être modifiés parce qu'ils procèdent de la volonté du pape de sorte qu'ils peuvent être interprétés à son gré... Il lui appartient d'établir, d'interpréter et d'abroger les canons »[203]. Plus tard, saint Thomas n'aura aucune hésitation à considérer la législation conciliaire comme étant l'œuvre du pape[204].

---

195. Il est à noter que l'ancienne norme canonique de la *maior et sanior pars* est confirmée par le c. 16 de Latran III, qui ne fixe aucun quorum, mais permet à l'autorité supérieure de trancher en cas de litige. Cf. Foreville, *Latran I*, p. 37.
196. Sur le rôle, difficile à cerner, des collaborateurs du pape, v. Garcia y Garcia, *Constitutiones*, p. 6 et 11.
197. Garcia y Garcia, *Constitutiones*, p. 7, n. 14; cf. Kuttner--Garcia y Garcia, « A new eyewitness account », p. 128.
198. *Ibid.*, p. 164; R. Foreville, « Procédure et débats dans les conciles médiévaux du Latran (1123-1215) », *RSCI*, 19, 1965, p. 32; Garcia y Garcia, *Constitutiones*, p. 6.
199. *Id.*, *Constitutiones*, p. 6.
200. *Id.*, *Constitutiones*, p. 8, n. 17.
201. *Id.*, *Constitutiones*, p. 12-15.
202. Notamment en ce qui concerne l'interdiction des ordalies, à propos desquelles la papauté avait longtemps hésité : Baldwin, *Masters*, I, p. 313, 317-318, 341-343 et *Id.*, « The intellectual preparation for the Canon of 1215 against ordeals », *Speculum*, 36, 1961, p. 613-636.
203. *PL* 205, c. 164.
204. *Opusculum* XIX, éd. Parme, 1856, vol. XVI, p. 300.

Les décrets conciliaires

À propos du nombre des constitutions, une certaine hésitation a longtemps régné : le chroniqueur Aubry de Trois-Fontaines en donne deux chiffres différents : 70 et 72[205]. De fait, le chiffre de 70 est constant dans la tradition manuscrite. Le c. 71, qui concerne la croisade et figure dans toutes les éditions modernes des décrets conciliaires[206], a été glosé par les principaux commentateurs (Jean le Teutonique et Vincent l'Espagnol), mais négligé par d'autres (Damase le Hongrois)[207].

Les premiers décrets de Latran IV (profession de foi, c. 1; condamnation des erreurs de l'abbé Joachim et d'Amaury de Bène[208], c. 2; condamnation générale des hérésies, c. 3; condamnation de l'attitude hostile du clergé oriental envers les rites latins, c. 4) ont imprimé à l'ensemble des constitutions un aspect doctrinal, moins présent dans les précédents conciles du Latran.

Plusieurs décrets concernaient les rapports entre évêque et chapitre cathédral (c. 7), la procédure canonique lors de jugements contre les ecclésiastiques (c. 8), le respect de la diversité des rites dans les diocèses à population mixte (c. 9), la formation du clergé destiné à la prédication (c. 10), l'institution d'écoles de grammaire et de théologie (c. 11)[209], l'obligation pour les monastères de se réunir en provinces et de tenir un chapitre général tous les trois ans (c. 12), l'interdiction de nouveaux ordres religieux (c. 13) : ils étaient destinés, aux yeux du pape, à jeter les bases d'une meilleure et plus efficace organisation de la vie ecclésiale.

Les constitutions 14-22, pour la plupart communes à l'ensemble de la législation synodale précédente, étaient destinées à renouveler les prescriptions traditionnelles en matière de discipline des mœurs du clergé. Certaines d'entre elles, comme celle qui institue l'obligation de la confession au moins une fois l'an[210], ont cependant innové par la volonté d'étendre à tout l'Occident des pratiques pastorales et religieuses qui s'étaient mises en place dans les dernières décennies du XIIe siècle. Sur ce plan, Latran IV joua un rôle absolument déterminant dans la vie religieuse de l'Occident chrétien du bas Moyen Âge[211].

Les problèmes de procédure d'élection et d'attribution de bénéfices ecclésiastiques occupent une part importante (c. 23-32) : par des normes de droit précises et rigoureuses, Innocent III innove et s'oppose aux abus les plus manifestes. Les constitutions 35-49 répondent au même objectif et fixent des règles en matière de procédure canonique, l'un des domaines du droit de l'Église qui avait certainement le

---

205. *MGH.SS*, XXIII, p. 903.

206. Depuis l'« editio princeps » de P. CRABBE; dans COD, p. 267, le c. 71 figure entre crochets.

207. Édition des décrets de Latran IV : GARCIA Y GARCIA, *Constitutiones* (éd. critique, basée sur les 64 mss. connus, y compris des principaux commentaires contemporains : J. le Teutonique, V. Hispanus, etc.); COD, p. 163-2247 (texte revisé; trad. FOREVILLE, *Latran I*, p. 342-386).

208. V. le chap. sur l'Église romaine et la naissance des universités, plus loin, p. 795-801.

209. *Ibid.*, plus loin, p. 805-806.

210. C. 21 (COD, p. 245); cf. N. BÉRIOU, « Autour de Latran IV (1215) : la naissance de la confession moderne et sa diffusion », *Pratiques de la confession*, Paris, 1983, p. 73-92.

211. À propos du c. 22 (la fonction des médecins) v. le chap. sur l'Église romaine et la naissance des universités, plus loin, p. 799.

plus évolué depuis Latran III, à cause de la croissante centralisation de l'Église romaine. La restriction des empêchements de mariage au quatrième degré de consanguinité et affinité (c. 50), les sanctions contre le mariage clandestin (c. 51), les obligations, toujours plus complexes, en matière de dîme (c. 53-61), et la législation concernant les Juifs (c. 67-70), tenus désormais de se distinguer des chrétiens par un habit différent (c. 68), constituent autant d'interventions dans le domaine des rapports économiques (c. 67 : de l'usure pratiquée par les Juifs) et sociaux, que les législations conciliaires et synodales à venir, ainsi que la réflexion canonique, ne pourront plus contourner[212].

La réception des constitutions conciliaires

La perte du registre de la dix-huitième année du pontificat d'Innocent III[213] ne permet pas de suivre l'ensemble des décisions prises par le pape pour mettre en œuvre une exécution rapide et efficace des constitutions conciliaires, qu'une mort prématurée vint du reste interrompre quelques mois seulement après la clôture du concile (16 juillet 1216).

La croisade demeura la préoccupation principale du pape. Le 14 décembre 1215, il promulgua un décret à ce sujet[214]. N'oubliant pas les décisions politiques du concile, le pape destitua de ses droits, le 14 décembre, Raimond VI, comte de Toulouse, en faveur de Simon de Montfort[215]. Deux jours plus tard, il fit publier en Angleterre l'excommunication des barons anglais rebelles[216]. Le pape s'intéressa personnellement aussi à la diffusion des décisions législatives en matière de discipline matrimoniale. Ainsi, le 5 avril 1216, il envoya à Valère, archevêque d'Uppsala et à ses suffragants, qui n'avaient pu prendre part à Latran IV, une lettre expliquant les degrés prohibés dans les unions[217].

Jamais auparavant l'Église n'avait accompli un effort législatif d'une aussi grande ampleur. Les décrets de Latran IV sont les seuls des quatre premiers conciles du Latran à être entrés dans les grandes collections canoniques officielles. Leur importance pour l'évolution générale de la société médiévale fut considérable. À l'exception des constitutions conciliaires 42 et 71, toutes les autres furent insérées dans la *Compilatio* IV et dans les Décrétales de Grégoire IX et devinrent par conséquent partie intégrante du *Corpus Iuris Canonici*[218]. Latran IV eut sans doute une influence

---

212. C.R. Cheney, « A Letter of Innocent III and the Lateran Decree on Cistercian Tithe-Paying », *Cîteaux*, 13, 1962, p. 146-51 ; M. Maccarrone, « Lateranense IV », *DPI*, V., Rome, 1978, p. 474-95 (à propos des ordres religieux) ; R. Foreville, « Monachisme et vie commune du clergé dans les conciles œcuméniques et généraux (1123-1215) », *Istituzioni monastiche e istituzioni canonicali in Occidente (1123-1215)*, La Mendola, Milano, 1980, p. 29-49 ; P.M. Quay, « Angels and Demons : The Teaching of IV Lateran », *TS*, 42, 1981, p. 20-45 ; N. Beriou, « Autour de Latran IV (1215). La naissance de la confession moderne et sa diffusion », *Pratiques de la confession*, p. 73-93.

213. V. *infra*, p. 562-563.

214. Cf. E. Kennan, « Innocent III and the First Political Crusade », *Traditio*, 27, 1971, p. 231-249 ; E. Siberry, *Criticism of Crusading 1095-1274*, Oxford, 1985.

215. Potthast 5009.

216. Potthast 5013.

217. Potthast 5098.

218. Garcia y Garcia, *Constitutiones*, p. 4. Latran IV est cité dans le c. 228 du code de droit canon de 1918.

très différente d'une région à l'autre[219]. Des recherches récentes[220] ont démontré que les manuscrits anglais contenant les canons de Latran IV avaient été amenés en Angleterre par les évêques et abbés présents au concile ; pour d'autres régions de l'Europe, notamment pour l'Empire, la situation documentaire ne permet cependant pas de conclure à une diffusion aussi rapide des décisions conciliaires[221]. Sur un point — la suppression des ordalies — Latran IV influença durablement les cours séculières. Les décisions conciliaires pénétrèrent aussi dans les ordonnances juridiques dont se dotèrent, dès le XIIIe siècle, les principaux royaumes de l'Occident latin[222].

Échecs

Si Latran IV a été le premier concile médiéval à avoir été fréquenté par un aussi grand nombre de prélats, le rêve d'Innocent III d'une représentativité la plus large possible ne fut atteint que partiellement. Plus de la moitié des évêques étaient italiens, mais même une partie des évêchés italiens, fidèles à Otton IV, n'était pas ou peu représentée. D'autre part, en permettant, comme le voulait la grande tradition des conciles antiques et médiévaux, que le concile aborde, sous l'autorité indiscutée du pape, les principaux conflits politiques et juridictionnels du moment (les questions albigeoise, impériale et primatiale), Innocent III se plaçait apparemment en contradic-tion avec les objectifs religieux et pastoraux qu'il avait lui-même fixés dans sa lettre de convocation et s'est sciemment exposé au risque d'une politisation du concile. Le projet de croisade ne fut couronné d'aucun succès. L'attitude adoptée par Innocent III dans la question impériale allait provoquer des problèmes à la cour de Rome, quelques années seulement après le concile.

2. Le Ier concile de Lyon (1245)

Dans sa bulle d'excommunication de 1239, Grégoire IX avait laissé entrevoir que seul un concile pouvait tenter de résoudre le conflit avec l'empereur, considéré comme la « grande cause parmi les grandes causes »[223]. Le projet de 1241 ayant échoué[224], il

---

219. E. DIEBOLD, « L'application en France du can. 51 du IVe concile du Latran d'après les anciens statuts synodaux », *ACan*, 2, 1953, p. 187-195 ; P. LINEHAN, *The Spanish Church and the Papacy in the XIIIth Century*, Cambridge, 1971.

220. M. GIBBS-J. LANG, *Bishops and Reform 1215-1272*, Oxford, 1934, p. 113.

221. P.B. PIXTON, « Watchmen on thè Tower : The German episcopacy and the implementation of the decrees of the fourth Lateran Council, 1216-1274 », *Proceedings of the Sixth International Congress of Medieval Canon Law*, p. 579-93.

222. Las Partidas d'Alfonse X recueillent la substance de Latran IV à travers les décrétales de Grégoire IX : J. GIMENEZ Y MARTINEZ DE CARVAJAL, « San Raimundo de Penafort y las Siete Partidas de Alfonso X el Sabio », *AnAn*, 3, 1955, p. 201-238 ; l'attitude de l'Église romaine face à l'ordalie a été examinée à nouveau par R. BARTLETT, *Trial by Fire and Water. The Medieval Judicial Ordeal*, Oxford, 1986. L'abandon des preuves « irrationnelles » comme les ordalies, est à insérer dans le contexte plus général de la naissance du procès d'inquisition : W. TRUSEN, « Der Inquisitionsprozess. Seine historischen Grundlagen und frühen Formen », *ZSRG.K*, 74 (1988), p. 168-230.

223. WOLTER-HOLSTEIN, *Lyon I*, p. 26-27.

224. V. plus haut, p. 535.

était naturel qu'Innocent IV reprenne l'initiative. De graves problèmes exigeaient des décisions. En été 1244, les Kwarizmiens avaient pris Jérusalem ; en automne, l'armée chrétienne avait été battue à Gaza ; les révélations de l'archevêque des Ruthènes, Pierre, à propos de l'invasion mongole de sa patrie avaient rappelé l'actualité du problème des Tartares... Trois semaines après son arrivée à Lyon, le 27 décembre 1244, Innocent IV convoqua un concile pour la fête de Saint-Jean de l'année suivante[225]. Une convocation fut adressée à l'empereur. Pour la première fois, les maîtres généraux des ordres mendiants étaient conviés à un concile général. Les affaires de Rome et du Patrimoine étaient confiées à quatre cardinaux (Réginald de Segni, Étienne Conti, Richard Annibaldi et Rainier Capocci), qui restèrent en Italie.

Trois mois avant l'ouverture du concile (13 avril 1245), le pape renouvela l'excommunication contre Frédéric II et son fils, le roi Henri (VII). Une ultime tentative (mai 1245) du patriarche d'Antioche, Albert, ami de l'empereur et jouissant d'un prestige indiscuté au sein de la curie romaine, de rapprocher pape et empereur échoua devant les hésitations d'Innocent IV. Le concile de Lyon tint une session préliminaire le 26 juin 1245 dans le réfectoire de la collégiale de Saint-Just. Lors de l'ouverture solennelle, Innocent IV prononça un discours sur les « cinq douleurs du pape », qui constituaient autant de raisons justifiant la convocation du concile : corruption des mœurs, détresse de la Terre Sainte à cause de l'« insolence » des Sarrasins, le schisme avec l'Église grecque, les problèmes de l'Empire latin, la menace des Tartares, et, naturellement, la persécution de l'Église par Frédéric II, contre lequel furent renouvelées les accusations traditionnelles de violation du serment, de suscipion d'hérésie et de sacrilège. C'était la première fois, depuis les grands conciles du Latran, que le devant de la scène conciliaire était occupé par des problèmes essentiellement politiques et non disciplinaires et pastoraux (la réforme de l'Église, la lutte contre l'hérésie). Entre la première et la deuxième session (5 juillet), afin de prouver la légitimité de son action, le pape fit copier tous les privilèges et autres actes favorables à l'Église romaine, promulgués dans le passé par les souverains (empereurs, rois) : quatre-vingt-onze documents furent ainsi recopiés (*transumpta*), depuis le privilège d'Otton Ier jusqu'à ceux de Frédéric II (au nombre de trente-cinq !)[226].

Ce recueil, muni des sceaux de 40 prélats, fut présenté à la 3e session (17 juillet) ; il ne manqua pas de susciter aussitôt des réactions. Les évêques anglais protestèrent contre l'insertion dans les *transumpta* de l'attestation de Jean d'Angleterre plaçant son royaume sous la suzeraineté apostolique[227]. Le représentant de l'empereur, Thaddée de Suessa, grand juge à la cour impériale, affirma que la convocation du 27 décembre 1244 n'avait pas été valide, protesta contre l'authenticité de certains privilèges, et annonça sa décision de faire appel contre la condamnation lors d'un prochain concile. Le pape refusa de discuter, fit, au contraire, lire à l'assemblée la bulle de déposition, et entonna ensuite le *Te Deum* avant de clôre la troisième et dernière session du concile.

---

225. Meilleure étude récente sur Lyon I : WOLTER-HOLSTEIN, *Lyon I* (sources et bibl.). V. aussi KUTTNER, *Die Konstitutionen*, p. 70-131.

226. G. BATTELLI, « I Transunti di Lione del 1245 », *MÖIG*, 62, 1954, p. 336-64. À noter que la Donation de Constantin n'y figure pas.

227. Ce document n'avait pas reçu l'approbation des nobles anglais.

Contrairement au témoignage de Matthieu Paris[228], le Ier concile de Lyon ne prononça aucune nouvelle excommunication de l'empereur, sans doute parce que, selon Innocent IV, sa bulle du 13 avril 1245 n'avait pas besoin d'une confirmation conciliaire[229]. Le pape était, seul, légitimé à déposer l'empereur, celui-ci étant une créature du pape. Innocent IV s'en expliqua dans son *Apparatus*[230] : « Il faut bien remarquer en vertu de quel droit le pape dépose l'empereur : le Christ, fils de Dieu, tandis qu'il vivait en ce monde, et *déjà de toute éternité*, était par nature le Seigneur ; aussi aurait-il pu, de droit naturel, porter une sentence de déposition et de condamnation contre les empereurs et tous les autres, aussi bien que n'importe quelle sentence, puisqu'il s'agissait de personnes qu'il avait créées, enrichies des dons de la nature et de la grâce et conservées dans l'être. Et pour la même raison, *son vicaire le peut également* ».

Lyon I n'avait pas en soi éliminé Frédéric II, qui était à l'époque du reste encore assez fort pour tenter même de comparaître à Lyon. La menace devait être réelle, puisque le roi de France mit une armée à la disposition du pape. Afin de renforcer sa protection personnelle et celle de la curie, le pape remplaça en juillet 1245, au lendemain du concile, l'archevêque de Lyon, Ayméric, par Philippe de Savoie, un jeune prélat doté d'expérience administrative et militaire[231]. Sur l'instigation des parents du pape Fieschi, la ville de Parme se révolta le 16 mai 1247, obligeant l'empereur à interrompre son voyage vers la ville conciliaire. Le 18 mars 1248, la ville de Victoire, construite par l'empereur pour assiéger Parme, fut prise par les assiégés. La défaite constitua un tournant décisif dans le règne de Frédéric II. La médiation du roi de France ayant une nouvelle fois échoué, le pape renouvela son excommunication[232]. Le 1er novembre 1248, Guillaume de Hollande fut proclamé roi à Aix-la-Chapelle.

Le concile marqua la « fin d'une époque dominée par le pape et l'empereur »[233]. L'unité de la chrétienté se réalisait, à première vue, sous l'autorité du pape, *verus imperator*. De manière sous-jacente, la voie était cependant libre pour l'éclosion de nouvelles énergies, conduisant à des entités nationales, ayant un pouvoir législatif[234]. Pour l'Église romaine, le risque existait d'une politisation croissante de son activité, notamment dans le royaume de Sicile. En observateur avisé et lucide, Robert Grosseteste ne manqua pas de mettre en garde le pape à ce propos, lors de son très

---

228. Matthieu Paris, *Chronica Maiora*, éd. LUARD, IV, p. 445.
229. Il est significatif que le biographe officiel d'Innocent IV, Nicolas de Calvi (éd. PAGNOTTI, « Niccolò da Calvi », p. 109), dresse une liste des excommunications d'empereurs qui ont eu lieu dans le passé ; cf. PARAVICINI BAGLIANI, « La storiografia pontificia », p. 47.
230. II 27, c. 27 ; trad. WOLTER-HOLSTEIN, *Lyon I*, p. 115-116.
231. E. BERGER, *Saint Louis et Innocent IV, étude sur les rapports de la France et du Saint-Siège*, Paris, 1893, p. 326-332 ; E. COX, *The Eagles of Savoy. The House of Savoy in Thirteenth-Century Europe*, Princeton, 1974, p. 144.
232. Les préparatifs de la croisade (28 juillet 1248) l'avaient rendue difficile. Cf. MELLONI, *Innocenzo IV*.
233. *Ibid.*, p. 128.
234. S. GAGNÉR, *Studien zur Ideengeschichte der Gesetzgebung*, Stockholm, 1960, p. 312-341 ; P. LANDAU, « Neuere Forschungen zu Quellen und Institutionen des klassischen kanonischen Rechts bis zum Liber Sextus. Ergebnisse und Zukunftsperspektiven », *Proceedings of the Seventh International Congress of Medieval Canon Law*, Cité du Vatican, 1988, p. 27-47.

grand discours prononcé à Lyon, en 1250, quelques mois avant la mort de l'empereur[235].

Lyon I ne contribua que très partiellement à résoudre les grands problèmes dont souffraient les Églises d'Occident, à cause de la centralisation romaine, qui avait connu une évolution certaine sous l'impulsion du pape Innocent IV : l'imposition fiscale instituée par la papauté, les retombées locales de la politique bénéficiale de la curie romaine, les empiètements sur la liberté de choix des chapitres en matière d'élection épiscopale, la politisation de l'Église romaine.

D'une manière générale, la formule « avec l'approbation du saint concile », si fréquente dans les décrets de Latran IV, par exemple, disparaît presque totalement dans ceux de Lyon I[236]. Le pape décida même de retarder la publication des canons conciliaires pour y apporter des corrections. Il en fit du reste lui-même le commentaire, dans son *Apparatus*. Leur diffusion[237] profita de l'existence, bien établie, des collections de décrétales. Vingt-trois décrets vinrent compléter le *Liber Extra* de Grégoire IX. Ils seront repris (à l'exception du 2e), avec des extraits de la bulle de déposition *Ad Apostolicae dignitatis*, par le *Liber Sextus* de Boniface VIII[238].

Les fresques de la chapelle de Saint-Silvestre aux Quatre-Couronnés

Peu de temps après la fin du concile, deux semaines avant Pâques 1246, le cardinal Réginald, le futur Alexandre IV, consacra, à Rome, aux Quatre-Couronnés, une chapelle dédiée à saint Silvestre, que le cardinal Étienne Conti avait fait construire et décorer de fresques illustrant la vie du pape qui avait reçu, d'après la légende, la donation de Constantin. Dans une des scènes centrales de ce programme pictural, aux fortes résonances politiques, le pape Silvestre, à cheval, habillé de la dalmatique, du manteau rouge pourpre, portant le pallium et la tiare, élève sa main droite pour bénir Constantin qui conduit le cheval du pape, en tenant la bride. Il s'agit d'un élément qui ne figure pas dans la tradition hagiographique, mais qui est emprunté, pour des raisons politiques évidentes, à la « donation de Constantin »[239].

La « donation » avait fait son entrée dans le langage politique de la papauté avec Innocent III, qui n'y recourut cependant qu'une seule fois[240], pour affirmer la dignité royale du successeur de Pierre et pour légitimer l'exercice de ses pouvoirs souverains à Rome et dans le Patrimoine[241]. Grégoire IX n'avait pas hésité à opposer avec

---

235. M. POWICKE, « Robert Grosseteste, Bishop of Lincoln », *BJRL* 35, 1952-53, p. 482-507 ; texte du discours : S.H. THOMPSON, *The Writings of Robert Grosseteste*, Cambridge, 1940, p. 141-147.

236. Elle est conservée dans le c. 18 ; cf. WOLTER-HOLSTEIN, *Lyon I*, p. 79.

237. Pour une comparaison avec Latran IV, v. H.J. SIEBEN, *Die Konzilsidee im lateinischen Mittelalter (847-1378)*, Paderborn, 1984, p. 246-252.

238. WOLTER-HOLSTEIN, *Lyon I*, p. 79.

239. E.H. KANTOROWICZ, « Constantinus strator. Marginalien zum Constitutum Constantini », *Mullus, Festschrift f. Th. Klauser, Jahrbuch f. Antike und Christentum*, Ergbd. 1, Münster, 1964, p. 182 et suiv. ; C. WALTER, « Papal Political Imagery in the Medieval Lateran Palace », *CAr*, 21, 1971, p. 109-136 ; HUGENHOLTZ, « The Anagni Frescoes – A Manifesto », p. 139-166.

240. *Sermo de sancto Silvestro*, PL 217, c. 481-482.

241. D. MAFFEI, *La Donazione di Costantino nei giuristi medievali*, Milan, 1964, p. 46.

détermination ce document à l'Empire[242]. Innocent IV y consacrera un commentaire dans son *Apparatus*[243].

Le séjour d'Innocent IV à Lyon

C'est à Lyon qu'Innocent IV put véritablement commencer à exercer son « *apostolatus officium* »[244]. Au cours de son séjour lyonnais, le pape prit plusieurs décisions importantes : il dota la curie romaine d'un *Studium generale*, ce qui permit aux nombreuses écoles, notamment de droit civil, existant *apud Sedem Apostolicam*, de jouir des privilèges universitaires. Au cours du concile, il accorda aux cardinaux un chapeau de couleur rouge, sans doute pour renforcer leur lien symbolique avec la personne du pape (l'un des insignes traditionnels du pape était le manteau rouge ou *cappa rubea*). Les cardinaux portèrent le chapeau pour la première fois lors de la visite d'Innocent IV à Cluny (novembre 1245)[245].

Ouvert sur le monde de par son origine sociale et géographique, Innocent IV s'intéressa à l'accroissement des connaissances, notamment en ce qui concerne les Tartares[246] et l'Extrême-Orient, et mit en œuvre une ample action diplomatique. C'est à Lyon, à la cour d'Innocent IV, que l'Occident put réunir, pour la première fois, des informations de première main sur les Tartares, grâce à un certain « archevêque Pierre », un prélat provenant sans doute de Russie[247], et au chapelain du cardinal Jean de Tolède, Roger de Torrecuso, l'auteur d'une des sources les plus fiables sur l'invasion des Tartares en Hongrie, le *Carmen miserabile super destructione regni Hungariae*. Roger avait été lui-même fait prisonnier par les Mongols en 1241/42[248]. Le problème des Tartares fut mis à l'ordre du jour d'un futur concile. De plus, le pape songea à deux ambassades, dont il chargea Laurent du Portugal (que nous connaissons seulement par la missive du pape)[249] et Jean de Plan Carpin. Celui-ci fut envoyé au cœur de l'Asie. Parti de Lyon le 16 avril 1245, il y retourna deux ans plus tard, en 1247[250].

---

242. Lettre du 23 octobre 1236, *Epistolae saeculi XIII e regestis pontificum Romanorum selectae*, I, p. 604, n. 703 ; cf. MAFFEI, *La Donazione di Costantino*, p. 74 et suiv.

243. *Ibid.*, p. 80 et suiv.

244. PAGNOTTI, « Niccolò da Calvi », p. 91.

245. *Ibid.*, p. 97 : « *ubi* (après le récit de la visite d'Innocent IV à Cluny) *domini cardinales primo capellos rubeos receperunt. In ipso concilio fuerat ordinatum* ». Cf. S. KUTTNER, « Die Konstitutionen des ersten allgemeinen Konzils von Lyon », *SDHI*, 6, 1940, p. 70-123 (réimpr. dans *Id.*, *Mediaeval councils, decretals and collections of canon law*, Londres, 1980).

246. J. FRIED, « Auf der Suche nach der Wirklichkeit. Die Mongolen und die europäische Erfahrungswissenschaft », *HZ*, 243, 1986, p. 287-332.

247. M. PELLIOT, « Les Mongols et la Papauté », *ROC*, 23, 1922/23, p. 3-30 ; 24, 1924, p. 225-335 ; 28, 1931/32, p. 3-84 ; B. ROBERG, « Die Tartaren auf dem 2. Konzil von Lyon 1274 », *AHC*, 5, 1973, p. 251 et suiv. ; FRIED, « Auf der Suche », p. 287 et suiv.

248. F. BABINGER, « Maestro Ruggiero delle Puglie, relatore pre-poliano sui Tartari », *Nel VII centenario della nascita di Marco Polo*, Venise, 1955, p. 51-61 ; cf. PARAVICINI BAGLIANI, *Cardinali di Curia*, I, p. 251 et suiv.

249. Pour les sources v. ROBERG, « Die Tartaren », p. 255.

250. Jean de Plan Carpin, *Histoire des Mongols*, trad. et ann. par J. BECQUET et L. HAMBIS, Paris, 1965 ; Giovanni di Pian di Carpine, *Storia dei Mongoli*, éd. E. MENESTO-M.C. LUNGAROTTI, Spoleto, 1989.

Innocent IV confia d'autres missions aux ordres mendiants. Le ministre général des franciscains, Jean de Parme, fut envoyé (1249) à la cour de Jean III Ducas Vatatzès, empereur byzantin de Nicée, pour le convaincre de retirer son soutien à Frédéric II et pour sonder la possibilité d'ouvrir des négociations de paix et d'union. Un synode, réunissant l'empereur, le patriarche de Nicée, des prélats byzantins et les envoyés personnels du pape, eut lieu en 1250 à Nimphée[251].

Grâce à son séjour lyonnais, la curie romaine, loin des difficultés romaines et italiennes, se sentit plus sûre d'elle-même, mieux apte à gérer la chrétienté et décidée à se débarrasser du dualisme Église-Empire[252].

IV. LE GOUVERNEMENT CENTRAL DE L'ÉGLISE ROMAINE (1198-1276)

1. LE COLLÈGE DES CARDINAUX (1198-1276)

Entre 1198 et 1276, 81 cardinaux ont été créés, dont trois seulement « extérieurs » (non résidant à la curie)[253]. 80 % des cardinaux étaient originaires de deux pays : l'Italie et la France (46 et 18 respectivement). Après le pontificat d'Honorius III, et pendant tout le XIIIe siècle, les terres allemandes d'Empire n'ont plus compté un seul ressortissant dans le collège des cardinaux. La création, en 1244, par Innocent IV, du premier cardinal hongrois — Étienne, ancien chancelier du royaume — était peut-être liée au problème des Tartares. La péninsule ibérique, avant tout le royaume d'Aragon, fut pratiquement toujours représenté au moins par un cardinal, de manière plus constante encore que le royaume d'Angleterre.

Le nombre très important de cardinaux originaires de Rome et du Latium, créés par Innocent III (13), est à mettre en partie en relation avec sa politique de (re)fondation de l'État pontifical. Seuls quatre cardinaux romains ont été nommés après 1216. Deux d'entre eux étaient des Orsini. L'autre grande famille romaine rivale — celle des Colonna — n'eut plus aucun cardinal après la mort de Jean (vers 1245). Le pape romain Honorius III ne nomma aucun cardinal originaire de Rome ou d'Italie centrale.

Tous les papes de cette période ont créé des cardinaux, à l'exception d'Alexandre IV[254] et de Clément IV. Le nombre des créations fut dans l'ensemble

251. L. PISANU, L'attività politica di Innocenzo IV e i Francescani (1243-1254), Rome, 1969; A. FRANCHI, La svolta politico-ecclesiastica tra Roma e Bisanzio (1249-1254). La legazione di Giovanni da Parma. Il ruolo di Federico II, Rome, 1981.

252. MELLONI, Innocenzo IV, passim.

253. C'est ainsi qu'on appelle les cardinaux résidant dans leur diocèse respectif, même après leur accession au cardinalat. Sur ce phénomène, qui s'interrompt avec le pontificat d'Honorius III, v. K. GANZER, Die Entwicklung des auswärtigen Kardinalats im hohen Mittelalter, Tübingen, 1963.

254. Selon les témoignages de Salimbene et des Annales de Sainte-Justine de Padoue (PARAVICINI BAGLIANI, Cardinali di Curia, I, p. 547). La création par Alexandre IV de l'abbé du Mont-Cassin Richard, dont l'appartenance au

restreint[255]. À la mort des papes qui se sont succédé entre 1198 et 1276, le nombre des cardinaux oscilla entre 13 (à la mort de Grégoire IX et d'Innocent IV) et 27 (à la mort d'Innocent III). La réduction de leur nombre renforça leur poids politique, augmenta le prestige de leur fonction[256], et favorisa la naissance et le développement de factions, source de continuels et épuisants conflits, dont la conséquence majeure fut le prolongement tout à fait inhabituel des vacances pontificales[257].

Origine des cardinaux créés entre 1198 et 1276

	Italie	France	Angl.	Pays ibér.	Allem.	Hongrie	résid.
Innocent III	3	19	4		1		5
Honorius III	2			3			
Grégoire IX	7	2		1			
Innocent IV	9	3	1	1		1	
Urbain IV	7	7					
Grégoire X	2	2		1			

Une brillante carrière curiale — l'appartenance à la chapelle du pape encore sous Innocent III, puis surtout les fonctions de vice-chancelier, de notaire du pape ou d'*auditor litterarum contradictarum* — favorisa souvent l'accession au cardinalat. Bien plus encore que la carrière curiale, la formation universitaire, acquise à Paris et à Bologne, constitua au XIII⁰ siècle un atout considérable. Pour seulement deux des dix cardinaux créés par Grégoire IX — le cistercien Jacques Pecorara et le romain Richard Annibaldi — le titre de *magister* n'est pas attesté. Un certain nombre de cardinaux de cette époque ont même occupé des fonctions professorales (à Paris, Bologne, Naples : Étienne Langton, Geoffroi de Trani, Hubert de Pirovano, Hugues de Saint-Cher, Jean d'Abbeville, Pierre de Bar, Robert de Courçon, Sinibaldo Fieschi, etc.) ou des charges ecclésiastiques qui les rendaient responsables d'un *Studium* (à Paris : le chancelier Eudes de Châteauroux; à Bologne : l'archidiacre Ottaviano Ubaldini). Le fait que d'éminents juristes — Geoffroi de Trani[258], et surtout Henri de Suse, appelé *Hostiensis*[259] —, soient devenus cardinaux, confirme le rôle extraordinaire que le droit jouait désormais dans l'évolution institutionnelle, doctrinale et pastorale de l'Église romaine.

Plusieurs évêques firent également leur entrée au collège des cardinaux[260]. Il est

---

collège des cardinaux ne figure que dans des documents du Mont-Cassin, reste problématique; v. cependant H. Bloch, « The Date of Abbot Richard of Monte Cassino and the Problem of His Promotion to the College of Cardinals », *MS*, 38, 1976, p. 483-491; *Id.*, *Monte Cassino in the Middle Ages*, I-III, Rome, 1986, *passim*.

255. Pour la reconstitution des créations cardinalices sous Grégoire IX et Innocent IV, v. Paravicini Bagliani, *Cardinali di Curia*, I.

256. V. plus bas, p. 591-594.

257. V. plus haut, p. 534-535.

258. Paravicini Bagliani, *Cardinali di Curia*, I, p. 273 et suiv.

259. Cardinal, il composa son ouvrage peut-être le plus important : la *Lectura in Quinque libros Decretalium*, terminée à la fin de sa vie, pendant le très long conclave après la mort de Clément IV; cf. *DDC*, V, p. 1221.

260. Au moins deux cardinaux créés par Honorius III, Grégoire IX, Innocent IV, Urbain IV et Grégoire X avaient été auparavant évêques ou archevêques.

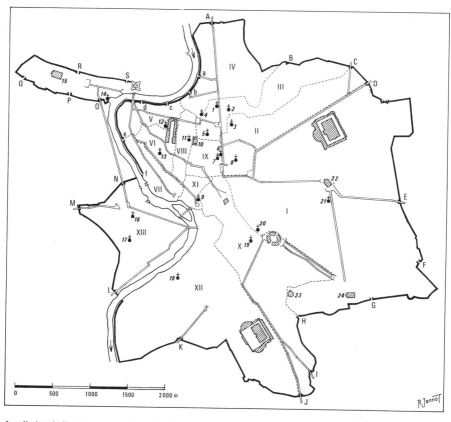

Les limites indiquées correspondent à celles du début du XIXe siècle.

PORTES :

A	Porta Flaminia/ S. Valentini	K	Porta Ostiensis
B	Porta Pinciana	L	Porta Portuensis
C	Porta Salaria	M	Porta Aurelia/ S. Pancratii
D	Porta Nomentana	N	Porta Septimiana
E	Porta Tiburtina/ S. Laurentii	O	Porta Saxonum
F	Porta Maior	P	Porta ad terrionem
G	Porta Asinaria/ S. Iohannis	Q	Porta Pertusi
H	Porta Metronia	R	Porta S. Petri/ S. Peregrini
I	Porta Latina	S	Porta Castelli/ S. Angeli
J	Porta Appia		

POTERNES :

a Post. S. Agathe/ antica/ S. Martini/
b de Guglielmo
c Post. a Pigna/ a Pila
d Post. S. Luciae/ S. Mariae
e Post. Dimitiae
f Post. de Episcopo
  Post. juxta pontem Antonini

QUARTIERS (Rioni) :

I	Monti	VIII	Sant'Eustachio
II	Trevi	IX	Pigna
III	Colonna	X	Campitelli
IV	Campo Marzio	XI	Sant'Angelo
V	Ponte	XII	Ripa
VI	Parione	XIII	Trastevere
VII	Regola		

ÉGLISES ET MONASTÈRES PRINCIPAUX:

1 S. Lorenzo in Lucina
2 S. Silvestro in Capite
3 S. Maria in Via
4 S. Maria in Campo Marzio
5 S. Maria in Aquiro
6 S. Maria in Via Lata
7 S. Ciriaco in Via Lata
8 SS. Apostoli
9 S. Angelo in Pescheria
10 S. Maria della Rotonda (Panthéon)
11 S. Eustachio
12 S. Andrea de Aquariciariis
13 S. Lorenzo in Damaso
14 S. Maria in Sassia
15 S. Pietro
16 S. Maria in Trastevere
17 SS. Cosma e Damiano in Mica Aurea
  (S. Cosimato)
18 S. Alessio all'Aventino
19 S. Maria in Pallara (S. Sebastiano al Palatino)
20 S. Maria Nova (S. Francesca Romana)
21 S. Prassede
22 S. Maria Maggiore
23 S. Stefano Rotondo
24 S. Giovanni in Laterano

Rome au XIIIe siècle (d'après Étienne Hubert, *Espace urbain et habitat à Rome, du Xe siècle à la fin du XIIIe*, Coll. de l'École française de Rome, n° 135, éd. École française de Rome, 1990, p. 369-370).

assez significatif que Grégoire X, qui fut élu pape alors qu'il était patriarche de Jérusalem, ne promut aucun cardinal ayant à son actif une carrière curiale, mais, au contraire, quatre membres de l'épiscopat. L'appartenance à l'entourage (ou *familia*[261]) d'un cardinal puissant, ou encore à sa parenté, pouvait faciliter l'entrée au collège des cardinaux. Ce phénomène ne concerne pas seulement les papes d'origine romaine (notamment Innocent III)[262] ou les familles romaines (Colonna, Orsini[263]) : cinq prélats de la famille génoise des Fieschi, sans doute la plus importante parmi les familles curiales non romaines du XIIIe siècle, devinrent cardinaux, dont deux papes (Innocent IV et Adrien V).

La situation documentaire ne permet pas de s'interroger de manière systématique sur l'âge des cardinaux. Notons cependant qu'un quart des cardinaux créés entre 1198 et 1276 l'ont été pendant plus de vingt ans, et la moitié pendant plus de dix ans. Pratiquement tous les cardinaux avec plus de trente ans de cardinalat étaient d'origine romaine ou du Latium, ce qui s'explique par des carrières plus rapides, mais aussi par une plus grande résistance au climat de Rome, si néfaste en été (malaria).

Comme le montrent les nombreuses notices nécrologiques insérées dans les obituaires d'églises cathédrales, la plupart des cardinaux du XIIIe siècle appartenaient au clergé séculier. À une exception près (Guillaume, abbé de Talliante), les cluniens sont pratiquement inexistants au sein des collèges de cardinaux qui se sont succédé entre 1198 et 1276. Les cisterciens (Jean de Tolède) réussissent mieux à garder une certaine représentativité. Les dominicains y font leur entrée sous Innocent IV avec Hugues de Saint-Cher, tandis que les franciscains, qui pourtant avaient reçu, dès le début de leur mouvement, un appui considérable de la part de cardinaux prestigieux, dont deux d'entre eux sont même devenus papes (Grégoire IX[264] et Alexandre IV), doivent attendre le pontificat de Grégoire X (Bonaventure). Les chanoines réguliers sont représentés par deux personnalités marquantes (Guala Bicchieri, Jacques de Vitry). À noter encore qu'aucun cardinal d'origine romaine ne provient d'un ordre religieux.

2. LA MOBILITÉ DE LA CURIE ROMAINE AU XIIIe SIÈCLE

Entre 1198 et 1304, la curie romaine a été absente de Rome pendant environ les deux tiers de l'ensemble des pontificats[265]. Si l'on tient compte également des très longues vacances pontificales, on constate qu'au XIIIe siècle la cour pontificale n'a résidé dans la ville éternelle qu'une quarantaine d'années. Six papes de cette période,

---

261. À propos de la *familia* des cardinaux du XIIIe siècle v. PARAVICINI BAGLIANI, *Cardinali di Curia*, II, p. 405-516.
262. Honorius III ne nomma aucun cardinal d'origine romaine.
263. Dante fustigea le népotisme du pape Nicolas III, qui avait été créé cardinal en 1244 par Innocent IV : *Inf.*, c. 19, v. 31 et suiv.
264. V. plus haut, p. 532 et suiv.
265. Le phénomène a été étudié dans son ensemble par A. PARAVICINI BAGLIANI, « La mobilità della Curia romana nel secolo XIII. Riflessi locali », *Società e istituzioni dell'Italia comunale : L'esempio di Perugia (secoli XII-XIV)*, Pérouse, 1988, p. 155-278.

parmi lesquels trois papes français (Urbain IV, Clément IV, Martin IV), ne sont même jamais allés à Rome.

Papes	Durée en mois du pontificat	Absence de Rome		Résidence dans l'État	
		mois	%	mois	%
Innocent III	222,3	62	27,89	62	27,89
Honorius III	128	40,3	31,48	40,3	31,48
Grégoire IX	173	109,5	63,29	102	58,95
Innocent IV	137	122,3	89,27	33,08	24,14
Alexandre IV	77	59,4	77,14	54	70,12
Urbain IV	37	37	100	37	100
Clément IV	46	46	100	46	100
Grégoire X	52	48,6	93,46	17,77	34,17
Innocent V	5	1	20	0,5	10
Adrien V	1	1	100	1	100
Jean XXI	8,3	8,3	100	8,3	100
Nicolas III	33	12	36,36	12	36,36
Martin IV	49	49	100	49	100
Honorius IV	24	8	33,33	12	33,33
Nicolas IV	49	27,2	55,51	27,2	55,51
Célestin V	5,27	5,27	100	1,4	26,56
Boniface VIII	105,5	46,3	43,88	46,3	43,88
Benoît XI	8,3	2,8	33,73	2,8	33,73
Total	1160,67	685,97	59,10	548,65	47,27 (79,98)*

* Par rapport à l'absence de Rome (548,65 : 685,97).

Bien que soumise à une constance pérégrination (plus de 200 déplacements en un siècle), la cour pontificale a connu de très longues périodes de stabilité, à Lyon (1245-1251; 1273-1275) et dans les villes de l'État pontifical. Entre 1198 et 1304, la curie romaine a séjourné pendant une quarantaine d'années à Viterbe, Anagni, Orvieto, Perugia, Tivoli et Ferentino. Au cours de cette même période, les papes ont quitté plus de cinquante fois la ville de Rome pour se rendre dans une localité de l'État pontifical. Lorsque les circonstances étaient favorables, ces déplacements suivaient un rythme saisonnier relativement régulier. Les dates de départ se situent généralement entre les mois d'avril et juin; celles du retour, entre octobre et novembre. C'est dans les toutes premières années du XIIIe siècle, sous le pontificat d'Innocent III, qui innova ici comme ailleurs, qu'on observe une alternance régulière entre résidence de la curie romaine à Rome en hiver (Latran) et séjour dans une ville de l'État pontifical en été. Cette alternance devient une tradition sous les pontificats d'Honorius III et Grégoire IX[266]. Les itinéraires de la curie romaine du XIIIe siècle montrent qu'après 1226 aucun pape n'a passé un été complet à Rome.

---

266. Cette alternance peut aider à dater le *De mirabilibus Urbis Romae* du « Magister Gregorius » (éd. R.B.C. HUYGENS, Leiden, 1970 et J. OSBORNE, Toronto, 1987), qui parle du Latran comme étant le *palatium hiemale* du pape (cf. HERKLOTZ, *Sepulcra'*, p. 139, n. 195 et PARAVICINI BAGLIANI, « La mobilità », p. 170).

Les raisons d'une telle mobilité? Avant tout, l'impossibilité pour les papes, notamment dans la première moitié du XIII° siècle, de dominer politiquement la ville de Rome; ensuite, le conflit avec Frédéric II, qui obligea plusieurs papes (Grégoire IX, Innocent IV) à s'enfuir de la ville éternelle; certainement aussi, les nécessités liées à l'exercice du pouvoir au sein des provinces de l'État pontifical, exigeant la présence physique du souverain. Ce n'est pas un hasard si un tel phénomène est particulièrement visible sous Innocent III, le véritable fondateur de l'État pontifical du XIII° siècle. Au-delà de ces raisons d'ordre politique, qui avaient été jusqu'ici retenues par l'historiographie, les motivations relevant de la santé ne sauraient être négligées, le calendrier des déplacements réguliers, et les sources elles-mêmes, attestant, de manière claire et précise, l'émergence de nouveaux besoins liés à la *cura corporis*, dès les toutes premières années du XIII° siècle, – donc, une fois encore, à partir du pontificat d'Innocent III[267].

3. « UBI EST PAPA, IBI EST ROMA »

La mobilité de la curie romaine eut des conséquences ecclésiologiques importantes. L'identité traditionnelle existant entre Rome et le siège de la papauté subit une évolution fondamentale. Le mouvement est tout à fait perceptible dès le début du XIII° siècle. Lorsque l'abbé d'Andres arriva à Viterbe en 1207 pour rendre visite au pape, il s'exclama : « Je découvris Viterbe et j'y trouvai Rome »[268]. Plus tard, le biographe d'Innocent IV décrivit Lyon, ville choisie par le pape pour y établir provisoirement la curie romaine, comme étant une *altera Roma*[269]. Sous Alexandre III, les visites *ad limina* étaient destinées exclusivement au Siège apostolique (Rome); vers la fin du XII° siècle, Huguccio (1188-1191) considère qu'il faut entendre par *limina* le lieu de résidence de la curie romaine : un demi-siècle plus tard, Innocent IV introduisit dans son commentaire aux décrétales (1246-1251) une nouvelle formulation, en liant encore plus étroitement visites *ad limina* et la personne du pape : la visite *ad limina* se fait « *ubi papa est* ». En proposant une formulation encore plus précise – « *ubi papa, ibi Roma* » –, l'Hostiensis († 1270) contribua à forger le dicton canonique définitif, qui se fixa, grâce à l'influence de Baldus, dans la formule « *Ubi est papa, ibi est Roma* ». Il s'agissait d'une évolution capitale, influencée par le droit romain, pour lequel « Rome est là où est l'empereur », une sentence à laquelle Frédéric II lui-même recourut pour justifier son absence du royaume de Germanie. En définitive, ce n'était plus la ville de Rome qui unissait symboliquement les évêques au pape, mais la personne elle-même du souverain pontife[270].   ·

---

267. PARAVICINI BAGLIANI, « La mobilità », p. 222 et suiv.
268. *MGH.SS*, XXIV, p. 737 : « Viterbium tandem deveni et ibidem Romam inveni ».
269. Ed. PAGNOTTI, « Niccolò da Calvi », p. 91.
270. C'est pourquoi Hostiensis affirmait : « *Non locus sanctificat hominem, sed homo locum* ». Le problème avait déjà été vu par E.H. KANTOROWICZ, *The Kings Two Bodies*, Princeton, 1957, p. 204-205 (*Id.*, *Les deux corps du roi*, Paris, 1986, p. 454, n. 35). Mise au point récente : M. MACCARRONE, « Ubi est papa, ibi est Roma », *Aus Kirche und Reich. Studien zu Theologie, Politik und Recht im Mittelalter. Festschrift für Friedrich Kempf*, Sigmaringen, 1983, p. 370-382.

4. L'ORGANISATION ADMINISTRATIVE DE LA CURIE ROMAINE (1198-1274)[271]

La Chambre apostolique

Le *Liber Censuum*

La composition du *Liber Censuum Ecclesiae Romanae* marque une date importante dans l'histoire administrative et politique de l'Église romaine. Le noyau central de ce recueil hétéroclite, qui complète et enrichit les compilations antérieures de Benoît, Boson et Albinus, est constitué par le censier, que le *camerarius* pontifical Cencius, le futur Honorius III, termina en 1192, poursuivant une initiative qui remontait aux pontificats de Clément III et de Célestin III. Cette liste systématique des revenus réguliers de la curie romaine devait permettre un contrôle administratif, de manière accrue et efficace. Grâce à la remarquable qualité de son organisation interne, le *Liber Censuum* posséda très vite un caractère officiel[272]. L'auteur du *Liber Censuum* avait voulu doter l'appareil financier et fiscal de la papauté d'un nouvel instrument fonctionnel, en pleine harmonie avec le souffle de « rationalisation » d'anciennes pratiques et structures administratives qui s'emparait alors d'un certain nombre de grands centres administratifs de l'Occident latin (Empire, Angleterre, France). Le *Liber Censuum*, expression d'une nouvelle dimension politique de l'Église romaine, consciente de ne plus être seulement un grand propriétaire foncier, mais à la tête d'un État, demeura longtemps l'un des symboles de la souveraineté temporelle du pape : en 1419 encore, les ambassadeurs du roi d'Aragon firent allégeance au légat du pape Martin V en lui remettant une tiare et une copie du *Liber Censuum*[273].

La chancellerie

Au moment où Innocent III devint pape (1198), la chancellerie et la Chambre étaient − depuis 1194 − sous l'autorité d'un seul cardinal, Cencius, le futur pape Honorius III[274]. Il ne s'était agi que d'une parenthèse. Innocent III revint de fait à la situation antérieure et même Honorius III ne fit aucune tentative pour réunir ces deux organismes, traditionnellement distincts.

Comme dans les cours souveraines laïques, le personnel de la chancellerie était intimement lié à la chapelle du pape. Les trois cardinaux chanceliers d'Innocent III et

---

271. L'organisation de la curie romaine au XIIIe siècle a été l'objet d'une étude détaillée, encore aujourd'hui non dépassée, par B. RUSCH, *Die Behörden und Hofbeamten der päpstlichen Kurie des 13. Jahrhunderts*, Königsberg, 1936.

272. T. SCHMIDT, « Die älteste Überlieferung von Cencius' Ordo Romanus », *QFIAB* 60, 1980, p. 511-522 ; Th. MONTECCHI PALAZZI, « Cencius Camerarius et la formation du "Liber Censuum" de 1192 », *MEFRM*, 96, 1984, p. 49-93.

273. P. FABRE, *Étude sur le* Liber censuum *de l'Église romaine*, Paris, 1892, p. 22.

274. En général, v. Ch.R. CHENEY, *The Study of the Medieval Papal Chancery*, Glasgow, 1966 ; sous Innocent III : CHENEY, *The Letters of Pope Innocent III* ; sous Honorius III : SAYERS, *Papal Government*, p. 15-129 ; sous Innocent IV : P. HERDE, *Beiträge zum päpstlichen Kanzlei- und Urkundenwesen im dreizehnten Jahrhundert*, Kallmünz, 1967 ; reconstruction prosopographique détaillée du personnel de la chancellerie à partir du pontificat d'Innocent IV : G.F. NÜSKE, « Untersuchungen über das Personal der päpstlichen Kanzlei 1254-1304 », *ADipl* 20, 1974, p. 39-240 ; 21, 1975, p. 249-431.

ses cinq vice-chanceliers en provenaient en effet, de même que les *scriptores*[275]. Au début du XIIIᵉ siècle, sans doute sous la pression de tâches exigeant une professionalisation toujours plus marquée[276], les *scriptores* furent déchargés de leurs devoirs liturgiques et se consacrèrent plus particulièrement à l'instrumentation des actes. Les *scriptores*, qui ne doivent pas être considérés comme de véritables fonctionnaires, constituèrent un corps (ou un collège), dont les premières traces remontent, justement, au pontificat d'Innocent III[277]. Plusieurs réformes d'Innocent III avaient pour objectif déclaré[278] de contrôler de manière plus systématique le travail de la chancellerie pontificale et, en même temps, d'éviter des abus dans la perception des taxes. Ce n'est qu'à partir d'Innocent III que les *scriptores* apposèrent leur signature (sous forme de sigle) sur le pli (*plica*) des documents, servant de base pour leurs honoraires.

D'une manière générale, les milieux liés à la chancellerie pontificale du XIIIᵉ siècle ont joué un rôle très important dans l'évolution de *l'ars dictaminis*, par la composition de collections de formules et lettres ou de traités, destinés à jouir d'un prestige indiscuté, en liaison avec l'importance et le prestige du *stilus curiae*, en continuelle évolution pendant le XIIIᵉ siècle[279].

Les registres des lettres d'Innocent III

Avec le pontificat d'Innocent III s'ouvre la série continue des registres des lettres produites par la chancellerie pontificale, encore conservés aux Archives vaticanes[280]. Ceux d'Innocent III sont les seuls à avoir posé de sérieux problèmes de recherches, en ce qui concerne organisation et finalité.

Les registres des lettres d'Innocent III qui sont parvenus jusqu'à nous[281] contiennent la correspondance des années I, II, V, VII-XII; pour les années III et IV, nous ne possédons que des fragments; les registres des années XIII-XVI sont perdus; ils furent publiés en 1635 par Bosquet sur la base du manuscrit qui se trouvait alors au collège de Foix de Toulouse; pour les années XVII-XIX, enfin, les registres manquent.

---

275. R. ELZE, « Die päpstliche Kapelle im 12. und 13. Jahrhundert », *ZSRG.K* 36, 1950, p. 157, 171-175.

276. A. PARAVICINI BAGLIANI, « Il "Registrum causarum" di Ottaviano Ubaldini e l'amministrazione della giustizia alla Curia romana nel secolo XIII », *Römische Kurie. Kirchliche Finanzen. Vatikanisches Archiv. Studien zu Ehren von Hermann Hoberg*, II, Rome, 1979, p. 635 et suiv.

277. B. SCHWARZ, *Die Organisation kurialer Schreiberkollegien von ihrer Entstehung bis zur Mitte des 15. Jahrhunderts*, Tübingen, 1972.

278. *Gesta* (*PL* 214, chap. 41, c. LXXX).

279. V., p. ex. : E. HELLER, *Die Summa dictaminis des Thomas von Capua, Sitzungsber. der Heidelberger Akademie*, phil.-hist. Klasse, 1928/29, n. 4; H.M. SCHALLER, « Studien zur Briefsammlung des Kardinals Thomas von Capua », *DA* 21, 1965, p. 371-518; F. SCHILLMANN, *Die Formularsammlung des Marinus von Eboli*, Rome, 1929; pour Pierre de Capoue v. N. KAMP, *DBI*, XIX, p. 258-268.

280. Sur les registres (perdus) de lettres pontificales du XIIᵉ siècle, v. maintenant U.-R. BLUMENTHAL, « Papal Registers in the Twelfth Century », *Proceedings of the Seventh International Congress of Medieval Canon Law*, Cité du Vatican, 1988, p. 135-151.

281. *Die Register*, I, p. XIV-XXXII (avec bibl.). Éditions : *PL* 214-216; *Reg. Vat.* 6 : *Regestum Innocentii III papae super negotio Romani imperii*, éd. KEMPF; éd. critique en cours : *Die Register*, I-II; éditions partielles, pour l'Église orientale : *Acta Innocentii PP III*, éd. Th. HALUSCYNSKYI, Cité du Vatican, 1944; la Bulgarie : J. DUIJCEV, *Innocentii papae III epistolae ad Bulgariae historiam spectantes*, Sofia, 1942; l'Espagne : D. MANSILLA, *La documentacion pontificia hasta Innocencio III*, Rome, 1944; l'Angleterre : C.R. CHENEY et M.G. CHENEY, *The Letters of Pope Innocent III concerning England and Wales*, Oxford, 1967; l'Irlande : M.P. SHEEHY, *Pontificia Hibernica*, I, Dublin, 1962, p. 93-181.

La nature et la fonction de ces registres ont été l'objet d'intenses recherches diplomatiques et paléographiques que la nouvelle édition critique des registres, par les soins de l'Institut autrichien de Rome, a alimentées à nouveau. Un certain consensus semble régner aujourd'hui sur la nécessité d'attribuer à ces registres une valeur d'originaux[282].

Ces registres, et surtout le plus ancien d'entre eux (Reg. Vat. 4), sont richement décorés dans les marges. Il s'agit dans l'ensemble de scènes satiriques, dans la tradition des bestiaires médiévaux, ayant un contenu allégorique sur le plan moral, dont seulement un petit nombre peut être mis en rapport avec la lettre de la page correspondante[283].

Dans le Reg. Vat. 5, l'initiale I de la lettre d'Innocent III pour l'abbaye de Subiaco[284] présente la figure du pape au visage allongé, bénissant avec la main droite et présentant le document avec la main gauche. Il s'agit de la plus ancienne représentation iconographique d'un pape vivant portant la tiare[285]; le texte de ce privilège fut peint intégralement dans l'église inférieure du Sacro Speco, à Subiaco. Il était surmonté par un portrait contemporain du pape qui fut remplacé (par le *magister Conxolus?*) vers la fin du XIIIe siècle par un demi-buste monumental et une nouvelle peinture illustrant saint Benoît[286].

Le Reg. Vat. 6 contient un registre tout à fait particulier, recueillant la partie la plus importante de la correspondance politique (194 documents) produite par la chancellerie d'Innocent III sur les affaires de l'Empire. Il s'agit d'une sorte de « livre blanc », qu'Innocent III fit préparer pour justifier les prétentions territoriales de la papauté, en vue d'un éventuel conflit avec les princes allemands et qu'il fit continuer même après la rupture avec Otton IV en 1210. Pour Innocent III, l'attaque contre la Sicile et l'État pontifical correspondait à une atteinte à ses droits qu'il prétendait avoir acquis légitimement[287].

L'administration de la justice : *l'audientia litterarum contradictarum*

Une autre innovation importante d'Innocent III marqua la réforme administrative de la chancellerie. Dans l'*audientia publica*, au cours de laquelle on donnait lecture des lettres émises par la chancellerie, un contradicteur pouvait s'élever contre le contenu d'une lettre papale : les argumentations devaient être formulées par les intéressés ou par les procureurs au cours d'une séance particulière, devant l'*auditor litterarum contradictarum*, ayant le pouvoir d'ordonner d'éventuelles corrections à apporter. L'institution de ces *audientiae*, attestées pour la première fois en 1205-1206[288],

---

282. *Die Register*, I, p. XXXIV.

283. V. PACE, « Cultura dell'Europa medievale nella Roma di Innocenzo III : illustrazioni marginali del Registro Vaticano 4 », *Römisches Jahrbuch für Kunstgeschichte*, 22, 1985, p. 45-62.

284. 1203, 24 février : POTTHAST 1835.

285. LADNER, *Die Papstbildnisse*, II, p. 53, tav. IXa.

286. *Ibid.*, p. 68-72, fig. 26-27.

287. M. LAUFS, *Politik und Recht bei Innocenz III. Kaiserprivilegien, Thronstreitregister und Egerer Goldbulle in der Reichs- und Rekuperationspolitik Papst Innocenz' III.*, Cologne-Vienne, 1980, p. 117-205.

288. SAYERS, *Papal Government*, p. 18.

constituait un progrès indéniable sur le plan administratif et judiciaire, toute personne concernée ayant, du moins théoriquement, la possibilité de faire entendre ses droits, bien plus que dans le cadre de la procédure judiciaire précédente. Innocent III avait parfaitement compris qu'il fallait adapter les anciens organismes administratifs du gouvernement central de l'Église romaine, avant tout ceux de la chancellerie, dont les procédures étaient archaïques, à l'accroissement des affaires curiales. Depuis les pontificats d'Eugène III et d'Alexandre III, le nombre des interventions pontificales (rescrits) n'avait fait qu'augmenter, à cause surtout des pétitions toujours plus nombreuses postulant l'arbitrage du pape.

L'importance en matière de jurisprudence et d'administration de la justice qu'acquit rapidement ce nouvel organisme curial est rendue manifeste par le fait qu'au cours du xiiie siècle, le poste d'*auditor litterarum contradictarum* fut généralement occupé par un canoniste de renom (Sinibaldo Fieschi, le futur pape Innocent IV, Geoffroi de Trani, Guido de Baisio, etc.) : ce personnage était devenu de fait l'un des plus importants juges ordinaires de la curie.

Par ce nouvel organisme, l'Église romaine se dotait d'une nouvelle possibilité d'intervenir dans l'administration et la jurisprudence des églises locales. L'énorme accroissement des pétitions qui, de toute part, étaient adressées à Rome renforça indirectement le pouvoir décisionnel de l'Église romaine dans les domaines judiciaire et administratif. D'anciennes prétentions théoriques, avancées avec force par la papauté réformatrice du xie siècle, pouvaient maintenant se réaliser, grâce à une pratique judiciaire et administrative efficace, englobant l'ensemble de la chrétienté.

Les procureurs

La complexité grandissante des procédures judiciaires et administratives de la curie romaine avait rendu indispensable la présence à Rome de procureurs, pour la plupart des juristes italiens, ayant une compétence affirmée et disposant de réseaux de relations personnelles au sein des organismes curiaux que seule une longue permanence *apud Sedem apostolicam* pouvait offrir[289]. Le travail des procureurs était contrôlé par l'*audientia litterarum contradictarum*, dont la caractéristique principale était bien celle d'être une sorte de tribunal pour les procureurs.

Les juges délégués

Le nombre des procès portés devant la curie romaine augmenta de manière si considérable à partir du xiie siècle qu'il était devenu impossible de les régler directement à Rome, d'autant qu'on ne pouvait exiger à chaque fois un déplacement

---

289. Encore fondamental R. von Heckel, « Das Aufkommen der ständigen Prokuratoren an der päpstlichen Kurie im 13. Jahrhundert », *Miscellanea Francesco Ehrle*, II, Cité du Vatican, 1924, p. 290-321; importants, maintenant : J. Sayers, « Canterbury Proctors at the Court of "Audientia litterarum contradictarum" », *Traditio*, 22, 1966, p. 311-345; W. Stelzer, « Die Anfänge der Petentenvertretung an der päpstlischen Kurie unter Innocenz III. », *Annali della Scuola speciale per archivisti e bibliotecari dell'Università di Roma*, 12, 1972, p. 130-139 (bibl).

long et dispendieux. C'est ainsi que depuis le début du xiie siècle on vit apparaître dans différents diocèses de la chrétienté une figure nouvelle de juge ecclésiastique, chargé d'instruire un procès sur « délégation » pontificale. L'importance de la jurisprudence produite par ces juges délégués fut notable, puisqu'elle fut le principal canal à travers lequel le droit canon d'inspiration romaine put pénétrer dans la pratique, auprès des différentes cours diocésaines de la chrétienté latine. Les principes énoncés dans les décrétales[290] étaient adaptés au mille situations individuelles et particulières.

Les premiers exemples remontent au pontificat de Pascal II[291] et d'Honorius II. Sous Innocent II le nombre des délégations augmente rapidement, mais ce sont finalement Alexandre III et Innocent III qui se serviront de manière systématique de ce nouvel instrument judiciaire romain. Des 43 chapitres du titre XXIX du livre I du *Corpus* de droit canonique, 18 relèvent de la législation d'Alexandre III, contre 15 pour Innocent III[292]. C'est dire l'importance qu'Alexandre III accorda au pouvoir du délégué du pape, considéré comme supérieur à celui de l'ordinaire et du métropolitain[293]. Il est vrai cependant que le juge délégué devait respecter le droit local, sauf si le pontife romain lui donnait un ordre contraire[294]. Grégoire IX contribua à en préciser la fonction, comme en témoignent les chapitres *De officio et potestate iudicis delegati*[295] et *De rescriptis*[296] du *Liber Extra*.

Réorganisation des procédures judiciaires : les auditeurs de causes

L'accroissement incessant du nombre de causes confiées à l'arbitrage pontifical en première ou autre instance eut des conséquences importantes également sur la réorganisation des procédures judiciaires et administratives de la curie romaine. Au cours de la première moitié du xiiie siècle apparaît un nouveau type de personnel judiciaire, composé pour la plupart de chapelains du pape, appelé à se substituer aux cardinaux, jusqu'alors ses uniques collaborateurs en matière d'administration de la justice. L'innovation doit être encore une fois attribuée à Innocent III, qui recherchait des solutions efficaces dans le cadre des institutions curiales existantes[297]. L'action d'Innocent III fut déterminante sur ce point. D'une part, il utilisa beaucoup plus systématiquement que dans le passé des membres de sa chapelle, jouissant de sa confiance, en tant qu'auditeurs[298]. D'autre part, à partir de 1202, leur fonction dans ce domaine est tout à fait analogue à celle des cardinaux.

Sous Innocent IV, l'organisation judiciaire au sein de la curie romaine subit de

---

290. V. plus haut, p. 605-610.
291. Sur la question, v. en général J. SAYERS, *Papal Judges Delegate in the Province of Canterbury 1198-1254*, Oxford, 1971.
292. PACAUT, *Alexandre III*, p. 265.
293. Décrétales de Grégoire IX, livre I, tit. XXIX, 11.
294. Décrétales de Grégoire IX, livre I, tit. XXIX, 3 (cit. PACAUT, *Alexandre III*, p. 265).
295. Décrétales de Grégoire IX, livre I, tit. XXIX (cf. les n. 293 et 294).
296. Décrétales de Grégoire IX, livre I, tit. 3.
297. ELZE, « Die päpstliche Kapelle. »
298. Le terme se trouve pour la première fois dans un document de Célestin III, de 1192.

nouvelles transformations. Au sein du groupe, relativement vaste, des chapelains du pape, émergea un nombre plus restreint d'*auditores (generales) sacri palatii*. La constitution de ce corps judiciaire spécialisé écarta petit à petit de l'administration de la justice les autres chapelains pontificaux résidant à la curie romaine. Parallèlement se transforma le rôle joué par les cardinaux en la matière : non seulement leur activité diminua sur un plan quantitatif, surtout à partir du pontificat de Grégoire X, mais ils se virent réserver, notamment à partir du pontificat de Clément IV, les procès les plus importants, impliquant les évêchés, les abbayes, les hauts dignitaires ecclésiastiques, les questions de juridiction ecclésiastique, tandis que les chapelains instruisirent les causes en appel portées devant le Siège apostolique et celles, en première instance, de nature bénéficiale[299].

La centralisation de la pénitence

Dans les dernières décennies du XIIe siècle apparaissent les premiers indices d'une centralisation dans le domaine de la pénitence[300], provoquée surtout par un continuel afflux vers l'Église romaine de demandes de dispenses et d'absolution, qui conduiront à une concentration progressive de ces droits dans les mains du pape. Cette concentration se fondait sur le principe selon lequel c'est au législateur, c'est-à-dire au pape, qu'est réservé le « pouvoir de dispense »[301].

Un pas important dans cette direction avait été franchi au XIe siècle, lorsqu'étaient apparues pour la première fois des dispenses personnelles. La nouveauté était de taille. Selon les conceptions canoniques traditionnelles, la dispense avait auparavant toujours une valeur générale. Soutenu efficacement par le développement des décrétales, ce phénomène aura comme conséquence de limiter toujours plus le droit de dispense appartenant aux évêques.

Les cas réservés au pape

Le nombre des péchés, dont l'absolution était réservée explicitement au pape, ne fit qu'augmenter à partir du XIIe siècle. L'une des principales causes est sans doute à rechercher dans l'incapacité des églises locales de satisfaire sur place une casuistique rendue plus complexe par l'évolution rapide de la pensée juridique.

Sous Innocent II, l'ancienne habitude de se rendre à Rome en pèlerinage pour satisfaire une pénitence octroyée par un évêque se transforma en devoir et se fixa dans des textes conciliaires[302] ; pour Clément III, l'absolution de crimes tels que l'incendie d'églises devait être réservée au pape ; Célestin III y ajouta le vol dans les églises avec

---

299. P**aravicini** B**agliani**, « Il "Registrum causarum" », p. 635 et suiv.
300. P.M. Q**uantin**, « Sommes de casuistique et manuels de confessions au Moyen Âge », *AMNam*, 13, 1962, p. 7 et suiv.
301. G. C**risci**, « Evolutio historica delegationis a iure », *Apollinaris*, 9, 1936, p. 270-299.
302. Le c. 14 du concile de Reims (1131) fut repris par Latran II (1139), c. 15 (*COD*, p. 200) ; cf. Décret de Gratien, c. XVII q. 4.

effraction et la fréquentation, de la part des clercs, des personnes bannies par le pape ; Innocent III se réserva de juger ceux qui auraient gardé des lettres papales falsifiées pendant plus de vingt jours.

La notion de réserve pontificale fut confirmée par les conciles. Latran IV (c. 30) stipula que les sentences synodales sanctionnant les prélats ayant attribué des bénéfices ecclésiastiques à des personnes non idoines ne pourront être suspendues que « par le pontife romain ou par le patriarche dont relève le délinquant »[303]. Le nombre des cas soumis à la réserve pontificale n'augmenta cependant pas rapidement : Raymond de Peñafort et Geoffroi de Trani n'en connaissent que six.

La Pénitencerie

L'organisation de la Pénitencerie se mit en place dès le début du XIIIe siècle. Seul organisme curial ayant des tâches purement spirituelles, il fut aussi le seul à être présidé par un cardinal[304]. La première attestation d'un cardinal de curie chargé spécifiquement de suivre les affaires pénitentielles coïncide avec le pontificat d'Innocent III. Le cardinal romain Jean de Saint-Paul est désigné par Giraud le Cambrien comme étant le « cardinal qui recevait alors les confessions pour le pape »[305]. Le cardinal pénitencier porte dès 1246 le titre de *penitentiarius summus*, et est secondé par un personnel spécialisé, les pénitenciers mineurs, en activité également depuis le pontificat d'Innocent III.

Recrutés presqu'exclusivement parmi les deux principaux ordres mendiants (dominicains et franciscains), les pénitenciers avaient le pouvoir de donner des absolutions et de mandater les évêques ordinaires à donner des dispenses. L'itinérance de la cour pontificale[306] rendit nécessaire la présence de pénitenciers dans les principales basiliques romaines (Saint-Pierre au Vatican, Saint-Jean de Latran, Sainte-Marie-Majeure). Les pénitenciers mineurs se constituèrent ainsi en deux corps distincts, ceux qui suivaient la cour pontificale et ceux qui restaient à Rome[307].

Bien qu'une définition canonique ne lui fût donnée qu'au siècle suivant, par Benoît XII[308], le rayon d'action de la Pénitencerie fut limité dès le début au « for

303. Trad. FOREVILLE, *Latran I*, p. 362.

304. Pour un excellent survol sur genèse et développement de la pénitencerie pontificale au bas Moyen Âge, v. M. MATTHÄUS, *Die Pénitentiarie-Formularsammlung des Walter Murner von Strassburg. Beitrag zur Geschichte und Diplomatik der päpstlichen Pänitentiari im 14. Jahrhundert*, Fribourg (Suisse), 1979, p. 1 et suiv. ; on pourra toujours consulter avec profit E. GÖLLER, *Die päpstliche Pönitentiarie*, 2 vol., Rome, 1907, et Ch. H. LEA, *A Formulary of the Papal Penitentiary in the thirteenth century*, Philadelphie, 1892.

305. Giraldus Cambrensis, *Liber de invectivibus*, *MGH.SS* : « *cardinalis, qui confessiones pro papa tunc recipiebat* » ; la lettre écrite en 1200 par ce cardinal à un noble gallois pour répondre à des problèmes de conscience, est la première du genre qui soit conservée ; cf. CHENEY, *Pope Innocent III*, p. 70-71. C'est peut-être ce cardinal qui reçut le pénitent envoyé à Rome par le prieur d'Osney en 1203 (CHENEY, *The Letters of Pope Innocent III*, n. 466 ; *PL* 215, c. 10).

306. V. plus bas, p. 558.

307. Les archives de la Pénitencerie apostolique au Vatican sont devenues accessibles, il y a quelques années, grâce à leur transfert aux archives du Vatican ; informations d'ordre archivistique : E. GÖLLER, « Das alte Archiv der päpstlichen Pönitentiarie », *RQ.S*, 20, 1913, p. 1-19 ; F. TAMBURINI, « Il primo registro di suppliche della Penitenzieria », *RSCI*, 2, 1969, p. 384-428.

308. Pour les sources, v. MEYER, p. 8.

interne » (jugement de la conscience). Au nom du pape et sur délégation particulière de son autorité, les pénitenciers étaient chargés de résoudre les problèmes spirituels des fidèles, par l'intermédiaire d'absolutions, dispenses, commutations et autres « actes de grâce ». Dans cette évolution, les problèmes relatifs à la discipline matrimoniale (irrégularité et empêchements de mariage) avaient joué un rôle moteur.

Les légats

Pour la mise en place de la politique pontificale, l'institution des légats fut déterminante[309]. Le développement de cet efficace instrument de liaison entre le gouvernement de l'Église et les différentes parties de la chrétienté était le fruit de la centralisation de l'Église romaine, ainsi que de la volonté d'uniformiser la discipline ecclésiastique, en accord avec les grands conciles du Latran.

Le décret de Gratien n'avait réservé aucune section aux légats, dont le rôle, déjà très important au xie siècle se développa surtout sous le pontificat d'Alexandre III. Celui-ci rehaussa leur fonction de représentants directs du pape, ayant des pouvoirs plénipotentiaires (*domini pape vicem gerens*), en les désignant *a latere papae* (de la part du pape). Cette appellation fut de plus en plus réservée au xiiie siècle aux missions des cardinaux romains[310], ou des hauts prélats de la curie romaine. Les prérogatives des *nuncii ordinarii*, dits aussi plus tard *legati missi*, étaient forcément plus restreintes.

Au xiie siècle, déjà, les légats s'étaient vus attribuer des pouvoirs étendus en ce qui concerne la provision d'églises et de prébendes à des clercs. Plusieurs décrétales d'Innocent III montrent que les légats pouvaient aussi ne pas se soucier des droits du *jus patronatus* (clérical ou laïque). Dans la décrétale *Dilectus filius R.*[311], Innocent III déclara que le légat ne porte aucun préjudice à un évêque en présentant un clerc pour une église vacante, même s'il ne le consulte pas ; le légat peut aussi ignorer le droit du *patronus*. Ces affirmations contribuèrent à fixer la doctrine selon laquelle le légat — véritable *alter ego* du pape — doit être considéré comme supérieur à l'évêque[312]. Dans la première moitié du xiiie siècle, les légats jouèrent en tout cas un rôle déterminant dans la mise en place de la politique pontificale[313]. Peu de canonistes du

---

309. H. Zimmermann, *Die päpstliche Legation in der ersten Hälfte des 13. Jahrhunderts*, Paderborn, 1913 ; G. Le Bras, *Institutions ecclésiastiques de la chrétienté médiévale*, p. 556-550 ; *Id.* ; *L'âge classique, 1140-1378*, p. 191-193 ; D. Queller, *The Office of Ambassador in the Middle Ages*, Princeton, 1967, p. 5-10 ; C.I. Kyer, « Legatus and Nuntius as Used to denote Papal Envoys : 1245-1378 », *MS*, 40, 1975, p. 473-477 ; K. Pennington, « Johannes Teutonicus and Papal Legates », *AHP*, 21, 1983, p. 183-194 ; R.C. Figueira, « The Classification of Medieval Papal Legates in the "Liber Extra" », *AHP*, 21, 1983, p. 211-228 ; *Id.* ; « "Legatus Apostolice sedis" : the Pope's "alter ego" According to Thirteenth-Century Canon Law », *NSMed*, 27, 1986, p. 528-74.

310. Dans son commentaire aux décrétales (ad X 1.30.9), Sinibaldo Fieschi avait exprimé l'avis que les cardinaux sont les seuls habilités à recevoir la charge de *legatus a latere*, mais cette conception extrême n'est pas partagée par tous les décrétalistes du xiiie siècle ; cf. Figueira, « The Classification », p. 216.

311. Potthast 2133.

312. Pennington, « Johannes Teutonicus », p. 194.

313. Les légations anglaises du xiiie siècle ont été le mieux étudiées : H. Tillmann, *Die päpstlichen Legaten in England bis zur Beendigung der Legation Gualas, 1218*, Bonn, 1926 ; C. Cheney, « Cardinal John of Ferentino, papal legate in England in 1206 », *EHR*, 76, 1961, p. 650-660 ; A. Mercati, « La prima relazione del cardinale Nicolò de Romanis sulla sua legazione in Inghilterra », *Essays in history presented to Reginald Lane Poole*, Oxford, 1927, p. 274-89 ; D.M. Williamson, « Some aspects of the legation of cardinal Otto in England, 1237-1241 », *EHR*, 64, 1949, p. 145-173 ; F.M. Powicke-C.R. Cheney, *Councils and Synods with other documents relating to the English Church*, II, Oxford, 1964, p. 725-792, 815, 1182 (Ottobono Fieschi).

XIIIe siècle tentèrent de limiter les pouvoirs grandissants du légat pontifical[314]. De fait, les prérogatives judiciaires des légats ne seront remises en cause que par le concile de Trente, qui, sous l'influence de fortes Églises nationales décida une restriction de ces pouvoirs.

Dans les sources non officielles[315], la distinction entre *legatus* (plénipotentiaire) et *nuntius* (simple envoyé) n'est pas toujours claire et précise. Dans les documents émanant de la chancellerie pontificale, cette distinction semble toutefois avoir été respectée, du moins à partir du milieu du XIIIe siècle[316]. Une catégorie à part est constituée par les *legati nati*, un terme technique déjà traditionnel au XIIIe siècle[317], qui désignait des prélats exerçant la fonction de légat à l'intérieur d'un diocèse. Cette figure de représentant du pouvoir pontifical ne joua cependant qu'un rôle secondaire avant le concile de Trente.

V. LA COUR PONTIFICALE AU XIIe SIÈCLE : UN CENTRE CULTUREL

1. LE *STUDIUM CURIAE*

En 1245, à Lyon, Innocent IV institua un *Studium generale* devant suivre les pérégrinations de la curie romaine. Par cette décision, le pape, qui voulut sans doute imiter Frédéric II, fondateur du *Studium* de Naples, accordait les privilèges des *Studia* aux nombreuses écoles privées de droit, aussi bien civil[318] que canonique, existant au sein de la curie romaine[319]. Seul le lecteur de théologie, le futur « maître du Sacré Palais »[320] était un fonctionnaire de curie, membre de la *familia* du pape. Certains lecteurs de théologie, de très haut niveau (Jean Peckham), jouèrent un rôle certain dans la vie intellectuelle de la curie romaine au XIIIe siècle. Plus généralement, le *Studium Curiae*, ou pour être exact, les différentes écoles (privées) de droit (civil et canonique) en fonction auprès de la curie, devaient servir à l'énonciation de l'*opinio*

---

314. Jean le Teutonique constitue une exception notable : le légat ne peut agir sur le plan judiciaire sans une autorisation spéciale ; de toute façon, il ne peut juger des causes qui avaient déjà été entendues en première instance par le tribunal épiscopal ; cf. PENNINGTON, « Johannes Teutonicus », p. 183-194.

315. Sources narratives, documents non provenant de la chancellerie pontificale.

316. KYER, « Legatus and Nuntius », p. 473-477.

317. Hostiensis, *Summa*, p. 318 : « *Alii eliguntur sive creantur, et sic quasi nascuntur...* » ; cit. FIGUEIRA, « The Classification », p. 221.

318. Au XIIIe siècle, le *Studium Curiae* a abrité plusieurs écoles de droit civil, qui furent dispensées de l'interdiction d'Honorius III frappant l'enseignement du droit civil ; v. A. PARAVICINI BAGLIANI, « La fondazione dello "Studium Curiae" : una rilettura critica, in luoghi e metodi di insegnamento nell'Italia medioevale (secoli XII-XIV) », Congedo Editore 1989, 59-81 (réimpr. in *Id.*, *Medicina e scienze della natura alla corte dei papi del Duecento*, Spoleto, 1991, p. 365-390).

319. *Ibid.*, p. 377 et suiv. ; à propos de l'école de droit de Roffredus de Bénévent, v. M. BELLOMO, « Intorno a Roffredo Beneventano : professore a Roma ? », *Scuole, diritto e società nel mezzogiorno medievale d'Italia*, éd. M. BELLOMO, I, Catane, 1985, p. 137-181.

320. R. CREYTENS, « Le "Studium Romanae Curiae" et le maître du Sacré Palais. », *AFP*, 12, 1942, p. 1-83.

Curiae en matière de législation canonique. Cet enseignement était destiné aux procureurs, avocats, notaires, *iurisperiti Curiam sequentes*, et aux curialistes eux-mêmes, professionnellement tenus de suivre l'évolution de la jurisprudence pontificale.

2. LES *FAMILIAE* DU PAPE ET DES CARDINAUX : LA VIE INTELLECTUELLE

Au-delà des écoles, tout au long du XIIIe siècle, des savants de renommée internationale firent partie du personnel de la curie romaine et contribuèrent à faire de la cour pontificale l'un des grands centres culturels de l'Occident latin. Presque 40 % des familiers[321] des cardinaux de Grégoire IX portent le titre de *magister*. La même proportion de gradués se retrouve parmi les 300 familiers de cardinaux d'Innocent IV qui ont pu être recensés[322]. Certains d'entre eux étaient des juristes éminents, comme Raymond de Peñafort (chapelain du cardinal picard Jean d'Abbeville); Jean de Monchy, chapelain du cardinal Jean de Tolède, qui avait auparavant enseigné le droit romain à Montpellier; Pierre de Salins, chapelain du cardinal Hugues de Saint-Cher, qui nous a laissé une importante *Lecture du Décret*[323]. Les *familiae* du pape et des cardinaux ont abrité un nombre important d'intellectuels de renom : le philosophe David de Dinant, chapelain d'Innocent III, plus tard condamné[324]; Grégoire de Monte Sacro, familier du cardinal Roger de Saint-Anastase (1206-1213), auteur d'une encyclopédie en vers − *Peri ton anthropon theopoieseos* −, dédiée au cardinal Thomas de Capoue[325]; le bibliophile et poète Richard de Fournival, chapelain du cardinal anglais Robert de Somercotes[326]; le traducteur du *Secret des Secrets*, Philippe Tripolitain, neveu du vice-chancelier de l'Église romaine sous Honorius III, plus tard chapelain du premier cardinal dominicain, Hugues de Saint-Cher[327]; le chroniqueur Roger de Torrecuso, auteur du *Miserabile carmen super destructione regni Hungariae*, chapelain du cardinal Jean de Tolède[328]; le biographe d'Innocent IV, Nicolas de Calvi, chapelain du cardinal Sinibaldo Fieschi[329]; le biographe

---

321. Les *familiae* des cardinaux constituent un ensemble de personnes, du médecin à l'écuyer, des clercs juristes aux cuisiniers, qui sont liés au pape et aux cardinaux par un serment de fidélité, le servent et le conseillent. Sur la *familia* du pape au XIIIe siècle, v. A.M. FRUTAZ, « La famiglia pontificia in un documento dell'inizio del sec. XIV », *Palaeographica, Diplomatica et Archivistica*, II, Rome, 1979, p. 273-323; sur les *familiae* des cardinaux du XIIIe siècle, v. PARAVICINI BAGLIANI, *Cardinali di Curia*, II, p. 445-516. V. aussi, *id.*, « Il personale della Curia romana preavignonese : Bilancio e prospettive di recerca », *Proceedings of the Fifth International Congress of Canon Law*, Cité du Vatican, 1980, p. 391-410.

322. *Id.*, *Cardinali du Curia*, I.

323. *Ibid.*, I, p. 246-247, 268-269.

324. V. plus haut, p. 526.

325. E.C. RONQUIST, « The Early-Thirteenth-Century Monastic Encyclopedia in Verse of Gregorius de Monte Sacro » *NSMed*, 29, 1988, p. 841-871 (édition du prologue : p. 863 et suiv.). Il s'agit d'une œuvre importante pour la reconstitution intellectuelle des milieux de la curie romaine des premières décennies du XIIIe siècle, grâce aussi aux témoignages explicites de l'auteur (v. notamment la lettre de dédicace, publiée par H.M. SCHALLER, *DA*, 21, 1965, p. 499-502).

326. PARAVICINI BAGLIANI, *Cardinali di Curia*, I, 138-140.

327. *Id.*, « La scienza araba nella Roma del Duecento », *La diffusione delle scienze islamiche nel Medio Evo europeo*, Rome, 1987, p. 130 et suiv. (réimpr. in *Id.*, *Medicina e scienze della natura alla corte dei papi del Duecento*, Spoleto, 1991, p. 179-232).

328. F. BABINGER, « Maestro Ruggiero delle Puglie relatore pre-poliano sui Tartari », *Nel VII centenario della nascita di Marco Polo*, Venise, 1955, p. 53-61.

329. PAGNOTTI, « Niccolò da Calvi », p. 7-120.

d'Urbain IV, Grégoire de Naples, chapelain du cardinal Guillaume Fieschi[330], plus tard évêque de Bayeux.

D'une manière générale, la formation intellectuelle des familiers clercs de papes et de cardinaux du XIIIe siècle fut sans doute élevée, si l'on en juge par le fait que très nombreux ont été ceux qui, après quelques années de loyaux services en curie, accédèrent à la direction d'un évêché : pour les seuls pontificats de Grégoire IX et Innocent IV (1227-1254), plus de cinquante familiers de cardinaux sont devenus évêques[331]. Ce chiffre indique la volonté de Rome de tisser des liens personnels intenses avec les diocèses de la chrétienté, à une époque de centralisation croissante des institutions romaines. Il est aussi un indiscutable indice culturel, la papauté s'engageant alors pour le respect de critères exigeants, sur le plan intellectuel, dans le recrutement des évêques.

3. MÉDECINE ET SCIENCES DE LA NATURE À LA COUR PONTIFICALE

L'existence d'un *medicus papae*, c'est-à-dire d'un médecin personnel du pape, est attestée de manière certaine dès le pontificat d'Innocent III. Pour son habitation, ce pape acquit du reste une *domus* justement à l'intérieur de la « clôture du palais ». Plus on avance dans le siècle, plus la concentration de médecins, au service de papes et cardinaux, augmente (vingt-cinq médecins pour le seul pontificat de Boniface VIII). Dans la première partie du siècle, la plupart des médecins présents à la cour pontificale, ou en rapport direct avec elle, est liée à l'École de Salerne (Romualdus, Jean de Saint-Paul, Jean Castellomata). Certains médecins portent des noms illustres sur le plan de la production médico-littéraire du XIIIe siècle (David de Dinant, Philippe Tripolitain, Richard de Fournival, Jean de Tolède, Arnaud de Villeneuve, Galvano de Levanto). Il est vrai que, dans les domaines de la médecine et des sciences de la nature, la vie intellectuelle et culturelle à la cour pontificale du XIIIe siècle fut particulièrement riche et intense[332]. C'est sur ordre de Clément IV que Roger Bacon écrivit entre 1266 et 1268 ses principaux ouvrages : l'*Opus Maius*, l'*Opus Minus*, l'*Opus Tertium*[333].

Campanus de Novare, l'un des meilleurs mathématiciens et astronomes du XIIIe siècle, vécut trente ans à la cour pontificale, où il produisit la plupart de ses

---

330. PARAVICINI BAGLIANI, « La storiografia pontificia », p. 45-54. Cf. *Id.*, *DHGE*, XXII, p. 12-14.
331. PARAVICINI BAGLIANI, *Cardinali di Curia*, II, p. 513 (tableau récapitulatif).
332. V. par ex. *id.*, « Medicina e scienze della natura alla corte di Bonifacio VIII : uomini e libri » *Roma anno 1300*, Rome, 1983, p. 773-789 (réimpr. in *id.*, *Medicina e scienze della natura alla corte dei papi del Duecento*, Spoleto, 1991, p. 235-266).
333. Dans tous les ouvrages envoyés au pape Clément IV, Roger Bacon traite du problème de la « prolongation de la vie ». L'*Epistola de retardatione accidentium senectutis*, publiée dans les *Opuscula hactenus inedita* de Roger Bacon (Oxford, 1928), est l'œuvre d'un certain *dominus Castri G(r)et*, qui rédigea cet ouvrage, empreint de sources médicales arabes, sur le conseil, entre autres, de l'ancien médecin d'Innocent III, Jean Castellomata. Une version (l'actuel ms. lat. 6978 de la bibl. Nat. de Paris) fut adressée au pape Innocent IV. Incontestablement, l'histoire de cette *Epistola*, qui est le premier texte médiéval entièrement consacré à la vieillesse, est liée aux milieux de la cour pontificale. Cf. A. PARAVICINI BAGLIANI, « Ruggero Bacone autore del "*De retardatione accidentium senectutis*" », *NSMed* 28, 2, 1987, p. 707-728 (réimpr. in *id.*, *Medicina e scienze della natura alla corte dei papi del Duecento*, p. 327-362).

œuvres. La très difficile *Theorica Planetarum* fut composée à la demande d'Urbain IV lui-même[334]. Avant d'arriver à la cour pontificale, au début des années soixante, Campanus s'était acquis une grande renommée en publiant son commentaire-version des *Éléments* d'Euclide[335]. Campanus, qui entra à la curie romaine en qualité de chapelain du cardinal Ottobono Fieschi, continua à faire partie de l'entourage des grands prélats de cette famille, jusqu'à sa mort[336].

C'est à Viterbe que le grand mathématicien d'origine silésienne, Witelo, termina la *Perspectiva*, la plus importante œuvre médiévale sur la science de l'optique. Sa présence à Viterbe, siège temporaire de la curie romaine, est attestée de manière certaine en 1277, au moment même où Jean Peckham, l'auteur de la *Perspectiva communis*, enseignait la théologie au *Studium Curiae*. Quelques années auparavant, Roger Bacon avait envoyé ses traités sur l'optique au pape Clément IV. Trois autres savants de renommée européenne, tous intéressés aux problèmes de la lumière et de la vision, vivaient alors à la cour pontificale. Le pape lui-même, Jean XXI (Petrus Hispanus), célèbre philosophe et médecin, auteur, entre autres, d'un traité d'ophtalmologie, le *De oculo*; le dominicain flamand et pénitencier pontifical, Guillaume de Moerbecke, auteur d'études sur la lumière et la vision que Witelo cite dans la dédicace de sa *Perspectiva*; et, enfin, Campanus de Novare lui-même. La cour pontificale de Viterbe émerge comme le véritable centre de transmission des trois plus grandes œuvres sur l'optique produites au XIIIe siècle[337].

Dans l'une des trois œuvres produites par Jean Peckham lors de son passage au *Studium Curiae* (les *Quaestiones de beatitudine corporis et animae*[338]), le thème principal, le corps glorieux, est, de fait, simple prétexte pour la discussion de problèmes scientifiques comme la loi de gravité, l'espace, la raréfaction de l'air sous vide ou l'influence des planètes sur la formation et la composition de métaux précieux. Peckham cite des auteurs et des œuvres qui ne se rencontrent pas dans des traités théologiques sur la résurrection du corps (Alhazen; le *Liber de visu* d'Euclide, etc.)[339].

Campanus de Novare avait été très lié à Simon de Gênes, l'auteur du premier et plus important glossaire de termes médicaux produit au XIIIe siècle, œuvre de longue haleine. Le Génois effectua des recherches de première main dans des ouvrages en langue latine, grecque et arabe, lorsqu'il était médecin du pape Nicolas IV. Dans les milieux de la curie romaine du XIIIe siècle, plusieurs personnes, dont au moins deux cardinaux du XIIIe siècle − Pélage Galvani et Jean de Tolède − connaissaient l'arabe[340].

---

334. Éd. F.S. BENJAMIN-G.J. TOOMER, *Campanus of Novara and Medieval Planetary Theory. Theorica planetarum*, Madison, 1971.

335. Il est même probable qu'Urbain IV, qui le nomma son chapelain, avait possédé le manuscrit le plus ancien contenant son commentaire d'Euclide qui soit parvenu jusqu'à nous : l'actuel ms. Plimpton 156 de la Columbia University Library.

336. PARAVICINI BAGLIANI, « Campano de Novara », p. 99-111.

337. D.C. LINDBERG, « Lines of influence in thirteenth-century Optics : Bacon, Witelo and Pecham » *Speculum*, 46, 1971, p. 66-83; A. PARAVICINI BAGLIANI, « Witelo et la science optique à la cour pontificale de Viterbe (1277) », *MEFRM*, 87, 1975, 425-453 (réimpr. in *Medicina e scienze della natura alla corte dei papi del Duecento*, Spoleto, 1991, p. 119-140).

338. Joannes de Pecham, *Quodlibet Romanum*, éd. F.M. DELORME, Rome, 1938.

339. V. PARAVICINI BAGLIANI, *Medicina e scienze della natura...*, p. 134, n. 55.

340. PARAVICINI BAGLIANI, « Medicina », p. 773-789; *id.*, « La scienza araba nella Roma del Duecento : prospettive di ricerca », p. 103-166 (réimpr. in *id.*, *Medicina e scienze della natura alla corte dei papi del Duecento*, p. 177-232).

En 1280, à Viterbe, où il était venu pour traiter des problèmes de sa récente nomination à l'archevêché de Tolède, Gonsalve Gudiel fit rédiger un inventaire de sa bibliothèque. La bibliothèque de ce docte archevêque, futur cardinal de Boniface VIII, possédait un très grand nombre d'œuvres de savants qu'il avait rencontrés à Viterbe, à la cour pontificale : Campanus de Novare (la *Theorica planetarum*), Witelo (la *Perspectiva*), les traductions de Guillaume de Moerbecke[341].

L'attrait joué par la cour pontificale du XIIIe siècle sur le plan culturel et scientifique trouve une correspondance parfaite dans le domaine de l'art, comme le prouve le mécenat prodigué en faveur d'artistes comme Cavallini, Pietro Oderisi, Arnolfo di Cambio, Cimabue et, plus tard, Giotto. Aux yeux de nombreux papes et cardinaux d'origine romaine (Nicolas III, Boniface VIII) de la deuxième moitié du XIIIe siècle, Rome devait devenir l'un des principaux centres artistiques de la chrétienté[342].

BIBLIOGRAPHIE

Sources

Constitutiones concilii quarti Lateranensis, éd. GARCIA Y GARCIA, Cité du Vatican, 1981.
Conciliorum oecumenicorum decreta (COD), éd. J. ALBERIGO, Cl. LEONARDI et alii, Bologne, 1973, p. 173-247 (trad. fr. : FOREVILLE, *Latran I*, p. 342-386).
Epistolae saeculi XIII e regestis pontificum Romanorum selectae, éd. C. RODENBERG, 3 vol., Berolini, 1883-1894.
Ae. FRIEDBERG, *Corpus Iuris Canonici*, I-II, Leipzig, 1879 (réimpr. Graz, 1955).
MATTHAEUS PARIS, *Chronica Maiora*, éd. H.R. LUARD, 6 vol., Londres, 1872-1882.
A. POTTHAST, *Regesta pontificum Romanorum*, 2 vol., Berlin, 1874-1875.
Regestum Innocentii III papae super negotio Romani imperii, éd. F. KEMPF, Rome, 1947.
Die Register Innocenz' III., éd. O. HAGENEDER, A. HAIDACHER et alii, Graz-Cologne, 1964 et suiv.
S. FIESCHI, *Apparatus Innocentii IV PP. in V libros Decretalium*, Francoforti ad Moenum, 1570 (réimpr. 1968).
Regesta Honorii Papae III, éd. P. PRESSUTTI, 2 vol., Rome, 1888-1895.
Les Registres de Grégoire IX (1227-1241), éd. L. AUVRAY, Paris, 1890-1955.
Les Registres d'Innocent IV (1243-1254), éd. E. BERGER, Paris, 1884-1921.
Les Registres d'Alexandre IV (1254-1261), éd. C. BOUREL de la RONCIERE et alii, Paris, 1895-1959.
Les Registres d'Urbain IV (1261-1264), éd. J. GUIRAUD et alii, Paris, 1892-1958.
Les Registres de Clément IV (1265-1268), éd. E. JORDAN et alii, Paris, 1893-1945.

Travaux

C.R. CHENEY, *Pope Innocent III and England*, Stuttgart, 1976.
W. IMKAMP, *Das Kirchenbild Innocenz' III. (1198-1216)*, Stuttgart, 1983.

---

341. Les éditeurs de l'*Aristoteles Latinus* ont depuis longtemps émis l'hypothèse que les manuscrits de Tolède contenant les traductions aristotéliciennes de Guillaume de Moerbecke doivent être identifiés à ceux que nous trouvons indiqués dans cet inventaire. Cette hypothèse est confirmée par le fait que le seul copiste connu — Pierre Bafuinhe, clerc de Narbonne — reçut le tabellionat pontifical justement à la fin de 1279 et devait donc résider à l'époque à Viterbe. Cf. A. PARAVICINI BAGLIANI, « Guillaume de Moerbecke et la cour pontificale », *Guillaume de Moerbecke. Recueil d'études à l'occasion du 700ᵉ anniversaire de sa mort (1286)*, éd. J. BRAMS et W. VANHAMEL, Leuven, 1989, p. 23-52. (Réimpr. in *Id.*, *Medicina e Scienze della natura...*, p. 143-175.)

342. R. KRAUTHEIMER, *Rome. Profile of a City, 312-1308*, Princeton, 1980, p. 227 ; J. GARDNER, « Patterns of Papal Patronage circa 1260-circa 1300 », *The Religious Roles of the Papacy*, p. 439-456.

G.B. LADNER, *Die Papstbildnisse des Altertums und des Mittelalters*, II, Cité du Vatican, 1970.

M. MACCARRONE, *Studi su Innocenzo III*, Padoue, 1972.

W. MALECZEK, *Papst und Kardinalskolleg von 1191 bis 1216*, Wien, 1984.

A. MELLONI, *Innocenzo IV. La concezione della cristianità come regimen unius personae*, Gênes, 1990.

A. PARAVICINI BAGLIANI, *Cardinali di Curia e "familiae" cardinalizie dal 1227 al 1254*, Padoue, 1972.

A. PARAVICINI BAGLIANI, *I testamenti dei cardinali del Duecento*, Rome, 1980.

A. PARAVICINI BAGLIANI, *Medicina el Scienze della natura alla corte dei papi nel Duecento*, Spolète, 1991.

K. PENNINGTON, *Popes and Bishops. The Papal Monarchy in the Twelfth and Thirteenth Centuries*, Philadelphia, 1984.

The Religious Roles of the Papacy : Ideals and Realities, 1150-1300, éd. Chr. RYAN, Toronto, 1989.

J. SAYERS, *Papal Judges Delegate in the Province of Canterbury 1198-1254*, Oxford, 1971.

J. SAYERS, *Papal Government and England during the pontificate of Honorius III (1216-1227)*, Cambridge, 1984.

B. SCHIMMELPFENNIG, *Die Zeremonienbücher der römischen Kurie im Mittelalter*, Tübingen, 1973.

H. TILLMANN, *Papst Innocenz III.*, Bonn, 1954.

D. WALEY, *The Papal State in the Thirteenth Century*, Londres, 1961.

H. WOLTER-H. HOLSTEIN, *Lyon I et Lyon II*, Paris, 1966.

Chapitre II

La suprématie pontificale (1198-1274)
par Agostino Paravicini Bagliani

I. LA PAPAUTÉ ET LE CONCEPT DE CHRÉTIENTÉ

Depuis le XIe siècle, l'Occident avait assimilé l'idée que la chrétienté latine formait une communauté unique, une entité supranationale[1], réunissant toutes les nations occidentales. Plusieurs événements l'avaient conduit à cette prise de conscience : le schisme avec l'Église d'Orient, la christianisation de vastes parties de l'Europe du Nord et de l'Est. Au début du XIIIe siècle, la *christianitas* n'est cependant pas encore définie de façon stricte dans les textes pontificaux.

1. INNOCENT III

Pour Innocent III, le terme de *christianitas* signifie soit l'*ecclesia* dans son acception la plus ample, c'est-à-dire l'association de tous les chrétiens, par rapport à l'*ecclesia*, entendue comme Église hiérarchique[2], soit l'*orbis christianus* (Latran IV, c. 71), désignant l'ensemble des « peuples chrétiens » et des royaumes[3]. La fusion entre *ecclesia* et *christianitas* apparaît toutefois de manière beaucoup plus nette qu'auparavant. La lettre de convocation de Latran IV se fonde en effet sur une signification de la *christianitas* qui est à la fois ecclésiale et politique au sens le plus large. Comme lors des conciles de l'antiquité chrétienne, pour la première fois à l'époque médiévale, un pape invitait à participer à une assemblée conciliaire non seulement l'épiscopat, mais aussi les abbés et les prieurs des monastères, collégiales, ordres chevaleresques, de même que les princes laïques, en un mot tous les représentants de la *christianitas*, comprise ici dans son sens le plus large de « société chrétienne ».

Ce concept, mis au service d'une ecclésiologie qui plaçait le pape à la tête de la

---

1. Watt, *The Theory*, p. 103. Cf. en général, Kölmel, *Regimen*, et *Id.*, « Chiesa, cristianità, genere umano : riflessioni sull'autocomprensione della società medievale », *Cristianesimo e Storia*, 5, 1984, p. 507-522 et D. Menozzi, « Intorno alle origini del mito della cristianità », *Cristianesimo e Storia*, 5, 1984, p. 363-400.

2. J. Rupp, *L'idée de chrétienté dans la pensée pontificale des origines à Innocent III*, Paris, 1939, p. 99-123 ; F. Kempf, « Das Problem der Christianitas im 12. und 13. Jahrhundert », *HJ* 79, 1960, p. 104-123.

3. M. Maccarrone, « La papauté et Philippe Auguste. La décrétale "Novit ille" », *La France de Philippe Auguste*, Paris, 1982, p. 400 et suiv.

pyramide ecclésiale et sociale, avait des racines anciennes. Déjà sous Grégoire VII et ses successeurs immédiats[4], ce terme avait évolué vers une identification avec le corps du Christ et la reconnaissance explicite du pape comme la tête de ce corps, responsable visible de l'assemblée des chrétiens. Le pape pouvait ainsi aspirer à une double fonction, spirituelle et temporelle. En tant que chef spirituel de la chrétienté, il possédait le pouvoir suprême des clefs et pouvait exprimer l'exclusion ou la réinsertion dans le « corps du Christ »[5]. Selon Innocent III, c'est parce qu'ils appartiennent à l'Église, au sens ecclésiologique du terme, que les chrétiens sont soumis à l'autorité du pape, *caput et fundamentum totius christianitatis*[6], *necessitas et utilitas totius populi Christiani*[7]. Par sa fonction, le pape est responsable, non seulement des Églises particulières, mais de tous les fidèles. C'est donc en tant que chef de la *christianitas* que le pape est au sommet du monde chrétien.

Aux yeux d'Innocent III, la chrétienté n'est toutefois pas encore « cet ensemble cohérent de terres gouvernées par des princes officiellement soumis à la présidence religieuse du pontife romain, qui exerce sa puissance spirituelle (et peut l'exercer directement) sur tous leurs sujets[8] ». Il faudra attendre la fin du XIIIe siècle pour que s'impose véritablement l'idée selon laquelle Rome était l'endroit « où résidait la curie romaine, commune à toutes les nations du peuple chrétien »[9].

2. INNOCENT IV

Un pas décisif dans cette direction fut réalisé par Innocent IV[10], pour qui l'idée de *christianitas* devait servir les prétentions universelles de la papauté, poussée par une société marquée par de fortes tensions politiques (émergence de nouvelles formes d'autonomie de la part du pouvoir civil, dans les villes italiennes notamment) et par le conflit avec l'empereur Frédéric II. Ces tensions, qui conduisirent à une très grave perte de substance de la fonction impériale, amenèrent Innocent IV à exacerber le rôle unificateur du pape. Le pouvoir civil n'était légitimé que par son appartenance à la chrétienté et à la condition de reconnaître le pouvoir universel du pape, seul garant de la justice. Le pouvoir juridictionnel du pape devenait ainsi le pivot de l'ordre social de la chrétienté tout entière. L'idée de chrétienté n'avait de sens que par référence à la fonction juridictionnelle du pape, arbitre des équilibres de la société. Comme pour Innocent III, le pouvoir civil n'était pas éliminé. L'idée de chrétienté en justifiait toutefois la subordination.

---

4. J. van LAARHOVEN, « "Christianitas" et Réforme Grégorienne », *SGSG*, 6, 1959-1960, p. 1-98 ; cf. G. LADNER, « The concepts of "Ecclesia" and "Christianitas" and their relation to the idea of papal "Plenitudo potestatis" from Gregory VII to Boniface VIII », réimpr. dans *Id.*, *Images and Ideas*, II, p. 487-515.

5. C'est en se plaçant dans une perspective éminemment politique qu'Huguccio pouvait affirmer : « *Omnes christiani subdunt Apostolico* », puisque « *omnes Latini... saltem ratione pontificis subsunt Romano imperio* » : *Summa super decreto*, cit. MACCARRONE, « La papauté », p. 401, n. 50.

6. *Regestum*, éd. KEMPF, n° 44, p. 125.

7. *PL* 214, 386, 470, 979 ; *PL* 215, 957 ; *PL* 216, 36 ; cit. WATT, *The Theory*, p. 102, n. 94 et 95.

8. LE BRAS, *Institutions ecclésiastiques de la chrétienté médiévale*, p. 24.

9. Extravag. Comm. 2.3.1 : « *in quo Romana communis omnium Christiani populi nationum residebit curia* ».

10. J.A. KEMP, « A New Concept of the Christian Commonwealth in Innocent IV », *Proceedings of the Second*

II. LA « PLENITUDO POTESTATIS »

C'est à partir d'Innocent III que le concept de *plenitudo potestatis* devint un terme technique servant à désigner la souveraineté pontificale. La formule elle-même remontait à Léon I[er 11], mais la papauté n'y avait recouru vraiment que depuis les dernières décennies du XIIe siècle[12]. En 1198, elle fit son entrée dans le langage de la chancellerie pontificale[13]. Les canonistes l'adoptèrent aussitôt[14].

1. LES CANONISTES DU XIIe SIÈCLE

Gratien avait inclu l'affirmation léonine dans son Décret[15] et s'était servi du terme *plenitudo potestatis* dans un *dictum*[16]. Il joua ainsi un rôle considérable dans la diffusion de ce concept, d'autant qu'il avait inséré dans son ouvrage deux autres textes analogues, une fausse lettre du pape Grégoire IV[17] et un texte du pseudo-Isidore[18]. Son usage n'était pas alors exclusivement réservé au pape, les décrétistes du XIIe siècle ayant hésité à utiliser une formule qui pouvait encore s'appliquer aux pouvoirs plénipotentiaires des ambassadeurs et des évêques. Par ailleurs, de nombreuses expressions servaient traditionnellement à définir l'autorité du Siège apostolique : *plena potestas, plena auctoritas, plenaria potestas, plena et libera administratio*[19].

Le succès de cette formule fut assuré par l'enthousiasme avec lequel Bernard de Clairvaux l'avait adoptée[20] et par l'approfondissement juridique et doctrinal d'Huguccio, qui fournit une définition destinée à devenir classique : « L'autorité pleine existe lorsqu'elle contient l'ordonnance (*preceptum*), la validité générale et la nécessité... Ces trois éléments se trouvent auprès du pape, tandis que l'évêque n'en possède que le premier et le troisième[21]. » Les textes du pseudo-Grégoire IV et du pseudo-Isidore, accueillis par Gratien, avaient modifié le sens original de la formule léonine, en opposant le pouvoir pontifical à celui des évêques : au premier était surtout la *plenitudo potestatis*, aux seconds, la *pars sollicitudinis*. Cette antithèse finit par servir le

---

International Congress of Medieval Canon Law, Cité du Vatican, 1965, p. 155-159 ; A. MELLONI, *Innocenzo IV. La concezione e l'esperienza della cristianità come* regimen unius personae, Genova, 1990.

11. Ep. 14, *PL* 54, c. 671 : « *Vices enim nostras ita tuae credidimus charitati, ut in partem sis vocatus sollicitudinis, non in plenitudinem potestatis* », cf. J. RIVIERE, « In partem sollicitudinis ». Évolution d'une formule pontificale », *RSR*, 5, 1925, p. 210-231 ; W. ULLMANN, « Leo I and the Theme of Papal Primacy », *JThS*, 11, 1960, p. 25-51.

12. On la trouve occasionnellement utilisée dans une lettre de Lucius III : *PL* 201, c. 1288 ; cf. P. ZERBI, *Papato, impero e 'respublica christiana' dal 1187 al 1198*, Milan, 1980, p. 170-173.

13. Toutes les références dans les décrétales d'Innocent III ont été réunies par J.A. WATT, « The Term "Plenitudo potestatis" by Hostiensis », *Proceedings of the Second International Congress of Medieval Canon Law*, p. 175-177.

14. Le terme est utilisé dans toutes les collections de décrétales de cette période, les *Quinque Compilationes Antiquae* : WATT, « The Term », p. 165.

15. C. 3 q. 6 c. 8.

16. Dict. pr. C. 9 q. 3.

17. C. 2 q. 6 c. 11.

18. C. 2 q. 6 c. 12.

19. TIERNEY, *Foundations*, p. 143.

20. *De consideratione*, II, 8, 16 ; III, 4, 14 ; ep. 131 et 132.

21. *Glossa Palatina* ad Dist. 11 c. 2, cit. TIERNEY, *Foundations*, p. 146.

principe selon lequel le pouvoir des évêques dérive du pouvoir de juridiction du pape, puisqu'ils sont appelés par lui *in partem sollicitudinis* [22]. Au cours du XIIe siècle, le terme de *plenitudo potestatis* fut de plus en plus compris pour lui-même, détaché de celui de *sollicitudo*, et servit à définir exclusivement le pouvoir pontifical, à son plus haut niveau, exerçant l'autorité suprême législative et judiciaire.

Deux formules accompagnèrent cette évolution. Sur le plan législatif, le « pontife romain porte tous les droits dans l'écrin de sa poitrine [23] » ; sur le plan judiciaire, « le pape est le juge ordinaire de tous [24] ». Dorénavant, le terme de *plenitudo potestatis* sera réservé aux pouvoirs du pape, tandis que *plena potestas* définira plutôt les pouvoirs des évêques [25].

2. INNOCENT III

Les formulations proposées par Innocent III dans ses sermons et lettres devinrent classiques et furent considérées comme définitives. Le ton fut donné dès le début de son pontificat dans une lettre à l'archevêque de Monreale : « Bien que notre Seigneur Jésus-Christ, en instituant son Église, ait donné sur les croyants un même pouvoir de lier et de délier à tous ses disciples, il a pourtant voulu que, dans cette Église, l'un d'entre eux, le bienheureux Apôtre Pierre, ait la prééminence ; il a dit en effet : "Tu es Pierre et sur cette pierre je bâtirai mon Église." Il donnait ainsi à comprendre à tous les fidèles que, de même qu'entre Dieu et les hommes il n'y avait qu'un seul médiateur, Jésus-Christ fait homme, lui qui, rétablissant la paix entre le ciel et la terre, démantelait le solide appareil de leurs divisions et rétablissait entre eux l'unité, de même il n'y avait dans son Église qu'une tête commune à tous, tenant de lui son pouvoir et l'exerçant pour lui... Et c'est bien en vertu de ce pouvoir, remis au bienheureux Pierre par le Seigneur lui-même, que la sainte Église romaine, instituée et fondée par Notre Seigneur Jésus-Christ par l'entremise dudit bienheureux Pierre, fut mise en possession de l'autorité sur toutes les Églises afin que les décisions de sa providence fussent partout reçues définitivement [26]. »

Au cours de son pontificat, les affirmations en matière de *plenitudo potestatis* se font encore plus précises : « Les autres Apôtres ont été appelés à partager le pouvoir, mais Pierre est le seul qui ait été appelé à jouir de la plénitude. J'ai reçu de lui la mitre pour mon sacerdoce et la couronne pour ma royauté ; il m'a établi vicaire de Celui sur le vêtement duquel il est écrit : "Roi des rois et seigneur des seigneurs, prêtre pour l'éternité selon l'ordre de Melchisédech" [27] » ; « Le pape est le vicaire de Celui dont le

---

22. WATT, « The Term », p. 164. Sur la conception de la fonction épiscopale chez Innocent III, v. en particulier W. IMKAMP, « *Pastor et sponsus*. Elemente einer Theologie des bischöflichen Amtes bei Innocenz III. », *Aus Kirche und Reich. Studien zu Theologie, Politik und Recht im Mittelalter. Festschrift für Friedrich Kempf*, Sigmaringen, 1983, p. 285-294.

23. F. GILLMANN, « *"Romanus pontifex iura omnia in scrinio pectoris sui censetur habere"* », *AKathKR*, 92, 1912, p. 3 et suiv.

24. « *Papa est iudex ordinarius omnium* », cit. WATT, « The Term », p. 165.

25. TIERNEY, *Foundations*, p. 146.

26. Reg. I 316, éd. *Die Register*, I, p. 448.

27. *PL* 216, c. 721.

Innocent III voit en songe saint François, Giotto, basilique supérieure d'Assise.

royaume n'a pas de limites[28] » ; « Pierre préside toutes choses en plénitude et en latitude, puisqu'il est le vicaire de Celui à qui appartiennent la terre et tout ce qu'elle contient et tous ceux qui l'habitent[29] » ; « Le pape est le plénipotentiaire de Celui qui règne sur les rois et gouverne les princes et qui donne les royaumes à qui bon lui semble » ; « Comme dans le corps humain seule la tête possède la plénitude des sens de sorte que les autres membres participent de sa plénitude, ainsi dans le corps ecclésiastique les autres évêques sont appelés à la *"pars sollicitudinis"*, alors que le souverain pontife assume la plénitude de la puissance[30]. »

3. INNOCENT IV ET LES DÉCRÉTALISTES DU XIIIe SIÈCLE

Avec Innocent IV et les décrétalistes du XIIIe siècle, le concept de *plenitudo potestatis* connut une extension maximale. Sinibaldo Fieschi prétendit que, grâce à la *plenitudo potestatis*, le pape pouvait exercer son pouvoir temporel non seulement sur tous les chrétiens mais aussi sur les infidèles[31]. Le très influent décrétaliste Hostiensis déclara, pour sa part, que le pouvoir du pape se fondait sur une *plenitudo potestatis*[32]. Il apportait toutefois une clarification importante en distinguant entre deux sortes de pouvoir : la *potestas ordinaria* ou *ordinata*, que le pape exerce en vertu de la *plenitudo officii*, en accord avec les lois existantes, et la *potestas absoluta*, établie sur la base de la *plenitudo potestatis*, grâce à laquelle, il pouvait, au contraire, transcender la loi existante[33]. Dans l'exercice de la *plenitudo potestatis*, le pape n'était toutefois pas seul. Les cardinaux formaient avec le pape un collège exerçant l'autorité confiée par l'autorité divine à l'Église romaine[34].

4. LA *PLENITUDO POTESTATIS* ET LES ÉLECTIONS D'ÉVÊQUES

Cette doctrine influença considérablement la politique de la papauté en matière d'élections épiscopales. Le concordat de Worms reconnaissait le droit aux évêques d'être élus par voie canonique, mais ne disait rien sur ceux ayant droit à participer à l'élection. Au cours des XIIe et XIIIe siècles, la législation pontificale écarta définitivement la participation directe des laïcs (princes et peuple) et du bas clergé des élections épiscopales. Le droit exclusif d'élire un évêque appartint désormais aux chapitres cathédraux[35]. Dans ce domaine, le pontificat d'Innocent III marqua une étape

---

28. *PL* 216, c. 1044.

29. *Regestum*, n° 18, éd. KEMPF, p. 48.

30. Sermon d'Innocent III pour la fête de S. Grégoire le Grand : *PL* 217, 517 ; trad. J.G. BOUGEROL, « La papauté dans les sermons médiévaux français et italiens », *The Religious Roles of the Papacy : Ideals and Realities, 1150-1300*, éd. Chr. RYAN, Toronto, 1989, p. 266. V. aussi *PL* 217, c. 552, c. 778-779.

31. *Commentaria* ad X, II, 10 ; III, XXIV, 8.

32. WATT, « The Term », app. B.

33. *Id.*, app. B, n° 5 et n° 55, p. 179 et 185 ; cf. p. 167.

34. Hostiensis, *Lectura* ad IV. XVII. 3, cit. TIERNEY, *Foundations*, p. 151 ; voir plus loin, p. 592-594.

35. Cf. Latran IV, c. 24 (*COD*, p. 246) ; cf. K. GANZER, *Papsttum und Bistumsbesetzungen in der Zeit von Gregor IX. bis Bonifaz VIII. Ein Beitrag zur Geschichte der päpstlichen Reservationen*, Köln-Graz, 1968, p. 10.

importante. À plusieurs reprises, ainsi en imposant l'élection d'Étienne Langton comme archevêque de Cantorbéry, Innocent III soutint avec la plus grande détermination l'idée selon laquelle les élections ecclésiastiques devaient être libres de tout contrôle laïque et que, par conséquent, la cour de Rome était l'instance judiciaire à qui revenait le droit d'arbitrer tout litige en la matière. Le concile de Latran IV[36] ne fit que confirmer et consacrer la victoire d'un principe canonique aux vastes implications ecclésiologiques et politiques[37]. En Angleterre, par exemple, dans tous les cas où il fut appelé à intervenir, Innocent III apparaît décidé à exercer les prérogatives que lui garantissait la doctrine de la *plenitudo potestatis*, qui ne pouvaient pas ne pas enfreindre celles du corps électoral local. Le pape ne semble avoir jamais recouru à la nomination directe, ni avoir refusé − sauf exceptions graves − son soutien à des candidats du roi, ce qui revient à dire que le souverain anglais n'avait, certes, plus la possibilité d'organiser lui-même, en toute liberté, les élections épiscopales, mais conservait encore, bien que vassal du pape, le pouvoir réel d'exercer son influence. Dans deux occasions seulement, les décisions du pape furent contraires au désir du roi[38]. L'exercice de la *plenitudo potestatis* avait des limites. Les candidats à l'épiscopat devaient être aussi bien des *personae gratae* à Rome que « loyaux envers le roi et utiles à l'État[39] ». Innocent III tint ce même raisonnement aux électeurs de l'évêque d'Amalfi[40].

En matière d'élections, les droits de l'Église romaine et des Églises locales furent, par la suite, fixés par Grégoire IX dans le *Liber Extra*[41]; mais déjà Innocent IV contourna fréquemment le droit des chapitres cathédraux et des métropolites, se fondant sur une interprétation extrême de la *plenitudo potestatis*. Bien avant Boniface VIII, généralement considéré comme responsable de cette évolution[42], fut donc mise en place une politique d'intervention directe de la papauté dans la nomination des évêques, quasiment irréversible. Cette politique n'avait pas que des motivations d'ordre ecclésiologique. Dès le pontificat de Grégoire IX déjà, semble-t-il[43], les prélats prirent l'habitude de verser une certaine somme d'argent à la Chambre apostolique à l'occasion de leur nomination épiscopale ou abbatiale. Cette taxe, appelée *servitium*[44], devint systématique entre le pontificat d'Alexandre IV et de Grégoire X[45]. De telles pratiques suscitèrent des réactions, parfois violemment polémiques, de la part aussi bien de conciles, de souverains que de prélats jouissant d'une grande autorité morale[46].

---

36. Latran IV, c. 25 (*COD*, p. 247).

37. CHENEY, *Pope Innocent III*, p. 176.

38. Dans les nominations d'Étienne Langton à Cantorbéry et de Pierre des Roches à York; cf. CHENEY, *Pope Innocent III*, *passim*.

39. Lettre du 31 octobre 1213 : POTTHAST 4836; cf. *The Letters of Innocent III*, p. 265, n° 939.

40. *PL* 214, c. 1104; cf. CHENEY, *Pope Innocent III*, p. 177.

41. Analyse détaillée : GANZER, *Papsttum*, p. 10-27.

42. S. GAGNÈR, *Studien zur Ideengeschichte der Gesetzgebung*, Stockholm, 1960, p. 212 et suiv.

43. GANZER, *Papsttum*, p. 80.

44. A. GOTTLOB, *Die Servitientaxe im 13. Jahrhundert*, Stuttgart, 1903.

45. Importants à cet égard les registres de la Chambre apostolique sous Urbain IV et Clément IV; cf. E. PASZTOR, « I registri camerali di lettere pontificie del secolo XIII », *Archivum Historiae Pontificiae*, 11 (1973), 7-83; *Id.*, « Il Registro Vaticano 42 », *Annali della Scuola Speciale per archivisti e bibliotecari dell'Università di Roma*, 10, 1970, p. 25-193.

46. Sources et bibliographie : GANZER, *Papsttum*, p. 83-88. V. aussi plus loin, p. 612.

5. La *PLENITUDO POTESTATIS* ET LE TRANSFERT D'ÉVÊQUES

Depuis la réforme grégorienne, et surtout dès le xıı^e siècle, la métaphore, selon laquelle un évêque était marié à son Église, était devenue traditionnelle. Innocent III ne promulgua pas de décrets en la matière, mais affronta le problème avec détermination et clarté à partir de cas concrets, se basant sur l'existence d'anciennes prérogatives de l'Église romaine en la matière, considérées d'origine divine[47]. Il s'agissait d'un problème relevant « plus de la pratique que du droit »[48]. Le nombre de translations d'évêques s'accrut tout au long du xıı^e siècle. Sous le pontificat d'Innocent III, ce phénomène connut une accélération considérable : 30 évêques changèrent de diocèse[49].

À la suite d'Huguccio[50], cette métaphore servit en tout cas à réaffirmer la *plenitudo potestatis* du pape. En établissant, en effet, une parfaite identité entre l'indissolubilité du mariage et le lien entre l'évêque et son Église, Innocent III pouvait soutenir que le pape seul avait autorité pour approuver les translations d'évêques[51].

Insérées dans les grandes collections de décrétales rédigées sous son pontificat[52], les décisions d'Innocent III sur les translations d'évêques furent déterminantes pour la constitution d'une tradition canonique en matière de réserve pontificale. Bien que le transfert d'un évêque dérivât d'une conception profondément hiérarchique de l'Église, il fit progressivement partie intégrante du *cursus honorum* des évêques, dans une chrétienté qui s'organisait à une échelle de plus en plus nationale, voire internationale.

III. LA PRIMAUTÉ DE PIERRE

Innocent III développa une véritable « théologie de la primauté de Pierre[53] » qui approfondit et amplifia la pensée des théologiens des xı^e et xıı^e siècles[54] sur la nature et l'autorité du pape, ses rapports avec les évêques, son universalité, etc.

---

47. POTTHAST 942, 1200 26 janvier; cf. CHENEY, *Pope Innocent III*, p. 73.
48. CHENEY, *Pope Innocent III*, p. 72.
49. PENNINGTON, *Pope and Bishops*, p. 95.
50. R. BENSON, *The Bishop-Elect : A Study in Medieval Ecclesiastical Office*, Princeton, 1968, p. 121-128 et 144-149; cf. K. SCHATZ, « Papsttum und partikularkirchliche Gewalt bei Innocenz III., 1198-1216 », *AHP*, 8, 1970, p. 108-109.
51. X 1.7.4 et 1.7.2 et 3; cf. BENSON, *The Bishop-Elect*, p. 121-124 et 126-128. Cf. Reg. I 326, éd. *Die Register*, I, p. 472-474; cit. PENNINGTON, *Pope and Bishops*, p. 16.
52. Notamment dans celles de Ranier de Pomposa et de Bernard de Compostelle : cf. CHENEY, *Pope Innocent III*, p. 73.
53. MACCARRONE, *Chiesa e Stato*, p. 3-6.
54. *Id.*, « La teologia del primato romano del secolo XI », *Le istituzioni ecclesiastiche della "societas christiana" dei secoli XI-XII. Papato, cardinalato ed episcopato. La Mendola V, 1971*, Milan, 1974, p. 21-122; *Id.*, « "Fundamentum apostolicarum sedium". Persistenze e sviluppi dell'ecclesiologia di Pelagio I nell'Occidente latino tra i secoli XI e XII », *La Chiesa greca in Italia dall'VIII al XVI secolo*, Padoue, 1973, p. 591-662; *Id.*, « Primato romano e monasteri dal principio del secolo XII ad Innocenzo III », *Istituzioni monastiche e istituzioni canonicali in Occidente 1123-1215. La Mendola VII, 1977*, Milano, 1983, p. 49-132.

1. Vicarius Christi

Dans ses lettres, sermons et écrits, Innocent III utilisa fréquemment les termes de *Vicarius Christi*[55] pour définir la fonction pontificale. Cette expression, qui avait été appliquée auparavant aux évêques, voire à tout clerc et même à certains princes laïques, avait acquis une grande importance chez Bernard de Clairvaux[56], véritable source d'inspiration d'Innocent III. Ce dernier est non seulement le premier pape qui porta ce titre aussi fréquemment[57]; il est aussi celui qui lui conféra un développement doctrinal théologiquement novateur en le réservant exclusivement à la fonction pontificale[58]. Successeur de Pierre et des Apôtres, le pape n'est pas le vicaire de Pierre, mais celui du Jésus-Christ lui-même[59].

L'idée selon laquelle le pouvoir du pape dérive du Christ n'était pas nouvelle[60], mais Innocent III innovait dans la mesure où il pensait que certaines prérogatives dans l'exercice du pouvoir (également temporel) relevaient seulement de l'autorité du Christ et de son vicaire, l'autorité de ce dernier étant d'origine divine[61]. Le terme de *Vicarius Christi* était donc de nature à compléter et à dépasser l'ancienne définition du pape comme successeur de Pierre.

2. Le pouvoir pontifical et la royauté du Christ

Le concept de royauté du Christ est au centre du programme pictural de la chapelle Saint-Silvestre de Tivoli, inspiré probablement par Innocent III[62]. Le Christ y est vu comme le « *rex regum et dominus dominantium* », symbolisé par Melchisédech, roi et prêtre. La royauté du Christ est proposée par Innocent III comme le fondement de la concorde entre l'Église et l'Empire[63]. D'une manière plus générale, pour les papes du XIIIe siècle, la royauté du Christ, image influencée profondément par les cònceptions féodales, servait tout d'abord à légitimer le pouvoir temporel du pape dans les limites

---

55. Ou de *Vicarius Dei*, mais à cette différence il ne faut pas attribuer une signification particulière ; l'échange entre les deux titres apparaît déjà au XIIe siècle. Innocent III utilise le terme de *Vicarius Dei* moins fréquemment et lorsque le contexte littéraire l'exige : *Id.*, *Vicarius Christi*, p. 111.

56. V. plus loin, p. 198.

57. Même avant son pontificat, le *De sacri Altaris mysterio*, livre I, chap. VIII, De primatu Romani pontificis, éd. PL 217, 778-779 ; sur cette œuvre v. *Id.*, « Innocenzo III teologo dell'Eucaristia », *Divinitas*, 10, 1966, p. 362-412 (réimpr. dans *Id.*, *Studi*, p. 341-432).

58. Certains canonistes, comme Huguccio, qui a sur bien des points influencé la pensée ecclésiologique d'Innocent III, protestent contre une nouveauté qui consiste à donner ce titre seulement au pape : *Id.*, *Vicarius Christi*, p. 100-107.

59. PL 214, c. 292 : « *Nos, quamvis simus Apostolorum principis successores, non tamen eius aut alicuius Apostoli vel hominis, sed ipsius vicarii Jesu Christi.* »

60. LECLERCQ, *L'idée de la royauté*, p. 48.

61. PL 214, c. 292 : « *Cum non humana sed divina fiat auctoritate quod... per summum pontificem adimpletur, qui non puri hominis, sed veri Dei vere vicarius appellatur.* »

62. Les fresques, datables de 1210-1225, auraient été exécutées par un artiste très proche du « Maître des Translations » de la crypte de la cathédrale d'Anagni : H. LANZ, *Die romanischen Wandmalereien von San Silvestro in Tivoli. Ein römisches Apsisprogramm der Zeit Innocenz III.*, Bern, 1983.

63. « *Quanta debeat esse concordia inter regnum et sacerdotium in seipso Christus ostendit, qui est rex regum et dominus dominantium, sacerdos in aeternum secundum ordinem Melchisedec, qui est secundum naturam carnis assumptae de sacerdotali pariter et regali stirpe descendit...* »

des États pontificaux. Sur ce plan, la royauté du Christ ne fut donc pas « une formule vide[64] ». Innocent IV y recourut de manière encore plus ample, pour fonder la succession des pouvoirs dont Dieu s'est servi pour gouverner les hommes : « Jusqu'à Noé, Dieu gouverna par lui-même; il le fit par des ministres à partir du temps de Noé. Celui-ci ne fut pas prêtre, mais il en exerça les fonctions. Il en fut de même de tous ceux qui se succédèrent à la tête des Juifs. Et cela dura jusqu'au Christ, qui fut, lui, par droit de naissance, notre Roi et Seigneur. Le Christ gouverne par son vicaire, le pape[65]. »

3. Saint-Pierre de Rome

Dans la basilique Saint-Pierre, où il avait été élevé, Innocent III fit restaurer la mosaïque de l'abside et protégea le point central — la Confession de Saint-Pierre — avec une grande grille de bronze doré, enrichie d'émaux de Limoges[66]. Ces travaux permirent au pape de mettre en évidence les principaux éléments de sa théologie de la primauté pontificale. Il fit apposer dans la niche des palliums une inscription au riche contenu théologique, et dans l'espace situé aux côtés du trône restauré de l'Apocalypse, fit représenter son mariage mystique d'évêque de Rome[67].

L'ecclésiologie d'Innocent III s'appuie volontiers sur le concept de *mater*[68] synonyme d'*ecclesia romana* ou d'*ecclesia universalis*. Les deux églises sur lesquelles se fondait la primauté de Pierre — le Latran et Saint-Pierre — devenaient « mères de toutes les églises ». C'étaient les deux édifices que le Christ lui-même a voulu donner à l'Église pour qu'elle soit stable[69]. De ce fait, la basilique Saint-Pierre est élevée au titre et à la fonction de « cathédrale du pape », ce qui permit de résoudre l'ancienne rivalité entre l'une et l'autre basilique[70]. L'idée que Saint-Pierre était la première des églises de la chrétienté se diffusa de plus en plus au cours du XIIIe siècle[71]. Près de la basilique Saint-Pierre, Innocent III fit procéder à d'importants travaux. Il intervint de manière décisive, sur deux plans. Tout d'abord, il restaura et agrandit le palais d'Eugène III situé au sud de la basilique. Là il fit restaurer les locaux de représentation (aula et loggia) et fit construire une chapellenie et une nouvelle chapelle. Le pape fit également entourer de murs tout le palais et ériger des tours sur les portes. Dans la clôture du palais, il acheta une maison qu'il attribua à l'habitation du médecin. Ensuite, il prit une

---

64. Leclercq, *L'idée de la royauté*, p. 62-63.
65. Cit. *ibid.*, p. 59.
66. M.-M. Gauthier, « La clôture émaillée de la confession de Saint-Pierre au Vatican lors du concile du Latran IV, 1215 », *Synthron. Bibliothèque des Cahiers archéologiques*, II, Paris, 1968, p. 237-248.
67. Reproduction d'une copie de la mosaïque : J. Ruysschaert, « Le tableau Mariotti de la mosaïque absidale de l'ancien S. Pierre », *Rendiconti della Pontificia Accademia di Archeologia*, 40, 1967-1968, p. 295-317; cf. M. Maccarrone, « La "cathedra Sancti Petri" : da simbolo a reliquia », *RSCI*, 39, 1985, p. 349-447.
68. Sur le concept de *mater* dans la théologie ecclésiologique d'Innocent III, v. Imkamp, *Das Kirchenbild*, p. 289-300.
69. Lettre de 1205 au clergé de Constantinople : « *Christus ex tunc fecit Petrum stabilem sedem habere, sive in Laterano sive in Vaticano* » : *Reg.* VII, 203, *PL* 215, c. 513.
70. Maccarrone, « La "cathedra" », p. 431.
71. Éd. H. Fuhrmann, p. 84. La Donation de Constantin trouve peut-être même son origine dans cette exaltation du Latran comme mère de toutes les églises : N. Huyghebaert, « Une légende de fondation : le "Constitutum Constantini" », *Le Moyen Âge*, 85, 1979, p. 177-209.

décision encore plus importante, en ordonnant la construction d'édifices administratifs au nord de la basilique de Saint-Pierre, sur les flancs du *Mons Scaccorum*. C'est là que furent logés la paneterie, la bouteillerie, la cuisine et la maréchalerie. C'était la première fois que des organismes de la curie s'installaient en si grand nombre autour de la basilique[72]. Le déplacement vers le nord de la basilique ne fit que progresser tout au long du xiiie siècle. Pendant l'époque avignonnaise, l'ancien palais du pape au sud de la basilique fut petit à petit transformé en logements pour pèlerins. Au xve siècle, l'ancien palais perdit définitivement son ancienne destination. En 1446, Eugène IV y fit construire un hôpital pour femmes.

Au nord de la basilique, Innocent III avait édifié seulement des bâtiments administratifs. L'un de ses successeurs immédiats, le pape Innocent IV (1243-1254) accentua encore la volonté de la papauté de choisir la colline du Vatican comme résidence pontificale, et fit construire « auprès de Saint-Pierre un palais, une très belle tour avec chambres, et y fit acheter des vignobles ». Cet édifice, le premier palais pontifical au nord de la basilique, était de fait une tour-manoir, pouvant servir aussi bien comme résidence que comme forteresse[73].

Il est probable qu'Innocent IV fût poussé à cette décision par l'état dans lequel était tombé l'ancien palais d'Eugène III et d'Innocent III au sud de la basilique, peut-être aussi par la mauvaise situation climatique de cette région. De toute façon, la décision d'Innocent IV, prise, selon son biographe, au retour du pape de Lyon (1253), où s'était tenu un important concile général, marque indubitablement un tournant. Innocent IV ne semble pas y avoir résidé[74]. Ce qui est certain, c'est que ce palais répondait à une conception nouvelle, plus conforme aux exigences de la vie de cour. À long terme, le choix d'Innocent IV peut être qualifié d'historique. Il consacra, en effet, le déplacement définitif, en ce qui concerne la résidence des papes à Saint-Pierre, du sud vers le nord de la basilique, là où se trouve encore aujourd'hui le palais apostolique. Mais le choix de Saint-Pierre était aussi soutenu par des considérations d'ordre ecclésiologique. L'église de Saint-Pierre devint la *mater ecclesiarum*, un titre qui avait été longtemps le privilège du Latran. De plus en plus, les papes du xiiie siècle ont eu tendance à choisir la colline du Vatican comme alternative résidentielle au Latran.

Vers 1280, au retour de la papauté d'une assez longue période de résidence dans des villes au nord du Latium, notamment à Viterbe, le pape romain Nicolas III, dont la famille Orsini était depuis des décennies liée à la basilique de Saint-Pierre[75], et qui possédait d'ailleurs, depuis le milieu du xiiie siècle, le château Saint-Ange, transforma la tour-manoir d'Innocent IV en une « luxueuse résidence pontificale »[76]. Des

---

72. K.B. Steinke, *Die mittelalterlichen Vatikanpaläste und ihre Kapelle. Baugeschichtliche Untersuchung anhand der schriftlichen Quellen*, Cité du Vatican, 1984, p. 39-47.

73. *Ibid.*, p. 49-51.

74. Son itinéraire atteste un très bref passage à Saint-Pierre du Vatican entre la fin du mois de mai et le début du mois de juin 1254 : A. Paravicini Bagliani, « La mobilità della Curia Romana nel Duecento : riflessi locali », dans *Società e istituzioni nell'Italia comunale : l'esempio di Perugia (secoli xii-xiv)*. Perugia, 1986, p. 235.

75. A. Huyskens, « Das Kapitel von St. Peter in Rom unter dem Einflusse der Orsini, 1276-1342 », *HJ*, 27, 1906, p. 266-90.

76. R. Krautheimer, *Rome. Profile of a City*, Princeton, 1980, p. 207 ; cf. Steinke, *Die mittelalterlichen Vatikanpaläste*, p. 51-66.

chroniqueurs nous informent que le pape avait même fait planter « en un jardin de grandes dimensions des arbres de tout genre » ; selon la carte géographique de Fra Paulin de Venise (1323), ces jardins (sur l'emplacement des actuels Cortili della Pigna et du Belvedère) possédaient un imposant parc d'animaux exotiques[77]. Il est en outre significatif que deux successeurs immédiats de Nicolas III aient choisi de résider longtemps hors du Latran. Le pape Honorius IV (1288-1292) prit ses quartiers (1286-1287) dans le palais qu'il avait fait construire pour lui et sa famille (Savelli) sur l'Aventin ; le premier pape franciscain, Nicolas IV (1288-1292), restaura le palais près de Sainte-Marie-Majeure, qu'il habita souvent (1287, 1289, 1290, 1292) et où il mourut le 4 avril 1292.

4. La Chaire de saint Pierre

Ce n'est certes pas un hasard si le lent processus[78], qui débuta au XIIᵉ siècle et conduisit à l'identification du trône de Charles le Chauve avec la « Chaire de saint Pierre », trouva son achèvement sous Innocent III. Cette évolution n'échappa pas au biographe d'Innocent III, qui raconte comment le 22 février 1198 (fête de la Chaire de saint Pierre), Innocent III « prit place sur la Chaire de ce même Apôtre, non sans signe manifeste et l'admiration de tous »[79].

IV. LA QUESTION DE L'INFAILLIBILITÉ DU PAPE AU XIIIᵉ SIÈCLE[80]

Dans une lettre adressée au patriarche de Constantinople (12 novembre 1199), Innocent III commenta ainsi le texte de Luc 22, 32 (« Le Seigneur révèle qu'il a prié pour lui, en disant dans le feu de la passion : "J'ai prié pour toi, Pierre, afin que ta foi ne défaille pas et que toi, une fois converti, tu confirmes tes frères" ») : « Ce qui signifie clairement que ses successeurs n'ont jamais dévié de la foi... »[81]. Cette

---

77. KRAUTHEIMER, *Rome*, p. 208, fig. 165 (Bibl. Vatic., Vat. lat. 1960, f. 270v : Paulin de Venise). V. aussi les fresques de Benozzo Gozzoli à S. Gimignano, reprod. F. EHRLE, H. EGGER, *Der Vaticanische Palast in seiner Entwicklung bis zur Mitte des XV. Jahrhunderts*, Cité du Vatican, 1935, tav. V.

78. M. MACCARRONE, « La storia della cattedra », *La cattedra lignea di S. Pietro in Vaticano*, APARA.M, vol. X, p. 20-21.

79. « et in eiusdem apostoli cathedra constitutus, non sine manifesto signo et omnibus admirando » (*Gesta Innocentii papae III*, PL. 214, c. XX).

80. Les sources lointaines de la doctrine de l'infaillibilité du pape doivent sans doute être recherchées chez Grégoire VII (c. 22 du *Dictatus papae*, éd. E. CASPAR, *Das Register Gregors VII.*, I, Berlin 1920, p. 207). Selon L. MEULENBERG, « Une question toujours ouverte : Grégoire VII et l'infaillibilité du pape », *Aus Kirche und Reich*, p. 159-172 : « Grégoire VII, affirmant que les successeurs de Pierre restent dans la vérité, n'explicite nulle part les modalités d'un tel privilège », de plus, il était alors encore inconcevable « qu'une autorité législative pontificale (fût) complètement indépendante ». Les objectifs de Grégoire VII étaient avant tout ceux d'« un renouveau et d'une restauration », mais dans la tradition.

81. Th. HALUSCYNSKI, *Acta Innocentii pp. III, 1198-1216*, Cité du Vatican, 1944, p. 189, cit. D.L. D'AVRAY, « A Letter of Innocent III and the Idea of Infallibility », *CHR*, 66, 1980, p. 419 n. 13.

affirmation marqua une évolution importante vers la constitution d'une doctrine explicite de l'infaillibilité du pape.

Innocent III interpréta beaucoup plus littéralement que dans le passé ce texte de Luc. En liant l'idée que le Christ, par sa prière, avait garanti l'« indéfectibilité » de la foi de l'Église universelle, au fait que Pierre et ses successeurs n'avaient jamais dévié et ne dévieraient jamais de la foi catholique, le pape franchit un pas décisif en direction de la doctrine de l'infaillibilité pontificale qui sera formulée autour de 1280 par Pierre Olieu (Olivi) : « Il est impossible que Dieu donne à quelqu'un la pleine autorité de décider des doutes concernant la foi et la loi divine, et qu'il lui permette de tomber dans l'erreur. Et celui qui ne peut tomber dans l'erreur doit être suivi comme une règle qui ne se trompe pas. Et Dieu a donné cette autorité au pontife romain. »[82]

Avant Innocent III, selon B. Tierney[83], les canonistes du XIIe siècle n'avaient pas utilisé ce passage de Luc 22, 32 pour conférer l'infaillibilité à Pierre lui-même ou à ses successeurs. L'*opinio communis* des canonistes soutenait qu'en priant pour que la foi de Pierre ne défaille pas, le Christ n'aurait pas promis à Pierre l'infaillibilité dans le gouvernement de l'Église − Pierre ne s'était-il pas trompé dans son comportement envers les Juifs, comme le lui avait rappelé Paul? (Galates 2, 11) −, mais plutôt la grâce de la persévérance finale dans la foi. Selon Huguccio[84], les décrétistes du XIIe siècle avaient cependant donné une interprétation plus large de ces paroles. En identifiant la personne de Pierre à celle de l'Église universelle, ils considéraient que la foi de celle-ci (et non celle de Pierre ou de ses successeurs) était destinée à ne pas faillir : « Que ta foi ne défaille pas signifie finalement et de manière irréversible que, bien qu'il (Pierre) ait failli pour un temps, il a été rendu encore plus croyant. Dans la personne de Pierre, il faut comprendre l'Église, dans la foi de Pierre, la foi de l'Église universelle qui ne faillit jamais dans sa totalité et ne faillira jamais jusqu'au jour du Jugement... »[85]

Telle qu'elle se développa au XIIIe siècle, dans une ligne directe qui va d'Innocent III à Pierre Olieu, la doctrine de l'infaillibilité prenait donc le contre-pied des définitions défendues par les théologiens et les canonistes du XIIe siècle, selon lesquelles le maintien de l'intégrité de la foi appartenait à l'Église dans sa totalité et non pas à un seul homme, le pape, à qui revenait pourtant le droit et la fonction de juge et d'arbitre suprême. Au XIIe siècle on pouvait encore affirmer « qu'il serait dangereux de confier notre foi à un seul homme »[86]. Les canonistes et les théologiens distinguaient alors entre un pape qui pouvait se tromper, bien qu'il fût le juge suprême en matière de foi, et une Église universelle indéfectible (ne pouvant jamais tomber dans l'erreur). La

---

82. « *Item, si impossibile est Deum dare alicui plenam auctoritatem diffiniendi de dubiis fidei et divine legis cum hoc, quod permitteret eum errare; de quocumque autem constat quod nullo modo permitteretur errare; ipse sequendus est tamquam regula inerrabilis; sed Romano pontifici dedit Deus hanc auctoritatem* » : M. MACCARRONE, « Una questione inedita dell'Olivi sull'infaillibilità del papa », *RSCI*, 3, 1949, p. 328; cf. TIERNEY, *Origins*, p. 93 et suiv.

83. TIERNEY, *Origins*, p. 34.

84. *Summa ad* Dist. 21 ante c. 1, *Id., Origins*, p. 34 n. 1.

85. « ... *intelligitur finaliter et irrecuperabiliter, licet enim ad tempora defecerit tamen factus est postea fidelior, vel tunc in persona Petri intelligebatur ecclesiae, in fide Petri fides universalis ecclesiae que numquam in totum deficit vel deficiet usque in diem iudicii...* » : Oxford, Pembroke Coll., ms. 72, f. 129vb, cit. *Id., Origins*, p. 34 n. 4.

86. *Glossa Palatina ad* Dist. 19 c. 9 : « ... *periculosum erat fidem nostram committere arbitrio unius hominis* », cit. *Id., Origins*, p. 32.

stabilité de la foi était confiée à l'Église dans sa totalité. À partir des assertions d'Innocent III, qui doivent être replacées dans le contexte de la polémique ecclésiologique entre Rome et Constantinople, une interprétation plus littérale du texte de Luc conduira à une doctrine toujours plus complète de l'infaillibilité pontificale, la personne du successeur de Pierre étant désormais considérée comme le véritable garant de l'intégrité de la foi de l'Église universelle.

L'ouvrage de B. Tierney a été l'objet d'une polémique[87]. A.M. Stickler s'opposa à la thèse selon laquelle l'ecclésiologie du premier millénaire du christianisme aurait ignoré une doctrine d'infaillibilité du pape, qui aurait été « inventée presque fortuitement comme un enchaînement inhabituel de circonstances historiques »[88]. Cette thèse n'aurait pas tenu compte de deux faits fondamentaux : l'importance d'arbitre suprême en matière de foi généralement reconnu au pape[89] et le fait qu'il fallait distinguer entre la personne du pape, pouvant tomber dans l'erreur, et sa fonction, infaillible. Il reste que, si l'on s'en tient aux textes connus, cette distinction n'émergea que progressivement. En outre, elle devint explicite seulement à l'époque d'Innocent III, comme le montre sa lettre au patriarche de Constantinople.

V. LA PAPAUTÉ ET L'AUTORITÉ DU CONCILE

Une lettre de Grégoire le Grand[90], insérée dans le Décret de Gratien[91], faisait autorité : les décisions des quatre premiers conciles œcuméniques (Nicée, Constantinople, Éphèse et Chalcédoine) possédaient une validité générale, parce qu'elles se fondaient sur un « consensus général ». D'autre part, Gratien avait affirmé sans équivoque que le pape était le seul à pouvoir définir des articles de foi, que sa législation devait être acceptée par tous, et qu'il pouvait même dépasser les décisions des anciens conciles généraux[92]. Dès lors, l'autorité du pape sur le concile ne pouvait

---

87. A.M. STICKLER, « Infallibility — A Thirteenth-Century Invention? Reflections on a Recent Book », *CHR*, 60, 1974, p. 427-41; B. TIERNEY, « Infallibility and the Medieval Canonists : A Discussion with Alfons Stickler », *ibid.*, 61, 1975, p. 265-73; A.M. STICKLER, « A Rejoinder to Professor Tierney », *ibid.*, p. 274-79; B. TIERNEY - A.M. STICKLER, « L'infallibilità e i canonisti medievali », *RSCI*, 21, 1975, p. 221-34. V. encore B. TIERNEY, « John Peter Olivi and Papal Inerrancy : on a Recent Interpretation of Olivi's Ecclesiology », *TS*, 46, 1985, p. 315-328.

88. TIERNEY, *Origins*, p. 281 : « There is no convincing evidence that papal infallibility formed any part of the theological or canonical tradition of the church before the thirteenth century; the doctrine was invented in the first place by a few dissident franciscains because it suited their convenience to invent it... it was accepted by the papacy because it suited the convenience of the popes to accept it ».

89. Bien que nombre de théologiens et canonistes en limitaient sa portée, en matière de nouvelles doctrines le pape devait se soumettre sur ce plan aux décisions conciliaires : J. WATT, « The Early Medieval Canonists and the Formation of Conciliar Theory », *IThQ*, 24, 1957, p. 29-30.

90. *Reg.* I, 24 : « *quia dum universali sunt consensu constituta, se et non illa destruit quisquis praesumit aut absolvere quos religant, aut ligare quos absolvunt* ».

91. Dist. 15 c. 2, éd. FRIEDBERG, I, c. 35-36.

92. Dist. 12, 19, 22; C. 2 q. 6, C. 9 q. 3, C 24 q. 1, C. 25 q. 1.- Dans la Dist. 19 c. 9, Gratien déclarait que le pape Anastase II avait été abandonné par son clergé et par Dieu parce qu'il était entré en communion avec l'hérésie « *sine concilio episcoporum vel presbyterorum et clericorum cunctae ecclesiae catholicae* », éd. FRIEDBERG, I, c. 63.

être mise en cause : « La sacrosainte Église romaine impose son droit et son autorité aux saints canons. »[93]

Le problème des rapports entre l'autorité du pape et celle des conciles ne faisait cependant pas l'unanimité des canonistes. Même au sein des décrétistes, les divergences étaient profondes.

1. Les décrétistes

Les décrétistes, tel Huguccio et Rufin, insistèrent surtout sur les exceptions à ce principe général. Ils se montrèrent peu enclins à attribuer au pape des pouvoirs étendus sur le concile. Deux principes généraux avaient surtout guidé les décrétistes : d'une part, la maxime « *quod omnes tangit ab omnibus tractari et approbari debetur* » (« ce qui intéresse tout le monde doit être approuvé par tous »), que les canonistes de Bologne avaient développée à partir d'une loi de Justinien[94] et qui fut adoptée par Innocent III[95], prouvait que les laïcs avaient le droit d'être représentés aux conciles[96]. En outre, le concept même d'Église tel qu'il s'était affirmé dans le Décret de Gratien, induisait à de telles réflexions, puisque la foi était affaire de tous[97]. La doctrine de la *plenitudo potestatis* était ainsi soumise à certaines restrictions. Le pape ne pouvait décréter des dispenses allant à l'encontre des décisions conciliaires. Les anciens statuts ne pouvaient être détournés ni par l'autorité apostolique, ni par l'« évolution des mœurs »[98]. Pour nombre d'autres décrétistes (*Glossa Ordinaria*[99]), le pape n'avait pas le droit de rejeter une décision en matière de foi prise lors d'un concile général[100]. Pour d'autres encore, le concile était supérieur au pape en matière de foi[101]. Si une dispute devait surgir au sein d'un concile, son autorité devait être considérée comme étant plus grande que celle du pape[102].

En affirmant la supériorité du concile sur le pape, les décrétistes du XIIIe siècle n'ont en aucune manière voulu mettre en cause l'autorité pontificale en elle-même. Au contraire, l'autorité du pape en sortait renforcée lorsqu'elle pouvait s'appuyer sur des décisions conciliaires, puisqu'elle se fondait sur un consensus général. Les canonistes

---

93. « Sacrosancta Romana ecclesia ius et auctoritatem sacris canonibus impertit, sed non eis alligatur » : C. 25 q. 1 post. c. 16, éd. Friedberg, I, c. 1011.

94. C. 5, LIX, 5.

95. X, C. 7, I, 23, éd. Friedberg, II, c. 252 ; Potthast 5031.

96. « *Ubi de causa fidei agitur, tam clerici quam laici debent interesse* » : Richard l'Anglais, 1200 ca, cit. Y.-M. Congard, « "Quod omnes tangit ab omnibus tractari et approbari debet" », *Revue d'histoire du droit français et étranger*, 36, 1958, p. 256 n. 164.

97. Dist. 96, c. 4, éd. Friedberg, I, c. 338 (Nicolas I) ; cf. Tierney, *Foundations*, p. 49.

98. Rufin, *Summa*, ad Dist. 4, p. 13, cit. *ibid.*, p. 52.

99. « *Videtur ergo quod papa non possit destruere statuta concilii quia orbis maior est urbe* », cit. Tierney, *Foundations*, p. 49 n. 4.

100. *Summa Parisiensis*, Ad C. 25 q. 1, p. 230, cit. *Id.*, *Foundations*, p. 49.

101. *Glossa Palatina* : « *Arguitur hic quod in causa fidei maior est synodus quam papa* », Jean le Teutonique, *Summa*, ad Dist. 19, c. 9 : « *Videtur ergo quod papa teneatur requirere concilium episcoporum quod verum est ubi de fide agitur et tunc synodus maior est papa* », cit. *Id.*, *Foundations*, p. 50 et n. 3.

102. *Summa Et est sciendum*, cit. B. Tierney, « Pope and Council : some New Decretist Texts », *MS*, 19, 1987, p. 204 et 215.

n'avaient pas l'intention de réduire la liberté d'action du pape, mais ils recherchaient surtout des règles auxquelles on aurait eu recours dans les cas extrêmes[103]. Le pape était lié par les décisions conciliaires, parce qu'il était le garant du maintien de l'« état général de l'Église ». Or le concile n'était autre chose que l'expression de la volonté de l'Église toute entière. Mais celle-ci n'existe que dans l'union des Églises entre elles, sous l'autorité du pape.

Certains décrétistes furent beaucoup plus favorables à l'autorité pontificale. Ainsi, pour Huguccio un concile qui s'opposerait au pape n'aurait aucune autorité[104]. La première source de légitimité de l'Église romaine est d'ordre divin; l'autorité des conciles n'est que secondaire. La constitution du pape est plus importante que celle de toute l'Église[105]. Même Jean le Teutonique, qui avait affirmé sans ambages que le concile était supérieur au pape, écrivit qu'en cas de conflit entre une Église locale et Rome, sur l'interprétation d'un décret conciliaire, devait prévaloir l'opinion de Rome, « à moins qu'elle ne tombe dans l'erreur, ce que Dieu ne permet pas »[106].

2. LES DÉCRÉTALISTES

L'autorité pontificale fut défendue avec plus d'assurance par les décrétalistes. Aucun d'entre eux n'affirma que l'autorité législative d'un concile était supérieure à celle d'un pape. Au contraire, les décrets conciliaires n'avaient de force que s'ils s'appuyaient sur l'autorité de l'Église romaine[107]. Les décrétalistes insistèrent sur l'origine divine de l'autorité pontificale et ne laissèrent aucun espace aux opinions des décrétistes pour qui une partie de l'autorité pontificale dérivait du consensus conciliaire. Le pape détenait toute l'autorité de l'Église; Pierre était l'Église. Ce privilège avait été accordé à Pierre par le Christ lui-même[108].

Une affirmation de Pascal II, qui n'avait pas été incorporée dans le Décret de Gratien mais trouva sa place dans la *Compilatio Prima*, puis dans la *Gregoriana*, avait servi de base : « Tous les conciles ont été faits par l'autorité de l'Église romaine...; dans leurs statuts s'affirme l'autorité du pontife romain. »[109]

---

103. TIERNEY, *Foundations*, p. 54.
104. Huguccio, *Summa*, ad Dist. 19 c. 9; cf. J. WATT, « The Early Medieval Canonists », p. 29-30.
105. « *Et nota quod constitutio solius pape potior est quam totius ecclesie* », ad C. 25 q. 1 c. 1, cit. TIERNEY, « *Pope and Council*, p. 206.
106. Ad C. 24 q. 1 c. 6.
107. *Ibid.*, p. 93.
108. « *Hoc enim privilegium Christus Petro in persona ecclesiae concesserit* » : S. Fieschi, *Commentaria* ad V. XXXIX. 49, cit. TIERNEY, *Foundations*, p. 92, n. 2.
109. « *... et in eorum statutis Romani pontificis patenter excipiatur auctoritas* » (Comp. I, I. IV. 18; X. I. VI. 4).

3. Déposition du pape par le concile

Le pape pouvait-il être jugé par un concile? Gratien avait nié catégoriquement cette possibilité[110]. Les (cinq) papes qui avaient été soumis à jugement dans le passé l'avaient fait volontairement. Selon Gratien, personne n'a le droit de condamner un pape qui serait tombé dans l'erreur. Certains décrétistes (Rufin, Étienne de Tournai, etc.) étaient cependant enclins à considérer que le pape pouvait être déposé non seulement en cas d'hérésie mais aussi pour d'autres crimes, comme le schisme ou la dissipation des biens de l'Église, ou encore pour tous les crimes (fornication, vol, sacrilège) qui entraînent généralement la déposition d'un évêque. À leurs yeux, le principe juridique était clair : le pape pouvait être déposé, parce que « si le pape tombe dans l'hérésie il n'est plus le plus grand mais le plus petit de tous les catholiques »[111]. Dans ces conditions, un « concile peut juger le pape et le condamner »[112].

Ce sont toutefois les affirmations d'Huguccio qui retinrent, là aussi, l'attention des canonistes. Selon le célèbre décrétiste, une action contre un pape ne pouvait être envisagée que dans trois cas : si l'hérésie en question avait déjà été condamnée (le pape ne pouvait être condamné pour une hérésie nouvelle, puisque c'est le pape qui a le pouvoir de définir les questions de foi); si le pape proclamait publiquement avoir adhéré à l'hérésie condamnée (on aurait ainsi évité toute enquête); enfin, si le pape persistait avec ténacité dans l'erreur. Le pape ne pouvait donc être accusé d'un crime « occulte »[113].

VI. LE COLLÈGE DES CARDINAUX : ASPECTS ECCLÉSIOLOGIQUES

1. Les cardinaux et la *plenitudo potestatis*

Au début du XIIIe siècle, la position constitutionnelle des cardinaux au sein de l'Église n'était pas encore définitivement établie. D'importantes oscillations subsistaient, entre les exigences qu'imposait le principe de collégialité et les impératifs de la doctrine de la *plenitudo potestatis*. La décrétale *Per venerabilem*[114] d'Innocent III allait jouer une influence déterminante : « Les prêtres de la race lévitique sont nos frères, qui, en accord avec la loi lévitique, agissent comme nos coadjuteurs dans l'exercice de l'offfice sacerdotal. » Aux yeux du pape, l'identité entre les cardinaux et « les prêtres de la race lévitique » servait à metttre en évidence l'importance de la participation des

---

110. « *Neque enim ab Augusto neque ab omni clero neque a regibus neque a populo iudex iudicabitur* » (C. 9 q. 3 c. 13, éd. FRIEDBERG, I, c. 610).
111. Huguccio, *Summa* ad Dist. 21 c. 4, cit. TIERNEY, *Foundations*, p. 63.
112. Alain, ad Dist. 19, cit. *Id., Foundations*, p. 67, n. 2.
113. *Id.*, « Pope and Council », p. 206.
114. *PL* 214, 1132 et suiv. (= *Corpus iuris canonici*, éd. FRIEDBERG, II, 716).

cardinaux au pouvoir pontifical, tout en soulignant leur soumission au pouvoir judiciaire et sacerdotal du pape[115]. Le pouvoir des cardinaux ne pouvait dériver que de l'autorité de Pierre et de ses successeurs. Au milieu du XIIIe siècle, cette même décrétale fournira à l'un des décrétalistes les plus importants de son temps, Hostiensis, l'occasion de proposer une formulation à première vue plus favorable au rôle juridictionnel des cardinaux : « Les cardinaux participent à la plénitude des pouvoirs[116]. » Cette définition consacrait le droit de participation des cardinaux au gouvernement de l'Église, sans pour autant mettre en cause les fondements mêmes de la doctrine de la plénitude des pouvoirs.

2. LES CARDINAUX ET LA « CONCEPTION CORPORATIVE » DE L'ÉGLISE

Innocent III avait aussi défini les cardinaux comme étant les *membra capitis*; les *membra magna ecclesiae Romanae*[117]. Il appliquait, pour la première fois, aux cardinaux une métaphore d'origine paulinienne (Eph. 5, 30), faisant siennes les conceptionss corporatives de son temps. Cette métaphore devint traditionnelle dès le milieu du XIIIe siècle[118]. Selon l'Hostiensis, qui exprime ici l'*opinio communis* des décrétalistes, l'Église universelle est un corps dont le pape est le chef « général », tandis que les cardinaux en sont les membres « particuliers »[119]; les cardinaux sont *pars corporis domini papae*[120]; « Le pape et les cardinaux constituent l'Église romaine[121] ». C'est pour cette raison qu'il existe entre le pape et les cardinaux une union quasi parfaite, du même ordre de celle qui lie l'évêque à son chapitre[122]. Cette vision était largement partagée. Pour Urbain IV aussi, l'Église est comme un seul corps, dont les cardinaux sont les membres qui trouvent leur unité dans la personne du pape[123]. Dans sa lettre au sénateur de Rome, Henri de Castille, Clément IV utilisa la même image : le pape et ses frères, les cardinaux, forment un seul corps dans le Christ[124]. La métaphore du corps impliquait à la fois la reconnaissance du droit des cardinaux à participer au pouvoir juridictionnel du chef de l'Église ainsi que leur

---

115. La suite du texte est explicite sur ce point : « *Is vero super eos sacerdos sive iudex existit, cui Dominus inquit in Petro "Quocumque ligaveris..."* », cf. MALECZEK, *Papst und Kardinalskolleg*, p. 285.

116. Apparatus 4.17.13, *s.v.* Iudicabitis, cit. J.A. WATT, « The Constitutional Law of the College of Cardinals from Hostiensis to Johannes Andreae », *MS*, 33, 1971, p. 153. V. aussi Ch. LEFEBVRE, « Les origines et le rôle du cardinalat au Moyen Âge », *Apollinaris*, 41, 1968, p. 59-70.

117. V. la lettre 345 de la première année du pontificat, éd. *Die Register*, I, p. 515 et suiv.

118. Apparatus 5.33.23, *s.v.* « *sibi fidelitatis et obedientiae iuramento* », cit. WATT, « The Constitutional Law », p. 155.

119. 2.24.4, *s.v.* Romane, cit. *ibid.*, p. 152.

120. 2.24.4, cit. *ibid.*, p. 152. Cette expression est bien antérieure à celle de Jean d'André, citée par E.H. KANTORO-WICZ, *The King's Two Bodies*, Princeton, 1957, p. 208, n 42 (*Id., Les deux corps du roi*, Paris, 1989, p. 455, n. 42). Dans le Code de Justinien (9, 8, 5, les sénateurs étaient définis « Nam et ipsi pars corporis nostri » (c'est-à-dire, de l'empereur). Pour d'autres textes v. J. LECLERC, « Pars corporis papae". le sacré collège dans l'ecclésiologie médiévale », *L'homme devant Dieu. Mélanges offerts au Père H. de Lubac*, II, Paris, 1964, p. 183-198.

121. 4.17.13, *s.v. fratres nostri*, cit. *ibid.*, p. 153.

122. POTTHAST 18224.

123. POTTHAST 20201.

124. « *Collegium cardinalium, in quibus velut in montibus sanctis ecclesiae fundamenta sunt posita* », Saba Malaspina, *RIS*, VIII, p. 803; cf. Matthieu Paris, *Chronica Majora*, éd. LUARD, IV, Londres, 1877, p. 596 : « *... ecclesiam Dei fulcientes* ».

subordination au pouvoir suprême du pape. Ni chez Innocent III ni chez les autres papes du XIIIᵉ siècle, cette métaphore ne tendit à légitimer, sur le plan doctrinal, l'existence d'une oligarchie des cardinaux, pourtant bien réelle au XIIIᵉ siècle. Il y a eu manifestement, sur ce point, décalage entre les définitions doctrinales et la réalité des faits.

3. ESCALADES VERBALES

Le prestige grandissant des cardinaux au XIIIᵉ siècle conduisit à une escalade verbale, où se mêlèrent symboles et réflexions ecclésiologiques quelquefois audacieuses. Les cardinaux furent même définis comme étant les fondements sur lesquels repose l'Église[125]. Au plus fort du conflit qui l'opposait à la papauté, Frédéric II n'hésita pas à flatter les cardinaux pour les gagner à sa cause. Dans son manifeste du 10 mars 1239, l'empereur les définit[126], contre toute tradition ecclésiologique, « successeurs des Apôtres au même titre que les évêques »[127]. Puisque les cardinaux participent à l'autorité du Siège apostolique, ils devraient pouvoir exercer les affaires de l'Église sur la base d'une *aequa participatio*[128]. Dans le pamphlet *Levate* (20 avril 1239), il les incita à convoquer un concile[129], leur proposant ainsi un droit que la tradition canonique n'avait jamais reconnu. En déclarant que les cardinaux n'avaient pas le droit de convoquer un concile, le Décret de Gratien, puis Jean le Teutonique et Huguccio, ainsi que la *Glossa Palatina* ne faisaient en effet que confirmer la règle traditionnelle selon laquelle ce droit appartenait au pape seul. Cependant, une phrase d'Huguccio aurait pu conduire à l'affirmation de certaines prérogatives des cardinaux en la matière. Huguccio avait en effet affirmé que « *Hoc non fit ratione papae sed propter auctoritatem sedis...* »[130].

4. LES CARDINAUX ET L'ŒUVRE LÉGISLATIVE DE L'ÉGLISE ROMAINE : LE CONSISTOIRE

Dans les *Gesta Innocentii III*, le biographe officiel d'Innocent III raconte que « trois fois par semaine il célébrait publiquement le consistoire public dont l'usage était tombé en désuétude. Il y traitait les plaintes individuelles. Les causes de moindre importance étaient instruites par d'autres. Il se réservait les plus importantes de manière si subtile et prudente que tous en étaient émerveillés. De nombreux savants et juristes fréquentaient l'Église romaine pour entendre ses audiences : ils apprenaient en effet

125. « *... vobis, qui positi tanquam luminaria super montem lucetis in gentibus et velut fidei cardines fregitis domum Dei* », BÖHMER-FICKER, n° 2428; cf. 2455 : « *Vos qui estis ecclesiae fundamenta, columnae rectitudinis, assessores Petri, Urbis senatores et orbis cardinales* ».
126. Manifeste du 10 mars 1239 : Matthaeus Paris, *Chronica*, éd. LUARD, III, Londres, 1876, p. 548 (BFW 2427).
127. J.-L.-A. HUILLARD-BREHOLLES, *Historia diplomatica Friderici Secundi*, V, I, Paris, 1861, p. 282.
128. *MGH.Const*, II, p. 289.
129. Cf. *infra*, p. 588-591.
130. Cit. TIERNEY, *Foundations*, p. 79. Sur les problèmes des rapports entre le pape et le concile v. *supra*, p. 588-591.

plus dans ses consistoires que dans les écoles, surtout lorsqu'ils l'entendaient promulguer une sentence... »[131]. Ce passage décrit fort bien la nature du consistoire : une assemblée solennelle et publique de nature judiciaire, correspondant parfaitement au sens que ce mot avait dans la latinité tardive. À cause de ce caractère public et solennel, le consistoire doit être distingué des réunions auxquelles ne participaient que le pape et les cardinaux, qui se déroulaient dans la *camera* du pape[132]. Jusqu'à Innocent III, du reste, l'on désignait par *consistorium Lateranense* la salle de réunion du tribunal curial[133].

Dans les lettres papales, la participation des cardinaux aux décisions prises par le pape au consistoire se manifeste par le recours aux formules : *de communi fratrum nostrorum consilio, de fratrum nostrorum consilio et voluntate commune*, et d'autres analogues. Fréquentes déjà au XIIe siècle, elles deviennent tout à fait traditionnelles au siècle suivant[134].

Le pape était-il obligé de consulter les cardinaux ? Les avis des canonistes n'étaient pas uniformes. Laurent d'Espagne affirmait qu'un pape ne pouvait promulguer une loi générale pour l'Église universelle sans les cardinaux[135] ; pour Alain, au contraire, le recours aux cardinaux, bien qu'opportun, n'était pas contraignant[136]. La question se posait en ces termes encore au début du XIVe siècle. Gui de Baisio optait pour l'opportunité (louable), mais non pour l'obligation (inexistante)[137]. D'après Guillaume Durand, la nomination d'un cardinal légat devait se faire *de consilio collegii cardinalium et non aliter*[138].

Sur un plan général, Étienne de Tournai distinguait entre les *canones* (décrets conciliaires), les *decreta* (contenant les décisions du pape, prises en la présence des cardinaux) et les *decretales* (par lesquelles le pape répond à des questions de droit)[139]. D'autres décrétistes, tel l'auteur de la *Glossa Palatina*, allaient plus loin et considéraient que le pape était incompétent pour établir une loi générale de l'Église sans l'approbation des cardinaux. Selon la *Glossa Palatina*, qui développe ici sans doute une thèse extrême, les cardinaux ont un droit de regard sur l'autorité du pape, puisqu'ils représentent l'Église tout entière.

---

131. *Gesta Innocentii papae III*, c. 41, *PL* 214 ; cf. K. PENNINGTON, « The Legal Education of Pope Innocent III », *Bulletin of Medieval Canon Law*, 4, 1974, p. 75, n. 19 : révision du texte sur le ms. Vat. lat. 12111, f. 12v. Sur une correcte interprétation de la nature du consistoire et des formules qui renvoient à la participation des cardinaux à l'œuvre législative de la papauté v. MALECZEK, *Papst und Kardinalskolleg*, p. 298-300.

132. Cit. TIERNEY, *Foundations*, p. 81.

133. Si l'on en croit le témoignage de Giraldus Cambrensis, *De iure et statu*, éd. BREWER, III, p. 188, cit. MALECZEK, *Papst und Kardinalskolleg*, p. 300, n. 15.

134. TIERNEY, *Foundations*, p. 81.

135. Cit. J.A. WATT, « Hostiensis on "Per Venerabilem" : the role of the College of Cardinals », *Authority and Power. Studies on Medieval Law and Government presented to Walter Ullmann on his seventieth birthday*, Cambridge, 1980, p. 107, n. 23.

136. WATT, « Hostiensis on "Per Venerabilem" », p. 110, n. 28.

137. WATT, « Hostiensis on "Per Venerabilem" », p. 110, n. 28.

138. L. I, p. I, tit. de legato, *s.v. qualiter constituatur legatus* ; cf. J.B. SÄGMÜLLER, *Die Thätigkeit und Stellung der Cardinäle bis Papst Bonifaz VIII, historisch-canonistisch untersucht und dargestellt*, Freiburg i.B., 1896, p. 223.

139. SCHULTE, *Geschichte der Quellen*, I, p. 252.

5. Prérogatives de cardinaux pendant la vacance du Siège apostolique

L'autorité des cardinaux pendant la vacance du Siège apostolique procédait de la doctrine de la *plenitudo potestatis*, puisque, selon une définition de l'Hostiensis, « l'Église romaine ne meurt jamais »[140]. De nombreux canonistes, tel Huguccio, Jean le Teutonique ou encore Barthélemy de Brescia, reconnaissaient aux cardinaux des pouvoirs étendus pendant la vacance du Siège apostolique. Parce que l'autorité du pape est exercée en accord avec les cardinaux, pendant la vacance de l'Église romaine l'autorité ne peut être exercée que par les cardinaux, qui peuvent, par exemple, déposer un évêque. Cette opinion est avancée par l'auteur de la glose *Ecce vicit Leo*, particulièrement favorable aux pouvoirs accordés aux cardinaux[141]. Une telle extension des pouvoirs rencontra des résistances. Matthieu Paris s'en fit l'écho en introduisant une lettre des cardinaux promulguée *sede vacante*[142] et dans laquelle ils affirmaient posséder le pouvoir du Siège apostolique[143]. Bien que généralement favorable aux pouvoirs étendus des cardinaux, l'Hostiensis se montra toutefois plus restrictif en ce qui concerne leurs droits lors d'une vacance. Les cardinaux ne pouvaient prendre des décisions qu'« en cas de nécessité grave et de danger immédiat »[144]. L'image « corporative » de l'Église en limitait de fait les pouvoirs. Toujours selon l'Hostiensis, la mort du pape rend l'Église acéphale : or, les cardinaux, qui étaient appelés à agir à la place du *caput*, n'en étaient toutefois pas la tête[145]. La situation restait tout de même floue, ainsi qu'en témoignent les hésitations des protagonistes eux-mêmes[146].

VII. LES FONDEMENTS DOCTRINAUX DU POUVOIR TEMPOREL

1. La doctrine des deux pouvoirs

Innocent III

Dans le domaine temporel, notamment face à l'Empire, Innocent III resta fidèle à la conception gélasienne des deux pouvoirs. C'est ainsi qu'il écrivit à l'empereur Otton IV le 16 janvier 1209 : « La direction de ce monde nous a été principalement

---

140. Cit. Watt, « The Constitutional Law », p. 156; l'Hostiensis reprend ici une maxime qui était devenue traditionnelle : *universitas non moritur* : cf. Kantorowicz, *The King's two Bodies*, p. 302 et suiv. (trad. franç., *Les deux corps du roi*, p. 199, 230). V. aussi M. Dykmans, « Les pouvoirs des cardinaux pendant la vacance du Saint-Siège d'après un nouveau manuscrit de Jacques Stefaneschi », *ASRSP*, 104, 1981, p. 119-145.

141. Cit. Tierney, *Foundations*, p. 74.

142. *Chronica Majora*, éd. Luard, IV, p. 250.

143. « *penes quos potestas residet apostolica sede vacante* ». Potthast, 11075.

144. Apparatus 5.38.14, *s.v. plenitudinem obtinet potestatis*, cit. Watt, « The Constitutional Law », p. 155;

145. Cit. Tierney, *Foundations*, p. 73. Formule répétée par Jean le Teutonique, *Glossa ad Dist.* 79 c. 7, *Ibid.*, p. 73.

146. Potthast 20504, 20506.

confiée[147]. » Le canon 42 de Latran IV est du reste très explicite à ce point de vue : « Nous entendons que les laïcs n'usurpent pas les droits des clercs : appliquons-nous de même pour empêcher les clercs de s'arroger les droits des laïcs. C'est pourquoi nous interdisons à tout clerc, sous prétexte de liberté ecclésiastique, d'étendre à l'avenir sa juridiction, au préjudice de la justice séculière. Que chacun s'estime satisfait des constitutions écrites et des coutumes jusqu'ici approuvées : ainsi, « ce qui est à César sera rendu à César et ce qui est à Dieu sera rendu à Dieu », conformément à la justice distributive[148] ».

Dans sa décrétale *Novit ille*[149], destinée à expliquer à l'épiscopat du royaume de France pourquoi il considérait que son intervention dans le conflit politique qui opposait Philippe Auguste au roi d'Angleterre était légitime, Innocent III, tout en reconnaissant que le domaine féodal appartient au roi, affirmait que l'intervention du pape était possible et nécessaire *ratione peccati*. En adaptant aux nouvelles réalités politiques un concept ancien, Innocent III a de fait fourni une justification profondément ecclésiologique aux interventions de la papauté dans le domaine temporel.

L'intervention du pape dans les affaires temporelles est, selon Innocent III, justifiée, mais elle reste néanmoins de nature extraordinaire. La *plenitudo potestatis* qu'Innocent III réclame est surtout une *plenitudo ecclesiasticae potestatis*[150]. L'idéal proposé est une coopération des deux pouvoirs, dans l'unité et la concorde.

Dans la lutte contre les hérétiques, cependant, une telle collaboration constituait même un devoir. Le décret *Excommunicavimus* de Latran IV[151] justifiait en effet le recours aux armes séculières de la part du pouvoir spirituel[152] et exigeait une collaboration des deux pouvoirs, dans une situation de subordination du temporel au spirituel.

Innocent IV

Bien avant d'être élu pape, Sinibaldo Fieschi avait présenté dans son *Apparatus* une vision cohérente et précise de ses théories politiques[153]. Selon la tradition, la perspective y est résolument dualiste, mais, de fait, elle présuppose la supériorité du spirituel sur le temporel. Ces deux offices sont distincts et détenus par le pape et

---

147. « *Nobis enim duobus regimen huius seculi principaliter est commissum* » : *Regestum*, éd. KEMPF, p. 386, n° 179.

148. Trad. FOREVILLE, *Latran I*, p. 387.

149. MACCARRONE, « La papauté », p. 385-408.

150. *Reg.* VI, 67 : VII, 1 ; IX, 82 ; pour d'autres textes v. TILLMANN, *Papst Innocenz III*, p. 17, n. 12.

151. Trad. FOREVILLE, *Latran I*, p. 346 : « Tous les hérétiques condamnés devront être abandonnés aux autorités séculières en charge ou à leurs baillis pour subir la peine méritée... Cependant, si un seigneur temporel requis et averti par l'Église, néglige de purger ses terres de cette hérésie infecte, l'évêque métropolitain et ses suffragants le frapperont d'excommunication. S'il néglige de satisfaire dans l'année, on signalera le fait au souverain pontife afin qu'il délie ses vassaux de la fidélité envers lui, exposant sa terre à l'invasion des catholiques... ».

152. Pour une discussion des textes des canonistes v. WATT, « The Theory of Papal Monarchy in the Thirteenth Century : the Contribution of the Canonists », *Traditio*, 2, 1964, p. 42. V. aussi J. MULDOON, « "Extra Ecclesiam non est imperium" : The Canonists and the Legitimacy of Secular Power », *STGra*, 9, 1966, p. 551-580.

153. *Apparatus super quinque libros decretalium*, Milan, 1505, livre I, titres VI, VII, IX et XXIX ; livre II, titres II, X et XXVII ; livre IV, titre XVII ; livre V, titre XXXIX. En général v. W. ULLMANN, « Frederick's opponent Innocent IV as Melchisedech », *Atti del Convegno internazionale di Studi Federiciani*, Palermo, 1952, p. 53-81.

l'empereur sans que l'un puisse intervenir dans l'exercice ordinaire de l'autre. Dans le domaine féodal, l'Église reconnaît au *dominus feudi* l'entière juridiction, même lorsque l'une des deux parties est un ecclésiastique. L'empereur est le seul à posséder un pouvoir éminent dans le domaine temporel, auquel clercs et laïcs doivent se soumettre sans restriction. L'Église doit même l'aider à se faire obéir[154] et ne doit pas hésiter à recourir à l'excommunication contre les transgresseurs du « privilège » (pouvoir) impérial. Elle ne doit pas chercher à annexer tout le temporel[155]. Lorsqu'elle y intervient, c'est pour permettre un fonctionnement régulier de l'organisme ecclésial.

En ce qui concerne l'Empire, les prétentions politiques avancées par Innocent IV concernent avant tout le droit de choisir entre plusieurs élus[156], de déposer[157], d'administrer le temporel pendant la vacance impériale[158], voire même de se substituer à la juridiction laïque, pour des raisons morales : lorsque, par exemple, le juge laïque néglige de faire justice aux veuves ou lorsque le « juge séculier est suspect ». Innocent IV prévoyait ainsi un élargissement considérable de la compétence cléricale en matière de juridiction.

L'autorité du pape est donc résolument de nature prééminente : il l'exerce seulement de manière complète dans le domaine temporel, en tant que vicaire du Christ[159] et parce que le pape est « *dominus naturalis... et de jure naturali in imperatorem* »[160]. Toute personne possédant une autorité temporelle, qu'il soit empereur ou prince, est donc soumise, d'après la loi naturelle et de toute éternité, au vicaire du Christ[161].

Si la plupart des principes énoncés par Innocent IV sont traditionnels, la prééminence de l'autorité pontificale y est affirmée de manière plus résolue que par le passé et la sphère d'intervention du pouvoir spirituel y est plus étendue. La papauté semble être passée d'une volonté de défense du spirituel et du sacré, en un mot de la *libertas ecclesiae*, encore visible chez Alexandre III[162], à une conception du pouvoir basée sur la possibilité d'intervention, voire d'ingérence dans la sphère du temporel.

Eger cui lenia

L'*Eger cui lenia* (ou *Eger cui levia*, selon certains manuscrits)[163] est l'« un des textes fondamentaux de la théocratie pontificale »[164], ayant la même valeur historique que les grands textes d'Innocent III en la matière. L'auteur y réfute systématiquement tous

---

154. « *In temporali autem generaliter solus imperator...* » : Livre V, titre XXXIX, chap. 49.
155. Livre I, titre XXXIX, chap. 1.
156. Livre I, titre XVI, chap. 34.
157. Livre II, titre XXVII, chap. 27.
158. Livre II, titre II, chap. 10.
159. V. plus haut, p. 583.
160. Livre II, titre XXVII, chap. 27.
161. Livre II, titre XXVII, chap. 27.
162. M. PACAUT, « L'autorité pontificale selon Innocent IV », *Le Moyen Âge*, 66, 1960, p. 194 et suiv.
163. Ce texte est conservé dans le recueil de lettres pontificales composé à Lyon par Albert Beham, chapelain du cardinal Raniero Capocci. Il se trouve à la suite de deux lettres de Frédéric II protestant contre la condamnation prononcée au concile de Lyon II. Première éd. : C. HÖFLER, *Albert von Beham und Regesten Papst Innocenz IV*, Stuttgart, 1847, p. 86-91, n° 8.
164. PACAUT, « L'autorité pontificale », p. 92.

les arguments avancés par la propagande impériale (Pierre de la Vigne) au lendemain du premier concile de Lyon et en arrive à prétendre qu'« il ne reconnaît pas le fils de Dieu héritier de l'univers pour Dieu et Seigneur, celui qui se prétend exempt de la soumission à son vicaire »[165]. Le pape, vicaire du Christ, possède « une légation générale » du roi des rois, dont il a reçu « la plénitude du pouvoir de lier et de délier sur la terre non seulement qui que ce soit, mais aussi quoi que ce soit, en sorte qu'aucune chose ou affaire n'en soit exceptée, ce pouvoir embrassant plus générale-ment tout l'univers »[166]. La souveraineté du pape est totale et illimitée, d'autant plus que « le Siège apostolique n'a (pas) reçu de Constantin le principat de l'Empire », car il « l'avait auparavant... par nature et à l'état potentiel », le Christ ayant « constitué au profit du Siège apostolique une monarchie non seulement pontificale, mais royale »[167]. Le Christ remet « au Siège apostolique les rênes de l'Empire tout à la fois terrestre et céleste, comme l'indique la pluralité des clefs, car il a reçu le pouvoir d'exercer sa juridiction par l'une sur la terre pour les choses temporelles, par l'autre sur le ciel pour les choses spirituelles »[168].

Pendant longtemps, l'attribution de ce pamphlet à Innocent IV, proposée pour la première fois par J.-L.-A. Huillard-Bréholles[169], ne rencontra aucune sérieuse opposition. Le témoignage de Tolomée de Lucques faisait autorité. Plus récemment, l'authenticité de cette lettre a été remise en cause[170], notamment en raison de l'existence de parallèles existant entre six passages de *Eger cui lenia* et du *Iuxta vaticinium Ysaie*, un pamphlet anonyme de la littérature eschatologique de la première moitié du XIIIe siècle, généralement attribué au cardinal Rainier Capocci de Viterbe ou à l'un des membres de son entourage[171]. On a ainsi pu émettre l'hypothèse que l'auteur de *Eger cui lenia* devait être recherché au sein du collège des chapelains du cardinal Rainier lui-même. D'autre part, comme l'avait déjà signalé G. de Lagarde[172], Guillaume d'Ockham avait déjà attribué à Innocent IV les affirmations contenues dans ce grave pamphlet[173], de sorte que la question de la paternité de *Eger cui lenia* ne peut être tranchée. Ce pamphlet était surtout destiné à affirmer que l'empereur, par ses fautes et ses excès, s'était rendu « indigne de l'Empire, de tout honneur et de toute dignité » et que le Seigneur l'avait privé « de la dignité de l'Empire et des royaumes ». *Eger cui lenia* ne contredit donc pas ce que Sinibaldo Fieschi avait affirmé dans son *Apparatus*, à propos de la distinction des deux pouvoirs. En cas de vacance de

---

165. Trad. PACAUT, « L'autorité pontificale », p. 102.

166. *Ibid.*, p. 103.

167. *Ibid.*, p. 103.

168. *Ibid.*, p. 104.

169. *Vie et correspondance de Pierre de la Vigne*, Paris 1865, p. 145, qui avait identifié ce texte avec le *Liber de iurisdictione imperii* que Tolomée de Lucques attribuait à Innocent IV.

170. P. HERDE, « Ein Pamphlet der päpstlichen Kurie gegen Kaiser Friedrich II von 1245/26 ("Eger cui lenia") », *DA*, 23, 1967, p. 511-538.

171. *Ibid.*, p. 499 et suiv.

172. De LAGARDE, *La naissance de l'esprit laïc*, IV, p. 201.

173. C. DOLCINI, « "Eger cui lenia", 1245/46) : Innocenzo IV, Tolomeo da Lucca, Guglielmo d'Ockham », *RSCI*, 29, 1975, p. 147 et suiv. (rééd. *Id.*, *Crisi di poteri e politologia in crisi. Da Sinibaldo Fieschi a Guglielmo Ockham*, Bologna, 1988, p. 119-46).

l'Empire, comme après la déposition de Frédéric II par le premier concile de Lyon, le droit de suppléance échoit au pape[174].

2. LE POUVOIR TEMPOREL DU PAPE

La politique de « récupération » de l'État pontifical

Dès le début de son pontificat[175], Innocent III manifesta le désir de revendiquer pour le Siège apostolique les territoires qu'il considérait comme devant lui appartenir sur le plan temporel. Ces territoires étant perdus depuis longtemps pour l'Église, le devoir du pape était de retrouver son ancienne position de force. La politique de « récupération »[176] avait déjà été engagée par Célestin III après la mort d'Henri VI. Mais seul Innocent III développa un projet politique cohérent, visant à la reconquête de la souveraineté pontificale à Rome et dans les États de l'Église, à la restauration de la souveraineté féodale sur le royaume de Sicile, voire même à la réunification des puissances italiennes sous la conduite de la papauté. Mis en œuvre avec une détermination et une lucidité politiques sans précédent, ce programme, qui fit d'Innocent III le véritable créateur de l'État pontifical[177], prolongeait d'anciennes aspirations politiques de l'Église romaine ayant pour objectif de jeter les bases d'une souveraineté seigneuriale en Italie centrale[178].

Cette politique n'était pas exempte de dangers. Moraux, tout d'abord, l'Église romaine risquant de s'empêtrer dans des difficultés d'ordre temporel, comme n'importe quel seigneur féodal; politiques et militaires, la papauté devant se doter d'instruments capables d'assurer le succès d'une opération, dont les fruits n'étaient pas garantis. L'auteur des *Gesta Innocentii III*[179] admet que le pape en était conscient mais y restait néanmoins très attaché, la justifiant par un langage propre à la papauté réformatrice du XIe siècle : la « récupération » du patrimoine de l'Église était œuvre de réforme exigeant une *sollicitudo* particulière.

Justifications ecclésiologiques

Malgré ces incertitudes, Innocent III, dès son élection, considéra cette politique comme une prémisse indispensable à l'exercice de sa charge dans l'Église[180] universelle. Pour justifier la création d'une entité politique cohérente et organisée, à

---

174. *Ibid.*, p. 148 et suiv.

175. MACCARRONE, *Studi*, p. 12.

176. L'ensemble de cette action politique est ainsi défini par l'historiographie moderne, depuis J. FICKER, *Forschungen zur Reichs- und Rechtsgeschiche Italiens* (réimpr. Aalen, 1961). V. maintenant H. TILLMANN, « Rekuperationen : das Schicksal der päpstlichen Rekuperationen nach dem Friedensabkommen zwischen Philipp von Schwaben und der römischen Kirche », *HJ*, 51, 1931, p. 341-365.

177. Pour une reconstitution des événements v. MACCARRONE, *Studi*, p. 9-22.

178. KEMPF, *Papsttum und Kaisertum*, p. 3; cf. P. TOUBERT, *Les structures du Latium médiéval*, II, Rome, 1973, p. 1080 et suiv.

179. *PL* 214, c. 29-30.

180. MACCARRONE, *Studi*, p. 12; lettre du 31 mai 1198 à Richard Ier d'Angleterre, éd. *Die Register*, I, p. 329.

l'image des nouveaux États qui se constituaient alors un peu partout en Europe, Innocent III recourut à la donation de Constantin[181]. Dans un sermon du 22 février 1199, le pape, se référant au symbolisme du mariage entre l'évêque et son Église, affirmait qu'« elle (l'Église romaine) m'a apporté une dot infiniment précieuse : la *plenitudo spiritualium* et la *latitudo temporalium...* Comme signe du pouvoir spirituel elle m'a attribué la mitre, comme signe du pouvoir temporel la couronne (ou tiare) ; la mitre pour le sacerdoce, la couronne pour la royauté ; ainsi elle m'a fait vicaire de Celui sur les habits et le fémur duquel il est écrit : roi des rois, seigneur des seigneurs, prêtre pour l'éternité d'après l'ordre de Melchisédech »[182]. La dot « temporelle » reçue par l'Église romaine lors de sa consécration épiscopale correspond aux possessions

Herder

*L'empereur Constantin à pied conduit le pape Sylvestre à Rome,
dont il lui fait donation, fresque dans l'oratoire de Saint-Sylvestre
de l'église des SS. Quattro Coronati à Rome (milieu du XIIIᵉ siècle).*

181. Selon G. MARTINI, « Traslazione dell'impero e Donazione di Costantino nel pensiero e nella politica di Innocenzo III », *ASRSP*, 56-57, 1933-34, p. 353-355, la « Donation » n'aurait pas été utilisée pour justifier les prétentions temporelles d'Innocent III ; v. sur ce point H. TILLMANN, « Zur Frage des Verhältnisses von Kirche und Staat in Lehre und Praxis Papst Innocenz' III », *DA*, 9, 1952, p. 150.

182. *PL* 217, c. 665.

territoriales (la *latitudo temporalium*) données par Constantin au pape Silvestre, selon les termes de sa célèbre « donation ».

La « donation » de Constantin n'était toutefois pas la seule source de légitimité. Fidèle à la tradition, Innocent III fit remonter l'existence d'un « État de l'Église » à la volonté expresse et directe du Christ. C'est du Christ lui-même que l'Église romaine a reçu son *dominium*[183]. Le titre lui-même de *Vicarius Christi* servit à légitimer l'intervention du pape dans le domaine temporel : le pape possède les prérogatives de la souveraineté propre et exclusive de Jésus-Christ ; le pouvoir temporel du pape est lui aussi d'origine divine. L'évolution terminologique soutint cette vision ecclésiologique : à l'appellation traditionnelle de « Patrimoine du bienheureux Pierre » vint se substituer celle de « Patrimoine apostolique » ou de « Patrimoine de l'Église »[184].

Poussé par le désir de sortir de l'étau dans lequel l'avait enfermé la double élection impériale de 1198, Innocent III[185] établit, dans la décrétale *Per Venerabilem*, une analogie entre l'élection impériale et l'élection épiscopale : *iudex superior*, le pape possède un droit indiscutable d'examen. Le pape explique en posséder la *plenitudo potestatis in temporalibus* surtout dans le Patrimoine de Saint-Pierre ; dans les autres pays, la juridiction temporelle ne s'exerçait que *certis causis inspectis*. Innocent III pouvait ainsi se présenter à la fois comme le vrai chef de la *christianitas* et justifier la possession par la papauté d'un véritable État. Ces affirmations remettaient implicitement en cause l'une des principales doctrines politiques médiévales, celle de la distinction des deux pouvoirs[186], puisqu'elles présupposaient le principe d'une supériorité pontificale : mais, dans certains cas, en effet, le pouvoir pontifical se jugeait autorisé à s'ériger en arbitre face au pouvoir temporel.

Justifications politiques

L'existence d'un État de l'Église devait doter le pape d'une importante assise politique face à l'Empire. Innocent III n'hésita pas à ce propos à exploiter les ressentiments des populations contre la présence de l'étranger[187]. Le pape signala aux populations qu'en imposant son autorité, il les libérait d'un « joug de dure condition »[188]. Très habilement, Innocent III mit en avant l'ordre national, déjà très mûr en ce début du XIIIᵉ siècle, pour fournir aux responsables des villes de l'Italie centrale, peu enclins à accepter facilement la naissance d'une nouvelle entité politique stratégiquement si importante, une nouvelle justification politique à l'existence d'un État de l'Église.

Le raisonnement était subtil. En adaptant à l'Italie tout entière ce que la tradition médiévale avait jusqu'ici réservé à Rome, siège du *principatus* de l'Église et de

---

183. Lettre à l'évêque de Ferme du 13 janvier 1206 : *PL* 215, c. 767 ; cf. MACCARRONE, *Chiesa e Stato*, p. 48-50 ; *Id.*, *Vicarius Christi*, p. 114-115 ; *Id.*, *Studi*, p. 13.

184. Lettres aux recteurs de Toscane du 16 avril 1198, éd. *Die Register*, I, p. 126, nᵒ 88, et au roi d'Angleterre du 31 mai 1198, *ibid.*, p. 325, nᵒ 230.

185. KEMPF, *Papsttum und Kaisertum*.

186. V. plus haut, p. 595-597.

187. Les *Gesta* parlent de *importabilem Alemannorum tyrannidem* : *PL* 214, c. 26.

188. *Die Register*, I, p. 127, nᵒ 88.

l'Empire, l'Italie devint, sur la base de la doctrine gélasienne des deux pouvoirs et par la volonté de la Providence divine, « fondement de la religion chrétienne » et siège du « principat du sacerdoce et du royaume », d'un gouvernement temporel juste, équitable, modéré[189]. L'« argument italien » fut avancé clairement par le pape le 16 avril 1198, dans une lettre envoyée aux recteurs de toutes les villes de la Tuscia[190]. Ses sujets étaient *filii speciales* de l'Église romaine[191] jouissant de la « protection apostolique ».

Sur bien des points, la politique temporelle d'Innocent III voulait se substituer à l'Empire. En offrant aux archevêques de Ravenne la *protectio beati Petri*, il aspirait à étendre la zone d'influence politique sur une région — l'Exarchat — ayant bénéficié de la protection impériale depuis l'époque de Frédéric Ier Barberousse et de son fils Henri VI.

Résultats

La politique de « récupération » d'Innocent III ne connut qu'un succès partiel. Dans le duché de Spolète, le rétablissement de la souveraineté pontificale fut rapide et durable, mais la Marche d'Ancône était perdue pour l'Église dès le printemps 1199. Le succès du pape fut très limité dans la *Romania* (Exarchat de Ravenne) et pratiquement nul dans les terres de Mathilde de Toscane. Malgré ses coups de force, cette région resta en dehors de la zone d'influence du pape, et la politique de réunification des puissances italiennes sous la conduite de la papauté relevait de l'utopie, les ligues lombardes et toscanes persévérant dans leur politique d'indépendance.

La politique de « récupération » s'engagea surtout au nord de Rome, dans la région de l'ancien Patrimoine de Saint-Pierre, que les sources officielles se plaisent maintenant à appeler « Patrimoine de Saint-Pierre in Tuscia » pour accentuer le désir d'affirmer la souveraineté pontificale sur une région qui était pourtant entrée depuis longtemps déjà dans l'orbite économique de la Toscane. Un des objectifs d'Innocent III fut justement d'éviter que cette intégration progresse de manière trop rapide et systématique[192].

Les villes de la Tuscia, en particulier Orvieto et Viterbe, avaient connu au cours du XIIe siècle une phase exceptionnellement favorable d'expansion politique et économique, soutenue par l'acquisition récente de l'autonomie communale. Des conflits souvent rudes opposèrent leurs intérêts à la politique d'Innocent III. En ce qui concerne Orvieto, son importance stratégique avait été reconnue dès le milieu du XIIe siècle par Adrien IV, qui l'avait choisie comme siège de sa rencontre avec Frédéric Ier, alors en route vers Rome pour recevoir la couronne impériale (1155). Deux ans plus tard, un traité conclu avec l'empereur assurait au pape le *dominium* sur

---

189. *Die Register*, I, p. 600, n° 401.
190. *Die Register*, I, p. 127, n° 88; cf. MACCARRONE, *Chiesa e Stato*, p. 148-153 et *Id., Studi*, p. 16-17.
191. Lettre au peuple de Perugia du 2 octobre 1198, éd. *Die Register*, I, p. 568-569, n° 375; cf. G. DI MATTIA, « La "protectio beati Petri" e la "libertas romana" nelle decretali e in Benedetto XIV. A proposito di due bolle di Gregorio IX sulla basilica di s. Francesco in Assisi », *StGra*, 13, 1967, p. 91-533.
192. WALEY, *The Papal State*, p. 30-67, et MACCARRONE, *Studi*, p. 9-22.

la ville, qu'Henri VI confirma le 3 avril 1189[193]. Orvieto devenait ainsi la ville la plus importante des territoires contrôlés par l'Église au nord de Rome.

3. LES INSTITUTIONS DE L'ÉTAT PONTIFICAL

Les provinces

Innocent III distribua l'État en provinces. Le Patrimoine de Saint-Pierre dans la Tuscia, le duché de Spolète et la Marche d'Ancône vinrent ainsi s'ajouter aux anciennes possessions de l'Église romaine, la Sabine[194] et la Campagna, qui fut appelée Campagna et Marittima dès le pontificat d'Innocent III[195]. La Romagne devint la cinquième province de l'État après son acquisition par le pape Nicolas III en 1278.

Les recteurs

Pour mettre en place sa politique, le pape nomma comme recteurs du Patrimoine des personnages appelés à jouer un rôle déterminant, comme Pierre de Vico, préfet de Rome[196], ainsi que des châtelains, choisis parmi les ecclésiastiques de sa cour ou des laïcs de son entourage familial et curial. Les recteurs, véritable institution clé de l'État, furent présents dans le Duché, la Campagna et le Patrimoine dès les premières années d'Innocent III, et dans toutes les provinces à partir du pontificat d'Honorius III.

La nomination de recteurs[197] poursuivait un double objectif : affirmer la souveraineté pontificale sur les villes, mais aussi en assurer le contrôle spirituel, notamment à propos de la lutte contre les hérétiques : le pape se devait de créer un modèle que les autres villes italiennes et de la chrétienté étaient appelées à suivre. La décrétale *Vergentis in senium*[198] liait les deux aspects. La confiscation des biens de tous ceux qui auraient aidé les hérétiques était immédiate « sur les terres sujettes à notre juridiction temporelle » et n'avait pas besoin d'une confirmation de la part des autorités séculières, comme c'était le cas dans les autres régions.

Une politique de confiscation aussi stricte ne pouvait être acceptée de gaieté de cœur de la part des populations. Le recteur que le pape avait envoyé à Orvieto, le romain Pierre Parenzo, incapable de s'imposer à une commune fière de son autonomie communale, fut la victime d'une conjuration. La sévère répression (pontificale) qui suivit prit rapidement des connotations politiques, tendant à créer un culte autour du

---

193. D. WALEY, *Medieval Orvieto. The Political History of an Italian City-State, 1157-1334*, Cambridge, 1952.

194. La Sabine fut plus tard (XIVe siècle) absorbée par le Patrimoine.

195. WALEY, *The Papal State*, p. 90 et suiv.

196. C. CALISSE, « I Prefetti di Vico », *ASRSP*, 10, 1886, p. 1-136 et 353-394 ; G. ERMINI, « I rettori provinciali dello Stato della Chiesa da Innocenzo III all'Albornoz », *RSDI*, 6, 1931, p. 29-104 et WALEY, *The Papal State*, p. 167 et suiv.

197. Liste la plus complète pour le XIIIe siècle dans WALEY, *The Papal State*, p. 307-318. Cf. A. PARAVICINI BAGLIANI, « Eine Briefsammlung für Rektoren des Kirchenstaates, 1250-1320 », in *DA*, 35, 1979, p. 138-208 (édition du seul recueil de lettres d'un recteur de l'État pontifical, parvenu jusqu'à nous pour le XIIIe siècle).

198. Éd. *Die Register*, I, p. 743-744.

« martyr »[199], auquel Innocent III, peut-être bien informé des agissements de son recteur qui s'était enrichi en confisquant les biens des hérétiques, ne donna aucune suite, refusant de lui reconnaître le titre et l'auréole de martyr, sans doute aussi pour rester fidèle aux principes réglant la canonisation qu'il venait lui-même de proposer et de mettre en pratique. Le culte de Pierre Parenzo ne dépassa pas les limites locales.

Tous les recteurs ecclésiastiques mis en place par Innocent III avaient été des membres du collège des cardinaux, puis la charge de recteur fut confiée aussi à des prélats de rang inférieur, principalement à des évêques ou à des chapelains du pape. Innocent IV fut le seul pape de cette époque à avoir été recteur d'une province (la Marche) de l'État avant son accession au pontificat. Certains recteurs, surtout lorsqu'ils étaient en même temps membres du collège des cardinaux (Rainier de Viterbe, Pierre Capocci, Richard Annibaldi, plus tard Napoléon Orsini) reçurent également les pouvoirs des légats. Contrairement aux pratiques mises en place par Innocent III, qui nomma cinq recteurs ecclésiastiques et cinq laïcs, la figure du recteur se cléricalisa au cours du XIIIᵉ siècle : parmi les cent cinquante recteurs identifiés[200], quatre-vingt-dix furent des ecclésiastiques. Entre 1216 et 1268, seul sept laïcs furent nommés recteurs, contre cinquante-six clercs. Dès le pontificat de Grégoire X, le nombre des laïcs eut tendance à augmenter, les papes s'appuyant davantage qu'auparavant, dans le gouvernement de l'État, sur des membres de leurs parenté, afin aussi de contrecarrer l'influence des Angevins[201]. Grégoire X nomma recteurs quatre de ses parents.

S'il était laïc, le recteur était secondé par un recteur pour les affaires spirituelles (*rector in spiritualibus*), dont les pouvoirs, en matière de juridiction ecclésiastique, étaient tout à fait indépendants. Le recteur *in spiritualibus* tenait son propre tribunal, pouvait promulguer des constitutions dans le parlement provincial à propos de l'usage des armes contre les hérétiques et ordonner au clergé de payer impôts et procurations[202]. Au moins dès le pontificat de Grégoire IX, les recteurs avaient à leur côtés des juges, au début un seul par province.

Parlements

Un seul parlement général se tint au XIIIᵉ siècle à l'intérieur de l'État pontifical. Il fut présidé par Innocent III à Viterbe, les 21-23 septembre 1207, en présence de prélats, feudataires et représentants des villes de la Marche, du Duché et du Patrimoine. Leur serment d'allégeance constituait une véritable reconnaissance publique du nouvel État de l'Église. Après l'annexion de la Romagne à l'État pontifical (1278), des parlements provinciaux eurent lieu avec une certaine régularité (dix-sept en Romagne entre 1278 et 1304)[203].

---

199. On procéda à une sorte d'*elevatio corporis* : MACCARRONE, *Studi*, p. 34 et suiv.
200. WALEY, *The Papal State*, p. 102.
201. V. en particulier : A. PARAVICINI BAGLIANI, « Il testamento del notaio papale Isembardo da Pecorara († 1279). Note di prosopografia curiale duecentesca », *Palaeographica, Diplomatica et Archivistica. Studi in onore di Giulio Battelli*, Rome, 1979, p. 219-241.
202. WALEY, *The Papal State*, p. 105. Liste : p. 319-324.
203. Liste des parlements : *Ibid.*, p. 304-306.

Les cardinaux et le gouvernement de l'État pontifical

La responsabilité financière de l'État était dans les mains du *camerarius* du pape. Les cardinaux jouèrent cependant un rôle grandissant au XIIIe siècle dans la direction des affaires de l'État. Grégoire IX leur concéda le droit à la consultation (1234) ainsi qu'un tiers des revenus. De nouveaux droits furent reconnus par Nicolas IV (bulle *Celestis altitudo*, 1289 : moitié des revenus, participation à la nomination des recteurs et des collecteurs[204]) ; ils étaient plus le reflet du prestige grandissant de la fonction cardinalice que d'une évolution significative du partage de l'autorité au sein de l'Église romaine.

VIII. LA SCIENCE JURIDIQUE AU SERVICE DE L'ÉGLISE ROMAINE : LES DÉCRÉTALES

1. Définition et typologie

Au cours du XIIe siècle, les canonistes prirent l'habitude de rassembler dans une collection des lettres émanant d'un ou de plusieurs pontificats, auxquelles on attribuait une signification particulière sur le plan législatif. Ces textes, désignés généralement par le terme de « décrétales », se distinguaient des autres lettres pontificales, parce qu'elles contenaient presque exclusivement des réponses officielles, émanant de la plus haute autorité de l'Église, à toutes sortes de consultations judiciaires ou extra-judiciaires, provenant d'évêques, de dignitaires ecclésiastiques ou de hauts personnages laïques. Très tôt, ces lettres, essentiellement transmises par et pour des canonistes, devinrent le véritable fondement du droit canon, l'instrument par lequel l'Église romaine créait le nouveau droit.

L'accroissement incessant des décisions pontificales et leur rapide adoption dans les collections de décrétales[205] modifièrent radicalement une ancienne maxime canonique qui remontait à Denis le Petit[206], et qui avait été acceptée par Gratien[207], à savoir que les décrétales ont la même autorité que les décrets conciliaires. Du VIe au XIIe siècle, la question de la priorité d'une de ces deux principales sources du droit canon ne s'était jamais vraiment posée[208]. Vers la fin du XIIe siècle, l'évolution arriva à son terme :

---

204. *Ibid.*, p. 123.

205. Plus de 1 000 pour la seule période qui va du Décret de Gratien au début du pontificat d'Innocent III.

206. « *Et quamquam statuta Sedis apostolicae vel canonum venerabilia definita nulli sacerdotum Domini ignorare sit liberum* » : décrétales du pape Syrice, c. 15, peu avant 500 (*PL* 67, c. 238) ; cf. *DDC*, IV, Paris, 1944, c. 1145.

207. Dist. 20, prologue : « Decretales itaque epistole canonibus conciliorum pari iure exequantur », cf. Ch. Munier, « L'autorité de l'Église dans le système des sources du droit médiéval », *JC*, 6, 1976, p. 53 et suiv.

208. P. Landau, « Die Entstehung der systematischen Dekretalensammlungen und die europäische Kanonistik des 12. Jahrhunderts », *ZSRG. K*, 96, 1979, p. 120-148 (p. 120).

pour Huguccio, une décrétale, même très récente, doit avoir la priorité sur l'ancien droit conciliaire[209].

Sur un plan général, les canonistes devaient adapter les lettres des papes aux besoins des écoles et des tribunaux, le texte des décrétales n'étant pas considéré comme intangible. L'insertion d'une décrétale dans une collection comportait nécessairement des coupures, ajouts, résumés, interpolations, qui pouvaient provoquer de profondes altérations des décisions pontificales, auxquelles s'ajoutaient les inévitables manipulations textuelles provenant du travail d'interprétation des canonistes eux-mêmes[210].

2. LES COLLECTIONS DE DÉCRÉTALES AU XIIIe SIÈCLE

Dans un premier temps (1150-1175), le *ius novum* découlant des décisions des papes fut recueilli et enregistré par les canonistes dans des sortes d'*addenda*, appelés *palae*[211]. Mais dès la deuxième partie du pontificat d'Alexandre III (1170 environ), l'accroissement rapide du *ius novum* rendit nécessaire la constitution de collections de décrétales tout à fait indépendantes. Cette évolution apparut d'abord très nettement en Angleterre, où l'on accorda une attention particulière au *ius novum* et à la nécessité de forger des gloses indépendantes et systématiques. En Italie, notamment à Bologne, et en France, on continua encore longtemps, jusqu'en 1190 environ, à privilégier les collections réunissant le *ius antiquum* et le *ius novum*[212].

Les premières collections de décrétales avaient été rassemblées par les canonistes surtout pour leurs besoins privés (enseignement, procédure). Un certain nombre d'entre elles reçurent assez rapidement un caractère officiel et servirent de base à l'enseignement du droit canon dans les écoles. Dès le troisième quart du XIIe siècle, la plupart de ces collections possédaient un degré d'authenticité certain. Très tôt, déjà à partir de 1177-1179[213], les canonistes commencèrent à rédiger des commentaires aux collections de décrétales[214].

La *Compilatio Prima*

Un premier apogée est sans doute atteint à la fin du XIIe siècle avec la composition du *Breviarium Extravagantium* (collection de décrétales *qui vagant extra Decretum*) de Bernard, prévôt de Pavie (1189-1193 environ); connu plus tard comme *Compilatio Prima*, il servit de modèle aux futures collections du même type. Le noyau était

---

209. C. LEFEBVRE, *Histoire du droit et des institutions de l'Église en Occident*, VII, *L'âge classique. 1140-1378*, éd. G. LE BRAS - C. LEFEBVRE - RAMBAUD, Paris, 1965, p. 233.

210. Plusieurs exemples sont étudiés par PENNINGTON, « The Making », p. 84 et suiv.

211. KUTTNER, *Repertorium*, p. 273-276. Survol récent sur les rapports entre la papauté et le droit : G. SILANO, « On Sleep and Sleeplessness : The Papacy and Law », 1150-1300 », *The Religious Roles of the Papacy*, p. 343-361.

212. LANDAU, « Die Entstehung », p. 147-148.

213. T.P. MACLAUGHLIN, « The "Extravagantes" in the "Summa" of Simon of Bisignano », *MS*, 20, 1958, p. 167-176.

214. Les coll. de décrétales du XIIe siècle sont conservées dans une soixantaine de mss. : *Decretales ineditae; Studies in the collections*; P. LANDAU, « Dekretalensammlungen des 12. und beginnenden 13. Jahrhunderts », *ZSRG. K*, 99, 1982, p. 453-461. En général, v. J. GAUDEMET, « Collections canoniques et codification », *RDC*, 33, 1983, p. 81-109.

constitué par les décrétales d'Alexandre III et de ses successeurs immédiats (Lucius III, Urbain III, Grégoire VIII et Clément III)[215].

La *Compilatio Secunda*

Des recherches récentes ont mis en évidence qu'un certain nombre de collections canoniques[216] : *Lucensis, Halensis, Rotomagensis prima, Francofurtana*, etc., avaient vu le jour pour combler la lacune existant entre les pontificats d'Alexandre III et d'Innocent III[217]. Dans ce domaine, le rôle principal fut joué par la *Compilatio Secunda*. Organisée par son auteur, Jean de Galles, selon les mêmes principes que la *Compilatio Prima*, elle fut publiée en 1210, encore sous le pontificat d'Innocent III. Jean de Galles s'intéressa aux pontificats de Clément III et de Célestin III, qui n'avaient pas encore été couverts par un recueil systématique[218].

Collections de décrétales et registres de lettres papales

Depuis Innocent III, les registres des lettres des papes produits par la chancellerie constituent la principale source pour les recueils de décrétales[219], comme le prouve le plus ancien recueil réunissant exclusivement des décrétales de ce pape, rédigé par Ranier de Pomposa[220]. Parmi les très nombreuses collections de décrétales d'Innocent III, celles de Gilbert, terminée autour de 1202[221], d'Alain l'Anglais, rédigée autour de 1206[222] et de Bernard de Compostelle[223] méritent une mention particulière.

La *Compilatio Tertia*

Rédigée à la curie romaine peu avant 1212, la collection de Pierre de Bénévent — appelée *Compilatio Tertia* — contient les décrétales des douze premières années du pontificat d'Innocent III (1198-1212) ; elle a été la première collection de décrétales à recevoir une approbation officielle écrite de la part d'un pape. Ancien professeur de droit à Bologne[224], Pierre de Bénévent était entré sous Innocent III au service de la curie romaine, peut-être en 1205 déjà[225], et exerça longtemps la fonction de notaire du

---

215. FRANSEN, « La tradition manuscrite de la "Compilatio prima" », *Proceedings of the Second International Congress of Medieval Canon Law*, p. 55-62.
216. *Lucensis, Halensis, Rotomagensis prima, Francofurtana*, etc.
217. *Studies in the Collections*, p. 208-319.
218. V. HECKEL, « Die Dekretalensammlung », *HJ*, p. 116-357.
219. W. HOLTZMANN, « Die Register Papst Alexander III. in den Händen der Kanonisten », *QFIAB*, 30, 1940, p. 14.
220. *PL* 216, c. 1173-1272; cf. KUTTNER, *Repertorium*, p. 310.
221. *Ibid.*, p. 310-311.
222. *Ibid.*, p. 316-317.
223. *Ibid.*, p. 317-319.
224. Aucune source ne nous permet d'affirmer qu'Innocent III l'avait connu lors de son séjour dans cette ville.
225. K. PENNINGTON, « The Making of a Decretal Collection. The Genesis of "compilatio tertia" », *Proceedings of the Fifth International Congress of Medieval Canon Law*, Cité du Vatican, 1980, p. 68-92 (p. 68).

pape[226], avant d'être créé cardinal-diacre par Innocent III en 1212. Il mourut en 1219 ou en 1220. Rompant avec une longue tradition, Innocent III adressa personnellement cette collection aux maîtres et étudiants du *Studium* de Bologne : dans une lettre d'accompagnement (21 février 1210), il expliqua que toutes les décrétales provenaient des registres de la chancellerie. Ce fait n'est toutefois pas vérifiable pour les dix premières années du pontificat d'Innocent III et, même pour les 45 décrétales des années 11 et 12 de son pontificat, l'usage des registres n'est pas prouvé[227]. Il est vrai qu'en tant que notaire du pape, Pierre de Bénévent pouvait utiliser les minutes, dont la rédaction était confiée généralement aux notaires eux-mêmes. Une telle garantie d'authenticité n'était pas moins devenue nécessaire à cause du très grand nombre de décrétales produites par Innocent III[228]. Il est improbable cependant que le pape lui-même ait donné l'ordre de composer la *Compilatio Tertia*, malgré le témoignage postérieur (1234) de Jean le Teutonique. Il est vrai que le pape intervint, une fois l'œuvre achevée, pour déclarer authentique une œuvre de compilation qui, de par sa structure, ne voulait pas rompre avec la tradition bolognaise[229].

La *Compilatio Quarta*

Vers la fin du pontificat d'Innocent III (1216), un célèbre professeur de droit du *Studium* de Bologne, Jean le Teutonique, compila et glosa une nouvelle collection systématique des décrétales d'Innocent III et se rendit à Rome pour la faire authentifier par le pape. Celui-ci refusa, probablement parce que cette nouvelle collection était trop proche de la *Compilatio Tertia*. Jean le Teutonique quitta Rome aigri[230]. Terminée après la mort du pape, la collection de Jean le Teutonique[231] fut toutefois reçue dans les *Studia* comme étant la collection de décrétales des dernières années du pontificat d'Innocent III et prit le nom de *Compilatio Quarta*[232]. Elle rassemblait également les décrétales de Latran IV.

La *Compilatio Quinta*

Avec Honorius III et Grégoire IX, l'histoire des collections canoniques connut une nouvelle phase. Si, en effet, il ne semble pas qu'Innocent III ait jamais ordonné la constitution d'une collection de ses décrétales, son successeur immédiat, Honorius III,

---

226. S. KUTTNER, « Bernardus Compostellanus Antiquus : A Study in the Glossators of the Canon Law », *Traditio*, 1, 1943, p. 301, n. 54.

227. PENNINGTON, « The Making », p. 80 et 89.

228. Bernard Compostellanus avisait les lecteurs de sa collection que cinq décrétales circulaient sous le nom d'Innocent III sans être les siennes : C. CHENEY, « Three Decretal Collections before Comp. IV, Pragensis, Palatina I, and Abrecensis II », *Traditio*, 15, 1959, p. 480-492.

229. K. PENNINGTON, « The French recension of "Compilatio tertia" », *Proceedings of the Second International Congress of Medieval Canon Law*, p. 35-71 ; *Id.*, « The Making », p. 68-92.

230. S. KUTTNER, « Johannes Teutonicus, das vierte Laterankonzil und die "Compilatio quarta" », *Miscellanea Giovanni Mercati*, V, Cité du Vatican, 1946, p. 626.

231. KUTTNER, *Repertorium*, p. 372-373.

232. Entre la C. tertia et la C. quarta, la formation des collections de décrétales d'Innocent III ne s'était pas arrêtée : CHENEY, « Three Decretal Collections », p. 464-484 ; S. KUTTNER, « A Collection of Decretal Letters of Innocent III in Bamberg (B. II) », *MeH*, n.s. 1, 1970, p. 41-56.

intervint de plus en plus directement. La *Compilatio Quinta*, commencée par Tancrède en 1225-1226, soit après dix ans de pontificat, et terminée peu de temps après (février-mai 1226)[233], est en effet la seule collection canonique officielle du pontificat d'Honorius III. Sa méthode de travail constitue une nouveauté à certains égards. Toutes les décrétales de la *Compilatio Quinta*, sauf quatre, figurent dans les registres officiels de la chancellerie, dont 570 lettres ont été marquées par une croix faite certainement par Tancrède lors de la sélection[234]. Celui-ci n'a donc recueilli pratiquement aucune décrétale en dehors des registres de la chancellerie, et n'a utilisé aucune collection de décrétales, à supposer qu'elles aient existé pour le pontificat d'Honorius III[235]. Pour la *Compilatio quinta*, le registre des lettres d'Honorius III, tel qu'il avait été constitué par la chancellerie, fut la source exclusive de l'autorité pontificale.

Le *Liber Extra*

Soucieux de rendre l'ensemble des matériaux canoniques produits par les papes entre Gratien et Innocent III encore plus accessible aux universités et aux praticiens du droit, le pape Grégoire IX chargea en 1234 le dominicain Raymond de Peñafort de fondre les collections précédentes dans un nouvel ouvrage organique. Appelé très tôt *Liber Extra*, il fut envoyé aux universités de Bologne et de Paris. Raymond de Peñafort avait pris comme base le schéma du *Breviarium extravagantium* de Bernard de Pavie. Suivant les instructions reçues, il abrégea les décrétales individuelles et laissa tomber le récit des faits pour ne conserver que les parties juridiquement essentielles (décision, argumentation)[236]. Si, encore sous Innocent III et Honorius III, Jean le Teutonique et Tancrède n'avaient pas considéré que leurs collections étaient exclusives, la bulle *Rex pacificus* de Grégoire IX[237] avertit formellement que le *Liber Extra* était désormais la seule collection canonique source de droit. De ce fait, le *Liber Extra* marqua l'évolution juridictionnelle de l'Église romaine de manière considérable. Sous l'autorité du pape, une collection était née indiquant officiellement quel ancien droit continuait d'être valide.

Décrétales, Constitutions, « Encycliques »

Les décrétales ont été l'instrument pontifical privilégié, mais pas unique, dans la constitution du nouveau droit. Une décrétale contenait une décision législative en réponse à une question posée. Le *decretum* (ou constitution) était au contraire destiné à promulguer une décision pontificale dans l'absolu, sans être une réponse.

---

233. Sur la date, v. L. BOYLE, « The "Compilatio quinta" and the Registers of Honorius », *Id.*, *Pastorale Care, Clerical Education and Canon Law, 1200-1400*, London 1977, p. 16-17.
234. *Ibid.*, p. 11-13.
235. SAYERS, *Papal Government*, p. 159.
236. 1771 des 1971 chap. du *Liber Extra* en proviennent; 191 dérivent des registres des six premières années de Grégoire IX; 9 seulement viennent d'ailleurs : HANENBURG, « Decretals and Decretal Collections », *TRG*, 35, 1966, p. 588.
237. POTTHAST 9693 (5 septembre 1234).

L'augmentation rapide des constitutions au sein de la législation pontificale fut un fait notable. Dès les premières années de son pontificat, Innocent III promulgua des constitutions générales, notamment pour réorganiser sa chancellerie[238] ou pour définir les sanctions à prendre contre les faussaires de lettres papales[239]. Honorius III publia au mois de novembre 1219 la célèbre constitution *Super speculam*, interdisant l'étude du droit civil et fermant les écoles de droit à Paris[240]. La forme utilisée était celle d'une lettre, comparable aux encycliques modernes, adressée aux principales autorités ecclésiastiques de l'Occident latin (patriarches, métropolitains), ainsi qu'aux universités elles-mêmes. Il ne s'agissait pas d'une nouveauté formelle : la promulgation de décisions législatives d'une certaine ampleur par le biais d'une constitution générale apparaît pour la première fois pendant le bref pontificat de Grégoire VIII (1118-1121)[241]. Bien que le *Liber Extra* garde l'aspect d'une collection de décrétales, un tiers des textes qu'elle contient sont des constitutions et non des décrétales[242]. La législation pontificale avait produit des décisions de plus en plus abstraites. La compilation de Grégoire IX marqua un pas important vers la constitution de ce que nous appelons aujourd'hui un « code »[243].

IX. LA POLITIQUE BÉNÉFICIALE DE LA PAPAUTÉ

Dès la fin du XIIe siècle, la papauté avait dû rechercher, au-delà des ressources propres au Siège apostolique, les revenus nécessaires pour entretenir une bureaucratie curiale en pleine expansion numérique. Une lettre d'Honorius III (1222)[244] nous informe qu'Innocent III avait essayé, sans succès, de trouver une solution à ce problème à l'époque de Latran IV, en proposant la levée d'une décime sur le revenu des églises cathédrales. Honorius III, au passé prestigieux de grand administrateur des deux plus importants organismes curiaux (la Chambre apostolique et la chancellerie), tenta de réserver aux curialistes une prébende dans chaque église cathédrale. Les monastères et les églises collégiales auraient dû y contribuer avec des prestations en argent, en proportion de leurs ressources. En contrepartie, le pape promettait d'éliminer les taxes grevant les bulles produites par la chancellerie. Cette nouvelle

238. R. von HECKEL, « Studien über die Kanzleiordnungen Innocenz' III. », *HJ*, 57, 1937, p. 258 et suiv.

239. P. HERDE, « Römisches und kanonisches Recht bei der Verfolgung des Fälschungsdelikts im Mittelalter », *Traditio*, 21, 1965, p. 291 et suiv.

240. *Chartularium universitatis Parisiensis*, éd. DENIFLE, I, p. 90-93 n° 32 (16 novembre 1219); cf. S. KUTTNER, « Papst Honorius III. und das Studium des Zivilrechts », *Festschrift M. Wolf*, Tübingen, 1952, p. 79-101.

241. W. HOLTZMANN, « Die Dekretalen Gregors VIII. », *MÖIG*, 58, 1950, p. 113-121.

242. S. KUTTNER, « Raymond of Penafort as Editor : The "Decretales" and "Constitutiones" of Gregory IX », *Bulletin of the Institute for Medieval Canon Law*, 12, 1981, p. 68.

243. *Ibid.*, p. 72 : v. aussi *Id.*, « Decretals and Decretal Collections », p. 588-589 : « The Gregorian compilation is not just a collection of laws like the older collections were, but a code of law... ».

244. *Regesta Honorii Papae III*, éd. P. PRESSUTTI, Rome, 1888-1895, n° 5825; pour le texte complet, v. le *Register of S. Osmund*, I, éd. W.H. RICH JONES, Londres 1883, p. 366; cf. W.E. LUNT, *Financial Relations of the Papacy with England to 1327*, Cambridge, Mass., 1939, p. 178, 213. Le pape se fait l'écho de plaintes contre les excès de certains curialistes et procureurs.

proposition, qu'Innocent IV renouvela en 1244, resta toutefois lettre morte. La papauté ne put qu'intervenir individuellement pour que les églises allouent des bénéfices aux clercs exerçant une fonction curiale.

1. La politique bénéficiale de Clément IV

Les décisions de Clément IV en matière de politique bénéficiale ont marqué par l'importance de leurs innovations. Par la constitution *Licet ecclesiarum* (27 août 1265), le pape jeta les fondements d'une politique centralisatrice encore jamais pratiquée sur une si vaste échelle. En réservant au Siège apostolique « l'entière disposition des églises, personnats, dignités et autres bénéfices », Clément IV les déclarait appartenir « au pontife romain de telle manière que celui-ci peut les conférer juridiquement non seulement quand ils sont vacants mais encore concéder des droits sur eux lorsqu'ils seront vacants[245] ». Le Siège apostolique se réservait donc non seulement tous les bénéfices mineurs vacants, mais aussi ceux qui se seraient rendus vacants : la voie était ouverte à la mise en place du système des grâces expectatives, qui avait pourtant été condamné par le IIIe concile du Latran en 1179[246]. Les principes énoncés par Clément IV étaient graves et novateurs. Ils remettaient en cause l'un des principes de base réglant la vie des églises locales et les droits des collateurs ordinaires[247].

Dans la pratique, le principe de la réserve pontificale ne put être appliqué par Clément IV et ses successeurs immédiats que là où la papauté pouvait réellement l'imposer, surtout envers les bénéfices dont les titulaires expiraient au siège de la curie (*apud Sedem apostolicam*) et dans les régions tombées sous le contrôle accru de la papauté (royaume de Sicile, l'Italie septentrionale, Angleterre).

2. Les fondements ecclésiologiques

Pour légitimer son action, la papauté fut amenée à élaborer une doctrine lui permettant d'agir en toute légalité dans le domaine de la collation de bénéfices[248]. Le décret de Gratien ne fait pas encore référence à cet ensemble de problèmes. Au milieu du XIIIe siècle, des ecclésiastiques français rappellent qu'Innocent III, en distribuant plusieurs bénéfices dans des cathédrales françaises, avait été le premier pape à s'arroger un tel droit de collation[249]. De fait, le droit de la papauté à attribuer des

---

245. Liber Sextus, 1. III, tit. VII, c. 2.
246. C. 8 (*COD*, p. 215); trad. fr. Foreville, *Latran I*, p. 214.
247. M. Mollat, *La collation des bénéfices ecclésiastiques sous les papes d'Avignon (1305-1378)*, Paris, 1921, pp. 24, 27, 38, 70. Clément IV avait utilisé, volontairement ou non, de manière un peu vague, le terme d'*ecclesiae*, ce qui suscita de nombreuses protestations, de sorte que le pape dut préciser, en 1266 que les évêchés et les abbayes n'étaient nullement concernés.
248. L'argumentation de Mollat, « La collation », p. 189, selon laquelle l'Église romaine possédait ce droit depuis toujours est d'ordre théologique et non historique : « Si, pendant de longs siècles, la papauté n'exerça pas effectivement le droit de collation, il ne s'ensuivit pas qu'elle acquit celui-ci en vertu d'empiètements progressifs... Elle le possédait originairement... ».
249. Cheney, *Pope Innocent III*, p. 80.

bénéfices dans n'importe quelle église de la chrétienté devint traditionnel dès le pontificat d'Innocent III[250], qui ne semble pourtant pas en avoir usé plus fréquemment que ses prédécesseurs[251]. Le phénomène s'amplifia considérablement à partir d'Innocent IV et d'Alexandre IV[252], qui utilisèrent la politique bénéficiale aussi à des fins politiques, dans leur lutte contre Frédéric II de Hohenstaufen. Vers la fin du XIIIe siècle, l'affirmation selon laquelle « *omnes ecclesiae et res ecclesiarum sunt in potestate papae*[253] » ne rencontrait aucune opposition de principe.

Le droit des églises locales à disposer de leurs prébendes ne fut pour autant pas mis en question formellement. Dans le domaine des provisions de bénéfices, la papauté n'a du reste jamais recouru à la doctrine de la *plenitudo potestatis*[254]. Ce principe n'est en tout cas pas mentionné dans la décrétale de Clément IV *Licet ecclesiarum*, qui contient la première affirmation officielle d'une réserve pontificale en matière de bénéfices ecclésiastiques, limitée aux clercs décédés auprès du Siège apostolique[255]. Le pape renvoyait, il est vrai, à l'ancienneté de cette coutume[256], qui n'est toutefois attestée dans aucun texte plus ancien.

Les canonistes des XIIe et XIIIe siècles ont discuté fréquemment les droits de la papauté en matière d'attribution de bénéfices. Leur position semble avoir été unanime : le pape avait certes le droit de déposer un évêque ou de disposer d'un bénéfice ou encore d'attribuer une dispense dans n'importe quelle église de la chrétienté : les droits des églises locales restaient cependant entiers, en théorie comme en pratique[257].

3. RÉSISTANCES

La documentation de la pratique[258] montre que les églises locales ont su utiliser tous les moyens étant à leur disposition (distance de Rome, coût exhorbitant des procès, conjoncture politique, réseaux personnels, etc.) pour résister à des pressions souvent considérables. Grégoire IX protesta sévèrement en 1232 contre le fait que certains évêques exigeaient un serment à tous les clercs qu'ils allaient ordonner, de ne pas se servir de lettres papales pour contester les prébendes qui leur auraient été allouées[259]. Certains chapitres essayèrent de se protéger, en produisant des statuts d'admission de

---

250. M. MOLLAT, « Les grâces expectatives du XIIe au XIVe siècle », *RHE*, 42, 1947, p. 91-102 ; CHENEY, *Pope Innocent III*, p. 81 ; PENNINGTON, *Pope and Bishops*, p. 131.

251. MOLLAT, « Les grâces », p. 89-91.

252. G. BARRACLOUGH, « The Constitution "Execrabilis" of Alexander IV », *EHR*, 49, 1034, p. 193-218.

253. Gilles de Fuscarariis, *Quaestiones Bononienses*, f. 86va ; cit. BARRACLOUGH, *Papal Provisions*, p. 167.

254. La doctrine de la *plenitudo potestatis* est invoquée par Henri de Suse, mais seulement pour le cas où le pape intervient dans l'attribution de bénéfices dans un diocèse d'un évêque suspendu.

255. C. 2 in VI° 3,4 ; cf. BARRACLOUGH, *Papal Provisions*, p. 153-159 ; PENNINGTON, *Pope and Bishops*, p. 123.

256. « *Collationem tamen ecclesiarum personatum dignitatum et beneficiorum apud Sedem apostolicam vacantium specialius ceteris antiqua consuetudo Romanis pontificibus reservavit.* »

257. Pour une analyse détaillée des opinions des canonistes, v. surtout PENNINGTON, *Pope and Bishops*, p. 121-153.

258. Les registres des lettres papales du XIIIe siècle, éditées par l'École Française de Rome, contiennent un nombre très important de lettres bénéficiales, notamment en faveur des curialistes ; pour une analyse détaillée, v. H. BAIER, *Päpstliche Provisionen für niedere Pfründen bis zum Jahre 1304*, Münster, 1911, chap. 10.

259. *Les Registres de Grégoire IX*, éd. AUVRAY, n° 939 ; cit. BARRACLOUGH, *Papal Provisions*, p. 146.

nouveaux chanoines, ayant, entre autres, pour but d'éliminer les *pauperes clerici* proposés par la papauté. L'admission de candidats fortunés ou d'origine sociale élevée rencontrait généralement beaucoup moins d'obstacles.

4. RÉPERCUSSIONS GÉNÉRALES

Dès son instauration, et tout au long des derniers siècles du Moyen Âge, la politique bénéficiale de la papauté fut l'objet de protestations et de polémiques[260] insistant sur les inconvénients majeurs d'un tel système : ingérence romaine, absentéisme... Au XIIIe siècle, cependant, la politique bénéficiale de la papauté n'avait pas encore connu les aberrations de la période avignonnaise, dérivant d'une application systématique des principes à peine énoncés par Clément IV.

Au début de l'évolution, et en théorie, pour les églises locales, ce système ne recelait pas que des inconvénients. La présence d'un curialiste parmi les clercs d'une église cathédrale ou abbatiale permettait la constitution de réseaux personnels, importants pour les rapports entre le centre de la chrétienté et la périphérie. Au cours du XIIIe siècle, les rois anglais n'ont pas hésité, par exemple, à se servir de ce nouvel instrument pour établir des relations personnelles très étroites avec les milieux de la curie romaine. L'absence relative de frictions, à cette époque, entre la couronne anglaise et la cour pontificale était due, en large partie, à l'existence d'une communauté d'intérêts personnels parmi les élites administratives du royaume d'Angleterre et de la cour de Rome[261].

Libéré de contraintes locales, ce système permit à un très grand nombre de clercs, qui en auraient été privés à cause d'une extraction sociale trop modeste[262], de jouir de bénéfices ecclésiastiques. Les curialistes ne furent pas les seuls bénéficiaires du système mis en place par la papauté. Il est même probable que l'habitude de la papauté de proposer l'admission d'un clerc dans les églises locales ait eu comme point de départ la demande de plus en plus fréquente de la part de clercs ayant des difficultés d'insertion, à commencer par ceux qui voulaient se rendre auprès d'un *Studium*[263]. Il est vrai en tout cas qu'aux XIIe et XIIIe siècles, l'intervention croissante dans la collation des bénéfices coïncida avec le développement des plus anciens *Studia*[264].

Sur un plan plus général, la tendance à la concentration des provisions de bénéfices répondait à la nécessité de s'adapter à un clergé souvent itinérant, aux carrières de plus en plus fréquemment internationales (Orient latin, curie romaine, carrières universitaires), que la politique bénéficiale de la papauté a, au XIIIe siècle, indubitablement encouragés et soutenus.

---

260. Pour une bibl. récente, v. P. LINEHAN, « The Gravamina of the Castilian Church in 1262-63 », *EHR*, 85, 1970, p. 730-754.

261. J. SAYERS, « Centre and Locality : Aspects of Papal Administration in England in the Later Thirteenth Century », *Authority and Power : Studies on Medieval Law and Government, presentend to Walter Ullmann*, Cambridge 1980, p. 126.

262. Ch. McCURRY, « Utilia Metensia », *Law, Church and Society in Honor of Stephan Kuttner*, p. 317.

263. BARRACLOUGH, *Papal Provisions*, p. 150.

264. *Ibid.*, p. 159.

5. Répercussions curiales

Aux XIIe et XIIIe siècles, la politique bénéficiale de la papauté a certainement permis à de puissantes dynasties familiales, aux riches ramifications curiales, de s'implanter durablement dans de nombreux diocèses de la chrétienté. Dès les dernières années du XIIe siècle, plusieurs membres d'une même famille ayant des relations étroites avec la curie romaine possédèrent des prébendes appartenant à une même institution ecclésiastique. Souvent, les prébendes restèrent à l'intérieur du même groupe curial [265]. La famille génoise des Fieschi, la plus influente au sein de la curie romaine parmi les familles non romaines, à cause de la présence ininterrompue de cardinaux et de papes (Innocent V, Adrien V) issus de ses rangs entre 1227 et 1276, réussit à obtenir pour parents, amis et protégés, ainsi que pour les membres ecclésiastiques de leurs *familiae*, un nombre impressionnant de prébendes d'églises situées dans les régions les plus diverses de la chrétienté (Gênes, Parme, Reims, Tolède, etc. [266]). Les familles romaines Colonna, Orsini, Savelli et Capocci contrôlèrent pendant plusieurs générations un certain nombre d'églises (Tournai, Cambrai, partiellement Paris, etc.), dont une bonne partie des prébendes étaient attribuées aux clercs de leur entourage.

BIBLIOGRAPHIE :

Sources

Conciliorum Oecumenicorum Decreta, (*COD*), éd. G. Alberigo-P.P. Joannou *et alii*, Bâle-Barcelona, 1962.
Corpus Iuris Canonici, I-II, éd. Ae. Friedberg, Leipzig, 1879.
Decretales ineditæ sæculi XII. From the Papers of the Late W. Holtzmann, éd. S. Chodorow-Ch. Duggan, Cité du Vatican, (bibl. p. XI-XVIII).
The Letters of Pope Innocent III (1198-1216) concerning England and Wales. A Calendar with an appendix of texts, éd. C.R. et M. Cheney, Oxford, 1967.
Le Liber Pontificalis (*LP*), éd. L. Duchesne-C. Vogel, I-III, Paris, 1955-1957.
Regestum Innocentii III Papæ super negotio Romani imperii, éd. F. Kempf, Rome, 1947.
Die Register Innocenz' III, éd. O. Hageneder, A. Haidacher *et alii*, Graz-Cologne, 1964 et suiv.
S. Fieschi, *Apparatus Innocentii IV PP. in V libros Decretalium*, Francoforti ad Moenum, 1570 (réimpr. 1968).

Travaux

A. Alberigo, *Cardinalato e collegialità. Studi sull'ecclesiologia tra l'XI e il XIV secolo*, Florence, 1969.
G. Barraclough, *Papal Provisions*, Oxford, 1935, (réimpr., Westport, Conn., 1971).
L. Buisson, *Potestas und Caritas. Die päpstliche Gewalt im Spätmittelalter*, Köln-Graz, 1958.
C.R. Cheney, *Pope Innocent III and England*, Stuttgart, 1976.
C.G. Fürst, *Cardinalis. Prolegomena zu einer Rechtsgeschichte des römischen Kardinalskollegiums*, Münich, 1967.
F. Kempf, *Papsttum und Kaisertum bei Innocenz III*, Rome, 1954.
W. Kölmel, *Regimen christianum*, Berlin, 1973.
W. Imkamp, *Das Kirchenbild Innocenz' III, 1198-1216*, Stuttgart, 1983.

---

265. Paravicini Bagliani, *Cardinali di Curia*, I, p. 45.
266. A. Paravicini Bagliani, « Campano da Novara e il mondo scientifico romano duecentesco », *Novarien.*, 14, 1984, p. 99-111 ; *Id.*, *Medicina e scienze della natura a la corte dei papi nel Duecento*, p. 106-107.

G. de LAGARDE, *La naissance de l'esprit laïque au déclin du Moyen Âge*, IV, Louvain-Paris, 1962.

J. LECLERCQ, *L'idée de la royauté du Christ au Moyen Âge*, Paris, 1959.

M. MACCARRONE, *Chiesa e Stato nella dottrina di papa Innocenzo III*, Rome, 1940.

M. MACCARRONE, *Vicarius Christi. Storia del titolo papale*, Rome, 1952.

M. MACCARRONE, *Studi su Innocenzo III*, Padoue, 1972.

W. MALECZEK, *Papst und Kardinalskollegium von 1191 bis 1216. Die Kardinäle unter Cölestin III und Innocenz III*, Wien, 1984.

A. MELLONI, *Innocenzo IV. La concezione e l'esperienza della cristianità come* regimen unius personæ, Genova, 1990.

K. PENNINGTON, *Pope and Bishops. The Papal Monarchy in the Twelfth and Thirteenth Centuries*, Philadelphia, 1984.

J. SAYERS, *Papal Government and England during the Pontificate of Honorius III, 1216-1227*, Cambridge, 1984.

Studies in the collections of Twelfth-Century Decretals. From the Papers of the Late W. Holtzmann, éd. C.R. CHENEY-M.G. CHENEY, Cité du Vatican, 1979 (bibl. : p. XV-XIX).

B. TIERNEY, *Foundations of the Conciliar Theory. The Contributions of the Medieval Canonists from Gratian to the Great Schism*, Cambridge, 1955.

B. TIERNEY, *Origins of Papal Infallibility 1150-1350*, Leiden, 1972 (2ᵉ éd., 1988).

H. TILLMANN, *Papst Innocenz III*, Bonn, 1954.

D. WALEY, *The Papal State in the Thirteenth Century*, Londres, 1961.

J.A. WATT, *The Theory of Papal Monarchy in the Thirteenth Century. The Contribution of the Canonists*, Londres, 1965.

CHAPITRE III

Église, pouvoirs et société

par André VAUCHEZ

I. LES RAPPORTS DU SPIRITUEL ET DU TEMPOREL : PRINCIPES ET RÉALITÉS

La distinction entre l'Église et l'État, familière à nos esprits d'hommes du XXᵉ siècle, ne présentait pas au Moyen Âge le même caractère d'évidence. Le vocabulaire déjà en témoigne, puisqu'il n'existait pas, avant le XIIIᵉ siècle, un terme unique permettant de définir le pouvoir temporel, alors que nul n'ignorait la signification du mot *Ecclesia* et de ses équivalents dans les langues vernaculaires. *Status* n'était pas employé absolument et *res publica* désignait en général la chrétienté (*respublica christiana*)[1]. Ce déséquilibre reflète bien la situation ambiguë de la sphère du politique dans l'univers mental du Moyen Âge, mais il ne doit pas nous dissimuler un des faits marquants de la période comprise entre 1150 et 1300 environ, qui fut l'affirmation de l'État comme une réalité autonome, à la fois par rapport à l'Église et à la personne du souverain.

1. L'HÉRITAGE DU XIIᵉ SIÈCLE

La crise du système unitaire

Le point de départ obligé de toute réflexion sur les rapports entre l'Église et l'État au Moyen Âge, est constitué par la doctrine dite gélasienne (du nom du pape Gélase, 492-496) et par les développements qu'y ajoutèrent un certain nombre d'auteurs ecclésiastiques du Haut Moyen Âge, ensemble disparate parfois abusivement désigné sous le nom d'« Augustinisme politique »[2]. Selon ces textes qui inspirèrent la conception carolingienne du pouvoir, le monde est souverainement dominé par

---

1. Y. CONGAR, « Status Ecclesiae », in *Essays in Medieval Law in honor of Gaines Post*, éd. J. R. STRAYER et D. E. QUELLER, *SGra*, 15, 1972 ; A. HARDING, « Aquinas and the legislator », in *Théologie et Droit dans la science politique de l'État moderne*, Rome, 1991, p. 51-54, et W. MAGER, « Res publica chez les juristes, théologiens et philosophes à la fin du Moyen Âge : sur l'élaboration d'une notion clé de la théorie politique moderne », *ibid.*, p. 229-239.
2. H. X. ARQUILLIÈRE, *L'Augustinisme politique. Essai sur la formation des théories politiques au Moyen Âge*, 2ᵉ éd., Paris, 1955.

l'autorité ecclésiastique et le pouvoir impérial. Ces deux juridictions sont indépendantes l'une de l'autre et ceux qui les exercent tiennent leur autorité directement de Dieu. Dans le domaine spirituel, l'empereur et les rois sont « fils de l'Église » et, comme tels, soumis à elle, tandis que, pour les affaires temporelles, les pontifes sont subordonnés aux princes. Mais les uns et les autres doivent collaborer à l'œuvre de Dieu, car ils ont été ordonnés au salut de l'homme[3]. À partir de 962, cette idéologie s'est principalement incarnée en Occident dans le Saint Empire romain germanique, fondé sur une collaboration harmonieuse du *regnum* et du *sacerdotium* sous la direction de l'empereur[4]. Après la Querelle des investitures, qui avait entraîné un affrontement prolongé entre la papauté et l'empire, elle fut reproposée et adaptée aux circonstances nouvelles par divers ecclésiastiques allemands, en particulier Otton de Freising, historiographe et grand admirateur de Frédéric Ier Barberousse. Pour ce prélat, il existait bien « deux glaives », selon l'image évangélique très utilisée à l'époque, mais à l'intérieur d'une unique Cité de Dieu qui se construisait ici-bas au long des vicissitudes de l'Histoire[5]. Les deux pouvoirs − celui du pape, qui tient le glaive spirituel, et celui de l'empereur qui a le glaive temporel − doivent collaborer, puisqu'ils sont l'un et l'autre responsables du maintien de la paix et que leur entraide permanente est une condition nécessaire au progrès religieux et au salut de la société. La distinction entre pouvoir spirituel et pouvoir temporel est donc bien reconnue en principe, mais le second ne se limite pas au domaine civil et n'a rien de spécifiquement laïque : tout comme celui du pape, le pouvoir impérial est religieux dans son essence et son action est essentielle pour l'Église, dont la prospérité repose sur une association étroite du charisme et de la coercition. Mais, à partir de la fin du XIe siècle, les relations entre les papes et les empereurs ne cessèrent de se dégrader et, malgré les efforts de certains clercs nostalgiques du passé qui ressentaient cette situation nouvelle comme un bouleversement tragique, les deux pôles du pouvoir au sein de la chrétienté eurent tendance à s'éloigner l'un de l'autre.

Les répercussions de la réforme grégorienne

Avec la réforme dite « grégorienne », l'Église, qui s'identifiait de plus en plus aux clercs et à leur chef, le pape, avait en effet rejeté la tutelle des laïcs, qu'il s'agisse de l'empereur, des rois ou des seigneurs féodaux, et pris progressivement ses distances vis-à-vis d'une société temporelle jugée oppressive. Cette évolution suscita, par contrecoup, chez les détenteurs laïcs de l'autorité, une conscience accrue de leur autonomie, favorisée par la redécouverte, surtout en Italie, dans les écoles juridiques de Bologne, du droit romain qui faisait du prince la source vivante de la loi[6]. De plus, à la même époque, on vit se développer, dans certaines parties de la chrétienté, comme les royaumes normands d'Angleterre et de Sicile, des structures étatiques et administratives très évoluées, tandis que la France et la Castille affirmaient leur

---

3. M. Pacaut, *La théocratie. L'Église et le pouvoir au Moyen Âge*, 2e éd., Paris, 1989.
4. R. Folz, *L'idée d'Empire en Occident du ve au xve siècle*, Paris, 1953.
5. Cf. G. Lobrichon, *s.v.* « Otton de Freising », in *DSp*, XI, Paris, 1982, c. 1063-1066.
6. Y. Congar, *L'Église de saint Augustin à l'époque moderne*, Paris, 1970, p. 176-178.

indépendance vis-à-vis de l'empire. À la fin du XIIᵉ siècle, on se trouve donc en présence d'une crise généralisée du système unitaire, provoqué par l'émergence des royaumes, mais aussi de certaines cités comme celles de la Ligue lombarde, avec lesquelles Alexandre III n'hésita pas à s'allier pour combattre le péril que la politique impériale faisait peser sur la papauté.

À la même époque, certains canonistes jouèrent un rôle important dans la prise en compte de ces données nouvelles sur le plan conceptuel[7]. Dès les années 1160, le français Étienne de Tournai, proche de Louis VII, soutint l'idée que les rois étaient des monarques égaux à l'empereur et qu'ils détenaient au même titre que lui le pouvoir législatif (*jus constituendi et edicendi*) dans les régions où s'exerçait leur autorité[8]. Affirmation reprise et amplifiée par Laurent d'Espagne, qui n'hésita pas à écrire qu'« au sens large, on peut appeler empereur celui qui a des hommes auxquels il commande »[9]. Cette ouverture des canonistes à la reconnaissance des prérogatives des *regna*, ainsi d'ailleurs que des *civitates*, s'explique chez la plupart d'entre eux par leur désir d'affaiblir l'empire et ses prétentions hégémoniques au sein de la chrétienté. Pour avoir droit à l'*imperium*, un souverain devait d'abord posséder un territoire et des sujets sur lesquels s'exerçait son autorité. Par cette exigence, la réflexion des canonistes a contribué à donner au pouvoir de l'État une dimension territoriale, absente de l'empire dont les limites demeuraient imprécises, sur le modèle de l'Église romaine qui était en train de renforcer ses structures territoriales (diocèse, paroisse, etc.) et de constituer une véritable principauté en Italie centrale. Mais, pour qu'un souverain fût considéré comme légitime, il fallait aussi qu'il reconnaisse le successeur de Pierre comme chef suprême de la chrétienté. Comme l'a justement souligné A. Rigaudière, « c'est parce qu'empire et *regna* coexistent sous l'autorité du pape qu'il y a, entre leur *potestas*, à la fois égalité et indépendance »[10]. Le Saint-Siège a du reste favorisé ce processus en accordant le titre royal à divers princes, en particulier à Roger II de Sicile en 1139, et en reconnaissant dans la bulle *Per venerabilem* de 1202, adressée par Innocent III à Philippe Auguste, que le roi de France n'avait pas de supérieur au temporel[11].

2. Au XIIIᵉ siècle : vers une nouvelle définition des domaines respectifs du Temporel et du Spirituel

Dans l'Occident des années 1200, il n'était douteux pour personne, à commencer par les souverains eux-mêmes, que le pouvoir des rois s'exerçait au sein de la société

---

7. S. Mocchi-Onory, *Fonti canonistiche dell'idea moderna dello Stato*, Milan, 1951 ; W. Ullmann *Medieval Papalism. The Political Thought of Medieval Canonists*, Londres, 1949 ; F. Calasso, *I glossatori e la teoria della sovranità. Studi di diritto comune pubblico*, Florence, 1945.

8. Cf. A. Rigaudière, « Regnum et civitas chez les décrétistes et les premiers décrétalistes (1150 env.-1250) », in *Théologie et droit dans la science politique de l'État moderne*, p. 116-153, en particulier p. 133-135.

9. F. Gillmann, *Der Laurentius Hispanus Apparat zur Compilatio III*, Mayence, 1935, p. 128.

10. A. Rigaudière, article cité, p. 136.

11. Ed. Friedberg, *Corpus iuris canonici*, II, 715. Sur les développements ultérieurs de cette idée, cf. M. Boulet-Sautel, « Jean de Blanot et la conception du pouvoir royal au temps de Louis IX », in *Septième centenaire de la mort de saint Louis. Actes des colloques de Royaumont et Paris*, Paris, 1976, p. 57-68, et R. Feenstra, « Jean de Blanot et la

chrétienne (*intra ecclesiam*) et à son profit. L'État et l'Église étaient d'autant plus liés que les monarques accédaient au pouvoir par l'onction du sacre et qu'ils recevaient leur couronne de la main des prélats, voire du pape en personne dans le cas de l'empereur. De son côté, le clergé tenait du roi des biens et revenus qu'il considérait comme siens mais dont l'origine publique n'avait pas été oubliée, les *regalia*. La distinction des pouvoirs, bien réelle au niveau des principes depuis la réforme grégorienne et Yves de Chartres, n'était donc pas facile à mettre en œuvre dans la pratique, tant ils étaient étroitement imbriqués et associés. Aussi diverses tentatives furent-elles faites au XIIIe siècle pour essayer de clarifier la situation et redonner au système une certaine cohérence. Mais comme elles allaient dans des directions contradictoires, cela ne fit guère que durcir les antagonismes idéologiques et accroître les tensions entre les deux pôles.

La théocratie

Nulle part sans doute cette confusion n'était plus sensible qu'au niveau de l'empire. En effet la papauté, qui avait été à l'origine de l'ébranlement du « Reichskirchensystem », demeura longtemps attachée à l'idée que l'empereur était le défenseur attiré de l'Église romaine et son bras séculier privilégié [12]. Pour comprendre cette fidélité à une doctrine dépassée, comme en témoignent les conflits interminables qui opposèrent, entre 1155 et 1250, les papes et les empereurs, il faut prendre en compte la situation particulière de l'Église romaine qui essaya, surtout à partir d'Innocent III, de constituer en Italie centrale un État territorial cohérent autour du Patrimoine de Saint-Pierre et des terres qu'y avait ajoutées la comtesse Mathilde. De ce fait, elle se heurta à la politique impériale surtout à partir du moment où, avec le mariage d'Henri VI et de Constance de Hauteville, les Staufen se trouvèrent à la tête à la fois du *Regnum italicum* et du royaume de Sicile. Mais les rapports des papes avec l'empire, comme du reste avec d'autres souverains chrétiens, furent surtout perturbés par la nouvelle conception du Spirituel et de ses prérogatives qu'ils tentèrent de faire prévaloir, d'Alexandre III à Innocent IV. Ces derniers revendiquèrent en effet une compétence dans des domaines qui n'avaient jusque-là dépendu que de la coutume, des seigneurs laïques ou des princes, et intervinrent dans des affaires qui, à première vue, relevaient de la sphère temporelle. Ainsi le roi de France Philippe Auguste se vit reprocher par Innocent III, dans la décrétale *Novit*, en 1204, d'avoir confisqué les fiefs français de son vassal Jean sans Terre et d'avoir rompu la trêve qu'il avait conclue quelque temps plus tôt avec lui. Le pape justifia son intervention dans les termes suivants : « Il n'est en effet aucune personne saine d'esprit qui ignore qu'il appartient à notre office de réprimander tout chrétien pour un péché mortel et, s'il méprise le reproche, de le châtier par une sévère sanction ecclésiastique. » [13]

formule "Rex Franciae in regno suo princeps est" », in *Études d'histoire canonique dédiées à G. Le Bras*, II, Paris, 1965, p. 885-895.

12. En plus de M. Pacaut, *La théocratie*, cité, voir J. Quillet, *Les clés du pouvoir au Moyen Âge*, Paris, 1972, p. 44-46 et 61-67.

13. *Novit ille*, in *PL*, 215, 325-328 ; sur la portée de ce texte, cf. M. Maccarrone, « Innocenzo III e le feudalita : non

On mesure là tout le chemin parcouru par la papauté depuis qu'elle avait revendiqué, à la fin du XIᵉ siècle, la *libertas ecclesiae*, qui légitimait le combat qu'elle menait alors pour dégager les structures ecclésiastiques de la tutelle des laïcs[14]. Au cours du XIIᵉ siècle, ce maître-mot du combat réformateur servit de plus en plus de couverture à une politique de domination du Spirituel sur le Temporel, le premier étant fréquemment assimilé au soleil, dans les textes ecclésiastiques de l'époque, et le second à la lune. Tous les auteurs étaient en effet d'accord pour reconnaître la primauté du Spirituel, même s'ils n'en tiraient pas les mêmes conséquences pratiques. Au terme de ce processus, on en arriva donc, avec Innocent III, à affirmer qu'en vertu du pouvoir de lier et de délier qui lui appartenait en propre, le vicaire du Christ — titre qui supplante alors celui de vicaire de Pierre dans les documents officiels de la papauté — avait le droit d'intervenir dans les affaires temporelles « en raison du péché »[15]. Sous son impulsion et celle de ses successeurs, on vit se mettre en place, selon l'heureuse expression de J. Quillet, une véritable « politique du Spirituel » dont le déploiement fut facilité par l'assimilation des intérêts de l'Église à ceux du Siège apostolique. « Ayant à sauvegarder les intérêts spirituels de l'Église, le pape fut naturellement conduit à s'immiscer dans le domaine du Temporel, ce qui le conduisit à vouloir contrôler les activités des princes et plus encore celles de l'empereur[16]. »

Dans cette recherche d'une synthèse totale permettant au Spirituel d'informer toute la vie terrestre par les finalités surnaturelles, la papauté fut amenée, avec l'aide des théologiens et des canonistes, à élaborer une véritable théologie de son propre pouvoir, que l'on désigne sous le nom de théocratie. Celle-ci s'appuie sur la définition de l'Église comme *universitas fidelium*, peuple de Dieu voué au ciel et devant y être conduit par les prêtres mais aussi, pour réprimer les méchants et les hérétiques, par les souverains temporels. Dans cette perspective, l'onction du sacre et le couronnement ont bien pour effet de placer l'empereur et les rois hors du monde des laïcs et de leur confier la *potestas et dignitas regnandi*. Mais en contrepartie, ils doivent accepter le contrôle de l'Église sur leurs actes, en particulier celui du pape qui, en vertu de l'*auctoritas* qu'il détient sur la société chrétienne, se réserve le droit de leur donner — et éventuellement de leur retirer — confirmation de leur pouvoir. C'est le cas en particulier pour l'empereur qui ne peut prétendre à ce titre que s'il a été couronné à Saint-Pierre de Rome. Vis-à-vis de ce dernier, l'attitude de la papauté deviendra de plus en plus sévère et agressive[17] : Alexandre III n'avait fait qu'excommunier Frédéric Barberousse, pourtant fauteur de schisme. Le canoniste Huguccio, à la fin du XIIᵉ siècle, reconnaît au pape le droit de déposer l'empereur, mais requiert pour cela

---

ratione feudi sed occasione peccati », in *Structures féodales et féodalisme dans l'Occident méditerranéen (Xᵉ-XIIIᵉ siècles)*. Paris, 1980, p. 457-514.

14. G. TELLENBACH, *Libertas, Kirche und Weltordnung im Zeitalter des Investitustreites*, Stuttgart, 1936 (trad. anglaise, Oxford, 3ᵉ ed., 1959); *Sacerdozio e regno da Gregorio VII a Bonifacio VIII*, Rome, 1954 (*MHP XVIII*).

15. M. MACCARRONE, *Vicarius Christi. Storia del titolo pontificale*, Rome, 1952.

16. J. QUILLET, *op. cit.*, p. 63.

17. M. PACAUT, *op. cit.*, p. 92-124; F. KEMPF, *Papstum und Kaisertum bei Innocenz III*, Rome, 1954; G. CATALANO, *Impero, Regno e Sacerdozio nel pensiero di Uguccio di Pisa*, Milan, 1959; J. A. WATT, « The Theory of Papal Monarchy in the Thirteenth Century », in J. H. BURNS, *The Cambridge History of Medieval Political Thought*, Cambridge, 1988, p. 397-410.

Lauros-Giraudon

La communion du chevalier
(revers du grand portail de la cathédrale de Reims, 1245-1257).

l'accord préalable des princes chrétiens. Innocent IV, en 1245, n'hésitera pas à procéder à la déposition de Frédéric II de sa propre autorité, à l'occasion du concile de Lyon I. Ainsi se précisait le grand dessein de la papauté visant à prendre effectivement la direction de la chrétienté, en absorbant le droit naturel −, celui de l'État − dans une justice surnaturelle définie comme droit de l'Église. Le processus engagé par Grégoire VII à la fin du XIe siècle atteint alors son point culminant : après avoir revendiqué et obtenu la *plenitudo potestatis* au sein de l'Église, les papes du XIIIe siècle franchirent les bornes assignées traditionnellement à leur compétence et revendiquèrent expressément un droit de regard et d'intervention dans les affaires des États ou des communes autonomes, en les obligeant par exemple à insérer dans leur législation des dispositions conformes aux lois ecclésiastiques ou à abolir celles qui ne l'auraient pas été [18].

---

18. Nombreux exemples dans l'Italie communale : cf. A. Vauchez, « Une campagne de pacification en Lombardie autour de 1233 », in *MEFRM*, 78, 1968, p. 503-549.

L'affirmation de l'autonomie de l'État

En réaction contre ces prétentions croissantes de l'Église, les souverains ne demeurèrent pas inactifs, en particulier les empereurs qui étaient les plus exposés, compte tenu du caractère incontournable du couronnement romain par lequel l'élu des princes germaniques — le roi des Romains — accédait à la dignité impériale. Non contents de dénier à cette cérémonie toute valeur constituante et de réduire au strict minimum l'importance du rite de la consécration, Frédéric Barberousse et ses conseillers affirmèrent que l'empereur tenait son pouvoir directement de Dieu et de lui seul. C'est dans cette perspective qu'il faut situer la canonisation de Charlemagne en 1165 par l'antipape Victor IV, qui fournit l'occasion d'exalter l'union des aspects religieux et politiques dans la personne du saint empereur[19]. Mais parallèlement à cette tentative, somme toute très traditionnelle, de retour à la « royauté sacrée », Frédéric Barberousse s'engagea sur des voies plus novatrices en s'appuyant sur le droit romain pour dégager la fonction impériale de la tutelle pontificale. En témoignent à la fois sa titulature — *Romanorum imperator et rex semper augustus* — et sa décision d'inclure les lois qu'il avait promulguées dans le code de Justinien, pour bien marquer son désir de s'inscrire dans la continuité des empereurs romains, créateurs du droit classique. Dans le même esprit, les civilistes de Bologne remirent à l'honneur les maximes du Digeste qui faisaient de l'empereur la source de toute législation : « *Princeps legibus solutus* » (*Dig.* 1, 3, 31) et surtout « *Quod principi placuit legis habeat vigorem* » (*Dig.*, 1, 4, 1 et *Institutes*, 1, 2, 6). Même si ces affirmations constituaient dans une large mesure des pétitions de principe, elles témoignent de la volonté du pouvoir impérial d'affirmer son absolue souveraineté et son indépendance[20].

Son petit-fils Frédéric II reprit et développa, surtout après 1230, cette politique de restauration et d'exaltation de l'autorité impériale[21]. Tout en reconnaissant la suprématie du pape au spirituel, il lui refusa le droit de juger les souverains au temporel et invita les rois chrétiens à le soutenir pour défendre leur pouvoir menacé par les visées dominatrices de la papauté. Se considérant comme l'héritier et le « rénovateur » de l'empire romain, il prétendait tenir de la clémence divine le gouvernement de la Ville et de l'univers et, renversant les rôles, il s'attribua le droit de désigner les évêques et chercha à se subordonner le pouvoir pontifical. Rien ne serait plus inexact cependant que de voir en lui un champion de la laïcité de l'État. Même si ses croyances personnelles dans le domaine religieux demeurent sujettes à caution, il n'est pas douteux qu'il s'engagea à son tour dans un processus de sacralisation de la

---

19. R. Folz, *Essai sur le culte liturgique de Charlemagne dans les églises de l'Empire*, Paris, 1951, et *Id.*, « La chancellerie de Frédéric Ier et la canonisation de Charlemagne », in *Le Moyen Âge*, 70, 1964, p. 13-31.

20. Cf. J. Gaudemet, « La contribution des romanistes et des canonistes médiévaux à la théorie moderne de l'État », in *Diritto e Potere. Atti in onore di Bruno Paradiso*, I, Florence, 1982, p. 1-36, et J. P. Canning « Ideas of the State in Thirteenth and Fourteenth Centuries Commentators of Roman Law », in *THS*, 5e s., 33, 1983, p. 23 et suiv. Sur les applications de ces principes, cf. A. Gouron et A. Rigaudière (éd.), *Renaissance du pouvoir législatif et genèse de l'État*, Montpellier, 1988.

21. Sur Frédéric II, cf. E. Kantorowicz, *L'empereur Frédéric II*, Paris, 1987, et la bibliographie citée à la fin de ce chapitre.

L'Europe vers 1250
(d'après Guy Devailly, *L'Occident du Xᵉ siècle au milieu du XIIIᵉ siècle*,
Armand Colin, 1970, p. 310).

fonction impériale, qu'il poussa beaucoup plus loin que ses prédécesseurs : pour lui, l'empereur était un second Messie, envoyé par Dieu pour procurer aux hommes la félicité terrestre, tandis que le sacerdoce avait pour charge de les conduire au bonheur céleste. L'Église ne pouvait donc à ses yeux revendiquer d'autre autorité que celle de guide des âmes vers le salut : son règne n'est pas de ce monde puisque sa fin est ultra-terrestre[22]. Aussi devait-elle vivre dans la pauvreté pour être à même de remplir sa mission, d'ordre spirituel. Se considérant comme son patron, il entendait bien la ramener à sa perfection primitive en corrigeant ses ministres indignes et en les soumettant à l'autorité politique. Ce mélange d'absolutisme à l'antique et de spiritualisme militant, qui s'exprime en particulier dans le *Liber Augustalis* et dans ses écrits polémiques contre Innocent IV, peut nous paraître paradoxal et un peu

---

22. Cf. J. QUILLET, *op. cit.*, p. 50-56, et W. ULLMANN, « Some Reflexions on the Opposition of Frederick II to the Papacy », in *Archivio Storico Pugliese*, 13, 1962, p. 16-39.

déroutant. Mais le message de Frédéric II eut un réel impact auprès de ses contemporains, même si son échec politique en Italie et sa mort inopinée en 1250 l'empêchèrent de réaliser son ambitieux programme.

Au niveau des principaux royaumes de la chrétienté, on constate *mutatis mutandis* une évolution parallèle, avec cependant des décalages chronologiques sensibles d'un pays à l'autre, l'Angleterre se singularisant par la précocité de son évolution dans ce domaine. Mais tant en France que dans les royaumes ibériques, on assiste au cours du xiiie siècle à une affirmation des prérogatives du pouvoir monarchique, surtout en matière de juridiction et de législation. Sous l'effet de la réflexion des juristes et des théologiens se développa une nouvelle conception de l'État fondée sur la distinction entre le souverain et sa fonction. L'intellectuel anglais Jean de Salisbury (v. 1115-1180), dans son *Policraticus* (1159), sorte de manuel de l'homme d'État dédié à Thomas Becket, n'innove certes guère lorsqu'il rappelle la distinction des deux pouvoirs — le spirituel et le temporel — et qu'il assimile l'Église à l'âme et la royauté au corps[23]. Mais, à travers cette image organique, il fut le premier en son temps à faire du prince un concept général très proche de celui d'État, en séparant chez le souverain la personne physique du pouvoir qu'il incarne, que les juristes anglais de l'époque, de Glanville à Bracton, désigneront sous le nom de *Corona regni*[24]. Cet élan intellectuel aboutira au xiiie siècle à l'élaboration de la célèbre distinction entre les deux corps du roi — dont l'un ne meurt jamais —, qui non seulement distingue l'individu de la fonction qu'il exerce, mais présente le souverain à la fois comme la source et le serviteur de la loi[25]. En effet, s'il entre bien dans ses prérogatives d'établir des lois nouvelles, il ne lui est pas permis d'agir en dehors de l'équité : s'il le faisait et refusait de s'amender, il deviendrait un tyran et le peuple serait en droit de se révolter contre lui, voire de le déposer[26]. Ainsi apparaît l'idée d'un contrat, explicité par les promesses du sacre, entre le roi et son peuple, qui fonde sa souveraineté en faisant de lui le défenseur de l'intérêt général, mais qui contient aussi en germe la notion de consentement — l'union du roi et de son peuple étant assimilée à un mariage — et pouvait ouvrir la voie à un contrôle de ses actes par les classes dirigeantes du pays[27]. C'est en Angleterre que ces idées trouvèrent en premier lieu leur application, avec la *Magna Carta* de 1215 et l'institution du Parlement, sans l'accord duquel le roi ne pourra lever de taxes sur ces sujets. Pour comprendre cette évolution originale, il faut tenir compte de l'indignation profonde que suscita l'assassinat de Thomas Becket

---

23. Jean de Salisbury, *Policraticus*, éd. C. J. Webb, Oxford, 1909.

24. E. Schubert, *Die Staatslehre des Johns von Salisbury*, Leipzig, 1897; M. Wilks (éd.), *The World of John of Salisbury*, Oxford, 1984 (*SCH, Subsidia*, 3).

25. E. Kantorowicz, *Les deux corps du roi*, Paris, 1989 (trad. de *The King's Two Bodies*, Princeton, 1957). En fait, la dévolution aux rois des prérogatives impériales aboutit à transférer à tout monarque, voire à toute forme d'État les privilèges de cette fonction. Cf. E. Kantorowicz, « Mysteries of State. An Absolute Concept and its Late Medieval Origins », in *HThR*, 48, 1955, p. 65-91, réimpr. dans *Id.*, *Mourir pour la patrie*, Paris, 1984, p. 75-103.

26. Cf. C. J. Nederman et G. Cambell, « Priests, Kings and Tyrants : Spiritual and Temporal Power in John of Salisbury's Policraticus », *Speculum*, 66, 1991, p. 572-590.

27. Sur l'idée médiévale de représentation et ses applications au xiiie siècle, cf. G. Post, *Studies in Medieval Legal Thought*, Princeton, 1964, et B. Tierney, *Foundations of the Conciliar Theory. The Contribution of the Canonists from Gratian to the Great Schism*, Cambridge, 1955.

(† 1170), dont la responsabilité fut attribuée au roi Henri II. Aussitôt vénéré comme martyr, l'archevêque de Canterbury fut canonisé par la papauté dès 1173, ce qui interdit à la monarchie anglaise de connaître au même degré que d'autres pays le processus de sacralisation de la royauté qui caractérisa le XIIIe siècle sur le continent[28].

En France en revanche, où une collaboration étroite et confiante s'était établie entre l'Église et la royauté, au moins depuis l'époque de Suger, on assiste alors au développement d'une véritable religion royale. Comme l'avait déjà noté M. Bloch, « les progrès du caractère sacré et merveilleux de la monarchie ont accompagné les progrès matériels de la dynastie capétienne »[29]. Suivant l'Église sur son propre terrain, les rois de France, en s'appuyant sur les moines de Saint-Denis et en tirant habilement parti des pouvoirs thaumaturges qui leur étaient reconnus, réussirent, à la différence des Plantagenêts et des Staufen, à conférer durablement à leur pouvoir un caractère sacral, ce qui les mettra à l'abri des intrusions de la papauté[30]. De fait, les auteurs ecclésiastiques français du XIIIe siècle développèrent tous, sous des formes diverses, l'idée que le roi était bien l'image visible de Dieu sur terre. Guillaume d'Auvergne († 1249), dans son De Universo, alla même jusqu'à comparer les agents du pouvoir royal aux neuf classes d'anges et invita les premiers à imiter le comportement des seconds. Les dominicains Vincent de Beauvais (De eruditione filiorum regum, 1250/60) et Guillaume Pérault (De morali principis institutione, v. 1260/62), ainsi que le franciscain Gilbert de Tournai dans son Miroir des princes (1259), présentent des exposés moraux sur les fonctions du roi, qu'ils situent, comme leurs prédécesseurs, à l'intérieur de l'Église et se réfèrent, pour définir ses pouvoirs et ses obligations, à la royauté du Christ[31]. À ce titre, ils l'invitent à se comporter avant tout en juste juge et à protéger les gens d'Église, mais aussi les humbles et les pauvres. On retrouve l'écho de leurs exhortations dans les Enseignements de saint Louis à ses fils, où s'exprime sa conception personnelle de la monarchie, assimilée à un corps dont le roi est la tête et le clergé le cœur[32]. Cette heureuse symbiose entre l'Église et l'État atteignit en effet son apogée sous le règne de ce souverain (1226-1270), dont le prestige moral et la ferveur religieuse rejaillirent sur la dynastie, renforçant encore son caractère sacré. Mais la piété du roi ne doit pas faire oublier qu'il réprouva les prétentions théocratiques d'Innocent IV ainsi que l'acharnement dont il fit preuve dans sa lutte contre Frédéric II. Et s'il ne marchanda pas son soutien à l'Église dans sa lutte contre

---

28. Cf. R. FOREVILLE, L'Église et la royauté en Angleterre sous Henri II Plantagenêt (1154-1189), Paris, 1943 ; B. SMALLEY, The Becket Conflict and the Schools. A Study of Intellectuals in Politics, Oxford, 1973 ; Thomas Becket. Actes du colloque international de Sédières, éd. R. FOREVILLE, Paris, 1975.

29. M. BLOCH, Les rois thaumaturges, 2e éd., Paris, 1984, p. 258-260, et A. BOUREAU et C.S. INGERFLOM (éd.) La royauté sacrée dans le monde chrétien, Paris, 1992.

30. Voir à ce sujet les observations de J. C. SCHMITT, « Problèmes religieux de la genèse de l'État moderne », J. Ph. GENET et B. VINCENT (éd.), Église et État dans la genèse de l'État moderne, Madrid, 1986, p. 59-61. Sur le processus de sacralisation de la royauté en France aux derniers siècles du Moyen Âge, cf. C. BEAUNE, Naissance de la Nation France, Paris, 1985. Pour l'Europe centrale et orientale, cf. G. KLANICZAY, The Uses of Supernatural Power. The Transformation of Popular Religion in Medieval and Early Modern Europe, Oxford, 1990, en part. p. 79-128.

31. Y. CONGAR, « L'Église et l'État sous le règne de saint Louis », in Septième centenaire..., cité, p. 257-271 ; J. LECLERCQ, L'idée de royauté du Christ en France au Moyen Âge, Paris, 1959.

32. Saint Louis, Enseignements au prince Philippe, éd. Ch. V. LANGLOIS, La vie en France au Moyen Âge, t. IV, Paris, 1928, p. 36 et suiv., et D. M. BELL, L'idéal éthique de la royauté en France au Moyen Âge d'après les moralistes du temps, Genève, 1972.

l'hérésie, en particulier en Languedoc, il refusa nettement de mettre le bras séculier à la disposition des prélats pour faire appliquer leurs sentences d'excommunication, quand ces derniers le lui demandèrent, bien conscient qu'elles étaient souvent prononcées pour des motifs frivoles[33].

Au total, il est bien difficile de s'en tenir au niveau des principes si l'on veut se faire une idée exacte des relations entre l'Église et l'État à cette époque. Certaines revendications, formulées de façon véhémente dans le feu de la polémique, étaient parfois laissées de côté quand le rapport des forces ou le jeu des alliances politiques rendait peu opportun leur étalage. Ainsi, Innocent III, qui avait lancé de lourdes menaces contre Philippe Auguste dans la décrétale *Novit*, fut amené ensuite, dans le cadre de la lutte qu'il avait engagée contre l'empire et l'hérésie albigeoise, à ménager le roi de France, tandis que Frédéric II évita de mettre en avant ses prétentions universalistes lorsqu'il chercha à s'appuyer sur les autres souverains pour résister à l'offensive lancée contre lui par Innocent IV[34]. Mais, sur un plan général, on peut dire que les États en Occident ont commencé, au XIIIe siècle, à rattraper le retard qu'ils avaient pris à l'époque précédente par rapport à l'institution ecclésiastique, tant au niveau des structures que de l'idéologie. Ils l'ont fait dans une large mesure en empruntant à l'Église un personnel qualifié de clercs de plus ou moins haut rang, mais surtout une définition de l'autorité ainsi qu'un modèle de gouvernement associant la centralité du souverain à la représentation des sujets, ou tout au moins des classes dirigeantes de la société[35].

II. LES CONFLITS ENTRE L'ÉGLISE, L'ÉTAT ET LA SOCIÉTÉ LAÏQUE

1. LA PAPAUTÉ ET FRÉDÉRIC II : LE CONFLIT DES POUVOIRS UNIVERSELS

L'empereur Henri VI, père de Frédéric II, mourut le 28 septembre 1197 à Messine à 31 ans. Quelques mois plus tard, le 8 janvier 1198, Lothaire de Segni fut élu pape Innocent III. Le 28 novembre de la même année, Constance suivit son mari dans sa tombe. Au cours de sa courte période de gouvernement, elle avait abandonné les prétentions ecclésiastico-politiques des rois normands sur le royaume de Sicile en s'accordant avec Innocent III. Dans son testament elle transférait au pape la régence du royaume de Sicile et la tutelle de son jeune fils Frédéric, qui n'avait alors que quatre

---

33. Y. CONGAR, article cité, p. 264-265, et G. J. CAMPBELL « The Attitude of the Monarchy toward the Use of Ecclesiastical Censure in the Reign of Saint Louis », *Speculum*, 35, 1960, p. 535-555.

34. M. PACAUT, « La permanence d'une "via media" dans les doctrines politiques de l'Église médiévale » in *CH*, 3, 1958, p. 327-357.

35. Voir, sur ce point, les observations suggestives de J. VERGER, « Le transfert des modèles d'organisation de l'Église à l'État à la fin du Moyen Âge », in *Église et État dans la genèse de l'État moderne*, p. 31-39.

ans et était donc mineur. Le gouvernement devait être exercé par un conseil composé des archevêques de Palerme, Monreale, Reggio, Capua e Troia. Pour sauver la continuité dynastique, Constance laissa à son fils un héritage qui se révélera lourd de conséquences[36].

La régence d'Innocent III se termina le 26 décembre 1208, lorsque son pupille devint majeur, à 14 ans accomplis. Pour éviter un mariage avec une princesse allemande et pour lier la Sicile avec un autre pays vassal de la papauté, Innocent III avait projeté de marier le jeune Frédéric avec Constance, une sœur du roi Pierre II d'Aragon et veuve du roi Aymeric de Hongrie. Le mariage fut célébré le 15 août 1209 à Palerme.

Dès l'avènement de Frédéric II à la tête du royaume, les conflits avec l'Église s'accumulent. En janvier 1209, à cause de la nomination d'un nouvel archevêque de Palerme ; en février 1210, Frédéric renvoie le chancelier Gautier de Palearia, évêque de Catane et homme de confiance de la curie romaine (et des barons du continent), ainsi que de nombreux notaires de la chancellerie royale.

Autre source de conflit importante, le comportement d'Innocent III dans la question de la succession de l'empire. Philippe de Hohenstaufen, fin et cultivé, avait été élu par la majorité des princes et possédait les insignes impériaux, mais il avait été couronné contre la tradition à Mayence par l'archevêque de Tarentaise ; Otton de Brunswick-Lüneburg était l'élu de la minorité, mais avait pour lui de l'avoir été à Aix-la-Chapelle et d'avoir été couronné selon la tradition par l'archevêque de Cologne. Innocent III prit dès le début le parti d'Otton, qui s'était déclaré prêt à reconnaître les prétentions territoriales et juridiques de l'Église, notamment en Italie du Nord. Dès 1200, le soutien du pape devint public. Le 21 juin 1208, Philippe fut tué dans le palais épiscopal de Bamberg par le comte Otton de Wittelsbach. Le pape déclara qu'il s'était agi d'un jugement divin. Après avoir épousé la fille de Philippe, Otton IV fut élu à nouveau, et unanimement, par les princes allemands à Francfort le 11 novembre 1208. Le pape reconnut le nouveau roi après avoir reçu la confirmation des anciennes reconnaissances. Mais aussitôt après le couronnement impérial, célébré à Rome le 4 octobre 1209, Otton IV fit volte-face : sur le chemin du retour, il s'arrêta à Pise pour mettre sur pied la reconquête du royaume de Sicile, à laquelle le jeune Frédéric II aurait été incapable de résister. Otton IV rencontra alors la farouche opposition du pape, dont toute la politique italienne avait pour but d'empêcher une réunification du royaume de Sicile à l'empire. Lorsque l'empereur franchit les frontières du royaume (novembre 1210), le pape prononça contre lui une excommunication solennelle. À contre-cœur, et poussé par Philippe Auguste, le pape accéda à l'idée de faire élire Frédéric roi de Germanie. Le projet comportait des risques pour l'union personnelle du royaume et de l'empire, mais aucun autre candidat n'était alors disponible. Frédéric fut élu roi de Germanie en septembre 1211 à Nuremberg par plusieurs princes de l'empire. Pour ne pas compromettre ses relations avec le pape, à un moment aussi

---

36. Sur l'histoire du règne de Frédéric, cf. E. KANTOROWICZ, *L'empereur Frédéric II*, et la bibliographie citée en fin de chapitre.

délicat, Frédéric II conféra le gouvernement du royaume à son épouse Constance et fit élire roi de Sicile son fils Henri (VII), qui n'avait alors qu'un an. Le chancelier Gautier de Palearia, qui jouissait de la confiance du pape, fut réhabilité. Il partit lui-même en mars 1212 pour l'Allemagne ; à Rome il fit allégeance au pape, comme jadis ses prédécesseurs normands, en prêtant serment de fidélité pour le royaume de Sicile et en confirmant des privilèges en faveur de l'Église.

Le conflit avec Otton IV fut scellé par Philippe Auguste qui réussit à vaincre l'armée impériale le 27 juin 1214 à Bouvines. Le roi de France envoya l'aigle impériale à Frédéric II, qui se fit couronner roi une nouvelle fois à Aix-la-Chapelle par l'archevêque de Mayence. Il avait alors 21 ans. À la surprise générale, impressionné peut-être par le moment historique, il prit publiquement l'engagement d'organiser une croisade. La présence à Aix-la-Chapelle d'un légat pontifical chargé de la croisade fait penser que Frédéric prit sa décision en accord avec le pape. Un mois plus tard, il demanda au chapitre général des cisterciens d'être admis dans leur communauté de prières : ce geste confirma les anciennes relations entre les Hohenstaufen et les cisterciens, qui étaient également les prédicateurs officiels des croisades.

Le concile du Latran IV (novembre 1215) confirma l'élection de Frédéric II ; le 16 juillet 1216, cependant, Innocent III fit promettre à Frédéric II qu'aussitôt après le couronnement impérial, il renoncerait au gouvernement du royaume en faveur de son fils Henri. La mort du pape (16 juillet 1216) libéra Frédéric de sa promesse. Il fit amener le jeune Henri (qui avait alors cinq ans) en Allemagne et le fit élire roi de Germanie à Francfort en avril 1220. Les rapports avec le successeur d'Innocent III ne furent pas troublés. Le 22 novembre 1220, le couronnement impérial de Frédéric II put être célébré selon la tradition à Rome. Frédéric II prit la Croix des mains du cardinal-évêque Hugolin d'Ostie, le futur Grégoire IX, et reconnut la séparation juridique de la Sicile et de l'empire, tandis que l'Église romaine acceptait l'union personnelle entre les deux royaumes. L'entente avec Rome était parfaite : même les lois impériales promulguées lors du couronnement avaient été rédigées par la chancellerie papale. Toutes les décisions des communes italiennes contraires aux droits de l'Église furent suspendues ; l'empereur s'engagea à soutenir fermement l'Église dans sa lutte contre les hérétiques.

L'entente avec Honorius III fut troublée au moins sur deux plans : d'une part, Frédéric II, pour asseoir son autorité dans le royaume devait s'appuyer aussi sur les évêques et archevêques ; or, depuis le concordat entre Célestin III et l'impératrice Constance (1198), l'influence du roi de Sicile sur la nomination des évêques dans le royaume avait été très réduite. Le chapitre cathédral élisait l'évêque, qui devait être confirmé par le roi et le pape. Si l'évêché restait vacant plus de six mois, le pape avait le droit de nommer son candidat sans aucune interférence, ni du chapitre, ni du roi. En essayant de gagner du temps, la curie romaine pouvait donc aisément mettre sur pied une politique de nominations en toute liberté. Une telle situation provoqua de sérieux accrochages entre Rome et Palerme. La politique de Frédéric II contre Milan et les villes du nord de l'Italie conduisit également à des tensions de plus en plus fortes avec la papauté, d'autant plus que Frédéric II ne reconnut plus la Marche d'Ancône et le duché de Spolète comme distinctes de l'empire et fit entrer des troupes dans ces régions sans l'accord de la papauté. Un premier échange de lettres d'une certaine virulence eut lieu au mois de février 1226 ; la papauté, désirant toujours faire aboutir le projet de croisade, mit cependant tout en œuvre pour qu'un compromis fût scellé entre l'empereur et la Ligue lombarde.

Le vœu prononcé à Aix-la-Chapelle en 1215 était en train de devenir une très lourde charge pour Frédéric II, occupé par mille autres tâches politiques plus urgentes. Sa femme, Constance d'Aragon, était morte en 1222 ; suivant le désir du pape, Frédéric épousa au mois de novembre 1225 Isabelle, fille de Jean de Brienne et héritière du royaume de Jérusalem, qui avait alors quatorze ans. Il s'engagea à accomplir son vœu de croisade au plus tard jusqu'au mois d'août 1227.

Honorius III mourut le 18 mars 1227 ; son successeur, Hugolin d'Ostie prit le nom de Grégoire IX. En tant que cardinal (notamment lors de sa légation en Italie du Nord), il avait été en très bonnes relations avec l'empereur. En tant que pape, il devint son ennemi le plus acharné, peut-être pas seulement pour des raisons politiques. Ce pape, qui avait été en tant que cardinal le protecteur de François d'Assise qu'il canonisa en 1228, a-t-il eu le pressentiment que Frédéric II pouvait constituer un danger pour l'Église, même sur le plan religieux ?

Les événements firent précipiter la mésentente. Au mois d'août 1227, une épidémie se propage parmi les milliers de croisés rassemblés à Brindisi, prêts à partir pour la Terre sainte. Même l'empereur tomba malade peu après son départ et fit demi-tour pour aller se soigner dans les bains de Pouzzoles, près de Naples. Il envoya un messager à Rome pour expliquer au pape que la croisade ne pouvait être organisée dans de telles conditions. Grégoire IX déclara que la maladie de l'empereur était feinte et procéda le 29 septembre 1227, dans la cathédrale d'Anagni, à l'excommunication de Frédéric II. Au mois de juin de l'année suivante, l'empereur s'embarqua avec quarante galères et arriva le 7 septembre à Acre. L'armée impériale ne comportait pas plus de mille chevaliers. Excommunié, il ne pouvait pas compter sur l'aide des chrétiens établis en Orient. Les ordres chevaleresques (celui de Saint-Jean et les Templiers) lui étant hostiles, il ne pouvait s'appuyer que sur les chevaliers de l'Ordre Teutonique, ainsi que sur les Siciliens, Génois et Pisans. Le 18 février 1229, il réussit à passer un accord avec le sultan Al-Kamil d'Égypte, impressionné plus par sa personnalité et sa culture arabe que par sa force militaire.

Le 18 mars 1229 eut lieu dans l'église du Saint-Sépulcre, à Jérusalem, un office liturgique solennel de remerciement, auquel l'empereur ne put prendre part, parce qu'excommunié. Il entra seulement après dans l'église, prit la couronne du royaume de Jérusalem qui était déposée sur l'autel et se couronna lui-même. Par ce geste, il voulut peut-être aussi souligner l'immédiateté divine de sa nouvelle puissance royale. Depuis Jérusalem, Frédéric II adressa un manifeste à la chrétienté ; pour la première fois, il osa appliquer des paroles des Saintes Écritures à sa propre personne. Au retour en Italie, il fut salué comme un nouveau David. Les événements de 1229 constituent un moment remarquable dans la constitution d'une idée impériale chez Frédéric II, comme en témoignent le sermon prononcé par un certain Nicolas dans la cathédrale de Bari et le bas-relief de Bitonto. L'empereur était rapproché de Dieu et la dynastie des

Staufen devenait la dernière maison impériale de l'histoire humaine, destinée à régner jusqu'à la fin des temps.

Mais les rapports avec la papauté ne firent que s'envenimer encore davantage. Le pape délia tous ses sujets de leur serment de fidélité envers Frédéric ; il s'allia avec les villes lombardes et tenta même, sans succès d'ailleurs, d'organiser l'élection d'un anti-roi en Allemagne. Sous l'impulsion du cardinal Thomas de Capoue et du grand maître de l'Ordre Teutonique, Hermann de Salza, et avec la collaboration de princes allemands, un accord entre la papauté et l'empereur put cependant être conclu en été 1230 à San Germano (Cassino) et à Ceprano, c'est-à-dire le long de la frontière qui séparait le royaume de Sicile des États de l'Église. Le prix payé par l'empereur était élevé : le clergé sicilien était libéré de la juridiction royale ; le roi renonçait même à son droit de confirmation, lors de la nomination des évêques (un droit que sa mère avait encore pu sauvegarder). Pour Frédéric la voie était libre pour la mise en œuvre d'une complète réorganisation des structures de l'État : un an après la paix de San Germano, Frédéric II promulgua à Melfi ses célèbres Constitutions, qu'il désigna lui-même comme *Liber Augustalis*. Frédéric II se considérait comme le successeur légitime du grand empereur législateur de la fin de l'Antiquité, Justinien.

Au lendemain de la paix de San Germano, la collaboration avec la papauté n'avait pas été entièrement abandonnée. Frédéric II avait renforcé (mars 1232) les lois impériales contre les hérétiques qu'il avait promulguées lors de son couronnement royal et étendu leur domaine d'application à tout l'empire. En juin 1234, il demanda l'aide du pape contre son propre fils. Grégoire IX lança, en effet, l'excommunication contre Henri VII le 5 juillet 1234 et appela les princes allamends, à soutenir l'empereur. Mais les véritables sources de conflit n'en étaient pas éliminées pour autant. La politique de Frédéric II envers les villes italiennes incita le pape à nommer (août 1238) l'un des pires ennemis de l'empereur, Grégoire de Montelongo, légat pour la Lombardie. Grégoire IX était décidé à aller jusqu'au bout : le 20 mars 1239, il prononça pour la deuxième fois une excommunication contre l'empereur, en déliant tous ses sujets de leur serment de fidélité. Dans la bulle, aucun mot sur la politique italienne ; le prétexte : la conjuration que l'empereur aurait fomentée à Rome pour chasser le pape de son siège. Le hasard voulu que Hermann de Salza, qui avait œuvré pendant des années pour la réconciliation du pape et de l'empereur, mourut juste après, le dimanche des Rameaux. La réaction de Frédéric II à cette nouvelle excommunication ne fut pas seulement verbale (pamphlets de chancellerie...) : il révisa toute sa politique ecclésiastique dans le royaume ; les Mendiants, retenus coupables de propagande pro-curiale, durent quitter le royaume. Les clercs qui auraient refusé de célébrer les offices malgré l'interdit perdraient leurs propriétés et les bénéfices de leur église. Les nominations des évêques étaient soumises à la seule autorité du roi. La ville de Bénévent, enclave pontificale dans le royaume, fut soumise à un blocus ; les murs et les tours de la ville furent ensuite détruits (1241). La lutte entre papauté et empire devenait de plus en plus radicale, comme en témoignent les accusations que se lançaient les deux chancelleries rivales, dans des pamphlets des plus virulents. L'empereur était devenu lui-même hérétique ; on répandait sur lui les pires rumeurs ; on disait, par exemple, qu'il croyait que le monde aurait été trompé par trois imposteurs : Moïse, Jésus et Mahomet ; que l'homme n'avait pas besoin de croire à ce que la nature n'avait pas démontré et que tous ceux qui croyaient que Dieu avait pu naître d'une Vierge étaient fous... Le problème de la religiosité de l'empereur est historiquement difficile à résoudre, mais jusqu'à sa mort, Frédéric II garda un comportement chrétien.

Le pape Grégoire IX avait convoqué pour Pâques 1241 un concile devant traiter « des problèmes importants de l'Église » : de fait le concile avait pour but de procéder à la déposition de l'empereur. L'empereur tenta en vain d'empêcher la réunion du concile. Ayant échoué sur le plan diplomatique, il recourut à la force. Les prélats anglais, français et espagnols avaient choisi la voie de la mer pour plus de sécurité ; mais la flotte génoise qui avait été chargée d'amener les prélats à Civitavecchia fut attaquée et vaincue par les bateaux siciliens et pisans devant l'île de Montecristo (Giglio) au sud-est de l'île d'Elbe. Deux cardinaux, trois archevêques et cent prélats (évêques, abbés, etc.) furent emprisonnés et transportés dans les Pouilles. La victoire de l'empereur ne fut qu'une victoire à la Pyrrhus : l'agression fut unanimement condamnée par l'opinion publique de la chrétienté toute entière.

Grégoire IX mourut la même année, en plein été (22 août 1241). Après une très longue vacance du siège apostolique, pendant laquelle l'empereur maintint une très forte pression sur la Ville éternelle, en s'en approchant même dangereusement par deux fois (juillet 1242, mai 1243), le cardinal génois Sinibaldo Fieschi fut élu pape Innocent IV (25 juin 1243). L'empereur commença tout de suite à négocier avec le nouveau pape, mais la prise de la ville de Viterbe par le cardinal Rainier Capocci (8 septembre) remit tout en question. L'armée impériale tenta en vain de reprendre la ville ; au mois de novembre, Frédéric II abandonna le siège de Viterbe et retourna dans les Pouilles. Grâce à la médiation de saint Louis et des princes allemands, le pape entreprit de nouvelles négociations avec Frédéric II : le 31 mars 1244, un projet de paix fut conclu solennellement. Mais quelques mois plus tard, décidé à rompre définitivement avec l'empereur, le pape s'enfuit déguisé avec un entourage restreint de Sutri à Civitavecchia, d'où il gagna en bateau sa ville natale, Gênes, où il fut reçu avec enthousiasme. Au mois d'octobre suivant, il en repartit en direction de Lyon, ville qui appartenait encore à l'empire mais qui était située à proximité immédiate de la France. C'est là qu'il convoqua un concile, qui fut ouvert le 24 juin 1245, dont l'objet principal devait être la déposition de l'empereur. Malgré les efforts déployés par le représentant de ce dernier, Thaddée de Suessa, le concile ratifia la proposition du pape et Frédéric II, le 17 juillet 1245, fut déclaré coupable sur tous les points, excommunié de nouveau et privé de tous ses honneurs et dignités. En même temps qu'on interdisait à ses sujets de lui obéir, les princes allemands étaient invités à procéder à une nouvelle élection impériale. Dès lors, aucune possibilité d'accord n'existait plus entre les deux puissances à vocation universelle et la lutte entre le pape et l'empereur déchu entra dans sa dernière phase. Avec la défaite subie par ce dernier devant Parme (février 1248), le suicide de son principal conseiller, Pierre de la Vigne, accusé de complot (1249) et la révolte de Naples en 1250, sa position ne cessa de se détériorer, mais la papauté ne prit véritablement le dessus qu'après la mort de l'empereur, survenue à Castel Fiorentino, en Pouille, le 13 décembre 1250. Ce fut un grand soulagement pour Innocent IV, qui ne dissimula pas sa satisfaction dans une lettre aux

Italiens : « Que les cieux exultent, que la terre se remplisse de joie, car la disparition du tyran a changé en frais zéphyrs et en féconde rosée la foudre et la bourrasque que le Dieu tout-puissant tenait suspendues sur vos têtes![37] »

Malheureusement pour la papauté, la « race de vipères » de Frédéric II, pour reprendre une expression fréquemment utilisée par la chancellerie pontificale, n'était pas éteinte : tandis que l'aîné de ses fils légitimes, Conrad IV, travaillait à se faire reconnaître roi de Germanie contre de nombreux concurrents, un de ses bâtards, Manfred, jeune homme extrêmement doué, écrasa en 1253 la révolte des villes et des barons d'Italie du Sud contre l'autorité royale. Innocent IV, craignant qu'il ne reprenne à son compte la politique de son père, refusa de le reconnaître et se mit en quête d'un prince auquel il pourrait accorder la couronne de Sicile. Mais, après la mort de Conrad IV (mai 1254), Manfred entreprit de se réconcilier avec la papauté, tandis que de nombreuses difficultés retardaient la conclusion d'un accord avec Richard de Cornouailles, qui avait été pressenti pour le remplacer. Cependant, quand Manfred, s'étant rendu maître de la Sicile, eut été couronné à Palerme et prit la tête des Gibelins italiens qui remportèrent en 1260 la grande victoire de Montaperti, il devint évident qu'il constituait à son tour un péril majeur pour le Saint-Siège et pour les cités guelfes qui soutenaient sa politique. Le pape français Urbain IV, élu en 1261, le comprit fort bien et entreprit de réunir en une coalition toutes les forces politiques italiennes et étrangères hostiles au roi de Sicile. C'est dans ce contexte qu'il fit appel à Charles d'Anjou, frère de Louis IX et comte de Provence, qui accepta la proposition, en dépit des réticences du roi de France. Son successeur, Clément IV, le fit couronner roi de Sicile à Rome, en 1266. Grâce au soutien financier des banquiers guelfes, Charles finit par réunir une importante armée qui entra en campagne contre Manfred. Ce dernier fut battu et tué à la bataille de Bénévent (26 février 1266), à la suite de laquelle Naples et l'Italie du Sud tombèrent entre les mains du vainqueur. Mais les partisans de l'empire ne désarmèrent pas pour autant et firent appel contre l'Angevin au fils de Conrad IV, Conradin, un adolescent de quinze ans. Ce dernier descendit en Italie en 1267 et les Gibelins, se soulevant à son appel, lui ouvrirent la route de Rome où il fut triomphalement accueilli par la population. Mais Charles d'Anjou veillait et écrasa l'armée impériale à la bataille de Tagliacozzo, dans les Abruzzes, le 23 août 1268. Conradin, fugitif, finit par être livré au vainqueur qui le fit décapiter. La papauté avait ainsi définitivement éliminé les Hohenstaufen de l'Italie et porté à l'empire un coup dont il ne devait pas se remettre. Dès lors put se mettre en place le système politique dont elle rêvait depuis longtemps : un royaume de Sicile dont le roi ne fût pas en même temps empereur et saurait se montrer respectueux vis-à-vis des prérogatives du Saint-Siège, en particulier sur le plan territorial, et, dans le *Regnum italicum*, des communes régies en majorité par des gouvernements guelfes, avec l'appui desquels l'Église allait pouvoir donner un caractère systématique à la lutte contre l'hérésie[38].

---

37. Cité par E. G. Léonard. *Les Angevins de Naples*, Paris, 1954, p. 37. On trouvera dans cet ouvrage un récit chronologique détaillé des événements survenus entre la mort de Frédéric II et l'avènement de Charles d'Anjou sur le trône de Sicile.

38. Cf. G. Salvemini, « Le lotte fra Stato e Chiesa nei comuni italiani durante il sec. xiii » in *StSto*, Florence, 1901, p. 39-90, et S. Pivano, *Stato e Chiesa negli statuti comunali italiani*, Turin, 1904.

Bulloz

*Le pape Clément IV investissant Charles d'Anjou du royaume de Sicile,
fresque du XIIIe siècle, la Tour Ferrande, Pernes-les-Fontaines (Vaucluse).*

2. En France et en Angleterre : l'Église, le pouvoir royal et l'opinion publique

Dans les royaumes de France et d'Angleterre, qui étaient les principales puissances politiques de l'époque, les rapports que l'Église entretenait avec les pouvoirs temporels ne furent pas marqués par la même violence qu'en Italie. Mais on y constate aussi, surtout au sein de l'aristocratie laïque, une montée de l'opposition au clergé dont les privilèges, surtout en matière judiciaire et fiscale, commencèrent à être sérieusement contestés. Ainsi, dans les deux pays, la papauté avait mis en vigueur, dans les premières décennies du XIIIe siècle, la decrétale *Etsi clerici* qui stipulait que les clercs criminels ne pouvaient être jugés que par les tribunaux ecclésiastiques et que les affaires dans lesquelles ces derniers étaient impliquées relevaient de la compétence des officialités, même si la partie adverse était un laïc. Le nombre élevé des tonsurés et les abus enregistrés dans l'application de ces dispositions amenèrent les nobles français, en 1246, à former une ligue, dont l'objectif avoué était d'interdire aux laïcs de comparaître devant les officialités, sauf pour les cas d'hérésie, mariage et sacrement[39]. La vivacité de cette réaction doit sans doute être mise en relation avec l'affirmation d'un droit laïc autonome par rapport à celui de l'Église, au niveau des États mais surtout des régions et des diverses communautés naturelles, comme l'attestent bien les *Coutumes de Beauvaisis* de Philippe de Beaumanoir, rédigées vers 1280[40].

Les nobles anglais, pour leur part, refusèrent d'appliquer la norme canonique nouvelle, qui légitimait les bâtards en cas de mariage subséquent, tandis qu'en sens inverse l'évêque de Lincoln, Robert Grosseteste, protesta, vers 1240, contre l'interdiction faite à ses sujets par le roi de prêter serment aux évêques à l'occasion de leurs visites pastorales dans les paroisses[41]. En France comme en Angleterre, les clercs se plaignaient d'être en butte à l'hostilité des laïcs et, de fait, ceux-ci leur reprochaient vivement de ne participer ni militairement ni financièrement à la défense du royaume[42]. À partir du milieu du XIIIe siècle s'affirme plus nettement la notion de l'« *utilitas* » ou « *necessitas regni* ». Le royaume est assimilé à un corps, à l'entretien et à la protection duquel tous ses membres doivent contribuer. Cette métaphore théologique, transposée dans le domaine politique, mettait l'accent sur l'idée d'une patrie commune à tous ses habitants, véritable « corps mystique » dont le roi était la tête et vis-à-vis de laquelle les régnicoles avaient un certain nombre de devoirs[43]. Tout le problème, encore non résolu à cette époque, était de savoir si les exigences découlant du principe de la souveraineté territoriale l'emportaient ou non sur le statut privilégié des clercs.

Mais les deux premiers « ordres » de la société tripartite se retrouvaient unis pour critiquer les excès de la politique pontificale et pour protester contre les *gravamina* (graves nuisances) infligés par le Saint-Siège au royaume, en particulier les subsides divers qui étaient extorqués aux clercs et aux laïcs sous la menace de l'excommunication. Dans la seconde protestation — rédigée en des termes très violents — que saint Louis transmit à ce sujet à Innocent IV en 1247, il était même écrit qu'en France, « tous ou presque sont devenus schismatiques, au moins de cœur » et que si le pape ne

39. Y. CONGAR, art. cité, p. 266-277.
40. Philippe de Beaumanoir, *Coutumes de Beauvaisis*, éd. E. VIOLLET, Paris.
41. C. MORRIS, *The Papal Monarchy. The western Church from 1050 to 1250*, Oxford, 1989, p. 557, et J. R. STRAYER, « The Laicization of French and English Society », in *Speculum*, 15, 1940, p. 76-86.
42. Cf. G. de LAGARDE, *Naissance de l'esprit laïc au Moyen Âge* t. I : *Bilan du XIIIe siècle*, 3e éd., Paris, 1956. Sur les plaintes du clergé contre les exactions des laïcs et des agents du roi, cf. J. GAUDEMET, « Aspects de la législation conciliaire française au XIIIe siècle », in *RDC*, 9, 1959, p. 319-340, et J. BOISSET, *Un concile provincial au XIIIe siècle : Vienne, 1289. Église locale et société*, Paris, 1973, en part. p. 171-177.
43. E. KANTOROWICZ, *Mourir pour la patrie*, et *Les deux corps du roi*, p. 145-200. Sur l'importance de la notion de la patrie en France dès le milieu du XIIIe siècle, cf. C. BEAUNE, *op. cit.*, p. 324-335.

modérait pas ses exigences, il faudrait bientôt envisager de réduire sa *potestas*[44]. On retrouve le même son de cloche de l'autre côté de la Manche, d'autant plus que l'Angleterre était, depuis Jean sans Terre, un royaume vassal du Saint-Siège et paya à ce titre, jusqu'à la fin du règne d'Henri III, un cens annuel de mille marcs d'argent. Il suffit de lire la *Chronique* de Matthieu Paris, un bénédictin de Saint-Albans, ou les invectives de l'évêque Robert Grosseteste contre les agissements d'Innocent IV pour mesurer à quel point la curie romaine s'était rendue odieuse dans ce pays par ses exactions financières[45].

Autant et parfois plus que les souverains eux-mêmes, leurs agents et représentants locaux firent souvent preuve d'un grand zèle pour mettre fin aux empiétements de l'Église sur les prérogatives royales et réduire les privilèges des clercs. Dès 1274, une ordonnance de Philippe le Hardi précisa les limites de la juridiction ecclésiastique : le privilège du for fut maintenu, mais il ne s'appliquait plus aux clercs mariés, marchands ou porteurs d'armes ; en cas de flagrant délit, en matière criminelle, ou de conflit féodal, la compétence des tribunaux laïques sur les clercs fut réaffirmée avec force. L'offensive contre la justice ecclésiastique se développa sous Philippe le Bel, qui soutint systématiquement ses baillis et sénéchaux et n'hésita pas à faire saisir le temporel des juges d'Église abusifs[46]. Il serait cependant excessif de voir là l'effet d'une politique de laïcisation de l'État : le roi se devait de ménager l'Église de France, dont l'appui lui fut précieux lors du conflit qui l'opposa au pape Boniface VIII. Aussi le soin de régler ces litiges fut-il laissé au Parlement de Paris, où siégeaient de nombreux clercs et dont l'impartialité était reconnue. Mais il est incontestable qu'en France, comme d'ailleurs en Angleterre à la même époque, la royauté a lutté avec succès pour se faire reconnaître comme la source unique de la justice temporelle et pour faire prévaloir la compétence exclusive de ses tribunaux en matière d'appel pour les sentences temporelles.

De façon générale, on assiste à cette époque à une poussée sensible de l'anticléricalisme à tous les niveaux de la société laïque. Dans certaines régions, comme le Languedoc et la Provence, ce sentiment s'exprima à travers une abondante littérature en langue vulgaire et, en particulier, dans les poésies des troubadours[47]. Ces derniers, en général favorables à l'empire, critiquèrent aussi bien la politique de la papauté en Italie que les agissements de l'archevêque d'Arles, Joan Bausan, qui n'avait pas hésité, en 1250, à frapper la cité d'interdit pour défendre la seigneurie épiscopale contre le mouvement communal qui l'avait chassé du pouvoir. On a parfois supposé que certains de ces poètes, en particulier Guilhem Figueira et Peire Cardenal qui

44. Y. Congar, article cité, p. 266-267, et G. C. Campbell, « The Protest of Saint Louis », in *Traditio*, 15, 1959, p. 405-418.

45. Matthieu Paris, *Chronica majora*, 7 vol., éd. H. R. Luard, Londres, 172-1884 ; sur ce personnage, cf. R. Vaughan, *Matthew Paris*, Cambridge, 1958 ; sur Robert Grosseteste et son anticurialisme, cf. B. Tierney, « Robert Grosseteste and the Theory of Papal Sovereignity », in *JEH*, 6, 1955, p. 1-17, et R. Southern, *The Growth of an English Mind in Medieval Europe*, Oxford, 1986.

46. Cf. V. Martin, *Les origines du Gallicanisme*, t. I, Paris, 1939, et J. R. Strayer, *Les origines médiévales de l'État moderne*, Paris, 1979.

47. M. Aurell, *La vielle et l'épée. Troubadours et politique en Provence au XIIIᵉ siècle*, Paris, 1989, et P. Ourliac, « Troubadours et juristes », in *Études d'Histoire et de Droit médiéval*, I, Toulouse, 1979, p. 273-301.

furent parmi les plus virulents, avaient des sympathies pour les hérétiques et les auteurs ecclésiastiques de l'époque ont contribué à cet amalgame en traitant leurs adversaires de « patarins » ou de vaudois. Il est sans doute plus exact de dire que leurs satires des « faux clercs » ou de « Rome la tricheuse » étaient l'expression de ce que J. Chiffoleau a appelé à juste titre une sensibilité gibeline, c'est-à-dire d'un refus de la domination temporelle des clercs[48]. Du reste, après l'alliance de Charles d'Anjou avec la papauté et ses victoires sur les descendants de Frédéric II, les troubadours les plus engagés reportèrent leurs espoirs sur Pierre III d'Aragon, gendre de Manfred, qui devint roi de Sicile après les Vêpres siciliennes en avril 1282. Rien n'illustre mieux que cette évolution le caractère fondamentalement politique de l'anticléricalisme de ces poètes et de ceux qui, en grand nombre assurément, récitaient ou murmuraient leurs chansons.

Ainsi, au moment même où la théocratie pontificale semblait l'emporter en Italie et où l'empire entrait dans une crise appelée à se prolonger, des changements peu spectaculaires mais importants intervinrent dans les rapports qu'entretenaient l'Église et l'État, tant au sommet qu'à la base. Leurs fonctions étaient depuis longtemps bien distinctes, mais leurs domaines respectifs ne l'étaient pas, ce qui entretenait la confusion et provoquait d'incessants conflits. Ces derniers, sauf à la fin du règne de Frédéric II, dégénéraient rarement en épreuves de force, car aucune des deux parties en présence n'envisageait la possibilité de se séparer de l'autre. Mais à la fin du XIIIᵉ siècle, le pôle temporel, le plus faible à l'origine, s'était sensiblement renforcé et, tout en conservant d'étroites relations avec le pôle spirituel, entendait bien occuper la totalité de l'espace qu'il considérait désormais comme sien.

BIBLIOGRAPHIE

Ouvrages généraux

J.H. Burns, (éd.), *The Cambridge History of Medieval Political Thought, c. 350-c. 1450*, Cambridge, 1988.
Y. Congar, *L'Église de saint Augustin à l'époque moderne*, Paris, 1970.
R. Folz, *L'idée d'Empire en Occident du vᵉ au xvᵉ siècle*, Paris, 1953.
J.-Ph. Genet et B. Vincent (éd.), *Église et État dans la genèse de l'État moderne*, Madrid, 1986 (Bibliothèque de la Casa de Velazquez, 1).
A. Gouron et A. Rigaudière (éd.), *Renaissance du pouvoir législatif et genèse de l'État*, Montpellier, 1988.
E. Kantorowicz, *Les deux corps du roi*, Paris, 1989.
—, *Mourir pour la patrie*, Paris, 1984.
M. Pacaut, *La théocratie, l'Église et le pouvoir au Moyen Âge*, 2ᵉ éd., Paris, 1989.
G. Post, *Studies in Medieval Legal Thought, Public Law and State*, Princeton, 1964.
J. Quillet, *Les clés du pouvoir au Moyen Âge*, Paris, 1972.
Théologie et Droit dans la science politique de l'État moderne, Rome, 1991. (Collection de l'École française de Rome, 147).
W. Ullmann, *Medieval Papalism. The Political Theories of Medieval Canonists*, Londres, 1940.

---

48. J. Chiffoleau, « Vie et mort de l'hérésie en Provence et dans la vallée du Rhône du début du XIIIᵉ au début du XIVᵉ siècle », in *Effacement du catharisme? (XIIIᵉ-XIVᵉ siècle)*, (Cahiers de Fanjeaux, 20), p. 73-99, parle de cette région comme d'un « laboratoire de la théocratie » et met en lumières les origines économiques et politiques de son anti-cléricalisme.

Frédéric II et ses successeurs

Sources et bibliographie

A.C. WILLEMSEN, *Bibliographie zur Geschichte Friedrichs II, und der letzten Staufer*, München, 1986.
E.G. LÉONARD, *Les Angevins de Naples*, Paris, 1954.

Biographies

E. KANTOROWICZ, *L'empereur Frédéric II*, Paris, 1987 (édition originale, 1927).
Th.C. VAN CLEVE, *The Emperor Frederic II of Hohenstaufen, Immutator Mundi*, Oxford, 1972.
H.M. SCHALLER, *Kaiser Friedrich II. Verwandler der Welt*, Frankfurt-Zürich, 1971.
D. ABULAFIA, *Frederick II : A Medieval Emperor*, London, 1988.

Colloques, expositions

Atti del Convegno Internazionale di Studi Federiciani, Palermo, 1952.
Die Zeit der Staufer, catalogue en 4 volumes de l'exposition organisée à Stuttgart, 1977, Würtembergisches Landesmuseum.
Federico II e l'arte del Duecento italiano, éd. A.M. ROMANINI, Galatina, 1980.
Politica et cultura nell'Italia di Federico II, éd. S. GENSINI, Pisa, 1986.
Federico II e il mondo mediterraneo, éd. A. PARAVICINI BAGLIANI, J.-Cl. MAIRE-VIGUEUR, P. TOUBERT, 3 vol., Palerme (sous presse).

Études particulières

RM. KLOOS, « Nikolaus von Bari, eine neue Quelle zur Entwicklung der Kaiseridee unter Friedrich II », dans *DA*, 11 (1945-1955).
Stupor mundi : Zur Geschichte Friedrichs II. von Hohenstaufen, éd. G. WOLF, Darmstadt, 1966.
B. TIERNEY, *Frederick II and the Papacy*, dans *id., The Crisis of Church and State 1050-1300, with Selected Documents*, Toronto, 1988, 139-149.
D. BERG, *Staufische Herrschaftsideologie und Mendikantenspiritualität. Studien zum Verhältnis Kaiser Friedrichs II. zu den Bettelorden*, dans *WiWei*, 51 (1988), 26-51, 185-209.
—, « L'impero degli Svevi e il gioachimismo francescano », dans *L'attesa della fine dei tempi nel Medioevo. Atti della settimana di studio, 5-9 settembre 1988*, éd. O. CAPITANI-J. MIETHKE, Bologne, 1990, 133-167.

Angleterre, France et pays limitrophes

M. AURELL, *La vielle et l'épée. Troubadours et politique en Provence au XIIIᵉ siècle*, Paris, 1989.
J.-Ph. GENET (éd.), *L'État moderne : Genèse*, Paris, 1990.
G. de LAGARDE, *Naissance de l'anticléricalisme*, t. I : *Bilan du XIIIᵉ siècle*, 3ᵉ éd., Paris, 1956.
Septième centenaire de la mort de saint Louis. Actes des colloques de Royaumont et Paris (21-27 mai 1970), Paris, 1976.
J.R. STRAYER, *Les origines médiévales de l'État moderne*, Paris, 1979.
B. TIERNEY, *The Crisis of Church and State, 1050-1300, with Selected Documents*, Toronto, 1988.

CHAPITRE IV

La consolidation de la « Nouvelle Chrétienté » au XIIIᵉ siècle

par Jerzy KŁOCZOWSKI

1. LA SITUATION DE L'ÉGLISE DANS LA SPHÈRE D'INFLUENCE OCCIDENTALE AU TEMPS D'INNOCENT III

L'Église fut, à la fin du XIIᵉ siècle, dans les pays de la nouvelle chrétienté, une grande force bien intégrée, capable de trouver sa place dans des sociétés et des États en pleine évolution. Les aspirations des Grands et des nobles, les transformations des villes et de la campagne, une occidentalisation poussée, vont en effet produire au XIIIᵉ siècle des changements très profonds dans toutes les structures sociales et politiques[1]. L'Église, en luttant pour sa liberté, donne un peu l'exemple aux autres, tout en étant obligée de chercher des compromis avec les forces montantes, en particulier celles des princes-rois.

Ce qui devient tout spécialement évident, au temps d'Innocent III surtout, c'est l'alliance directe de la papauté avec les hiérarchies locales, beaucoup plus étroite qu'auparavant. Ce n'est pas un hasard si, pour la première fois, nous retrouvons à Rome pour le concile de Latran IV, en 1215, des évêques des pays de l'Europe du Centre-Est et du Nord en grand nombre. Les efforts même du pape pour les avoir absolument tous sont, sur ce plan, bien révélateurs[2]. Là où les relations de l'Église locale et de l'État étaient bonnes, le pape n'hésite pas à appuyer ce dernier. Ce fut le cas du Danemark où le roi Valdemar II (1202-1241) et l'archevêque de Lund, Anders Sunesen (1201-1223) donnèrent l'exemple d'une collaboration très poussée. Mais lorsqu'elles avaient à lutter pour leurs droits, les Églises locales pouvaient réellement compter sur l'aide de la papauté. En Norvège, le roi Sverre Sigurdson (1186-1202) deviendra un symbole de la lutte contre la prépondérance de l'Église, beaucoup trop grande à ses yeux, dans le pays[3]. Sverre, un ancien prêtre, élabora même pour son usage une théorie selon laquelle l'Église devait être contrôlée par le roi, appelé au pouvoir directement par Dieu, sans l'intermédiaire de l'Église. Au cours d'une lutte

---

1. *Cambridge Medieval History* (1957); DVORNIK (1970); HALECKI (1952); GRAVIER (1984); *A History of East Central Europe* (1974 et suiv.); L. MUSSET (1951); *Kulturhistorisk Leksikon* (1956-78); T.K. DERRY, *A History of Scandinavia*, Minneapolis, 1979; *Słownik* (1967-82). A. JANIN, « Bulgarie ». *DHGE*, X, 1938, c. 1120 et suiv.
2. R. FOREVILLE, *Latran I, II, III* et *Latran IV*, Paris 1965; p. 391.
3. Sur l'époque de Valdemar II : E. EYDOUX, *Les grandes heures du Danemark*, Paris, 1975; L. KRABBE (1950); A. RAULIN (1960); M.S. LAUSTEN (1983); E. SUNNER, *Kongers aere*, Oslo, 1971, WILLSON, p. 156-84; LARSEN, (1950), p. 139 et suiv.

acharnée, le roi réussit à expulser de Norvège tous les évêques qui étaient contre lui, à une seule exception près. L'archevêque Erik, qui passa dix ans en exil au Danemark, trouva vite un appui de la part d'Innocent III qui jeta en 1199 l'interdit sur la Norvège et appela les rois du Danemark et de la Suède à une croisade contre Sverre. Mais c'est seulement après la mort de Sverre en 1203 qu'on put régler ce conflit par un compromis équilibré. L'archevêque Erik donna sa démission en 1205, mais son successeur Thore, un chanoine d'Oslo élu par le chapitre et consacré ensuite à Rome par le pape lui-même, fut un homme de paix, souvent un arbitre dans les luttes politiques dans le pays. Après la mort de Thore en 1214, un nouvel archevêque élu, Guttonn, fut aussi consacré par le pape à Rome en 1215.

Dans la Pologne alors divisée, l'énergique archevêque de Gniezno, Henri Kietlicz (1119-1219), protesta contre la politique, jugée trop dure, du prince de Grande Pologne[4]. Expulsé en 1206, il trouva vite une aide auprès des autres princes et surtout il se rendit à Rome où il fut très bien reçu par Innocent III. Sur la demande de l'archevêque, le pape expédia entre le 2 et 13 janvier 1207, presque 30 documents qui tracent bien les grandes lignes d'un programme de réformes et demandent aux princes et à l'Église de Pologne d'aider l'archevêque *qui pro eorum et Ecclesiae libertate laborat*. De retour dans son pays, l'archevêque y entreprit une longue lutte rendue particulièrement difficile par les divisions de l'Église et l'hostilité de certains évêques à son égard. Ce fut le premier conflit politico-ecclésiastique de cette envergure dans le pays. Dès 1207 eut lieu à Cracovie l'élection d'un évêque par le chapitre, lui-même du reste bien divisé. En juillet 1210, les princes amis de l'archevêque concédèrent à l'Église de grands privilèges d'immunité correspondant aux exigences de l'Église. Même le principal adversaire de Kietlicz, le prince Ladislas « Jambes Grêles », fut obligé d'admettre le principe de l'élection des évêques. Mais en 1211 encore, à Poznan, le candidat du prince fut élu et même confirmé par le pape, malgré les protestations de l'archevêque. Henri Kietlicz, infatigable, continua, malgré tous les obstacles opposés par les princes et le clergé, l'œuvre de réforme, organisant des synodes de sa province en 1212, 1214, 1215[5] et emmenant avec lui six autres évêques polonais à Rome en 1215 pour le concile de Latran IV. Sa position semble cependant s'être un peu affaiblie à la fin de sa vie — il mourut en 1219 —, probablement à cause de la mort d'Innocent III, son principal protecteur, mais l'Église polonaise sortit de ces épreuves beaucoup plus forte et indépendante.

On pourrait peut-être comparer le royaume du Danemark à l'époque d'Innocent III à celui de Hongrie, où l'on rencontre une monarchie relativement forte et, par toute sa tradition, très proche de Rome[6]. Mais les deux fils de Bela III, qui par leur mère étaient les petits-fils du roi de France, Louis VII, Emeric, roi de 1196 à 1204 et André II, qui régna de 1205 à 1235, ne furent pas à la hauteur de leur grand-père. En

---

4. Gieysztor (1971); P. David, *The Church in Poland to 1250, Cambridge History of Poland*, I, p. 60-84; A. Witkowska, *Les mutations du XIIIᵉ siècle*, dans Kłoczowski (1987), p. 84 et suiv.; *Bullarium Poloniae*, I, éd. I. Sułkowska-Kuraś et St. Kuraś, Rome, 1982.

5. A. Vetulani, *Statuty synodalne Henryka Kietlicza* (Les statuts synodaux de Henryk Kietlicz), Cracovie, 1938.

6. Pamlényi (1974); Balint Homan, *Geschichte des ungarischen Mittelalters*, II, Berlin, 1943; Horn (1906), p. 17-18; E. Horn, « Hongrie », *DTC*, VII, Paris, 1927, col. 42-3, P.F. Sugar (ed.), *A History of Hungary*, Bloomington (Indiana), 1990.

1198, en effet, André se révolta contre son frère et créa dans le sud du pays une principauté indépendante. Emeric fut alors obligé d'écraser cette révolte par la force et l'aide du pape lui fut précieuse, car beaucoup de prélats avaient embrassé la cause d'André. Sur l'intervention du pape, le roi commença ensuite la lutte en Bosnie contre l'hérésie des Bogomiles, qui apparaissent pour la première fois dans les sources. C'est à ce moment, en 1202, que les croisés menés par Venise s'emparèrent de la ville hongroise de Zara, au bord de l'Adriatique, contre les intentions du pape. Sur l'ordre du pape, ils quittèrent la ville où Venise laissa ses soldats jusqu'en 1204. Les luttes d'Emeric et d'André avaient repris entre-temps. Enfin en 1205, André prit le pouvoir, après la mort d'Emeric. Son règne fut assez malheureux tant sur le plan intérieur qu'extérieur, et il fit preuve d'arbitraire dans le domaine des nominations ecclésiastiques. En principe, le consentement préalable du roi (consensus) était nécessaire en Hongrie, dès le xiiie siècle, dans n'importe quelle élection ecclésiastique. Les souverains revendiquaient en effet un droit de « patronage suprême » qui datait, selon eux, du xie siècle, du temps des grands saints rois, saint Étienne et saint Ladislas[7]. La papauté contesta ce privilège spécial, mais dans la pratique on chercha des solutions de compromis tenant compte des droits du roi, du pape, ainsi que de l'archevêque d'Esztergom, indiscutablement le premier personnage ecclésiastique de la Hongrie malgré les prétentions d'un autre archevêque, celui de Kalocsa. André II sut en tout cas imposer ses candidats, comme le montre l'élection d'un jeune et indigne frère de la reine, Bertold, à la tête de l'archevêché de Kalocsa en 1206, et cela malgré les protestations d'Innocent III. Appelé longtemps par le pape à réaliser ses vœux de croisade, André II tenta enfin en 1217 une expédition, en pensant d'ailleurs plutôt à ses prétentions sur Constantinople qu'à la Terre sainte.

La situation de la Bohême était, aux yeux d'Innocent III, bien plus grave et elle l'obligea à y intervenir dès les premières semaines de son pontificat en raison de deux problèmes majeurs : la déposition de l'évêque Daniel II de Prague, très lié au jeune et énergique roi Přemysl Ottokar (1197-1230) et le divorce du roi[8]. Přemysl avait obtenu de l'évêque Daniel l'annulation de son mariage avec Adélaïde, de la grande famille des Wettin de Meissen, pour des raisons de degré de parenté et pris une nouvelle femme, Constance, sœur du roi de Hongrie, Emeric. Adélaïde fit appel à la curie romaine contre cette décision qui la plaçait dans une situation très proche, semble-t-il, de celle d'Ingeborg en France, à cette différence près qu'elle avait eu quatre enfants de son mariage avec Přemysl, dans les années 1187-1198. En outre, l'évêque Daniel fut accusé par une partie du clergé de Prague de n'être pas élu d'une manière canonique.

La position du pape fut d'emblée très nette. Dès le 8 avril 1198, il demanda au chapitre de Prague de procéder à une élection, et à l'archevêque de Magdebourg de déposer Daniel de son siège épiscopal. À propos de l'affaire du mariage, le pape s'exprima également dans une lettre adressée en 1199 au clergé français[9]. Mais la

7. Ch. d'Eszlary, *Histoire des institutions publiques hongroises*, Paris, 1959, p. 137 et suiv.

8. J. Macek, *Histoire de la Bohême des origines à 1918*, Paris, Fayard, 1984 ; P. David (1937), c. 436-437 ; P. Hilsch, *Der Kampf um die Libertas ecclesiae in Bistum Prag*, dans Seibt (1974), p. 295-306 ; Le livre de base est celui de Vaclav Nowotný, *České Dějiny* (L'Histoire de la Bohême), t. I, 3, Prague, 1928.

9. Nowotny, *České Dějiny*, p. 241.

Bohême tenait une place particulièrement importante dans l'empire, au moment de la lutte acharnée de deux candidats au pouvoir, Philippe de Souabe, couronné à Mayence en 1198, et Otton de Brünswick. Přemysl Ottokar promit d'abord de soutenir Philippe en échange du titre de roi de Bohême et, entre autres, du droit d'investiture sur les évêques de Prague et d'Olomouc. Ce dernier droit était extrêmement important pour les princes de Prague car tout récemment encore l'empereur avait voulu jouer la carte de l'évêque de Prague, en tant que « Reichfürst », précisément contre eux. C'est pour contrer cette manœuvre que les princes de Prague avaient introduit Daniel II en 1197 à l'évêché de Prague sans l'autorisation ni de l'archevêque de Mayence (Prague appartenait à cette province), ni du roi de Germanie. L'approbation de ce fait par Philippe représenta donc un très grand succès et le nouveau roi de Bohême ne se montra absolument pas disposé à céder sur ce point. Les commissions convoquées par le pape pour examiner le cas de l'évêque et d'Adélaïde se montrèrent alors prudentes et lentes, et, à la fin, le roi de Bohême remporta un succès. Sur la demande du pape, il se rallia, avec prudence d'ailleurs, à Otton IV ; à la suite de quoi le légat du pape le couronna le 24 août 1203 sur le lieu même de la bataille contre Philippe, près de Mersebourg ; le pape confirma ensuite en 1204 d'une manière solennelle l'existence du royaume de Bohême. Auparavant déjà, en 1202, Innocent III s'était adressé à Daniel et avait permis à l'évêque de Prague d'exercer ses fonction d'évêques jusqu'à sa mort en 1214, sans donner pour autant son accord à la création de la province ecclésiastique de Prague. Enfin il annonça en 1204 la canonisation d'un saint tchèque, Procope de Sazava[10]. Le procès d'Adélaïde durera jusqu'à sa mort en 1211, sans résultat. Přemysl Ottokar, maintenant sa ligne politique, obtiendra en 1212 « une bulle d'or » de la part du jeune Frédéric II Hohenstaufen avec l'approbation définitive d'une indépendance de fait, très poussée, de la Bohême dans le cadre de l'empire.

Il est possible que Přemysl Ottokar ait accordé, peut-être vers 1207, le droit d'élection de l'évêque aux chapitres de Prague et d'Olomouc, dans le but d'écarter les influences extérieures de l'archevêque et de l'empereur. Nous ne savons pas si le successeur de l'évêque Daniel II, André, fut élu en 1214 ou tout simplement nommé par le roi ; en tout cas, c'était un homme du roi, puisqu'il avait été, jusqu'à sa nomination, chancelier du royaume. Il se rendit à Rome pour le IVe concile de Latran et, le 22 novembre 1214, fut consacré par le pape. Par la suite André, en tant qu'évêque, se consacra à la réforme de l'Église et dès 1216 un grand conflit, latent jusqu'à cette date, éclata au grand jour ; en 1217, en effet, cet ancien homme du roi sera même obligé de quitter la Bohême pour Rome, en jetant un interdit sur le pays, et on ne trouvera de compromis qu'en 1221. Sans doute, l'évolution de la situation religieuse et ecclésiastique et les changements si importants de la fin du XIIe siècle ont-ils préparé le mouvement de réforme de l'Église tchèque qui démontra sa force après la mort d'Innocent III.

---

10. DVORNIK (1970), p. 317-18.

2. LE RENFORCEMENT DE LA POSITION DE L'ÉGLISE AU COURS DU XIIIe SIÈCLE

Le renforcement de la position de l'Église dans chacun des pays de la nouvelle chrétienté occidentale, déjà visible dans les événements du temps d'Innocent III, fut

*Les provinces ecclésiastiques de l'Europe du Nord et du Centre-Est
à la fin du XIIIe siècle*
(© Zofia Zuchowska, Institut de Géographie d'historique de l'Église en Pologne, Lublin).

en réalité un processus fort long. Partout les exigences du droit canonique et les modèles idéaux de la réforme grégorienne rencontrèrent des résistances parfois très fortes et durables, tant du côté des princes que de certaines couches sociales comme la chevalerie — la future noblesse, si nombreuse en Pologne, en Hongrie et en Bohême — ou la paysannerie libre scandinave [11]. Parfois les ambitions politiques des évêques, qui aspiraient à créer des principautés ecclésiastiques indépendantes, provoquaient d'autant plus les princes, non moins ambitieux ou soucieux de la cohésion et de la force de leurs États. Les conflits qui éclatèrent si souvent, au cours du XIIIe siècle, presque partout dans nos régions autour des droits des institutions ecclésiastiques et du clergé ont eu en règle générale un caractère complexe, dans la mesure où les intérêts très divergents des États et de la société en pleine transformation entraient en jeu. Les papes et les légats que ceux-ci envoyèrent en grand nombre — au moins 15 légations au XIIIe siècle pour la seule Pologne, par exemple! — ont réitéré leurs exigences et appuyé les courants ou les partis favorables à la réforme; mais dans bien des cas, le clergé et même les ordres religieux demeuraient hésitants et les princes ont toujours trouvé des ecclésiastiques capables de défendre leur cause et de leur fournir des arguments, même canoniques, contre leurs adversaires [12].

À la base de ces conflits se trouvait toujours le grand problème de l'immunité économique et juridique du clergé, ainsi que celui des dîmes qui semblent avoir représenté presque partout une partie importante des revenus ecclésiastiques des évêques et des clercs séculiers [13]. L'installation au XIIIe siècle dans les diocèses d'officiaux et de juges ecclésiastiques compétents facilita la mise en œuvre du *privilegium fori*, c'est-à-dire de la dépendance juridique du clergé des seuls tribunaux de l'Église [14]. Les compétences de ces derniers concernant les laïcs provoquaient des tensions. Ainsi, par exemple, les princes et les nobles-chevaliers en Europe du Centre-Est se sont opposés à ce qu'ils soient compétents pour les problèmes de la propriété terrienne, si fondamentaux pour eux. Le principe de l'élection de l'évêque par un chapitre finit par l'emporter partout, même s'il est évident aussi que les

---

11. Cf. ci-dessus, notes 3 à 8; K. KADLEC, *Introduction à l'étude comparative de l'histoire du droit public des peuples slaves*, Paris, 1933; A. VETULANI, « La pénétration du droit des décrétales dans l'Église polonaise au XIIIe s. », dans *Acta Congressus Iuridici Internationalis*, III, Rome, 1934, p. 385-405; W. WÓJCIK, « Ecclesiastical Local Legislation in Poland before the Partitioning in the Light of the Legislation of the Universal Church », dans M. RECHOWICZ (éd.) *Le Millénaire du Catholicisme en Pologne*, Lublin, 1969, p. 245-278.

Niels SKYUM-NIELSEN, *Kirkekampen i Danmark 1241-1290*, Munksgaard-Copenhague, 1963 (une lutte longue et compliquée); en Norvège vers le fin de XIIIe s., la réaction de l'aristocratie contre l'État toucha aussi l'Église, v. Knut HELLE, « Norway in the High Middle Ages », *Scandinavian Journal of History*, 6, 1981, p. 178-179; sur le renforcement de l'Église en Islande, cf. R. BOYER (1975); Carl GÖRAN ANDRAE, *Kyrka och frälse; Sverige under äldre medeltid*, Uppsala, 1960 (rés. en allemand, p. 246-262); NYBERG, *Universalkyrka*, *KLNM*, XIX (1975), p. 305-310.

12. "Legat og nuntius", *KLNM*, X, H. ZIMMERMAN, *Die päpstliche Legation in der ersten Hälften des 13. Jahrhunderts Von Regierungsantritt Innocenz III bis zum Tode Gregors XI (1198-1241)*, Paderborn, 1913. Exemple d'une légation efficace dans le deuxième quart du XIIIe s., dans la région de la Baltique : G.A. DONNER, *Kardinal Wilhelm von Sabina*, Helsingfors, 1929; une autre légation : K. GOLAS, *De Philippo Firmano eiusque statutis legativis a. 1272*, dans *Rivista Espanola de Derecho Canonico*, 16, 1961, p. 187-200.

13. Cf. les notes précédentes; Z. WOJCIECHOWSKI, *L'État polonais au Moyen Âge. Histoire des institutions*, Paris, 1949; T. RIIS, *Les institutions politiques centrales du Danemark 1100-1332*, Odense, 1977; I. NYLANDER, *Das kirchliche Benefizialwesen Schwedens während des Mittelalters*, Stockholm, 1953; *Kyrkans finanser*, *KLNM*, IX (1964), p. 645-669.

14. A. VETULANI, « Die Einführung der Offiziale in Polen », *CoTh*, 5, 1935, p. 277-322; A. BOOCKMAN, *Geistliche und weltliche Gerichtsbarkeit im mitteralterlichen Bistum Schleswig*, Neumünster, 1967.

chapitres pouvaient être influencés de l'extérieur pour le choix de leur candidat[15]. Dans la question capitale des liens de l'évêque avec son clergé dispersé au sein de diocèses très vastes, le problème des églises privées resta essentiel. Le programme de l'Église fut de changer ce régime en patronage, l'ancien propriétaire comme patron de l'église paroissiale gardant quelques privilèges. Il aura surtout le droit de présentation de ses candidats à l'évêque, qui nomme le curé.[16] Tel fut du moins le principe du compromis, mais les situations concrètes furent alors extrêmement variées. En Scandinavie, l'autonomie des communautés paysannes, qui géraient souvent leurs paroisses, en Suède notamment, ne fut pas véritablement touchée. Deux laïcs avec le prêtre y détiennent les responsabilités financières parfois plus importantes qu'il n'était prévu dans le code de droit canonique[17].

L'Église fut alors un peu partout obligée de s'adapter à des situations différentes. En même temps cependant, la réforme fut poursuivie lentement et avec beaucoup de

Les provinces ecclésiastiques de l'Europe du Nord et du Centre-Est
à la fin du XIIIᵉ siècle (partie Sud)
(© Zofia Zuchowska, Institut de Géographie historique de l'Église en Pologne, Lublin).

---

15. Domkapitel, *KLNM*, III (1958), p. 185-201; J. SZYMAŃSKI, Kanonikat, *Slownik*, 2 (1964), p. 365-369; J. SZY-MAŃSKI, *Biskupstwa polskie w wiekach średnich* (Les évêchés en Pologne médiévale), dans *Kościół w Polsce*, sous la dir. de J. KŁOCZOWSKI, Kraków, 1966, p. 127 et suiv.

16. H.F. SCHMID, « Die rechtlichen Grundlagen der Pfarrorganisation auf westschlawischem Boden und ihre Entwicklung wahrend des Mittelalters », *ZSRG.K*, vol. XV-XX, 1926-1931, et le livre, Weimar, 1938; E. MÁLYUSZ, *Die Eigenkirche in Ungarn, Studien zur Geschichte Osteuropas*, III, 1966, p. 76-95; M.-L. LARUSSON, *Privatkire, KLNM*, XIII, (1969), p. 462-467; *Patronatzrätt*, par plusieurs auteurs, *KLNM*, XIII, (1968), p. 136-144.

17. D. KURZE, *Pfarrerwahlen im Mittelalter*, Köln-Graz, 1966; G. SMEDBERG, *Nordens första kyrkor En kyrkorättslig studie*, Lund, 1973 (rés. en allemand p. 208-217).

conséquences. Des synodes rassemblèrent le clergé d'une province ou d'un diocèse. On y formulait avec précision les normes jugées tout spécialement importantes pour une région donnée[18]. La question reste ouverte de savoir dans quelle mesure on réalisa le principe d'une synode chaque année, mais leur convocation de plus en plus fréquente est un phénomène évident et visible dans nos régions au cours du XIIIᵉ siècle. Aux XIᵉ-XIIᵉ siècles, les assemblées de ce genre avaient été souvent mixtes, les prêtres siégeant avec les laïcs, et leurs débats concernaient à la fois le domaine laïque et ecclésiastique. Désormais, ce sont des réunions purement ecclésiastiques animées par une ambition de réforme dans l'esprit de Latran IV, voire de Lyon I et II. Les visites dans nos grands diocèses incombaient surtout aux archidiacres-prévôts et aux doyens ou archiprêtres, qui étaient obligés de faire des contrôles à la place d'un évêque

*Calice provenant de l'abbaye
de Trzemeszie, Pologne, fin XIIᵉ siècle,*
(Polska Akademia Nauk, Instytut Sztuki).

---

18. J.T. SAWICKI, *Bibliographia synodorum particularium*, Vatican, 1963 ; S. KROON, *Les synodes diocésains en Suède au Moyen Âge*, Lund, 1948 (en suédois, mais rés. franc. p. 169-189) ; Provinsialkonsil, *KLNM*, XIII (1968), p. 527-533 ; Synode, *KLNM*, XVIII (1972), p. 630-643 ; Statuter, *KLNM*, XVII (1972), p. 54-71.

lointain et occupé par la politique ecclésiastique, voire princière[19]. Le nombre de paroisses augmenta au XIIIe siècle partout où le réseau du XIIe siècle n'était pas satisfaisant. En Pologne, par exemple, on estime qu'il en existait un millier vers 1200, et 3 000 vers 1300. Au fil du temps la paroisse deviendra plus cohérente, dans le sens du modèle canonique, avec des frontières plus précises et toute une série d'obligations imposées aux fidèles plus strictement qu'auparavant[20]. Le principe du célibat des prêtres est posé partout, même en Suède par le légat Guillaume de Modène en 1248; mais, là surtout, sa réalisation semble très douteuse. Les textes normatifs insistent sur la dignité de la vie de prêtre et sur son comportement; on l'oblige de se distinguer des autres par le costume, la manière de vivre, etc.[21]

Un facteur extrêmement important de ce renforcement de la position de l'Église fut constitué par l'essor des monastères et des couvents. Les cisterciens et les chanoines réguliers, implantés déjà au XIIe siècle, ont beaucoup accru au cours du XIIIe siècle le nombre de leurs établissements. On peut estimer en gros qu'il y avait vers 1200, en Hongrie, Bohême et Pologne, à peu près 100 monastères d'une certaine importance de moines et de chanoines réguliers. Cent ans après, ils étaient presque 300[22]. En Pologne, par exemple, les cisterciens avaient réussi à créer, au cours du XIIe siècle, 9 monastères − dont 7 se stabilisèrent seulement à la fin de ce siècle − et, au XIIIe siècle, 16. Pour toutes sortes de monastères et de couvents, y compris des ordres de chevaliers, de femmes et surtout de mendiants, la différence entre la situation autour de 1200 − quelque 150 grandes maisons − et de 1300 − au moins 750 monastères et couvents! − est vraiment considérable, malgré les destructions occasionnées au XIIIe siècle, notamment en Hongrie, dévastée plus que la Pologne et la Bohême, par les Tatars lors de l'invasion de 1241.

Le succès sans précédent des ordres mendiants dans nos pays est à souligner et se vérifia dès les années vingt du XIIIe siècle. Ce fut d'abord l'expansion des frères prêcheurs − les dominicains − qui organisèrent très vite les trois solides provinces de Hongrie, Pologne, et Dacie[23]. La Hongrie dominicaine comprend aussi la Croatie-Dalmatie, la Pologne, la Bohême, et la Dacie (toute la Scandinavie, avec en plus la Finlande et l'Estonie). Au bord de la mer Baltique, nous retrouvons aussi la province

19. G. INGER, *Des Kirchliche Visitationsinstitut im mittelalterlichem Schweden*, Uppsala, 1961.

20. E. WIŚNIOWSKI, « Die Entwicklung des Pfarrnetzes in Polen bis zum Ende des XVIII Jahrhunderts », *Miscellanea Historiae Ecclesiasticæ*, V, Louvain, 1974, p. 103-113.

21. E. WIŚNIOWSKI, *Parish Clergy in Medieval Poland*, dans *The Christian Community in Medieval Poland*, sous la dir. de J. KŁOCZOWSKI, Wrocław, 1981, p. 119 et suiv.; J. GALLEN, Klerus, *KLNM*, VIII (1963), p. 474/480; J. GALLEN, Celibat, *KLNM*, II (1957), p. 545-548.

22. J. KŁOCZOWSKI, *Europa słowiańska w XIV-XV wieku* (L'Europe slave au XIV-XVe s.), Warszawa, 1984, p. 157-160; *Słownik*, I-VII, (1967-1982) et dans *KLNM* I-XXII (1956-1978), les articles sur les Ordres avec la bibliographie.

J. KŁOCZOWSKI, « Les cisterciens en Pologne du XIIe au XIIIe s. », dans *Cîteaux*, 21, 1971, p. 111-134; F.L. HERVAY, *Repertorium Historicum Ordinis Cisterciensis in Hungaria*, Roma, 1984; B.P. McGUIRE, *The Cistercians in Danemark : Their Attitudes, Roles and Functions in Medieval Society*, Kalamazoo, Michigan, 1982.

23. J. KŁOCZOWSKI, « The Mendicant Order between the Baltic and Adriatic Seas in Middle Ages », dans *La Pologne au XVe Congrès International des Sciences Historiques*, Wrocław, 1980, p. 95-110; J. KŁOCZOWSKI, « Dominicans in the Polish Province in the Middle Ages », dans *The Christian Community of Medieval Poland*, sous la dir. de J. KŁOCZOWSKI, Wrocław, 1981, p. 73 et suiv.; *Id.*, « Les ordres mendiants en Europe du Centre-Est et du Nord » in *l'Église et le peuple chrétien dans les pays de l'Europe du Centre-Est et du Nord*, Rome, 1990, p. 187-200, *Studia nad historia Dominikanow w Polsce, 1272-1972* (sous la dir. de J. KŁOCZOWSKI), I-II, Varsovie 1975 (rés. en français); J. GALLEN, *La province de Dacie de l'Ordre des Frères Prêcheurs*, I, Helsingfors, 1946.

Les cisterciens dans l'Europe du Nord et du Centre-Est à la fin du XIIIᵉ siècle
(© Zofia Zuchowska, Institut de Géographie historique de l'Église
en Pologne, Lublin).

allemande de l'ordre, notamment en Lettonie-Livonie. Les dominicains ont trouvé dès le début l'appui des évêques réformateurs en tant qu'instruments efficaces de la réalisation des réformes ecclésiastiques dans le sens de Latran IV. La première base de l'ordre en Hongrie fut Esztergom, siège de l'archevêché ; en Scandinavie, ce fut l'archevêché de Lund et enfin en Pologne, Cracovie, capitale du pays et siège de l'évêque Iwo, à ce moment le chef incontestable de l'aile réformatrice de l'Église polonaise.

Les documents adressés par l'évêque de Włocławek au couvent de Gdańsk en 1227 sont bien caractéristiques de l'attitude de l'épiscopat de l'époque envers les frères. L'évêque y constate qu'il n'est pas à même de remplir seul sa lourde tâche de prédicateur et de pasteur. En conséquence, il accorde au couvent les plus vastes pouvoirs, et considère les religieux mendiants comme ses auxiliaires directs dans le domaine pastoral[24]. Les dirigeants des provinces de l'ordre en formation sont surtout des indigènes qui ont fait leurs études à l'étranger, à Bologne ou à Paris, des hommes d'élite alors attirés — comme dans toute la chrétienté — par une nouvelle formule de vie religieuse profondément liée à l'apostolat.

L'expansion franciscaine a suivi de quelques années, à partir de 1230, celle des dominicains[25]. Tandis que chez les prêcheurs les premiers frères vinrent dans nos pays directement d'Italie, voire de France, les franciscains passèrent par l'Allemagne où l'on avait créé, en 1230, les deux provinces de Rhénanie et de Saxe ; c'est cette dernière qui enverra ensuite vers l'est et le nord une série de missions de frères, en organisant bientôt quatre ou cinq provinces nouvelles : celles de Dacie, de Bohême-Pologne, d'Autriche et de Hongrie et plus tard, celle de Dalmatie, qui fut probablement l'œuvre de la province de Hongrie. Très vite les frères mineurs se sont répandus dans plusieurs régions de nos pays, devançant en nombre les couvents des dominicains.

Tout le XIIIe siècle fut l'époque d'un grand essor et d'un dynamisme, sur divers plans, des frères prêcheurs et des frères mineurs. Ils sont partout très actifs dans la pastorale mais aussi dans les missions auprès des païens ; leur présence chez les orthodoxes est visible[26]. En plus des dominicains et des franciscains, les ermites de saint Augustin ont réussi à créer dans nos pays une province, celle de Hongrie, qui possédait déjà 30 couvents à la fin du XIIIe siècle[27]. Dans les trois provinces dominicaines de Hongrie, Pologne et Dacie mentionnées ci-dessus, nous retrouvons, vers la fin du XIIIe siècle, quelque 120 couvents. Dans les six provinces franciscaines — y compris la Saxe — il y

---

24. J. KŁOCZOWSKI, *Dominikanie polscy na Slasku w XIII-XIV w.* (Les dominicains polonais en Silésie au XIIIe-XIVe s.), Lublin, 1956, p. 335 (rés. en fran. p. 321-37).

25. *Franciszkanie w Polsce średniowiecznej* (Les franciscains en Pologne médiévale), sous la dir. de J. KŁOCZOWSKI, I et II, Lublin, 1983-1989, rés. en franç. et anglais ; ce travail collectif concerne toute l'Europe de Centre-Est ; *KLNM*, IV (1959), p. 560-573, sur les franciscains en Scandinavie.

26. B. ALTANER, *Die Dominikanermissionen des 13. Jahrhunderts*, Habelschwerdt, 1924 ; L. LEMMENS, *Geschichte der Franziskanermissionen*, Münster, 1929 ; V. GIAZIUNAS, *De Fratribus Minoribus in Lithuania usque ad definitivum introductionem observantiae (1245-1517)*, Romae, 1950 ; J. RICHARD, *Les missions chez les Mongols aux XIIIe et XIVe s.*, dans *Histoire universelle des missions catholiques*, sous la dir. de S. DELACROIX, Paris, 1956, p. 173 et suiv. Sur les attaques des intransigeants de l'époque contre les mendiants trop « ouverts » vers les non-catholiques v. J. KŁOCZOWSKI, « L'Europe centrale et orientale à l'époque de Lyon II », dans *1274 Année charnière. Mutations et continuités*, Paris, 1977, p. 509-10.

27. F. FALLENBÜCHL - G. RING, *Die Augustiner in Ungarn vor der Niederlage von Mohacs 1526*, Augustiniana, XV, 1965, p. 131-174.

avait 226 couvents vers 1282 et 260 vers 1316. Dans l'ensemble, les mendiants jouèrent probablement un rôle décisif dans la christianisation plus profonde des masses de la population de ces pays.

3. LES MISSIONS ET LES CROISADES DE LA BALTIQUE

Un bloc de peuples païens au bord de la Baltique, depuis la Vistule jusqu'à la Finlande du Nord — le dernier en Europe, entouré de catholiques et d'orthodoxes — intéressa de plus en plus vers la fin du XIIe siècle tous les voisins chrétiens. La papauté, à partir d'Innocent III et de ses successeurs, appuya notamment les initiatives de missions et de croisades dans cette direction. Pour les Scandinaves, les Danois et les Suédois, les expéditions vers l'est contre les Finnois, les Estoniens, voire les Russes — au XIIe siècle aussi contre les Slaves encore païens vivant sur les rives méridionales de la Baltique — constituaient une longue tradition qui se poursuivit au XIIIe siècle sous une couverture chrétienne[28]. Au Danemark, les expéditions de ce genre ont véritablement cimenté l'alliance très étroite de l'Église et de l'État à l'époque des Valdemars. Plusieurs bulles d'Innocent III ont encouragé la lutte contre les païens et font l'éloge des rois chrétiens du Danemark et de la Suède pour leur action vis-à-vis de ces derniers. L'archevêque Anders Sunensen, en tant que légat du pape, fut chargé de la coordination des initiatives dans ce domaine et reçut les pouvoirs nécessaires pour organiser l'Église dans les territoires soumis aux croisés. Dès 1200, un évêque missionnaire dirigea la mission en Finlande. Il finit par établir son siège à Abo (Turku)[29]. En Estonie, l'évêché de Reval, établi par les Danois vers 1219-1221, resta dans le cadre de l'archevêché de Lund, malgré la pression des Teutoniques[30].

En Lettonie (la Livonie de l'époque), une colonie allemande s'organisa vers la fin du XIIe siècle à l'embouchure d'une rivière très importante, la Dvina; c'est là que naquit à cette date la ville de Riga[31]. À la tête de cette colonie, nous trouvons, dès 1199, la grande personnalité de l'évêque Albert de Buxhövden, mort en 1229 à Riga. Son but semble être assez clair : créer un État indépendant de Livonie dans le cadre de l'empire, faire de Riga le chef-lieu d'une province ecclésiastique et placer son archevêque à la tête de l'ensemble en tant qu'un des « Reichsfürsten ». Il organisa avec une grande énergie l'aide de l'Allemagne pour la lutte contre les indigènes et essaya de renforcer sur tous les plans la position des nouveaux venus. Le roi Philippe de Souabe donna en 1207 la Livonie comme fief d'Empire à Albert et à son ordre des Chevaliers Porte-Glaive (*Fratres militiae Christi*). Le pape Innocent III libéra Riga de la tutelle de l'archevêché de Brême en 1214; dès lors, Albert fut soumis directement au pape et formula bientôt la demande de création d'un archevêché à Riga. Le pape Innocent III

---

28. E. EYDOUX, *Les grandes heures de Danemark*, Paris, 1975; L. KRABBE (1950); A. RAULIN (1960); M.S. LAUSTEN (1983); N. SKYUM-NIELSEN, *Das dänische Erzbistum vor 1250*, Acta Visbyensia III, Visby, 1969, p. 113-138.
29. A. SAUVAGEOT (1968); J. GALLEN (1971); E. JUTIKKALA - K. PIRINEN, *A History of Finland*, New York-Washington, 1974.
30. R. AUBERT, « Estonie », *DHGE*, XV, col. 1069-70.
31. A. SCHWABE (1953); E. CHRISTENSEN (1980); W. URBAN (1975); G. GNEGEL-WAITSCHIES, *Bischof Albert von Riga. Ein Bremer Domherr als Kirchenfürst im Osten*, Hamburg, 1958.

avait à plusieurs reprises, après 1199, lancé des appels pour une aide à Albert et aux chrétiens de la Livonie. En 1203, il reçut un « roi » converti des indigènes, les Lives ; peut-être ces indigènes, en lutte très âpre contre ceux qu'ils considéraient comme des envahisseurs, ont-ils espéré une aide de la part de Rome, surtout contre les violences de toute sorte[32].

Il est bien possible qu'Innocent III se soit surtout appuyé, en Livonie, sur les cisterciens qui étaient fortement implantés dans le pays ; l'abbé de Dünamünde, Théodoric ou Thierry de Treyden, semble avoir eu des relations particulièrement étroites avec le pape, puisqu'il se rendit au moins six fois à Rome. Le rôle de Théodoric dans la création de l'ordre des Chevaliers Porte-Glaive vers 1202 semble avoir été décisif, bien que, dès 1213, il ait formulé une série de reproches vis-à-vis de l'ordre qui pensait surtout à ses domaines. Innocent III, en tout cas, a voulu créer en Livonie des groupes de missionnaires authentiques qui soient capables d'amener les nouveaux baptisés à pratiquer la foi sous l'effet de la parole et non de la coercition. Dans cette perspective, le pape s'était « efforcé de mettre au service de cette mission le réservoir immense d'hommes et de générosité chrétienne que représentait l'ordre de Cîteaux » (M.H. Vicaire)[33]. Mais cette tâche, pour diverses raisons, fut bien difficile à réaliser et on ne peut pas parler d'un succès de la ligne pontificale en Livonie. Les grands vainqueurs, à long terme, furent surtout le prince-évêque Albert et l'ordre des Chevaliers qui dominèrent le pays avant tout par la force et l'oppression.

En Pologne, la vieille tradition des missions en Prusse, sur les bords de la Baltique, fut reprise avec une énergie nouvelle par l'archevêque Henri Kietlicz et par les cisterciens, avec l'aide et la protection du pape. Les cisterciens de Lekno, en Grande Pologne, et d'Oliva près de Gdańsk obtinrent quelques succès, plutôt minces, dans ces tentatives[34]. L'un de ces missionnaires, Christian, fut consacré par le pape comme premier évêque de Prusse, au commencement de 1216, à Rome. L'archevêque Henri amena avec lui quelques convertis de Prusse au concile, en 1214, mais l'image de la réussite des missions en Livonie, présentée pendant le concile de Latran IV, éclipsa les résultats obtenus en Prusse. C'est seulement après 1230 que l'Ordre Teutonique, appelé par un prince polonais, commença la conquête systématique de la Prusse et la conversion forcée de ce pays.

L'Ordre Teutonique, l'ordre des chevaliers de Sainte-Marie de Jérusalem au caractère allemand très marqué, naquit à l'extrême fin du XIIe siècle en Terre Sainte au cours des luttes des croisés contre les musulmans[35]. Mais c'est seulement avec le grand

---

32. Benno ABERS, « Zur päpstlichen Missionspolitik in Lettland und Estland zur Zeit Innocenz III », dans *Commentationes Balticae* 4/5, Bonn, 1956/7, p. 1-18 ; M. MACCARRONE, *Studi su Innocenzo III*, Padova, 1972.
33. M.H. VICAIRE, « Vie commune et apostolat missionnaire. Innocent III et la mission de Livonie », dans *Dominique et ses Prêcheurs*, Fribourg-Paris, 1977, p. 196 ; F. BENNINGHOVEN, *Der Orden der Schwertbrüder. Fratres milicie Christi de Livonia*, Köln, 1965.
34. J. UMIŃSKI, *Henryk arcybiskup zwany Kietliczem 1199-1219* (Henri archevêque nommé Kietlicz), Lublin, 1926, et la polémique dans la revue *Kwartalnik Historyczny*, 44, 1930, p. 21-43 ; des doutes sur le rôle des cisterciens comme missionnaires ont été exprimés par J. KŁOCZOWSKI, « Die Zisterzienser in Klein-Polen und das Problem ihrer Tätigkeit als Missionare und Seelsorger », dans *Die Zisterzienser*, sous la direct. de K. ELM et P. JOERISSEN, Köln, 1982, p. 71-78 ; T. DUNIN-WASOWICZ, « Projets missionnaires cisterciens dans la Ruś du Sud-Ouest aux XIIe-XIIIe siècles », in *Harvard Ukrainian Studies*, XIIe-XIIIe, 1988/89, p. 531-550.
35. K. GÓRSKI (1971) ; H. BOOCKMAN (1982) ; *Die Rolle der Ritterorden in der Christianisierung und Kolonisierung des Ostseegebietes*, sous la direct. de Z.H. NOWAK, Toruń, 1983 ; U. ARNOLD, « Forschungsprobleme der Frühzeit des

maître Hermann de Salza (1209-1239), très proche à la fois de l'empereur Frédéric II et des papes, qu'il commença à prendre une importance plus grande. Le roi de Hongrie, André II, appela le jeune ordre en Transylvanie en 1211 contre des nomades, les Cumans, mais l'expulsa ensuite en 1225 quand il se rendit compte que les Teutoniques aspiraient à une trop grande autonomie, dangereuse pour son royaume[36].

Au même moment, durant l'hiver 1225/26, le duc polonais Conrad de Masovie, demanda l'aide de l'ordre contre les païens de Prusse, les Pruthènes. Conrad avait voulu d'abord organiser, sans grand résultat, un ordre de chevalerie sous le nom de Chevaliers du Christ ou « Frères de Dobrzyń », du nom de la châtellenie qui leur fut concédée[37]. Les Teutoniques arrivèrent en 1230 aux frontières de la Prusse et commencèrent la conquête systématique du pays avec l'aide de croisés de différents pays. En 1237, l'ordre des Chevaliers Porte-Glaive de Livonie fusionna avec l'Ordre Teutonique en formant sa branche livonienne. Contrairement aux intentions du duc Conrad de Masovie, l'ordre avait déjà reçu en 1226 la Prusse comme fief exclusif de la part de l'empereur. En fait, sa politique, bien consciente, aboutit à une création d'un État monastique au bord de la Baltique, borné par la Prusse et la Livonie. Il fallut pour cela vaincre la résistance farouche des Pruthènes qui luttèrent contre l'agression pendant au moins cinquante ans ; c'est seulement vers 1283 que les Teutoniques l'emportèrent de façon décisive, après une guerre longue et brutale[38].

L'afflux massif des colons allemands à la place de la population indigène décimée renforça le nouvel État monastique, de mieux en mieux organisé et appuyé par un réseau de commanderies dispersées notamment dans les terres de l'empire. Mais les relations des Teutoniques avec leurs voisins ne tardèrent pas à devenir mauvaises. Les principautés orthodoxes de l'Est, Novgorod notamment, ressentirent la conquête des pays baltes comme une agression contre elles et une série de conflits armés éclatèrent dès les années trente du XIIIᵉ siècle[39]. Même les principautés polonaises catholiques devinrent, au cours du XIIIᵉ siècle, de plus en plus méfiantes et un grave conflit, appelé à durer, éclata entre la Pologne et l'ordre en 1308, après la prise de Gdańsk par les Teutoniques[40]. Seul pays indépendant parmi les Baltes, la Lituanie refusa en fin de compte le christianisme, après l'épisode marquant de la conversion du duc Mindaugas en 1250-60 et de son couronnement, avec l'accord du pape, comme roi de Lituanie en 1253. Après 1283, une guerre incessante s'engagea pour un siècle entre la Lituanie de plus en plus étendue et puissante et les Teutoniques[41].

Deutschen Ordens, 1190-1309 », dans *Werkstatt des Historikers der Mittelalterlichen Ritterorden. Quellenkundliche Probleme und Forschungsmethoden*, sous la direc. de Z.H. NOWAK, Toruń, 1987, p. 19-32.

36. H. ZIMMERMANN, « Der Deutsche Ritterorden in Siebenbürgen », dans *Die geistlichen Ritterordens Europas*, sous la dir. de J. FLECKENSTEIN - M. HELLMANN, Sigmaringen, 1980, p. 267-298.

37. W. POLKOWSKA-MARKOWSKA, *Dzieje zakonu dobrzyńskiego* (L'histoire de l'Ordre de Dobrzyń), *Roczniki Historyczne* 2, Poznań, 1926, p. 145-210; l'ordre fût incorporé en 1235 à l'ordre Teutonique.

38. M. BISKUP, « Die Erforschung des Deutschordenstaates Preussen. Forschungsstand - Aufgaben - Ziele », dans *Der Deutschordensstaat Preussen in der polnischen Geschichtsschreibung der Gegenwart*, sous la dir. de U. ARNOLD et M. BISKUP, Marburg, 1982, p. 1-35; E. CHRISTIANSEN, *The Northern Crusades. The Baltic and the Catholic Fronteer, 1100-1250*, Minneapolis, 1980.

39. DVORNIK (1970), p. 542; P. KOVALEVSKY, *Manuel d'Histoire russe*, Paris, 1948, p. 73-75.

40. A. GIEYSZTOR (1971), p. 120 et suiv.

41. C. JURGELA, *A History of the Lithuanian Nation*, New York 1948; Z. IVINSKIS, *Mindaugas und seine Krone, ZOF*, 3, 1954, p. 360-386; M. GIEDROYĆ, « The Arrival of Christianity in Lithuania : Between Rome and Byzantium (1281-

À l'intérieur de son État, l'ordre garda une position très privilégiée, notamment en Prusse où les deux tiers de la terre lui appartenaient. Les diocèses de l'archevêché de Riga, créé en 1255 pour l'ensemble des territoires de l'ordre, dépendaient, avec leurs institutions et leur clergé, dans une large mesure, des moines-chevaliers. L'archevêque de Riga garda quand même une certaine indépendance, ce qui provoqua une longue série de tensions et de luttes avec les maîtres du pays[42].

4. LA « RUŚ » DIVISÉE ET CONQUISE. LES TATARS

Au cours du XIIe siècle et au début du XIIIe siècle, le morcellement de la Ruś de Kiev en plusieurs principautés devint un phénomène de plus en plus marquant[43]. On assista alors à la promotion de régions demeurées jusque-là périphériques, notamment au nord-est celles de Rostov et de Souzdal-Vladimir, et au sud-ouest celles de la Volynie et de Galicie. De nouveaux diocèses furent alors créés, notamment pour ces territoires[44]. Ainsi à la veille de l'invasion mongole, il y avait dans la Ruś, pour une population de 5 à 7 millions d'habitants, seize ou dix-sept sièges épiscopaux. Cette invasion marqua profondément toute l'Europe de l'Est et du Centre-Est. En 1237-40, la Ruś fut en grande partie détruite et conquise; en 1241, l'invasion des Tatars − c'est la dénomination courante des Mongols dans cette partie de l'Europe − toucha la Pologne et la Hongrie. La chevalerie polonaise, renforcée par des Allemands et par d'autres, fut battue sur le champ de bataille de Legniça en Silésie, où le prince Henri le Pieux, fils de la future sainte Hedwige, fut tué à la tête de l'armée chrétienne. Les ravages de l'invasion furent particulièrement graves en Hongrie[45].

Toutes les principautés de la Ruś furent assujetties d'une manière durable au pouvoir des Tatars, représenté par le khânat que les sources russes, appellent « la Horde d'Or », dont la capitale se trouvait à Saraï sur la Basse Volga[46]. Malgré les efforts du pape Innocent IV (1234-1254) et les déclarations du concile de Lyon I, les chrétiens de l'Europe de l'Est et de l'Europe centrale furent en pratique abandonnés par la chrétienté occidentale dans leur lutte contre les Tatars[47]. La plus difficile

---

1341) », *Oxford Slavonic Papers*, XX, 1987, p. 1-33; U. KAJACKAS, « History and Recent Archeological Investigations at Vilnius Cathedral » in *La cristianizzazione della Lituania*, Cité du Vatican, 1989, p. 263-288.

42. R. WITTRAM, *Baltische Geschichte 1180-1918 Die Ostseelande Livland, Estland, Kurland*, München, 1954; J. KOSTRZAK, *Narodziny ogólnoinflanckich zgromadzeń stanowych od XIII do połowy XV w.* (La naissance des assemblés des États en Livonie dès la moitié du XIIIe jusqu'à la moitié du XVe s.), Warszawa, 1985.

43. Une introduction générale : *Slownik(1967-1982)*; H. PASZKIEWICZ, *The Making of the Russian Nation*, London, 1963 (sur les trois nations d'origine de la Ruś de Kiev); M. HELMAN, sous la direction de, *Handbuch der Geschichte Russlands*, I, Stuttgart, 1981; N.L.Fr. CHIROVSKY, *An Introduction to Ukrainian History*, I, New York, 1981; N.P. VAKAR, *Belorussia The Making of a Nation*, Cambridge, Mass., 1956; G. VERNADSKY, *Essai sur les origines russes*, I-II, Paris, Maisonneuve, 1959; N.V. RIASANOVSKY, *Histoire de la Russie des origines à 1984*, Paris, 1987.

44. VODOFF (1988), p. 128 et suiv.; A. POPPE, « L'organisation diocésaine de la Russie aux XIe-XIIe s. », *Byzantion*, XL, 1970, p. 165-217.

45. J. FENELL, *The Crisis of Medieval Russia, 1200-1304*, Londres-New York, 1983; S. KRAKOWSKI, *Polska w walce z najazdami tatarskimi w XIII w.* (La Pologne en lutte contre les invasions des Tatars au XIIIe s.), Varsovie, 1956 (rés. en franç. p. 287-303); E. PAMLÉNYI (1974).

46. B. GREKOV-JAKOUBOVSKY, *La Horde d'Or*, Paris, 1939.

47. Le roi de Hongrie dans sa lettre au pape de 1248 : « *de quibus omnibus nihil consolationis vel subsidii recepimus nisi verba* » : A. THEINER, *Vetera Monumenta Historica Hungariam sacram Illustrantia*, I, n° 440.

situation fut celle des princes de la Ruś. Tout contact avec les Occidentaux était considéré par les Tatars comme un acte d'hostilité. Le cas du prince Daniel dans la Ruś du Sud-Ouest, en plein développement au XIII⁵ siècle malgré les invasions, est à cet égard très significatif[48]. Ce prince, mort en 1264, garda des relations étroites avec la Pologne et la Hongrie. Uni, semble-t-il, à l'Église catholique, probablement depuis 1247 — tout en gardant, d'ailleurs, le rite grec —, Daniel décida en 1253 de se faire couronner comme *rex Rusciae* avec le soutien du pape. Il paya bientôt cette audace et fut contraint par les Tatars à une obédience beaucoup plus stricte. Une autre initiative d'Innocent IV et de l'Ordre Teutonique, le couronnement, à la même époque, du prince lituanien Mindaugas, précédemment baptisé, n'eut pas non plus de suite; d'autant plus que la Ruś de Daniel, en forte compétition avec la Lituanie, se montra violemment hostile à cet État. La Lituanie pour sa part reste un pays païen jusqu'à la fin du XIV⁵ siècle.

Dans le nord, Novgorod et les autres principautés russes furent au même moment attaquées par les Tatars et par des chrétiens d'Occident, les Teutoniques et les Suédois[49]. Le prince Alexandre Nevskij, un héros des luttes contre ces derniers, et certains autres n'hésitèrent pas longtemps et tentèrent de se replacer sous la tutelle des Tatars à de meilleures conditions.

La situation de l'Église fut à la longue tout à fait décisive dans ces pays. Les Tatars avaient assuré une situation nettement privilégiée à l'Église russe, en la libérant entre autres des tributs et en respectant pleinement ses domaines et ses revenus ainsi que son autonomie interne[50]. L'alliance politique de Byzance, en lutte avec les Latins, avec la Horde d'Or, renforça encore la position de l'Église au sein de ce dernier État, relativement tolérant sur le plan religieux. L'évêché de Saraï, créé en 1261 dans le cadre de la province de Kiev avec à sa tête un évêque grec, représentant de l'empereur et du patriarche à la fois, fut une sorte de garantie de la nouvelle situation[51]. Le métropolite, nommé par le patriarche et approuvé, au moins tacitement, par la Horde, renforça encore sa position, qui n'était pas seulement religieuse, dans les pays russes. Le pieux métropolite Cyrille II (1250-1281) eut ainsi un mérite tout particulier dans la stabilisation de sa province, après les catastrophes des invasions; en 1273, il réunit un synode d'évêques à Vladimir sur la Kljazma, le seul synode du temps de la Ruś de Kiev dont les actes soient à peu près connus[52]. Dans plusieurs régions, on suppose un développement important des structures ecclésiastiques de base, des paroisses notamment, et l'approfondissement de la christianisation des masses, mais en même temps l'Église russe se replia de plus en plus sur elle-même, s'éloignant beaucoup plus qu'auparavant de la chrétienté occidentale.

---

48. G. ROCHCAN, « Innocent IV devant le péril tatar. Ses lettres à Daniel de Galicie et à Alexandre Nevsky », *Istina*, VI, 1959, pp. 167-186.

49. J.P. ARRIGNON, « Alexandre Nevski », dans *Histoire des saints et de la sainteté chrétienne*, VI, Paris, 1986, p. 58-61.

50. AMMANN (1948); G.P. FEDOTOV, *The Russian Religious Mind*, II, Cambridge Mass. 1966, p. 4 et suiv.; A.M. AMMANN, *Die Ostslavische Kirche im jurisdiktionellen Verband der byzantinischen Groskirche (988-1459)*, Würzburg, 1955; J. MEYENDORFF, *Byzantium and the Rise of Russia*, Cambridge, 1981.

51. KLIMENKO (1969), p. 154; J. MEYENDORFF, *Byzantium*, p. 43 et suiv.

52. AMMANN (1948), p. 63.

Nous avons déjà souligné le caractère assez limité des influences byzantines sur la Ruś de Kiev, même dans des domaines proches de la religion. Ainsi, par exemple, le pouvoir politique suprême qui, à Byzance, était censé avoir été choisi par Dieu, resta lié en Russie à la naissance : seuls les descendants de Vladimir et de Jaroslav avaient le droit d'exercer le pouvoir partout dans la terre russe[53]. L'Église ne jouait aucun rôle dans l'investiture des princes, en l'absence d'onction et de couronnement, et les évêques eux-mêmes n'avaient pas une fonction institutionnelle dans le gouvernement de l'État. Vladimir ne fut reconnu comme saint que très tardivement, et cela malgré les tentatives de l'Église, visibles vers la moitié du XIe siècle, à l'époque où l'État russe était encore uni[54]. La canonisation officielle des saints princes martyrs, Boris et Gleb, en 1072, dota la Ruś d'une image de « saint prince » — nullement autocrate. Elle était fondée sur le respect dû au frère aîné au pouvoir et prônait un système politique polycéphale qui, au XIIIe siècle, l'emporta dans le pays[55].

La christianisation du peuple russe fut un processus comparable à celui des autres pays de la nouvelle chrétienté slavo-scandinave, y compris les résistances folkloriques (les « volkkvy » — sorciers —, peut-être les chamans finno-ougriens?) et un ritualisme prononcé[56]. Quelques textes des XIIe-XIIIe siècles nous démontrent visiblement la gravité des problèmes des rites, en matière de discipline liturgique, par exemple, qu'il fallait suivre dans les moindres détails, sous peine d'être traité comme un hérétique. On établit des préceptes très précis concernant l'abstinence, les relations sexuelles, les jeûnes, etc. Souvent le rigorisme formel remplaça l'esprit évangélique et on peut avoir l'impression qu'il s'agissait de combattre une coutume par une autre, un rite par un autre. De ce fait, les limites de la christianisation en profondeur demeurèrent évidentes, ce qui explique peut-être la lenteur des transformations. Les garçons apprenaient à écrire autour des églises, mais dans les écrits sur écorce de bouleau les inscriptions religieuses constituent moins de 1 % du total découvert. Le pourcentage des noms chrétiens qui remplacent les noms slaves augmente dans les sources de 29 au XIe siècle à 38 au XIIe et jusqu'à 53 % au XIIIe siècle. Parallèlement à cette évolution, l'inhumation remplaça, semble-t-il, dès les XIe et XIIe siècles, l'ancienne pratique de l'incinération[57].

La byzantinisation fut aussi un processus très lent, mais l'adaptation des modèles et des valeurs orientales façonna à la longue une culture religieuse russe différente de celle qui s'est créée dans la zone occidentale latine. L'art monumental fut d'abord nettement grec, et c'est seulement au cours du XIe siècle que l'adaptation devient visible avec la réduction des plans, le remplacement des mosaïques par les fresques et les icônes sur bois et l'utilisation de la brique[58]. Malgré les traces indéniables

53. VODOFF (1988), p. 260 et suiv.
54. V. VODOFF, « Pourquoi le prince Volodimer Svjatoslavic n'a-t-il pas été canonisé? », dans les *Acts of the International Congress commemorating the Millenium of Christianity in Ruś Ukraine*, (Ravenna, Avril 1988) in *Harvard Ukrainian Studies*, XII-XIII, 1988/89, p. 446-466; A. POPPE, « Vladimir », dans *Histoire des saints et de la sainteté chrétienne*, V, Paris, 1986, p. 256-259.
55. A. POPPE, « Boris et Gleb », dans *Histoire des saints*, V, Paris, 1986, p. 92-96.
56. FEDOTOV (1946); KLIMENKO (1969); VODOFF (1988), notamment p. 199 et suiv.
57. V. surtout les remarques de V. VODOFF (1988), p. 223 et suiv.
58. A. GRABAR, *L'art du Moyen Âge en Europe Orientale*, Paris, 1968; *Companion to Russian Studies*, t. III, *An Introduction to Russian Art and Architecture*, Cambridge, 1980; VODOFF (1988), p. 329 et suiv.

d'influence latine dans la Ruś des XIIe et XIIIe siècles, on relève que les traductions grecques de caractère nettement religieux, surtout liturgiques, dominent de loin parmi les manuscrits conservés (à peine 170 du temps de la Ruś de Kiev, sans doute une faible partie des textes existants à l'époque). C'est surtout la culture chrétienne classique, patristique, que nous retrouvons dans ces manuscrits, où ne figure aucun ouvrage littéraire contemporain[59]. Le choix répondait visiblement aux besoins pratiques des églises. La question reste ouverte de savoir dans quelle mesure cette œuvre de traduction et d'adaptation des textes grecs, fut le résultat du travail réalisé en Bulgarie en vieux slave ou slavon, au Xe siècle, ou si elle fut réalisée sur place, en Ruś, à l'époque de Kiev[60]. Nous reviendrons plus loin sur la question de l'historiographie, qui reste le domaine le plus original de l'activité intellectuelle des élites russes.

Les courants hostiles au monde latin apparaissent dans les sources russes dès le XIe siècle, notamment sous la plume des prélats grecs, les métropolites Georges et Nicéphore[61]. On y reprend des griefs d'origine byzantine portant sur l'usage du pain azyme, le *filioque*, le célibat des prêtres, et sur diverses pratiques, parfois accessoires. Les effets de cette propagande furent d'abord sans doute assez restreints; nous retrouvons ailleurs des opinions mitigées et tolérantes vis-à-vis des Latins avec lesquels existaient des contacts quotidiens. Ainsi les relations entre la Ruś, la Pologne et la Hongrie étaient, par exemple, bien vivantes. Il y eut certes des alternances de luttes et d'amitié, mais dans les conflits l'aspect confessionnel ne joua aucun rôle, en tout cas avant le XIIIe siècle[62]. Il y avait des églises latines pour les étrangers dans les principales villes et des cultes d'origine latine firent même leur apparition dans la vie des chrétiens russes, comme celui de saint Venceslas et la fête de la translation de saint Nicolas à Bari. Mais à la longue, le « ritualisme de l'Église russe et son faible niveau théologique avaient créé un terrain favorable aux thèses byzantines les plus extrêmes ». (V. Vodoff)[63].

L'hostilité vis-à-vis des peuples latins, catholiques, se développa seulement au temps des invasions et de l'occupation tatare, d'autant plus que se produisit alors une sorte d'accentuation de l'identité ethnique et religieuse russe. Cette idée d'une chrétienté russe, différente de la latine et de la grecque, se développa dans l'atmosphère créée par le désastre général, mais elle ne devait s'affirmer de façon définitive que dans la Russie moscovite des XIVe-XVIe siècles[64]. Les bases de cette chrétienté particulière avaient été posées, dès le XIe siècle, avec le choix de la langue slave, de la tradition de Cyrille et Méthode, et avec la théologie biblique d'Hilarion et de quelques autres. Au XIIe siècle, elle mit l'accent sur ses origines apostoliques avec les saints apôtres Paul et André. Le

---

59. PODSKALSKY (1982); VODOFF (1988), p. 341 et suiv.; FEDOTOV (1946).

60. Le bilan de la longue discussion : F.I. THOMSON, « The Bulgarian Contribution to the Reception of Byzantine Culture », in *Kievan Ruś - the Myths and the Enigma*, in *Harvard Ukrainian Studies*, XII-XIII, 1988/89, p. 214-261.

61. FEDOTOV (1946); PODSKALSKY (1982); VODOFF (1988).

62. VODOFF (1988), p. 317, cite l'opinion des Polonais et des Hongrois vers 1150 exprimée dans une lettre à un prince russe dans la Chronique hypatienne : « *Nous sommes tous chrétiens en Dieu* »; N. POLOŃSKA-WASYLENKO, *Ukraine-Ruś und Western Europe in 10th-13th Centuries*, London, 1964.

63. VODOFF (1988), p. 309.

64. V. VODOFF, *Genèse de la notion de la chrétienté russe*, dans *Le origini e lo sviluppo della Cristianitá slavo-bizantina : il Battesimo del 988 nella lunga durata*, Rome, 1988 (sous presse in *BISI*).

rattachement à saint Paul est une tradition qui vient de Pannonie et de saint Méthode, tandis que la légende du second faisait voyager ce dernier à travers tous les pays jusqu'à la Baltique, avant de venir mourir à Rome[65]. Les icônes — chaque principauté veut avoir les siennes — assuraient la protection du pays[66]. Presque de tous les côtés — à l'exception de la Pologne et de la Hongrie — la Ruś était entourée par des peuples païens, les « impurs », comme les musulmans bulgares de la Volga. Les luttes incessantes, notamment avec les Cumans, ont renforcé l'unité de la terre russe, *Zemlja russkaja*, avant-poste du christianisme, tandis que les drames des invasions tatares renforcèrent cette identification de la « juste foi chrétienne » avec la *Zemlja russkaja*.

5. La Bulgarie et la Serbie

Dans les Balkans, l'affaiblissement visible de Byzance à la fin du XIIe siècle permit aux Bulgares et aux Serbes de retrouver leur indépendance, bien fragile d'ailleurs au début[67]. D'où la recherche par les princes bulgares et russes d'alliances politiques avec les Latins, empereurs et papes, précisément contre Constantinople. Ainsi par exemple, lors de la croisade de l'empereur Frédéric en 1190, les États slaves voulurent s'associer aux croisés pour attaquer directement la capitale de l'empire byzantin. Après la chute de Constantinople, en 1204, aux mains des Latins, la Bulgarie, notamment avec le prince Kalojan (Jean le Juste, 1197-1207) et Jean ou Ivan (Asen II, 1218-1241), aspira à prendre Constantinople, sans résultat d'ailleurs ; l'empire latin de Constantinople résista bien, reprenant même parfois les prétentions de ses prédécesseurs sur la Bulgarie. Dans la situation politique d'avant, mais aussi d'après 1204, la Serbie et la Bulgarie en appelèrent souvent à la papauté, essayant d'obtenir de ce côté les garanties de l'indépendance à la fois nationale et ecclésiastique. Ainsi, en 1204, le pape Innocent III accorda à Kalojan la couronne royale et le titre de primat de Bulgarie à l'archevêque de Trnovo, capitale du pays[68]. En 1218, le prince Étienne de Serbie (1196-vers 1228) fut couronné par un cardinal envoyé par le pape, et, dès ce temps-là, il porta le nom de « premier couronné » (Provocenčani). Il est probable que la division des Églises, même après le choc de 1204, ne fut considérée, ni en Serbie ni en Bulgarie, comme quelque chose de définitif et l'on peut admettre avec F. Dvornik, que « les gens connaissaient peu les différences entre les deux Églises et s'en souciaient encore

---

65. Méthode fut l'archevêque titulaire de Sirmium, un siège occupé selon la tradition par saint Andronic, disciple de Paul (*Romains*, XVI, 7). Dans la *Chronique des temps passés*, on constata que là était le premier habitat des Slaves : « Ainsi le peuple slave fut, lui aussi, instruit par Paul, et c'est de ce peuple que nous, Russes, provenons, de sorte que Paul est également notre apôtre, puisqu'il a enseigné le peuple slave » (cit. par VODOFF [1988], p. 291).

66. Quand le prince André Bogoljubskij a voulu, dans les années 1155-1175, promouvoir sa cité de Vladimir dans le nord-est de Kiev, il provoqua d'abord le transfert de l'icône de la Mère de Dieu de la région de Kiev à Vladimir, v. J. PELENSKI, « The Contest for the "Kievan Succession" (1155-1175) : The religious-ecclesiastical Dimension », in *Harvard Ukrainian Studies*, XII-XIII, 1988/89, p. 761-780.

67. DVORNIK (1970), p. 396 et suiv. ; DUJČEV (1977) ; SPINKA (1968) ; J. V.A. FINE, Jr, *The Early Medieval Balkans. A Critical Survey from the Sixth to the Late Twelfth Century*, Ann Arbor, Michigan, 1983 ; J.V. FINE, *The Late medieval Balkan. A Critical Survey from the Late Twelfth Century to the Ottoman Conquest*, Ann Arbor, 1987.

68. R. JANIN (1938), c. 1136-42 ; D. HINTNER, *Die Ungarn und das byzantinische Christentum der Bulgaren im Spiegel der Register Papst Innozenz III*, Leipzig, 1976 ; I. DUJČEV, *Innocentii III epistolae ad Bulgariam historiam spectantes*, Sofia, 1942.

moins, emplis de la conviction candide qu'il fallait rester en bons termes avec les deux grands centres de la chrétienté »[69]. C'est seulement dans cette atmosphère qu'on peut comprendre les contradictions apparentes des Serbes et des Bulgares à l'époque qui nous intéresse ici.

Le rite slave et la tradition de l'Église orientale étaient, dès la fin du XIIe siècle, visiblement très profondément enracinés — après au moins trois siècles ! — en Serbie et en Bulgarie et les princes ont cherché des solutions conformes à cette tradition. Le but principal de leur politique ecclésiastique fut l'autonomie de l'Église locale, en l'occurrence l'indépendance par rapport à l'archevêché d'Ochrida (Ohrid) qui exerçait sa juridiction sur les terres bulgares et serbes aux XIe-XIIe siècles[70]. Probablement déjà en 1187, l'évêque de Trnovo fut proclamé par les Bulgares archevêque autocéphale, sans la reconnaissance des autres Églises[71]. Le titre de primat accordé par le pape à l'archevêque ne donna pas satisfaction aux Bulgares qui voulaient la reconstruction de leur patriarcat. C'est seulement après le renforcement de la position de la Bulgarie de Jean Asen II dans les Balkans, consécutif à la victoire qu'il remporta à Klokotnica en 1230 sur l'empereur Théodore d'Épire, qu'une alliance fut conclue entre Jean Asen et l'empire de Nicée. Dans ce contexte, le patriarche résidant à Nicée institua en 1235, d'accord avec l'empereur et les trois autres patriarches, le patriarcat de Trnovo, tandis que plusieurs évêchés étaient transformés en archevêchés[72]. Rome considéra ces agissements comme une rupture et proclama même la croisade contre le tsar schismatique, en demandant à la Hongrie de l'organiser. L'invasion mongole de 1241/2 toucha aussi la Bulgarie, qui fut obligée ensuite, jusqu'en 1300, de payer tribut aux Tatars. Avec le déclin politique de la Bulgarie, la renaissance culturelle se concentra au XIIIe et surtout au XIVe siècle autour du patriarcat et de quelques monastères, avant la terrible catastrophe de la fin du XIVe siècle.

La Serbie, restaurée à la fin du XIIe siècle, englobait à la fois les régions orthodoxes autour de l'évêché de Ras et le pays catholique au bord de l'Adriatique ; l'archevêché de Bar (Antivari) prétendait être une province ecclésiastique serbe et combattait les prétentions de l'archevêché de la puissante ville de Dubrovnik (Raguse). Les liens, très personnels, qu'entretenait la dynastie régnante serbe des Némanides avec l'orthodoxie sont bien révélateurs. À cet égard, le cas de saint Sava (1175-1235), le futur patron de la Serbie, est spécialement intéressant[73]. Fils du prince Étienne Nemanja, il fut tellement impressionné par l'idéal monastique qu'il quitta clandestinement son pays en 1192 pour devenir moine au mont Athos ; quelques années après, il fut suivi par son père et, vers la fin du siècle, ils créèrent le monastère serbe de Chilandar au mont Athos. En 1208, Sava revint en Serbie pour diriger le pays avec son frère Étienne (1196-1228) notamment dans le domaine ecclésiastique. Lorsque, en 1219, la Serbie obtint, malgré les protestations d'Ochrida, la création d'un archevêché indépendant de

69. DVORNIK (1970), p. 410.

70. Sur Ochrida, W. SWOBODA dans *Słownik* t. III (1967), p. 452-456.

71. Trnowo par W. SWOBODA dans *Słownik*, t. VI (1977), p. 241-244 ; K. KADLEC, *Introduction à l'étude comparative de l'histoire du droit public des peuples slaves*, Paris, 1933, p. 51 et suiv.

72. SPINKA (1968), p. 111.

73. DVORNIK (1970), p. 403 ; T. WASILEWSKI dans *Słownik*, t. V (1975), p. 80-81 ; L. ZVERL, *Sava, primo arcivescovo serbo di rito bizantino-slavo (1174-1235)*, Trieste, 1946.

la part du patriarche résidant à Nicée, Sava en devint le premier titulaire[74]. C'était probablement dès le début un archevêché autocéphale, dont l'archevêque était élu par le concile national des évêques et des higoumènes présidé par le prince régnant[75]. Les relations de l'Église et de l'État ont été en Serbie médiévale exceptionnellement étroites. Sava lui-même procéda en 1209 à la canonisation de son père et, après sa mort, la dynastie assura son culte. Par la suite presque tous les princes serbes ont été canonisés, ce qui illustre bien la sacralisation extrême du pouvoir. L'Église, avec ses monastères nombreux et richement dotés, fut la base essentielle du système étatique serbe. L'activité littéraire de Sava dota le système d'une véritable idéologie chrétienne. Ainsi, la *Vie* de son père, Étienne Nemanja, présenta le modèle d'un prince chrétien, tandis que plusieurs règles monastiques donnaient un encadrement aux moines — une véritable élite alors — et qu'un Nomocanon précisait les règles juridiques promulguées à la fois par l'État et par l'Église. Une école établie au mont Athos assura les traductions du grec en serbe.

Certes la Serbie conserva des liens étroits avec le monde occidental, surtout au XIIIe siècle; mais, avec l'expansion dès la fin de ce siècle vers les terres byzantines, la byzantinisation culturelle du pays deviendra beaucoup plus sensible.

6. ESSAI DE BILAN

Partout alors dans la « nouvelle chrétienté », de l'Islande jusqu'aux Balkans, nous avons constaté au cours des XIIe-XIIIe siècles les progrès visibles de la christianisation, ainsi qu'un affermissement des structures ecclésiastiques et de la position des Églises. Certes, le manque d'études comparatives nous empêche encore bien souvent de tirer des conclusions précises dans ce domaine, mais la tendance générale semble évidente. Simultanément et selon les pays, on voit alors se développer un processus d'occidentalisation ou de byzantinisation, et l'on assiste à la formation de civilisations latino-slaves, byzantino-slaves ou scandinavo-latines[76]. Les différences entre le monde occidental et oriental se sont accentuées également dans cette chrétienté nouvelle. À cet égard, le XIIIe siècle fut probablement décisif, bien que la rupture n'ait pas encore été complète. La réception de la culture étrangère fut un phénomène complexe, qui demanda une activité vraiment créatrice d'adaptation, des choix inévitables, souvent des réductions, voire des transformations profondes. On peut ainsi observer, par exemple, les transformations des modèles artistiques, si importants pour les milliers

---

74. A. RÁDOVIC, « I serbi e la loro Chiesa nel corso dei secoli », dans *Storia religiosa dei popoli balcanici*, sous la direction de L. VACCARO, Milano, 1983; W. KOWALENKO dans *Słownik*, t. III (1967), p. 519-524; Viktor POSPISCHIL, *Der Patriarch in der Serbisch-Orthodoxen Kirche*, Wien, 1966, p. 23 et suiv.; K. KADLEC, *Introduction*, p. 101 et suiv.

75. En même temps le roi de Serbie écrit en 1219 au pape : « ... nous voulons aussi être considéré comme un fils loyal de votre Église romaine... », v. DVORNIK (1970), p. 410; dans l'art serbe, les influences conjointes de l'Occident et de Byzance sont bien visibles au XIIIe s., v. S. RADOJČIC, *Geschichte der serbischen Kunst. Von den Anfängen bis zum Ende des Mittelalters*, Berlin, 1969; A. GRABAR, *L'art du Moyen Âge en Europe Orientale*, Paris, 1968, p. 29 et suiv. Sur l'Église serbe du XIIIe s.; L. MAVROMATIS, *La fondation de l'empire serbe. Le Kralj Milutin*, Thessalonique, 1978.

76. L. MUSSET, « Influences réciproques du monde scandinave et de l'Occident dans le domaine de la civilisation au Moyen Âge », *CHM*, I, 1, 1953, p. 72-90; J. KŁOCZOWSKI, *Europa Słowiańska w XIV-XV wieku* (L'Europe slave au XIV-XVe s.), Varsovie, 1984, remonte souvent au XIIIe s.

Encensoir provenant de l'abbaye de Trzebnicza (Pologne)
fondée par sainte Hedwige de Silésie, au XIIIe siècle
(Polska Akademia Nauk, Instytut Sztuki).

d'églises qui furent construites et équipées dans ces pays au cours des siècles qui nous intéressent ici.

Les constructions en bois, nécessaires — vu le manque de bonnes pierres! — surtout dans les grandes plaines et dans les montagnes scandinaves couvertes de forêts, semblent bien caractériser plusieurs pays de la nouvelle chrétienté. Malheureusement, très peu de ces monuments ont subsisté jusqu'à nos jours, à l'exception des célèbres « Stavkirke » norvégiennes. Dans la Ruś de Kiev, on délaissa vite l'architecture monumentale de type byzantin en réduisant les bâtiments et en remplaçant la mosaïque par des fresques et surtout par des icônes sur bois[77].

La civilisation écrite fut le résultat de la christianisation, avec la langue latine surtout du côté occidental, grecque et slave du côté byzantin. Le développement de la littérature scandinave, notamment en Islande aux XIIe-XIIIe siècles, fut exceptionnel et

---

77. A. MERHAUTOVA, *Romanische Kunst in Polen, der Czechoslovakei, Ungarn, Rumänie, Jugoslavien*, Vienne, 1974; Z. ŚWIECHOWSKI, *L'art roman en Pologne*, Varsovie, 1982; P. ANKER - A. ANDERSON, *L'art scandinave*, I-II, 1969, Zodiaque; C. AHRENS, *Frühe Holzkirchen im nördlichen Europa*, Hamburg, 1982; D. BUXTON, *The Wooden Churches of Eastern Europe. An introductory Survey*, Cambridge University Press, 1981/2; « Stavkirke », *KLNM*, XVII (1972), p. 95-106.

on a pu parler d'un « miracle » islandais[78]. Le latin donnait aux élites accès à la haute culture internationale et la langue ecclésiastique contribua à former les langues indigènes, même le hongrois si particulier[79]. La langue slave de l'Église facilita dans une certaine mesure l'accès des masses à la vie religieuse, mais empêcha en même temps des contacts plus larges, y compris avec le monde grec[80]. Dans la zone latine, on utilisa d'ailleurs assez largement les langues indigènes dans les églises, par exemple pour les sermons ou les chants[81].

La formation des élites intellectuelles et religieuses fut un résultat extrêmement important, car c'est dans ces milieux très liés aux élites socio-politiques que s'élaborèrent les bases d'une culture nationale chrétienne. Partout, près des églises, on organisa des écoles − indispensables pour une religion du Livre ! − d'un niveau différent, plus élevé évidemment dans les grandes villes et dans les centres ecclésiastiques assez grands et diversifiés[82]. Durant les premières générations, les étrangers cultivés étaient appréciés, mais, avec le temps, le nombre des indigènes d'une haute culture augmenta visiblement. Il s'agissait surtout de gens qui avaient effectué un long stage à l'étranger dans un monastère ou dans une école célèbre. Dès le XIIᵉ siècle, dans la partie occidentale, un nombre croissant de personnes fréquente les universités naissantes, en particulier Paris et Bologne[83]. Les grands ordres religieux, avec leur réseau international de maisons, facilitèrent beaucoup les contacts, tandis que, dans la zone orientale, le mont Athos ou Constantinople accueillirent des moines de tous les pays slaves et balkaniques. Les besoins étaient si grands que, précisément au cours des XIIᵉ-XIIIᵉ siècles, les moines de la Ruś de Kiev, et ensuite ceux de Serbie et de Bulgarie, créèrent au mont Athos leurs monastères « nationaux »[84]. Du côté occidental, plusieurs grands monastères, notamment en France ou en Italie, attirèrent l'attention des gens de ces pays. Un exemple, parmi tant d'autres, est constitué par le célèbre monastère de Saint-Victor à Paris, où les Norvégiens prirent l'habitude de loger vers le milieu du XIIᵉ siècle, si souvent qu'il fallut mettre sur place, vers 1160, tout un système de sélection et d'organisation de l'accueil[85]. Les trois archevêques

78. R. Boyer, *Les sagas islandaises*, Paris, Payot, 1986², et C.J. Clover, *The Medieval Saga*, 1982, soulignent les liens des sagas avec la littérature chrétienne de l'Europe ; pour l'opinion contraire, cf. entre autres E.Ól. Sveinsson, « Les Sagas Islandaises », *Archives des lettres modernes*, 1961, nᵒ 36, p. 3-64 et *Id.*, *The Age of the Sturlungs. Icelandic Civilization in the Thirteenth Century*, Ithaca - New York, 1953.

79. A. Sauvageot, *L'édification de la langue hongroise*, Paris, 1971.

80. V. les remarques de V. Vodoff (1988), p. 362 et suiv.

81. V. par exemple les remarques de A. Sauvageot, *op. cit.*, ou de J. Dowiat sur la langue polonaise, *Kultura polski średniowiecznej X-XIII w.* (La culture de la Pologne médiévale Xᵉ-XIIIᵉ s.), Varsovie 1985, p. 193-212.

82. « Szkoły » (les écoles), *Słownik V* (1975), p. 534-545, sur la Bohême, la Pologne, la Ruś, les Slaves de Sud ; « Skole », *KLNM*, XV (1970), p. 631-41.

83. J. Verger, « Les étudiants slaves et hongrois dans les universités occidentales (XIIIᵉ-XVᵉ s.) » in *L'Église et le peuple chrétien...*, p. 83-106 ; P. David, *Étudiants polonais dans les universités françaises du Moyen Âge (XIIIᵉ-XVᵉ s.)*, Grenoble, 1929 ; L. Maury, « Les Étudiants scandinaves à Paris (XIᵉ-XVᵉ s.) », *AUP*, IX, 1934, p. 222-246 ; S. Bagge, « Nordic Students at Foreign Universities until 1660 », *Scandinavian Journal of History*, 9, 1984, p. 1 et suiv. ; les mots « student » et « studieres or » (*KHS*, XVII, p. 327-42) et « universitet » (*KHS*, XIX, p. 312-319) ; Laszló Mezey, « Entre Byzance et Paris. Les lettrés hongrois au XIIᵉ s. », *Acta Litteraria Academiae Scientiarum Hungaricae*, t. 13, Budapest, 1971, p. 425-431.

84. I. Dujčev, « Le mont Athos et les Slaves au Moyen Âge, » dans *Le Millénaire du mont Athos (963-1963) Études et Mélanges*, II, Venise-Chevetogne, 1964, p. 121-144.

85. A.O. Johnsen, « Les relations intellectuelles entre la France et la Norvège (1150-1214) », *Le Moyen Âge*, LVII, 1951, p. 247-268.

successifs de la Norvège, dans les années 1161-1214, ont eu des contacts très étroits avec Saint-Victor, qui leur servait entre autres d'intermédiaire dans leurs relations avec Rome. Les ordres mendiants ont vite monté tout un système d'études centralisé, avec les *studia generalia*, en particulier celui de Paris, pour les élites de leurs provinces respectives[86].

Un grand mouvement intellectuel se dessina alors dès le XIe mais surtout au XIIe siècle, en touchant de plus en plus de gens des pays qui nous intéressent ici. On peut distinguer deux élites ecclésiastiques, à savoir une élite monastique et celle du clergé séculier, notamment les membres des chapitres, près des églises cathédrales et des collégiales vraiment importantes. Dans la zone byzantino-slave, l'élite monastique domine largement, en règle générale, même parmi les évêques. Là, ce sont des moines qui tiennent le haut du pavé, tandis que la coexistence des deux semble être caractéristique pour la zone occidentale. Au XIIe siècle en effet, dans la nouvelle chrétienté, on assiste à l'essor des chapitres. Les évêques, souvent des gens instruits, sont bien souvent élus parmi les membres de ces derniers[87]. Les bibliothèques, de plus en plus riches, ainsi que les écrits, nous dévoilent la culture de ce milieu, où l'emportent les intérêts théologiques chez les moines et juridiques chez les chanoines. Mais la formation juridique devint de plus en plus indispensable dans la carrière ecclésiastique et, en même temps, elle était très appréciée par les princes qui cherchaient souvent l'aide auprès de leurs chanoines[88].

Il existait partout des liens très étroits entre les communautés ecclésiastiques et les élites socio-politiques, les princes et les aristocrates avec leur entourage, ce qui provoqua un rapprochement des deux cultures, ecclésiastique et laïque, et des influences profondes — sans doute réciproques — de l'une sur l'autre. Les clercs capables de lire et d'écrire, les chapelains, ont exercé dans les cours des fonctions très différentes, sacerdotales bien sûr, mais aussi politiques, diplomatiques, économiques, etc. Le résultat évident de ce rapprochement fut sans doute la christianisation plus profonde des princes et des Grands avec leurs entourages, en même temps que l'engagement des chanoines et des moines dans les affaires publiques. Les œuvres qui ont été ainsi créées, au contact des deux cultures en question, avec la participation directe ou indirecte des laïcs et des clercs, attestent aujourd'hui le processus de formation d'une culture chrétienne enracinée dans la culture indigène et de cultures nationales imprégnées déjà de christianisme. On pourrait, dans cette perspective, présenter ici l'analyse de tout l'héritage de cette époque qui nous est parvenu, tant sur le plan artistique que littéraire, et démontrer ainsi son extrême importance dans la longue durée historique. Un exemple seulement pour illustrer cette affirmation. La

---

86. J. KŁOCZOWSKI, « Europa centro-orientale. Panorama geografico, cronologico e statistico sulla distribuzione degli Studia degli Ordini Mendicanti », *Atti del XVII Convegno di Studi sul tema : Le Scuole degli Ordini Mendicanti (secoli XIII-XIV)*, Todi, 1978.

87. K. PIRINEN, « Biskop », *KLNM*, I (1958), p. 610-625.

88. Bibliotek, *KLNM*, I (1956), p. 522-530 ; E. JØRGENSEN, « Les bibliothèques danoises au Moyen Âge », *NTBB*, II, 1915, p. 332-350 ; une note et la bibliographie concernant les bibliothèques ecclésiastiques en Pologne médiévale dans *Encyklopedia Katolicka*, II, Lublin, 1976, c. 505-7 ; « Książki, skryptoria i biblioteki » (Les livres, scriptoria et les bibliothèques), *Słownik* II (1964), p. 541-552 (sur la Bohême, la Pologne, la Ruś, les Slaves de Sud) ; A. VETULANI, « La bibliothèque de l'église cathédrale de Cracovie », *Mélanges J. de Ghellinck*, Gembloux, 1951, p. 489-507.

fameuse porte en bronze de la cathédrale de Gniezno en Pologne fut le résultat de la collaboration d'un prince ambitieux, Mesco le Vieux, mort en 1202, et des chanoines de Gniezno[89]. Saint Adalbert (Wojciech en polonais), un grand saint martyr (mort en 997 en Prusse) y est présenté comme le saint patron de la Pologne. La conscience nationale polonaise est bien visible dans ce monument et on semble avoir oublié que le saint passa dans ce pays seulement les derniers mois de sa vie.

L'œuvre la plus frappante et la plus originale de nos élites se situe peut-être dans le domaine de l'historiographie, valorisant tout le passé national, y compris l'époque païenne glorifiée parfois à l'extrême, mais aussi replaçant cette histoire dans une optique chrétienne. Un peu partout la mémoire collective fut ainsi codifiée au cours du XIIᵉ siècle, voire du XIIIᵉ siècle, notamment dans les chroniques, véritables sommes des connaissances et expressions de la conscience historique des rédacteurs. Dans la Ruś de Kiev, cette somme s'appelle la *Chronique des temps passés-Povest vremennhkh let*[90]. C'est une compilation faite au début du XIIᵉ siècle au monastère des Grottes, le centre intellectuel et religieux le plus important en ce temps-là dans le pays russe. Les moines, souvent d'origine aristocratique, ont formé un milieu où s'est épanouie une culture religieuse approfondie, avec l'aide de toute la tradition byzantine bien connue chez eux, mais en gardant l'idée d'une Ruś chrétienne unie autour du prince de Kiev. L'histoire de l'État de Kiev et de son christianisme est au centre de l'intérêt des auteurs de la *Chronique*.

En Pologne, en Hongrie et en Bohême, les premières chroniques nationales apparaissent aussi au XIIᵉ siècle[91]. En Pologne par exemple un certain anonyme dit, dans la tradition postérieure, Gallus — probablement un moine venu de France — présenta au début du XIᵉ siècle, pour la première fois, l'histoire de la Pologne dans la perspective de la cour du prince Boleslas Bouche-Torse. À la fin du siècle, c'est un Polonais, probablement un universitaire de Paris, maître Vincent, qui écrivit une histoire de son pays depuis l'Antiquité jusqu'au temps de son héros, le prince Casimir le Juste.

En Scandinavie, dès la fin du XIIᵉ siècle, on assiste à une véritable prolifération d'œuvres historiques, notamment au Danemark, en Norvège et en Islande. Un chef-d'œuvre monumental est constitué par les *Gesta Danorum* de Saxo Grammaticus, une histoire du Danemark depuis les origines antiques jusqu'en 1185, en 16 livres[92]. L'auteur, un chanoine de l'entourage de l'archevêque Absalon (1179-1202), rassembla avec un très grand talent littéraire des matériaux richissimes. La présentation de l'époque des Valdemars — où la collaboration de la monarchie et de l'Église fut la plus étroite — est spécialement valable pour toute l'Europe du Nord. En Islande, Storri Sturluson, assassiné en 1241, fut le représentant le plus éminent d'un courant historiographique vraiment exceptionnel dans ce pays si lointain de la chrétienté[93]. Les

---

89. A. GIEYSZTOR, *La porte de bronze à Gniezno. Document de l'histoire de Pologne au XIIᵉ s.*, Rome, 1961.
90. VODOFF (1988), v. l'index; pour toutes les éditions des historiens du Moyen Âge, *Repertorium* (1962 et suiv.).
91. P. DAVID, *Les sources de l'histoire de la Pologne à l'époque des Piast*, Paris, 1934.
92. I. SKOVGAARD-PETERSEN, « Saxo, historian of the Patria », *MedSc*, 2, 1969, p. 54-77.
93. R. BOYER, « L'historiographie médiévale islandaise » dans *La chronique et l'histoire au Moyen Âge*, Paris-Sorbonne, *Colloque 1982*, p. 123-136.

sagas des rois de Norvège depuis les origines mythiques jusqu'à Magnus Erlingsson (1177), entre autres la Saga de saint Olaf, sont une œuvre de la culture chrétienne basée profondément sur la vieille culture païenne des Scandinaves. Ainsi « sur toutes choses règne le Destin tout-puissant qui peut prendre le visage du Dieu chrétien, mais auquel il n'est pas difficile de rendre sa coloration païenne scandinave ancienne[94] ».

Un élément absolument fondamental de chaque conscience, de chaque culture nationale naissante, est constitué par les saints patrons, intercesseurs entre Dieu et le peuple. D'où l'extrême importance des cultes en questions, des Vies des saints et des canonisations officielles. En règle générale, les bénéficiaires en furent surtout des princes-rois, appelés à jouer ensuite un grand rôle auprès de leurs sujets, tels Venceslas en Bohême, Étienne et Ladislas en Hongrie, Boris et Gleb en Ruś de Kiev, Olav en Norvège et dans toute la Scandinave. Seule la Pologne fait exception avec deux saints évêques martyrs, Adalbert-Wojciech et Stanislas, ce dernier mort en 1079 et canonisé seulement en 1253[95].

Ainsi, avec la stabilisation de la « nouvelle chrétienté » au cours du XIIe siècle et encore plus du XIIIe siècle, ont été jetées les bases solides d'une culture chrétienne adaptée, enracinée dans la culture indigène, tandis que s'élaboraient les bases de tout le développement ultérieur.

BIBLIOGRAPHIE

On se reportera à celle qui figure à la fin du chapitre « la nouvelle chrétienté au XIIe siècle », Deuxième partie, chapitre IV, p. 326-328.

---

94. R. Boyer, « L'historiographie », p. 132.
95. Cf. P. Riché et A. Vauchez (éd.), *Histoire des saints et de la sainteté chrétienne*, t. V, Paris, 1986 (Adalbert-Wojciech, Boris de Bulgarie, Étienne de Hongrie, Olav de Norvège, Venceslas et Ludmila, Vladimir) et t. VI, Paris, 1986 (Sava de Serbie, Stanislas de Cracovie).

La chrétienté grecque : l'éclatement de l'Empire et la domination latine (1204-1274)

par Evelyne PATLAGEAN

I. LES POUVOIRS POLITIQUES APRÈS 1204 : LATINS ET GRECS

La chrétienté grecque s'était définie dans son principe par son adéquation à l'empire ininterrompu et virtuellement universel de la romanité. Le principe avait résisté à toutes les modifications géopolitiques. Avec la prise de Constantinople par les Latins en 1204, c'est l'empire lui-même qui éclate en trois morceaux, Nicée, Trébizonde, l'Épire, dont chacun revendique dès lors pour lui, contre les autres, la légitimité ainsi entendue, tandis que des pans entiers de la chrétienté grecque passent sous domination politique latine. L'idée de toujours survit si bien à cette épreuve inédite qu'elle inspire et justifie la restauration accomplie en 1261 par Michel VIII Paléologue. Vue de Byzance, l'histoire des années 1204-1261 est ainsi à la fois plurielle et une [1].

1. L'EMPIRE GREC EN EXIL ET LE PARTAGE DE LA ROMANIE

En 1204, le pouvoir souverain se transporte à Nicée en la personne de Theodoros Laskaris, gendre de l'empereur Alexis III Ange, et frère de Constantin Laskaris, empereur d'un moment dans la confusion dernière. L'empire de Trébizonde est érigé par deux petits-fils d'Andronic Ier Comnène, Alexios et David, appuyés sur la Géorgie. Michel Comnène Angelos Doukas prend de son côté pied en Épire par son entrée à Arta. Il est le fils illégitime de Jean Doukas, lui-même fils de Constantin Angelos et d'une fille d'Alexis Ier Comnène, Theodora. On voit ainsi la trame généalogique de cette triple entreprise. La conjoncture suscite de plus des chefferies grecques en Asie Mineure, à Philadelphie, à Sampson près de Milet, et dans la vallée

---

1. Voir, outre la bibliographie générale, M. ANGOLD, *A Byzantine government in exile. Government and society under the Lascarids of Nicaea (1204-1261)*, Oxford, 1974, et ci-dessous note 7. D.M. NICOL, *The Despotate of Epiros 1267-1479. A contribution to the history of Greece in the Middle Ages*[2], Cambridge, 1984 (CR de la 1re édition, Oxford, 1957, par P. LEMERLE, in *ByZ*, 51 (1958), p. 401-403). W. MILLER, *Trebizond, the last Greek Empire*, Londres, 1926; A. BRYER, *The empire of Trebizond and the Pontos* (collected studies), Londres, 1980; S.P. KARPOV, *Trapezundskaja imperija i zapadno-evropejskije gosudarstva v XIII-XV vv.*, Moscou, 1981. A. CARILE, *Per una storia dell' Impero latino di Costantinopoli (1204-1261)*, Bologne[2], 1978. Sp. VRYONIS jr., *The decline of medieval Hellenism in Asia Minor and the process of Islamization from the eleventh through the fifteenth century*, Berkeley U. Pr., 1971.

du Méandre ; Rhodes reste aux mains d'un certain Léon Gabalas, qui s'y maintiendra en favorisant les intérêts vénitiens. Du côté latin, un conseil de douze, six Francs et six Vénitiens, élit après la prise de la capitale un empereur et un patriarche latins. L'un est Baudouin, comte de Flandre et de Hainaut. L'autre doit donc, aux termes de l'accord, être un Vénitien : le choix se porte sur Thomas Morosini, d'une famille ducale[2]. Un partage (*partitio Romaniae*) dessine les zones attribuées au nouvel empire, aux croisés, et aux Vénitiens, sans distinction de territoires déjà conquis ou encore à prendre[3]. La capitale revient pour cinq huitièmes à l'empereur, et trois huitièmes au doge. À Boniface de Montferrat, candidat évincé au trône impérial, qui vient d'épouser Marguerite, sœur du roi de Hongrie et veuve d'Isaac II Angelos, échoit le « royaume de Thessalonique ». Les Vénitiens s'assurent à l'évidence des routes maritimes au long desquelles ils avaient déjà pris pied au siècle précédent. Ils s'adjugent la région entre Durazzo et Naupacte, et les îles ioniennes dont Corfou ; ils confirment leur emprise sur la côte ouest du Péloponnèse, depuis le golfe de Corinthe jusqu'au cap Malée ; ils achètent la Crète à Boniface de Montferrat, et partagent un temps avec les croisés l'île d'Eubée (Negroponte), qui leur appartiendra dans la suite entièrement. Il leur revient encore l'Archipel, et l'espace depuis Andrinople jusqu'à la mer de Marmara et à l'Hellespont. L'empire latin reçoit l'Asie Mineure, avec les îles proches de celle-ci, et une zone riveraine de la mer de Marmara et de l'entrée en mer Noire. Chypre était aux Lusignan, on s'en souvient, depuis 1192. Les croisés enfin jettent leur dévolu sur la Grèce continentale et le reste du Péloponnèse. À la périphérie, le sultanat de Rum, avec Konya pour capitale, est en 1205 à la veille de son apogée. Le souverain bulgare, Kalojan, a juré fidélité vassalique au pape, qui le fait roi et déclare l'archevêque de Trnovo patriarche (1204).

Tous ces pouvoirs, et d'autres, dont les Mongols après 1240, sont les acteurs d'une situation qui ne cessera en fait de bouger dans les années suivantes, en tout état de cause jusqu'au triomphe de l'empire de Nicée sur ses concurrents et à la rentrée de Michel VIII Paléologue dans Constantinople reconquise (1261). Le patriarche Jean X Kamatêros, qui avait refusé de couronner Theodoros Laskaris, meurt en 1206. Theodoros, souverain de fait, réunit à Nicée un synode qui élit Michel Autoreianos, lequel procède au couronnement (1208)[4]. L'empire de Trébizonde sort bientôt de la compétition : en 1214, le territoire à l'ouest de Sinope est annexé par Nicée, et la ville même occupée par les Seljukides, dont le souverain de Trébizonde devient en quelque sorte le vassal. Le gendre de Theodoros Laskaris, Jean III Vatatzès, lui succède en 1222, et poursuit une reconquête sur les Latins dont les progrès sont rapides, tant en Asie Mineure que dans les îles. Le souverain épirote aura mis plus longtemps à s'approprier le modèle impérial. Theodoros, demi-frère et successeur de Michel Comnène Angelos Doukas, reprend lui aussi du terrain aux Latins. Il reconquiert Thessalonique, où il est couronné en 1224 par Dêmêtrios Chomatianos, titulaire du

---

2. Cf. R.L. WOLFF, « Politics in the Latin Patriarchate of Constantinople, 1204-1261 », in *DOP*, 8 (1954), p. 225-303.

3. A. CARILE, « Partitio terrarum imperii Romanie », in *StVen*, 7 (1965), p. 125-305.

4. *Regestes* n° 1207, cf. N. OIKONOMIDÈS, « Cinq actes inédits du patriarche Michel Autoreianos », in *REByz*, 25 (1967), *Mél. V. Grumel*, t. 2, p. 113-145. Nous suivrons dans ce chapitre V. LAURENT, « La chronologie des patriarches de Constantinople au XIIIᵉ siècle (1208-1309) », in *REByz*, 27 (1969), p. 129-150.

siège autocéphale (*i. e.* sans autre supérieur que le patriarche lui-même) d'Ohrid. Mais l'avancée de Theodoros vers Andrinople le met face aux troupes de Nicée, et du reste le glas de son ambition impériale est sonné par la bataille de Klokotnica (1230), qui fait de lui le prisonnier du tsar de Bulgarie, Ivan Asen. L'événement provoque une scission entre Épire et Thessalie. Vatatzès meurt en 1254, maître de la majeure partie de l'Asie Mineure et de la marche balkanique, de Thessalonique en particulier. L'empire de Trébizonde paie désormais tribut aux Mongols. L'Épire a reconnu la souveraineté de Nicée : Theodoros Angelos et son fils Nikêphoros ont reçu en compensation le titre de despote. Rhodes a été réduite en 1249. Le fils de Jean III Vatatzès, Theodoros II Laskaris, lui succède, et meurt lui-même dès 1258, laissant un héritier enfant, Jean IV, et un régent, Georges Mouzalon, de cette même famille qui avait donné le patriarche Nicolas IV au siècle précédent. Alors sonne l'heure de Michel Paléologue.

2. Michel Paléologue et la restauration

Issu d'une famille alliée dès le siècle précédent aussi aux Comnène, aux Doukas et aux Angeloi, époux d'une petite-nièce de Jean III Vatatzès, Michel Palaiologos avait alors à son actif une carrière déjà brillante, au service d'une ambition déjà manifeste. L'assassinat immédiat du régent, puis l'aveuglement du petit empereur à la Noël 1261, après leur commun couronnement à la Noël 1258, lui assurent le pouvoir impérial sans partage. Il mène à son terme politique l'entreprise de reconquête sur les Latins et de primauté entre les Grecs poursuivie par ses prédécesseurs, et il fait son entrée à Constantinople, au jour traditionnellement impérial et solaire du 15 août, précédé de l'icône de la Vierge *Hodigitria*[5]. L'essor de l'Asie Mineure des Lascarides aboutissait à une restauration qui l'a peut-être sacrifiée à une grande idée impériale, centrée sur Constantinople, au profit des Paléologue, mais au détriment de l'avenir : telle est du moins la thèse défendue par Speros Vryonis[6], et surtout par Hélène Ahrweiler[7]. Thèse qui arrête l'attention certes, mais qui ne prend pas la mesure de la dynamique idéologique à l'œuvre dans la restauration. Quoi qu'il en soit, Byzance se retrouve dès lors devant ses trois fronts séculaires. Face aux Turcs d'Asie Mineure, Michel équilibre la pression du sultanat de Rum par ses bonnes relations avec le khan Hülagü, vainqueur du califat abbasside, auquel le sultan payait tribut. Du côté balkano-danubien, il procède par alliances matrimoniales, mariant notamment son fils Andronic à la fille du roi de Hongrie Étienne V. Contre les Bulgares qui attaquent en 1272, il conclut un pacte avec le khan Nogaj et la Horde d'Or, basée entre Don et Volga. Cependant, son adversaire principal est à l'ouest, en la personne de Charles d'Anjou, frère de Louis IX, roi de France, qui est devenu roi de Naples et de Sicile par sa victoire sur Manfred de Hohenstaufen, et donc avec l'appui de la papauté[8]. Charles

5. Janin, *Géographie ecclésiastique*, p. 201.

6. Vryonis, *Decline of medieval Hellenism*, cit.

7. H. Ahrweiler, « L'histoire et la géographie de la région de Smyrne entre les deux occupations turques (1081-1317), particulièrement au xiiie siècle », in *TMCB*, 1 (1966), p. 1-204 ; « L'expérience nicéenne », in *DOP*, 29 (1975), p. 21-40.

8. D.G. Geanakoplos, *Emperor Michael Palaeologus and the West. 1258-1282*, Cambridge, (Mass.), 1959. Il suffira

va faire de la cause impériale latine le motif de sa propre politique. En 1267, après avoir entamé l'Épire parce que la veuve de Manfred était une fille du despote, il conclut à Viterbe, en présence du pape Clément IV, un pacte avec l'empereur latin Baudouin II, scellé par les fiançailles de leurs enfants, et le passage de la principauté d'Achaïe sous la suzeraineté angevine. Un autre accord est pris avec le prince, Guillaume de Villehardouin. Charles d'Anjou devient ainsi, contre l'empire des Paléologue, le champion de la légitimité reconnue par l'Occident, sur le plan politique, ecclésial, et dogmatique. Il coalise dès lors les pouvoirs hostiles à Constantinople (1271).

On n'entrera pas ici dans le détail de l'offensive et des ripostes de Michel VIII. Seules importent à notre propos les relations de ce dernier avec Rome, qui sont évidemment au centre de la conjoncture. Comme en 1204 en effet, la papauté visait en Orient tout à la fois le retour de l'Église grecque et la croisade[9]. Michel VIII jouait de ce motif depuis le début. Grégoire X, élu pape en 1271 après un interrègne de près de trois ans, annonce en mars 1272 la convocation d'un concile à Lyon pour le 1er mai 1274, avec trois objectifs : union, croisade, réforme. Michel VIII acceptera l'union qui devait affaiblir Charles d'Anjou ; c'était au moins, en tout état de cause, l'un des facteurs de sa décision. Mais le concile de Lyon marque, le lecteur le sait, la fin de notre exposé.

3. Les nouveaux États grecs et le modèle impérial

Les années 1204-1261 sont donc celles d'une chrétienté grecque politiquement démembrée entre des pouvoirs grecs eux aussi, aux prétentions impériales concurrentes, des conquérants latins d'obédience romaine, armés de surcroît du motif de la croisade, et enfin l'Islam turc en expansion. Si nous laissons provisoirement ce dernier de côté, nous observons que partout, et d'emblée, se lève la question des rapports entre politique et religieux dans un système de pouvoirs chrétien. Les morceaux de l'empire grec demeurent fidèles au modèle que celui-ci avait fondé sur le couple de l'empereur et du patriarche. Mais ce couple porte alors l'empreinte des circonstances ; le XIIIe siècle grec s'efforce jusqu'en 1261 de soutenir par lui des États devenus en réalité régionaux, au nom de l'argument généalogique d'une part, de l'espérance de restauration de l'autre. Car l'Église est le ressort indispensable de cette dernière. Il lui revient en effet le geste suprême qui couronne le souverain, et aussi, ou à vrai dire surtout, la direction, par les ordinations et par le discours, d'une conscience nationale grecque constituée, au XIIe siècle déjà, face à l'antagoniste latin. L'empire de Trébizonde exclu de la compétition dès 1214, la rivalité entre l'Épire et Nicée mettra le couple traditionnel en œuvre. Et l'empire latin ne peut que faire de même dans le même contexte : il reste à voir la position de la papauté et celle de Venise dans la même conjoncture. La restauration de 1261, qui signifie celle du modèle impérial

---

de citer ici K. M. SETTON, *The papacy and the Levant (1204-1571)*, 1. *The thirteenth and fourteenth centuries*, Philadelphie, 1976.

9. Ci-dessus bibliographie citée n. 1.

premier, atteste certes la vitalité idéologique de celui-ci, mais, du même coup, son inadéquation à l'évolution politique réelle. D'autre part, la conquête latine était partie sous le signe de la croisade, puis elle avait glissé de l'infidèle au schismatique. C'est là une seconde question, celle des rapports entre les deux Églises dans tous les domaines, obédience, ordinations, sacrements, temporels, et le pape y est appelé à un rôle déterminant. Enfin, l'événement de 1204 n'a pas supprimé la question de l'union des Églises, qui courait depuis 1054, il l'a même attisée, pour le pape, comme pour les États grecs qui cherchaient les voies de la restauration impériale, voire pour les partenaires périphériques, des Bulgares aux Arméniens. Tout cela constitue le cadre où se place et se déroule l'histoire des chrétiens grecs du XIIIᵉ siècle. Il s'ensuit un éclatement des sources elles-mêmes, qui autorise du reste de fructueuses plongées dans des sociétés provinciales. Chaque concurrent se doit en effet de faire entendre son propre discours impérial, où la voix de l'Église est donc essentielle, comme elle l'est d'autre part dans les territoires sous domination latine. Mais il y a plus. L'Église grecque elle-même vit le XIIIᵉ siècle, jusqu'en 1261, comme une période de tension entre le modèle œcuménique et la logique régionale.

II. L'EMPIRE ET L'ÉGLISE AU PLURIEL...

1. L'APPAREIL INTELLECTUEL

De Constantinople à Nicée

L'appareil intellectuel centralisé venu du XIIᵉ siècle se retrouve au service de Nicée. La génération de 1204 y transporte l'activité de la capitale désormais occupée, avec laquelle pourtant les liens spirituels ne sont pas rompus. Ainsi, l'historiographe Nikêtas Choniatês, mort vers 1215/16, compose à Nicée une nouvelle édition de la *Panoplie Dogmatique* d'Euthymios Zigabênos[10]. Nicolas Mesaritês, qui appartenait avant 1204 au clergé de Sainte-Sophie et au personnel du palais, devient métropolite d'Éphèse en 1212, après avoir été dans les services du patriarche en exil; jusqu'à sa mort, en 1220 au plus tard, il reste une figure de proue de la pensée ecclésiale grecque[11]. Son frère Jean, mort en 1207, n'a pas quitté en revanche Constantinople, où il avait enseigné l'exégèse, et où il conduit l'opposition aux Latins depuis le couvent de Saint-Georges *tôn Manganôn*[12]. Le patriarche Germain II (après 1150-1240) a été diacre de la Grande Église, et succède en 1122 à Manuel Iᵉʳ Sarantênos, lui aussi formé à Constantinople en philosophie et théologie. Germain II épaule de sa dignité

---

10. Édition très partielle dans *PG* 139-140, *passim*. Cf. J.L. Van DIETEN, *Zur Überlieferung und Veröffentlichung der Panoplia Dogmatike des Niketas Choniates*, Amsterdam, 1970.

11. Références dans H.G. BECK, *Kirche und theologische Literatur im byzantinischen Reich*, Munich, 1959, p. 666-667.

12. *Ibid.*, p. 665-666, et R. JANIN, *La géographie ecclésiastique de l'Empire byzantin. I. Le siège de Constantinople et le patriarcat œcuménique*, Paris, 1969, p. 71.

œcuménique la revendication impériale des Lascarides, on le verra, mais son œuvre pastorale, homélies et lettres spirituelles, s'adresse à ses ouailles de la capitale occupée[13]. Le dispositif est comparable du côté de l'Épire, en dimension réduite. Trois ecclésiastiques vont en effet y soutenir, jusqu'en 1233, les ambitions de restauration du souverain : Jean Apokaukos, Dêmêtrios Chomatianos, Georges Bardanès[14]. Apokaukos, né entre 1150 et 1160, est le neveu de Constantin Manassès, historiographe et métropolite de Naupacte jusqu'à sa mort en 1187. Condisciple du futur patriarche Manuel Ier, puis scribe du patriarcat, il accède à son tour au siège de Naupacte en 1202, et il y reste. Ses décisions canoniques et sa correspondance politique sont une source essentielle de l'histoire que l'on verra plus loin, et en conclusion de laquelle il se retire en 1232 dans un couvent d'Arta, où il meurt entre 1232 et 1235[15]. Dêmêtrios Chomatianos, formé lui aussi dans la capitale, exerce les fonctions de *chartophylax* (conservateur des archives) de l'Église d'Ohrid, avant d'en devenir l'archevêque (1217). Outre son action politique, il reste le grand canoniste de ce temps[16]. Georges Bardanès enfin, né à Athènes dans la seconde moitié du XIIe siècle, fils d'un homme qui devint évêque suffragant de ce siège, y fut l'élève puis le collaborateur de Michaël Choniatès, dont il reste le protégé. Évêque de Corfou (Kerkyra) en 1219, il meurt avant 1237 ; c'est un polémiste[17]. D'autres voix enfin se font entendre en d'autres points de la chrétienté grecque, tels Neophytos le Reclus (1134-après 1214), moine à Chypre, et autorité dirigeante de l'Église grecque insulaire[18], ou bien Nikolas-Nektarios d'Otrante (vers 1160-1235), abbé du monastère grec de Saint-Nicolas de Casole, savant interprète au service de la curie romaine et des ambassades pontificales à Constantinople et à Nicée, et grand ami de Bardanès au demeurant[19].

La deuxième génération

À la génération suivante, l'empire de Nicée doit assurer la formation des hommes de son appareil. Sous Jean III Vatatzès et Théodore II Laskaris, la ville assume la fonction éducatrice qui avait été celle de la capitale, mais cela dans des conditions

13. BECK, *Kirche und theologische Literatur*, cit., p. 668. Le cycle d'homélies du cod. Paris. Coislin 278, qui est au moins en partie de lui, appelle une étude.

14. Sur ces trois hommes et leurs œuvres, BECK, *Kirche und theologische Literatur*, cit., p. 708-710. A.D. KARPOZILOS, *The ecclesiastical controversy between the kingdom of Nicaea and the principality of Épirus (1217-1233)*, Thessalonique, 1973. État des éditions et bibliographie pour Apokaukos et Chomatianos dans A. E. LAIOU, « Contribution à l'étude de l'institution familiale en Epire au XIIIe siècle », in *Forschungen zur byzant. Rechtsgeschichte. Fontes Minores*, 6, Franfort a. M., 1984, p. 276-277, n. 4.

15. Citons ici V.G. VASIL'EVSKIJ, « Epirotica saeculi XIII. Iz perepiski Ioanna Navpaktskago », in *VV*, 3 (1896), p. 233-299 ; N.A. BEES, « Unedierte Schriftstücke aus der Kanzlei des Johannes Apokaukos des Metropoliten von Naupaktos (in Aetolien) », in *BNGJ*, 21 (1976), p. 55-243. Cf. M. WELLNHOFER, *Johannes Apokaukos, Metropolit von Naupaktos in Aetolien (c. 1155-1233). Sein Leben und seine Stellung im Despotate von Epiros unter Michael Dukas und Theodoros Komnenos*, Freising, 1913.

16. A consulter encore dans l'éd. J.B. PITRA, *Analecta Spicilegio Solesmensi parata*, t. 6, Paris, 1891.

17. Cf. P. RONCAGLIA, ofm, *Georges Bardanès, métropolite de Corfou et Barthélemy de l'Ordre Franciscain*, Rome, 1953 ; HOECK-LOENERTZ, cit. ci-dessous n. 19.

18. Voir maintenant C. GALATARIOTOU, *The making of a saint. The life, times and sanctification of Neophytos the Recluse*, Cambridge, 1991.

19. J.M. HOECK, osb, R.J. LOENERTZ, op, *Nikolaos-Nektarios von Otranto abt von Casole. Beiträge zur Geschichte der Ost-Westlichen Beziehungen unter Innozenz III und Friedrich II*, Ettal, 1965.

culturelles et sociales modifiées[20]. L'artisan de cette entreprise est Nikêphoros Blemmydès (1197-1272)[21]. Né à Constantinople, il a trouvé son éducation à Prusa (Brousse), et à Nicée où il enseigne. Membre du clergé patriarcal, il embrasse ensuite une carrière monastique (1235), et sera métropolite d'Éphèse, non sans manquer de peu le trône patriarcal. On retrouve dans son œuvre considérable la pluralité des disciplines qu'il a pratiquées, et des conditions qu'il a vécues. Son école de philosophie produit des hommes comme Georges Akropolitès, homme d'État et historiographe de son époque (1217-1282)[22]. Né à Constantinople, ses parents l'envoient se former à Nicée à l'âge de seize ans, et il atteint sous Vatatzès aux plus hautes fonctions publiques. Michel VIII confie à ce laïc l'enseignement de la théologie dans Constantinople reconquise, et l'enverra au concile de Lyon. Theodoros Laskaris lui-même aura été à l'école de Blemmydès, où il s'est fait un cercle de compagnons. La capitale impériale et l'empereur retrouvent à Nicée l'éminence culturelle qui devait traditionnellement les distinguer. Vatatzès charge Blemmydès de parcourir les pays sous autorité grecque, afin de rassembler des manuscrits, ou du moins de prendre des notes. Théodore II reprend le modèle du savoir impérial, et il édifie une œuvre personnelle importante, rhétorique, philosophique et théologique[23].

Dans Constantinople retrouvée

Les rapports entre culture savante et pouvoir dans Constantinople restaurée par Michel VIII rappellent exactement le XIIe siècle de Manuel Ier Comnène par le rôle du milieu patriarcal et de son enseignement : volonté de reconstitution peut-être, mais fondée en tout état de cause sur la tradition dont Nicée avait su assurer la continuité. Les hommes se diviseront sur la question essentielle de l'union avec Rome, ils n'en forment pas moins un groupe, par leurs études et par leurs carrières. Grégoire de Chypre, le futur patriarche, est né Georges en 1241. Il a raconté dans son autobiographie comment il quitta son île en quête de l'éducation supérieure grecque, qu'il partit chercher à Nicée auprès de Blemmydès, et qu'il trouva en fin de compte à Constantinople, auprès d'Akropolitès[24]. Il y fut le condisciple de Georges Pachymeres, né à Nicée en 1242, membre du clergé patriarcal, et historiographe de son époque (mort vers 1310)[25]. Il aura lui-même pour élève Nicéphore Chaumnos, homme politique et philosophe[26]. Grégoire de Chypre appartient au clergé du palais. En

20. Cf. J.B. PAPPADOPOULOS, *Théodore II Lascaris, empereur de Nicée*, Paris, 1908.

21. BECK, *Kirche und theologische Literatur*, cit., p. 671-674 ; H. HUNGER, *Die hochsprachliche profane Literatur der Byzantiner*, Munich, 1978, *passim*. G. PODSKALSKY, *Theologie und Philosophie in Byzanz*, Munich, 1977, p. 58-59. L'historien est particulièrement intéressé par son autobiographie, éd. J.A. MUNITIZ, Nicephori Blemmydae *Autobiographia sive Curriculum vitae necnon Epistula Universalior*, CChr.SG, 13, Turnhout, 1984 ; trad. J.A. MUNITIZ, *Nikephoros Blemmydes. A partial account*, Louvain, 1988 ; étude de G. MISCH, *Geschichte der Autobiographie*, III. 2, Frankfurt am M., 1962, p. 831-875.

22. Éd. A. HEISENBERG, Georgi Acropolitae, *Opera*, 2 vol. Leipzig, 1903.

23. PAPPADOPOULOS, *Théodore II Lascaris*, cit.

24. Éd. W. LAMEERE, *La tradition manuscrite de la correspondance de Grégoire de Chypre, patriarche de Constantinople (1283-1289)*, Bruxelles-Rome, 1937, p. 173-191.

25. HUNGER, *Hochsprachliche profane Literatur*, cit., t. 1, p. 447-453. Éd. I. BEKKER, 2 vol. Bonn, 1835. Nouvelle édition par V. LAURENT et A. FAILLER, *Relations historiques. Livres I-VI*, 2 vol. Paris, 1984.

26. J. VERPEAUX, *Nicéphore Choumnos, homme d'État et humaniste byzantin (ca. 1250-1255-1327)*, Paris, 1959.

revanche, le service du patriarcat réunit le futur patriarche Jean Bekkos, *chartophylax* de la Grande Église (1263), puis de son trésor, et l'historiographe Theodoros Skoutariôtès, un homme de Nicée encore, qui atteindra le poste de *sakelliou*[27] avant de recevoir en 1277 le siège de Cyzique[28]. L'école patriarcale compte Manuel (en religion Maxime) Holobolos, son recteur[29], Georges Pachymêres déjà nommé, qui deviendra « maître de l'Apôtre » en 1277, Georges Moschabar, professeur d'exégèse[30]. Si Pachymêres et Skoutariôtès se distinguent par leur œuvre historiographique, on retrouve tous ces noms dans tous les genres, particulièrement dans le travail philosophique et la polémique autour de l'union.

2. Souverains et patriarches

Après 1204, les pouvoirs souverains rivaux avaient eu d'emblée le souci du pôle patriarcal, sans lequel toute revendication impériale devait rester vaine. Mais en raison des circonstances, l'association ainsi rétablie fut plus que jamais conduite par le partenaire politique, dont le contrôle se resserre notamment sur le choix des évêques et la promotion des sièges épiscopaux. À Nicée, le patriarche Michel IV Autoreianos est l'élu, en 1208[31], d'un synode convoqué par Théodore Ier Laskaris, et comprenant aussi le clergé de Sainte-Sophie et les higoumènes de la capitale : la continuité est ainsi manifestée. Le souverain épirote devait dès lors trouver une autre solution. En fait, le premier problème en date est celui des élections épiscopales, dès 1213. Les circonstances excusent, ou permettent, le choix des évêques par leurs propres confrères. En dépit de la ratification demandée au patriarche de Nicée, cette procédure significative est évidemment irrégulière. À Trébizonde, l'Église opte pour la concorde avec le patriarche, mettant ainsi pour sa part un terme à l'espérance impériale, que la présence turque aurait du reste rendue impossible. Un acte patriarcal et synodal du 1er janvier 1261 règle en ce sens, quelques mois avant la restauration, l'élection des métropolites de Trébizonde, qui devra se faire en présence d'un envoyé du patriarche ; eux-mêmes ne pourront ordonner nul autre que les évêques de leur siège[32]. L'Église d'Épire, en revanche, dont Apokaukos est alors la tête, adopte avec l'appui du souverain un parti qui ne peut que renforcer l'autorité de ce dernier, de même que le patriarcat de Nicée défend, avec son autorité œcuménique, la revendication impériale des Laskaris. Le patriarche Manuel Ier envoie sa ratification d'élections épiscopales en 1220-21, puis en 1222, suivie alors d'une mise en garde pour l'avenir[33]. Mais son envoyé se trouve en face d'une situation changée.

---

27. Cf. ci-dessus, p. 36.
28. Hunger, *Hochsprachliche profane Literatur*, cit., t. I, p. 477-478. Éd. K. Sathas, *Mesaiônikê Bibliothêkê* t. VII, Venise-Paris, 1894, p. 1-556 ; additions à Georges Akropolitès, éd. Heisenberg, cit., t. I, p. 275 et suiv.
29. M. Treu, « Manuel Holobolos », in *ByZ*, 5, (1896), p. 538-559.
30. V. Laurent, « Un polémiste grec de la fin du XIIIe siècle. La vie et les œuvres de Georges Moschabar », in *EOr*, 28 (1929), p. 129-158.
31. Cf. ci-dessus n. 4.
32. *Regestes* n° 1351.
33. *Ibid.* n° 1227-1228, et 1230.

Theodoros Angelos a succédé à Michel en 1217[34]. Il poursuit une reconquête sur les Latins, qu'il assortit de la restauration des évêchés orthodoxes. En 1217/18, il a placé Dêmêtrios Chomatianos sur le siège autocéphale d'Ohrid. À défaut de la continuité assurée à Nicée, il reconstitue de cette manière le couple indispensable au sommet de l'État. Ses progrès militaires autorisent à ce moment des espérances que le synode d'Épire ne peut que partager. Dans cette conjoncture, Apokaukos et le même Theodoros, son « fils spirituel », ont refusé l'invitation à un concile sur l'union réuni par le souverain de Nicée en 1220. Cet appel, également lancé aux patriarches d'Antioche, Alexandrie et Jérusalem, avait une portée évidemment impériale, comme toute relation avec Rome. Et de fait Apokaukos et Theodoros avaient déjà négocié de leur côté, et placé l'Épire sous la protection du pape (1218). La riposte patriarcale, derrière laquelle se trouve celle du souverain, est d'élever l'évêché de Peć au rang d'archevêché autonome, face à Ohrid, et d'y installer de surcroît Sava, frère d'Étienne II, joupan de Serbie[35]. Apokaukos fait réponse à une lettre envoyée en 1222 par le patriarche[36] : le principe d'un seul basileus et d'un seul patriarche demeure, écrit-il, mais les circonstances ont imposé une division. Le synode épirote quant à lui reconnaît Manuel Ier Sarantênos comme patriarche, mais non Laskaris comme empereur ; encore juge-t-il cette autorité purement spirituelle tant que le patriarche est en exil. La voie est donc ouverte lorsque Theodoros Angelos emporte Thessalonique à la fin de 1224. Le synode épirote le déclare digne de l'empire, par son lignage, et par sa défense de l'orthodoxie. Toutefois, le métropolite de Thessalonique refuse de le couronner et s'exile. Chomatianos accomplit alors le rite décisif, et le synode d'Épire écrit au patriarche pour revendiquer le droit de faire des évêques (après mars 1225). À Nicée, le titre impérial de Theodoros Angelos est condamné par un synode, et le geste de Chomatianos par le patriarche Germain II, comme dépassant la compétence de l'archevêque d'Ohrid ; Chomatianos conteste ce point, et proteste au surplus contre le préjudice infligé à son siège par la promotion de Peć[37]. La défaite de Theodoros Angelos à Klokotnica enraye le conflit (1230). Le synode tenu à Thessalonique dans l'été 1232 lit et approuve une lettre du patriarche, et un représentant (exarque) de ce dernier vient clore l'affaire[38].

Germain II

Le patriarcat de Germain II (1223-1240), le plus long de l'empire de Nicée, marque certainement une étape décisive dans la reprise en main patriarcale, qui prépare quant à elle la restauration. On vient de voir le rôle de Germanos dans le conflit avec l'Épire. Un exemple plus petit, mais tout à fait comparable, se rencontre à Chypre. L'île constituait un archevêché autocéphale. Vers 1209, le clergé et le peuple, réunis sous les

---

34. Ce qui suit d'après KARPOZILOS, Ecclesiastical controversy, cit.

35. Regestes nº 1225-1226.

36. « Epirotica saeculi XIII », cit., nº 17 (p. 270-278).

37. Regestes nº 1239 et 1244. G. PRINZING, « Die Antigraphe des Patriarchen Germanos II. an Erzbischof Demetrios Chomatenos von Ohrid und die Korrespondenz zum nikäisch-epirotischen Konflikt 1212-1233 », in Rivista di studi bizantini e slavi, 3 (1983), p. 21-64.

38. Ibid. nº 1263, en date de 1233.

auspices du roi latin, firent choix, pour le siège vacant depuis 1204, de l'archevêque de Lydda, réfugié dans l'île. C'était donc une translation, que le synode ratifia[39]. Mais l'Église de Chypre se trouva bientôt prise entre le marteau latin[40] et l'enclume patriarcale[41]. En 1223, une délégation chypriote saisit Germain II et le synode de difficultés soulevées par les exigences latines, à la suite desquelles l'archevêque Neophytos avait pris le chemin de l'exil[42]. La réponse, déjà ferme, le sera encore plus dans une seconde lettre, en 1229[43]. Mais Neophytos, qui s'était fait reconnaître directement par l'empereur, conformément au statut du siège de Chypre, invoqua celui-ci, et à nouveau en appela à l'empereur lui-même[44]. Autrement dit, une Église sous domination latine, et donc politiquement isolée, manifestait à sa manière la même aspiration à l'indépendance face à un patriarcat attaché au contraire à reconstruire une centralisation mise en œuvre par ses envoyés, et désormais mal supportée des épiscopats régionaux. D'ailleurs, sur le territoire même du patriarcat de Nicée, le patriarche et le synode ne peuvent que ratifier après coup, en 1224/25, des ordinations effectuées par divers métropolites[45] : c'est bien la même tendance qui est à l'œuvre. Le rapport pastoral du patriarche œcuménique avec sa capitale est maintenu par Germain II[46], comme par son prédécesseur Theodoros II Eirênikos[47]. Le cod. Paris. Coisl. 278 conserve par exemple des messages et des homélies de Germain II, sur les Bogomiles, les juifs, les mauvais clercs, sur diverses fêtes, dont une partie est explicitement destinée au peuple chrétien de Constantinople. D'autre part, Jean III Vatatzès octroie protection et largesses aux sanctuaires et monastères grecs sous quelque pouvoir politique qu'ils se trouvent : Sainte-Catherine du Sinaï, Jérusalem, Alexandrie, Antioche, Constantinople, le Mont-Athos, Thessalonique figurent entre autres ensemble sur la liste dressée par Skoutariôtès dans son éloge du souverain[48].

Arsenios Autoreianos

Arsenios Autoreianos exerce la fonction patriarcale de 1254 à 1260, et de 1261 à 1264. Il devient le motif d'un schisme grave qui se poursuit jusqu'en 1310[49], et qui présente des implications parfaitement contemporaines sous la forme à première vue récurrente et classique d'un affrontement entre l'empereur et un patriarche de trempe monastique. L'étude d'un conflit aussi profond que le fut celui-là demande à être

---

39. *Ibid.*, n° 1210 (17 juin 1209).
40. P.I. KIRMITSES, « 'E orthodoxos Ekklêsia tês Kuprou epi Phrankokratias », in *Kupriakai Spoudai*, 47 (1983), p. 1-108.
41. K. HADJIPSALTIS, « 'E Ekklêsia Kuprou kai to en Nikaia Oikoumenikon Patriarheion arhomenou tou 13' aiônos », *ibid.*, 28 (1964), p. 141-168.
42. *Regestes* n° 1234.
43. *Ibid.* n° 1250.
44. Lettre publiée par K. HADJIPSALTIS, « Skheseis tês Kuprou pros to en Nikaia Buzantinôn kratos », in *Kupriakai Spoudai*, 15 (1951), p. 65-82 (texte p. 75-77).
45. *Regestes* n° 1236.
46. *Ibid.* n° 1233 (janvier 1223).
47. *Ibid.* n° 1219 (octobre 1214-novembre 1215).
48. Skoutariôtês, in Akropolitês, éd. cit., p. 287/10 et suiv.
49. Cf. t. 6 de la présente collection, M. MOLLAT, A. VAUCHEZ, éd., *Un temps d'épreuves (1274-1449)*, Paris, 1990, p. 310-315 (M.-H. CONGOURDEAU).

reprise[50]. La personnalité du protagoniste est attestée par son *Testament*, dont l'authenticité ne semble pas à l'abri du soupçon[51], par tel mandement important, mais dont l'attribution n'est que vraisemblable[52], par l'historiographie contemporaine, qui est juge et partie, enfin par une *Vie* découverte dans un manuscrit de Patmos (s. XIV-XV)[53]. Le nom de famille, rare, suggère une parenté avec Michel IV Autoreianos, le premier patriarche nicéen. Selon Skoutariôtès, un sien partisan passé du côté de Michel VIII, son père avait été « juge du Voile » avant 1204, et sa mère était issue des Kamatêroi; Skoutariôtès lui prête une instruction minimale, expliquée par la précocité de sa vocation monastique[54]. La *Vie* confirme la fonction du père, dont elle ne donne pas le nom, et l'origine de la mère. Elle ajoute que le père lui-même se fit moine au couvent de la Peribleptos, et que le jeune homme gagna Nicée après sa mort. Il y aurait vécu chez des parents qui étaient un rameau des Choumnoi, et le patriarche Germain II en personne aurait veillé à ce qu'il reçût la formation classique de l'*enkyklios paideia*. On voit bien que ces deux versions de la jeunesse d'Arsenios plaident l'une contre l'autre dans la perspective du conflit. En tout état de cause, Arsenios devint moine au couvent d'Oxia, l'une des îles des Princes. La *Vie* donne le détail de sa carrière monastique. En 1254, une élection patriarcale se présente. Arsenios est alors higoumène du même couvent d'Oxia, et Théodore II Laskaris l'impose contre Blemmydès, candidat du synode.

Arsenios apporte son concours à l'empereur nicéen dans le conflit avec l'Épire déclenché en 1257 : sur injonction de ce dernier, il provoque une excommunication synodale du souverain ennemi et de son territoire, rapportée d'ailleurs sur observation de Blemmydès[55]. Puis, Theodoros constitue Arsenios tuteur de son fils, avec Georges Mouzalon. La mort de Theodoros en août 1258, puis l'assassinat de Mouzalon quelques jours plus tard au profit de Michel Paléologue, laissent Arsenios face à face avec ce dernier. On a évoqué plus haut la progression dramatique qui écarte définitivement le petit Jean Laskaris. Arsenios, qui avait accepté le double couronnement au début de 1259, aurait excommunié alors Michel. Il dut en tout cas se démettre, et il est remplacé, vers mars 1260, par Nikêphoros, métropolite d'Éphèse et adversaire des Laskaris[56]. Le nouveau patriarche n'est pas accepté par le peuple et le bas clergé : une réaction violente se déclenche à Nicée lors de son investiture, et il est contraint de se réfugier auprès de Michel. Deux évêques, Andronic de Sardes et Manuel de Thessalonique, sont déposés pour leur résistance[57]. Sous des objections canoniques,

---

50. La bibliographie classique comporte I.E. TROITSKIJ, *Arsenij i Arsenity* (12 études, 1867-1872), repr. Londres, 1973 avec une introd. de J. MEYENDORFF. I. SYKOUTRES, « Peri to kisma tôn Arseniatôn », in *Hellenika* (grec), 2 (1929), p. 267-332; 3 (1930), p. 15-44; 5 (1932), p. 107-126. V. LAURENT, « Les grandes crises religieuses à Byzance. La fin du schisme arsénite », in *Académie roumaine. Bulletin de la section historique*, 26 (1945), p. 225-313.

51. *PG* 140, 947-958. Cf. V. LAURENT, « L'excommunication du patriarche Joseph Ier par son prédécesseur Arsène », in *ByZ*, 30 (1929-30), p. 489-496; *Regestes* n° ** 365.

52. *Regestes*, n° * 1374.

53. Éd. P.G. NIKOLOPOULOS, « Anekdotos logos eis Arsenion Autôreianon patriarkhên Kônstantinoupôleôs », in *EEBS*, 45 (1981-82), p. 406-461. Sur la base de ce texte, dont l'auteur se trouverait dans la capitale à la fin du XIIIe siècle ou au début du XIVe, l'éditeur fait le point sur la famille, la formation et la carrière d'Arsenios.

54. Skoutariôtès 35, in Akropolitès, éd. cit., p. 290-291, et 56, p. 299.

55. *Regestes* n° 1335.

56. Voir *Regestes* n° 1338-1345, avec la discussion chronologique.

57. *Ibid.* n° 1349.

transfert de Nicéphore d'un siège à un autre, prédécesseur encore en vie, s'expriment en réalité des motifs plus profonds, on le verra dans un instant. Mais Nicéphore meurt en février 1261, et Michel n'a d'autre choix que de rappeler Arsenios, qui récuse les ordinations de Nicéphore, et qui reste d'ailleurs absent de la rentrée solennelle dans Constantinople reconquise, le 15 août 1261[58]. Arrivé ensuite, il couronne Michel une seconde fois, avec son épouse, tandis que le petit Jean IV Laskaris est laissé à l'écart de la pompe restauratrice. Après l'aveuglement de la Noël 1261, Arsenios excommunie Michel, sans toutefois le retrancher des prières des fidèles. Sur le fond d'une agitation persistante contre l'empereur Paléologue, le patriarche est enveloppé dans une accusation de complot, ce qui permet de le déposer (1264). Il frappe alors Michel VIII d'anathème, et le disqualifie ainsi à son tour, théoriquement. Le nouveau patriarche, Joseph, est un moine, archimandrite du mont Galèsios, et le propre père spirituel de l'empereur. Il relève Michel de son excommunication en 1267, ou plus exactement l'absout de son crime, l'attentat sur l'héritier légitime du trône[59]. Mais il chavirera plus tard (1275) sur la question de l'union avec Rome, à laquelle, tout proche de l'empereur qu'il soit, il s'oppose farouchement. Le schisme est donc consommé par la déposition d'Arsenios en 1264, et il se prolongera au-delà de sa mort en 1273, jusqu'à l'accord de 1310. Toutefois, dès 1284, Andronic II Paléologue, fils de Michel VIII, fera procéder à la translation de ses reliques à Sainte-Sophie[60].

Le schisme arsénite rappelle à première vue les conflits d'autorité dans lesquels s'affrontent empereurs et patriarches au IXe et au début du Xe siècle, lorsque le patriarche est le porte-parole monastique d'une revendication de primauté, et à la suite desquels le patriarche récalcitrant est déposé, et définit dès lors son parti par le refus des ordinations opérées par son successeur. La ressemblance formelle est en effet frappante. Mais les ingrédients diffèrent. Arsenios est bien une figure traditionnelle de moine dressé face au pouvoir impérial. Ce dernier en revanche se caractérise, plus encore que par le passé, par un choix culturel et politique à la fois, en l'espèce celui d'un humanisme de tonalité déjà prémoderne. D'autre part, l'enjeu dynastique est ici au premier plan : Arsenios est le soutien indéfectible des Laskaris, et c'est en ce sens qu'il use des moyens qui lui sont propres. Enfin, la fidélité aux Laskaris et son revers, l'hostilité aux Paléologue, se manifestent au premier chef dans cette Asie Mineure où l'empire de Nicée, en attendant le grand retour, a redressé la situation économique et contenu les Turcs. L'événement de 1261, pour espéré qu'il fût, met là un terme à une conjoncture privilégiée. Et, plus profondément, le religieux et le social laissent discerner leur enchevêtrement. Les Arsénites recrutent leurs troupes dans un ensemble socialement cohérent, le bas clergé, les moines, le peuple[61]. Leur attitude envers le patriarche légitime est une fidélité qui deviendra dévotion : les sources des deux parties rapportent que la rumeur lui prêtait des miracles dès sa première déposition.

---

58. Références dans Geanakoplos, *Emperor Michael Palaeologus...* p. 119 et suiv.

59. *Regestes* n° 1386.

60. Cf. R. Macrides, « Saints and sainthood in the Early Palaiologan period », in S. Hackel, éd., *The Byzantine saint*, Londres, 1981, p. 67-87, ici p. 74.

61. Sources dans les travaux cités ci-dessus n. 50, où il faudrait faire la part de la polémique, et de l'évolution du mouvement.

Les marques des deux pouvoirs

Souverains et patriarches se signalent en effet au XIIIe siècle, comme toujours, par des marques chrétiennes de validité, les unes traditionnelles, les autres cette fois très contemporaines. Traditionnelle la compétence théologique de Théodore II Laskaris, qui laisse en ce domaine une œuvre abondante. Traditionnel purement, dans ses traits poussés à l'extrême, l'éloge que Skoutariôtès trace de Jean III Vatatzès, fidèle des moines, nourricier prévoyant de son peuple, attentif aux bibliothèques, aux fortifications des villes, et, comme on l'a vu, aux sanctuaires et couvents de la piété grecque, où qu'ils soient[62]. Traditionnelles enfin l'autorité avec laquelle Michel VIII Paléologue travaille à la réunion des Églises, et la figure de Nouveau Constantin qu'il assume à la restauration de 1261[63]. Il l'a déjà suggérée auparavant, quand on l'a vu, à pied, mener par la bride la monture du patriarche Arsenios[64]. La référence constantinienne face à Rome est d'ailleurs ambivalente, témoin le débat du siècle précédent. D'autre part, la sainteté comme légitimation n'est pas nouvelle non plus, ni sa preuve par des miracles[65]. Dans le cas du patriarche Arsenios, le *sebastokratôr* Tornikès en tire argument pour conseiller à Michel VIII de le rappeler[66]. Surtout, la sainteté des souverains évoque moins le passé de Byzance, où elle n'est guère usitée, que le présent d'États comme la Hongrie[67]. Theodora, épouse de Michel II d'Épire, morte peu après 1267, inspire une *akolouthia* (office avec hagiographie), composée vers la fin du siècle par le moine Job Jasitès, un adversaire de l'union qui avait des liens avec la famille dont elle était issue : elle y est désignée comme « l'impératrice thaumaturge »[68]. Jean III Doukas Vatatzès meurt en 1254. Il faut attendre 1302 pour trouver mention d'un miracle, lui-même d'un type connu, son apparition, pour les rassurer, aux défenseurs de Magnésie, la ville près de laquelle il était enseveli, et où ses reliques seront notoirement vénérées dans la seconde moitié du XIVe siècle[69]. Enfin, on ne fera que mentionner ici le nom du patriarche Joseph le Galésiote, qui abdique en 1275 en raison de son opposition à l'union, attitude qui lui vaudra plus tard la qualité de confesseur. L'illustration de ces personnages par la sainteté qu'on leur reconnaît est donc tout entière hors du parti Paléologue, ou du moins du parti unioniste. Il s'agit certes là d'une évolution qui porte des fruits après 1274. Elle n'en reste pas moins révélatrice de tendances déjà manifestées au cours de notre période, et dont la profondeur et la longue durée ont été assez marquées pour nous dispenser, sur ce point, d'un parti chronologique trop rigide.

---

62. Skoutariôtês, in Akropolitês, éd. cit., p. 287.
63. GEANAKOPLOS, *Emperor Michael Palaeologus*, cit., p. 119 et suiv.
64. Pachymêres, *Relations historiques* I, 26 (éd. V. LAURENT, A. FAILLER, *Livres I-VI*, Paris, 1984, t. 1, p. 103).
65. Excellente étude de R. MACRIDES, cit. ci-dessus n. 60.
66. *Akropolitês*, éd. cit., p. 180/5-11.
67. Sur les figures féminines de la sainteté royale contemporaine, comparer G. KLANICZAY, « Legends as life-strategies for aspirant saints in the Later Middle Ages », *The uses of supernatural power. The transformation of popular religion in Medieval and Early Modern Europe*, Cambridge, 1990, notamment p. 97-107.
68. *PG* 127, 904-908 (*BHG* 3, 1736). Cf. E. TRAPP, *Prosopographisches Lexikon der Palaiologenzeit*, fasc. 3, Vienne, 1978, n° 5664 (Doukaina Theodora), fasc. 4, Vienne 1980, n° 7959 (Iasitès Iôb Melias).
69. Macrides, « Saints and sainthood », cit., p. 70.

III. DES ÉGLISES GRECQUES SOUS DOMINATION LATINE...

1. LA PAPAUTÉ ET LES SOUVERAINS LATINS

L'histoire religieuse du XIIIe siècle grec sous domination latine commence de son côté au lendemain de 1204. Elle s'est ouverte par une formidable spoliation, qui disperse en Occident le trésor des reliques de la Nouvelle Rome[70] : les mobiles et les conséquences de cette action mériteraient d'être mieux étudiés. Puis, un empire latin à Constantinople n'avait d'autre choix, on l'a vu, que de se conformer au modèle, et donc de placer lui aussi un patriarche aux côtés de son empereur[71]. Les rapports qui vont s'établir entre l'Église des conquérants et celle des vaincus constituent à l'évidence l'un des aspects de la situation, mais non le premier. Car cet empire, à la fois latin et issu d'une déviation de la croisade, se trouve d'emblée face au pape, Innocent III[72]. Or celui-ci, rappelons-le, réagit en fonction des deux objectifs qu'il considère à l'Est. Il a condamné le détournement de la croisade dès la prise de Zara. En revanche, s'il condamne tout autant le sac de Constantinople et de son patrimoine chrétien, il lui paraît bientôt que les événements de 1204 ouvrent la voie à l'union des Églises, tant cherchée, s'ils favorisent le retour de l'Église grecque dans le giron de Rome, où le nouvel empire se trouve quant à lui par définition. La croisade n'est pas pour autant perdue de vue, car l'union escomptée ne lui donnerait que plus de vigueur. Dans une telle perspective toutefois, le pape se doit de maintenir son autorité suprême, à propos des temporels grecs, que les vainqueurs se partagent déjà, et face aux Vénitiens, dans le lot desquels, on l'a vu, l'accord politique avait laissé le patriarcat. Les positions prises par Innocent III s'expliquent dès lors[73]. Il déclare non canonique, à juste titre, la constitution du chapitre vénitien de Sainte-Sophie, et par conséquent l'élection de Thomas Morosini. Mais c'est pour nommer aussitôt personnellement ce dernier. En revanche, il réussit à briser l'exclusivité vénitienne sur le chapitre et le patriarcat à laquelle Morosini s'était initialement engagé à Venise. Le légat fait échec à la revendication élevée par lui sur des couvents précédemment attribués aux Francs, et qui étaient autant d'électeurs. Si les deux patriarches suivants sont des Vénitiens, ils sont désignés par le pape. Simon de Tyr (1227-1233) est à la fois patriarche et légat, tout comme son successeur, Nicolas de Castro Arquato (1234-1251). Enfin, si le dernier patriarche latin, Pantaleon Giustiniani (1253-1261), est un Vénitien, de Romanie d'ailleurs, il est aussi le propre chapelain d'Innocent IV qui le désigne.

Les temporels grecs étaient inclus dans le partage entre Vénitiens et Francs, selon des modalités particulières, une fois défalqué l'entretien des clercs et des églises. Le pape proteste auprès du doge dès 1205, tandis que Morosini juge quant à lui la part du

---

70. P.E. RIANT, *Exuviae sacrae Constantinopolitanae*, 2 vol., Genève, 1877-1878, demeure indispensable et non remplacé.

71. WOLFF, « Politics in the Latin Patriarchate », cit.

72. Cf. en général H. TILLMANN, *Papst Innocenz III*, Bonn, 1954 ; W. De VRIES, « Innocenz III und der christlichen Osten », in *AHP*, 3 (1965), p. 87-126.

73. R.L. WOLFF, « The organization of the Latin patriarchate of Constantinople, 1204-1261. Social and administrative consequences of the Latin conquest », in *Traditio*, 6 (1948), p. 33-60.

patriarcat insuffisante. En fin de compte, un pacte applicable dans l'empire latin et le royaume de Thessalonique est mis au point en 1219, confirmé par l'empereur en 1221, et le pape en 1222. Les dispositions relatives aux Grecs comportent le maintien de leurs biens ecclésiastiques jusqu'à un certain point, et le paiement du trentième seulement, au lieu de la dîme exigée des Latins. L'Église latine reçoit pour sa part des immunités, et des compensations pour les biens irrécupérables. Le nombre total de prêtres par village est fixé en proportion du nombre de feux.

Innocent III, on l'a vu, se fixe l'obédience romaine comme premier objectif. En conséquence, il prescrit à Thomas Morosini de donner des évêques latins aux populations mixtes, mais de maintenir, sous réserve de leur soumission à Rome, les évêques grecs de populations grecques (1206); il passe même sur le refus d'une nouvelle consécration exprimé par certains d'entre eux. Les faits tiendront évidemment en échec les dispositions trop précises sur l'obédience et sur les temporels. Dès 1206, Thomas Morosini se plaint au pape de ce que des évêques défaillants ou rebelles continuent de collecter les revenus de leur diocèse : le pape enjoint de réserver l'excommunication et la déchéance de tels prélats comme un tout dernier recours. On verra même des évêques grecs lever la dîme dans les diocèses d'autrui, singulière adhésion à une institution qui n'est pas la leur. Du temps de Morosini déjà, on observe d'ailleurs la dévolution d'évêchés à un siège dont les revenus sont ainsi augmentés, tandis que diminue en revanche le nombre des suffragants. Il arrive aussi que l'on demande une restauration. Enfin, les progrès de la reconquête grecque ne cessent d'amoindrir le patriarcat latin.

2. INTERFÉRENCES

Les actes d'obédience ne sont pas dépourvus d'ambiguïté. Michaël Choniatès, métropolite d'Athènes, retranché dans son exil de Keos, compte pourtant parmi ses correspondants deux évêques grecs soumis à Rome. L'un est Jean évêque de Rodosto. L'autre, Theodoros de Negroponte, suffragant d'Athènes, dont l'archevêque latin cherche à l'évincer, reçoit la protection spéciale d'Innocent III, et rassemble néanmoins autour de lui des clercs grecs réfugiés [74]. À Zante, un évêque grec est attesté en 1207. Dans le royaume de Thessalonique, la veuve hongroise d'Isaac H Angelos revint à l'Église latine lors de son mariage avec Boniface de Montferrat; puis, veuve à nouveau, elle favorisa les Grecs contre son beau-fils, avec l'appui de l'empereur latin, protégeant les suffragants grecs de l'archevêque latin de Larissa, et empêchant le paiement de la dîme. Le bas clergé des paroisses rurales demeure grec, bien que les Latins aient leurs églises et leur clergé. Dans la réalité, c'est une double hiérarchie qui subsiste, avec une interférence dans les rites : en 1253 par exemple une réponse d'Innocent IV atteste que, dans l'île de Milo (Mèlos), les sacrements sont grecs en raison d'une vacance latine qui dure depuis cinq ans [75]. On peut citer aussi le

---

74. Cf. G. STADTMÜLLER, *Michael Choniates, Metropolit von Athen*, Rome, 1934, p. 193 et 196.
75. E. BERGER, éd., *Les registres d'Innocent IV*, Paris, 1884, n° 6431.

témoignage de Jean de Kitros, suffragant de la métropole de Thessalonique, qui répond entre 1225 et 1230 aux questions de Constantin Kabasilas, métropolite de Durazzo[76]. Il atteste que dans cette ville des évêques grecs ordonnent des prêtres latins, et que des obsèques latines ont lieu dans des églises grecques, et réciproquement. Chypre et l'Italie méridionale illustrent les mêmes tendances.

Chypre

Chypre avait été dotée d'une hiérarchie latine en 1196, sans que l'épiscopat grec fût déplacé ou dépossédé[77] : le siège de Leukosia, déclaré archevêché, et trois suffragants. Mais les progrès de la mainmise franque ne tardent pas à déséquilibrer la situation. Un synode de clercs et barons latins, en 1220, reconnaît l'immunité aux clercs grecs, mais exige d'eux l'obéissance aux évêques latins, et subordonne la tonsure cléricale ou monastique d'un Grec à l'autorisation du baron local. Le synode d'Ammochôsto, présidé en 1222 par le cardinal légat Pélage, confirme ces dispositions, met à la discrétion de l'archevêque latin le nombre des moines consenti à chaque monastère grec, et surtout réduit le nombre des évêques grecs de quatorze à quatre, aux mêmes sièges que les Latins, mais avec résidence extérieure. L'archevêque Neophytos prend alors le chemin de l'exil, avec une partie de ses clercs. En 1223, les Grecs de l'île consultent l'autorité ecclésiastique de Nicée sur la conduite à tenir[78]. Le patriarche et le synode penchent d'abord vers un compromis qui éviterait au troupeau de rester privé de ses pasteurs. Mais des réfugiés de Constantinople font irruption au synode, et ils expliquent la nature de l'acte demandé, un serment en forme d'hommage. Le patriarche et le synode durcissent alors leur position, et interdisent ce dernier. En 1229[79], logiquement, Germain II enjoint aux Grecs de l'île de tenir pour interdits les prêtres qui auraient obtempéré. La tension monte au point que, en mai 1231, treize moines grecs sont brûlés vifs. En revanche, Neophytos, revenu peu avant 1229, semble avoir fait un acte de soumission formelle, que le patriarche et le synode lui pardonnent vers 1231[80]. On a vu plus haut que Neophytos s'efforça toutefois de souligner que Chypre, archevêché autocéphale, dépendait directement de l'empereur grec[81]. En 1240, le pape exige le serment de fidélité, dans une lettre à l'archevêque latin. Innocent IV cherche l'apaisement, et autorise en 1251, après la longue vacance, l'élection d'un archevêque grec, soumis à Rome bien entendu, qui sera le moine Germanos Pêsimandros. Ainsi s'instaure une église grecque d'obédience romaine, ce qui mécontente la hiérarchie latine de Chypre. Innocent IV publie une nouvelle mise au point, dont le principe est toujours le même, le respect des usages et rites grecs autant que l'Église latine peut l'admettre, en échange de l'obédience romaine. Alexandre IV revient à une position plus dure en 1260 : le rang d'archevêque grec

---

76. J. Darrouzès, « Les réponses canoniques de Jean de Kitros », in *REByz*, 31 (1973), p. 319-334 ; cf. D. Simon, « Fragen an Johannes von Kitros » in *Aphierôma ston N. Svorôno* (Mél. N. Svoronos), Rethymno, 1986, p. 258-279.
77. Kirmitses, « Orthodoxos Ekklêsia tês Kuprou », cit.
78. *Regestes*, n° 1234.
79. *Ibid.*, n° 1250.
80. *Ibid.* n° 1253.
81. Cf. *supra*, p. 674.

s'éteindra avec Germanos ; l'épiscopat latin et le pape sont compétents dans différents cas d'affaires mixtes ; chaque évêché latin tiendra un synode annuel, auquel prendront part évêques et higoumènes grecs ; enfin, un serment d'obédience, dont la bulle donne le texte, est requis des évêques grecs. Telle est la situation à la veille de Lyon II[82].

L'Italie méridionale

En Italie méridionale, une situation comparable résultait d'événements plus anciens. Mais elle sera pareillement marquée par la politique d'Innocent III[83]. Le quatrième concile du Latran cite en 1215 la région comme un exemple et un précédent du principe déjà illustré ici : « *mores ac ritus eorum in quantum cum Domino possumus sustinendo* » (c. 4). Ainsi acceptera-t-on, par exemple, la position grecque sur les azymes. En revanche, il n'y aura plus désormais qu'un seul évêque par diocèse, soumis à Rome évidemment, avec un ou deux clergés, selon les besoins. En fait, l'Italie méridionale semble alors alignée sur le patriarcat latin de Constantinople, où seules les populations exclusivement grecques reçoivent des évêques qui le sont aussi. Mais la pratique glisse là encore vers l'interférence. Par exemple, le mariage des clercs grecs demeure reconnu, ce qui pousse des clercs latins à entrer dans le rite grec pour pouvoir rester mariés. En revanche, le canon latin de consécration des clercs semble l'emporter d'emblée : dans les diocèses grecs eux-mêmes, seuls les clercs grecs peuvent demander à suivre le leur. Bref, l'Église grecque d'Italie méridionale est placée au XIIIe siècle dans une position minoritaire et marginale, bien différente de la coexistence du XIIe siècle. L'événement de 1204, l'évolution même de la papauté ont leur part dans ce changement, qui ouvre d'ailleurs, on le verra, sa propre perspective culturelle. Et la Crète vénitienne, Thèbes, ou Patras offriraient d'autres cas encore[84].

3. L'ENTRÉE EN SCÈNE DES ORDRES LATINS

Dans l'empire latin, églises et couvents changent de mains à la suite de la victoire, mais l'on prêtera attention aux arbitrages du pape, ceux d'Innocent III surtout. Dans la capitale[85], l'église des Blachernes est sous la protection spéciale de l'empereur, qui assiste à la procession traditionnelle ; à partir de 1208 elle est soustraite au patriarche, et placée directement sous l'autorité du pape. Le couvent de la Theotokos Peribleptos, encore grec en 1206, semble passer ensuite à des bénédictins de Venise. Le couvent de la Theotokos Evergêtis est donné à ceux du Mont-Cassin par le légat, sans expulsion de moines grecs, en 1206. Enfin, le Pantokratôr semble le quartier général des Vénitiens.

---

82. Sur la tradition grecque de la bulle d'Alexandre IV et l'activité synodale de l'Église grecque de Chypre sous domination latine, cf. J. DARROUZÈS, « Textes synodaux chypriotes », in *REByz*, 37 (1979), p. 5-122.

83. Ce qui suit d'après P. HERDE, « Il Papato e la Chiesa greca nell' Italia meridionale dal XI al XIII secolo », in *La Chiesa greca in Italia dal VIII al XVI secolo*, Padova, t. 1, 1972, p. 213-255. Voir aussi J.A. BRUNDAGE, « The Decretalists and the Greek Church of South Italy », *ibid.*, t. 3, Padoue, 1973, p. 1075-1081.

84. G. FEDALTO, *La Chiesa latina in Oriente*, t. 1, Vérone 1973, p. 312-352, 232-246, 247-311 respectivement.

85. JANIN, *Géographie ecclésiastique, passim* ; du même, « Les sanctuaires de Byzance sous la domination latine (1204-1261) », in *EtByz*, 2 (1944), p. 134-184.

Ils y portent l'icône de la Theotokos Hodigitria, enlevée à Sainte-Sophie, où le patriarche latin l'avait placée lors du couronnement impérial. Morosini les frappe alors d'une excommunication confirmée par Innocent III en 1207, malgré les excès que le pape trouve au culte grec de cette image[86]. Les cisterciens jouent un rôle important dans l'empire latin[87], où leurs maisons s'ouvrent de Modon à Constantinople. Boniface de Montferrat leur donne le couvent impérial de Chortaïtou, près de Thessalonique, Otton de la Roche fait présent de Daphni, près d'Athènes, à une abbaye avec laquelle sa famille a des liens. Les cisterciens s'installent dans l'antique couvent de Roufinianai, aux portes de la capitale, que les moines grecs, sommés d'obéir à Rome, ont fini par quitter. Ils agissent au service du pape, entre 1217 et 1240. Mais le reflux ne tarde pas. Dès 1225 ils quittent Roufinianai; en 1233, ils ne sont plus à Chortaïtou. Dans la capitale, les sœurs de Sainte-Marie de Percheio fuient en 1261; à Modon, celles de Sainte-Marie de Verge sont expulsées par les Grecs en 1267, et se réfugient en Italie. Quant aux ordres mendiants, ils relèvent d'un autre niveau d'histoire. Si les franciscains arrivent dans la capitale dès 1220[88], si les dominicains les suivent dès 1223, et ont une province de Grèce dès 1228[89], le rôle des uns et des autres dans les négociations pour l'union, et dans les missions d'Orient, leur confère une importance hors de pair[90].

IV. ... UNE CHRÉTIENTÉ GRECQUE UNIQUE

Cela dit, la chrétienté grecque conserve une unité profonde, sous cette histoire politique qui la démembre, et qui du reste met sur elle ses marques. Les hommes et la civilisation de l'Occident latin, les Turcs, les voisins slaves, tous induisent des variations, mais sur les grands motifs de toujours : l'Église des évêques et celle des moines; la piété des laïcs et celle de l'empereur; l'orthodoxie impériale et ceux qu'elle exclut.

1. ÉVÊQUES

Décisions patriarcales et synodales dessinent pour leur part une figure de l'évêque grec du XIIIe siècle. Un mandement lancé de Constantinople, et raisonnablement

---

86. R.L. WOLFF, « Footnote to an incident of the Latin occupation of Constantinople : the Church and the icon of the Hodegetria », in *Traditio*, 6 (1948), p. 319-328.

87. E.A.R. BROWN, « The Cistercians in the Latin Empire of Constantinople and Greece, 1204-1276 », in *Traditio*, 14 (1958), p. 63-120.

88. R.L. WOLFF, « The Latin Empire of Constantinople and the Franciscans », in *Traditio*, 2 (1944), p. 213-237.

89. B. ALTANER, *Die Dominikanermissionen des 13. Jahrhunderts. Forschungen zur Geschichte der kirchlichen Unionen und der Mohammedaner - und Heidenmission des Mittelalters*, Habelschwerdt, 1924. Un couvent est attesté dès 1233 dans la capitale, cf. JANIN, *Géographie ecclésiastique*, p. 577; les couvents de Pera sont postérieurs à notre période.

90. *Infra*, p. 692 et suiv.

attribué au patriarche Arsenios[91], expose aux métropolites et archevêques nouvellement ordonnés les devoirs de leur charge. La tradition textuelle suggère la date de 1261-1262, et il s'agirait alors des sièges rendus à l'Église grecque par la reconquête. Lu en négatif, le document atteste ce que pouvaient être alors les formes de la prévarication épiscopale : sous-traiter l'administration du temporel ; lever des « redevances » (*synêtheiai*) sans fondement ; abuser de sa compétence judiciaire pour percevoir des amendes ; pratiquer la simonie, autrement dit vendre les nominations dans l'administration monastique et les ordinations, voire garder pour soi le paiement dû par un nouvel évêque pour son intronisation ; aliéner des éléments du temporel ; porter atteinte aux biens d'un suffragant décédé. Parmi les devoirs spirituels rappelés aux destinataires, on relève celui d'enseigner le peuple chrétien. Les décisions du patriarcat nicéen montrent que les couvents et leurs temporels sont en butte aux convoitises épiscopales. Ainsi, en 1250, les droits de propriété du couvent de Notre-Dame de Pitié (Eleousa) de Stroumitsa sont confirmés au couvent athonite d'Iviron qui les revendiquait : l'évêque de Stroumitsa ne garde que l'autorité spirituelle et le *kanonikon* d'usage[92]. La croix patriarcale, qui soustrait un couvent au ressort de l'évêque du lieu, est de ce fait très recherchée. Le couvent de la Makrinitissa, dont il sera question plus loin, est ainsi convoité par l'évêque de Demetrias, au point que le document de 1256 qui le déclare de droit patriarcal souligne qu'il est le troisième en ce sens[93]. Quant au rapport entre l'évêque et ses ouailles, on choisira ici deux exemples. En 1226, un conflit grave oppose le métropolite de Mélitène à son clergé et à ses fidèles, qui l'ont répudié, et refusent de le reconnaître. Pour finir, et bien que les charges contre lui, non précisées dans le document, n'aient pu être entièrement prouvées, le synode décide de le déplacer[94]. Au contraire, un acte du patriarche Arsenios rétablit sur son siège, à la demande instante du diocèse, l'évêque de Bonditza, qui était parti se faire moine, et se trouvait même alors supérieur d'un couvent important sur le Bosphore, Saint-Michel d'Anaplous[95]. Mais on reviendra plus loin à la pastorale. C'est en effet un terrain où, depuis toujours, l'Église des évêques rencontre, et parfois affronte, celle des moines, et il faut donc d'abord faire place à ces derniers.

2. MOINES

Monastères anciens et nouveaux

La carte monastique du XIIIe siècle grec présente d'abord les hauts lieux antérieurs à 1204. Dans la conjoncture politique créée par l'éclatement de l'empire et par les États serbe et bulgare, le Mont-Athos assume au sein de la chrétienté orthodoxe une

91. *Regestes*, n° *1374.
92. *Ibid.*, n° 1312.
93. *Ibid.*, n° 1333 (déjà n° 1293 et 1328).
94. *Ibid.*, n° 1240-1242.
95. *Ibid.*, n° 1369.

importance religieuse et culturelle sans précédent. Innocent III déclare d'emblée la Montagne bien du Saint-Siège, et la place sous la tutuelle de l'évêque de Sébaste, que ses exactions font destituer dès 1209. Les moines obtiennent alors, en 1213, la protection directe de Rome, notamment contre la piraterie latine, sans être pour autant à l'abri des abus du représentant du pape[96]. Vers 1235, le synode nicéen exempte de son côté le Mont-Athos de toute juridiction épiscopale[97]. Le patronage du Mont-Athos, il ne faut pas l'oublier, avait été exercé par les empereurs grecs jusqu'en 1204, et il demeure donc ensuite un élément de légitimité impériale. Michel Paléologue le reprendra ainsi dès 1259, et dans l'intervalle cette valeur demeure implicite chez Innocent III comme chez le patriarche Germain II, et chez tous les souverains en lice entre 1204 et 1261[98]. Saint-Jean de Patmos a échappé au partage de 1204, et se tient dans la mouvance de Nicée. Il en reçoit des biens et des succursales (*metochia*), d'abord dans la région de la capitale en exil, puis au fil des progrès de la reconquête insulaire. Les bateaux du couvent continuent de voguer, à travers les eaux vénitiennes, jusqu'aux ports nicéens, et le règne de Michel VIII est pour lui une période d'essor économique. Toutefois, la piraterie gêne considérablement le trafic, au départ de Patmos[99] comme de la péninsule athonite. Enfin, les couvents d'Asie Mineure profitent, comme la région elle-même, de la migration du pouvoir politique. Le Latros, près de Milet, demeure bien vivant malgré la pression turque; l'indépendance de Saint-Paul est reconnue par le patriarche de Nicée (avant mai 1225)[100]. Le Mont-Galèsios, près d'Éphèse, connaît même un nouvel essor, après une éclipse au siècle précédent[101]. Il donne des patriarches aux Paléologue, Joseph Ier, « père spirituel » de Michel VIII, qui entame un premier patriarcat en 1266[102], et plus tard Athanase I[er][103]. Restaurations et fondations de couvents sont en rapport avec l'histoire politique : on y distinguera l'Asie Mineure nicéenne, Trébizonde, la Grèce, enfin l'Italie du Sud et Chypre sous domination latine. Jean III Vatatzès et son épouse Irène sont des fondateurs actifs. Vatatzès crée notamment en 1228 le couvent de Notre-Dame de Lembos, ou Lembiotissa, aux environs de Smyrne. Indépendant, inviolable, immune, l'établissement réunit un temporel considérable, y compris dans Smyrne, et son cartulaire demeure une source de premier ordre pour l'histoire des campagnes du temps[104]. Le moine Maximos fonde la Theotokos *tês Koteinês* dans le diocèse de

---

96. Lettre d'Innocent III (17 janvier), *PL* 216, 956-958, revu sur l'original par G. HOFMANN, sj, *Athos e Roma*, Rome, 1925, doc. 1.

97. *Regestes*, n° 1279.

98. Bonne étude de D. NASTASE, « Le patronage du Mont-Athos au XIIIe siècle », in *Cyrillomethodianum*, 7 (1983), p. 71-87.

99. Témoin le testament, sans date, de l'higoumène Germanos, in *Acta et diplomata græca Medii Aevi*, éd. F. MIKLOSICH, I. MÜLLER, t. 6, Vienne, 1890, p. 230. Cf. *Eggrapha Patmou*. 1. *Autokratorika*, éd. E. VRANOUSI, Athènes, 1980, introd. p. * 82, n. 1,* 94 et suiv.

100. R. JANIN, *Les Églises et les monastères des grands centres byzantins (Bithynie, Hellespont, Latros, Galèsios, Trébizonde, Athènes, Thessalonique)*, Paris, 1975, p. 451 (MIKLOSICH-MÜLLER, *Acta et diplomata*, cit. t. 4, Vienne, 1871, p. 298-300).

101. *Ibid.*, p. 247 et suiv.

102. Joseph rattache au Galèsios, après la mort de Blemmydès en 1273, le couvent fondé et dirigé par ce dernier, et cela au mépris de son testament (*Regestes*, n° 1405).

103. J. DECLERCK, « Un colophon métrique d'Athanase le Galésiote (XIIIe siècle) » in *REByz*, 43 (1985), p. 197-208, suggère cette identification.

104. Le cartulaire est encore à consulter dans l'édition de MIKLOSICH-MÜLLER, *Acta et diplomata*, cit., t. 4, p. 1-289.

Philadelphie (Alaşehir), par un testament daté de 1247[105]. Nikêphoros Blemmydès établit aux portes d'Éphèse son couvent d'Emathia[106]. Irène, première épouse de Jean III Vatatzès, fonde le Prodrome de Prousa (Brousse)[107]. Du côté de Trébizonde, on signalera deux monastères qui doivent, sinon leur existence, du moins leur essor, à l'empire pontique[108] : Vazelon[109] et Soumela[110]. En Grèce, nous choisirons l'exemple des Maliasenoi, des puissants des environs de Demetrias, sur le golfe de Volos, entés sur la parentèle impériale. Peu avant 1215, Constantin Comnène Maliasenos Bryennios rentre dans ses terres à la suite de la reconquête épirote, et construit en action de grâce le couvent de la Makrinitissa[111]. Son fils, Nicolas Comnène Maliasenos Angelos, continue cette œuvre, et fonde, d'autre part, en 1271, un couvent de femmes, Nea Petra, de concert avec son épouse, Anne Comnène Doukaina Palaiologina[112], une fille de Michel VIII[113]. Nea Petra, déclaré d'emblée de droit patriarcal, est transformé en couvent d'hommes après Octobre 1274 ; à cette date, les deux époux ont embrassé la vie religieuse[114]. Leur fils, Jean Comnène Ange Maliasenos Palaiologos, hérite de leur titre et qualité de fondateurs des deux couvents[115]. Le dossier conservé retrace l'histoire du temporel à travers les confirmations de biens et les exemptions. Surtout, on l'a dit, il met en lumière la longue lutte des fondateurs contre les abus de pouvoir sans cesse tentés par le métropolite de Demetrias.

Italie méridionale et Sicile

En Italie méridionale et en Sicile, trois facteurs interviennent dans l'histoire du monachisme grec au XIIIe siècle : la papauté, et la hiérarchie latine ; le pouvoir politique ; l'élément grec de la population. Ce dernier demeure présent dans l'ensemble, et plus particulièrement dans des régions comme la Terre d'Otrante[116]. On en trouve des preuves dans la production de textes et de manuscrits grecs ; dans la chancellerie de Frédéric II, d'où émanent des documents en langue grecque, et qui compte des membres grecs ; et, précisément, dans la continuation de certains

---

Cf. D. FONTRIER, « Le monastère de Lembos près de Smyrne et ses possessions au XIIIe siècle », in *BCH*, 16 (1892), p. 379-410 ; AHRWEILER, « L'histoire et la géographie de la région de Smyrne », cit.

105. Éd. S. EUSTRATIADÈS, *Hellenika* (grec), 3 (1930), p. 325-339.

106. N.A. BEES, « Die Klosterregeln des Nikephoros Blemmydis in bezug auf Pachomios Rhousanos sowie eine Inschrift aus Jenischehir », in *BNGJ*, 10 (1932/34), p. 115-123 ; J. MUNITIZ, « A missing chapter from the typikon of Nikephoros Blemmydes », in *REByz*, 44 (1986), p. 199-207.

107. JANIN, *Églises et monastères des grands centres*, cit., p. 174.

108. Sur le contexte géographique et archéologique et l'évolution ultérieure, Ph. CHRYSANTHOS, '*E Ekklêsia Trapezountos* (1936), repr. Athènes, 1973, et la bibliogr. citée ci-dessus n. 1.

109. JANIN, *Églises et monastères des grands centres*, cit., p. 283-286. *Actes de Vazélon*, éd. Th. OUSPENSKY (sic), V. BÉNÉCHÉVITCH (sic), Léningrad, 1927 ; cf. F. DÖLGER, « Zu den Urkunden des Vazelonosklosters bei Trapezunt », in *ByZ*, 29 (1929/30), p. 329-344.

110. JANIN, *Églises et monastères des grands centres*, cit., p. 274-276.

111. Cf. *Regestes*, n° 1333, critique 1 (*op. cit.*, p. 141).

112. *Ibid.*, n° 1392 (MIKLOSICH-MÜLLER, cit., t. 4, p. 362).

113. Cf. *ibid.*, n° 1393.

114. *Ibid.*, n° 1411.

115. *Ibid*, n° 1412, octobre 1274 : confirmation consécutive à un chrysobulle de Michel VIII (Dölger n° 2011).

116. Cf. P. CORSI, « Communità greche di Puglia in epoca federiciana », in *Archivio storico pugliese*, 32 (1979), p. 103-122.

monastères[117]. Frédéric II, empereur, beau-père de Jean III Vatatzès, et antagoniste du pape, mène d'ailleurs pour plus d'une raison une politique philhellène. Du côté de Rome, Innocent III applique les principes que l'on a présentés plus haut. L'attitude se durcit sous les pontificats suivants. On ne saurait suivre ici la situation monastère par monastère, travail toutefois concevable sur la base des manuscrits situés et datés[118], des notes événementielles qu'ils contiennent parfois, et des documents dont nous disposons[119]. On se limitera aux trois exemples les plus importants, le Saint-Sauveur de Messine en Sicile, le Patir de Rossano en Calabre, Saint-Nicolas de Casole en Terre d'Otrante. Le Saint-Sauveur[120] jouit au début du XIIIe siècle d'une prospérité continuée, et consent même un prêt très important à la couronne entre 1200 et 1202. Frédéric II confirme ses privilèges en 1200, et Innocent III, de son côté, les immunités de l'établissement, qu'il prend sous sa protection (1210 et 1216), ainsi que l'autorité de celui-ci sur ses suffragants. L'archevêque Bérard de Messine revendique alors l'autorité sur les monastères grecs de son ressort, à lui reconnue en 1196, et que le Saint-Sauveur persiste à ignorer. L'affaire est confiée à trois instructeurs, dont deux abbés latins. La conclusion est défavorable au Saint-Sauveur, qui persévère néanmoins dans son attitude, avec l'appui de Frédéric II, et en dépit de la censure et de l'excommunication papales. C'est avec la période angevine que s'installe le déclin.

La Nea Hodigitria de Rossano est alors également un archimandritat, au témoignage d'une décrétale d'Honorius III (1216), qui place le monastère sous sa protection et celle de saint Pierre[121]. Il se manifeste encore au cours de cette période par son activité culturelle[122]. Saint-Nicolas de Casole surtout demeure alors un foyer régional de la culture et de la doctrine grecques[123]. Le grand homme de l'époque frédéricienne est là Nicolas d'Otrante, en religion Nektarios (vers 1160-1235), moine (1205) et plus tard higoumène (1219)[124]. Sa maîtrise du latin fait de ce Grec fidèle aux positions de son Église l'interprète des missions romaines à Constantinople (1205-1206), puis à Nicée (1214-1215), où il représentera aussi Frédéric II. En 1232, il est chargé du clergé grec à la curie. On comprend dès lors qu'il ait traduit la liturgie basilienne en latin, ou copié à Constantinople, pour le cardinal Benoît de Sainte-Suzanne, la traduction grecque partielle de la *donation de Constantin* par Balsamon, et traité, d'autre part, des questions qui séparaient les deux Églises. Il savait l'hébreu, au dire de son ami Georges Bardanès, et il a laissé une controverse avec les juifs à laquelle nous reviendrons.

---

117. M.B. Wellas, *Griechisches aus dem Umkreis Kaiser Friedrichs II*, Munich, 1983.

118. P. ex. A. Turyn, *Codices græci Vaticani sæculis XIII et XIV scripti annorumque notis instructi*, Vatican, 1964; en général, P. Canart, « Le livre grec en Italie méridionale sous les règnes Normand et Souabe : aspects matériels et sociaux », in *Scrittura e civiltà*, 2 (1978), p. 103-162.

119. Une évaluation d'A. Guillou montre que les documents grecs diminuent nettement après 1196 (« Le fonti diplomatiche greche nel periodo bizantino e normanno in Italia », *Atti del 4° congresso storico calabrese, Cosenza, 1966*), Naples, 1969, p. 87-103.

120. M. Scaduto, sj, *Il monachesimo basiliano nella Sicilia medievale. Rinascita e decadenza sec. XI-XIV*, Rome, 1982², p. 231 et suiv.

121. Analyse de Batiffol, cit. n. suiv., p. 20.

122. On consultera encore P. Batiffol, *L'abbaye de Rossano. Contribution à l'histoire de la Vaticane*, Paris, 1891.

123. A. et O. Parlangèli, « Il monastero di S. Nicola di Casole, centro di cultura bizantina in Terra d'Otranto », in *BBGG*, 5 (1951), p. 30-45. Étude classique de Ch. Diehl, « Le monastère de S. Nicolas de Casole près d'Otrante d'après un manuscrit inédit », *MEFRM*, 6 (1886), p. 173-188.

124. J.M. Hoeck, osb, R.J. Loenertz, op, *Nikolaos-Nektarios von Otranto, Abt von Casole. Beiträge zur Geschichte der Ost-Westlichen Beziehungen unter Innocenz III und Friedrich II*, Ettal, 1965.

Chypre

En Chypre, deux typika sont composés au début du XIIIe siècle : celui de la Toute-Sainte de Machairas par Nil évêque de Tamasia, en 1210[125], et surtout celui de l'Enkleistra (*reclusorium*), rédigé par Neophytos le Reclus, chef spirituel de la chrétienté grecque de l'île[126]. À Constantinople enfin, le monachisme grec recouvre en 1261 de hauts lieux qui lui avaient été enlevés, au premier rang desquels le couvent des *Hodêgoi* : l'icône de l'Hodigitria (Celle qui montre la voie) est portée dans la procession de la rentrée de Michel VIII en 1261[127]. L'action restauratrice poursuivie par celui-ci et par son épouse, dans la capitale et ses environs, et au Latros, dépasse notre terme de 1274.

La discipline monastique

La discipline monastique des typika de cette période suit le fil de la tradition, et l'on ne fera ici que deux observations. L'une touche la pratique de la réclusion, dont Neophytos de Chypre fait la clef de voûte de sa communauté, et qui n'est donc pas suspecte comme elle a pu l'être au siècle précédent. Cependant, la *Vision* du prêtre reclus Isaïe, morceau d'une *Vie* perdue avec une tradition textuelle importante[128], met encore en œuvre le lien traditionnel entre réclusion et voyance de l'autre monde[129]. D'autre part, un monachisme mis au féminin, avec une tendance déjà hésychaste, est illustré par un *mêtêrikon*, recueil d'apophtegmes de saintes femmes composé par un moine Isaïe pour sa fille spirituelle, Theodora, qui serait une fille d'Isaac II Angelos[130]. L'articulation du monachisme et du laïcat demeure elle aussi ce que nous connaissons déjà. La générosité envers les moines reste un trait de l'éloge impérial consacré à Jean III Vatatzès par Theodoros Skoutariôtès[131]. La personnalité du patriarche Arsenios s'inscrit, on l'a vu, dans cette tradition. La paternité spirituelle, qui comporte le droit de conférer au mourant la tonsure et l'habit, est toujours subordonnée officiellement à une autorisation de confesser délivrée par le patriarche[132]. Les donations pieuses se poursuivent, et avec elles le statut des fondateurs transmissible aux descendants, on l'a vu aussi. L'institution de la *charistikê* n'est plus explicitement attestée[133].

---

125. Miklosich-Müller, cit., t. 5, Vienne, 1887, p. 392-432.
126. Éd. I.P. Tsiknopoullos, *Kupriaka Tupika*, Nicosie, 1969, p. 71-104.
127. Janin, *Géographie ecclésiastique*, p. 203-204.
128. *BHG* 3, 2208 ; *Auctarium*, ibid.
129. E. Patlagean, « Byzance et son autre monde. Observations sur quelques récits », in *Faire Croire. Modalités de la diffusion et de la réception des messages religieux du XIIe au XVe siècle*, École française de Rome, 1981, p. 206.
130. I. Hausherr, « Le métérikon de l'abbé Isaïe », in *OrChrP*, 12 (1946), p. 286-301.
131. Skoutariôtês, in Akropolitès, cit., p. 287/10.
132. P. ex. *Regestes*, n° 1204, vers 1208.
133. Cf. Angold, *Byzantine government in exile*, p. 53-56.

*Icône à double face de la cathédrale de Kastoria représentant
la Vierge Hodegetria et l'Akra Tapeinosis, seconde moitié du XIIe siècle*
(Musée byzantin d'Athènes).

3. La piété des laïcs

La piété laïque proprement dite et ses marges sont alors documentées par des sources cléricales, et pastorales. Le *Thêsauros* du moine-prêtre Theognostos, composé entre 1204 et 1252, présente le bagage du chrétien moyennement lettré de l'époque[134]. Catéchisme en forme de florilège, selon le mot de son éditeur, il s'ouvre sur un précis scripturaire, dogmatique et sacramentel; une longue partie est consacrée à la mort, une autre à la discipline quotidienne, et notamment sexuelle, une autre encore est faite de questions et réponses sur divers sujets. Le tout est coupé d'apophtegmes des pères du désert et de citations patristiques, et illustré par un choix de « récits utiles à l'âme ». L'auteur marque aux fidèles ce qu'ils peuvent penser des pulsions sexuelles, de la fréquente communion, de la bonne mort, de la vêture des mourants, des démons, de l'ange gardien, de l'enfer, des icônes, des reliques des saints, ou encore du zodiaque et de la voûte céleste. Les mêmes questions se rencontrent à travers les décisions

---

134. Theognosti *Thesaurus*, ed. J.A. Munitiz, *CChr.G*, 5, Turnhout-Louvain, 1979.

synodales et les réponses canoniques. L'onction des défunts est condamnée à Nicée (1260/61), avec rappel de la règle pour l'extrême-onction[135]. Les réponses et décisions d'Apokaukos et de Chomatianos documentent le quotidien de certaines unions : haine sans remède éprouvée par l'épouse, que le tribunal ecclésiastique peut accepter comme motif de divorce, mariage des impubères, liaisons hors mariage, qui tournent parfois l'interdiction des troisièmes noces[136]. Une piété citadine envers le saint protecteur de la ville est bien mise en lumière par une littérature de prédication. Le clerc Jean Staurakios, diacre et conservateur des archives de la métropole de Thessalonique, compose deux œuvres à la gloire des saints « ruisselants-de-baume » de la cité, saint Dêmêtrios son patron[137], et la nonne Theodora[138]. Theognostos, cité plus haut, évoque d'autres reliques distinguées par le même miracle, Andronikos à Attalia, Anthimos à Nicomédie. À Trébizonde, on remercie saint Eugène d'avoir repoussé l'attaque turque de 1223[139]. La prédication aux fidèles grecs de la capitale est représentée par un cycle dont l'attribution à Germain II est au moins en partie authentique[140].

4. MARGES ET DISSIDENCES

Que se passe-t-il aux marges de la piété grecque ? L'étude pratique des influences latines reste à poursuivre, témoins la provincialisation des *euchologia* (livres de prières) de l'Italie méridionale[141], ou l'introduction des confréries à Kythera par la domination vénitienne[142]. Les campagnes constituent une autre sorte de marge. Chomatianos est informé de violences survenues dans l'excitation carnavalesque où la fête des Rousalia plonge les jeunes gens : un berger qui refusait de donner ses fromages de brebis a répliqué au bâton d'un assaillant par un coup de couteau mortel. L'archevêque condamne la fête, et d'autres pareillement païennes, *Vota* et *Broumalia*, par une lettre destinée à être lue publiquement aux fidèles[143]. Enfin, l'opuscule sur les démons traditionnellement attribué à Psellos a été rendu par le P. Jean Gautier à une

---

135. *Regestes*, n° 1348, et encore 1370bis.
136. A. D'EMILIA, « I responsi del canonista bizantino Demetrio Comaziano in materia d'impedimento matrimoniale d'affinità », in *Studi in on. P. De Francisci*, t. 4, Milan, 1955, p. 133-158 ; A.E. LAIOU, « Contribution à l'étude de l'institution familiale... » cit. ci-dessus n. 14.
137. Éd. S. LAMPROS, in *Neos Hellênomnêmôn*, 15 (1921), p. 189-216.
138. Ed. E. KURTZ, « Des klerikers Gregorios Bericht über Leben, Wunderthaten und Translation der Hl. Theodora von Thessalonich nebst der Metaphrase des Joannes Staurakios », in *Zapiski Imp. Akademij Nauk*, 8e ser., *Istor.-Filol. Otdel.* t. VI n° 1, Saint-Pétersbourg, 1902.
139. Cf. le récit composé dans la seconde moitié du XIVe siècle par le métropolite de la ville, Joseph Lazaropoulos, éd. A. PAPADOPOULOS-KERAMEUS, *Fontes historiae imperii Trapezuntini*, Saint-Pétersbourg, 1897, p. 116-132.
140. Cf. ci-dessus n. 13.
141. Cf. A. JACOB, « L'evoluzione dei libri liturgici bizantini in Calabria e in Sicilia dall'VIII al XVI secolo, con particolare riguardo ai riti eucaristici », in *Calabria bizantina. Vita religiosa e structture amministrative*, Reggio C. 1974, p. 47-69 ; A. PERTUSI, « Sopravvivenze pagane e pietà religiosa nella società bizantina dell'Italia meridionale », in *Calabria bizantina. Tradizione di pietà e tradizione scrittoria nella Calabria greca medievale*, Reggio C.-Rome, 1983, p. 17-46, notamment p. 25-26.
142. G. LEONTSINIS, « The rise and fall of the confraternity churches of Kythera », in *JÖB*, 32/6 (1982), p. 59-68.
143. Demetrios Chomatianos, éd. cit., cap. CXX (col. 509-512).

période comprise entre la fin du XIIe siècle et le début du XIV[e][144]. Le dialogue, dont l'ample tradition textuelle atteste l'audience, traite effectivement des démons et de leur corps sexué, à grand renfort de références antiques. Le contexte pourtant est celui de l'hérésie contemporaine, vers laquelle l'œuvre nous conduit d'emblée. Certes, l'auteur se montre purement et simplement fidèle aux vieux stéréotypes lorsqu'il décrit le rituel d'initiation qui précède la vue et les faveurs des démons : ingestions abominables, promiscuité sans lumière le soir de Pâques, mise à mort à des fins rituelles, neuf mois plus tard, des enfants ainsi conçus. L'hérésie est mentionnée explicitement dans une partie de la tradition textuelle du titre : plusieurs manuscrits ajoutent « et contre Manès »; un intitulé attesté par deux témoins du XIVe siècle nomme « Euchites, Messaliens, et Bogomiles ». Les « Euchites » figurent d'ailleurs dans le texte lui-même. Le rapport entre hérésiologie et démonologie n'a rien qui doive surprendre. Une recension provinciale du *Synodikon de l'Orthodoxie*, écrite au XIIIe siècle, est la seule à lancer nommément l'anathème contre les Bogomiles et contre leur fondateur[145]. L'œuvre pastorale de Germain II atteste pour sa part la vigueur contemporaine du mouvement bogomile : il en traite dans ses homélies, notamment dans une lettre adressée aux habitants de Constantinople, où sont précisés les points d'une abjuration éventuelle[146]. On observe au demeurant que l'hérésie semble située alors dans la perspective de l'attente de la fin. Germain II la met en rapport dans sa lettre avec la venue imminente de l'Antéchrist, qui doit en être le préliminaire. De même, le grand-père du Pseudo-Psellos, raconte ce dernier, lui avait annoncé que la parousie était proche, et que sa proximité serait signalée par un pullulement de doctrines étranges et de pratiques illicites, qui se répandraient non seulement parmi les ignorants mais chez bon nombre de gens instruits. La *Dispute avec les Juifs* composée par Nicolas-Nektarios d'Otrante vers 1220-1223 se place, on va le voir, exactement dans la même atmosphère.

5. ARMÉNIENS, JUIFS, MUSULMANS

Constantin Kabasilas, métropolite de Durazzo déjà cité, avait demandé à Chomatianos si l'on pouvait laisser les Arméniens, établis dans beaucoup de villes, édifier leurs églises à leur gré. La réponse de Chomatianos réunit les groupes qui forment alors une frange diversement ultérieure de la chrétienté grecque, « Juifs, Arméniens, Ismaélites, Agarènes (*i.e.*, sans doute, Arabes et Turcs), et autres »[147]. Tous ont licence, écrit-il, de vivre en pays orthodoxe, à condition de s'en tenir à leurs quartiers assignés, hors desquels ils n'ont pas le droit de construire, tout édifice contrevenant devant être rasé. Cette disposition, explique Chomatianos, permet à la fois de contenir leur hérésie,

---

144. P. GAUTIER, « Le *De Daemonibus* du Pseudo-Psellos », in *REByz*, 38 (1980), p. 105-194; un des auteurs possibles est selon lui Nicolas de Méthone (Modon), cf. ci-dessus n. 14, p. 670, ce qui renverrait l'œuvre au XIIe siècle. Le climat d'attente du XIIIe lui convient pourtant bien.

145. J. GOUILLARD, « Le Synodikon de l'Orthodoxie », in *TMCB*, 2 (1967), lignes 277-387.

146. Ed. G. FICKER, *Die Phundagiagiten. Ein Beitrag zur Ketzergeschichte des byzant. Mittelalters*, Leipzig, 1908, p. 115-125, d'après le cod. Paris. Coisl. 278, cit. ci-dessus n. 13.

147. Chomatianos, éd. cit., col. 661-664, cf. S. BOWMAN, *The Jews of Byzantium. 1204-1453*, Univ. of Alabama, 1985, p. 221-222 (doc. 18).

d'espérer en convertir au moins quelques-uns, et de profiter de leur activité. Dans la réalité, on s'en doute, la situation des trois confessions n'est pas identique. Le peuplement juif est documenté par des sources chrétiennes et juives. Du côté chrétien, nous avons déjà fait allusion au témoignage de Nicolas-Nektarios, higoumène de Saint-Nicolas de Casole. Sa *Dispute contre les Juifs* (vers 1220-1223)[148] est placée par lui à Otrante, mais il fait état de voyages à travers l'empire, et de la présence des juifs, karaïtes et rabbanites, un peu partout : il mentionne, et cela est sans surprise, Thèbes, Thessalonique, et Constantinople. La prédication de Germain II suggère par sa virulence une présence robuste des juifs dans la capitale occupée[149]. Du côté hébraïque, le dossier devrait s'accroître encore par l'exploration des manuscrits, qui permettrait d'évaluer la production en terre grecque, et par les découvertes de la Geniza. Dans l'état actuel de la documentation, une pièce de résistance en est le corpus des réponses de R. Isaiah de Trani, qui met en lumière, au début du XIIIe siècle, Durazzo et le Péloponnèse[150]. Tant R. Isaiah que Nicolas d'Otrante sont témoins de la conjoncture où les juifs de Pouille sont encore liés au judaïsme grec, et à laquelle, semble-t-il, la politique religieuse de Frédéric II met un terme[151]. R. Isaiah souligne ainsi des particularités, à ses yeux, du judaïsme de Romanie, et même, en matière matrimoniale, des influences grecques. Puis, la lettre polémique de Jacob b. Élie de Lattes à son cousin converti Pablo Christiani, composée vers 1270[152], fait état de deux vexations ignorées des sources chrétiennes : des spoliations effectuées par Theodoros Angelos d'Épire à la veille de sa guerre bulgare, et un décret de conversion obligatoire de Jean III Vatatzès en 1254[153]. Une attente messianique affleure, qu'il faudrait confronter avec l'attente chrétienne contemporaine. Nicolas-Nektarios d'Otrante se place d'ailleurs sous le signe de cette dernière, puisque la conversion des juifs, il le rappelle, doit précéder la venue ultime du Christ ; il prête à son antagoniste une impatience correspondante. Plus loin dans le siècle, en 1257 semble-t-il, un fragment de la Geniza documente une ville que Bowman identifie comme Andravida, dans le nord-ouest du Péloponnèse[154]. On y a reçu avis que le « roi caché » a envoyé des messagers aux juifs, pour les exhorter à liquider leurs biens, en distribuer le montant, et partir pour Jérusalem, et aussi aux rois d'Espagne, d'Allemagne, de Hongrie et de France, pour demander que ce départ s'effectue sans obstacle. La lettre ajoute qu'un mouvement s'est déjà produit en Espagne.

148. Texte inédit, connu par un seul témoin, le cod. Paris. gr. 1255, probablement écrit à Otrante au XIVe siècle (communication personnelle de G. CAVALLO). Analyse et bibliographie dans E. PATLAGEAN, « La "Dispute avec les juifs" de Nicolas d'Otrante (vers 1220) et la question du Messie », in M.G. MUZZARELLI, G. TODESCHINI, éd., *La storia degli Ebrei nell'Italia medievale : tra filologia e metodologia*, Bologne, 1990, p. 19-27.

149. Cf. D. JACOBY, « Les quartiers juifs de Constantinople à l'époque byzantine », in *Byzantion*, 37 (1967), p. 167-227 ; du même, « Les juifs vénitiens de Constantinople et leur communauté du XIIIe au milieu du XVe siècle », in *REJ*, 131 (1972), p. 397-410.

150. Mis à contribution par BOWMAN, *Jews of Byzantium*, cit., *passim*.

151. Thèse de G. SERMONETA, « Federico II e il pensiero ebraico nell'Italia del suo tempo », in *Atti della settimana di studi su Federico II e l'arte del Duecento italiano*, Rome, 1978, p. 393-407.

152. J. MANN, « Une source de l'histoire juive au XIIIe siècle. La lettre polémique de Jacob b. Élie à Pablo Christiani », in *REJ*, 82 (1926), p. 363-377, cf. BOWMAN, *Jews of Byzantium*, cit., doc. 24 (p. 228-231).

153. DÖLGER, *Regesten*, nº 1817. Confirmation par une hagiographie « populaire » de Jean Vatatzès, cf. AHRWEILER, « Région de Smyrne », cit., p. 27, n. 143.

154. BOWMAN, *Jews of Byzantium*, cit., doc. 21 (p. 224-227).

Arméniens et musulmans peuvent se référer à des territoires où leur confession est celle du pouvoir politique[155]. La situation de l'Islam n'est en fait pas simple. Il est déjà bien enraciné en Asie Mineure, mais l'emprise turque est alors compliquée par la pression des nomades turkmènes, et ensuite par les progrès des Mongols. L'embellie nicéenne, contemporaine d'un essor seldjukide, apparaît comme un moment d'équilibre dans la région. Il se fait des passages individuels à l'Islam, témoin la lettre du patriarche Germain II à un certain Nicolas, revenu à la foi chrétienne[156]. Mais il y aura encore des néo-martyrs, et surtout le XIIIᵉ siècle anatolien marque à cet égard le début d'une osmose troublante et durable, le bektashisme. Venu du Khorasan dans le contexte des mouvements de derviches, Haji Bektash est à l'origine d'un mouvement sectaire, mystique, fortement missionnaire et syncrétiste, promis à une diffusion certaine parmi les chrétiens de l'Anatolie occidentale, et ensuite des Balkans[157]. Quant aux Arméniens, ceux qui résident dans l'empire demeurent hérétiques, tandis que des tractations pour l'union des deux Églises se poursuivent entre le patriarche, mandaté par l'empereur, et le katholikos arménien et son roi, ainsi en 1239/1240[158], et en 1247/1248[159]. Le patriarche d'Antioche, les métropolites de Mélitène et de Philadelphie sont engagés dans ces échanges, qui ne sont, évidemment, qu'un aspect des relations byzantino-arméniennes, et plus largement de la conjoncture chrétienne régionale. Celle-ci comporte encore la présence latine, constituée par les États issus de la croisade et par la papauté. Latins et Arméniens sont les uns pour les autres un contrepoids et un facteur d'équilibre face à Byzance[160]. Un rapprochement entre eux se dessine donc, bien que les Arméniens n'en soient pas à reconnaître la primauté romaine. En 1273, le patriarcat œcuménique enveloppe les uns et les autres dans une même réprobation, face à un pouvoir impérial qui incline alors vers l'union avec Rome[161].

V. CONSTANTINOPLE ET ROME, 1204-1274

Les pages qui précèdent ont abordé les relations entre les deux Églises à travers les situations et les contentieux créés par la conquête. Cette dernière a toutefois laissé intacte la question même de l'union, dans la mesure où un empire grec, et même plus d'un, continuent à se déclarer vivants[162]. Du côté romain, l'union demeure conçue

---

155. Cf. A.G.C. Savvides, *Byzantium in the Near East : its relations with the Seljuk sultanate of Rum in Asia Minor, the Armenians of Cilicia and the Mongols A.D.c. 1192-1237*, Thessalonique, 1981.

156. *Regestes*, nº 1300.

157. Vryonis, *Decline of medieval Hellenism*, cit., p. 369-381.

158. *Regestes* nº 1290.

159. *Ibid.* nº 1309.

160. Cf. B. Hamilton, « The Armenian Church and the Papacy at the time of the Crusades », in *ECR*, 10 (1978), p. 61-87.

161. *Regestes* nº 1400.

162. Cf. W. Norden, *Das Papsttum und Byzanz. Die Trennung der beiden Mächte und das Problem ihrer Wiedervereinigung bis zum Untergang des byzantinischen Reich (1453)*, Berlin, 1903 ; K.M. Setton, *The Papacy and the*

comme un retour, diversement modulé, de l'Église grecque, corollaire indispensable d'un effort efficace de la croisade, et de la guerre contre les infidèles. Du côté grec, les pourparlers avec Rome apparaissent comme une manifestation ecclésiologique de légitimité impériale, quelles que soient d'ailleurs, à chaque fois, les sûretés circonstancielles en jeu[163]. L'histoire se déroule au surplus sur une toile de fond déjà lisible à l'époque précédente, et dont le dessin s'affirme encore : une conscience que l'on peut déjà dire nationale, et qui s'exprime dans l'orthodoxie et l'hostilité orthodoxe aux Latins ; une culture savante qui met en œuvre l'héritage historique de l'hellénisme, par l'effort entrepris à Nicée, mais qui jette d'autre part des ponts entre les interlocuteurs grecs et latins, en raison de l'intérêt que ces derniers portent au travail sur Aristote, et à la patristique grecque. On retrouvera du côté grec les personnalités de l'entourage impérial citées plus haut[164], et du côté latin on notera une fois encore le rôle des hommes de l'Italie du Sud, tels Nicolas-Nektarios d'Otrante et Nicolas de Cotrone. Mais il s'ajoute à tout cela une nouveauté décisive, la participation des ordres mendiants, multiple et riche de conséquences culturelles. Ces relations des Églises romaine et grecque traversent trois périodes au cours des années 1204-1274 : la première se termine avec la mort d'Innocent III en 1216, la seconde, à l'évidence, avec la restauration de 1261.

1. 1204-1216

Au lendemain de 1204, et en dépit de ses réserves sur le détournement de la croisade, Innocent III peut penser que l'union est somme toute un fait accompli, et qu'il reste à l'aménager[165]. Dans les territoires passés sous domination latine, l'obédience romaine demeure la priorité absolue, au point de commander, on l'a vu, l'attitude pontificale à l'égard du clergé, de la liturgie et des sacrements grecs. Mais le primat romain se trouve également au premier plan, de pair avec la question du Saint-Esprit, dans le débat doctrinal qui va reprendre entre Rome et la chrétienté grecque politiquement indépendante. On peut dater de cette première époque le mémoire contre les Latins du métropolite Constantin Stilbès, puisque l'auteur fait état des violences perpétrées à Constantinople en 1204[166] ; mais le texte conserve un contenu traditionnel à cette date. Le cardinal légat Benoît de Sainte-Suzanne se met à l'œuvre dès 1205, et rencontre Michaël Choniatès à Thessalonique[167]. En 1206, il poursuit à Thessalonique, Athènes et Constantinople des entretiens que nous connaissons par les comptes rendus de son interprète Nicolas d'Otrante[168], et des

Levant (1204-1571), 1. *The thirteenth and fourteenth centuries*, Philadelphie, 1976 ; J. GILL, sj., *Byzantium and the Papacy 1198-1400*, New Brunswick NJ, 1979.

163. Cf. G. DAGRON, « Byzance et l'Union », in *1274. Année charnière. Mutations et continuités*, Paris, 1977, p. 191-202.

164. Cf. ci-dessus p. 669.

165. Cf. W. De VRIES, « Innozenz III. und der christliche Osten », in *AHP*, 3 (1965), p. 87-126.

166. Cf. J. DARROUZÈS, « Le mémoire de Constantin Stilbès contre les Latins », in *REByz*, 21 (1963), p. 50-100.

167. Ce qui suit d'après GILL, *Byzantium and the Papacy*, cit.

168. Cf. les analyses de HOECK et LOENERTZ, *Nikolaos-Nektarios von Otranto Abt von Casole*, cité.

frères Mesaritès[169]. À l'instigation du légat, Nicolas-Nektarios prend à cette occasion copie de la version grecque de la *donation de Constantin* insérée par Theodoros Balsamon dans son commentaire canonique, et disponible au palais, où se déroule la rencontre. En 1206 encore un débat oppose le patriarche latin Thomas Morosini, au clergé grec qui lui refuse la mention liturgique à Sainte-Sophie, et conteste le droit du pape à ordonner un patriarche pour Constantinople. Nicolas Mesaritês est le porte-parole des Grecs. Une deuxième rencontre sur la légitimité de Morosini a lieu en 1209, avec les moines grecs de Constantinople, de la Propontide, et du mont Saint-Auxentios : leur porte-parole est cette fois Jean Mesaritès, frère de Nicolas.

Les relations se nouent davantage avec l'installation de l'empire de Nicée. Avant 1208 Théodore Ier Laskaris écrit au pape[170] : il blâme l'expédition dirigée contre des chrétiens, et réclame la paix entre Rome et Nicée. Le pape rétorque que les Grecs portent la responsabilité du schisme, et qu'ils demeurent indifférents à la croisade[171]. Les entretiens reprennent en 1214 seulement, à Nicée et à Constantinople. Ils comptent du côté grec Nicolas Mesaritès, alors métropolite d'Éphèse et exarque[172] d'Asie ; du côté latin, le cardinal Pelagio Galvani, accompagné de Nicolas d'Otrante. Puis, le 1er novembre 1215, s'ouvre le quatrième concile de Latran. Le sens donné par Innocent III à l'union des Églises s'y manifeste[173]. En effet, les patriarcats orientaux sont présents, mais en la personne de leurs titulaires latins. Un seul évêque grec rallié, Theodoros de Negroponte, figure sur la liste des participants. Le canon 9, « De la diversité des rites dans la même foi », met en avant l'unité de juridiction, sous autorité romaine. Le canon 5, « Du rang des patriarches », place Rome au-dessus des autres sièges, et peut dès lors conserver l'ordre traditionnel, et assigner à Constantinople le premier rang parmi ceux-ci, non sans déclarer que tous recevront leur pallium du pape. Latran IV conclut bien à cet égard la période ouverte par la quatrième croisade. Innocent III meurt sur ces entrefaites, en 1216.

2. 1216-1261

La période suivante se distingue par deux traits nouveaux, l'essor décisif de l'empire de Nicée, et l'intervention multiple des ordres mendiants. Les franciscains paraissent bien établis à Constantinople dès 1220[174], et la province dominicaine de Grèce existe dès 1228[175]. Mais ces installations importent moins à notre propos que le rôle des Mendiants dans les ambassades envoyées de Rome, et ce dernier peut-être moins

---

169. Ed. A. Heisenberg, « Neue Quellen zur Geschichte des lateinischen Kaisertums und der Kirchenunion », in *SBAW*, 1922/5, 1923/2-3.

170. Dölger, *Regesten*, n° 1677.

171. Gill, *Byzantium and the papacy*, cit., p. 35-36.

172. L'exarque est à cette époque le mandataire du patriarche, pour la justice notamment, cf. Darrouzès, *Recherches sur les offikia de l'Église byzantine*, Paris 1970, p. 308-309.

173. Cf. R. Foreville, « Le problème de l'union des Églises dans la perspective des conciles du Latran », in *ACan*, 12 (1968), p. 11-29.

174. R.L. Wolff, « The Latin Empire and the Franciscans », in *Traditio*, 2 (1944), p. 213-237. En général, M. Roncaglia, *Les frères mineurs et l'Église grecque orthodoxe au XIIIe siècle (1231-1274)*, Le Caire, 1954.

175. B. Altaner, *Die Dominikanermissionen des 13. Jahrhunderts*, cité, p. 9.

encore, à son tour, que leur activité dans les contacts culturels dont les ambassades sont les jalons politiques. Autrement dit, les documents officiels, lettres échangées et comptes rendus de rencontres, ne sauraient être dissociés ni de la littérature d'information et de controverse qui s'épanouit alors, ni de la connaissance occidentale des grands textes grecs : la recherche demeure largement ouverte sur le premier point, et plus encore sur le second, en dépit de quelques beaux travaux[176]. Mais reprenons le fil chronologique.

Rencontres

En 1220, Theodoros Ier Laskaris provoque un concile destiné à préparer l'envoi d'une mission à Rome[177]. La signification impériale du geste est claire ; les patriarches orientaux sont invités ; d'Épire, Apokaukos et Theodoros Doukas, qui le sont également, refusent. En fait, le pouvoir épirote avait déjà conduit sa propre négociation avec le pape, et placé le territoire sous la protection de celui-ci (1218). Il faut ensuite attendre les années 1230[178]. Elles s'ouvrent dans notre documentation par un témoignage ponctuel, et pourtant insigne. En octobre-novembre 1231, Georges Bardanès, métropolite de Corfou, est entrepris sur le Purgatoire par un franciscain, frère Barthélémy, au monastère de Casole, ou peut-être à Otrante. Il rédige, avant 1236, le compte rendu de ces discussions, à l'intention des Grecs, écrit-il, et pour les mettre en garde[179]. Voici donc un mendiant portant en terrain grec cette doctrine assurée en Occident depuis le tournant du siècle, et qui restera une nouvelle pierre d'achoppement pour l'union, comme on le verra au concile de Lyon[180]. En 1232, une lettre du patriarche Germain II au pape Grégoire IX, après la visite de cinq frères mineurs[181], et une autre aux cardinaux[182], préparent la rencontre importante qui se tiendra à Nicée et à Nymphée, la résidence impériale, du 3 janvier au 4 mai 1234[183]. Le synode et les envoyés du pape, des franciscains dont nous avons conservé le compte rendu, débattirent essentiellement des azymes et de la procession du Saint-Esprit[184]. La délégation latine comprenait aussi le futur auteur du *Tractatus contra Graecos*

---

176. Voir d'une part A. DONDAINE, « "Contra Graecos". Premiers écrits polémiques des Dominicains d'Orient », in *AFP*, 21 (1951), p. 320-446 ; de l'autre, et à titre d'exemples, L. MINIO PALUELLO, *Opuscula. The Latin Aristotle*, Amsterdam, 1972 ; M. Th. d'ALVERNY, « Les traductions d'Aristote et de ses commentateurs », in *RSyn*, n° spéc. (1968), p. 125-144, et « Translations and Translators », in R.L. BENSON, G. CONSTABLE, éd., *Renaissance and renewal in the twelfth century*, Oxford, 1982, p. 421-462 ; enfin, la superbe étude de A.C. DIONISOTTI, « On the Greek Studies of Robert Grosseteste », in A.C. DIONISOTTI, A. GRAFTON, J. KRAYE éd., *The uses of Greek and Latin. Historical essays*, Londres, 1988, p. 19-39.
177. Cf. A.D. KARPOZILOS, *The ecclesiastical controversy between the kingdom of Nicaea and the principality of Epirus (1217-1233)*, Thessalonique, 1973.
178. Cf. D. STIERNON, « Le problème de l'Union gréco-latine vu de Byzance : de Germain II à Joseph Ier (1232-1273) », in *1274. Année charnière. Mutations et continuités*, Paris, 1977, p. 139-166.
179. M. RONCAGLIA, ofm, *Georges Bardanès, métropolite de Corfou et Barthélemy de l'Ordre Franciscain*, Rome, 1953.
180. Cf. J. LE GOFF, *La naissance du Purgatoire*, Paris, 1981, notamment p. 376-386.
181. *Regestes* n° 1256.
182. *Ibid.* n° 1257.
183. *Ibid.* n° 1267.
184. Éd. H. GOLUBOVICH, « Disputatio Latinorum et Graecorum seu Relatio apocrisiarorum Gregorii IX de gestis Nicaeae in Bithynia et Nymphaeae in Lydia (1234) », in *AFH*, 12 (1919), p. 418-470.

(1252), que le P. Dondaine a identifié, on le verra plus loin, comme un dominicain français. Les années suivantes n'offrent plus rien de semblable. Les contacts se poursuivent toutefois, sur la toile de fond d'une précarité croissante de l'empire latin. Innocent IV reçoit ainsi en 1253 une lettre d'ouverture du patriarche Manuel II[185]. Celle-ci avait été précédée d'une lettre de Jean III Vatatzès lui-même[186], dans laquelle l'empereur s'engageait très avant sur la voie de la soumission à Rome à condition que Constantinople fût rendue aux Grecs. Innocent IV répond par la nomination d'un légat, qui part en 1256.

Écrits

Le travail d'investigation théorique qui se poursuit alors mérite sans doute plus d'attention que les échanges officiels, car il est porteur de conséquences plus profondes. On retrouve une fois encore Nicolas-Nektarios d'Otrante, mort en 1235, qui met au service de Rome son attachement dogmatique et liturgique à l'Église grecque. Il présente les positions de celle-ci sur les points de désaccord avec les Latins dans ses *Trois sommes* (*Tria syntagmata*)[187]. Un autre méridional, Nicolas de Durazzo, évêque désigné de Cotrone en Calabre vers 1254, lui aussi bilingue, lui aussi au service de la curie romaine, compose entre 1254 et 1256, en grec probablement, un *Libellus de processione Spiritus Sancti et fide Trinitatis*[188], qui sera une source pour Thomas d'Aquin dans sa polémique contre les Grecs[189]. Mais l'œuvre essentielle de cette période est le *Tractatus contra Graecos* déjà cité, auquel le P. Antoine Dondaine a consacré une étude, essentielle elle aussi[190]. L'œuvre paraît en 1252, dans une édition bilingue dont la version grecque n'est plus représentée que par un fragment. L'auteur est un dominicain français qui réside au couvent de Constantinople, et qui reste anonyme. Il a fait partie de la rencontre de 1234, il s'est documenté dans les bibliothèques des couvents grecs de la capitale, il sait déceler d'ailleurs des falsifications de textes dans les copies grecques, et il connaît la polémique latine de son siècle et du précédent : ainsi, le copieux appendice renferme entre autres des opuscules d'Hugues Éthérien et de Léon Toscan, ainsi que des textes des dominicains d'Orient. Le *Tractatus* est d'une importance telle que son auteur en procure lui-même une seconde édition, et qu'il demeure encore une source essentielle au concile de Florence. Il exprime en effet parfaitement l'objectif latin de l'époque : il s'agit de montrer que la vraie tradition grecque est bien conforme au credo romain, mais que les Grecs eux-mêmes s'en sont un jour écartés. Notre anonyme donne pour sa part toute son attention aux conciles, sachant bien qu'eux seuls font autorité pour les Grecs. Les

---

185. *Regestes*, n° 1319.
186. DÖLGER, *Regesten*, n° 1812.
187. Analyse de HOECK-LOENERTZ, *Nikolaos-Nektarios*, cit., p. 88-109.
188. Éd. P.A. UCCELLI, *St. Thomas Aquinatis... in Isaiam prophetam... accedit Anonymi Liber de Fide S. Trinitatis*, Rome, 1880, p. 359-442. Cf. BECK, *Kirche und theologische Literatur*, cit., p. 675-76, qui donne l'identification comme vraisemblable.
189. A. DONDAINE, « Nicolas de Cotrone et les sources du *Contra errores Graecorum* de saint Thomas », in *DT*, III ser. Bd. 28. H. 3, 1950, p. 313-340.
190. DONDAINE, « "Contra Graecos" », cit. ci-dessus n. 176.

dominicains de la province de Grèce se livrent d'ailleurs alors à des enquêtes dans la patristique grecque qui relèvent de la même intention. Pourtant, on ne tracera pas une démarcation trop nette entre les besoins de la polémique et les curiosités de l'intelligence. Il suffit d'en donner comme exemple le savoir grec de Robert Grosseteste, chancelier de l'Université d'Oxford, mort en 1253. A.C. Dionisotti a montré que, délaissant le maigre mais réel bagage grec de la tradition latine, il est allé directement aux œuvres originales qui l'intéressaient[191]. Elle a recensé des manuscrits grecs qui lui ont appartenu, ou bien qu'il a utilisés, ou encore qui semblent de même tradition que ceux-là. La liste qui en résulte est éloquente. Notons ici les œuvres complètes du Pseudo-Denys l'Aréopagite, avec les scholies de Maxime le Confesseur; des commentateurs byzantins d'Aristote, dont Eustratios de Nicée; des œuvres d'Aristote lui-même, comme l'*Éthique à Nicomaque*; enfin, le traité sur la foi orthodoxe de Jean Damascène (*Pêgê Gnôseôs*). Le réseau franciscain qui se ramifie alors entre l'Italie, l'Orient et l'Angleterre a pu conduire jusqu'à lui ces livres grecs. Du reste, on le sait, Aristote arrive alors en Occident dans sa langue originale, où on le lit, et de laquelle on le traduit directement. Il suffit de citer l'entreprise de traduction inspirée par le dominicain Guillaume de Moerbeke (1215-1286), dans l'entourage de Thomas d'Aquin[192]. Le mouvement des hommes et des manuscrits est évidemment stimulé par la situation issue de 1204.

3. Préambule à Lyon II : 1261-1274

La restauration opérée par Michel VIII Paléologue complique les données du problème. La revendication angevine du côté latin, le péril turc en la demeure du côté grec, interfèrent avec le motif de la croisade, et avec le débat séculaire des deux Églises. Sur ce dernier point, les partis vont se redessiner à Constantinople, sans préjudice des conflits soulevés, on l'a vu, par l'élimination de Jean IV Laskaris et la mise à l'écart du patriarche Arsenios. Urbain IV, élu le 29 août 1261, est favorable aux Angevins. Michel VIII, quant à lui, choisit d'emblée l'ouverture en direction des Latins : il cherche ainsi, en tout état de cause, un contrepoids nécessaire face aux Angevins comme aux Turcs. Mais il prend le risque, ce faisant, d'ouvrir un front intérieur. L'hostilité aux Latins a pris en effet dès le XIIe siècle dans la population grecque, on l'a vu aussi, une forme que l'on peut déjà qualifier de nationale. En même temps, dans la hiérarchie cléricale, et même laïque, elle peut fonctionner, objectivement, comme le refus d'une modernité à laquelle le souverain lui-même, et certains membres de son entourage, s'avèrent au contraire sensibles − politiquement? culturellement? Le manque, surprenant, d'une bonne étude sur Michel VIII nous empêche d'en dire davantage[193].

---

191. Dionisotti, « Greek studies of Robert Grosseteste », cit. n. 15.

192. T. Kaeppeli, « Per la biografia di Guglielmo di Moerbeke », in *AFP*, 17 (1947), p. 293-294 (note à M. Grabmann, *Guglielmo di Moerbeke il traduttore delle opere di Aristotele, Miscell. Historiae Pontificiae*, XI, 1946). Cf. G. Dagron, « Byzance et l'Union », in *1274. Année charnière…*, cit., p. 191-202.

193. On se reportera ici à D.G. Geanakoplos, *Emperor Michael Palaeologus and the West. 1258-1282*, Cambridge, Mass., 1959.

Envoyés grecs et romains se croisent entre 1261 et 1264 : les franciscains et Nicolas évêque de Cotrone jouent le premier rôle dans ces échanges, où Michel VIII remplit de son côté la fonction dogmatique traditionnelle du souverain grec. En 1263, une lettre de lui soumet au jugement du pape le contentieux gréco-latin[194]. La même année, une ambassade conduite par Nicolas de Cotrone apporte à Rome une deuxième lettre impériale[195]. Michel mande que Nicolas, appelé par lui à Constantinople à la Noël 1262, y a exposé les positions latines, et que lui-même les a trouvées en accord avec les Pères grecs. Le patriarche Joseph Ier proclame à son tour son désir d'union en 1267[196]. Mais le pape énonce nettement ses conditions : les Grecs doivent accepter la doctrine romaine pour le symbole de la foi, les sept sacrements et en particulier le mariage, le Purgatoire, enfin la primauté de Rome[197]. Sur ces entrefaites, il meurt. La vacance pontificale de 1268-1271 est occupée, du point de vue grec, par des ambassades à Louis IX roi de France en faveur de l'union, en 1269 et 1270[198]. La seconde d'entre elles, qui voit le roi mourir lui-même à Tunis, comprend Jean Bekkos et Constantin Meliteniotès, que l'on retrouvera plus loin.

Consacré en mars 1272, le pape Grégoire IX annonce la convocation, au 1er mai 1274, d'un concile auquel il assigne trois objectifs : la réforme de l'Église, la croisade, et l'union avec l'Église grecque. L'invitation, assortie des même conditions qu'en 1267, parvient à Constantinople en janvier 1273, apportée par une mission que conduit le franciscain Jean Parastron, né à Constantinople et bilingue[199]. Alors, le conflit éclate à Byzance. L'empereur propose en effet, au printemps 1273, un tome favorable à l'union, où il justifie une démarche de rapprochement avec la chrétienté latine par le danger musulman des Turcs[200] : ainsi est posé le dilemme qui dominera et divisera Byzance jusqu'en 1453. Le patriarche Joseph Ier fait une réponse négative[201], suivie la même année d'un serment (juin)[202], et d'une profession de foi sur le Saint-Esprit (septembre)[203], l'un et l'autre dirigés contre les Latins. Dès lors il ne peut que quitter la place, et il se retire au couvent de la Peribleptos en attendant l'issue des tractations sur l'union. Mais il donne licence aux évêques de collaborer avec l'empereur pour poursuivre celles-ci. C'est donc une position de compromis, par laquelle cependant le moine galésiote se dissocie de cet empereur dont il était le père spirituel, et qui l'avait substitué au légitimiste Arsenios. Incarne-t-il donc à son tour un courant profond de l'opinion ? En fait, l'entourage impérial est lui-même divisé. Parmi les adversaires du

---

194. DÖLGER, *Regesten*, n° 1920.

195. *Ibid.*, n° 1923 (début 1264).

196. *Regestes* n° 1384-1385.

197. Analyse dans GILL, *Papacy and the Greeks*, cit., p. 113-115 ; éd. A.L. TAUTU, *Acta Urbani IV, Clementis IV, Gregorii X (1261-1276)*, Vatican, 1953, n° 23 (*Pontif. Comm. ad redigendum cod. iuris canonici orientalis, Fontes*, ser. III, vol. V., t. I).

198. M. DABROWSKA, « L'attitude pro-byzantine de saint Louis. Les opinions des sources françaises concernant cette question », in *Byzantinoslavica*, 50 (1989), p. 11-23.

199. *Regestes* n° 1399.

200. DÖLGER, *Regesten*, n° 1400. Éd. V. LAURENT, J. DARROUZÈS, *Dossier grec de l'Union de Lyon (1273-1277)*, Paris, 1976, p. 1 et suiv., et 136 et suiv.

201. Même référence que la n. préc.

202. *Regestes* n° 1401. Texte dans LAURENT-DARROUZÈS, *Dossier grec*, cit., p. 302-305.

203. *Regestes*, n° 1404. Texte dans LAURENT-DARROUZÈS, *Dossier grec*, cit., p. 326-331, qui repoussent la date jusqu'au début de 1275.

projet d'union figurent Irène-Eulogia, sœur de Michel VIII, et le moine Job Jasitès, dit aussi Melas, ou Melias, qui ont sans doute déterminé le patriarche, ainsi que des hommes dont il a déjà été question[204], Georges Moschabar, Georges Pachymêres et Manuel Holobolos, enfin un autre moine galésiote, Meletios. La politique de Michel VIII est soutenue en revanche par des clercs du palais tel Georges de Chypre, élève d'Akropolitès à Constantinople, et des clercs de Sainte-Sophie tel Constantin Meliteniotès. En octobre 1273, l'empereur riposte au refus synodal en châtiant publiquement Holobolos et Jasitès[205]. Le *chartophylax* Jean Bekkos, qui faisait partie des opposants, est jeté en prison, où il se rétracte. Il remplacera Joseph Ier en mai 1275. Entre-temps l'union de Lyon aura été proclamée.

BIBLIOGRAPHIE

Histoire intérieure de l'empire byzantin

H. Ahrweiler, « L'histoire et la géographie de la région de Smyrne entre les deux occupations turques (1081-1317), particulièrement au xiiie siècle », in *TMCB*, 1 (1966), p. 1-204.
M. Angold, *A Byzantine government in exile. Government and society under the Lascarids of Nicaea (1204-1261)*, Oxford, 1974.
S.B. Bowman, *The Jews of Byzantium, 1204-1453*, Univ. of Alabama, 1985.
G. Fedalto, *La Chiesa latina in Oriente*, 3 vol., Vérone, 1973-1978.
D.G. Geanakoplos, *Emperor Michael Palaeologus and the West. 1258-1282*, Cambridge, Mass., 1959.
J.M. Hoeck, R.J. Loenertz, *Nikolaos-Nektarios von Otranto abt von Casole. Beiträge zur Geschichte der Ost-Westlichen Beziehungen unter Innozenz III und Friedrich II*, Ettal, 1965.
S.P. Karpov, *Trapezundskaja imperija i zapadno-evropejskie gosudarstva v xiii-xv vv.*, Moscou 1981 (*L'empire de Trébizonde et les États d'Europe occidentale, xiiie-xve siècle*; trad. ital. Rome, 1986).
A.D. Karpozilos, *The ecclesiastical controversy between the kingdom of Nicaea and the principality of Epiros (1217-1233)*, Thessalonique, 1973.
P.E. Riant, *Exuviae sacrae Constantinopolitanae*, 2 vol., Genève, 1877-78.

Relation entre grecs et latins au xiiie siècle

1274. Année charnière, mutations et continuités, Paris, 1977.
J.M. Hoeck, R.J. Loenertz, *Nikolaos-Nektarios von Otranto abt von Casole. Beiträge zur Geschichte des Ost-Westlichen Beziehungen unter Innozenz III und Friedrich II*, Ettal, 1965.
W. De Vries, « Innozenz III. und der christlichen Osten », in *AHP*, 3 (1965), p. 87-126.
A. Dondaine, « "Contra Graecos". Premiers écrits polémiques des Dominicains d'Orient », in *AFP*, 21 (1951), p. 320-446.
M. Roncaglia, *Les frères mineurs et l'Église grecque orthodoxe au xiiie siècle (1231-1274)*, Le Caire, 1954.
K.M. Setton, *The Papacy and the Levant (1204-1571)*, Vol. 1 : *The thirteenth and fourteenth centuries*, Philadelphie, 1976.

---

204. Ci-dessus p. 671.
205. Georges Pachymère, *Relations historiques*, éd. V. Laurent, A. Failler, V 20 (t. 2, *Livres IV-VI*, Paris, 1984, p. 503).

CHAPITRE VI

Les chrétiens face aux non-chrétiens
par André Vauchez

La chrétienté occidentale, au fur et à mesure qu'elle prenait davantage conscience de son unité qui reposait fondamentalement sur l'appartenance à l'Église et à la culture latines, eut tendance à regarder d'un œil nouveau ceux qui ne partageaient pas ses croyances et utilisaient pour leur culte des langues incompréhensibles. Parmi ces derniers, il convient cependant d'opérer une distinction entre les minorités religieuses qui se trouvaient dans son sein et les peuples du dehors. Les premières étaient constituées par les juifs et les musulmans des régions passées sous domination chrétienne, qui bénéficiaient d'un statut particulier, soit en raison d'une longue tradition de coexistence, soit en vertu des conditions historiques qui avaient marqué leur intégration, forcée et récente, dans la chrétienté. Mais les peuples du dehors, en particulier les musulmans résidant dans les pays islamiques, posaient d'autres problèmes dans la mesure où ils constituaient une menace pour l'Occident et, après 1100, pour les États latins d'Orient. Aussi la guerre sainte, sous la forme de la croisade, apparut-elle longtemps comme la seule attitude possible face à ces ennemis de la foi chrétienne. Au XIIIᵉ siècle cependant, le réveil de l'esprit évangélique ainsi que les échecs répétés des croisades et l'irruption des Mongols en Europe centrale et en Orient amenèrent les chrétiens d'Occident à réviser la conception qu'ils avaient de leurs rapports avec le monde extérieur et à tenter d'élaborer une stratégie nouvelle face aux païens.

I. LA SOCIÉTÉ CHRÉTIENNE ET LES JUIFS

Les juifs formaient la seule communauté non chrétienne d'une certaine importance présente dans tout l'Occident[1]. Certes, il existait bien, dans les royaumes chrétiens de la péninsule ibérique et en Sicile, des minorités musulmanes — les Mudéjars — dont les effectifs n'étaient pas négligeables, surtout en Castille et en Aragon au XIIIᵉ siècle[2].

---

[1]. Sur l'histoire des communautés juives en Occident, l'ouvrage fondamental reste celui de S.W. BARON, *A Social and Religious History of the Jews*, 2ᵉ éd., 17 vol., New York, 1952-1980.

[2]. Cf. R. HIGHFIELD, « Christians. Jews and Muslims in the Same Society : the Fall of *convivencia* in Medieval

Mais il s'agissait de situations particulières, propres à chaque royaume, non d'un problème général comme celui que posait la présence des juifs au sein de la chrétienté. Les communautés juives en Occident étaient à la fois dispersées et inégalement réparties. Plus nombreuses en règle générale dans les villes, grandes et petites, que dans les régions rurales, elles avaient aussi des histoires différentes. Ainsi en Angleterre, leur implantation suivit la conquête normande de 1066 et elles s'installèrent exclusivement dans les grands centres. La situation était bien différente dans le sud de la France ou en Italie, où les juifs étaient établis depuis l'Antiquité et où leur présence en milieu rural n'avait rien d'exceptionnel. Mais, aux yeux de l'Église et des pouvoirs temporels, les juifs se caractérisaient avant tout par leur statut particulier, qui évolua sensiblement au cours de la période considérée ici.

1. STATUT ET CONDITION DES JUIFS EN OCCIDENT : DE L'INTÉGRATION AU REJET

La tolérance — exceptionnelle pour l'époque — dont jouissaient les juifs au sein de la chrétienté ne peut se comprendre qu'à la lumière de la doctrine de l'Église, qui doit être rappelée avec précision[3]. Elle avait été définie dans un certain nombre de textes, toujours repris et cités, émanant de saint Augustin, de Grégoire le Grand et de divers papes, en particulier Alexandre II, au milieu du XIe siècle[4] : selon ces autorités, les juifs devaient bénéficier d'un statut particulier qui garantissait la sécurité de leurs personnes et de leurs biens, ainsi qu'une complète liberté de culte. Mais les fondements du statut des juifs étaient d'ordre théologique et non humanitaire ou juridique : tous les auteurs ecclésiastiques médiévaux qui en ont parlé s'accordent pour leur attribuer le triple rôle de témoins historiques de la Passion du Christ, de conservateurs de l'ancienne Loi et de peuple appelé à la conversion à l'approche de la fin des temps, conformément à l'affirmation de saint Paul (*Rom.* 9, 27). Les deux premiers points étaient essentiels. Comme l'écrivait saint Pierre Damien, « les restes des juifs sont épargnés pour que soit conservée la maison de la Loi... Par la langue hébraïque qui est répandue dans le monde entier, une garantie d'authenticité est donnée à la religion chrétienne »[5]. Autrement dit, c'est leur fidélité à l'ancienne Loi — dont le caractère obsolète devait souligner par contraste la vérité du christianisme — qui justifiait la liberté de culte reconnue aux juifs par l'Église. En outre, comme la foi ne peut être imposée par la contrainte, les Pères de l'Église avaient laissé à Dieu le soin de déterminer le jour béni où l'ancien Israël viendrait se fondre dans le nouveau. Mais, à partir du XIIe siècle, cette attente devint de plus en plus impatiente et les tensions eschatologiques, en s'exacerbant, accrurent chez certains clercs et chez les fidèles la

Spain », in D. BAKER (éd.), *Religious Motivations. Biographical and Sociological Problems for the Church Historian*, Oxford, 1978, p. 121-146.

    3. Excellente mise au point sur cette question chez G. DAHAN, *Les intellectuels chrétiens et les juifs au Moyen Âge*, Paris, 1990, p. 63-94.

    4. Cf. S. BOESCH GAIANO, « Per la storia degli Ebrei in Occidente tra Antichità e Medio Evo », in *Quaderni Medievali*, 8, 1979, p. 12-43, et B. BLUMENKRANZ, *Les auteurs chrétiens et les Juifs au Moyen Âge*, Paris-La Haye, 1963.

    5. Pierre Damien, *Epist.* II, 13, cité par G. DAHAN, « L'Église et les Juifs au Moyen Âge » in *Atti del VIe convegno internazionale dell'AISG*, Rome, 1988, p. 19-43.

tentation de hâter sa venue, en attirant le plus grand nombre de juifs possible à la foi du Christ par des pressions directes ou indirectes.

La substance de cette doctrine passa, aux XIIe et XIIIe siècles, dans le droit canonique : aussi bien le décret de Gratien que les décrétales en réaffirmèrent les principes fondamentaux, périodiquement mis à jour par les papes dans les bulles *Sicut iudeis*, qui rappelaient aux fidèles leur devoir de protéger les juifs et l'interdiction de s'en prendre à leurs biens ou de profaner leurs tombes[6]. Mais tous ces textes sont marqués par une ambiguïté fondamentale : s'ils déclarent bien que les juifs ne doivent pas être molestés et qu'ils ont le droit de pratiquer librement leur culte, ils soulignent aussi que cela ne doit pas se faire « au mépris de l'Église », puisque les juifs sont, selon l'expression de Pierre le Chantre, « les serfs communs de l'Église » et que la condition des « fils de Caïn » ne saurait être égale à celle des fils d'Abel[7]. Pour les auteurs ou les commentateurs chrétiens de l'époque en effet, le peuple juif n'a été laissé en vie qu'« afin de subir, humilié, dans toute sa durée, la peine à laquelle son crime l'a condamné »[8].

Aussi l'Église ne s'opposa-t-elle pas à l'évolution qui, entre le XIe et le XIIIe siècles, fit passer une partie des juifs d'Occident de la liberté à la servitude. Dans l'empire romain en effet, les juifs avaient bénéficié d'un statut particulier, caractérisé par la liberté, la citoyenneté romaine et une spécificité religieuse reconnue. En contrepartie, ils étaient exclus de certaines fonctions publiques. Les rois barbares confirmèrent dans l'ensemble ce statut et, à l'exception de l'Espagne wisigothique, pratiquèrent à leur égard une politique bienveillante[9]. Ainsi Charlemagne et Louis le Pieux leur accordèrent diverses exemptions de tonlieux et de taxes pour faciliter leurs activités commerciales. Jusqu'au XIIe siècle, les juifs semblent s'être plutôt bien intégrés dans la société chrétienne à tel point qu'une réaction se développa, au cœur même du judaïsme, pour réagir contre cette évolution[10]. Certains d'entre eux possédaient des terres et les exploitaient ; en ville, on les retrouve dans presque tous les métiers et ils participaient aux cérémonies publiques, parfois même, comme en Italie du Sud ou à Toulouse, au gouvernement de la cité. Parlant la même langue que les autres — en Espagne, par exemple, le castillan —, ils apprenaient l'hébreu dans leurs écoles et certains auteurs chrétiens du XIIe siècle louèrent le souci qu'ils avaient de faire instruire leurs enfants.

Cette situation favorable se dégrada progressivement aux XIIe et XIIIe siècles[11]. Dès 1095, l'empereur Henri IV leur défendit de porter les armes, ce qui constituait alors l'attribut caractéristique de la liberté. D'autre part, en interdisant aux chrétiens la

---

6. S. GRAYZEL, « The Papal Bull *Sicut iudaeis* », in *Studies and Essays in Honor of A.A. Neuman*, Leyde, 1962, p. 243-280.

7. Texte cité et commenté par G. DAHAN, « L'article *Iudei* de la *Summa Abel* de Pierre le Chantre », in *REAug*, 27, 1981, p. 105-126, cf. aussi *Id.*, « L'exégèse de l'histoire de Caïn et d'Abel du XIIe au XIVe siècle », in *RTAM*, 49, 1982, p. 21-89 et 50, 1983, p. 5-68.

8. G. DAHAN, « L'Eglise et les Juifs... », art. cité, p. 31.

9. Comme l'a bien montré B. BLUMENKRANZ, *Juifs et Chrétiens dans le monde occidental, 430-1096*, Paris, 1960.

10. Les disciples de Rabbi Juda hab-Hassid (1146-1217) mirent l'accent sur la nécessité pour les juifs de se séparer des chrétiens et d'éviter tout contact avec eux. Leur réaction fut donc le pendant de celle de l'Église.

11. Cf. R CHAZAN, *European Jewry and the First Crusade*, Berkeley, 1986, et A. FUNKENSTEIN, « Basic types of Christian Anti-Jewish Polemic in the Later Middle Âges », in *Viator*, 2, 1971, p. 373-382.

pratique du prêt à intérêt dans le cadre de l'essor des nouvelles activités économiques, l'Église en fit une spécialité des juifs, qui n'étaient pas soumis aux condamnations promulguées par les conciles de Latran III et IV[12]. Leur réseau de communautés qui s'étendait au monde musulman et à l'Orient ainsi que leur solidarité mutuelle leur valurent une réputation d'efficacité particulière dans le domaine du crédit, pour lequel les souverains, à commencer par Henri II Plantagenêt, firent largement appel à eux. Mais cette collaboration étroite avec les pouvoirs laïques et ecclésiastiques n'était pas sans danger : il suffisait que les princes ou les prélats aient des ennuis d'argent pour qu'ils fussent amenés à faire peser sur eux la menace d'une expulsion, accompagnée de la saisie de leurs biens, comme cela se produisit en France sous le règne de Philippe Auguste qui, après les avoir rançonnés en 1179, les expulsa du domaine royal en 1181, avant de les rappeler, moyennant finances, en 1198[13]. En outre, leur spécialisation dans le prêt à intérêt contribua à les rendre odieux à ceux qui se trouvaient dans l'obligation de recourir à leurs services, qui n'attendaient qu'une occasion pour s'en prendre à leurs biens et à leurs personnes. En tout cas, sans que l'on saisisse très bien les étapes du processus, il apparaît clairement qu'à partir de la fin du XIIe siècle au moins, les juifs étaient considérés en France et en Angleterre comme les serfs du roi, tandis que l'empereur Frédéric II, à partir de 1236, les désigne dans ses actes officiels comme *servi camere nostre*[14]. Pour des motifs fiscaux, les juifs de ces pays étaient donc directement rattachés au souverain, ou plutôt à la Couronne, en vertu de la distinction que les légistes commençaient à opérer entre les « deux corps du roi ». Ainsi, la monarchie anglaise institua en 1194 un échiquier des juifs, chargé de percevoir les taxes levées sur eux et Bracton n'hésita pas à écrire, au milieu du XIIIe siècle, que « le juif ne peut rien posséder en propre, car tout ce qu'il acquiert, il l'acquiert par le roi. Car les juifs ne vivent pas pour eux-mêmes, mais pour les autres et, de ce fait, ils n'acquièrent pas pour eux mais pour les autres »[15]. C'est en vertu de cette doctrine que les pouvoirs publics procédèrent à diverses reprises à la confiscation des biens des juifs, avant de les expulser définitivement en 1290 en Angleterre et en 1306 en France[16]. Pourtant toute généralisation à partir de ces cas serait abusive, car la situation était bien différente dans certaines villes allemandes où les juifs pouvaient accéder à la bourgeoisie et surtout dans les pays méditerranéens (royaumes ibériques, Provence, Italie) où ils

---

12. Sur cet aspect du problème, voir G. Caro, *Sozial- und Wirtschaftsgeschichte der Juden im Mittelalter und Neuzeit*, Leipzig, 1908-1920, S.W. Baron, *Economic History of the Jews*, New York, 1966, et L.K. Little, *Religious Poverty and The Profit Economy in Medieval Europe*, Ithaca-New York, 1978, p. 42-57

13. Cf. G. Langmuir, « *Tamquam servi*. The Change of Jewish Status in French Law about 1200 », in M. Yardeni (éd.), *Les juifs dans l'histoire de France*, Leyde, 1980, p. 24-54.

14. Cf. J. Scherer, *Die Rechtverhältnisse der Juden in den deutschenösterreichischen Landern. Beiträge zur Geschichte des Judenrechts im Mittelatelter*, Leipzig, 1905 ; S. W. Baron, « Medieval Nationalism and Jewish Serfdom », in *Studies and Essays in honor of A. Neuman*, Leyde, 1962, p. 17-48.

15. Texte cité par A.F. Pollock et F.W. Maitland, *The History of English Law*, t. I, Cambridge, 1895, p. 468. Cf G. Langmuir, « The Jews and the Archives of Angevin England. Reflections on Medieval Antisemitism », in *Traditio*, 19, 1963, p. 183-244.

16. P. Elman « The Economic Causes of the Expulsion of the Jews in 1290 », in *EcHR*, 7,1936/7, p. 145-154 ; S. Schwartzfuchs, « The Expulsion of the Jews from France (1306) », in *Seventy-fifth Anniversary volume of the Jewish Quarterly Review*, éd.A.A. Neuman et S. Zeltin, Philadelphie, 1967, p. 482-489.

continuèrent à être considérés comme des personnes juridiques, autorisées à ester en justice, et furent relativement bien traités[17].

L'Église ne prit pas position sur ces questions juridiques, mais les mesures qu'elle adopta de son côté contribuèrent à provoquer ou à accentuer la dégradation des conditions de vie des communautés juives en Occident[18]. En effet, plus la chrétienté prenait conscience de son identité et l'affirmait de façon agressive contre les ennemis du dehors, en particulier à l'occasion des croisades, plus les juifs y apparaissaient comme un corps étranger et, à la limite, comme une « cinquième colonne », soupçonnée de pactiser avec l'adversaire extérieur – les musulmans – ou intérieur, c'est-à-dire les hérétiques[19]. Dans cette perspective, le judaïsme constituait une gêne et même un danger potentiel, dont il fallait se garder : si l'on ne pouvait envisager de se débarrasser d'eux, du moins convenait-il de limiter leurs nuisances. À toutes les époques, on avait accusé certains chrétiens de « judaïser » et quelques cas de conversion du christianisme au judaïsme sont effectivement connus, parce qu'ils ont défrayé la chronique, entre le IXe et le XIIe siècle[20]. Mais la peur de l'influence juive s'accrut après 1150, comme l'attestent les mesures prises par les conciles de Latran III et IV pour accroître leur isolement. Ainsi, toute forme de cohabition entre chrétiens et juifs fut expressément prohibée, à commencer par le fait de contracter mariage ou de loger sous le même toit. Interdiction fut faite aux juifs d'employer chez eux des nourrices ou des serviteurs chrétiens[21]. Le port d'insignes distinctifs (la rouelle en France, les Tables de la Loi en Angleterre) leur fut imposé[22]. Allant plus loin encore, la législation canonique s'efforça d'empêcher toute forme de convivialité : les repas pris en commun furent interdits et le concile de Montpellier, en 1246, défendit aux chrétiens d'avoir recours à des médecins juifs. Même si ces mesures furent sans doute peu appliquées – ce que semble impliquer leur répétition jusqu'à la fin du Moyen Âge –, il n'en reste pas moins que le XIIIe siècle fut marqué par une évolution de l'attitude de l'Église vis-à-vis des juifs. Celle-ci en effet, sans renoncer à la doctrine traditionnelle en vertu de laquelle ils devaient être autorisés à pratiquer librement leur culte, la mit en œuvre de façon de plus en plus restrictive et dans un esprit marqué par une volonté d'abaissement et d'humiliation, qui trouve son illustration aux portails des cathédrales gothiques, avec la représentation parallèle – mais vigoureusement contrastée – de l'*Ecclesia* et de la *Synagoga*[23]. Ainsi, sous prétexte de faire obstacle au prosélytisme

---

17. A. MILANO, *Storia degli Ebrei in Italia*, Turin, 1962 ; M.G. MUZZARELLI et G. TODESCHINI (éd.), *La storia degli Ebrei nell'Italia medievale tra filologia e metodologia*, Bologne, 1990 ; *Juifs et judaïsme en Languedoc*, Toulouse, 1977 (Cahiers de Fanjeaux, 12).

18. S. GREYZEL, *The Church and the Jews in the Thirteenth Century*, 2e éd. New York, 1966.

19. Cf. R. MANSELLI, « La polémique contre les Juifs dans la polémique antihérétique », in *Juifs et judaïsme en Languedoc*, p. 251-268.

20. W. GIESE, « *In iudaismum lapsus est*. Iudische Proselytenmacherei im frühen und hohen Mittelalter (600-1300) », in *HJ*, 88, 1968, p. 407-418.

21. E.A. SYNAN, *The Popes and the Jews in the Middle Ages*, New York-Londres, 1965, p. 65-70.

22. A. CUTLER, « Innocent III and the Distinctive Cloth of the Jews and Muslims », in J. SOMMERFELFDT (éd.) *StMC*, Kalamazoo, 1970, p. 92-116.

23. Analyse du dossier iconographique chez B. BLUMENKRANZ, *Le juif médiéval au miroir de l'art chrétien*, Paris, 1960. Sur la dégradation des relations judéo-chétiennes aux derniers siècles du Moyen Âge, cf. K.H. RENGSTORF et J. von

Bulloz

L'Église et la Synagogue, Portail de l'Horloge, Cathédrale de Strasbourg.

des juifs, on leur interdit alors de construire de nouvelles synagogues et de sortir de chez eux pendant la semaine sainte [24]. S'il n'existait pas encore de ghettos au sens propre du terme, du moins furent-ils contraints à se regrouper dans les grandes villes et dans des quartiers particuliers. En cas de baptême forcé, comme il s'en produisait de temps en temps à l'occasion de flambées de violence, la discipline ecclésiastique devint plus rigoureuse et tendit à considérer le baptême comme valable en tout état de cause. Le retour de ces baptisés aux pratiques religieuses juives était assimilable à une apostasie, comme le souligna le pape Clément IV dans la bulle *Turbato corde*, en 1267,

KORTZFLEISCH (éd.), *Kirche und Synagoge*, t. I, Stuttgart, 1968, et P. WILPERT et W. ECKERT (éd.), *Judentum im Mittelalter. Beiträge zur christlich-judischen Gespräch*, Berlin, 1966 (*MM*, 4).

24. Latran IV, canons 67 à 70, trad. R. FOREVILLE in *Latran I, II, III et Latran IV*, Paris, 1965, p. 380-382 ; *Décrétales*, Livre V, tit. 6, c. 4, éd. FRIEDBERG, c. 772.

et méritait d'être sévèrement châtié[25]. En outre, des mesures financières furent prises par l'Église et par certains souverains pour encourager les conversions au christianisme. En 1233, à Londres, fut fondée une *domus conversorum*, destinée à héberger les juifs ayant rompu avec leur communauté d'origine, et saint Louis accorda à ces derniers des avantages fiscaux ainsi que la protection royale.

2. ÉCHANGES INTELLECTUELS ET CONTROVERSES DOCTRINALES

Sur le plan intellectuel et culturel, le bilan des relations judéo-chrétiennes est également placé sous le signe de l'ambivalence[26]. En effet, la polémique, continuelle depuis l'Antiquité entre lettrés juifs et chrétiens, sur les questions religieuses, n'a pas empêché par ailleurs certains échanges, surtout dans le domaine de l'exégèse. À Cîteaux déjà, au début du XIIe siècle, l'abbé Étienne Harding, ayant trouvé des versions contradictoires de certains passages de la Bible dans les manuscrits qu'il faisait copier pour la bibliothèque abbatiale, se rendit auprès d'un savant juif très réputé — sans doute à Troyes — pour essayer d'établir avec lui le meilleur texte. Plus tard, d'autres moines, en particulier au Mont-Cassin et à Poblet, en Catalogne, firent l'effort d'apprendre l'hébreu pour pouvoir revenir au texte authentique de l'Ancien Testament, souvent déformé par la Vulgate. Ces contacts semblent avoir été particulièrement intenses à Paris, où André de Saint-Victor et son école exégétique firent grand cas de l'*hebraica veritas*, expression technique qui désignait d'abord une traduction de la Bible faite directement sur le texte hébraïque, mais admettait aussi explicitement l'autorité de l'exégèse juive par rapport à l'exégèse chrétienne dans la lecture de l'Ancien Testament. Cette démarche fit école et exerça en particulier une influence sur Pierre le Mangeur, l'auteur de l'*Historia scholastica*[27]. Au XIIIe siècle, les contacts directs entre exégètes juifs et chrétiens furent sans doute plus rares, en raison du nombre élevé de juifs convertis qui entrèrent dans le clergé et surtout dans les Ordres mendiants, comme Thibaut de Sézanne qui, vers 1240, reprit et traduisit en latin tous les passages du Talmud jugés blasphématoires par les chrétiens. Même si sa visée était nettement antijuive, il s'agit d'un travail scientifique d'une grande probité. Plusieurs exégètes et théologiens, comme le franciscain Nicolas de Lyre ou les dominicains Raymond Martin et Nicolas Trivet, utilisèrent dans leurs œuvres des textes hébraïques, soit pour améliorer le texte de la Bible chrétienne — ce fut l'objet de l'abondante littérature des Correctoires —, soit à des fins de polémique[28].

---

25. Cf. P. Browe, *Die Judenmissionen im Mittelalter und die Päpste*, 2e éd, Rome, 1973 ; S. Grayzel, « Popes, Jews. and Inquisition from *Sicut* to *Turbato* », in *Essays on the Occasion of the 70th Anniversary of the Dropsie Collège*, éd. A.I. Katsch et L. Nemoy, Philadelphie, 1979, p. 151-188.

26. L'ouvrage de référence sur cette question est celui de G. Dahan, *Les intellectuels chrétiens et les Juifs au Moyen Âge*, qui comporte une bibliographie exhaustive.

27. A. Graboïs, « The "*Hebraica veritas*" and the Jewish-Christian Intellectual Relations in the Twelfth Century », in *Speculum*, 50, 1975, p. 613-634 ; R. Berndt, *André de Saint-Victor († 1185) exégète et théologien*, Paris-Turnhout, 1991.

28. G. Dahan, *Les intellectuels chrétiens...*, p. 426/7 et 452-468.

C'est dans ce contexte qu'il faut situer la querelle du Talmud qui perturba sérieusement les relations judéo-chrétiennes, sur le plan religieux et intellectuel, au XIIIᵉ siècle. La gravité de cette affaire est attestée par le fait que deux papes furent amenés à intervenir dans la controverse qui éclata dans les milieux universitaires parisiens[29]. En 1238/39, un juif converti, Nicolas Donin, soumit à Grégoire IX un dossier de trente-cinq accusations contre le Talmud. Le pape en reprit trente et une, dont quelques-unes littéralement[30]. À ses yeux, le principal grief était constitué par le fait que, chez les juifs, le Talmud était en train de supplanter l'Ancienne Loi. Or, selon toute la tradition chrétienne antique et médiévale, le juif était toléré à cause de sa fidélité à l'Ancien Testament. Toute modification de la part des juifs de leur rapport à la Bible ne pouvait être considérée par l'Église que comme une trahison et donc une sorte d'hérésie. Pour cette raison, le pape chargea les frères mineurs et prêcheurs de Paris d'entreprendre une enquête. Une controverse publique entre lettrés juifs et chrétiens eut lieu à Paris en 1240, sous la présidence de la reine Blanche de Castille, mais les premiers y faisaient figure d'accusés et protestèrent contre les conditions peu satisfaisantes dans lesquelles se déroulaient les débats[31]. La querelle rebondit sous le pontificat d'Innocent IV, qui s'en saisit à la demande du chancelier et des docteurs régents de l'Université de Paris. Lors de son séjour à Lyon, le pape eut la possibilité de s'entretenir de la question avec des rabbins français, pour qui le Talmud n'était pas destiné à supplanter la Bible, mais servait à mieux la faire comprendre. Ils ne durent pas le convaincre puisqu'aux thèses de son prédécesseur, il ajouta que le Talmud contenait des « affabulations inextricables et manifestes » concernant la Vierge Marie, ainsi que des erreurs et des stupidités qui le rendaient « blasphématoire envers Dieu et le Christ » et donc condamnable[32]. Le pape signifia ensuite au cardinal légat Eudes de Châteauroux qu'après examen de sa part, le Talmud pouvait être toléré dans les parties qui ne contenaient aucune injure envers la foi chrétienne[33]. Ce dernier renversa cependant la position du pape, peut-être à l'instigation de saint Louis qui était très hostile envers les juifs, en affirmant que ces livres étaient « si remplis d'affirmation controversées qu'ils ne pouvaient être tolérés sans dommage pour la foi chrétienne » et il décida de ne pas restituer aux rabbins ces livres « intolérables », qui furent condamnés et brûlés en 1242[34].

Dans d'autres régions cependant, les « disputations » entre juifs et chrétiens sur les problèmes religieux se déroulaient dans une ambiance moins tendue. Une des plus célèbres de cette époque fut celle qui se tint à Barcelone en 1263, où un juif converti

---

29. Aucun d'entre eux n'avait pris l'initiative dans cette affaire, qui ne semble pas en tout cas avoir constitué une préoccupation majeure pour l'Eglise romaine, comme le fait remarquer J.E. REMBAUM, « "The Talmud and the Popes" : Reflections on the Talmud Trials of the 1240ᵗʰ », in *Viator*, 13, 1982, p. 215. 78 lettres de Grégoire IX et d'Innocent IV concernent les juifs, mais 6 seulement se rapportent à l'affaire du Talmud.

30. J.E. REMBAUM, art. cité, p. 205-206.

31. Le meilleur récit des faits se trouve chez S. LOEB, « La controverse de 1240 sur le Talmud » in *REJ*, 1, 1880, p. 247-261 ; 2, 1881, p. 248-270 ; 3, 1882, p. 39-57.

32. Cf. S. GRAYZEL, « The Talmud and the Medieval Papacy », in *Essays in Honor of S.B. Freehof*, Pittsburgh, 1964, p. 280.

33. « *... Et inspiciens eos diligenter, eosdem toleret in his in quibus secundum deum sine fidei Christiane injuria viderit tolerandos, et magistris restituat supradictis* » : texte cité, *ibid*, p. 280.

34. J.E. REMBAUM, « The Talmud... », p. 280.

— Pablo Cristiani — polémiqua contre ses anciens coréligionnaires, dont les croyances furent défendues par le chef spirituel des juifs d'Aragon, Moïse ben Nahman ou Nahmanide. Les débats se déroulèrent, en présence du roi Jacques Ier et de la cour, en toute liberté et à armes égales. Le représentant des chrétiens se montra très critique envers les juifs mais son intervention témoigne d'une bonne connaissance de la littérature rabbinique et d'une certaine capacité d'écoute des arguments avancés par la partie adverse pour sa défense[35]. Enfin, et surtout, la controverse ne fut suivie d'aucune mesure hostile à l'égard des juifs, dont la situation ne devait se dégrader, dans les pays ibériques qu'à partir du XIVe siècle.

3. ANTIJUDAÏSME RELIGIEUX ET ANTIJUDAÏSME POPULAIRE

De façon générale cependant, on constate un développement très marqué de l'hostilité envers les juifs à tous les niveaux de la société chrétienne. Même de grands esprits se laissèrent aller à de violentes diatribes contre eux, comme l'abbé de Cluny, Pierre le Vénérable, qui écrivit au roi Louis VII pour le mettre en garde contre leurs agissements et les accusa de dérober des vases sacrés aux chrétiens pour les remplir de leurs excréments[36]. On retrouve le même ton chez le pape Innocent III, qui se montra très hostile à leur égard pour des raisons religieuses. À ses yeux en effet, la paix sur la terre ne pouvait résulter que de la foi en Jésus-Christ. Ceux qui la refusaient, en particulier les juifs responsables de la crucifixion et du rejet du Messie, étaient donc gravement coupables. De plus, il considérait que la loi mosaïque, en promettant aux justes des joies temporelles et terrestres et en mettant l'accent sur les plaisirs que procurent la vie conjugale et une abondante progéniture, faisait d'eux des êtres purement charnels, incapables en tout cas de dépasser le sens littéral de l'Écriture[37]. Dans un moment d'aberration, il se laissa même aller à affirmer, en 1205, que « les juifs tuent secrètement leurs hôtes chrétiens, quand l'occasion s'en présente, ainsi qu'il est arrivé, comme on vient de le rapporter, quand on a retrouvé dans leurs latrines le cadavre d'un pauvre écolier »[38]. Certes, ce cas est isolé et Innocent III fut le seul pape médiéval à accréditer l'idée du meurtre rituel d'enfants chrétiens par les juifs, accusations dont plusieurs de ses successeurs — en particulier Innocent IV — soulignèrent au contraire l'absurdité[39]. Mais il n'est pas douteux que se produisit alors, au sein des éléments les plus fervents du clergé, un durcissement marqué vis-à-vis des juifs. Les Mendiants en particulier, en mettant l'accent dans leurs prédications et leur spiritualité sur les souffrances endurées par le Christ durant sa Passion, attirèrent l'attention de leurs auditeurs et de leurs lecteurs sur la culpabilité des juifs « déicides »... De témoins aveugles d'une vérité qu'ils avaient refusée, mais à laquelle

---

35. R. CHAZAN, « The Barcelone Disputation of 1263 : Christian Missionizing and Jewish Response », in *Speculum*, 52, 1977, p. 824-842 ; J. SHATZMILLER, « Paulus Christiani : un aspect de son activité anti-juive », in *Hommage à G. Vajda*, Louvain, 1980, p. 203-217.

36. G. CONSTABLE, *The Letters of Peter the Venerable*, Cambridge (Mass.), 1967, t. I, p. 327-330.

37. Sur l'hostilité d'Innocent III envers les Juifs, cf. E.A. SYNAN, *The Popes and the Jews....*, p. 83-102.

38. Texte cité par S. GRAYZEL, *The Church and the Jews...*, p. 108.

39. E.A. SYNAN, *op. cit.*, p. 114 et suiv., et S. GRAYZEL, *op. cit., supra*.

ils rendaient hommage par leur existence même, les juifs devinrent à la fois des incroyants opiniâtres et les héritiers, désormais inutiles, de ceux qui avaient fait endurer au Sauveur mille tourments avant de lui infliger une mort ignominieuse[40].

Ces considérations d'ordre religieux trouvèrent chez beaucoup de fidèles un écho auquel les prédicateurs n'avaient sans doute pas songé. Dès la fin du XIe siècle en effet, on avait assisté en Occident à une montée des manifestations et parfois des explosions de la violence populaire vis-à-vis des juifs. À l'occasion de la première croisade, dans certaines villes de Rhénanie ainsi qu'à Rouen, les juifs furent contraints de recevoir le baptême et ceux qui le refusèrent furent massacrés par la populace déchaînée[41]. À Worms en particulier, les bandes d'Emicho de Leiningen provoquèrent la mort violente d'au moins huit cents personnes. Ces scènes d'horreur se renouvelèrent en Rhénanie en 1146, lors du départ de la seconde croisade, et saint Bernard dut intervenir personnellement, à la demande des évêques débordés, pour y mettre fin et ramener le calme dans les esprits[42]. Mais les pays où les exactions contre les juifs furent les plus violentes furent l'Angleterre et la France du Nord : en 1189, lors du couronnement et du départ en croisade de Richard Cœur de Lion, des massacres de juifs se produisirent à Londres, King's Lynn, Norwich, Stanford, Bury Saint Edmunds et Lincoln, tandis qu'en 1190, la communauté d'York préféra le suicide collectif à l'abjuration forcée[43]. C'est du reste à Norwich en 1144, qu'a été formulée pour la première fois par des clercs contre les juifs l'accusation de meurtre rituel, à la suite de l'assassinat d'un enfant, Guillaume de Norwich, qui fit l'objet d'un culte et fut vénéré comme un saint jusqu'à la fin du Moyen Âge. Cette accusation fut répétée ensuite à plusieurs reprises, tant en Angleterre que sur le continent, et fournit un prétexte au peuple et aux autorités pour exterminer des communautés entières, comme on le constate à Blois en 1171[44]. Dans les mêmes moments, les juifs commencèrent à être accusés de profaner des hosties consacrées, autre thème qui devait connaître une brillante carrière au cours des siècles suivants[45].

Ces manifestations d'hystérie collective, qui se multiplièrent au XIIIe siècle, procèdent fondamentalement de l'idée selon laquelle les juifs, étant les ennemis du Christ, avaient partie liée avec le démon, ce dont témoigne l'expression de « synagogue de Satan », souvent employée à l'époque pour désigner leurs communautés ou leurs bâtiments cultuels[46]. Aussi ceux qui massacraient les juifs, comme Philippe Auguste

---

40. J. COHEN, *The Friars and the Jews : The Evolution of Medieval Antijudaism*, Ithaca-New York, 1982; *Id.*, « The Jews as Killers of Christ in the Latin Tradition from Augustine to the Friars », in *Traditio*, 39, 1983, p. 1-27.

41. Sur le massacre de Rouen, cf. Guibert de Nogent, *De vita sua*, éd. E.R. LABANDE, Paris, 1981, p. 247.

42. Saint Bernard, *Epist.* 363 et 365, in *PL.* 182, 564-570; sur la reconnaissance des juifs envers lui pour son intervention en leur faveur, cf. Rabi Joseph Ben Maïr, cité par Joseph Ha-Cohen, *La vallée des larmes*, éd. J. SÉE, Paris, 1881, p. 33.

43. R. CHAZAN, *Medieval Jewry in Northern France. A Political and Social Study*, Baltimore, 1973; C. ROTH, *A History of the Jews in England*, Oxford, 1942; H.G. RICHARDSON, *English Jewry under the Angevin Kings*, Londres, 1960.

44. Cf. G. LANGMUIR, « Thomas of Monmouth, Detector of Ritual Murder », in *Speculum*, 59, 1984, p. 820-846 et A. VAUCHEZ, *Les laïcs au Moyen Âge*, Paris, 1987, p. 157-168. Sur l'affaire de Blois, voir R. CHAZAN in *Proceedings of the American Academy of Jewish Research*, 36, 1968, p. 13-31 et B. BLUMENKRANZ, « Les Juifs à Blois au Moyen Âge », in *Études et Civilisation médiévale. Mélanges offerts à E.R. Labande*, Poitiers, 1974, p. 33-38.

45. P. BROWE, « Die Hostienschändungen der Juden im Mittelalter », in *RQ*, 34, 1926, p. 167-197.

46. J. TRACHTENBERG, *The Devil and the Jews : The Medieval Conception of the Jew in its Relation to Modern Antisemitism*, New Haven, 1943; G. DAHAN, « Saints, démons et juifs », in *Santi e demoni nell'Alto Medio Evo*, t. I, Spolète, 1989, p. 609-646 (*SSAM*, XXXVI).

qui fit périr sans motif sérieux quatre-vingts d'entre eux à Bray-sur-Seine, n'avaient-ils pas conscience de mal agir, mais étaient-ils au contraire convaincus d'accomplir une œuvre salutaire et de faire reculer les forces du Mal, en débarrassant la chrétienté de ces suppôts du démon[47]. Au terme de ce processus de diabolisation, plus ou moins rapide et poussé selon les pays et les milieux, on aboutit à une situation qualifiée à bon droit de schizophrénique par G. Dahan : sur le juif concret, que l'on côtoyait quotidiennement et avec lequel on pouvait même entretenir des rapports corrects, sinon cordiaux, se projetait en effet l'ombre portée du « juif théologique », un être irréel, produit à la fois du discours des clercs, popularisé par exemple à travers les images et les *exempla*, et des fantasmes les plus absurdes de l'inconscient collectif[48]. Comme l'a justement noté R.I. Moore, « les chrétiens volaient aux juifs leurs propriétés, profanaient leurs lieux saints et exigeaient par la force leur conversion. Après quoi ils inventaient une mythologie qui devait sa vraisemblance au cauchemar qu'ils devaient avoir à l'idée que les juifs pourraient les traiter comme ils avaient l'habitude de l'être par les chrétiens »[49]. Mais une telle psychose suffit-elle à rendre compte du besoin qu'ont éprouvé les chrétiens de ce temps de noircir les juifs et parfois même de les éliminer physiquement, qui constitue l'envers sinistre du siècle des cathédrales ? On en débat depuis près d'un siècle parmi les historiens[50]. Pour R.I. Moore, cette hostilité croissante s'inscrit dans un phénomène plus large qui est la formation, au XIIIe siècle en Occident, d'une « société persécutrice », qui sévit avec la même dureté contre les hérétiques, les marginaux − en particulier les lépreux − et les déviants sexuels[51]. D'autres font une large place aux facteurs économiques et mettent en cause le rôle joué par les juifs dans le domaine du crédit et de l'usure[52]. On a relevé aussi la responsabilité personnelle d'Innocent III et, de façon plus large, le lien existant entre la montée de l'antijudaïsme et le développement d'un programme théocratique visant à réaliser ici-bas une société parfaitement chrétienne, conçue de façon organique comme le corps mystique du Christ, ce qui en excluait les non-chrétiens[53]. Enfin, plus récemment, on a souligné le parallélisme existant entre la virulence et la précocité de l'antijudaïsme et l'affirmation de l'État en Angleterre et en France, à partir de la fin du XIIe siècle. Cherchant auprès de leur peuple un soutien unanime et voulant récupérer au profit de l'institution monarchique la ferveur religieuse monopolisée jusque-là par

---

47. Sur l'attitude de Philippe Auguste vis-à-vis des juifs, cf. J. BALDWIN, *Philippe Auguste et son gouvernement*, Paris, 1991, en particulier p. 299-301, et P. HIDIROGLOU, « Les Juifs dans la littérature historique latine de Philippe Auguste à Philippe le Bel », in *REJ*, 133, 1974, p. 373-456.

48. G. DAHAN, *Les intellectuels chrétiens...*, p. 511-587 ; voir aussi J. LE GOFF, « Le juif dans les *exempla* médiévaux », in *Mélanges L. Poliakov*, Bruxelles, 1981, et H. PLATELLE, « L'image du Juif chez Thomas de Cantimpré », in *Mélanges M.H. Prévost*, Paris, 1982, p. 283-306.

49. R.I. MOORE, *The Formation of a Prosecuting Society... Power and Deviance in Western Europe, 950-1250*, New York, 1987, p. 152. Sur les origines de cette psychose, cf. les hypothèses d'A. BOUREAU, « L'inceste de Judas. Essai sur la genèse de la haine antisémite au XIIe siècle », in *Nouvelle Revue de Psychanalyse*, 33, 1986, p. 25-41.

50. Bonne mise au point sur la question chez J. COHEN, « Recent Historiography on the Medieval Church and the Decline of European Jewry », in J.R. SWEENEY et S. CHODOROW (éd.), *Popes, Teachers and Canon Law in the Middle Ages*, Ithaca-Londres, 1989, p. 251-262.

51. R.I MOORE, *op. cit.*

52. Cf. les ouvrages cités *supra*, note 12.

53. S.W. BARON, « Plenitude of Power and Medieval Jewish Serfdom », in *Id., Ancient and Medieval History. Essays*, New Brunswick, 1972, p. 284-307 et 523-525.

l'Église, les souverains, d'Henri II Plantagenêt à Philippe Auguste et Philippe le Bel, auraient trouvé un terrain favorable à leurs desseins en exploitant l'hostilité latente des masses vis-à-vis des juifs, dont ils s'employèrent à souligner les différences qui les séparaient des autres régnicoles de façon à faire d'eux de véritables boucs émissaires[54]. Dans cette dernière perspective, qui n'exclut évidemment pas les autres mais relativise leur importance, l'antijudaïsme qui caractérise les derniers siècles du Moyen Âge constituerait donc un sous-produit de la naissance de l'État moderne. Mais que l'on privilégie l'interprétation religieuse ou l'hypothèse politique, on en revient toujours à l'obsession de l'unité – *reductio ad unum* – qui semble avoir hanté, au XIIIᵉ siècle, aussi bien les dirigeants de l'Église que les souverains temporels et rend compte, en dernière analyse, de la dégradation marquée et durable que subirent alors les relations entre juifs et chrétiens[55].

II. L'ÉGLISE FACE AUX MUSULMANS ET AUX MONGOLS : CROISADE ET MISSION

1. LES CROISADES DU XIIIᵉ SIÈCLE ET LA FIN DE LA TERRE SAINTE FRANQUE

Depuis la bataille de Hattin, en 1187, et la prise de Jérusalem par Saladin, les chrétiens ne se consolaient pas d'une défaite qui, sans leur interdire l'accès aux Lieux Saints, le rendait plus aléatoire, et la papauté ne cessait de les inviter à effacer « l'injure faite à la croix » et à venger l'honneur de Dieu, comparé à un seigneur qui aurait été privé de son domaine de façon injuste[56]. Ce langage eut une forte résonance dans les esprits, mais la troisième croisade, en 1189/92, aboutit à un échec en raison de la mort de Frédéric Barberousse et des querelles entre les princes chrétiens. Au cours des dernières années du XIIIᵉ siècle, une succession de pontificats très courts et un contexte politique défavorable firent obstacle à l'organisation d'un nouveau « passage ». Une expédition allemande conduite par Henri VI permit bien, en 1197, de rétablir la liaison entre le royaume de Jérusalem et la région d'Antioche-Tripoli, mais elle fut interropue par la mort prématurée de l'empereur.

La papauté et la croisade : implications ecclésiologiques, financières et juridiques

Le projet fut repris par Innocent III, quelques mois après son accession au trône pontifical[57]. Le nouveau pape partageait en effet la conception à la fois mystique et

---

54. M. KRIEGEL, « Mobilisation politique et modernisation organique : les expulsions des juifs au Bas Moyen Âge », in *ASSR*, 46, 1978, p. 5-20, et *Id. Les Juifs à la fin du Moyen Âge dans l'Europe méditerranéenne*, Paris, 1979.

55. J. KATZ *Exclusion et Tolérance. Chrétiens et Juifs du Moyen Âge aux Lumières*, Paris, 1987, et G. LANGMUIR, *Towards a Definition of Antisemitism*, Berkeley, 1990.

56. Célestin III, Bulle *Cum ad propulsandam*, trad. in J. RICHARD, *L'esprit de la croisade*, Paris, 1969, p. 75-81 (= *PL*. 206, 1107-1110).

57. Cf. E. KENNAN, « Innocent III and the First Political Crusade », in *Traditio*, 27, 1971, p. 231-249.

moralisatrice de la croisade qui avait été celle d'un saint Bernard et elle constituait à ses yeux un aspect du vaste programme de régénération de la chrétienté qu'il avait l'intention de mettre en œuvre. La faillite de l'entreprise allemande est donnée par le pape lui-même comme étant la motivation directe de son initiative[58]. Le plan, présenté dans une lettre du mois d'août 1198 contenant un appel destiné à toute la chrétienté, est sensiblement identique à celui de son prédécesseur, Clément III[59] : chaque ville et chaque seigneur équipera et enverra en Terre Sainte pour le mois de mars 1199 un nombre de guerriers proportionnel à ses ressources et l'entretiendra à ses frais pendant au moins deux ans. Pour Innocent III en effet, la croisade devait être l'affaire de la chrétienté tout entière et son succès dépendait de l'engagement total et sans réserve de l'ensemble des baptisés. La cohésion et la sauvegarde de l'unité chrétienne étaient à ce prix. Dans chaque diocèse, une commission était chargée de s'occuper de l'organisation et de la prédication de la croisade[60]. Jamais un pape n'était allé aussi loin dans la mobilisation des énergies. Manifestement Innocent III se fondait pour agir ainsi sur sa conception de la *plenitudo potestatis*, qui n'est toutefois pas évoquée expressément.

Dans la préparation des croisades, le financement avait été jusque-là négligé. Le 31 décembre 1199, Innocent III promulgua de nouvelles règles (bulle *Graves orientalis*) plus rigoureuses et contraignantes pour le clergé[61]. L'Église romaine s'engagea à participer avec un dixième de ses revenus. La participation des évêques et du clergé inférieur devait être égale à la quarantième partie du revenu annuel. Seuls les cisterciens, les prémontrés, les chartreux et les ermites de Grandmont en étaient exemptés. Chaque Église devait se doter d'un tronc, fermé par trois serrures, dont l'une des clefs était gardée par l'évêque. Un pas important avait été franchi vers l'instauration régulière d'un véritable impôt, dont le prélèvement était toutefois encore laissé au clergé local. La mesure n'était pas neuve en soi. En 1188, Clément III avait pris la décision d'instaurer une collecte obligatoire auprès du clergé, mais c'était la première fois, dans l'Occident latin, qu'un impôt était levé sur les ecclésiastiques, avec un taux précis[62].

La nouveauté législative et l'entité de l'imposition provoquèrent en Angleterre, en Italie et en France une opposition virulente, comparable à celle qu'avait suscitée la décision de Louis VII d'imposer les revenus ecclésiastiques lors de la préparation de la deuxième croisade (1165)[63]. Comme auparavant, le succès financier de la décision pontificale fut très mitigé. En juillet 1201, les prélats français n'avaient pas encore versé leurs quote-parts. En 1202, à Venise, les croisés étaient à court d'argent. Plusieurs années après, certaines églises anglaises et italiennes n'avaient pas encore payé le quarantième[64].

58. *Reg.* I, 345, éd. O. Hageneder, A. Haidacher *et alii, Die Register Innocenz III*, t. I, Graz-Cologne, 1964, p. 516.

59. Pour les destinataires, voir Potthast, n° 347, 915, 922, 934, etc. Il y manque seulement l'Espagne.

60. Une telle commission est connue pour le diocèse de Narbonne : *Reg.* I, 404, éd. *Die Register*, I, p. 609.

61. *Die Register*, II, n° 258, p. 490-497.

62. G. Martini, « Innocenzo III e il finanziamento delle crociate », *ASRSP*, 67, 1944, p. 314 et suiv.

63. V. Berry, « The Second Croisade », *A History of Crusades*, I, éd. K.M. Setton, The University of Wisconsin Press, 1969, p. 471.

64. Roscher, *Papst Innocenz III und die Kreuzzüge*. Göttingen, 1969, p. 80-81 ; E. Siberry, *Criticism of Crusading 1095-1274*, Oxford, 1985, p. 127-128.

Après 1199, Innocent III ne renouvela pas une mesure aussi draconienne. Latran IV décida de prélever seulement un vingtième des revenus (c. 71). Le succès de cette mesure fut modeste. Honorius III eut des difficultés à ce propos, en Italie, en Allemagne et en Hongrie[65]. Seule l'Angleterre, dont le gouvernement se trouvait depuis 1216 dans les mains de deux légats pontificaux, ne fit aucune objection à cette taxe[66]. Créé en vue d'un grand dessein — la croisade — le prélèvement fiscal de la part de la papauté se transforma bientôt. Finalement réduit à un dixième des revenus, il se diffusa rapidement. La « décime » devint l'un des principaux instruments fiscaux de l'Église romaine. La croisade avait fini par fournir à la papauté l'occasion de renforcer son emprise fiscale sur les principaux diocèses de la chrétienté. Dans les dernières décennies du XIIIe siècle, la décime fut souvent décrétée par les papes à des fins politiques (croisade de Sicile et d'Aragon)[67] ; d'autre part, les intérêts financiers en jeu furent source de conflits : des souverains, comme Philippe le Bel, tenteront d'accaparer, par le biais des conciles provinciaux, une taxe ecclésiastique considérée pourtant comme prérogative exclusive de l'Église romaine.

La collecte des décimes s'accompagnait généralement du rachat des vœux et de la remise d'indulgences : des pratiques auxquelles la papauté s'était intéressée au moins depuis les dernières décennies du XIIe siècle. En 1187, Grégoire VIII avait étendu le recours aux indulgences à tous ceux qui auraient contribué au financement de la croisade, par l'envoi de croisés ou par des offrandes d'argent[68]. Innocent III promulgua l'indulgence plénière pour tout participant à la croisade, quelle que fût l'origine du financement. Cette extension était une conséquence directe de la doctrine de la pénitence qui s'était élaborée au XIIe siècle et qu'Innocent III avait reprise d'Huguccio. Puisque prendre la croix, pour combattre les infidèles et les ennemis du Christ, pouvait emporter de très graves risques, la croisade pouvait être comparée à n'importe quelle œuvre de satisfaction pénitentielle. Ces argumentations apparaissaient aux yeux d'Innocent III justifiées, d'autant plus que l'exercice de ce droit dérivait de la *plenitudo potestatis*[69]. Latran IV sanctionna officiellement la concession d'une indulgence plénière aux croisés, et par là même l'existence de liens étroits entre aumône et indulgence en matière de financement de la croisade, non sans exprimer des craintes sur les dangers que le recours excessif aux indulgences aurait fait encourir aux pratiques pénitentielles : « Ajoutons ceci : des indulgences excessives ont été octroyées sans discernement par des prélats ; elles suscitent le mépris du pouvoir des clés et privent de force la satisfaction pénitentielle »[70]. Les abus ne firent que grandir. Dans le plan de réforme de l'Église, présenté au premier concile de Lyon par Humbert

---

65. Siberry, *Criticism*, p. 30.
66. C.R. Cheney, *Pope Innocent III and England*, Oxford, 1976, p. 267-268.
67. C'est bien là une des « déviations » de la croisade au XIIIe siècle, à propos desquelles v. P. Toubert, « Les déviations de la croisade au milieu du XIIIe siècle », *Le Moyen Âge*, 69, 1963, p. 391-399 ; N.J. Housley, *The Italian Crusades. The Papal-Angevin Alliance and the Crusades against Christian Lay Powers 1254-1343*, Oxford, 1982.
68. N. Paulus, *Geschichte des Ablasses im Mittelalter*, Paderborn, 1922, p. 204 et suiv.
69. Reg. I, 336 : éd. *Die Register*, I, p. 503.
70. C. 71 (*COD.*, p. 267, trad. Foreville, *Latran I*, p. 386).

de Romans, ce point figure en bonne place[71]. Avec le temps, la pratique des indulgences allait être appliquée à de nouveaux groupes de fidèles. Innocent IV accorda l'indulgence plénière aux veuves et aux procureurs des croisés[72]. Urbain IV tenta de freiner un tel élargissement. Les prédicateurs auraient bénéficié des indulgences, à la condition que leur service durât au moins une année[73].

Dès 1095, mais surtout après la croisade populaire de Pierre l'Ermite[74], le problème du rachat des vœux de croisade s'était posé. Assez rapidement, l'Église avait été confrontée au problème des croisés indécis, réfractaires, inaptes à prendre la croix. Bientôt, pourtant, l'idée s'imposa selon laquelle la dispense des vœux avait un prix. Alexandre III fut le premier à admettre que le *votum peregrinationis*[75] pouvait être racheté ou permuté par le supérieur ecclésiastique, si les raisons étaient justifiées (maladie). Dans le cas d'empêchement temporaire, le pape préconisait le recours à la pénitence. En cas d'empêchement durable, le croisé pouvait se faire remplacer par une autre personne pour la durée d'au moins une année. Innocent III fit un pas en avant, en décidant que la libération des vœux relèverait finalement du Siège apostolique et que seulement les prélats qui en auraient reçu l'autorisation avaient le pouvoir de les racheter. L'idée qu'une collecte systématique des rachats des vœux pouvait être organisée avait donc fait du chemin. Il est vrai qu'Innocent III s'était montré rigoureux dans la définition des raisons pouvant justifier le rachat d'un vœu de croisade et avait tenté de résoudre ce problème délicat.

Les instructions données à l'archevêque de Cantorbéry, Hubert Walter, son agent en Angleterre pour les questions qui touchaient à la croisade[76], insérées dans le *Liber Extra*[77], constituèrent le fondement du droit canon en la matière et furent reconnues comme telles par les canonistes[78]. Le pape essayait d'atteindre deux objectifs à la fois : respecter la valeur spirituelle des vœux, mais faire en sorte que les expéditions des croisés ne soient composées que d'hommes valides et prêts au combat. Infirmité, faiblesse corporelle et âge avancé, ainsi que la pauvreté, étaient des raisons généralement valables pour le rachat d'un vœu. Grégoire X, attentif à tout ce qui pouvait favoriser les projets de croisade, accorda un tel privilège à une femme à cause de sa *fragilitas sexus*[79].

---

71. *Opus Tripartitum*, éd. E. Brown, *Appendix ad Fasciculum rerum expetendarum et fugiendarum*, Londres 1690, pars III, chap. VIII et X.
72. *Les registres d'Innocent IV (1243-1254)*, éd. E. Berger, Paris, 1884 et suiv., n° 5980 et 6440.
73. *Les registres d'Urbain IV (1261-1264)*, éd. J. Guiraud - S. Clemencet, Paris, 1892 et suiv., n° 469, 2973 ; ce laps de temps fut ramené à six mois par Clément IV : *Les registres de Clément IV (1265-1268)*, éd. E. Jordan, Paris, 1893 et suiv., n° 1627 et 1683, et remonta à trois ans sous Grégoire X, meilleur connaisseur de ces pratiques : cf. M. Purcell, *Papal crusading policy : the chief instruments of papal crusading policy and crusade to the Holy Land from the final loss of Jerusalem to the fall of Acre : 1244-1291*, Leiden, 1975, p. 61.
74. Lettre de Pascal II au clergé français, 29 décembre 1099 ; cf. *JL* 5812.
75. X 3. 34, 1-2.
76. Potthast 1137.
77. X 3. 34.8 et 3. 34.9.
78. V. en général M. Villey, *La croisade. Essai sur la formation d'une théorie juridique*, Paris, 1942 ; H.E.J. Cowdrey, *Popes, Monks and Crusaders*, Londres, 1984 ; J.A. Brundage, *Medieval Canon Law and the Crusader*, Madison, Milwaukee, 1969.
79. *Les registres de Grégoire X et de Jean XXI (1272-1277)*, éd. J. Guiraud - L. Cadier, Paris, 1892 et suiv., n° 497 ; cf. Purcell, *Papal crusading policy*, p. 121.

La voie était ouverte à toute sorte d'abus, la tentation étant grande, lors des campagnes de prédication, de croiser le plus grand nombre possible de fidèles pour organiser ensuite le rachat de leurs vœux. De très vives critiques ne manquèrent pas de s'élever, aussi bien de la part des clercs que des laïcs, envers la papauté et ses principaux agents dans la prédication de la croisade, les franciscains et les dominicains. Pour Matthieu Paris, la faute incombait tout particulièrement à la papauté, accusée d'utiliser les rédemptions de vœux comme une source de revenu[80]. Les franciscains, que Matthieu Paris appela « pêcheurs d'argent, non d'hommes »[81], sont accusés de fréquenter les maisons des mourants afin de les induire à prendre la croix et de racheter ensuite leurs vœux par un legs[82]. Ils sont considérés comme les principaux protagonistes d'un scandale que toute la critique « anticléricale » dénonça avec vigueur, de Rutebeuf[83] à Gilbert de Tournai[84]. Les gains d'argent que la libération de vœux pouvait rapporter furent souvent considérés comme la cause principale des défaites des croisés, non seulement de la part de Matthieu Paris[85], mais aussi des Troubadours[86].

La papauté dut intervenir fréquemment pour faire cesser le trafic scandaleux de rachats systématiques de vœux de croisade, en brandissant les plus graves sanctions. Ayant appris, en 1237, que des croisés francs s'étaient enfuis en Orient de peur d'être forcés à racheter leurs vœux, le pape Grégoire IX ordonna immédiatement à ses représentants de faire cesser le scandale[87]. Les abus semblent avoir été particulièrement graves lors de la préparation de la croisade de saint Louis, si l'on en juge par la vigueur avec laquelle Innocent IV tenta de s'y opposer[88].

Se croiser signifiait jouir d'un certain nombre de privilèges que l'Église romaine était prête à accorder. Déjà Urbain II avait menacé à Clermont d'excommunier tous ceux qui auraient attaqué les biens ou les personnes des croisés. Pascal II rappela aux prélats français le devoir de garantir cette protection aux croisés[89]. Alexandre III favorisa le mouvement et fixa un certain nombre de règles précises[90], que les autres papes du XIIᵉ siècle, impliqués dans des projets de croisade — Grégoire VIII et Innocent III —, ont reprises et amplifiées. Ainsi, les excommuniés, dont l'absolution était réservée au pape, pouvaient en être libérés par les prédicateurs de la croisade[91]. L'interdit fut levé en France en 1200 pour les croisés exclusivement, à condition que les offices religieux soient célébrés à voix basse et sans son de cloches[92].

---

80. *Chronica Majora*, éd. H.R. Luard, IV, Londres, 1877, p. 9; V, Londres, 1878, p. 188-189, 400-401; v. aussi IV, p. 133-134, 635.

81. *Chronica Majora*, IV, p. 279-280; V. p. 194-195.

82. *Ibid.*, IV, p. 280.

83. *Onze poèmes concernant la croisade*, éd. J. Bastin et E. Faral, Paris 1946, p. 31-32, 39.

84. *Collectio*, p. 40.

85. *Chronica Majora*, V, p. 24-25.

86. A. Jeanroy, « Le troubadour Austourc d'Aurillac et son sirventès sur la septième Croisade », *Mélanges Chabaneau*, p. 81-87; cf. aussi Siberry, *Criticism*, p. 153 et Purcell, *Papal crusading policy*, p. 126.

87. *Les registres de Grégoire IX*, n° 3945, 4222.

88. *Les registres d'Innocent IV*, n° 2963, 3054, 3708, 3966, 4663; cf. Purcell, *Papal crusading policy*, p. 122-123.

89. H. Hagenmeyer, *Die Kreuzzugsbriefe aus den Jahren 1088-1100*, Innsbruck, 1901, p. 175 n. 19.

90. JL 11637, 14630.

91. *Reg.* I, 344, éd. *Die Register*, I, p. 514.

92. Potthast 1045.

Les personnes et les biens appartenant aux croisés étaient placés sous la protection spéciale de l'Église romaine jusqu'au retour ou à la mort du croisé. Les intérêts pour leurs dettes étaient suspendus. Toute personne exigeant le paiement d'intérêts aurait dû être contrainte au remboursement par de lourdes sanctions ecclésiastiques[93].

De la déviation de la quatrième croisade au concile de Latran IV

L'appel lancé à la chrétienté par Innocent III ne fut pas entendu par les principaux souverains, qui trouvèrent tous des prétextes pour se dérober, mais il fut accueilli favorablement par des princes et des seigneurs de moindre envergure comme les comtes Thibaut de Champagne et Baudouin de Flandre, qui étaient en délicatesse avec Philippe Auguste. Les croisés furent conviés à se réunir à Venise dans l'été de 1201 et le pape communiqua officiellement la date du départ dans un nouvel appel, lancé le 5 mai[94]. Innocent III veilla personnellement à la prédication de la croisade et choisit des personnalités en vue : Foulque de Neuilly pour la France[95], l'abbé de Sambucina pour l'Italie du Sud[96] et le célèbre Joachim de Flore qui, au cours de l'hiver 1190/91, avait pris part aux discussions de Richard Cœur de Lion avec Philippe Auguste en vue de préparer la troisième croisade. Un seigneur italien, le marquis Boniface de Montferrat, fut placé à la tête de l'armée qui se rassembla à Venise dans les premiers mois de 1202[97]. Mais les Vénitiens, dont le concours était indispensable pour que l'expédition puisse traverser la Méditerranée, n'avaient aucun intérêt à favoriser une expédition en Syrie-Palestine, dont les ports étaient tenus par leurs concurrents génois et pisans, et souhaitaient préserver les bonnes relations qu'ils entretenaient avec l'Égypte, où ils allaient acheter les épices qui transitaient par la mer Rouge. Les chefs de la croisade, ne pouvant acquitter le prix du passage, acceptèrent en contrepartie d'aller attaquer la ville chrétienne de Zara, sur la côte illyrienne, qui fut prise le 15 novembre 1202. Le pape, irrité, excommunia les Vénitiens mais ne put prendre aucune sanction contre les croisés. Ceux-ci furent rejoints à Zara par Alexis IV Ange, fils du basileus Isaac II Ange qui avait été chassé du pouvoir à Constantinople en 1195. Ce prince leur fit miroiter la perspective d'une participation de l'empire byzantin à la croisade, si les Francs l'aidaient à reconquérir son trône. Les Vénitiens appuyèrent d'autant plus vigoureusement la proposition que l'empereur régnant, Alexis III, se montrait favorable aux Génois. La flotte vénitienne conduisit donc finalement l'expédition devant les murs de Constantinople, qui fut prise d'assaut en juillet 1203. Isaac et Alexis Ange furent rétablis sur le trône impérial, mais ne tardèrent pas à en être chassés à nouveau par un soulèvement populaire. Un second assaut fut donné et la capitale de l'empire byzantin, reprise par les croisés en avril 1204, fut atrocement saccagée : en particulier, les églises furent pillées et spoliées des nombreuses et

---

93. *Reg.* I, 336, éd. *Die Register*, I, p. 503; pour d'autres sources v. Roscher, *Papst Innozenz III.*, p. 74.

94. Patthast, n° 1346.

95. *Reg.*, I, 398, éd. *Die Register*, I. Cf. A. Forni, « La "nouvelle prédication" des disciples de Foulque de Neuilly : intention, techniques et réactions », in *Faire croire*, Rome, 1981, p. 19-37.

96. *Reg.*, I, 302, éd. *Die Register*, I, p. 432.

97. Pour le récit des péripéties des croisades, on se reportera aux ouvrages cités dans la bibliographie, en fin de chapitre.

prestigieuses reliques qu'elles contenaient, qui furent emportées ou vendues en Occident.

Les vainqueurs décidèrent de démembrer l'empire : Baudouin de Flandre reçut le quart de la « Romanie », avec Constantinople et le titre impérial, tandis que les territoires restants étaient partagés entre les barons francs et les Vénitiens, qui firent passer sous leur domination les principaux ports ainsi que les îles de la mer Ionienne et de l'Égée. Innocent III, d'abord indigné par ce forfait, finit par ratifier après coup l'action des croisés dans l'espoir − bien illusoire − de mettre fin de cette façon au schisme byzantin en plaçant l'Église grecque sous la tutelle de celle de Rome. En fait, les Grecs firent bloc derrière leur clergé et surtout leurs moines, qui refusèrent cette union forcée à l'Église latine. Ainsi la quatrième croisade non seulement n'apporta aucun soulagement à la Terre Sainte où ne parvinrent qu'un petit nombre de combattants, mais creusa profondément le fossé qui séparait les chrétiens d'Occident de ceux d'Orient.

L'attention d'Innocent III fut ensuite accaparée par les affaires du Languedoc où les progrès du catharisme et l'assassinat de son légat Pierre de Castelnau l'amenèrent à lancer, en 1207, la croisade contre les Albigeois, qui, sous la direction de Simon de Montfort, connut un rapide succès sur le plan militaire mais fut l'occasion de massacres sanglants comme celui de Béziers. Pour la première fois, une croisade était dirigée non contre des païens vivant à l'extérieur de la chrétienté, mais contre des baptisés suspectés de se montrer favorables à l'hérésie. La victoire des croisés put apparaître sur le moment comme une réussite dans la mise en œuvre du programme théocratique du pontife, mais le simple fait que l'Église aît dû retourner ses armes contre ses propres fils constituait en fait un aveu de faiblesse, tout en viciant profondément l'esprit originel de la croisade qui n'avait de sens que par rapport à Jérusalem. On le vit bien, quelques années plus tard, en 1212, quand s'ébranla spontanément à travers le nord et le centre de la France, une croisade dite des « Enfants », dont les chefs prétendaient reconquérir la terre du Seigneur avec les armes de la foi et de la pureté et effacer la trahison des puissants. Le mouvement échoua lamentablement, mais le pape fut touché par la ferveur religieuse que cet événement avait révélé et chercha à organiser une nouvelle croisade s'appuyant directement sur le peuple chrétien, dont la direction serait entre les mains de la papauté. Aussi lança-t-il en 1213 un nouvel appel en faveur de la Terre sainte, en même temps qu'il convoquait le concile de Latran IV pour tenter de réformer l'Église. De grands prédicateurs furent désignés pour aller prêcher la croisade dans les divers pays de la chrétienté : Olivier de Cologne en Allemagne, le cardinal Nicolas en Angleterre et Robert de Courçon en France. Ce dernier, ancien condisciple du pape et élève de Pierre le Chantre, invita tous les fidèles, sans distinction d'état ou de condition, à s'enrôler sous la bannière de la croisade, conçue comme une démarche pénitentielle, mais aussi à s'abstenir de pratiquer l'usure et de se livrer à l'immoralité. Lors de l'ouverture du concile de Latran IV, en novembre 1215, Innocent III mit l'accent sur l'urgence du *Passagium generale* et il fit approuver par l'assemblée le canon *Ad liberandam*, qui condensait l'expérience d'un siècle de croisade et en codifiait la pratique sur le plan juridique. Mais les projets du pape ne purent se concrétiser en raison de la défaillance de Philippe Auguste qui, même après

Bouvines (1214), refusa de quitter la France, et du jeune roi des Romains Frédéric II, qui se croisa lors de son couronnement à Aix-la-Chapelle mais prit prétexte des difficultés qu'il rencontrait sur le plan politique en Allemagne et en Italie pour se dérober aux sollicitations de plus en plus pressantes de l'Église. À la mort d'Innocent III, en juillet 1216, rien de concret n'avait été entrepris pour venir en aide à la Terre sainte.

La cinquième croisade et l'échec de Damiette

Pendant ce temps-là, le royaume de Jérusalem, dont la capitale se trouvait à Saint-Jean d'Acre, était sous la direction d'un seigneur champenois, Jean de Brienne, bon soldat, qui savait se faire obéir de ses vassaux et par les ordres militaires — templiers, hospitaliers, teutoniques —, qui constituaient localement de véritables puissances, largement autonomes. En multipliant les trêves avec le sultan d'Égypte, Al-Adil, il tenta de gagner du temps jusqu'à l'arrivée des secours. Aussitôt élu, le successeur d'Innocent III, Honorius III (1216-1227), s'efforça de relancer la croisade : en 1217, divers contingents de Hongrois, avec le roi André Ier, d'Autrichiens avec leur duc Léopold et de croisés de la Frise, galvanisés par la prédication de Jacques de Vitry, devenu évêque d'Acre en 1216, se retrouvèrent en cette ville. Mais cette cinquième croisade fut plutôt mal accueillie par les chrétiens de Terre sainte, qui, selon Jacques de Vitry, vivaient dans la corruption et préféraient l'amitié des infidèles à celle des croisés venant d'Occident. Finalement, l'expédition partit attaquer l'Égypte, dont le sultan contrôlait Jérusalem, et mit le siège devant Damiette, à l'embouchure du Nil. Le moment était bien choisi car, à la mort d'Al-Adil, ses possessions avaient été divisées entre ses fils Malik Al-Kamil, qui régnait au Caire et Al-Muazzam, maître de Damas. Pendant le siège, l'armée chrétienne fut rejointe par un légat pontifical, le cardinal Pélage qui réclama la direction des opérations militaires. La ville fut prise par les croisés en novembre 1219 ; il aurait été sage de l'échanger contre Jérusalem, ce à quoi le sultan semblait disposé, mais le légat, peu habile en politique et assez exalté, voulut exploiter à fond l'avantage et faire de la cité une tête de pont pour la conquête de l'Égypte. Exaspérés par son autoritarisme et en désaccord avec lui, les chefs des croisés retirèrent leurs forces les uns après les autres, tandis que Frédéric II, qui avait promis son concours lors du couronnement impérial de 1220, se contentait d'envoyer huit galères. Pélage semble aussi avoir fondé certains espoirs sur des prophéties d'origine orientale, qui furent alors traduites en latin, selon lesquelles un roi chrétien venu d'Orient viendrait aider les chrétiens d'Occident à détruire la puissance de l'Islam. On discutait pour savoir si ce mystérieux souverain, appelé David et considéré comme le fils du « Prêtre Jean », viendrait de l'Inde ou de l'Abyssinie, ou s'il ne fallait pas l'identifier au roi de Géorgie avec lequel le pape entretenait des relations épistolaires. Or précisément à ce moment là, parvint à Damiette un écho des premières victoires remportées par le chef mongol Gengis Khan sur le chah de Perse Mohammed, de la dynastie khwarizmienne, aux confins irano-afghans et il est possible que ces rumeurs aient fait croire à la possibilité d'établir avec ces peuples encore inconnus une alliance qui aurait pris l'Islam en tenailles. Mais, après une malencontreuse tentative d'offensive vers Le Caire, Damiette dut être évacuée en septembre 1221 et la cinquième croisade s'acheva sur un échec complet.

Frédéric II et la reconquête pacifique de Jérusalem

Depuis 1215, Frédéric II de Hohenstaufen, roi de Sicile et empereur, avait fait le vœu de partir à la croisade, mais accaparé par les difficultés qu'il rencontrait pour imposer son autorité dans ses États, il n'y donna pas suite. Pourtant, en 1225, lorsqu'il eut épousé à Brindisi Isabelle de Brienne, il prit le titre de roi de Jérusalem, avec les encouragements du pape Honorius III, convaincu que le souverain n'aurait désormais plus de prétexte pour envoyer une expédition qu'il s'était solennellement engagé à entreprendre au traité de San Germano (1225). Mais le renforcement de son pouvoir en Italie le préoccupait plus que le destin de la Terre sainte et il ne commença à préparer son départ que dans l'été de 1227. Son armée fut victime d'une épidémie à Brindisi et lui-même, malade, renonça au départ. Le nouveau pape, Grégoire IX, ne voulut voir dans cet abandon qu'une dérobade et frappa l'empereur d'excommunication. Finalement Frédéric II partit, excommunié, pour la Syrie dans l'été 1228, avec une flotte réduite, au moment où la trêve de huit ans signée avec le sultan d'Égypte allait expirer. À peine arrivé, il fit scandale en entamant des négociations directes avec Malik Al Kamil, qui, étant lui-même empêtré dans des problèmes de succession, se montra disposé à traiter. Entre ces deux souverains mal vus par une bonne partie de leurs coreligionnaires s'établirent d'emblée des liens de sympathie, liés bien sûr à la culture sicilienne de l'empereur mais que l'hostilité que lui manifestaient les ordres religieux et la papauté ne pouvaient que renforcer. Sans coup férir, Frédéric II obtint, au traité de Jaffa (février 1229) la restitution de Jérusalem (à l'exception de la mosquée d'Omar), Bethléem et Nazareth, ainsi qu'un corridor territorial permettant le libre accès des chrétiens aux Lieux saints depuis les ports de Jaffa et Saint-Jean d'Acre. Les murailles de Jérusalem pouvaient être reconstruites, une trêve de dix ans fut signée et l'on procéda à l'échange des prisonniers. Mais l'empereur abandonna la Syrie du Nord et promit de soutenir le sultan contre ses adversaires. Dans les deux camps, on se scandalisa de ce compromis, et la papauté reprocha à Frédéric II d'avoir trahi l'esprit de la croisade, tandis que de nombreux musulmans s'indignaient des concessions faites aux chrétiens. Frédéric II ne demeura pas longtemps à Jérusalem et, après s'être couronné lui-même dans la basilique du Saint-Sépulcre, il regagna l'Italie où Grégoire IX avait profité de son absence pour envahir la Campanie. En Terre sainte, le statu quo ne fut respecté que pendant une quinzaine d'années : en 1244, les seigneurs francs, à l'instigation des templiers, commirent l'imprudence de s'allier avec les musulmans de Damas contre le sultan d'Égypte Ayyub. Celui-ci prit sa revanche en attaquant la ville avec ses mercenaires khwarizmiens (24 août 1244) et en écrasant l'armée chrétienne à la bataille de Gaza quelques mois plus tard. Seules Jaffa, Acre et Antioche avec une petite bande côtière demeurèrent entre les mains des « Francs ». La nouvelle de la chute de Jérusalem fut d'autant plus durement ressentie en Occident qu'elle coïncidait avec l'invasion des Mongols, qui, après avoir conquis l'Europe orientale, pénétraient en Pologne et en Hongrie. Le concile de Lyon I, en 1245, lança un appel aux chrétiens pour qu'ils viennent en aide à la Terre sainte et décida la levée d'une décime de trois ans sur les biens du clergé pour financer l'expédition. Mais le péril mongol, la situation difficile de l'empire latin de Constantinople, menacé par les forces byzantines de Nicée, et surtout la lutte acharnée qui opposait le pape Innocent IV à l'empereur Frédéric II empêchèrent la réalisation de ce projet.

Les croisades de saint Louis et la fin à la Terre sainte franque

À ce moment où la situation de la Terre sainte paraissait désespérée, celle-ci obtint pour quelques décennies un répit tout à fait inattendu résultant de deux facteurs nouveaux : l'entrée en scène du roi de France, Louis IX, le souverain le plus puissant d'Occident et le plus respecté, qui mit ses forces et sa richesse au service de la cause de la croisade et, d'autre part, les succès remportés par les Mongols aux dépens des pouvoirs islamiques en Orient, qui redonnèrent espoir aux chrétiens.

Après l'échec des projets échafaudés par le concile de Lyon I, saint Louis prit en effet conscience du fait qu'il était le seul souverain chrétien en mesure de porter secours à la Terre sainte et prit au sérieux son idéal de croisé en se lançant dans cette aventure sans aucune arrière-pensée politique. Parti d'Aigues-Mortes en août 1248, il gagna Chypre et l'Égypte où il débarqua en juin 1249 et prit Damiette sans combat. Mais il ne sut pas exploiter l'effet de surprise : son armée s'enlisa dans le delta du Nil et il fut battu et fait prisonnier à la bataille de la Mansourah (8 février 1250). Il mit son point d'honneur à racheter à prix d'or tous ses compagnons et les soldats qui étaient tombés avec lui entre les mains des Mamelouks, qui venaient de s'emparer du pouvoir. Une fois libéré, le roi de France demeura encore quatre ans en Terre sainte, guerroyant et faisant fortifier diverses villes ; il envoya auprès des chefs mongols deux émissaires, les frères Guillaume de Rubrouck et Barthélemy de Crémone, mais cette tentative d'établir une alliance visant à prendre l'Islam à revers fut sans résultat. À la mort de sa mère, Blanche de Castille, qui exerçait la régence en son absence, il se résigna à rentrer en France, après avoir négocié une trêve. L'échec de cette septième croisade troubla profondément les esprits en Occident, car il mettait en cause la conception de la justice immanente de Dieu et de son intervention dans l'histoire des hommes, qui avait permis jusque-là de rendre compte de l'insuccès des croisades précédentes. Ce dernier était en effet attribué dans les textes ecclésiastiques − en particulier les bulles pontificales − à l'indignité morale ou aux ambitions politiques de ceux qui les avaient dirigées. Le fait que le saint roi de France lui-même, dont nul ne mettait en cause la piété et le désintéressement, n'ait pas obtenu de meilleurs résultats que ses prédécesseurs ne pouvait donc que favoriser le développement d'un certain scepticisme vis-à-vis de la croisade. On en retrouve l'écho dans la littérature et chez les chroniqueurs de l'époque, tandis qu'une vive amertume s'exprimait à l'égard du clergé, accusé de ne pas donner l'exemple en payant de sa personne et de ses biens, comme en témoigne le succès, passager mais révélateur, du mouvement populaire des Pastoureaux, qui se développa en France en 1250/51, lorsqu'y parvint la nouvelle de la captivité du roi.

L'espoir revint, quelques années plus tard, quand Hülagü, frère du grand khan

Mongka, attaqua le califat de Bagdad et prit la ville en 1258. Or ce prince mongol comptait dans son entourage plusieurs chrétiens nestoriens et on lui prêtait des sentiments prochrétiens. Il se préparait à marcher sur la Syrie et l'Égypte quand la mort de Mongka et la guerre de succession qui s'ensuivit le rappelèrent en Perse. De plus, les chrétiens de Terre sainte ne surent pas saisir cette chance historique et préférèrent s'entendre localement avec les musulmans, avec lesquels ils avaient l'habitude de négocier, plutôt que de voir s'abattre sur la Palestine une invasion qui risquait d'avoir des retombées négatives pour les relations commerciales. Ainsi ils restèrent neutres en 1260, lorsque le général nestorien Kitbuqa attaqua les troupes égyptiennes à Ain Jalud, en 1260, ce qui permit au sultan mamelouk Baïbars d'arrêter et de vaincre les forces mongoles. Après cette date, la pression exercée par ces derniers sur le Moyen-Orient se relâcha car les Mongols de Perse entrèrent en conflit avec ceux de la Horde d'Or, qui régnait sur l'Europe orientale et les steppes de l'Asie centrale, ce qui permit aux musulmans de prendre Jaffa et Antioche en 1268. En 1269, le prince Édouard d'Angleterre tenta de faire reculer Baïbars, en liaison avec le chef mongol Abaqa Khan, mais l'indiscipline des barons francs, des marchands italiens et des ordres de chevalerie jaloux de leur autonomie, fit échouer l'entreprise. En désespoir de cause, le pape français Clément IV se tourna de nouveau vers saint Louis, qui se croisa une seconde fois, au grand dam de son entourage, de ses vassaux et du peuple. À l'instigation sans doute de son frère Charles d'Anjou, la huitième croisade, qui avait quitté Aigues-Mortes le 1er juillet 1270, s'arrêta en Tunisie, dont l'émir Al-Mostancir passait pour être disposé à se convertir. Mais il n'en fut rien et l'armée fut aussitôt décimée par la peste et la dysenterie, dont le roi mourut lui-même le 25 août en murmurant « Jérusalem ! ». Le seul bénéficiaire de l'opération fut Charles d'Anjou, qui obtint de l'émir le paiement d'une importante indemnité de guerre et le doublement du tribut que la Tunisie versait annuellement au roi de Sicile. La Terre sainte, ou ce qu'il en restait, ne reçut donc aucun soulagement de cette croisade. En 1265, Baïbars avait détruit le royaume d'Arménie, allié et vassal des Mongols. Après 1270, les Francs n'y possédaient plus que Saint-Jean d'Acre, Tyr et Tripoli, ainsi que quelques places fortes tenues par les templiers comme Marqab. La mort de Baïbars, en 1277, n'enraya pas le mouvement et, malgré les appels lancés par le concile de Lyon II et le pape Grégoire X entre 1274 et 1277, aucun secours ne vint plus de l'Occident. Divers projets d'alliance avec les Mongols ayant échoué, rien ne put empêcher les musulmans de prendre Tripoli en 1289 et Saint-Jean d'Acre en 1291. Cette date ne marque pas, comme on l'imagine parfois, bien à tort, la fin des croisades, qui devaient se prolonger jusqu'à la fin du Moyen Âge et même bien au-delà. Mais elle constitue cependant un tournant dans l'histoire de la chrétienté occidentale dans la mesure où, à la seule exception de l'île de Chypre, celle-ci avait désormais perdu tout point d'appui territorial en Orient.

2. Perspectives et entreprises missionnaires

Contrairement à ce qu'on a parfois soutenu, les croisades n'avaient pas pour objectif explicite, aux yeux de l'Église, la conversion des infidèles, mais bien la libération et la défense des Lieux saints du christianisme dont les musulmans s'étaient indûment emparés. Sans exclure les perspectives d'apostolat, la papauté, au XIIe siècle, avait laissé pour l'essentiel aux Églises orientales, compte tenu de leur connaissance éprouvée du milieu ambiant, le soin de développer les contacts religieux avec l'Islam. Aussi la politique pontificale visa-t-elle surtout à obtenir la reconnaissance de la primauté romaine par ces communautés (Maronites et Arméniens, mais aussi Jacobites et Nestoriens) ainsi que leur adhésion à une profession de foi pleinement orthodoxe du point de vue catholique[98]. Mais, chez les meilleurs chrétiens, se développa, au XIIIe siècle, le désir de faire partager leur foi aux païens. Ainsi saint Dominique, au début de sa vie, avait formé le projet d'aller évangéliser les Cumans, dont il avait pu constater les ravages pendant son voyage à travers l'Allemagne du Nord, et même une fois qu'il se fut engagé dans l'apostolat antihérétique en Languedoc, il continuait à souhaiter « donner sa vie et son âme pour convertir les Sarrasins[99] ». De même saint Louis, pendant le long séjour qu'il effectua en Terre sainte, après sa défaite et sa captivité en Égypte (1250/54), manifesta à plusieurs reprises son souci d'amener à la foi chrétienne le plus grand nombre possible de musulmans, en faisant en particulier racheter et baptiser des esclaves. Mais simultanément, dans d'autres parties de la chrétienté et en particulier sur les rives de la Baltique, des entreprises de conversion forcées furent menées par les chevaliers Teutoniques, les Porte-glaive (*Fratres militiae Christi*) ainsi que par certains princes polonais et allemands pour propager le christianisme parmi les peuples baltes et les Prussiens[100]. Face à ces expériences divergentes, les papes du XIIIe siècle furent amenés à préciser la doctrine missionnaire de l'Église[101].

Le problème de la conversion forcée

En liaison avec l'idée de croisade, une importante réflexion eut lieu au XIIIe siècle à propos de l'activité missionnaire[102]. La doctrine de la *plenitudo potestatis* eut des implications considérables sur les rapports entre mission et croisade. Dans son commentaire à la décrétale d'Innocent III *Quod super his*, Sinibaldo Fieschi (Innocent IV) s'était demandé s'il « est licite d'envahir les pays possédés par les infidèles, et si cela est licite, pourquoi cela l'est-il ? ». L'argumentation se situait à deux niveaux. Aux infidèles (surtout aux musulmans) était reconnu le droit au *dominium* et

---

98. Comme l'a bien montré J. RICHARD. *La papauté et les missions d'Orient au Moyen Âge (XIIIe-XVe siècle)*, Rome-Paris, 1977, en part. p. 7-12.

99. D'après un témoin à son procès de canonisation (Bologne, 1234). Cf. A. VAUCHEZ, *La sainteté en Occident...*, p. 394.

100. Les divers aspects de cette « évangélisation », qui s'accompagnait d'une véritable colonisation ont été bien illustrés par H. BEUMANN (éd.), *Heidenmission und Kreuzzugsgedanke in der deutschen Ostpolitik des Mittelalters*, Darmstadt, 1963, qui ne rend cependant pas inutile l'ouvrage classique de L. LEMMENS, *Die Heidenmissionen des Spätmittelalter*, Munster, 1919.

101. Sur ces questions, cf. J. RICHARD, M.H. VICAIRE et S. SUGRANYES. « Les missions médiévales », in S. DELACROIX (éd.), *Histoire universelle des missions catholiques*, Paris, 1956, p. 173-200 ; A. MULDERS, *Missionsgeschichte*, Münster, 1960, p. 151-191, et J. MULDOON, *Popes, Lawyers and Infidels*, Liverpool, 1979.

102. J. MULDOON, « Extra ecclesiam non est imperium » : The Canonists and the Legitimacy of Secular Power », *SGra*, 9, 1966, p. 551-580.

à des lois propres. Les infidèles ne devaient pas se convertir au christianisme pour pouvoir garder leurs terres, qu'ils possédaient de plein droit. Innocent IV reconnaissait par là même leur droit à ne pas être soumis à des conversions forcées[103].

D'autre part, puisque le Christ, en tant que Dieu, a le pouvoir sur tous les hommes, ainsi le vicaire du Christ sur terre, c'est-à-dire Pierre et ses successeurs, doivent assumer cette responsabilité. Les chrétiens et les infidèles sont « des brebis du Christ par la création, bien qu'ils ne soient pas tous dans l'*ovile ecclesiae*[104] ». Cette responsabilité, le pape l'exerce *de iure, non de facto*.

Le pape est donc habilité à punir non seulement les chrétiens transgressant la loi des Évangiles, mais aussi les non-chrétiens qui n'observeraient pas la loi de la nature, comme par exemple les juifs qui dévieraient de la loi de Moïse. C'est pour cette raison, rappelle Innocent IV, que lui-même et son prédécesseur, le pape Grégoire IX, ont ordonné que le Talmud soit brûlé[105]. En aucun cas, toutefois, les armées que le pape pourrait envoyer pour sanctionner les péchés des infidèles ne doivent servir à imposer le baptême aux infidèles : « Les infidèles ne doivent pas être contraints à se convertir, puisque tous ont droit au libre arbitre[106]. » Sur ce point, Innocent IV resta fidèle à la tradition qui voulait que l'adoption de la foi chrétienne soit le fruit d'une décision libre. Tout en justifiant telle ou telle intervention pontificale (comme dans le cas du Talmud), les affirmations d'Innocent IV respectaient de fait l'existence de religions différentes. La papauté du XIIIe siècle n'a en tout cas pas élaboré une doctrine légitimant la conversion forcée.

Le pape affirma en revanche le droit inaliénable de l'Église romaine à envoyer des prédicateurs dans les terres de mission. De plus, dans le cas où les infidèles ne les admettraient pas, le recours à la force et au bras séculier était considéré comme tout à fait légitime, à condition qu'il fût ordonné par le pape. Celui-ci pouvait donc autoriser une action de guerre, non pas pour permettre des conversions forcées, en soi inadmissibles, mais pour ouvrir des pays à la prédication chrétienne, et pour défendre, naturellement, les prédicateurs ou tout autre chrétien d'éventuelles persécutions. Aucun prosélytisme de la part des musulmans, en terre chrétienne, ne pouvait toutefois être toléré. Étant dans l'erreur, les missionnaires musulmans n'avaient aucun droit à être traités de la même manière que les missionnaires chrétiens[107].

Les argumentations d'Innocent IV ont été déterminantes pour les canonistes. Dans son commentaire aux décrétales, Hostiensis pose le problème de manière plus dure. Étant donné que le Christ possède le « principat perpétuel » sur les affaires spirituelles et temporelles, Pierre et ses successeurs, en leur qualité de vicaires du Christ, ont le pouvoir d'intervenir directement dans les affaires des sociétés infidèles, puisque leurs gouvernants ont usurpé les terres et le pouvoir appartenant légitimement, *de iure*, aux chrétiens. Les infidèles doivent être soumis aux chrétiens, non le contraire[108]. Même

---

103. X 3.34.8.

104. X 3.34.8, f. 176v.

105. Sinibaldo Fieschi, *Apparatus super quinque libros Decretalium*, à propos de X 3. 34. 8, § 4-6 ; cf. B. KEDAR, « Canon Law and the Burning of the Talmud », *Bulletin of the Institute for Medieval Canon Law*, n.s. 9, 1979, p. 79-82.

106. S. Fieschi, *Apparatus super quinque libros Decretalium*, f. 177r.

107. S. Fieschi, *Apparatus super quinque libros Decretalium*, f. 177r : « *Non enim ad paria debemus eos nobiscum iudicare, cum ipsi sint in errore et nos in via veritatis, et hoc pro constanti tenemus.* »

108. Pour les textes, v. J. MULDOON, *Popes, Lawyers and Infidels*, Liverpool, 1979, p. 17.

au sein d'une argumentation aussi catégorique et tranchée, l'Hostiensis régla le problème de la conversion forcée selon la tradition. Les relations entre infidèles et chrétiens doivent rester pacifiques; le premier pas doit être accompli par l'envoi de missionnaires, non de croisés armés; la conversion doit s'effectuer par la prédication, non par la violence. D'autre part, un acte de guerre ne peut être décrété que par le pape.

Thomas d'Aquin admit le droit des infidèles à choisir librement leur religion, mais ajouta que le recours à la guerre était justifié contre les infidèles qui feraient « obstacle à la foi par des blasphèmes, des persuasions perverses ou encore des persécutions[109] ». Humbert de Romans alla encore plus loin. Les infidèles méritaient la mort, non seulement pour avoir empêché la prédication des chrétiens, mais aussi pour leurs blasphèmes contre la Trinité; vivre en paix avec de tels transgresseurs pourrait même être un péché[110]. D'autres thèses radicales furent avancées par les dominicains Ulrich de Strasbourg, provincial d'Allemagne (1272-1277)[111] et Moneta de Crémone, professeur au *Studium* de Bologne[112].

L'effort missionnaire des Ordres mendiants : aspects ecclésiologiques et implications culturelles

L'entrée en scène des Ordres mendiants, dont la vocation était l'apostolat tant à l'intérieur qu'à l'extérieur du monde chrétien, donna une vigoureuse impulsion à l'effort missionnaire catholique. Dès 1212 ou 13, François d'Assise avait vainement essayé de se rendre en Syrie, puis au Maroc où cinq de ses compagnons furent martyrisés en 1216[113]. En 1219, il rejoignit la cinquième croisade à Damiette, en Égypte, et là, sans tenir compte des entreprises militaires des chrétiens qu'il semble avoir considérées avec scepticisme, il se rendit dans le camp du sultan Malik Al Kamil, auquel il aurait proposé de subir une ordalie pour lui prouver la supériorité de la foi chrétienne sur l'islam. Mais le souverain s'y serait opposé et l'aurait renvoyé sans lui faire subir de violence dans le camp chrétien[114]. Le fondateur des Mineurs, qui brûlait de communiquer sa foi aux païens afin de les sauver, fut déçu dans son attente mais sut tirer la leçon de son échec : dans la 1ʳᵉ règle *(regula non bullata)*, qu'il écrivit en 1221 et qui reflète le mieux sa pensée, il n'est plus question d'aller chercher le martyre, comme il l'avait fait lui-même en 1219, ni de controverses doctrinales qui ne pouvaient

---

109. *Summa Theologica*, II IIae, qu. 10, art. 8; cf. B.I. KEDAR, *Crusade and Mission : European approaches toward the Muslims*, Princeton, 1984, p. 218.

110. Humbert de Romans, *Opus tripartitum*, I, 4-6, 14, etc., éd. BROWN, *Appendix*, p. 186-195; cf. K. MICHEL, *Das Opus Tripartitum des Humbertus de Romanis, O.P. : ein Beitrag zur Geschichte der Kreuzzugsidee und der kirchlichen Unionsbewegungen*, Graz, 1926, p. 41-48.

111. VI, 3, 6; éd. B. KEDAR, *Crusade*, p. 223-224; cf. F.A. von der HEYDTE, *Die Geburtsstunde des modernen Staates. Ein Beitrag zur Geschichte des Völkerrechts, der allgemeinen Staatslehre und des politischen Denkens*, Regensburg, 1952, p. 237-238.

112. SIBERRY, *Criticism*, p. 214.

113. Jourdain de Giano, *Chronica*, 8, in *AFranc*, t. I, Quaracchi, 1885, et. II Celano, 57, éd. Th. DESBONNETS et D. VORREUX, *Saint François d'Assise. Documents*, Paris, 1968, p. 264/5.

114. Saint Bonaventure, *Legenda major*, IX, 7-8, éd. citée, p. 670-672, et Dante, *Paradis*, XI, 100-105. Sur cet épisode dont l'historicité est aujourd'hui admise, cf. F. De BEER, « Saint François et l'Islam », in *Concilium*, 169, 1981, p. 23-36.

Alinari

Saint François devant le sultan d'Égypte
(Chapelle Bardi, basilique de Santa Croce à Florence, v. 1235).

susciter que des réactions hostiles de la part des musulmans et les pousser à la persécution. Mais, dans le chapitre XXI, consacré à « ceux qui vont chez les Sarrasins et autres infidèles », il préconisa l'attitude suivante :

> « Les frères qui s'en vont ainsi peuvent envisager leur rôle spirituel de deux manières : ou bien ne faire ni procès ni disputes, être soumis à toute créature humaine à cause de Dieu et confesser simplement qu'ils sont chrétiens ; ou bien, s'ils voient que telle est la volonté de Dieu, annoncer la Parole de Dieu afin que les païens croient en Dieu tout-puissant, Père, Fils et Saint-Esprit et son Fils rédempteur et sauveur, se fassent baptiser et deviennent chrétiens »[115].

Mais ces dispositions ne furent pas reprises dans la règle de Frères mineurs, promulguée par Honorius III en 1223, et ceux-ci ne semblent pas s'y être longtemps conformés. Jacques de Vitry, évêque de Saint-Jean d'Acre, atteste en effet les difficultés qu'ils rencontrèrent dans leur apostolat lorsqu'il note, vers 1230, que « les Sarrasins écoutaient volontiers les Frères tant qu'ils prêchaient la foi du Christ et la doctrine évangélique jusqu'à ce qu'ils se missent à contredire manifestement Mahomet dans leur prédication... Alors ils les battaient et les chassaient de leurs cités[116] ». Ces échecs firent réfléchir. Aussi vit-on par la suite la papauté et les grands Ordres mendiants se soucier davantage de la formation intellectuelle et de la préparation linguistique de ceux qui allaient évangéliser les païens.

En 1249, le pape Innocent IV décida d'envoyer dix jeunes étudiants à Paris, afin qu'ils apprennent l'arabe et d'autres langues orientales[117]. En ce milieu du XIIIᵉ siècle, l'intérêt manifeste de la curie romaine[118] pour les langues orientales, sous l'impulsion d'un pape − Innocent IV − habitué, grâce à ses origines familiales (génoises), à un horizon géoculturel large, était partagé par les principaux responsables des Ordres mendiants.

Dans le *De officiis ordinis* et sa lettre encyclique de 1255, le maître général dominicain Humbert de Romans fixa les règles essentielles devant être suivies par les missionnaires : pour convertir les « nations barbares, les païens, les Sarrasins, les juifs, les hérétiques, les schismatiques et les autres qui sont hors de l'Église », les Frères prêcheurs devaient disposer de traités spécialisés dans la réfutation de leurs erreurs ; la prédication en terre de mission exigeait, d'autre part, la connaissance des langues indigènes ; c'est pourquoi les frères destinés aux missions devaient être envoyés dans des endroits idoines à l'apprentissage des langues arabe, hébraïque, grecque et des autres langues « barbares »[119]. Selon les *Regulae generales* ou encore le *Tractatus de modo convertendi infideles* de Raymond Lull[120], véritable vademecum pour les

---

115. *Regula non bullata* (Iʳᵉ règle), 16, 1-6, éd. citée, p. 70.
116. Jacques de Vitry, *Historia Orientalis*, XXXII, éd. G. GOLUBOVICH, *Biblioteca bibliografica della Terra Santa*, t. I, Quaracchi, 1906, p. 10.
117. *Cartularium Universitatis Parisiensis*, éd. DENIFLE et CHÂTELAIN, t. I, p. 212.
118. Sur la connaissance de l'arabe dans les milieux de la curie romaine au XIIIᵉ siècle, cf. *supra*, p. 572.
119. *Instructiones magistri Humberti de officiis ordinis. B. Humberti de Romans opera de vita regulari*, éd. J.J. BERTHIER, t. II, Rome, 1889, p. 187-189 (chapitre *Circa Gentiles*) et p. 293 (lettre encyclique de 1255 sur l'enseignement des langues).
120. Écrit en 1292 ; cf. R. SUGRANYES de FRANCH, *Raymond Lulle docteur des missions, avec un choix de textes traduits et annotés*, Schönbeck-Beckenried, 1954, p. 29-34.

missionnaires de l'extrême fin du XIIIᵉ siècle, l'usage de l'interprète est déconseillé, la prédication du missionnaire risquant d'être mal comprise. Fidèle à une tradition déjà ancienne au sein des Ordres mendiants, qui avaient depuis longtemps prêté de l'attention aux langues étrangères comme support à une efficace prédication en terre de mission[121], Roger Bacon affirma dans l'*Opus Majus*[122], écrit pour Clément IV vers 1267-1268[123] que savoir l'hébreu était nécessaire pour prêcher et interpréter l'Écriture aux juifs; de même la connaissance du grec, du ruthénien, de la langue des Sarrasins, païens et Tartares et autres infidèles était indispensable pour prêcher les vérités chrétiennes dans ces pays « de mission ». Intellectuelle, la démarche de Roger Bacon n'est toutefois pas pacifiste en soi. Dans la célèbre lettre envoyée à Clément IV[124], le savant franciscain lançait un appel au pape afin qu'il se serve des sciences pour « la conversion de l'infidèle et encore plus pour la réprobation de ceux qui ne peuvent être convertis[125] ».

Fort de son expérience missionnaire au sein du monde musulman, le dominicain Guillaume de Tripoli, dans son *De statu sarracenorum*[126] écrit en 1273 et dédié à l'archidiacre de Liège, Tedaldo Visconti, le futur pape Grégoire X, pouvait aller encore plus loin dans l'esquisse du missionnaire idéal : pour prêcher aux Sarrasins, il ne suffisait pas de renoncer à la violence et d'apprendre leur langue; il fallait encore s'imprégner de la culture et de la doctrine islamiques elles-mêmes par une étude approfondie du Coran[127]. On rencontre des dispositions analogues, dénotant une relative tolérance, dans les manuels destinés aux missionnaires, rédigés vers la fin du XIIIᵉ siècle, tandis qu'à la cour d'Alphonse X le Sage, on traduisit en castillan et en latin, vers 1264, le *Livre de l'échelle de Mahomet*, récit apocalyptique arabe inspiré par les « hadîth », qui devait exercer une certaine influence sur Dante Alighieri[128].

Certains traités de Thomas d'Aquin, en particulier le *Contra errores Graecorum* et le *De rationibus fidei contra Saracenos, Graecos et Armenos* semblent avoir été écrits pour satisfaire les exigences formulées par Humbert de Romans[129]. Il était important en effet que le clergé des Églises latines d'Orient ait la possibilité d'approfondir les

---

121. B. Altaner, « Sprachkenntnisse und Dolmetscherwesen in missionarischen und diplomatischen Verkehr zwischen Abenland (Päpstliche Kurie) und Orient im 13. und 14. Jahrhundert », in *ZKG*, 55, 1936, p. 90 et suiv.

122. Éd. J.H. Bridges, t. III, Oxford, 1900, p. 120-122; cf. E.R. Daniel, « Roger Bacon and the "De seminibus scripturarum" », in *MS*, 34, 1972, p. 462-67.

123. E. Massa, *Ruggero Bacone. Etica e poetica nelle storia dell' « Opus Majus »*, Rome, 1955.

124. F.A. Gasquet, « An Unpublished Fragment of Roger Bacon », in *EHR*, 12, 1897, p. 502; trad. italienne par E. Bettoni, *Ruggero Bacone. Lettera a Clemente IV*, Milan, 1964, p. 96.

125. Cf. Kedar, *Crusade...*, p. 178 et suiv.

126. Éd. H. Prutz, *Kulturgeschichte des Kreuzzüge*, Berlin, 1893, p. 573-598; cf. Kaeppeli, t. II, p. 170-171.

127. M. Voerzio, « Fra Guglielmo da Tripoli, orientalista domenicano nel sec. XIII » , in *MDom*, 71, 1954, p. 73-113, 141-170, 209-250, et 72, 1955, p. 127-148.

128. Bonne présentation de cet ouvrage dans sa traduction française, *Le Livre de l'échelle de Mahomet*, Paris, 1991. Sur l'influence qu'il a excercée sur la culture occidentale, cf. E. Cerulli, *Nuove ricerche sul « Libro della Scala » e la conoscenza dell'Islam in Occidente*, Cité du Vatican, 1972, et R.J. Burns (éd.), *Emperor of Culture. Alphonse X the Learned of Castille and his XIIIth Century Renaissance*, Philadelphie, 1990.

129. M. Grabmann, « Die Schrift "De rationibus fidei" », in *Scholastik*, 17, 1942, p. 187-216; J. Henninger, « Sur la contribution des missionnaires à la connaissance de l'Orient », in *NZM*, 9, 1953. Le *De rationibus fidei* fut adressé à un chantre d'Antioche, qui est resté anonyme, et non à un dominicain comme le proposait Grabmann; cf. J. Richard, *La papauté et les missions d'Orient au Moyen Âge*, Rome-Paris, 1977, p. 12, n. 37.

arguments nécessaires aux controverses qui devaient inévitablement surgir dans des pays où chrétiens latins, chrétiens orientaux et musulmans vivaient côte à côte[130].

Aspects concrets de la coexistence entre chrétiens et païens

On peut distinguer à cet égard deux types de situation : celle des minorités catholiques vivant en terre de mission et celle des païens récemment convertis à la foi chrétienne.

Dans le premier cas, la papauté s'efforça d'obtenir des souverains, en particulier musulmans, la liberté de culte pour les chrétiens. Honorius III écrivit en ce sens en 1219 au calife Al-Mustansir en lui demandant d'accorder aux fidèles du Christ les droits dont les musulmans jouissaient en terre chrétienne[131]. Il ne semble pas que cette initiative, qui montre que les milieux de la cour pontificale ne connaissaient alors que très peu de choses de la doctrine almohade, ait porté quelque fruit[132]. L'avènement au pouvoir du calife Al-Mamun, qui accorda la liberté de culte aux chrétiens et condamna la doctrine almohade, suscita certains espoirs. Mais l'accès au califat d'Ar-Rasid en 1232 s'accompagna d'un retour au rigorisme intransigeant. Grégoire IX attendit quelques mois la suite des événements. En mai 1233, conseillé, semble-t-il, par l'évêque franciscain de Fez, Agnellus, il se crut assez fort pour demander à Ar-Rasid ainsi qu'à tous les principaux souverains musulmans, d'abandonner la religion islamique et d'embrasser la foi chrétienne, en les menaçant de retirer, en cas de refus, les mercenaires chrétiens qui servaient sous leurs ordres[133]. Sa lettre demeura sans réponse. Innocent IV suivit une démarche identique dans le cadre d'une action diplomatique et missionnaire de grande envergure et envoya au Maghreb un de ses principaux conseillers, le franciscain espagnol Lope Fernandez de Ayn. Muni de pouvoirs plénipotentiaires, ce dernier devait tenter de négocier avec le calife As-Said la concession de la liberté de culte et l'attribution aux chrétiens d'un certain nombre d'endroits fixes devant faciliter, en cas de conflit ou de danger, leur rassemblement et le retour dans leur pays d'origine[134]. Lope Fernandez rentra au mois de mars 1251 à Lyon, où se trouvait encore la cour pontificale, sans avoir obtenu de résultat. Innocent IV brandit à nouveau ses menaces, ce qui semble avoir causé quelques difficultés à Al-Murtada[135]. Au total, aucune amélioration sensible ne fut obtenue pour les chrétiens vivant dans les pays musulmans.

Les conversions de musulmans au christianisme ne constituèrent certes pas un phénomène massif au XIIIe siècle, mais le phénomène revêtit cependant une certaine

---

130. La *Summa contra Gentiles* de Thomas d'Aquin est en revanche trop savante et aurait plutôt servi à combattre l'averroïsme chrétien, selon J. RICHARD, *La papauté...*, p. 117.

131. Sur cette question, cf. K.E. LUPRIAN, *Die Beziehungen der Papste zu islamischen und mongolischen Herrschern im 13. Jahrhundert anhand ihres Briefwechsels*, cité du Vatican, 1981, n° 5, et, plus largement, E.A. SYNAN, « The Pope's Other Sheep » in the *Religious Roles of the Papacy*, éd. Ch. RYAN, Toronto, 1989, p. 389-412.

132. N. DANIEL, *Islam and the West. The Making of an Image*, Édimbourg, 1960.

133. K.E. LUPRIAN, *Die Beziehungen...*, n° 12 et 13 (lettres du 26 et 27 mai 1233).

134. *Ibid.*, n° 28-30 ; POTTHAST, n° 2339 ; cf. E. TISSERANT et G. WIET, « Une lettre de l'almohade Murtada au pape Innocent IV », in *Hesperis*, 6, 1926, p. 113-117, réimprimé dans *Recueil cardinal Eugène Tisserant*, t. I, Louvain, 1955, p. 113-137.

135. *Les Registres d'Innocent IV*, n° 5173-5174.

importance en Terre Sainte, où les convertis de l'Islam jouèrent un rôle non négligeable dans les armées des croisés[136]. Il en résulta toute une série de problèmes que la hiérarchie ecclésiastique eut bien du mal à résoudre. Ainsi, dans une lettre adressée à l'évêque d'Acre, Théobald, le pape Célestin III répondit à trois questions concernant des musulmans convertis : un esclave sarrasin, qui avait tué un chrétien lors d'une bataille et qui s'était ensuite converti, pouvait épouser sa veuve ; un chrétien avait le droit d'épouser la veuve d'un Sarrasin qu'il avait tué ; ces mariages n'étaient pas rendus illégitimes par l'existence d'interdits de parenté[137]. En 1201, Innocent III stipula dans une décrétale que le mariage entre Sarrasins consanguins devait être considéré comme légitime[138]. Le pape rejeta en revanche la polygamie : seul le premier mariage pouvait être considéré comme valide[139].

Au plus bas de l'échelle sociale, un certain nombre d'esclaves se firent baptiser et des chrétiens pieux, comme saint Louis, en rachetèrent sur les marchés dans ce but. Les croisés avaient admis à l'origine que l'esclave sarrasin converti au christianisme devenait un homme libre[140]. Mais lorsque leur nombre s'accrut, le problème de l'identité entre esclaves convertis et hommes libres se posa en des termes nouveaux. Dans sa *Summa de casibus poenitentiae*, le dominicain Raymond de Peñafort admit que le baptême seul ne légitimait pas l'affranchissement, du moins là où l'esclavage était légal. Il recommandait toutefois d'en conserver l'usage là où il existait[141]. Dans une décrétale du 28 juillet 1237, Grégoire IX prit à son compte la crainte des seigneurs, tant laïques qu'ecclésiastiques, de perdre leurs esclaves, auxquels la conversion au christianisme pouvait servir de prétexte pour accéder à la liberté, et adopta une solution de compromis : l'esclave converti devait être admis à l'église et aux sacrements, mais le baptême ne modifiait pas son statut social[142]. Ces décisions pontificales n'eurent pas d'effets notables : en 1238, Grégoire IX dut à nouveau intervenir auprès du patriarche de Jérusalem pour défendre avec insistance le droit d'accès aux sacrements pour les esclaves convertis et, en 1253, le légat Eudes de Châteauroux menaça même les transgresseurs d'excommunication. Le cardinal n'avait pourtant pas oublié de rappeler que le baptême ne changeait rien à l'état des esclaves convertis. En ordonnant que son décret soit proclamé deux fois l'an dans toutes les églises de la Terre Sainte sous domination franque, il admettait implicitement l'existence de fortes résistances locales. Les documents de la pratique montrent toutefois que la conversion à la religion chrétienne permit à des esclaves sarrasins de trouver la liberté[143].

---

136. KEDAR, *Crusade...*, p. 76 et 82.
137. *Décrétales*, X, 3, 33.1.
138. *Décrétales*, X, 4, 19. 8. Cf. B. KEDAR, « Muslim Conversion in Canon Law », in *Proceedings of the Sixth International Congress of Medieval Canon Law*, Cité du Vatican, 1985, p. 321-332.
139. A. ESMEIN, *Le mariage en droit canonique*, Paris, 1929, p. 254-255.
140. *Assises de la cour des Bourgeois*, chap. XVI, cité par B. KEDAR, *Crusade...*, p. 76.
141. *Summa de casibus poenitentiae*, 1, 4, 7, éd. de Rome, 1603, p. 37. À propos de la date de sa rédaction (1222-1235), voir S. KUTTNER « Zur Entstehungsgeschichte der "Summa de casibus poenitentiae" des hl. Raymund von Penafort » in *ZSRG.K*, 39, p. 419-434.
142. POTTHAST, n° 10424 ; texte cité par B. KEDAR, *Crusade...*, p. 212, app. 2a.
143. KEDAR, *Crusade...*, p. 152.

La chrétienté face aux Mongols : de la terreur à l'espoir d'une conversion

À partir de 1240, la chrétienté occidentale se trouva confrontée de façon beaucoup plus directe qu'elle ne l'avait été jusque-là à un peuple païen, lorsque ses marges orientales furent envahies par les hordes mongoles d'Ögödai, successeur de Gengis Khan (ou Tchingiz Khan)[144]. Après avoir pris Kiev, les Tartares, comme on les appelait en Occident, dirigés par Batu, envahirent en 1241, la Pologne, la Hongrie et la Bohême et écrasèrent les forces chrétiennes à la bataille de Legnicza. L'Allemagne n'échappa à l'invasion qu'en raison de la mort d'Ögödai, qui suspendit pour un temps l'offensive des Mongols, mais ceux-ci devaient maintenir leur pression sur l'Europe de l'Est qu'ils envahirent à plusieurs reprises au cours des décennies suivantes. L'irruption de ce peuple inconnu, aux mœurs sauvages, et sa progression foudroyante, accompagnée de destructions et de déportations de populations, suscitèrent en Occident de vives réactions[145]. Parmi les clercs, comme en témoignent les chroniques de l'époque, nombreux furent ceux qui interprétèrent l'événement comme un châtiment céleste et un signe de l'approche de la fin des temps. Dans cette perspective eschatologique et apocalyptique, on assimila les Tartares aux peuples maudits de l'Ancien Testament, en particulier à ceux de Gog et Magog, considérés comme les précurseurs de l'Antéchrist[146]. Face à ce déferlement des forces du mal, la chrétienté fut invitée à faire bloc et Innocent IV fit prêcher plusieurs croisades pour venir au secours de la Hongrie et de la Pologne. Mais le scepticisme grandissant vis-à-vis de ces dernières, qui se réduisaient de plus en plus à des levées d'argent, et le conflit acharné qui opposait Innocent IV à Frédéric II rendirent assez inopérants les appels que le pape et le concile de Lyon I, en 1245, lancèrent en vue de constituer autour des princes allemands une grande alliance contre les Mongols. Parallèlement, la papauté chercha à prendre contact avec les Mongols et Innocent IV leur envoya un ambassadeur, en la personne du franciscain Jean de Plan Carpin qui, en 1245/47, parvint jusqu'à la capitale du grand khan Güyüz, Karakorum ; au même moment, les dominicains Ascelin et André de Longjumeau gagnèrent la Perse récemment passée sous leur domination. Ces envoyés étaient porteurs de lettres dans lesquelles le pape affirmait les intentions pacifiques de l'Occident vis-à-vis des Tartares et invitait leurs chefs à se convertir à la foi chrétienne. Le résultat de ces ouvertures ainsi que de celles faites par saint Louis qui envoya auprès des Mongols André de Longjumeau (1249) et Guillaume de Rubrouck (1253) fut décevant, le grand khan ayant simplement invité en réponse les souverains chrétiens à se soumettre à sa domination. De fait, les troupes de Batu envahirent de nouveau la Pologne et la Hongrie, tandis que celles de Hülagü attaquaient l'Iraq et la Syrie, ce qui sema la plus vive crainte dans les États latins de Terre sainte.

Le choc suscité par les Mongols avait été rude pour la chrétienté et la peur vis-à-vis

---

144. Sur cette question, l'ouvrage de référence est celui de J. RICHARD, *La papauté et les Missions d'Orient au Moyen Âge (XIIIe-XVe siècles)*, Rome-Paris, 1977 (Collection de l'École française de Rome, 33), qui comporte une riche bibliographie.

145. Cf. D. SINOR, « Le mongol vu par l'Occident », in *1274 année charnière. Mutations et continuités*, Paris, 1977, p. 55-72 (Colloques internationaux du CNRS, n° 598).

146. Cf. D. BIGALLI, *I Tartari e l'Apocalisse. Ricerche sull'eschatologia in Adamo Marsh e Ruggero Bacone*, Florence, 1971, p. 7-33.

de leur cruauté devait subsister jusqu'à la fin du siècle, surtout sur ses marges orientales. Mais les récits rapportés par les envoyés pontificaux permirent de passer, en ce qui les concernait, d'une histoire et d'une géographie mythiques, marquées par l'héritage antique et biblique, ainsi par les légendes des rois mages et du mystérieux Prêtre Jean, à une connaissance plus objective de leurs mœurs et de leurs croyances[147]. Certains esprits perspicaces, comme les franciscains anglais Adam Marsh et Roger Bacon ainsi que le grand évêque de Lincoln, Robert Grosseteste, surent discerner l'importance historique pour l'Occident chrétien de cette rencontre avec ces peuples païens, où ils virent l'occasion pour l'Église de se régénérer par des réformes hardies en même temps qu'une incitation à la mission qui permettrait, par une vaste entreprise d'évangélisation, de préparer et de hâter la venue du royaume de Dieu[148]. C'est à cette époque en effet que les Européens commencèrent à mieux prendre conscience de l'immensité de l'Asie et de l'existence concrète d'un certain nombre de peuples dont on n'avait guère jusque-là qu'une connaissance livresque, comme l'Inde et la Chine. Jean de Plan Carpin, Simon de Saint-Quentin et Guillaume de Rubrouck rapportèrent de leurs séjours chez les Mongols de précieux récits, tandis que des marchands vénitiens, les frères Polo, partis de Constantinople en 1261, parvinrent jusqu'à la capitale du grand khan Qubilai, Khanbaliq (Pékin), et remirent à ce dernier en 1275, à l'occasion d'un second voyage, une lettre du pape Grégoire X[149]. Il apparut très vite à ces voyageurs et aux peuples chrétiens qui passèrent sous leur domination, comme la Petite Arménie (Cilicie) et la Géorgie, que les Mongols adeptes d'une religion chamaniste mais influencés par le bouddhisme étaient très tolérants sur le plan religieux et que des chrétiens nestoriens (c'est-à-dire syriens orientaux) et jacobites (monophysites) jouaient un certain rôle dans leur entourage. Dès 1241, Innocent IV avait formulé l'intention de convertir « le roi et le peuple des Mongols » à la foi catholique et, en 1245/48, des dominicains pénétrèrent en Perse, où ils rencontrèrent, à la cour de Tabriz, le moine nestorien Rabban-Ata, personnalité contestée mais défenseur influent des intérêts chrétiens auprès des autorités mongoles[150]. En 1253, Guillaume de Rubrouk se comporta au moins autant en missionnaire qu'en ambassadeur, profitant de son séjour prolongé à la cour du khan pour avoir des entretiens très poussés avec les nestoriens sur les questions doctrinales et essayer de faire des conversions parmi les Mongols. Vers 1260, des missionnaires franciscains s'installèrent au Qipčāk (Crimée et Ukraine actuelles) et les deux Ordres mendiants tentèrent de s'établir en Asie centrale, les uns à partir de la mer Noire, les autres de Perse, parallèlement à la pénétration des marchands italiens en direction de l'Inde et de la Chine.

---

147. Jean de Plancarpin, *Histoire des Mongols*, éd. L. HAMBIS et J. BECQUET, Paris, 1965 ; Simon de Saint-Quentin, éd. J. RICHARD, *Histoire des Tartares*, Paris, 1965 (« Documents relatifs à l'histoire des croisades », VIII) ; les relations de voyages des ambassadeurs et missionnaires ont été éditées par A. Van den WYNGAERT, *Itinera et relationes Fratrum Minorum saeculi XIII et XIV*, Quaracchi-Florence, 1924.

148. D. BIGALLI, *I Tartari*, p. 34-103.

149. Marco Polo, *La description du monde*, éd. L. HAMBIS, Paris, 1955 (composé vers 1300)

150. Cf. A. von den BRINCKEN, « Le Nestorianisme vu par l'Occident », in *1274 année charnière*, p. 73-84, et Id., *Die Nationes christianorum orientalium im Verständnis der lateinischen Historiographie von der Mitte des 12. bis die zweite Hälfte des 14. Jahrhunderts*, Cologne-Vienne, 1973.

Un véritable rapprochement entre Mongols et chrétiens d'Occident s'esquissa autour de 1260, après la conquête de Bagdad en 1258 et, de façon éphémère, de Damas par l'Il-Khan Hülagü[151]. Ce dernier avait en effet pour épouse une chrétienne très influente et, quoique favorable au bouddhisme, il se montra très bien disposé envers les diverses églises chrétiennes, qu'il prit sous sa protection partout où s'étendait sa domination. À partir de ce moment-là, les Mongols de Perse recherchèrent systématiquement l'alliance des chrétiens pour abattre la puissance militaire de Baïbars, sultan d'Égypte, et de ses successeurs, mais les « Francs » de Terre sainte ne surent pas saisir l'occasion qui s'offrait à eux. Le successeur d'Hülagü, Abaqa, marié à une princesse byzantine, écrivit en 1268 une lettre en mongol et en latin au pape Clément IV pour lui demander l'organisation d'une croisade. Mais celle de saint Louis, en 1270, n'atteignit jamais la Terre sainte et la papauté s'intéressait surtout à la conversion des Mongols, à laquelle travaillaient les missionnaires envoyés par les Ordres mendiants. En 1274, Abaqa envoya une délégation de 16 membres au concile de Lyon II, où un des ambassadeurs mongols reçut le baptême ainsi que deux membres de sa suite. Ce geste suscita un grand espoir en Occident, mais resta sans lendemain. Bien que de nouveaux pourparlers aient été engagés sous le règne du khan Arghun (1284-1291), lui aussi très favorable aux chrétiens, les Mongols de Perse finirent par se convertir, en 1295, à l'Islam, religion de la majorité de leurs sujets. Mais cette déception ne mit pas fin aux entreprises missionnaires qui continuèrent à se développer, pendant le premier tiers du xive siècle, dans les régions contrôlées par la Horde d'Or, c'est-à-dire de la mer Noire à la Chine[152].

BIBLIOGRAPHIE

Sources :

Chrétiens et Juifs en Occident au xiiie siècle

Judaismus im Mittelalter, éd., D. Berg et H. Steur, Göttingen, 1976 (anthologie de textes latins)
G. Dahan, *La polémique chrétienne contre le Judaïsme*, Paris, 1991 (français).
The Jews of Angevin England, New York, 1977 (anglais).
S. Simonsohn, *The Apostolic See and the Jews. Documents, 492-1464*, 4 vol., Toronto, 1988-91.
G. Stemberger, *Der Talmud. Einführung, Texte, Erlauterungen*, Munich, 1872.

Chrétiens, musulmans et Mongols

F. Gabrielli, *Chroniques arabes des croisades*, Paris, 1977.
G. Golubovich, *Biblioteca bibliografica della Terra Santa e dell'Oriente francescano*, 5 vol., Quarascchi, 1906-1927.
Lettres de Jacques de Vitry (1160/70-1240), évêque de Saint-Jean d'Acre, éd. R.B.C. Huyghens, Leyde, 1960.

---

151. J. Richard, « Chrétiens et Mongols au concile. Les Mongols de Perse dans la seconde moitié du xiiie siècle », in *1274 année charnière*, p. 31-44, et B. Spuler, « Le Christianisme chez les Mongols aux xiiie et xive siècles », *ibid.*, p. 45-54.
152. J. Richard, « Les Mongols et l'Occident. Deux siècles de contacts », *ibid.*, p. 85-96.

A. Lüders, *Die Kreuzzüge im Urteil syrischer und armenischer Quellen*, Berlin, 1964.

K. E. Luprian, *Die Beziehungen der Päpste zu islamischen und mongolischen Herrschern im 13. Jahrhundert anhand ihres Briefwechsel*, Cité du Vatican, 1981.

Recueil des historiens des croisades : Historiens occidentaux, 5 vol., *Historiens grecs*, 2 vol., *Historiens orientaux*, 5 vol; *Documents arméniens*, 2 vol., Paris, Académie des Inscriptions et Belles-Lettres, 1841-1906.

A. van den Wyngaert (éd.), *Sinica Franciscana, I : Itinera et relationes fratrum minorum saec. XIII et XIV*, Quaracchi, 1929.

Études

Chrétiens et juifs

B. Blumenkranz, *Juifs et chrétiens dans le monde occidental, 430-1096*. Paris, 1960.

—, *Histoire des Juifs en France*, Toulouse, 1982.

G. Dahan, *Les intellectuels chrétiens et les juifs. Polémiques et relations culturelles entre juifs et chrétiens en Occident du XII*e *au XIV*e *siècle*, Paris, 1990.

G. Kisch, *Forschungen zur Rechts- und Sozial Geschichte der Juden in Deutschland wahrend des Mittelalters*, 3 vol., Sigmaringen, 1980.

M. Kriegel, *Les juifs à la fin du Moyen Âge dans l'Europe méditerranéenne*, Paris, 1979.

P. Wilpert et W. Eckert, *Judentum im Mittelalter*, Berlin 1966 (*MM*, 4).

Chrétiens, musulmans et Mongols

P. Alphandéry et A. Dupront, *La chrétienté et l'idée de croisade*, 2 vol., Paris, 1954-1959.

B. Altaner, *Die Domenikanermissionen des 13. Jahrhunderts*, Habelschwerdt, 1924.

G. A. Bezzola, *Die Mongolen in abendländischer Sicht (1220-1270)*, Berne-Munich, 1974.

F. Cardini, *Le crociate tra il mito e la storia*, Rome, 1971.

N. Daniel, *Islam and the West*, Edimbourg, 1966

E. Delaruelle, *L'idée de croisade au Moyen Âge*, Turin, 1980.

*Islam et Chrétiens du Midi (XII*e*-XIV*e *siècles)*, Toulouse, 1983 (*Cahiers de Fanjeaux*, 18).

B. Kedar, *Crusade and Mission : European Approach toward the Muslims*, Princeton, 1984.

L. Lemmens *Geschichte der Franziskanermissionen*, Münster, 1929

C. Morrisson, *Les croisades*, Paris, 1977.

J. Richard, *La papauté et les missions d'Orient au Moyen Âge (XIII*e*-XV*e *siècles)*, Rome-Paris, 1977.

K. M. Setton, *A History of the Crusades*, 5 vol., Madison, 1955-1985.

E. Siberry, *Criticism of Crusading, 1095-1274*, Oxford, 1985.

CINQUIÈME PARTIE

« *Cura animarum* »
Une attention accrue aux laïcs

CHAPITRE PREMIER

Le tournant pastoral de l'Église en Occident
par André VAUCHEZ

À la fin du XIIe siècle, en dehors de quelques régions périphériques comme la Finlande ou les Pays Baltes, la christianisation de l'Occident pouvait être considérée comme achevée, si l'on entend par là que tous ses habitants, hormis les juifs très minoritaires, étaient baptisés dans la religion catholique[1]. Pourtant, au moment même où la chrétienté atteignait sa plénitude territoriale, les clercs furent amenés à prendre conscience du caractère souvent superficiel de cette conversion. L'Église avait toujours considéré jusque-là qu'il suffisait que les classes dirigeantes de la société lui soient acquises pour que les masses suivent le mouvement et ce pari sur les élites lui avait, dans l'ensemble, bien réussi depuis la fin de l'empire romain. Mais, au cours du XIIe siècle, le contexte se modifia : à la suite de la Querelle des investitures, l'aristocratie laïque entra, dans de nombreux pays, en conflit avec la hiérarchie ecclésiastique et se laissa parfois influencer par les mouvements hérétiques, comme on le constate dès les années 1170 en Languedoc et en Italie ; là même où elle resta fidèle à l'orthodoxie, elle s'opposait souvent au clergé pour des questions d'intérêts ou de morale, et ce dernier ne pouvait plus compter, de sa part, sur un dévouement inconditionnel. D'autre part, les masses, dans tous les domaines, commençaient à sortir de leur passivité et aspiraient à prendre en mains leur destin, surtout dans les villes, comme en témoigne l'essor du mouvement communal qui s'était souvent affirmé contre les autorités ecclésiastiques[2]. Mais c'est surtout le succès des hérésies dans tous les milieux, à partir des années 1160/80, qui attira l'attention des clercs les plus vigilants sur les insuffisances de la christianisation, car si, en quelques décennies, la population de régions entières avait adhéré à des doctrines éloignées de celles de l'Église, cela signifiait que leur foi n'était pas très profondément enracinée. Ainsi, au moment même où les croisades manifestaient à l'extérieur le dynamisme expansionniste de la chrétienté latine, s'ouvrait un front nouveau : celui de la reconquête intérieure. Celle-ci fut marquée, dans les zones contaminées par l'hérésie, par une politique répressive. Ailleurs également une reprise en main s'imposait d'urgence, sous peine de voir la contestation faire tache d'huile. D'où un vaste effort, qui fut amorcé au concile

---

1. Cf. P. RICHÉ « La pastorale populaire en Occident (VIe-XIe s.) », in J. DELUMEAU (éd.), *Histoire vécue du peuple chrétien*, Toulouse, 1979, t. I, p. 195-224.

2. Cf. E. DELARUELLE, *La piété populaire au Moyen Âge*, Turin, 1975, en particulier p. 104-112, et A. VAUCHEZ, *La spiritualité de l'Occident médiéval (VIIIe-XIIe siècle)*, Paris, 1975, en part. p. 105-145.

de Latran III (1179) et atteignit son plein effet avec celui de Latran IV (1215), pour rendre les croyances et les pratiques religieuses des fidèles plus conformes aux exigences du christianisme tel que l'Église le concevait. Mais cette offensive pastorale amena aussi les clercs à se montrer davantage attentifs aux problèmes et aux attentes des fidèles, en particulier dans le domaine de la morale et des activités économiques.

I. LE RENFORCEMENT DES STRUCTURES D'ENCADREMENT

Cette évolution, amorcée au cours du xiie siècle, s'inscrivait d'ailleurs dans la logique même de l'histoire de l'Église en Occident qui, à partir de la réforme grégorienne, avait entrepris de se dégager de l'emprise du pouvoir temporel et de revaloriser l'action apostolique, longtemps oblitérée par le primat de la vie contemplative. C'est dans cette perspective de longue durée qu'il convient de situer la restauration des structures de l'Église séculière, à partir du pontificat d'Urbain II. Certes, il ne suffisait pas de renvoyer les moines dans leurs monastères pour résoudre tous les problèmes, car le clergé séculier était loin d'être partout prêt à prendre sa relève. Mais une impulsion fut donnée, dès cette époque, à la réforme de l'épiscopat, préalable indispensable à un relèvement du niveau religieux culturel et moral des desservants et, à travers eux, des simples fidèles. Même si cet ambitieux programme fut long à mettre en œuvre et, nous le verrons bientôt, réalisé seulement en partie, il est significatif qu'à partir des années 1200, la papauté n'ait plus proclamé saints, par le biais de la nouvelle procédure de canonisation, des ermites ascétiques ou de pieux moines, mais des évêques, des religieux et des laïcs qui s'étaient distingués de leur vivant par leur désir de gagner − ou regagner − des âmes à Dieu[3]. C'est cette orientation nouvelle vers le prochain et vers un monde que l'on vise à convertir pour assurer son salut qui constitue le fondement de ce que les historiens sont d'accord pour appeler le tournant pastoral du xiiie siècle.

1. L'ÂGE D'OR DE L'ÉPISCOPAT RÉFORMATEUR : VISITES PASTORALES ET STATUTS SYNODAUX

Si tous les prélats de ce temps ne furent pas des saints − tant s'en faut −, il convient cependant de souligner le rôle important joué par l'épiscopat dans ce processus de redressement et d'adaptation à des situations nouvelles. En France et en Angleterre en particulier, les évêques se signalèrent dans l'ensemble par un niveau intellectuel et spirituel supérieur à celui de leurs prédécesseurs et nombre d'entre eux firent preuve d'un grand zèle dans l'exercice de leurs fonctions pastorales. Il suffira à cet égard d'évoquer les noms de Foulque de Toulouse (1206-1231), de Guillaume d'Auvergne,

---

3. A. Vauchez, *La sainteté en Occident aux derniers siècles du Moyen Âge*, Rome-Paris, 1988, en part. p. 289-372.

évêque de Paris de 1228 à 1249, qui acheva la construction de Notre-Dame, des archevêques Philippe de Bourges († 1261), qui fit l'objet d'un procès de canonisation immédiatement après sa mort[4], Edmond Rich de Cantorbéry († 1240), dont la sainteté fut solennellement reconnue par Innocent IV en 1247, ou Eudes Rigaud (v. 1200-1276), à Rouen[5].

La carrière et l'activité de ce dernier, qui fut une des figures marquantes de l'épiscopat français au temps de saint Louis, nous sont bien connues par son *Registre des visites*, conservé pour les années 1248-1268. Ce texte reflète bien l'état d'esprit et les façons d'agir des prélats fidèles à l'esprit réformateur de Latran IV, qui s'efforcèrent de traduire dans les faits l'essentiel des décisions conciliaires. Issu d'une famille de petite noblesse des environs de Paris, il entra, entre 1220 et 1230, chez les frères mineurs de cette ville et y entreprit des études de théologie. Devenu maître-régent dans cette discipline en 1246, prédicateur réputé, il semblait voué à une carrière d'enseignement et de prédicateur lorsqu'il fut élu gardien — c'est-à-dire supérieur — du couvent franciscain de Rouen, puis archevêque de cette ville en 1247, fonction qu'il dut accepter sur les instances conjointes de saint Louis et d'Innocent IV. Pour la première fois, un religieux issu du milieu universitaire accédait à la tête d'un des plus importants diocèses français et d'une province ecclésiastique qui englobait les sept diocèses normands. Dès lors, on le vit parcourir en tous sens ses évêchés suffragants pour inspecter, en tant que métropolitain, les prélats et les chapitres cathédraux, et surtout visiter de fond en comble l'évêché de Rouen, s'intéressant aussi bien à la discipline du clergé qu'à la vie matérielle et spirituelle des paroisses et des communautés religieuses. Partout où il passait, il s'enquérait de la célébration de l'office divin, de la moralité des desservants ou de la résidence des chanoines et il prêchait la Parole de Dieu, comme à la léproserie de Bellencombre où il invita les lépreux « autant que cela était possible, à la patience ». Lorsqu'il trouvait un prêtre suspecté de concubinage, il lui faisait signer une lettre de résignation : si lorsque lui-même ou son archidiacre revenait dans la paroisse, un an plus tard, la situation n'avait pas évolué, il l'obligeait à résigner ses fonctions.

L'intensification des visites pastorales, recommandée par Latran IV, n'était cependant pas une panacée[6]. Même des prélats zélés comme Eudes Rigaud ne pouvaient, lorsqu'ils se trouvaient à la tête de vastes diocèses, inspecter leurs paroisses que tous les trois ou quatre ans, et ils étaient absorbés par bien d'autres tâches, depuis la gestion de leur domaine seigneurial jusqu'à la participation à de nombreux synodes et conciles, au niveau régional ou national. Pour améliorer la formation du clergé et resserrer ses liens avec la hiérarchie, une vieille institution, qui existait depuis le Haut Moyen Âge mais était tombée en désuétude en beaucoup de régions, le synode diocésain, fut

---

4. Sur le modèle épiscopal de la fin du XIIe et du XIIIe siècle, en grande partie inspiré par le *Liber Pastoralis* de Grégoire le Grand, cf. J. GAUDEMET, « Patristique et pastorale : la contribution de Grégoire le Grand au Miroir de l'évêque dans le Décret de Gratien », in *Études d'histoire du droit dédiées à G. Le Bras*. t. I, Paris 1965, p. 129-139. En l'absence d'étude d'ensemble sur l'épiscopat français au XIIIe siècle, cf. J. AVRIL, *Le gouvernement des évêques et la vie religieuse dans le diocèse d'Angers (1148-1240)*, 2 vol., Paris. 1985; C. BOUCHARD, *Spirituality and Administration. The Role of the Bishop in Twelfth Century Auxerre*, Cambridge (Mass.), 1979; *Les évêques, les clercs et le roi (1250-1300)*, Toulouse, 1972 (Cahiers de Fanjeaux, 7).

5. Sur la carrière et l'action d'Edmond Rich, cf. C.H. LAWRENCE, *St. Edmund of Abingdon. A Study in Hagiography and History*, Oxford, 1960; sur Eudes Rigaud, cf. P. ANDRIEU-GUITRANCOURT, *L'archevêque Eudes Rigaud et la vie de l'Église au XIIIe siècle d'après le Regestrum visitationum*, Paris, 1938.

6. Concile de Latran IV, canons 6 (« Des conciles provinciaux »), 7 (« De la correction des excès »), 8 (« Des enquêtes ») et 33 (« On ne doit accepter de procuration que l'on effectue la visite »), éd. et trad. par R. FOREVILLE, *Latran I, II, III et Latran IV*, Paris, 1965, p. 348-363; bonne vue d'ensemble sur les visites pastorales médiévales chez N.COULET, *Les visites pastorales*, Turnhout, 1977 (*Typologie des sources du Moyen Âge occidental*, 23). On dispose pour la France d'un excellent instrument de travail dans ce domaine : D. JULIA et M. VENARD (éd.), *Répertoire des visites pastorales de l'ancienne France. Ire série : anciens diocèses jusqu'en 1791*, Paris, 4 vol., 1977-1985.

réactivée à partir de la fin du XIIe siècle[7]. Ce devait être un important instrument de réforme entre les mains des évêques : une fois par an au moins, tout le clergé du diocèse — tant les séculiers que les réguliers non 'exempts — était convoqué à une réunion officielle et obligatoire qui se tenait dans une salle du palais épiscopal. Celle-ci durait trois jours : après vérification de l'identité des participants et de leurs pouvoirs, s'ils représentaient une communauté religieuse, et un certain nombre de cérémonies religieuses dans la cathédrale, l'évêque procédait à la lecture des statuts synodaux, dont chaque prêtre devait posséder le texte, et en cas de besoin, à la promulgation de nouveaux articles. Il s'agissait d'une véritable législation diocésaine, permettant l'adaptation des règles générales établies par les papes et les conciles œcuméniques aux situations locales concrètes, souvent particulières[8]. Mais dans certains cas, on constate que les statuts diocésains, loin de la suivre, précédèrent en fait la législation de l'Église universelle, comme, par exemple, ceux de l'évêque de Paris, Eudes de Sully, qui prescrivirent, dès 1203, le rite de l'élévation de l'hostie et du calice pendant la messe, qui fut ensuite étendu à l'ensemble de la chrétienté par Latran IV[9]. Une fois promulgués par l'évêque, ces textes devaient être lus et commentés en chaire par les curés, de façon à ce que les fidèles en soient informés et ne puissent prétexter l'ignorance au cas où ils ne s'y seraient pas conformés. Si, lors de la visite pastorale, le prêtre ne pouvait présenter en bon état le livret contenant ces prescriptions, une lourde amende lui était infligée, ce qui atteste bien l'importance que la hiérarchie attachait à ce moyen de transmission de ses consignes jusque dans les paroisses les plus reculées. Les synodes diocésains et les statuts synodaux étaient en effet pour l'épiscopat un moyen d'instruire et d'éduquer un clergé qui demeurait dans l'ensemble très ignorant et, à travers lui, le peuple des fidèles[10]. Il faut y ajouter, à un niveau supérieur, les conciles provinciaux rassemblant les évêques et certains clercs de plusieurs diocèses dépendant d'une même métropole, qui étaient l'occasion d'utiles échanges de vue et de rappels à l'ordre[11].

---

7. Cf. O. PONTAL, *Les statuts synodaux.*, Turnhout, 1977 (*TSMA, 11*); A. ARTONNE, L. GUIZARD, O. PONTAL, *Répertoire des statuts synodaux de l'ancienne France*, Paris, 1964; J. AVRIL « Les precepta synodalia de Roger de Cambrai », in *Bulletin of Medieval Canon Law*, n.s., 2, 1972, p. 8-15; F.M. POWICKE et C.R. CHENEY, *Councils and Synods Relating to the English Church*, t. II : *1205-1313. English Synodalia of the Thirteenth Century*, Oxford, 1968.
8. J. AVRIL, « Naissance et évolution des législations synodales dans les diocèses du Nord et de l'Ouest de la France », in *ZSRG.K*, 72, 1986, p. 152-249.
9. Cf. O. PONTAL (éd.), *les statuts synodaux français du XIIIe siècle*, t. I : *Les statuts de Paris et le synodal de l'Ouest (XIIIe s.)*, Paris, 1971, et t. II : *Les statuts de Paris de 1230 à 1260*, Paris, 1983; pour la péninsule ibérique, cf. A. GARCIA Y GARCIA (éd.), *Synodicum Hispanum*, 4 vol. parus, Salamanque, 1980/85.
10. Cf., par exemple, la préface de Guillaume Le Maire aux statuts synodaux de Nicolas Gellent, évêque d'Angers (1260-1281) dans laquelle il prévoit des sanctions contre les transgresseurs de ce précepte : J. AVRIL (éd.), *Les statuts synodaux français du XIIIe siècle*, t. III : *Les statuts synodaux angevins de la seconde moitié du XIIIe siècle*, Paris, 1988, p. 69-71. Sur la place des statuts synodaux dans l'action réformatrice de l'épiscopat, cf. R. FOREVILLE, « Les statuts synodaux et le renouveau pastoral du XIIIe siècle », in *Le Credo, la morale et l'inquisition*, Toulouse, 1971 (Cahiers de Fanjeaux, 6).
11. Cf. J. AVRIL (éd.), *Les conciles de la province de Tours, XIIIe-XVe s.*, Paris, 1987, et L. BOISSET, *Un concile provincial au XIIIe siècle : Vienne, 1289. Église locale et société*, Paris, 1973.

2. ÉVOLUTION DU RÔLE DU PRÊTRE ET DE LA PAROISSE

L'Église s'efforça, d'autre part, de renforcer le prestige des simples prêtres, qui, surtout dans les campagnes, ne se distinguaient guère des fidèles, ni par leur genre de vie ni même par leurs connaissances religieuses. C'était pour elle une nécessité absolue car les hérétiques soutenaient que les fonctions sacerdotales pouvaient être assumées par tous les chrétiens qui vivaient sans péché et incitaient les fidèles à refuser les sacrements de la main des clercs moralement indignes. Là encore, le concile de Latran IV a marqué une étape importante dans l'histoire du sacerdoce catholique en définissant la fonction du prêtre par la consécration des saintes espèces, dans l'eucharistie, à laquelle il ne pouvait procéder que s'il avait été ordonné selon les rites et s'il avait reçu de l'évêque du diocèse, ou ordinaire, l'institution canonique.

D'autre part, le canon 21 du même concile obligea tous les fidèles des deux sexes ayant atteint « l'âge de discrétion » (7 ans environ) à se confesser désormais à leur propre prêtre (*sacerdos proprius*), et à communier au moins une fois l'an dans leur paroisse. Cette décision renforça le rôle du prêtre. Désormais en effet, les fidèles n'avaient en principe plus le choix : c'était à leur curé, et à nul autre, qu'ils devaient avoir recours afin d'obtenir l'absolution indispensable pour pouvoir accéder au banc de communion et accomplir le précepte pascal[12]. Aussi n'est-il pas étonnant que ce soit précisément au XIIIe siècle que le titre de *curatus* ou de *rector* se généralisa pour désigner le desservant de la paroisse. L'image de ce dernier s'en trouva modifiée : le prêtre n'est plus seulement l'homme qui accomplit les rites propitiatoires et récite les formules des textes sacrés ; il lui incombe désormais de se consacrer au soin des âmes (*cura animarum*) et de contrôler la pratique sacramentelle ainsi que la vie morale de ses paroissiens[13]. S'il n'a pas encore le pouvoir d'excommunier, du moins est-ce lui qui désigne à l'autorité épiscopale ceux qui s'abstiennent de fréquenter les offices religieux ainsi que les hérétiques et les pécheurs publics (adultères notoires, usuriers invétérés, etc.) et qui promulgue les sentences lancées par l'ordinaire à leur encontre. Ainsi, dans la mesure même où la paroisse devint, davantage que par le passé, le cadre obligatoire de la vie religieuse, les pouvoirs du prêtre s'en trouvèrent accrus : au XIIIe siècle, c'est lui qui assure la police de l'église et y fait régner l'ordre ; il tient à jour la liste des excommuniés et publie les bans précédant les mariages. Enfin, il reçoit les testaments que les fidèles ayant quelques ressources doivent faire au plus tard à l'approche de leur mort et, autant que possible, auparavant[14]. Même si tous les prêtres ne furent pas à la hauteur de ces responsabilités nouvelles, ce dont témoignent les critiques acerbes des

---

12. Cf. J. AVRIL, « A propos du "proprius sacerdos". Quelques réflexions sur les pouvoirs des prêtres de paroisse », in *Proceedings of the Fifth International Congress of Canon Law (Salamanca, 1978)*, Cité du Vatican, 1980, p. 471-486 ;

13. M. MACCARRONE, « *Cura animarum* e *parrochialis sacerdos* nelle costituzioni del IV concilio lateranense (1215). Applicazioni en Italia nel secolo XIII », in *Pievi e parrocchie in Italia nel Basso Medio Evo (sec. XIII-XV)(Firenze, 1981)*, Rome, 1984, p. 81-195.

14. Cf. M. AUBRUN, *La paroisse en France des origines au XVe siècle*, Paris, 1986 ; J. Godfrey, *The English Parish, 600-1300*, Londres, 1969 ; sur la sitation italienne, caractérisée par la présence de la « pieve », l'ancienne église-mère au centre du *pagus*, qui, dans certaines régions a continué jusqu'au XIIIe siècle à jouer le rôle d'église baptismale et fait obstacle au développement de paroisses de plein exercice, cf. A. VAUCHEZ, « Pievi e parrocchie in Italia nel Basso Medio Evo », in *RSCI*, 40, 1986, p. 552-560. Pour la situation antérieure à 1200, cf. *Le istituzioni ecclesiastiche dei secoli XIe XII : diocesi, pievi e parrocchie (Milan, 1974)*, Milan, 1977.

auteurs des Fabliaux à leur égard, ils bénéficièrent, semble-t-il, d'une considération accrue de la part de leurs ouailles, comme le traduit le fait que le curé, surtout à la campagne, devint souvent le représentant de la communauté villageoise vis-à-vis des autorités extérieures, qu'il s'agisse de l'évêque ou des agents du pouvoir royal[15].

Ainsi, de simple annexe de la seigneurie locale qu'elle était jusque-là, surtout en milieu rural, la paroisse tendit alors à devenir un relais de l'action pastorale de l'épiscopat et une véritable structure d'encadrement des fidèles dans le domaine religieux. Ces derniers, pour leur part, ne se cantonnèrent pas dans un rôle passif et affirmèrent leur rôle dans sa gestion, en particulier par l'intermédiaire des fabriques qui furent instituées un peu partout au cours du xiiie siècle[16]. Celles-ci étaient administrées par une élite de paroissiens laïques, peut-être les successeurs des « témoins synodaux » de l'époque carolingienne, qui étaient convoqués en cas de visite pastorale pour porter témoignage à propos des causes matrimoniales et des affaires de sorcellerie ou hérésie survenues dans le village ou le quartier. Ils avaient en tout cas la responsabilité de l'entretien de l'église paroissiale et du cimetière ; en règle générale, la fabrique avait la charge de la nef, tandis que celle du chœur incombait au clergé et, plus précisément, au titulaire du bénéfice — patron ou curé « primitif » —. Cette répartition des tâches restait cependant assez théorique et, dans la pratique, on assista à la mise en place d'un véritable « condominium » associant le ou les desservants à la fabrique pour le maintien en état et, éventuellement, l'embellissement de l'église paroissiale ainsi que de ses dépendances, ce qui ne signifie pas, bien sûr, que les rapports entre les deux parties aient toujours été idylliques. Mais, en tout état de cause, elles étaient bien obligés de collaborer, puisque les fonds de la fabrique étaient déposés dans une « bourse » ou plutôt dans un coffre (*arca*), dont trois personnes détenaient la clé : un trésorier laïque, le curé et l'évêque. En outre, dans certaines régions comme la Normandie, l'existence même de la fabrique a dû favoriser la cohésion de la paroisse, car les marguilliers devaient rendre compte trois fois par an de leur gestion devant l'assemblée des paroissiens ou les élus de la communauté villageoise[17].

En outre, à partir du milieu du xiie siècle, les autorités ecclésiastiques avaient entrepris d'adapter l'organisation paroissiale des cités, à l'évolution qui gonflait les effectifs de la population urbaine et provoquait le développement de bourgs ou quartiers neufs, qui n'étaient pas toujours desservis par une église proche. En outre, dans certains cas, la construction des nouvelles cathédrales gothiques de taille

---

15. Cf., pour l'Italie centrale, les conclusions de Ch. de La Roncière, « Dans la campagne florentine au xive siècle. Les communautés chrétiennes et leurs curés », in J. Delumeau (éd.), *Histoire vécue du peuple chrétien*, t. I, Toulouse 1979, p. 281-314 ; A. Vauchez, *La sainteté en Occident...*, cité, p. 358/63.

16. Cf. J. Gaudemet, « La paroisse au Moyen Âge », in *RHEF*, 162, 1973, p. 5-32 ; G. Le Bras, *L'Église et le village*, Paris, 1976 ; M.Clément, « Recherches sur les paroisses et les fabriques au commencement du xiiie siècle », in *MEFRM*, 15, 1895, p. 387-418.

17. B. Jacqueline, « Les paroisses rurales en Normandie au Moyen Âge », in *Parlers et traditions populaires de Normandie*, 13, 1980, p. 25-30, et A. Desprairies, « Les assemblées du "général" de la paroisse dans le Cotentin », in *BSAN*, 14, 1886/7, p. 69-100.

considérable, qui entraîna de profonds bouleversements dans le tissu et le paysage urbains, rendit encore plus indispensable un réaménagement du réseau paroissial[18].

On le vit bien à Paris où, en 1183, l'évêque Maurice de Sully créa douze paroisses dans l'île de la Cité, qui furent placées sous le contrôle du curé de Notre-Dame, exerçant désormais les fonctions d'archiprêtre ou doyen dans ce secteur. Quelques années plus tard, pour faire face à l'évolution démographique de la capitale, alors en pleine croissance, un second doyenné fut créé à Saint-Séverin, sur la rive gauche. Il comprenait, outre quelques vieilles églises remontant aux temps mérovingiens, comme Saint-Julien le Pauvre, celles qui étaient nées au cœur des seigneuries ecclésiastiques − en particulier des bourgs monastiques sur la rive gauche de la Seine − dont elles épousaient les limites. Sous l'effet de la pression épiscopale mais aussi de la coupure topographique résultant de la construction par Philippe Auguste d'une muraille d'enceinte autour de Paris dans les années 1190/1200, les moines de Saint-Germain des Prés et les chanoines réguliers de Sainte-Geneviève et de Saint-Victor durent accepter le dédoublement de leurs paroisses domaniales. Enfin l'évêque procéda à la division de circonscriptions déjà existantes et à la promotion de certaines chapelles en succursales des paroisses de plein exercice. Le résultat de ces mesures, qui furent suivies de quelques autres du même type dans la première moitié du XIIIe siècle, fut que, vers 1274, Paris comptait trente-sept paroisses, chiffre qui ne variera plus ensuite pendant plus de trois siècles et correspondait assez bien aux besoins de la population de la cité[19].

Cela ne signifie pas pour autant que la nouvelle organisation paroissiale se soit mise en place partout sans difficulté et ait toujours été pleinement satisfaisante. À cet égard, on rencontre des situations très différentes d'une ville à l'autre. Ainsi, si Paris, Rouen et Orléans comptaient de nombreuses paroisses, Arras, qui n'était pourtant pas médiocrement peuplée, n'en comptait qu'une dans la cité (mais neuf dans les bourgs) et les centres urbains de Reims et d'Amiens n'en comptaient que quatre vers 1200[20]. Le plus souvent, ce furent les réguliers qui firent obstacle au développement du réseau paroissial, comme on le constate à Saint-Quentin où le légat pontifical Robert de Courçon dut obliger les moines à créer d'un seul coup neuf paroisses dans la ville, en 1210. Enfin, même là où le réseau des paroisses était assez dense, ces dernières étaient loin d'être de taille comparable. À Paris, au XIIIe siècle, le curé de Saint-Julien le Pauvre n'avait guère que quelques dizaines de paroissiens, tandis que celui de Saint-Germain l'Auxerrois en aurait eu plus de quarante mille, selon un témoignage contemporain[21]. Même si ce chiffre doit être sans doute révisé à la baisse, il n'en existait pas moins de réelles disparités entre les circonscriptions ecclésiastiques de base.

Si l'on ajoute à cela les paroisses claustrales ou personnelles (c'est-à-dire réservées à

---

18. Cf., par ex., E. Delaruelle et J. Povill, « Les paroisses de Toulouse des origines a 1160 », in *BPhH*, 1967, t. II, p. 659-672, et P. Strait, *Cologne in the Twelwth Century*, Gainesville, 1974.

19. Cf. J. Longère, in B. Plongeron (éd.), *Paris*, t. I, Paris, 1987, p. 105-131 (« *Histoire des diocèses de France* », 20) et A. Friedmann, *Paris, ses rues, ses paroisses, des origines à la Révolution*, Paris, 1959.

20. Voir les exemples analysés par P. Desportes, « Villes et paroisses en France du Nord au Moyen Âge », in *Histoire, économie et société*, 1985, p. 163-178, et dans *La paroisse en Languedoc (XIIIe-XIVe s.)*, Toulouse, 1990 (Cahiers de Fanjeaux, 25).

21. Il s'agit du prédicateur parisien Ranulphe de la Houblonnière qui, dans un sermon prononcé à Saint-Germain-l'Auxerrois, au milieu du XIIIe s'écrie : « Comment pensez-vous que, pendant la Semaine sainte, cinq mille personnes pourraient s'acquitter de leur confession dans cette église ou dans une autre ? Je crois que cela est impossible, ici ou ailleurs, alors qu'il n'y a pas dans l'église plus de quatre à cinq prêtres. » Cf. N. Bériou, « L'art de convaincre dans la prédication de Ranulphe d'Homblières », in A. Vauchez (éd.), *Faire croire. Modalités de la diffusion et de la réception des messages religieux du XIIe au XVe siècle (Rome, 1979)*, Rome, 1981, p. 45.

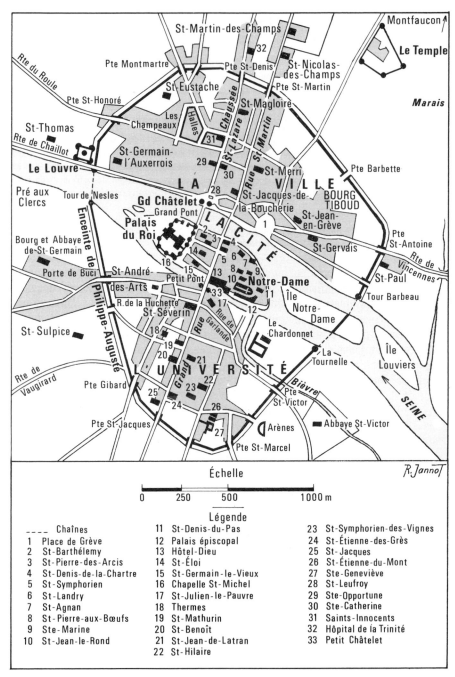

Les églises de Paris au XIIIe siècle
(d'après *Le Moyen Âge en Occident*, Coll. HU, Hachette, 1990, p. 307).

Échelle

0   250   500   1000 m

Légende

---- Chaînes
1   Place de Grève
2   St-Barthélemy
3   St-Pierre-des-Arcis
4   St-Denis-de-la-Chartre
5   St-Symphorien
6   St-Landry
7   St-Agnan
8   St-Pierre-aux-Bœufs
9   Ste-Marine
10 St-Jean-le-Rond
11 St-Denis-du-Pas
12 Palais épiscopal
13 Hôtel-Dieu
14 St-Éloi
15 St-Germain-le-Vieux
16 Chapelle St-Michel
17 St-Julien-le-Pauvre
18 Thermes
19 St-Mathurin
20 St-Benoît
21 St-Jean-de-Latran
22 St-Hilaire
23 St-Symphorien-des-Vignes
24 St-Étienne-des-Grès
25 St-Jacques
26 St-Étienne-du-Mont
27 Ste-Geneviève
28 St-Leufroy
29 Ste-Opportune
30 Ste-Catherine
31 Saints-Innocents
32 Hôpital de la Trinité
33 Petit Châtelet

l'entourage d'une communauté religieuse ou du palais royal) et les chapelles des hospices qui ne refusaient pas d'accueillir les habitants du quartier où ils étaient implantés, on se trouve en face de structures d'encadrement peut-être peu rationnelles, voire même parfois incohérentes selon des critères logiques, mais qui assuraient au total une présence très démultipliée de l'Église au sein de la société[22].

II. LA VALORISATION DE LA PRATIQUE SACRAMENTELLE

Parallèlement à l'effort de redressement entrepris par la hiérarchie dans le domaine des structures, on assiste à l'apparition et à l'affirmation d'une nouvelle conception de la vie chrétienne, fondé sur la définition d'un comportement typique du « bon chrétien ». Ce dernier n'est plus seulement un baptisé, astreint à la pratique de la messe dominicale et au paiement de la dîme. À partir de Latran IV, on exige de lui des signes non équivoques de son appartenance à l'Église, à savoir de se confesser et de communier au moins une fois l'an[23]. Il ne s'agit certes pas là de pratiques nouvelles, mais désormais la non-observation de ce précepte sera sanctionnée par l'exclusion de l'accès à l'église et des funérailles chrétiennes. On a beaucoup discuté pour savoir si cette mesure visait ou non à aider le clergé à repérer les hérétiques et les non-conformistes, ceux qui s'abstenaient de ces pratiques se signalant *ipso facto* à l'attention du curé qui devait les dénoncer à l'évêque si, après y avoir été dûment invités par lui, ils ne venaient pas à résipiscence. En dépit du renforcement du secret de la confession par les décrets de 1215, il est difficile de penser que cette motivation n'ait pas été présente à l'esprit du pape et des pères conciliaires[24]. Mais le canon 21 de Latran IV constitue surtout le point d'aboutissement d'un processus d'intériorisation qui, depuis le XIIe siècle, avait souligné le rôle fondamental de la pénitence dans la vie chrétienne. Certes celle-ci n'était qu'un des sept sacrements, dont la liste avait été établie de façon définitive par les théologiens dans les années 1140/50. Mais son importance dépassait de loin celle des autres, à l'exclusion de l'eucharistie, et tout l'effort pastoral de l'Église, au XIIIe siècle, visa à la fois à en répandre et à en réglementer la réception par les laïcs. Les clercs avaient en effet été sensibles aux critiques adressées à l'Église par les mouvements évangéliques et par certains hérétiques qui soulignaient la nécessité d'une coïncidence entre le dire et le faire, les paroles et les actes. La foi ne pouvait rester une adhésion formelle ou implicite. Elle devait impliquer à la fois la connaissance, au moins dans les grandes lignes, d'un

22. Sur les paroisses urbaines, utile bilan par J. COSTE, « L'institution paroissiale à la fin du Moyen Âge. Approche bibliographique », in *MEFRM*, 96, 1984, p. 295-326; cf. aussi P. DESPORTES, « Réflexions sur la paroisse urbaine en France du Nord au Bas Moyen Âge », in *Histoire de la paroisse*, Angers, 1982, p. 45-58, et A. RIGON, *Clero e città : Fratalea capellanorum, parrocci, cura d'anime in Padova dal XII al XV secolo*, Padoue, 1988.

23. N. BÉRIOU, « Autour de Latran IV (1215). Naissance de la confession moderne », in Groupe de la Bussière (éd.), *Pratiques de la confession, des Pères du désert à Vatican II. Quinze siècles d'histoire*, Paris, 1983, p. 74-93.

24. P.M. GY, « Le précepte de la confession annuelle et la détection des hérétiques », in *RSPT*, 58, 1974, p. 444-450; L.K. LITTLE, « Les techniques de la confession et la confession comme technique », in *Faire croire*, cité, p. 87-99.

certain nombre de vérités fondamentales, définies dans le *Credo* et un minimum de cohérence entre les croyances professées et les comportements concrets de l'homme en privé et en société.

1. DE LA PÉNITENCE À LA CONFESSION

Aux yeux des responsables de l'Église, il devint évident dès les dernières décennies du XIIe siècle, que l'instrument de cette christianisation du comportement religieux et moral des fidèles ne pouvait être que le sacrement de pénitence, qui était alors en pleine évolution. La nécessité d'une conversion pour le pécheur n'était certes pas une idée neuve, même si elle fut redécouverte alors avec une acuité particulière[25]. Mais jusque-là, dans le régime traditionnel de la pénitence, l'accent avait été mis plutôt sur l'expiation des fautes, condition indispensable de l'obtention du pardon divin et de la réconciliation de l'homme; le péché, pensait-on, n'était vraiment effacé que quand le pécheur s'était acquitté de la peine qui lui avait été infligée par le prêtre, qui consistait le plus souvent dans l'application automatique d'un châtiment fixé une fois pour toutes par un pénitentiel[26]. En général, les peines, définies en mois ou années de jeûne, étaient très lourdes et difficilement compatibles avec les exigences d'une vie dans le monde. Aussi tout un processus de commutation s'était-il développé, à partir du Xe siècle, qui permettait de convertir ces interdits ascétiques en pèlerinage ou en aumônes[27]. Au cours du XIIe siècle, l'éveil de la conscience et les progrès de la théologie morale remirent en cause ces conceptions et ces pratiques[28]. Abélard développa dans ses œuvres une véritable morale de l'intention, affirmant que « la valeur de nos actions et le jugement qu'elles appellent, devant Dieu et devant les hommes, se règlent non sur les objets, bons ou mauvais en soi, saisis par ces actions — un vol, un meurtre, un acte charnel — mais sur le consentement intérieur que nous leur donnons »[29]. Dans cette perspective, la faute se trouve intériorisée mais nullement atténuée. Au contraire, l'accent est mis sur la responsabilité individuelle, d'autant plus lourde qu'elle ne saurait trouver d'excuse dans la nature de l'acte ni s'abriter derrière la solidarité du groupe[30]. Même si ces idées, qui ne furent pas acceptées sans difficulté, ne firent que lentement leur chemin dans les esprits, on voit s'affirmer dans la littérature tant profane que religieuse l'importance du repentir, sans lequel les rites de satisfaction les plus exigeants n'étaient d'aucune utilité pour le pécheur[31].

Dans ce climat nouveau, l'accent se déplaça au sein du processus pénitentiel. Dès les années 1200, théologiens et canonistes s'accordent à reconnaître que l'élément essentiel du sacrement est l'aveu de bouche, ou confession auriculaire, impliquant

---

25. J.Ch. PAYEN, « La pénitence dans le contexte culturel des XIIe et XIIIe siècle », in *RSPT*, 61, 1977, p. 399-428.

26. C. VOGEL, *Le pécheur et la pénitence au Moyen Âge*, Paris, 1969.

27. C. VOGEL, « Le pèlerinage pénitentiel », in *RSR*, 38, 1964, p. 113-119.

28. Sur ce processus, on se reportera toujours avec profit à l'ouvrage fondamental de M.D. CHENU, *L'éveil de la conscience dans la civilisation médiévale*, Montréal-Paris, 1969.

29. *Ibid.*, p. 18.

30. P. ANCIAUX, *La théologie du sacrement de pénitence au XIIe siècle*, Louvain-Gembloux, 1969.

31. J.Ch. PAYEN, *Le motif du repentir dans la littérature française, des origines à 1230*, Genève, 1967.

repentir et engagement de la personne, et non l'accomplissement de la peine expiatoire. Les prières d'actions de grâces à Dieu et aux saints, les pèlerinages pénitentiels ainsi que les aumônes aux pauvres demeurèrent, certes, hautement recommandés, mais n'eurent plus qu'une fonction subsidiaire. L'aveu était en effet considéré comme si pénible en lui-même que la honte ressentie par le pénitent en l'effectuant constituait à elle seule une sanction[32]. Cette pratique nouvelle s'inscrit dans un processus plus large de valorisation de la parole, aussi bien en positif qu'en négatif : chacun est désormais tenu pour responsable de ce qu'il dit contre Dieu et le prochain, et le pouvoir royal, à partir de saint Louis, réprimera sévèrement le blasphème[33]. Mais, d'autre part, une seule parole suffit à effacer le péché. L'accent mis par l'Église sur la confession contribua aussi à renforcer le rôle du prêtre. On ne se confesse plus désormais à Dieu, à des laïcs, encore moins à son épée, comme le faisait Roland à Roncevaux, dans la *Chanson*, à l'article de la mort, mais à son curé. Le salut se gagne désormais par la confession, « aveu au prêtre dans le rite sacramentel de l'Église »[34].

L'évolution du sacrement de pénitence après 1200 a suscité récemment des appréciations diverses de la part des historiens. Selon certains auteurs, l'Église aurait alors cherché à mettre en place, à travers la confession, un système de régulation des comportements individuels, attachant une importance particulière aux fautes contre le prochain et mettant l'accent sur la nécessité de la réparation et de la réconciliation[35]. Cela paraît vraisemblable, dans la mesure même où, depuis la fin du Xe siècle, les clercs se posaient en garants de l'ordre social et visaient à faire régner la paix et la concorde au sein de la chrétienté. M. Foucault, pour sa part, a souligné « combien dut paraître exorbitant, au début du XIIIe siècle, l'ordre donné à tous les chrétiens de s'agenouiller une fois l'an au moins pour avouer, sans en omettre une seule, chacune de leurs fautes »[36]. Cette affirmation péremptoire supposerait, pour être pertinente, que le concile de Latran IV ait brutalement imposé une discipline nouvelle, ce qui fut loin d'être le cas, car le décret conciliaire n'a été que le point d'aboutissement d'un processus évolutif inauguré par Latran III (1179). Du reste, dans bien des diocèses, l'obligation de se confesser et de communier aux trois grandes fêtes de Noël, Pâques et Pentecôte existait déjà depuis longtemps. Il n'est pas douteux cependant que la confession a emprunté certains traits à la procédure judiciaire — on parle alors du « tribunal de la pénitence » —, ne serait-ce que parce que le prêtre était tenu d'interroger le pénitent selon l'ordre des péchés capitaux ou des commandements de

---

32. Cf. P.M. GY, « La définition de la confession après le 4e concile de Latran » in J.C. MAIRE-VIGUEUR (éd.), *L'aveu. Antiquité et Moyen Âge*, Rome, 1986, p. 283-296.

33. Cf. C. CASAGRANDE et S. VECCHIO, *Les péchés de la langue. Discipline et éthique de la parole dans la culture médiévale*, Paris, 1991.

34. N. BÉRIOU, « La confession dans les écrits théologiques et pastoraux du XIIIe siècle : médication de l'âme ou démarche judiciaire ? », in *L'aveu*, cité, p. 265.

35. J. BOSSY in *Past and Present*, 75, 1977, p. 127/8. Cf. aussi R. RUSCONI, « De la prédication à la confession : transmission et contrôle des modèles de comportement au XIIIe siècle », in *Faire croire*, cité, p. 67-85.

36. M. FOUCAULT, *La volonté de savoir (Histoire de la sexualité, 1)*, Paris, 1976, p. 80. Cf., dans le même sens, A. CAZENAVE, « Aveu et contrition. Manuels de confesseur et interrogatoires d'Inquisition en Languedoc et Catalogne (XIIIe-XIVe siècles) », in *La piété populaire au Moyen Âge. Actes du 99e congrès des Sociétés Savantes (Besançon, 1974)*, Paris, 1977, p. 333-352.

Dieu et de l'Église et devait exiger de lui le maximum de précisions sur les circonstances de sa faute[37]. Mais on ne saurait oublier que l'aveu pouvait être aussi libération de l'âme et que le juge par excellence de cette époque, à savoir le roi, avait pour prérogative principale le droit de grâce. Les traités à l'usage des confesseurs ne définissent-ils pas ces derniers comme les « médecins des âmes », chargés de faciliter l'aveu, parfois assimilé à un accouchement, et de diagnostiquer les remèdes les plus appropriés à la situation du « malade »? Plus que comme un accusateur inflexible, le prêtre est invité à se comporter comme un arbitre miséricordieux et un conseiller attentif. C'est du reste l'époque où l'on voit certains confesseurs établir avec des laïcs dévots une véritable relation de direction spirituelle, comme celle, très orageuse, qui exista entre sainte Élisabeth de Hongrie et le terrible Conrad de Marbourg.

Faut-il aller plus loin et soutenir avec T.N.Tentler que la confession visait à établir un système de contrôle social fondé sur la prééminence du prêtre et cherchant à imposer aux laïcs des modèles de comportement, en particulier dans le domaine sexuel, ce qui aurait fait entrer l'Occident dans un processus pluriséculaire de « socialisation de l'ascèse » (P. Chaunu)[38]? Cela aurait supposé un clergé lui-même parfaitement formé, monolithique et pleinement conscient de ses devoirs, ce qui était loin d'être le cas au xiiie siècle. Mais il est certain que, même s'il ne faut pas surestimer son efficacité à court terme, la pratique nouvelle de la confession porta dès cette époque les fidèles à identifier la pureté de conscience à la conformité à des normes de comportement et à un code ecclésiastique, plutôt qu'à un approfondissement de leur relation à Dieu et à autrui[39].

2. L'essor de la dévotion eucharistique

Latran IV, en 1215, a été le premier concile médiéval à comporter une profession de foi détaillée (canon 1 : *De la foi catholique*) dans laquelle est réaffirmé avec force, à propos du Christ, que « son corps et son sang, dans le sacrement de l'autel, sont contenus sous les espèces du pain et du vin, le pain étant transsubstantié au corps et le vin au sang par la puissance divine »[40]. Cette insistance marquée sur la présence réelle constituait évidemment une réfutation des hérétiques — en particulier les cathares — qui niaient sa réalité et même sa possibilité. Mais elle s'inscrit aussi dans une

---

37. N. Bériou, « La confession dans les écrits théologiques... », in *L'aveu*, cité, p. 274/78, et R. Rusconi ; « *Ordinate confiteri. La confessione dei peccati nelle summae de casibus* e nei manuali per i confessori (meta xii-inizio xiv secolo) », *ibid.*, p. 297-313. Voir aussi P. Michaud-Quantin, *Sommes et manuels de casuistique au Moyen Âge (xiie-xvie s.)*, Louvain, 1962, et J. Longère « Quelques *Summae de penitentia* à la fin du xiie et au début du xiiie siècle », in *La piété populaire au Moyen Âge. Actes du 99e congrès des Sociétés Savantes (Besançon, 1974)*, t. I, Paris, 1977, p. 45-58.

38. T.N. Tentler, « The "Summa" for Confessors as an Instrument of Social Control », in C. Trinkhaus et E. Oberman (éd.), *The Pursuit of Holiness in Late Medieval and Renaissance Religion*, Leyde, 1974, p. 103-126 et 131-137. Cette thèse a été critiquée par L.E. Boyle « The "Summa" for Confessors as a Genre and its Religious Intent » *ibid.*, p. 127-130 ; cf. aussi J. Bossy, « The Social History of Confession in the Age of Reformation », in *TRHS*, 5e s., 25, 1975, p. 21-38.

39. Cf. J. Berlioz, « Quand dire, c'est faire dire. Exempla et confession chez Étienne de Bourbon », in *Faire croire*, cité, p. 299-335.

40. trad. R. Foreville, *Latran I, II, III et Latran IV*, p. 342/3. Sur la doctrine eucharistique et son évolution au Moyen Âge, cf. H. de Lubac, *Corpus mysticum. L'eucharistie et l'Église au Moyen Âge*, Paris, 1949.

perspective pastorale, dans la mesure où la dévotion qui entourera de plus en plus les saintes espèces visait à supplanter celle, toujours ambiguë et susceptible de dérives superstitieuses, qui s'adressait aux reliques des saints. Dès 1203 en effet, le synode de Paris prescrivit d'élever l'hostie après la consécration pour qu'elle soit vue et adorée par tous; la coutume se répandit bientôt partout, ainsi que celle de s'agenouiller devant le Saint-Sacrement porté en viatique ou en procession. Enfin le pape Grégoire X (1271-1276) ordonna aux fidèles de s'agenouiller pendant la messe, de l'élévation à la communion[41]. Comme les reliques, les saintes espèces furent enfermées dans des pyxides et les statuts synodaux contiennent de nombreuses recommandations pour qu'elles soient conservées en lieu sûr, dans des vases sacrés et à l'abri de grilles, en attendant l'apparition des premiers tabernacles au siècle suivant[42]. Ces mesures visaient à développer le respect qui entourait le sacrement de l'eucharistie, que devait également favoriser le développement de tout un merveilleux eucharistique, dont on trouve l'écho chez un Césaire d'Heisterbach ou dans les recueils d'*exempla*. Tout au long du XIIIe siècle, il ne sera question que d'hosties consacrées se mettant miraculeusement à saigner (miracles de Bolsena en 1260, illustré par la relique du corporal conservé dans la cathédrale d'Orvieto, et du cloître des Billettes à Paris, où du sang se serait échappé d'une hostie poignardée par un juif qui se l'était procurée frauduleusement[43]). Ce déferlement de la piété eucharistique aboutira à l'institution de la fête liturgique du Saint-Sacrement, d'abord célébrée dans le diocèse de Liège, à l'instigation de Julienne de Mont-Cornillon, puis étendue à l'ensemble de l'Église par le pape Urbain IV, ancien archidiacre de Liège, en 1264, bientôt accompagnée un peu partout de processions organisées par les confréries du *Corpus Christi*[44].

Cet essor de la dévotion ne s'accompagna cependant pas d'un accroissement correspondant de la réception de l'eucharisitie. En dehors du monde des cloîtres, la communion fréquente demeurait exceptionnelle et les fidèles les plus pieux ne s'approchaient guère de la table sainte que lors des trois grandes fêtes de Noël, Pâques et Pentecôte[45]. Au contraire, une insistance accrue fut mise sur le respect dû aux saintes espèces et sur le risque de sacrilège de la part des fidèles, au cas où ils les recevraient indignement. Rien ne démontre mieux que le but de la hiérarchie ecclésiastique n'était pas de promouvoir la communion fréquente mais de faire évoluer dans un sens plus spécifiquement chrétien le sens du sacré très développé mais peu éduqué qui caractérisait la plupart des fidèles.

---

41. Sur le développement de la dévotion eucharistique au XIIIe siècle, cf. P. Browe, *Die Verehrung der Eucharistie im Mittelalter*, Munich, 1932; E. Dumoutet, *Le Christ selon la chair et la vie liturgique au Moyen Âge*, Paris, 1932; M. Rubin, *Corpus Christi. The Eucharist in Late Medieval Culture*, Cambridge, 1991.

42. M. Andrieu, « Aux origines du culte du Saint-Sacrement. Reliquaires et monstrances eucharistiques », in *AnBoll*, 68, 1950, p. 397-418; J. Corblet, *Histoire dogmatique, liturgique et archéologique du sacrement de l'eucharistie*, Paris, 2 vol., 1885/6.

43. P. Browe, *Die eucharistiche Wunder des Mittelalters*, Breslau, 1938; Ch. Cordonnier, *Le culte du Saint-Sacrement, Étude historique*, Paris, 1928.

44. C. Lambot, « L'office de la Fête-Dieu. Aperçu nouveau sur ses origines », in *RBen*, 54, 1952, p. 61-94, et M. Rubin, *op. cit.*

45. P. Browe, *Die haufige Kommunion in Mittelalter*, Rome, 1938, et L. Braeckmans, *Confession et communion au Moyen Âge et au concile de Trente*, Gembloux, 1971.

III. RENOUVEAU DE LA PRÉDICATION
ET RESTRICTION DU DROIT À LA PAROLE DANS L'ÉGLISE

Dans une civilisation où l'accès à l'écrit et au livre demeurait l'apanage d'une minorité, un des instruments principaux de la réforme pastorale devait être la parole et, plus précisément, la prédication qui connut, à partir de la fin du XIIe siècle, une brillante renaissance[46]. Encore faut-il bien s'entendre sur la signification de ce renouveau qui ne partit pas du néant. Dès l'époque carolingienne en effet, on trouve des statuts synodaux recommandant instamment aux prêtres d'adresser aux fidèles une homédie le dimanche et les jours de fête pendant la messe[47]. Nous ne savons guère si ces consignes furent appliquées à l'époque, mais elles semblent en tout cas être largement tombées en désuétude pendant le premier âge féodal. Certains manuscrits du XIe et de la première moitié du XIIe siècle nous ont bien conservé des mentions et même des textes de prédication, mais il s'agit presque toujours de sermons adressés à des moines ou à des religieuses[48]. Par ailleurs, certains ermites et prédicateurs itinérants de cette époque s'acquirent une grande popularité auprès des laïcs en dénonçant les vices et les prévarications des mauvais clercs, ce qui implique qu'ils s'adressaient à eux en public. Dans l'ensemble cependant, la prédication demeurait une activité extraordinaire, liée à des circonstances particulières, comme la lutte contre l'hérésie − que l'on pense aux foules auxquelles saint Bernard s'adressa dans la région de Toulouse et en Albigeois, en 1145, pour essayer de les soustraire à l'influence d'Henri, dit de Lausanne! − et les croisades, qui étaient précédées de campagnes de prédication systématiques organisées par la papauté[49].

À partir du milieu du XIIe siècle environ, on vit se multiplier les signes d'un changement dans ce domaine : l'archevêque de Bordeaux, Geoffroy Babion (1136-1158), composa des sermons pour les prêtres de son diocèse réunis en synode, où il les incitait à prêcher eux-mêmes pendant la messe pour appeler les pécheurs au salut[50]; Maurice de Sully, évêque de Paris de 1160 à 1196, fut lui aussi un grand prédicateur et il rédigea un manuel, qui devait connaître une large diffusion, à l'intention de son clergé dans lequel il proposa des modèles d'homélies[51]. Mais le tournant principal se situe dans les années 1180-1200, lorsque se produisit, autour du théologien, Pierre le

---

46. Bilan d'ensemble chez J. Longère, *La prédication médiévale*, Paris, 1983. Voir aussi les documents rassemblés par R. Rusconi, *Predicazione e vita religiosa nella societa italiana da Carlo Magno alla Controriforma*, Turin, 1981.

47. Cf. les textes cités par R. Rusconi, *Predicazione e vita religiosa...*, p. 28-46.

48. J. Longère, *op. cit.*, p. 39/40 et 44/68.

49. La prédication réformatrice des moines de Vallombreuse en Italie et d'Hirsau en Allemagne du Sud est bien attestée au XIe siècle. Sur le lien entre prédication, hérésies et croisades, cf. P. Longère, *op. cit*, p. 78-82; A. Lecoy de la Marche, *La chaire française au Moyen Âge, spécialement au XIIIe siècle, d'après les manuscrits contemporains*, Paris, 1886 (repr., Genève, 1974); sur les prédications de croisade, cf. P. Cole, *The Preaching of the Crusades to the Holy Land, (1095-1270)*, Cambridge (Mass.), 1991.

50. J.H. Foulon, « Les sermons synodaux de Geoffroy Babion, évêque d'Angers », in *Le Clergé séculier au Moyen Âge. Actes du congrès d'Amiens (juin 1991)*, à paraître, et N. Beriou, « La prédication synodale à Cambrai au XIIIe siècle », *ibid.*

51. C.A. Robson, *Maurice of Sully and the Medieval Vernacular Homily*, Oxford, 1952; J. Longère, *Les sermons latins de Maurice de Sully, évêque de Paris. Contribution à l'étude de la tradition manuscrite*, Steenbrugge, 1988.

Chantre († 1197), une rencontre bénéfique entre la prédication et la science universitaire. Cet intellectuel de premier plan, qui compta parmi ses élèves les figures les plus prestigieuses de la chrétienté de l'époque, de Robert de Courçon à Lothaire de Segni, le futur Innocent III, et que l'on peut considérer comme le fondateur de la théologie pastorale, n'a pas laissé lui-même de sermons. Mais ses efforts pour mettre en relation la réflexion doctrinale et la vie pratique à travers l'étude de situations concrètes (prêt à intérêt et crédit, prostitution, guerre), influencèrent profondément ses disciples. Parmi ces derniers, on trouve de grands orateurs soucieux d'inciter les laïcs à réformer leurs comportements dans un sens plus conforme aux exigences évangéliques[52]. Ce fut le cas en particulier du curé Foulque de Neuilly, un prédicateur populaire enflammé qui, au début du XIIIe siècle, n'hésita pas à dénoncer les tares d'une société qui n'avait de chrétien que le nom, et de certains intellectuels appelés à devenir de hauts dignitaires ecclésiastiques, comme Étienne Langton, futur archevêque de Cantorbéry, et Jacques de Vitry (1170-1240) qui fut évêque d'Acre, puis cardinal[53]. D'autres maîtres parisiens, comme Thomas de Chobham, jouèrent également un rôle très actif dans ce processus de sensibilisation en rappelant aux clercs l'obligation morale qu'ils avaient de prêcher et d'aller chercher les auditeurs là où ils se trouvaient, c'est-à-dire, bien sûr, dans les églises mais aussi sur les places publiques et sur les lieux de travail, de façon à leur transmettre la Parole de Dieu tout en l'adaptant, à leurs problèmes spécifiques et à leur mentalité[54]. Ce rapprochement entre la chaire et l'école ne fut pas occasionnel et il est sans aucun doute à l'origine du renouveau de la prédication auquel on assista dans les villes de la France du Nord et de l'Angleterre, où des maîtres issus des universités n'hésitaient pas à venir haranguer les fidèles[55]. Cet usage fut même institutionnalisé quand Robert de Sorbon fonda, en 1257, un collège destiné aux étudiants en théologie d'origine modeste, qui devaient aller prêcher dans les églises parisiennes. Le mouvement ne se limita pas aux villes universitaires, grâce aux gradués qui exercèrent de hautes fonctions ecclésiastiques dans d'autres cités, comme les théologiens Robert Grosseteste, évêque de Lincoln de 1235 à 1253, et Guiard, qui occupa le siège de Cambrai de 1238 à 1248 et se distingua à la fois par sa

---

52. Sur Pierre le Chantre et son cercle d'élèves et de disciples, cf. J. BALDWIN, *Masters. Princes and Merchants. The Social Views of Peter the Chanter and his Circle*, 2 vol., Princeton, 1970, et J. LONGÈRE, « L'influence de Latran III sur quelques ouvrages de théologie morale », in *Id.* (éd.), *Le troisième concile de Latran, (1179). Sa place dans l'histoire*, Paris, 1982, p. 91-110.

53. Sur ces figures ainsi que celles d'autres prédicateurs qui fréquentèrent les écoles parisiennes à la même époque, cf. J. LONGÈRE, *Œuvres oratoires de maîtres parisiens au XIIe siècle. Étude historique et doctrinale*, 2 vol. Paris, 1975, ainsi que A. FORNI, « La "nouvelle prédication" des disciples de Foulque de Neuilly. Intentions, techniques et réactions », in *Faire croire*, cité, p. 19-37, et « Kerygma e adattamento. Aspetti della predicazione cattolica nei secoli XII-XIV », in *BISI*, 89, 1980/81, p. 261-348.

54. F. MORENZONI (éd.), *Thomas de Chobham. Summa de arte praedicandi*, Turnhout, 1988 (*Corpus christianorum, Continuatio medievalis, 82*), et A. SOLIGNAC, *s.v.* « Thomas de Chobham », *DSp*, XV, Paris, 1991, c. 794-796.

55. P. LONGÈRE, *Œuvres oratoires...*, et *Id.*, *La prédication médiévale*, p. 87-92. G.R. OWST, *Literature and Pulpit in Medieval England*, Oxford, 1961 ; P. DELCORNO, *La predicazione in eta comunale*, Florence, 1974 ; R. RUSCONI. « Predicatori e predicazione (secoli IX-XVIII) », in *Storia d'Italia, Annali, 4 : Intellettuali e potere*, Turin, 1981, p. 951-985. Il convient toutefois − ce qui n'est pas toujours facile − de distinguer les sermons effectivement prêchés des traités théoriques et autres collections de modèles. Cf., à ce propos, les observations de M. ZINK, « Les destinataires des recueils de sermons en langue vulgaire au XIIe et au XIIIe siècle : prédication effective et prédication dans un fauteuil », in *La piété populaire au Moyen Âge...*, cité, p. 59-74.

Alinari

Ambon de la cathédrale de Bitonto (Pouille)
sculpté par Nicola Pisano (milieu XIIIe siècle).

prédication et par ses statuts synodaux[56]. Leur action fut amplifiée par des collections de modèles de sermons qui furent alors composées et mise à la disposition des prêtres : la plupart d'entre eux, par exemple ceux de l'évêque de Paris, Maurice de Sully, concernent surtout les dimanches et les jours de fête d'obligation, mais, au cours du XIIIe siècle, on vit se développer parallèlement la prédication sur les saints ainsi que des

---

56. P. GLORIEUX, *Aux origines de la Sorbonne*, t. I : *Robert de Sorbon, l'homme, le collège, les documents*, Paris, 1966, et N. BÉRIOU, *s.v. Robert de Sorbon*, in *DSp*, XIII, Paris, 1988, c. 816-824. Sur Robert Grosseteste, cf. H. THOMSON, *The Writings of Robert Grosseteste, Bishop of Lincoln (1235-1253)*, Cambridge, 1940, et R.G. SOUTHERN, *Robert Grosseteste. The Growth of an English Mind in Medieval Europe*, Oxford, 1986.

sermons dits *ad status*, adaptés aux diverses circonstances de l'existence (mariage, obsèques, ordination, etc.) et aux différents types de public[57]. Ainsi le lien entre la sermon et la liturgie, jusque-là très étroit, commença à se distendre, la prédication devenant un instrument privilégié de l'action pastorale des clercs, que l'on peut même qualifier de « huitième sacrement »[58]. Il n'est donc pas exagéré de dire que le XIIIe siècle a connu un véritable essor de la prédication, tant en langue vernaculaire pour les fidèles qu'en latin pour les clercs instruits, qui s'est accompagné d'un effort systématique pour transmettre le message chrétien au plus grand nombre, en l'adaptant à leurs capacités[59].

L'Église cependant entendait bien garder le contrôle de la Parole et elle prit toutes les mesures nécessaires pour s'en assurer le monopole. L'accent nouveau qui fut mis alors sur le rôle du prêtre comme ministre de la Parole alla en effet de pair avec une restriction du droit de prédication[60]. Au XIIe siècle encore, il était admis que, dans certaines conditions, des laïcs et même des femmes puissent parler en public de questions religieuses ou se rapportant à la vie de l'Église. C'est ce que fit à Pise, entre 1153 et 1161, un ermite laïque comme saint Rainier qui, à son retour de Terre Sainte, s'engagea dans le combat réformateur et appela les clercs et les religieux de sa cité à une vie meilleure ; de même, la moniale Hildegarde de Bingen sortit à plusieurs reprises de son monastère, entre 1160 et 1167, pour aller annoncer la bonne parole, en particulier à Cologne où elle mit publiquement les fidèles en garde contre les séductions du catharisme, alors en pleine expansion dans la vallée du Rhin[61]. Mais, à partir des années 1170/80, un durcissement se manifesta dans ce domaine, comme en témoigne le mauvais accueil qui fut réservé à Vaudès et à ses premiers disciples par la curie romaine, en 1179, ainsi que la condamnation des Vaudois et des Humiliés de Lombardie par la papauté en 1184, pour avoir usurpé le ministère de la prédication[62]. Au sein du clergé cependant, certains bons esprits, comme le théologien Pierre le Chantre à Paris et le canoniste Huguccio à Bologne, continuèrent d'affirmer la légitimité de certaines formes de prédication laïque, au nom de la liberté de l'inspiration divine et du sacerdoce royal et prophétique de tous les baptisés[63].

---

57. Ces aspects ont été bien mis en évidence par J. LE GOFF et J.C. SCHMITT, « Au XIIIe siècle : une parole nouvelle », in J. DELUMEAU (éd.), *Histoire vécue...*, t. I, p. 257-279, ainsi que par M. ZINK, *La prédication en langue romane avant 1300*, Paris, 1976, en particulier p. 389-428.

58. P. MICHAUD-QUANTIN, « *Les méthodes de la pastorale du XIIIe au XVe siècle* », dans A. ZIMMERMANN (éd.) *Methoden in Wissenschaft und Kunst des Mittelalters*, Berlin, 1971, p. 76-91 (*MM*, 7).

59. Comme l'a bien montré J. LE GOFF, *Métiers et professions dans les manuels de confesseurs*, in *Pour un autre Moyen Âge*, Paris, 1977, p. 162-180. On trouvera un bon exemple de prédication à la fois substantielle et adaptée à des auditoires variés dans l'important ouvrage de N. BÉRIOU, *La prédication de Ranulphe de la Houblonnière. Sermons aux clercs et aux simples gens à Paris au XIIIe siècle*, 2 vol., Paris, 1987.

60. M. PEUCHMAURD, « Le prêtre ministre de la parole dans la théologie du XIIIe siècle » in *RThAM*, 29, 1962, p. 52-76, et *Id.*, « Mission canonique et prédication », *ibid.*, p. 122-144 et 251-276.

61. Cf. A. VAUCHEZ, « Une nouveauté du XIIe siècle : les saints laïcs dans l'Italie communale », in *L'Europe dei secoli XI e XII fra novita e tradizione, Nascità di una cultura (La Mendola, 1986)*, Milan, 1989, en part. p. 70/72. Sur la prédication de sainte Hidegarde. cf. R. MANSELLI, *Studi sulle eresie del secolo XII*. Rome, 1975, p. 211-220.

62. Sur cette question, cf. R. ZERFASS, *Der Streit über die Laienpredigt : eine pastoralhistorische Untersuchung zur Verständnis des Predigtamts und zu seine Entwicklung im 12, und 13 Jahrhundert*, Fribourg/Br., 1974, et, pour l'Italie, R. RUSCONI, « Predicatori e predicazione... », cité, p. 960-977.

63. Cf. Ph. BUC, « Vox clamantis in deserto. Pierre le Chantre et la prédication laïque », in *RMab*, 4, 1993.

Quelques années plus tard, leur ancien élève, le pape Innocent III, fit preuve dans ce domaine d'une certaine ouverture et n'hésita pas à accorder à des mouvements évangéliques comme les frères mineurs de saint François d'Assise, les Humiliés et les Pauvres catholiques — au sein desquels les laïcs étaient majoritaires — le droit de prendre la parole en public, en vertu d'une distinction entre l'exhortation ou correction — qui devait se cantonner dans le domaine de l'appel à la conversion et à l'amendement des mœurs — et la prédication solennelle. Le souverain pontife ne voyait pas d'objection à ce que de simples fidèles, engagés sous des formes diverses dans la vie religieuse, pratiquent la première, dans la mesure où elle ne portait que sur des questions de morale et de comportement (les *aperta*), mais il entendait bien réserver aux seuls clercs la seconde, qui portait sur la doctrine chrétienne (les *profunda*)[64]. Dans la pratique, cette dichotomie était bien difficile à établir et à respecter; elle devint d'ailleurs bientôt sans objet en raison à la fois de l'hostilité du clergé séculier, qui n'entendait pas renoncer à ses prérogatives dans ce domaine, et du processus de cléricalisation interne qui transforma en peu de temps ces mouvements d'origine laïque en ordres religieux, au sein desquels s'affirma la prépondérance de ceux qui avaient reçu à la fois le sacerdoce et l'instruction. Après 1230, il ne fut plus question de laisser parler dans l'Église d'autres personnes que les clercs qui en avaient reçu mission de la hiérarchie, et les béguines, prédicateurs itinérants et autres ermites ou reclus se prévalant d'une expérience mystique ou d'une révélation particulière seront considérés avec méfiance lorsqu'ils tenteront de faire entendre leur voix[65]. Les femmes, toujours suspectes de se laisser griser par leurs bavardages ou par leurs visions illusoires, furent particulièrement visées par cet interdit, ainsi que la parole des humbles, discréditée aux yeux des clercs par leur ignorance, comme en témoignent les sarcasmes du franciscain Salimbene vis-à-vis des Apostoliques, qui font écho à ceux de Walter Map, un siècle plus tôt, à l'égard des premiers vaudois[66].

Dans l'esprit d'Innocent III qui en fut le principal promoteur, la « révolution pastorale » ne pouvait être l'œuvre que du clergé séculier, et en particulier des prêtres ayant la charge des paroisses, dont Latran IV exalta la fonction et auxquels les sermons synodaux de l'époque proposèrent le modèle idéal du Bon Pasteur, totalement voué au soin de ses brebis[67]. Certes le pape et les pères conciliaires n'ignoraient pas que la plupart d'entre eux avaient une formation religieuse insuffisante, mais ils pensèrent pouvoir y remédier en instituant dans chaque diocèse (canon 10) des prédicateurs chargés d'aller dispenser la parole de Dieu dans les paroisses, ainsi que des écoles où l'on devait leur apprendre la grammaire et le latin (canon 11). Il était aussi prévu que, dans chaque province ecclésiastique, l'archevêque entretiendrait un maître en théologie « pour enseigner l'Écriture Sainte aux prêtres et autres clercs et surtout les

---

64. Cf. E. Delaruelle, *La piété populaire au Moyen Âge...*, cité, p. 141-144.

65. L'interdiction de la prédication aux laïcs fut décrétée par Grégoire IX en 1227 et insérée dans le droit canon en 1234. Cf. R. Zerfass, *op. cit.*

66. C. Casagrande, *Prediche alle donne del secolo XIII*, Milan, 1978; Salimbene de Adam, *Cronica*, éd. G. Scaglia, t. I, Bari, 1966, p. 369-373. Sur les milieux béguinaux, cf. A. Forni, art. cité, p. 298-316, et N. Bériou, « La prédication au béguinage de Paris, pendant l'année liturgique 1272/73 », in *RechAug*, 13, 1978, p. 105-229.

67. Ce discours était inspiré par le *Liber pastoralis* de Grégoire le Grand, en particulier du livre III qui contient des règles pour la prédication selon l'état social et moral des personnes. Cf. *supra*, note 4.

former à tout ce qui touche le ministère pastoral »[68]. En fait, en dehors de quelques régions privilégiées comme la France du Nord et l'Angleterre, ces mesures demeurèrent dans une large mesure lettre morte. Encore au milieu du XIIIe siècle, dans des pays comme l'Allemagne ou l'Italie septentrionale et centrale, les évêques se souciaient fort peu de la formation de leur clergé et, selon le chroniqueur franciscain Salimbene, la plupart des prélats italiens de son temps étaient « comme des chiens incapables d'aboyer », c'est-à-dire inaptes ou indifférents à la prédication[69]. Même s'il ne faut pas forcément prendre à la lettre ce genre d'affirmations péremptoires, auxquelles on peut opposer le nombre et la qualité des sermons que l'archevêque de Pise Federico Visconti (1254-1277) prononça dans les églises de son diocèse, il est bien évident que bien des prélats n'étaient pas des pasteurs zélés et se laissaient accaparer par la gestion de leur temporel ou par les affaires politiques. Mais même là où l'évêque se montrait respectueux de ses devoirs, il se heurtait à la résistance ou à la force d'inertie des clercs, dont bien peu avaient choisi cette fonction par vocation.

En fait, le principal obstacle à la réforme pastorale venait du système bénéficial[70]. À chaque fonction ecclésiastique (*officium*) était liée une dotation en biens fonciers et des revenus en nature (*beneficium*) qui devait permettre à son titulaire de vivre décemment, sans être obligé d'exercer d'autres activités. À l'époque féodale, ce principe avait été perverti dans le cadre du système de l'église privée, les fondateurs laïques et leurs descendants s'étant approprié les revenus des églises, y compris ceux de l'autel — c'est-à-dire les offrandes liées au culte — et leur desservants ayant été réduits au rôle d'agents seigneuriaux. Avec la réforme grégorienne, l'Église réagit vivement contre cet état de fait et tenta d'y mettre fin en condamnant l'investiture laïque pour les bénéfices majeurs (évêques, abbés), et en interdisant aux laïcs de détenir des revenus provenant tant des églises (c'est-à-dire de leur patrimoine foncier) que des autels. À force de condamnations et de sanctions — les plus redoutées étant l'excommunication et l'interdit —, la hiérarchie ecclésiastique obtint, au cours du XIIe et au début du XIIIe siècle, la restitution par les laïcs de la plupart de ces droits mais, dans bien des cas, leurs détenteurs ne les cédèrent pas à l'évêque du diocèse, mais à des monastères et à des établissements religieux, parfois extérieurs au diocèse, ou encore au chapitre cathédral. En outre, ils se firent reconnaître en contrepartie le droit de patronage, c'est-à-dire celui de présenter à l'évêque le clerc desservant une paroisse qui devait recevoir le bénéfice, ou plus exactement la « portion congrue » que lui laissait le curé « primitif », si l'église était incorporée au patrimoine d'un établissement ecclésiastique. Certes l'ordinaire du lieu était seul habilité à nommer le clerc que le patron lui présentait et certains évêques instituèrent au XIIIe siècle un examen d'idonéité, qui leur permettait de vérifier si les candidats au ministère paroissial avaient le minimum de connaissance du latin et de la doctrine chrétienne nécessaire pour son exercice. Mais,

---

68. Éd, et trad. R. FOREVILLE, *Latran I, II, III et Latran IV*, Paris, 1965, p. 352/53.

69. M. d'ALATRI, « Il vescovo nella cronaca di Salimbene », in *CFr*, 42, 1972, p. 5-38. Les différences entre la situation de l'Angleterre et celle de l'Italie ont été bien marquées par R. BRENTANO, *Two Churches : England and Italy in the Thirteenth Century*, Princeton, 1968.

70. Sur les principes qui régissaient le système bénéficial, cf. G. LE BRAS, *Institutions ecclésiastiques de la chrétienté médiévale*, t. I : *Prolégomènes et Ire partie*, Paris, 1959, p. 282-294 (*HE*, t. XIII).

en règle générale, les prélats ne se montraient pas très exigeants et hésitaient à entrer en conflit avec les bénéficiers ou les patrons laïques en refusant au postulant l'investiture canonique[71]. Dans la pratique donc, en dehors des paroisses où il était lui-même le patron (qui en France représentaient rarement plus de 15 % de celles du diocèse), l'évêque n'avait qu'un droit de regard assez limité sur le recrutement de son clergé qu'il ne pouvait guère espérer améliorer, si ce n'est par l'exemple et la persuasion[72]. C'est à cet obstacle incontournable que se heurta l'ambitieux programme de réforme défini par le pape et le concile. De toute évidence, les choses ne pouvaient évoluer que très lentement du côté du clergé séculier, qu'il fallait d'abord instruire et mieux former avant d'espérer que le mouvement se communique aux fidèles[73]. Aussi peut-on comprendre que, sans renoncer à cette tâche de longue haleine, la papauté ait finalement choisi de s'appuyer sur les forces nouvelles qui s'offrirent à elle « en temps opportun », d'une façon que les contemporains jugèrent providentielle[74], avec les Ordres mendiants.

IV. LA DIFFICILE ADAPTATION DE L'ÉGLISE AUX NOUVELLES RÉALITÉS ÉCONOMIQUES

L'effort d'ouverture accompli par l'Église pour s'adapter à un monde et à une société en mutation rapide fut plus ou moins précoce et poussé selon les domaines. Mais c'est sans doute vis-à-vis des nouvelles réalités économiques et des problèmes posés par l'essor de l'économie monétaire que l'attitude négative des clercs évolua le plus lentement, en raison d'un certain nombre de blocages idéologiques mais aussi de la gravité des enjeux.

1. AU XIIe SIÈCLE : MARCHANDS ET USURIERS EN BUTTE À LA RÉPROBATION

Les historiens qui se sont intéressés aux marchands médiévaux ont mis dans l'ensemble l'accent sur le durcissement de l'attitude de l'Église en Occident vis-à-vis de

---

71. Cf., par exemple J. AVRIL, *Le gouvernement des évêques et la vie religieuse dans le diocèse d'Angers*, cité, t. I, p. 401-407.

72. Pour la France, cf. J.F. LEMARIGNIER, J. GAUDEMET et G. MOLLAT, *Institutions ecclésiastiques*, Paris, 1962, p. 205-219, (*Histoire des institutions françaises au Moyen Âge*, III) ; pour l'Italie, cf. *Pievi e parrochie.*, cité.

73. Sur les causes de l'échec des mesures visant à réformer le clergé séculier au XIIIe siècle, cf. L.E. BOYLE, « The Constitution "Cum ex eo" of Boniface VIII. Education of Parrochial Clergy », in *MS*, 25, 1962, p. 263-302, repris dans *Id.*, *Pastoral Care, Clerical Education and Canon Law*, Londres, 1981.

74. Ce qui ne signifie pas, bien sûr, que le rôle joué dans la prédication par le clergé séculier soit devenu insignifiant, surtout dans les villes. En s'appuyant sur les Mendiants, la papauté et certains évêques voulurent simplement, dans un premier temps, améliorer l'encadrement pastoral des fidèles, en faisant soutenir les prêtres des paroisses par des religieux instruits et vertueux qui devaient leur servir d'exemples, comme le montre l'exemple de Pise, bien étudié par A. MURRAY « Archbishop and the Mendicants », in K. ELM (éd.), *Stellung and Wirksamkeit der Bettelorden in der stadtischen Gesellschaft*, Berlin, 1981, p. 19-75.

cette profession et de ses membres, entre la fin du XIe et le XIIIe siècle[75]. À l'appui de cette thèse, on cite souvent deux textes, qui de ce fait sont devenus célèbres : d'une part, la *Vie* de saint Guidon d'Anderlecht, un paysan flamand du XIe siècle qui s'était adonné au commerce avant de se convertir, et de l'autre, un passage du décret de Gratien, où figure la célèbre formule : « Le marchand ne peut que difficilement ou même jamais plaire à Dieu[76]. » Si ce dernier peut être daté sans difficulté des années 1140, notons qu'il n'en va pas de même du premier car, selon certains travaux récents, la *Vita Guidonis* aurait été composée, non en 1112 à l'occasion de la translation des restes du saint par l'évêque Gérard II de Cambrai, mais vers 1175/80[77]. En tout état de cause, le texte hagiographique rend le même son de cloche que la collection canonique, puisque son auteur s'y exprime en ces termes : « Il y a certaines activités qu'on ne peut que difficilement ou même pas du tout exercer sans commettre de faute grave... L'état de marchand est tel qu'on ne peut que rarement ou jamais l'exercer pendant un certain temps sans commettre de faute grave[78]. » Il s'agit donc bien de deux textes concordants qui, de plus, vont dans le même sens que certains canons des conciles de Latran II et III : celui d'une condamnation par l'Église des nouvelles formes de l'activité économique fondées sur les échanges et la circulation rapide de monnaie[79].

Sans remettre en cause ce schéma qui demeure valable dans ses grandes lignes, il convient cependant d'y apporter quelques nuances et retouches de détail. Les considérations classiques sur l'hostilité des hommes d'Église vis-à-vis des marchands ne reposent-elles pas en effet sur un amalgame associant dans une même réprobation des notions qui ne se recouvraient pas exactement, comme le crédit et le prêt à intérêt ? De plus, à chaque époque, on rencontre plusieurs types de discours ecclésiastique sur les activités commerciales, qui doivent tous être pris en compte et mis en perspective les uns par rapport aux autres[80] : ainsi, il n'est pas de bonne méthode d'accorder la même importance à une vie de saint, si intéressante soit-elle, qu'à des canons conciliaires. De plus, peut-être n'a-t-on pas assez tenu compte du fait qu'un certain nombre de textes du XIIe siècle hostiles au commerce et à la pratique du crédit concernaient surtout les

---

75. J. PIRENNE, « Les périodes de l'histoire sociale du capitalisme », dans *BAB.L*, 1914 ; J. LE GOFF, *Marchands et banquiers au Moyen Âge*, Paris, 1956, p. 70-71.

76. *Decretum, Ia pars, dist. 88, c. 11*, éd. FRIEDBERG, *Corpus iuris canonici*, I, Leipzig 1879, c. 308/9.

77. *Vita* (*BHL*. 8870), dans *AA.SS.Sept.* IV, 41-48. Sur S. Guidon, qui semble avoir vécu à la fin du Xe et au début du XIe siècle (il serait mort en 1012), cf. K. VAN DEN BERGH, *s.v. Guido*, dans *Bibliotheca Sanctorum*, VII, Rome, 1966, c. 496-501. La datation tardive de la *Vita* a été proposée par M. de WAHA, dans *25e congrès de la Fédération des Cercles d'Archéologie et d'Histoire de la Belgique, Comines 1980, Actes*, t. III, Bruxelles 1982, p. 45-50, avec de bons arguments.

78. *Vita Guidonis*, éd. citée, p. 43. En fait le texte est plus nuancé qu'il ne paraît, au vu de cette seule phrase, car l'auteur dit auparavant que le commerce, s'il est pratiqué honnêtement, n'est pas en soi une activité condamnable.

79. En particulier le canon 25 de Latran III, éd. et trad. R. FOREVILLE, *Latran I, II, III et Latran IV*, Paris, 1965, p. 221/2 : « Partout ou presque le crime de l'usure s'est insinué, au point que beaucoup négligent les autres affaires pour se livrer à l'usure comme si elle était licite, sans porter la moindre attention aux condamnations qui la frappent dans les deux Testaments. Nous statuons en conséquence que les usuriers notoires ne pourront être admis au sacrement de l'autel et que, s'ils meurent dans ce péché, ils ne recevront pas la sépulture chrétienne. »

80. Voir, à cet égard, l'intéressante étude de S. LEBECQ, « Aelfric et Alpert. Existe-t-il un discours clérical sur les marchands dans l'Europe du Nord à l'aube du XIe siècle ? », dans *L'Église et le siècle de l'an mil au début du XIIe siècle. Actes du XIVe congrès de la Société des Médiévistes de l'Enseignement Supérieur, Poitiers 1983*, (*CCM*, 27, 1984, p. 85-93).

clercs auxquels l'Église voulait interdire des pratiques jugées indignes de leur état[81]. Enfin, même si l'on s'en tient aux textes normatifs, on n'oubliera pas que le droit canonique a connu, de Gratien aux décrétales de Grégoire IX, une évolution rapide et que, pour se faire une vue exacte et complète de la doctrine de l'Église dans ce domaine, il faudrait aussi accorder une place aux glossateurs — décrétistes et décrétalistes — ainsi qu'aux théologiens, en particulier aux moralistes[82].

Ces réserves faites, il est indéniable qu'on constate un raidissement au cours du XIIe siècle dans l'attitude de l'Église vis-à-vis des marchands et des activités commerciales. Après l'intervention véhémente de Grégoire VII en faveur de marchands italiens qui avaient été agressés et dépouillés de leurs biens par le roi de France Philippe Ier, on ne trouve plus guère de texte émanant de la papauté qui évoque le négoce en termes favorables, en dehors du canon 22 du concile de Latran III (1179) qui, lorsqu'il définit les catégories de personnes qui devront bénéficier de la trêve de Dieu, cite les marchands et les paysans immédiatement après les clercs et les pèlerins[83]. Très souvent en revanche, on trouve sous les plumes ecclésiastiques de ce temps, des considérations peu amènes, allant de la critique à la condamnation, vis-à-vis de cette profession et de ceux qui l'exerçaient[84]. Les causes de cette aigreur persistante sont multiples et doivent être analysées avec précision : la première est d'ordre politique : dans de nombreuses régions d'Occident, de la Lombardie à la France du Nord, les marchands ont constitué le fer de lance du mouvement communal, souvent dirigé contre la seigneurie épiscopale qu'elle contribue à affaiblir. En outre, dans beaucoup de villes, des conflits opposèrent les *negociatores* aux prélats à propos des tonlieux et des droits de marché ou de foire, sans parler des problèmes posés par l'affirmation des guildes ou autres associations de commerçants qui instituaient des solidarités de type horizontal fondées sur le serment. D'où une vive hostilité des clercs face à ces *conjurationes* jugées subversives et à ceux qui en faisaient partie[85].

La virulence des condamnations ecclésiastiques contre les nouvelles formes de l'activité économique s'explique aussi par la difficulté qu'a eue la hiérarchie à concilier les deux aspects de la ligne réformatrice modérée qui l'avait emporté après 1110 : il s'agissait en effet de promouvoir une réforme du clergé allant dans le sens de la pauvreté individuelle, de la chasteté et de la vie communautaire des clercs, mais sans

---

81. Le Décret de Gratien opère sur ce point des distinctions très précises : cf. *IIa pars, De penitentia, Dist. 5, c. 7*, éd. Friedberg, I, c. 1241.

82. Comme l'a noté à juste titre O. Capitani, *L'ética economica medievale*, Bologne, 1974.

83. Grégoire VII, *Registrum*, II, 5 (Tivoli, 10 septembre 1074), éd. E. Caspar, *Das Register Gregors VII*, Berlin 1920, p. 129-133 ; Canon 22 de Latran III (1179), trad. R. Foreville, *op. cit.*, p. 220 : « Nous renouvelons l'ordre que les prêtres, les moines, les convers, les pèlerins, les marchands et les paysans, dans leurs allées et venues, jouissent de la sécurité qui convient. Que nul n'établisse de nouveaux péages sans l'autorisation des rois ou des princes, ni ne renouvelle ou n'augmente les anciens. Quiconque y contreviendrait, si une fois averti il persiste, sera séparé de la communauté chrétienne jusqu'à satisfaction ».

84. On connaît sur ce point les invectives de Rupert de Deutz contre les marchands, par exemple celles que l'on trouve dans *PL*. 168, 568 : « *Mercimonia profecto instrumenta avaritiae sunt* ». On peut y ajouter celles de Marbode de Rennes, *Dissuasio navigationis ob lucrum, PL*. 171, 1723, et surtout de Nicolas de Clairvaux, reprenant à son compte le *Sermo de sancto Nicolao episcopo* de saint Pierre Damien, *PL*. 184, 1055-1060, qui s'attaque à la morale familiale du marchand : « *Fugis patriam, ignoras filios, divelleris ab uxore et omnium necessitudinum oblitus, quaeris ut acquiras, acquiris ut perdas, perdis ut doleas.* »

85. Voir, à ce sujet, P. Michaud-Quantin, *Universitas. Expressions du mouvement communautaire dans le Moyen Âge latin*, Paris 1970, p. 129 et suiv.

mettre en cause la puissance politique et économique de l'Église, garante de son influence sociale. Il en résulta des contradictions, aussitôt exploitées par divers mouvements hérétiques, car tandis que, d'un côté, on dénonçait le règne de l'argent et on interdisait aux clercs de pratiquer les *secularia negotia* (médecine, droit civil et professions commerciales), de l'autre, les abbayes et les évêchés ne cessaient de s'enrichir grâce aux restitutions de dîmes par les laïcs et surtout à la\pratique des prêts sur gage foncier, dissimulés au moyen d'actes de vente doublés d'une *chartula promissionis*[86]. La persistance au sein de l'Église d'un courant réformateur et ascétique issu de la réforme grégorienne explique, pour une part, la virulence des condamnations lancées contre l'argent et ceux qui le maniaient, que l'on rencontre aussi bien chez certains auteurs spirituels du temps que dans les règles des nouvelles formations religieuses, d'Étienne de Muret à François d'Assise[87]. On relève dans tous ces textes, destinés — ne l'oublions pas — à ceux qui aspiraient à la perfection évangélique, une véritable phobie de l'argent qui corrompt tout ce qu'il touche et dont le maniement suscite une réaction de dégoût et de rejet, au même titre que la vie charnelle et les rapports sexuels[88].

La nouvelle théologie, même la plus avancée comme celle de l'École de Chartres, allait dans le même sens, dans la mesure où elle exaltait l'*homo artifex*, créé à l'image de Dieu et dont l'activité laborieuse prolongeait celle du Créateur[89]. Cette valorisation du travail humain, si elle devait déboucher sur une réhabilitation des *artes mechanicae*, ne profita pas au marchand qui, à la différence de l'artisan qui fabrique les objets qu'il vend, ne crée rien[90]. La réhabilitation du *negotium*, qui s'esquisse alors dans quelques écoles cathédrales, ne va pas jusqu'au commerce, car, aux yeux des théologiens, le seul travail digne de ce nom est celui qui apporte un *emendamentum* ou *melioramentum*. Or le marchand ne fait que spéculer sur le bien d'autrui; il vend ce qui ne lui appartient pas (le temps) et fait fructifier des réalités en elles-mêmes stériles (*nummus non parit nummos*), puisque l'argent et la monnaie ne sont que de simples mesures de la valeur, dénaturant ainsi les dons divins[91]. Une réprobation particulière frappe le prêt à intérêt,

---

86. Comme l'a bien montré pour l'Italie C. VIOLANTE, « Les prêts sur gages fonciers dans la vie économique et sociale de Milan au XIᵉ siècle », dans *CCM* 5, 1962, p. 147-168 et 437-459; pour la France, cf. aussi R. GENESTAL, *Le rôle des monastères comme établissements de crédit étudié en Normandie du XIᵉ à la fin du XIIIᵉ siècle*, Paris, 1901; A. VAN WERVEKE, « Le mort-gage et son rôle », dans *RBPH*, VIII, 1929, p. 61-75, et C. VIOLANTE, « Monasteri e canoniche nello sviluppo dell'economia monetaria », dans *Instituzioni monastiche e canonicalí in Occidente. La Mendola, 1977*, Milan, 1980, p. 390-408.

87. Cf. C. PELLISTRANDI, « La pauvreté dans la règle de Grandmont », dans *Études sur l'histoire de la pauvreté (Moyen Âge-XVIᵉ siècle)*, sous la dir. de M. MOLLAT, Paris, 1974, t. I, p. 229-246. Dans la première règle des frères mineurs, au chapitre VIII (« Que les frères ne reçoivent pas d'argent »), saint François s'exprime en ces termes : « Et si par hasard — qu'il n'en soit rien ! — il arrivait qu'un frère amasse ou détienne de l'argent ou des denrées..., tenons-le tous, frères, pour un faux frère et un apostat voleur et un brigand » : François d'Assise, *Écrits*, éd. Th. DESBONNETS et *alii*, Paris, 1981, p. 138-141.

88. A. VAUCHEZ, *La spiritualité du Moyen Âge occidental, VIIIᵉ-XIIᵉ siècles*, Paris 1975, p. 123-137.

89. Voir à ce sujet M. D. CHENU, *La théologie au XIIᵉ siècle*, Paris 1957, p. 240 et suiv., et J. LE GOFF, *Les intellectuels au Moyen Âge*, Paris, 1957.

90. Sur la réhabilitation des *artes mechanicae* au XIIᵉ siècle, cf. P. STERNAGEL, *Die Artes Mechanicae im Mittelalter Begriffs- und Bedeutungsgeschichte bis zum Ende des 13. Jahrhunderts*, Munich, 1966; G. OVITT, « The Status of Mechanical Arts in Medieval Classification of Learning », dans *Viator*, 14, 1983, p. 89-105, et F. ALESSIO, « La riflessione sulle "artes mechanicae" (XII-XIV sec.) », dans *Lavorare nel Medio Evo*, Todi, 1983, p. 259-293.

91. Cf. J. LE GOFF, *Pour un autre Moyen Âge*, Paris 1977, en particulier p. 96-97. Selon la définition de saint Ambroise, reprise par Gratien au XIIᵉ siècle, « tout ce qui s'ajoute à l'argent prêté est une usure ».

assimilé à l'usure, elle-même considérée comme un vol[92]. Celle-ci est déclarée contraire à la loi naturelle, car le prêteur abuse généralement de la situation mauvaise où se trouve l'emprunteur, et à la loi évangélique (cf. Lc. VI, 35 : *Mutuum date, nil inde sperantes*). En outre, la pratique de l'usure entre baptisés contredit l'idéal d'une chrétienté conçue ou rêvée comme une société fraternelle où ceux qui auraient des excédents prêteraient gratuitement à ceux qui seraient dans le besoin. D'où les efforts des clercs pour rejeter sur les juifs ces activités financières indignes d'un chrétien et qui étaient par elles-mêmes sources de péché[93].

2. JURISTES ET THÉOLOGIENS FACE À L'ÉCONOMIE MONÉTAIRE (V. 1160-1220)

Cependant, au moment même où les papes et le concile de Latran III (1179), multipliaient les condamnations et les mesures répressives à l'égard des usuriers, on voit s'esquisser dans certains milieux ecclésiastiques un renversement de tendance qui, à terme, devait conduire à une appréciation plus nuancée des nouvelles formes de l'activité économique. En Italie en particulier, des juristes issus du milieu communal et passés par les écoles de Bologne, prirent conscience de la nécessité de tenir compte de la complexité des situations concrètes dès les années 1150/60, tandis qu'à Paris certains théologiens comme Pierre le Chantre et ses disciples devaient leur emboiter le pas entre 1180 et 1215[94]. Sans remettre en cause les grands principes, les uns et les autres s'efforcèrent d'assouplir la doctrine en prenant en considération, dans chaque cas, les exigences de la nouvelle organisation de l'économie, l'utilité sociale de l'opération et surtout l'intention des sujets[95].

La mise en œuvre de cette approche, à la fois réaliste et pastorale, des activités économiques se traduisit d'abord par une reconnaissance de la légitimité de la plupart des formes d'association du capital et du travail qui étaient devenue courantes dans un certain nombre de régions économiques avancées, en particulier dans les ports méditerranéens. Très vite en effet, l'essor du commerce maritime avait entraîné dans ces régions un dépassement de la *commenda* pure et simple et le développement de formules de plus en plus complexes qui posaient des problèmes inédits, en particulier à propos de la répartition des profits et des risques au sein des entreprises. Aux yeux des canonistes italiens comme pour les théologiens parisiens, ces associations d'un type nouveau ne soulevaient pas de difficultés majeures, à condition que celui qui avançait le capital coure un risque réel[96]. En outre, les premiers reconnurent très vite la

---

92. Comme en témoigne le Décret de Gratien, *Ia pars, d. 88, c. 11*, FRIEDBERG, I, p. 308 : « De tous les marchands le plus maudit est l'usurier, car il vend une chose donnée par Dieu, non acquise par les hommes, et, après usure, il reprend la chose, ce que ne peut faire le marchand ». Cf. G. LE BRAS, *s.v.* usure. dans *DTC*, XV, Paris, 1946, c. 2336-2372.

93. Cf. J. LE GOFF, *Marchands et banquiers...*, cité, p. 70-74, J. NOONAN, *The Scholastic Analysis of Usury*, Cambridge (Mass.), 1957, et O. CAPITANI, *L'ética economica medievale*, cité, p. 23-41.

94. Sur ce groupe, cf. la magistrale étude de J. W. BALDWIN, *Masters, Princes and marchants. The Social Views of Peter the Chanter and his circle*, 2 vol., Princeton, 1970.

95. Sur les prises de positions des canonistes dans ce domaine, cf. T. MAC LAUGHLIN, « The Teaching of the Canonists on Usury », dans *MS*, I, 1939, p. 81-147 et II, 1940, p. 1-2, ainsi que J. GILCHRIST, *The Church and Economic Activity in the Middle Ages*, New York, 1969.

96. Mais Robert de Courçon, dans son traité *De usura* (éd. et trad. G. LEFÈVRE, Lille, 1902, p. 71-73), condamne

nécessité où se trouvaient les marchands, comme du reste les États et la papauté elle-même, de recourir au crédit. Dans cette perspective, les activités bancaires — transfert de fonds, change des monnaies et même la vente à crédit — furent considérées comme licites, pourvu que certaines règles soient respectées, et les Lombards et autres Cahorsins bénéficièrent, à partir de la fin du XIIᵉ siècle, d'une large tolérance de fait de la part des autorités ecclésiastiques. La seule condamnation qui demeura intangible fut celle qui portait sur le *mutuum*, le prêt à intérêt, mais le reste fut admis, ce qui était déjà important car le commerce de l'argent ne se limitait pas à la seule question de l'usure.

De façon générale, les décrétistes de la seconde moitié du XIIᵉ siècle se sont souciés d'atténuer la sévérité des condamnations sévères du marchand qui figuraient dans le décret de Gratien. Pour cela, ils élaborèrent une théorie de l'achat et de la vente, fondée sur une distinction entre l'*emolumentum* — gain, profit provenant de l'usure (*ex mutuo*) — qui demeure prohibé, et celui qui résulte d'une vente (*ex empto*), reconnu comme légitime. Rufin, dans sa *Summa* (entre 1157 et 1159) dit nettement que ce n'est pas un péché de vendre plus cher ce qu'on a acheté, si la motivation est la nécessité ou l'utilité sociale de la vente. Ainsi, il n'est pas interdit aux artisans de prendre un bénéfice car il faut tenir compte de leur travail et de leurs frais. Même le marchand, s'il n'est pas un pur spéculateur, a le droit de se rémunérer pour sa peine ainsi que pour assurer la subsistance de sa famille, et de vendre plus cher qu'il n'a acheté[97]. Ces analyses, qui peuvent nous sembler élémentaires, représentaient cependant un pas en avant important dans la mesure où, à l'encontre de la mentalité ecclésiastique commune qui associait automatiquement *mercatura* et *avaritia*, elles définissaient les règles d'une *negociatio honesta*. Certains canonistes comme Rufin et surtout Huguccio allèrent même plus loin et affirmèrent qu'il était permis aux clercs de vendre avec bénéfice, si leurs autres gains n'étaient pas suffisants et s'ils exerçaient des activités honorables, ce qui conduisit à une définition plus précise des *inhonesta mercimonia* qu'ils devaient abandonner aux laïcs[98]. En tout cas, des clercs négociants subsistèrent au moins jusqu'à la fin du XIIIᵉ siècle, comme le montre bien l'exemple d'Arras, même si la papauté s'efforça de limiter le nombre et les privilèges de ces marchands qui se faisaient tonsurer essentiellement pour échapper à la taxation et aux tribunaux civils[99]. Quoi qu'il en soit de ce cas particulier, l'acquis essentiel de la réflexion des décrétistes sur le commerce réside dans le fait d'avoir souligné que le service purement commercial du marchand était une justification légitime de ses gains et de son profit.

De leur côté, les romanistes avaient entrepris une réflexion sur la notion de *laesio enormis*, qui figurait dans le code Justinien et ils aboutirent à la conclusion, extrêmement importante, que cette clause ne pouvait être invoquée par le vendeur

---

Robert Cade de Saint-Omer, financier de Henri II Plantagenêt, qui participait à des sociétés de ce type sans risquer de capitaux.

97. J. BALDWIN, *Masters, Princes and Merchants...*, cité, I, p. 263 et suiv.

98. Sur cette question, cf. J. LESTOCQUOY, « *Inhonesta mercimonia* », dans *Mélanges L. Halphen*, Paris, 1951, p. 414-416, et surtout J. LE GOFF, « Métiers licites et métiers illicites dans l'Occident médiéval », dans *Pour un autre Moyen Âge*, Paris, 1977, p. 91-107.

99. Cf. J. LESTOCQUOY, *Les villes de Flandre et d'Italie sous le gouvernement des patriciens (XIᵉ-XVᵉ siècles)*, Paris, 1952, p. 202-203.

pour faire annuler la transaction que si le prix auquel une chose ou un bien avaient été vendus était inférieur de plus de moitié au juste prix, entendu comme le prix du marché et non le prix coûtant, comme l'avait cru W. Sombart[100]. Cela équivalait à reconnaître les lois de l'économie et à admettre que le prix d'un objet était celui qui avait été fixé d'un commun accord entre les deux parties. Le seul cas dans lequel la vente ainsi conclue pouvait être remise en cause était l'existence d'une fraude, c'est-à-dire lorsque la marchandise livrée ne correspondait pas à ce qui avait été convenu. Alexandre III fit passer par la suite ces dispositions très libérales dans le droit canon.

À partir des années 1180 environ, des théologiens commencèrent à leur tour à s'intéresser à ces problèmes, qui avaient été jusque-là l'apanage des juristes. Les spécialistes de la théologie morale en particulier multiplièrent les efforts pour trouver une justification sociale au rôle qu'occupaient de fait les marchands dans la société de l'époque et pour adapter les règles générales aux situations particulières. Ainsi, le clerc anglais Thomas de Chobham — parisien par sa formation intellectuelle — légitime leurs activités en affirmant que « le commerce consiste à acheter quelque chose à un prix assez bas, dans l'espoir de le vendre plus cher. Cela est permis aux laïcs, même s'ils n'apportent aucune amélioration (*emendamentum*) aux choses qu'ils ont d'abord achetées pour les vendre par la suite »[101]. Se situant dans une perspective pénitentielle, ces clercs s'efforcèrent d'abord de distinguer l'homme de sa profession : il peut y avoir chez le marchand une fraude intentionnelle, mais tout marchand ne doit pas être considéré a priori comme un voleur, même s'il est indéniable que son métier l'expose à de grandes tentations. Parmi ces théologiens, les plus hardis furent Pierre le Chantre et son groupe de disciples prestigieux : Thomas de Chobham, Robert de Flamborough. Étienne Langton, Robert de Courçon, Jacques de Vitry, etc., qui eurent le souci de proposer à chaque catégorie de fidèles des perspectives de salut dans le cadre de son *ordo* ou *status*, si modeste fut-il, ce qui les amena à mettre l'accent sur l'éthique propre à chaque profession[102]. Il ne s'agit pas là, notons-le bien, d'un courant laxiste, mais au contraire de théologiens rigoristes, appartenant à l'aile réformiste du clergé, comme l'attestent leurs prises de position énergiques contre les clercs commerçants et contre les usuriers[103]. Mais, leur souci de coller de près aux réalités économiques et sociales de leur temps les amena à faire preuve d'un certaine ouverture d'esprit. Ainsi Pierre le Chantre, pourtant très hostile aux usuriers, admet-il la perception d'un intérêt quand il s'agit de préserver le montant d'une dot dilapidée par un mari irresponsable ou

---

100. Comme l'a bien montré J. W. Baldwin, « The Mediaeval Theories of the Just Price », *Transactions of the American Philosophical Society*, 1959, t. 49, 4, 92 p. Cf. aussi A. Spicciani, *La mercatura e la formazione del prezzo nella riflessione teologica medievale*, Rome, AANL.M, VIII, XX, 3, 1977.

101. Thomas de Chobham, *Summa confessorum*, éd. F. Broomfield, Louvain-Paris 1968, p. 301. Elle fut composée entre 1200 et 1216.

102. C'est à l'étude des prises de position de ce groupe de clercs qu'est consacré l'excellent livre de J. W. Baldwin, *Masters, Princes and Merchants*, (en part. t. I, p. 3-46), ce qui nous dispensera d'entrer dans le détail.

103. Pierre le Chantre n'hésita pas à accuser les évêques français de mollesse dans la lutte contre l'usure : cf. *Verbum abbreviatum*, c. 59 (*PL*. 205, 235), trad. R. Foreville, *Latran I, II, III et Latran IV*, cité, p. 208 : « Alors qu'un décret d'anathème a été rendu par Alexandre III au concile du Latran pour l'extirpation radicale de cette peste, les prélats continuent leurs amabilités à ces pestiférés et les encouragent dans leurs vices. Comme certains parmi ceux qui assistaient au concile s'étaient enquis de savoir quelles étaient les personnes passibles de l'anathème, l'un d'eux leur répondit :

malhonnête[104]. De même Robert de Courçon, dans son *De usura*, est le premier auteur à faire nettement la distinction entre l'intérêt et l'usure. À ses yeux en effet, l'existence d'une différence entre la somme due et celle qui est finalement restituée peut être licite, à condition qu'elle demeure légère, si elle compense un tort subi par le prêteur, par exemple en raison d'un remboursement non effectué à la date fixée, qui le contraindrait à emprunter lui-même moyennant paiement d'un intérêt[105] : dans d'autres cas, il admet que le débiteur ait à payer des pénalités de retard pour non-remboursement de la somme due, à condition que cela ne serve pas à dissimuler une opération usuraire[106]. On assiste ainsi à la naissance d'une véritable casuistique dans le domaine économique et financier, qui devait servir de point de départ, à la génération suivante, à une réflexion plus poussée sur la notion de crédit et sur la nature des contrats.

Dans l'ensemble cependant, les théologiens se montrèrent très hostiles, au moins jusqu'au milieu du XIIIe siècle, aux formes ordinaires du prêt à intérêt et considéraient comme des usuriers ceux qui exigeaient un intérêt pour compenser le manque à gagner résultant de la renonciation à disposer librement de l'argent. Cette condamnation s'était longtemps fondée sur l'idée qu'une créature ne saurait s'approprier et encore moins vendre le temps qui n'appartient qu'à Dieu. Au XIIIe siècle, d'autres motivations furent parfois mises en avant. Ainsi la décrétale *Naviganti* de Grégoire IX refuse d'admettre la légitimité de la perception d'un intérêt sur de l'argent prêté à un marchand qui voyageait, sous le prétexte du risque encouru par le prêteur, et les commentateurs lui emboîtèrent le pas en déclarant que celui qui se trouve dans cette situation doit assumer les risques qu'implique toute navigation[107]. Un peu plus tard, Innocent IV justifia l'interdiction de l'usure par l'inégalité qu'elle créait entre les possesseurs de capitaux — marchands et banquiers — et les propriétaires fonciers : si l'on admettait la légitimité du prêt à intérêt dans les affaires commerciales et le crédit, les agriculteurs ne tarderaient pas à abandonner leurs activités moins rémunératrices, ce qui ne pourrait que provoquer le renchérissement des denrées alimentaires et un appauvrissement des travailleurs[108]. Thomas d'Aquin, dans sa *Somme théologique*, restera sur la même ligne et affirmera que recevoir un intérêt pour de l'argent prêté est en soi injuste puisque l'on vend ce qui n'existe pas, par quoi se constitue une inégalité manifeste qui est contraire à la justice[109]. Dans une stricte perspective aristotélicienne, l'argent ne pouvait en effet que constituer la mesure de la valeur d'une chose.

"Seulement les notoires". Poursuivant la question, on demanda alors : "Et qui sont les notoires?". À quoi il fut répondu : "Ceux qui reconnaissent publiquement qu'ils sont usuriers ou qui l'indiquent par quelque signe reconnaissable, par exemple ceux qui promènent l'argent de l'usure au bout d'un bâton". C'est ainsi que le décret en cause fut exorcisé. »

104. J. Baldwin, *op. cit.*, 1, p. 280.
105. Robert de Courçon, *De usura*, éd. citée, p. 17-19, et J. Baldwin, *op. cit.*, I, p. 271-273.
106. *Id., ibid.*, p. 284-296.
107. Friedberg, *Corpus iuris canonici*, II, c. 816.
108. Innocent IV, *Apparatus in V libros decretalium*, V, *tit.* 19, Venise, 1570, p. 615-616.
109. Saint Thomas d'Aquin, *Summa theologica*, IIa IIae, q. 78, n. 1.

3. L'ASSOUPLISSEMENT DE LA DOCTRINE TRADITIONNELLE

C'est pourtant du sein des Ordres mendiants qu'allait venir un assouplissement de la doctrine traditionnelle dans ce domaine[110]. La chose peut paraître paradoxale puisqu'aussi bien les frères mineurs que les prêcheurs avaient fait le choix de la pauvreté évangélique, par idéal pour les premiers et par tactique pour les seconds, et refusaient de rien posséder en propre ou en commun. Mais ces hommes, qui associaient une vive sensibilité religieuse à une formation intellectuelle sérieuse, étaient avant tout des prédicateurs de pénitence et, voulant gagner ou regagner des âmes à Dieu, ils durent s'engager dans une sorte de marchandage avec leurs pénitents. Attirés spécialement par les villes d'où ils étaient souvent issus, ils partageaient avec leurs concitoyens une approche comptable du temps, comme l'atteste leur rôle dans la diffusion du Purgatoire ou des indulgences. Celles-ci n'étaient-elles pas, à certains égards, assimilables à une forme de crédit sur les dettes accumulées dans le domaine pénitentiel qui pouvaient être soldées ou réduites par un paiement en espèces ici-bas ? En outre, dépourvus de biens fonciers, les Mendiants étaient trop dépendants de l'économie monétaire pour leur survie quotidienne pour ne pas la prendre au sérieux. Leur entourage laïque enfin, surtout les groupes de pénitents et de tertiaires qui se développèrent autour de leurs couvents, étaient composés en majorité de marchands et d'artisans sur les problèmes de conscience desquels ils furent amenés à réfléchir pour y trouver des réponses satisfaisantes[111].

Leur apport spécifique, dans ce domaine, a consisté surtout à trouver une justification chrétienne aux nouvelles formes de l'activité économique, à la fois par la considération de leur utilité sociale − dans le sillage de la pensée d'Aristote − et par la prise en compte de notions jusque-là négligées par les théologiens, comme la valeur réelle du temps et des efforts déployés par les marchands dans l'exercice de leur profession. Dès les années 1230, le dominicain catalan Raymond de Peñafort accepte la licéité de la perception d'un intérêt, non en raison du risque couru mais pour le manque à gagner par rapport à ce qu'aurait rapporté l'investissement de la somme prêtée[112]. À sa suite, d'autres reprirent à leur compte l'argumentation de certains juristes contemporains, comme Azon qui avait souligné la nécessité d'évaluer le tort résultant pour le créditeur du non-accomplissement par l'emprunteur de ses obligations et son droit à une compensation ou indemnité si, par exemple, le débiteur était insolvable au terme du prêt. C'était établir, au moins de façon indirecte, une distinction entre l'intérêt et l'usure et reconnaître, dans certains cas, la légitimité du premier[113].

Mais l'apport le plus novateur, dans le domaine de la doctrine économique, fut sans doute celui du franciscain languedocien Pierre de Jean Olieu, ou Olivi (1248-1298), qui

---

110. Sur cette évolution, cf. R. De ROOVER, *La pensée économique des scolastiques*, Montréal-Paris, 1971 et J. IBANÈS, *La doctrine de l'Église et les réalités économiques au XIIIᵉ siècle*, Paris, 1967.

111. Comme l'ont bien montré L. K. LITTLE, *Religious Poverty and the Profit Economy*, Londres, 1978, et J. LE GOFF. *La bourse et la vie*, Paris, 1986.

112. Raymond de PEÑAFORT, *Summa poenitentiae*, Vérone, 1744, p. 210.

113. Cf. A. SPICCIANI, *Capitale e interesse tra mercatura e povertà nei teologi e canonisti dei secoli XIII-XIV*, Rome, 1990, p. 27-29.

fut le premier à donner une définition de la notion de capital[114]. Il désigne en effet sous ce nom toute somme d'argent ou marchandise destinée à une activité économique productive (par exemple le commerce) et qui, à ce titre, porte en elle une potentialité de profit et l'espérance d'un gain. La valeur du capital est supérieure à celle de la somme d'argent qui l'exprime et le mesure, et le juste prix, dans ce cas, doit tenir compte de ce « plus » dans l'estimation de sa valeur réelle. Si quelqu'un prête cette somme, poussé par la charité et par les besoins de l'emprunteur, il peut donc légitimement percevoir un intérêt. Certes, l'argent en lui-même n'a pas à porter de fruit puisque, comme l'avait déjà dit Aristote, il est stérile. Mais une somme d'argent devient un capital quand son propriétaire a décidé de l'investir. Pour Olivi, la différence réside dans l'intention – c'est-à-dire dans la volonté – du prêteur d'utiliser cette somme pour en gagner davantage à travers un projet concret. L'argent change en quelque sorte de nature en se trouvant inséré dans un processus productif et celui qui devrait y renoncer subirait un tort réel[115]. Dans la même logique, Olivi considère comme normal le fait qu'un emprunteur qui rembourserait sa dette avant le terme fixé obtienne une réduction du taux de l'intérêt prévu, dans la mesure où, en vertu du pacte conclu avec son créancier, le temps est devenu un droit personnel du débiteur. Comme le dominicain Gilles de Lessines raisonne de façon similaire dans son traité *De usuris* (1278), on peut considérer que l'argument traditionnel selon lequel le marchand ou le prêteur vendait un temps qui n'appartient qu'à Dieu, était devenu archaïque à la fin du XIIIe siècle[116].

Les Ordres mendiants ont sans aucun doute accéléré le processus de réhabilitation des nouvelles formes de l'activité économique, qui avait été amorcé dès la fin du XIIe siècle par les juristes, tant canonistes que moralistes, et par certains courants de la théologie morale. Les textes hagiographiques et les sermons fournissent, en contrepoint, un excellent témoignage de l'évolution des mentalités ecclésiastiques dans ce domaine : en 1199, en effet, un pieux laïc, qui avait exercé le métier de drapier, saint Homebon de Crémone († 1197), fut canonisé par le pape Innocent III[117]. S'il est déjà remarquable que le pontife romain n'ait pas hésité à porter un marchand sur les autels, il faut cependant noter que la bulle de canonisation ne mentionne pas sa profession et que sa première *Vie*, composée vers 1198 par l'évêque Sicard de Crémone, se contente de dire à ce propos qu'« abandonnant le commerce des choses temporelles, il devint marchand du royaume des cieux ». En fait, il faudra attendre la fin du XIIIe siècle pour voir une autre *Vie* du même saint présenter son métier sous un jour moins négatif et signaler qu'il s'était distingué en le pratiquant dans un esprit de justice et de charité[118].

114. Cf. G. Todeschini, *Un trattato d'economia politica francescana : il « De emptionibus, de usuris, de restitutionibus » di Pietro di Giovanni Olivi*, Rome, 1980 (Studi storici dell'ISIPIME, 125-126).

115. A. Spicciani, *op. cit.*, p. 85-94. Sur l'influence de l'œuvre d'Olivi sur la pensée économique de la fin du Moyen Âge, cf. R. De Roover, *San Bernardino and Saint Antonino of Florence, the Two Great Economic Thinkers of the Middle Ages*, Cambridge (Mass.), 1967.

116. Gilles de Lessines, *De usuris*, in *Sancti Thomae Aquinatis opera omnia*, Parme, 25 vol., 1852-1872, t. XVIII, p. 413-436. Voir aussi A. M. Hamelin (éd.), *Un traité de morale économique au XIVe siècle : le « Tractatus de usuris » d'Alexandre d'Alexandrie* (1307), Louvain, 1962.

117. Sur la figure historique de ce personnage, cf. A. Vauchez. *Les laïcs au Moyen Âge*, Paris, 1987, p. 77-82.

118. Voir, à ce sujet, A. Vauchez, « Le "trafiquant céleste : saint Homebon de Crémone († 1197), marchand et" père des pauvres », dans H. Dubois, J. C. Hocquet et A. Vauchez (éd.), *Horizons marins, itinéraires spirituels*

Mais, dès 1261, l'archevêque de Pise, Frédéric Visconti, n'hésitait pas à proposer comme patron à la confrérie des marchands de Pise saint François d'Assise, qui pouvait constituer pour eux un modèle, puisqu'il avait commencé par exercer leur profession[119]. Celle-ci ne constituait certes pas en elle-même un titre de sainteté, mais on constate à travers ces exemples convergents que, dès la seconde moitié du XIIIe siècle, l'Église ne voue plus le marchand à une damnation quasi certaine : elle l'appelle simplement à se convertir et à se comporter de façon chrétienne dans son état.

BIBLIOGRAPHIE

Sources

A. ARTONNE, L. GUIZARD, O. PONTAL. *Répertoire des statuts synodaux de l'ancienne France*. Paris, 1964.

J. AVRIL (éd.), *Les conciles de la province de Tours, XIIIe-XVe siècle*, Paris, 1987.

N. BÉRIOU, *La prédication de Ranulphe de la Houblonnière. Sermons aux clercs et aux simples gens à Paris au XIIIe siècle*, 2 vol., Paris, 1987.

A. GARCIA Y GARCIA (éd.), *Synodicum Hispanicum*, 4 vol., Salamanque, 1980-85.

D. JULIA et M. VENARD, *Répertoire des visites pastorales de l'ancienne France. Ire série*, 4 vol., Paris, 1977-1985.

M. POWICKE et C. R. CHENEY, *Councils and Synods relating to the English Church*, t. II : *1205-1313. English Synodalia of the Thirteenth Century*, Oxford, 1968.

Thomas de Chobham, *Summa de arte praedicandi*, éd. T. MORENZONI, Turnhout, 1988 (« *Corpus Christianorum. Continuatio medievalis* », 82)

G. TODESCHINI, *Un trattato d'economia politica francescana : il « De emptionibus, de usuris, de restitutionibus » di Pietro di Giovanni Olivi*, Rome, 1980 (*BISI*, 125/6).

Études

O. CAPITANI, *Una economia politica nel Medio Evo*, Bologne, 1987.

J. LE GOFF, *La bourse et la vie*, Paris, 1986.

Le istituzioni ecclesiastiche del secoli XI e XII : diocesi, pievi e parrochie (Milan 1974), Milan. 1977.

L. K. LITTLE, *Religious Poverty and the Profit Economy*, Londres, 1978.

P. LONGÈRE, *La prédication médiévale*, Paris, 1983.

H. de LUBAC, *Corpus mysticum L'eucharistie et l'Église au Moyen Âge*, Paris, 1949.

R. MANSELLI, *Il pensiero economico del Medievo*, in L. FIRPO (éd.), *Storia delle idee politiche, economiche e sociali*, t. II, 2, Turin, 1983, p. 817-865.

Pievi e parrocchie in Italia nel basso Medio Evo (sec. XIII-XV), 2 vol., Rome, 1984.

Pratiques de la confession, des Pères du désert à Vatican II : quinze siècles d'histoire, Paris, 1983.

A. SPICCIANI, *Capitale e interesse tra mercatura e poverta nei teologi e canonisti dei secoli XIII-XIV*, Rome, 1990.

A. VAUCHEZ (éd.), *Faire croire. Modalités de la diffusion et de la réception des messages religieux du XIIe au XVe siècle*, Rome, 1981 (Collection de l'École française de Rome, 51).

M. ZINK, *La prédication en langue romane avant 1300*, Paris, 1974.

(Ve-XVIIIe siècle), t. I, Paris, 1987, p. 115-122 (*Mélanges M. Mollat*), et D. PIAZZI, *Omobono di Cremona. Biografie dal XIII al XVI secolo*, Crémone, 1991.

119. Texte cité par A. VAUCHEZ, *Religion et société dans l'Occident médiéval*, Turin, 1980, p. 157. Sur les sermons florentins du début du XIVe siècle, cf. D. R. LESNICK, « Dominican Preaching and the Creation of Capitalist Ideology in Late Medieval Florence », dans *MDom*, n. s., 8-9, 1977/78, p. 199-247.

CHAPITRE **II**

Les Ordres mendiants et la reconquête religieuse de la société urbaine
par André VAUCHEZ

Vers 1230, une des grandes figures du mouvement réformateur au sein de l'Église catholique, l'évêque de Saint-Jean d'Acre, Jacques de Vitry, dressant un bilan des changements qui s'étaient produits dans la chrétienté au cours des décennies précédentes, faisait la constatation suivante :

« Trois formes de vie religieuse existaient déjà : les ermites, les moines et les chanoines (réguliers). Le Seigneur voulut assurer en carré la solidité de cette fondation. Aussi ajouta-t-il, en ces temps qui sont les derniers, une quatrième institution, la beauté d'un nouvel ordre, la sainteté d'une nouvelle règle[1]. »

Quelques années plus tôt, le prémontré Burchard d'Ursperg avait été plus précis encore sur le même thème en déclarant :

« En ce temps-là, le monde vieillissait. Deux ordres surgirent dans l'Église dont ils renouvelèrent la jeunesse à la façon de l'aigle[2]. »

Ces témoignages contemporains se rapportent tous deux, bien sûr, à l'apparition, à partir des années 1215/20, des ordres mendiants et surtout des deux principaux, celui des frères mineurs issu de saint François d'Assise, et celui des frères prêcheurs, fondé par saint Dominique. En dépit des différences considérables qui existaient au départ entre ces deux mouvements, les contemporains ont été sensibles à la fois à leur parallélisme et à leur nouveauté radicale par rapport aux ordres religieux existants.

---

1. Jacques de VITRY, *Historia Orientalis*, éd. GOLUBOVICH, *Biblioteca bibliografica della Terra Santa*, t. I, Quaracchi, 1906, p. 8.
2. Burchard d'Ursperg († 1230), *Chronicon*, in L. LEMMENS, *Testimonia mirore de S. Francesco Assisiensi*, p. 17.

I. SAINT FRANÇOIS, SAINT DOMINIQUE ET LA NOUVEAUTÉ DES ORDRES MENDIANTS

À l'origine du moins, leurs fondateurs étaient des hommes que beaucoup de choses séparaient l'un de l'autre et, même s'il semble probable qu'ils se soient rencontrés à Rome en 1215, chacun d'eux a mûri et développé son expérience en toute indépendance[3].

1. Saint François d'Assise et les origines des Frères mineurs

Né à la fin de 1181 ou au début de 1182, François était le fils d'un riche marchand de drap de la petite ville d'Assise en Ombrie, et aurait dû normalement succéder à son père dans son métier de négociant[4]. Mais, dès son adolescence, il se montra plus intéressé par la vie festive de la jeunesse dorée de sa cité que par les activités commerciales. Sa richesse lui permettait en effet de fréquenter les fils de famille nobles et, à leur contact, il s'imprégna des idéaux de la culture courtoise, qui devaient marquer profondément sa mentalité et son genre de vie. Tenté par le métier des armes et l'aventure chevaleresque, il se joignit en 1205 à une expédition militaire qui, à l'appel du pape Innocent III, allait combattre les partisans de l'empire en Pouille. Mais il fut arrêté à Spolète par une vision, qui lui commanda de revenir à Assise, et par la maladie. Travaillé dès lors par la grâce, il chercha sa voie pendant plusieurs années, en se consacrant à la méditation solitaire et à la prière. Après avoir rompu avec son père qui lui reprochait sa prodigalité envers les pauvres et les églises, François renonça à ses biens et se plaça sous la protection de l'évêque d'Assise en tant que pénitent. En février 1208, en entendant un prêtre lire le passage de l'Évangile de saint Matthieu (*Mat.* 10, 7-16) où il est question de l'envoi des apôtres en missions, pieds nus et sans argent, il prit conscience de sa véritable vocation : vivre dans la pauvreté évangélique. Dès lors, il modifia sa tenue vestimentaire, ne gardant qu'une seule tunique et remplaçant sa ceinture par une corde, et il commença à appeler ses concitoyens à la conversion. Il fut bientôt rejoint par quelques habitants d'Assise et des environs, tant laïcs que clercs, avec lesquels il forma une petite communauté itinérante. En 1209, François rédigea une sorte de « manifeste » programmatique, fait uniquement de passages de l'Évangile mis bout à bout, et se rendit à Rome pour le soumettre au pape Innocent III. Ce dernier approuva oralement leur genre de vie, se réservant de voir

---

3. Cf. K. Elm, « Franziskus und Dominikus. Wirkung und Antriebskräfte zweien Ordensstifter », in *Saeculum*, 23, 1972, p. 127-147.

4. Les meilleures biographies de saint François sont celles de R. Manselli, *S. Francesco d'Assisi*, Rome, 1980 (trad. française : *Saint François d'Assise*, Paris, 1982), et F. Cardini, *Francesco d'Assisi*, Milan, 1989. Voir aussi *San Francesco d'Assisi nella ricerca storica degli ultimi ottant anni*, Todi, 1971 (Convegni, 9), et R.B. Brooke, « Recent work on S. Francis of Assisi », in *AnBoll*, 100, 1982, p. 653-676. Sur la question des sources, cf. Stanislao da Campagnola, *Francesco d'Assisi nei suoi scritti e nelle sue biografie dei secoli XIII-XIV*, Assise, 1977, et R. Manselli, *Nos qui cum eo fuimus*, Rome, 1980. Les sources franciscaines du XIIIᵉ siècle sont accessibles dans une traduction française : Th. Desbonnets et D. Vorreux, *Saint François d'Assise. Documents*, Paris, 1968.

comment évoluerait l'expérience, qui ressemblait beaucoup à celle des vaudois, avant de s'engager davantage. Confortés par cet accueil relativement favorable, les frères qui prirent alors le nom de mineurs — c'est-à-dire tout petits, humbles —, développèrent leurs campagnes de prédication en Italie centrale et attirèrent à eux de nombreuses recrues, fascinées par le rayonnement personnel de François. Parmi celles-ci, il y eut des femmes, dont la première fut, en 1212, une jeune noble d'Assise, Claire, qui devait être à l'origine de l'ordre des « Pauvres recluses de Saint-Damien » ou « damianites », que l'on appellera plus tard les clarisses, branche féminine de l'ordre franciscain[5]. En 1217, au chapitre général qui réunissait tous les frères une fois l'an à la petite église de la Portioncule, berceau de la fraternité, la décision fut prise d'envoyer des frères au nord des Alpes et outre-mer. François lui-même voulut se rendre en France, mais le cardinal Hugolin l'arrêta à Florence et le persuada de rester en Italie pour veiller sur la communauté, en plein essor mais encore fragile, dont il était le chef. En 1219, le Poverello partit cependant pour la Terre sainte et rejoignit à Damiette, en Égypte, la cinquième croisade qui venait de s'emparer de la ville. À la faveur d'une trêve, il quitta le camp chrétien avec un seul compagnon et fut conduit auprès du sultan qu'il s'efforça vainement de convaincre de la supériorité de la foi chrétienne. Cette tentative ayant échoué, il se rendit en pèlerinage aux Lieux saints, mais il dut regagner l'Italie en 1220. En son absence, en effet, des initiatives qui mettaient en péril l'esprit de sa fondation avaient été prises par ses remplaçants. François y mit bon ordre, mais préféra abandonner la direction de l'ordre, dont la croissance rapide — les frères mineurs étaient déjà plus de 1000 en 1221 — posait des problèmes institutionnels et disciplinaires qu'il ne se sentait plus de taille à affronter, en particulier la transformation de la fraternité évangélique des premiers temps en un véritable ordre religieux doté d'une règle, comme le lui demandait avec insistance le cardinal Hugolin qui en était le protecteur officiel[6]. Après diverses tentatives infructueuses, un texte connu sous le nom de seconde règle — ou, mieux, de *regula bullata* — fut approuvé, en novembre 1223, par le pape Honorius III[7].

De plus en plus malade (il avait ramené d'Orient une ophtalmie purulente et souffrait en outre de la rate et de l'estomac), mal à l'aise face à l'évolution de l'ordre qui échappait de plus en plus à son contrôle, François fit alors de longs séjours dans les ermitages, en particulier celui de La Verna où il reçut les stigmates de la Passion, à la suite d'une vision, en septembre 1224[8]. Devenu presque aveugle, il composa

---

5. Sur Claire d'Assise et les débuts difficiles des clarisses, cf. R.B. et C.N.L. Brooke, « St. Clare », in D. Baker (éd.), *Medieval Women, SCH, subsidia*, 1) Oxford. 1979, p. 275-287, et M. Bartoli, *Chiara d'Assisi*, Rome, 1989. Les sources sont accessibles en français grâce à D. Vorreux (éd.), *Sainte Claire d'Assise. Documents*, Paris, 1983.

6. Sur l'histoire des débuts de l'ordre des frères mineurs avant la mort de saint François, le meilleur ouvrage est celui de K. Esser, *Die Anfänge und ursprüngliche Zielsetzungen des ordens der Minderbruder*, Werl, 1966 (trad. anglaise, Chicago, 1977, et italienne, Milan, 1982).

7. François et ses compagnons avaient en effet rédigé divers textes, dont l'un, improprement appelé 1re règle, fut soumis à la papauté en 1221 et rejeté par elle. C'est là qu'on trouve l'expression la plus authentique du programme de vie évangélique des Mineurs. Cf. Th. Desbonets (*et al.*), *François d'Assise, Écrits*, Paris, 1981, (Sources chrétiennes, 285), p. 122-179. Cf. aussi K.V. Selge, « Franz von Assisi und die römische Kurie », in *ZThK*, 67, 1970, p. 129-161, et J.M. Powell, « The Papacy and the Early Franciscans », in *FrS*, 36, 1976, p. 248-262.

8. Cf. A. Vauchez, « La stigmatizzazione di San Francesco. Significazione e portata storica », in *Id., Ordini Mendicanti e società italiana, XIII-XV secolo*, Milan, 1990, p. 54-64.

néanmoins en 1225 le *Cantique de frère Soleil* ou *des Créatures*, texte fondateur de la littérature religieuse en langue italienne[9]. Sentant la fin approcher, il rédigea, au début de 1226, son *Testament* où il évoque avec émotion les premiers temps de son expérience religieuse et où il s'efforça de laisser à ses frères un idéal de vie évangélique conforme à son projet originel[10]. Ramené à Assise en septembre, il mourut à la Portioncule le 3 octobre 1226 et fut canonisé dès 1228 par Hugolin, devenu en 1227 le pape Grégoire IX. Peu de temps après commença, sous l'impulsion de la papauté et du frère Élie, la construction d'une immense et magnifique basilique, à Assise, où ses restes furent transportés en 1230[11].

Ce survol rapide des principaux épisodes de la biographie de saint François ne suffit pas évidemment à rendre compte de l'extraordinaire succès que ce dernier a connu de son vivant. Personnalité rayonnante et charismatique, le pauvre d'Assise a beaucoup frappé ses contemporains par la cohérence absolue qui existait chez lui entre le dire et le faire, le message proclamé et sa réalisation effective[12]. Ce message, on le sait, était axé essentiellement sur la pauvreté. Loin d'être seulement une condition sociale ou une vertu, celle-ci constituait à ses yeux l'essence même de la vie évangélique[13]. Avec lui, le vieil adage ascétique « suivre nu le Christ nu » si répandu en Occident au XIIe siècle, devint un mode de vie concret, à la fois sur le plan individuel et collectif. Cette revendication n'avait guère été avancée jusque-là que par des groupes dissidents ou des hérétiques. Quant au monachisme, même sous la forme ascétique qu'il avait prise dans l'ordre cistercien ou chez les chartreux, il n'avait jamais demandé autre chose à ses adeptes que la pauvreté personnelle, ce qui n'empêchait nullement la communauté d'être richement dotée en terres et d'avoir d'importants revenus, qui rendaient possible la pratique régulière du cénobitisme. Avec François, les exigences en matière de dépouillement s'accroissent, puisqu'il requiert de ceux qui veulent le suivre non seulement de renoncer à leurs biens et de les distribuer aux pauvres, mais encore de refuser toute propriété commune et de s'en remettre à la Providence pour leur subsistance quotidienne, à travers le travail manuel et la mendicité. Vivre selon l'Évangile, c'était pour lui accepter l'insécurité économique et se trouver sur un pied d'égalité avec les plus pauvres – marginaux, lépreux, vagabonds – qui, à l'instar du Christ, n'avaient ni demeure fixe ni argent[14]. C'est pour la même raison qu'il privilégiait également l'humilité, c'est-à-dire un refus *a priori* du pouvoir sous toutes ses formes (autorité de type seigneurial, mais aussi supériorité culturelle), qui conduit l'homme à s'enorgueillir de ce qui ne lui appartient pas et à opprimer les autres[15].

---

9. Texte in Th. DESBONNETS..., *François d'Assise, Écrits*, éd. citée, p. 342-345.

10. *Ibid.*, p. 204-211, Y.K. ESSER, *Das Testament des hl. Franziskus von Assise*, Münster 1949.

11. Sur cette église et les péripéties de sa construction, cf. G. LOBRICHON, *Assise. Les fresques de la basilique inférieure*, Paris, 1985.

12. Cf. les témoignages contemporains édités par Th. DESBONNETS et D. VORREUX, *François d'Assise. Documents*, p. 1435-1454.

13. La meilleure étude d'ensemble sur la conception de la pauvreté est celle de M.D. LAMBERT, *Franciscan Poverty : The Doctrine of the Absolute Poverty of Christ and the Apostles in the Franciscan Order, 1210-1323* Londres, 1961. Cf. aussi *La povertà nel secolo XII e Francesco d'Assisi*, Assise, 1975, (« Convegni », 1).

14. Cf. G. MICCOLI, « La proposta cristiana di Francesco d'Assisi », in *StMed*, 3e s., 24, 1983, p. 17-26.

15. Cet aspect – souvent négligé – du franiscanisme a été remarquablement étudié par M. CUSATO, dans sa thèse sur *La renonciation au pouvoir chez les frères mineurs au XIIIe siècle*, Paris-Sorbonne, 1991, dactyl.

2. SAINT DOMINIQUE ET L'ORDRE DES FRÈRES PRÊCHEURS

Dans les même années, un clerc castillan, Dominique de Guzman, s'engagea dans une expérience qui, à certains égards, recoupe celle du Poverello et, par d'autres, s'en distingue[16]. Né à Caleruega vers 1175, il appartenait à une famille noble et fut très tôt destiné à une carrière ecclésiastique. Aussi fit-il des études à Palencia avant d'être élu chanoine du chapitre cathédral d'Osma en 1196. Son évêque, Diègue d'Azebès, qui semble avoir été animé d'un grand zèle apostolique, l'emmena avec lui, en 1203, dans une mission diplomatique en Allemagne du Nord, accomplie pour le compte du roi de Castille. Arrivés au terme de leur voyage, ils purent constater les ravages causés dans ces régions par les Cumans, des peuplades païennes d'Europe centrale que les princes de la région utilisaient comme mercenaires. Ils décidèrent alors de se consacrer à l'évangélisation des Cumans et se rendirent à Rome, auprès du pape Innocent III, pour lui faire approuver leur projet. À leur retour, ils traversèrent le comté de Toulouse et, ayant séjourné dans cette ville, ils prirent conscience du succès qu'y avait obtenue l'hérésie cathare, dont ils furent douloureusement affectés. En août 1206, les deux hommes rencontrèrent à Montpellier les légats cisterciens que le pape avait envoyés dans la région pour y prêcher contre les hérétiques et qui, découragés par le mauvais accueil des populations locales, allaient abandonner la partie. Choqués par le luxe de leurs vêtements et l'ampleur de leur équipage qui contrastaient avec la frugalité ascétique et la simplicité du mode de vie des Parfaits, ils décidèrent de rester en Languedoc et de tenter de regagner les habitants de la région à la foi orthodoxe par une prédication itinérante de type « apostolique », c'est-à-dire en annonçant la Parole de Dieu dans l'humilité et la pauvreté[17]. Renonçant à toute prétention autoritaire, qui n'était pas de mise dans une région où les fidèles de l'Église romaine étaient en passe de devenir minoritaires, ils acceptèrent d'affronter les cathares et les vaudois à l'occasion de controverses publiques. Dans certains cas, comme à Montréal en 1207, ils réussirent à en imposer à leurs contradicteurs par leur science scripturaire et leur témoignage évangélique. La même année, Dominique fonda à Prouille une communauté religieuse destinée à recevoir les femmes qu'il avait arrachées au catharisme, tandis que Diègue, à Pamiers, parvenait à rallier à l'Église un groupe important de vaudois dirigé par Durand *de Osca*, qui formèrent ensuite une congrégation religieuse, approuvée en 1208 par Innocent III sous le nom de Pauvres Catholiques[18].

Diègue étant décédé sur ces entrefaites, Dominique poursuivit son action avec quelques compagnons qui l'avaient rejoint. En 1214, après la victoire remportée par Simon de Montfort, il s'établit à Toulouse où il créa une communauté de clercs qui se consacraient au salut des âmes, en collaboration avec l'évêque local et en s'efforçant de pallier les insuffisances du clergé paroissial. Cette modeste congrégation de prédicateurs

---

16. La meilleure biographie historique de saint Dominique est celle de M.H. VICAIRE, *Histoire de saint Dominique*, Paris, 2ᵉ éd., 1982, 2 vol. Pour une interprétation d'ensemble du personnage et de son œuvre, voir aussi G. BEDOUELLE, *Dominique ou la grâce de la Parole*, Paris, 1982.

17. Cf. Ch. THOUZELLIER, *Catharisme et Valdéisme en Languedoc à la fin du XIIᵉ et au début du XIIIᵉ siècle*, Paris, 1966, p. 194-204, et *saint Dominique en Languedoc*, Toulouse, 1966 (*CF.*, 1).

18. Cf. J.B. PIERRON, *Die Katholische Armen*, Fribourg en B., 1911, et H. GRUNDMANN, *Religiöse Bewegungen in Mittelalter*, cité, p. 100-126.

diocésains fut approuvée par Honorius III, après la réunion du IVe concile du Latran où Dominique s'était rendu, sous le nom d'*ordo praedicatorum* que son fondateur revendiquait pour lui. Mais, comme le concile venait d'interdire la création de nouveaux ordres religieux, le pape leur imposa la règle de saint Augustin, qui convenait bien à des clercs réguliers. La nouvelle fondation ne devait cependant acquérir son visage définitif qu'après son approbation définitive en 1217 et surtout en 1220/21, quand Dominique l'eut dotée de Constitutions qui achevèrent de manifester sa spécificité en mettant l'accent, en particulier, sur la pauvreté des frères prêcheurs et sur leur refus de posséder des biens, tant en propre qu'en commun, en dehors de ce qui leur était indispensable pour se loger[19].

L'ordre ainsi établi n'aurait cependant peut-être pas connu le succès qu'il devait rencontrer si son fondateur, devant la tournure violente des événements en Languedoc, n'avait pris l'initiative de lui faire quitter la région où il était né. Son idée de génie fut de disperser ses compagnons, pourtant encore peu nombreux, entre quelques grands centres urbains, qui étaient en même temps des villes universitaires — Orléans, Paris, Ségovie et Bologne — où ils purent se consacrer à l'étude en vue de la prédication. L'austérité de leur genre de vie ainsi que leur zèle apostolique ardent ne manquèrent pas d'impressionner les milieux intellectuels parmi lesquels ils firent de nombreuses recrues de valeur. Avec l'appui de la papauté, l'ordre acquit ainsi une dimension universelle et, à la mort de son fondateur, en 1221, il comptait déjà plusieurs centaines de frères, vingt-cinq couvents et cinq provinces. Des communautés féminines s'y étaient ajoutées, tant à Rome qu'à Bologne et les dominicaines connurent, un peu plus tard, un vif succès dans le monde germanique. Bénéficiant de la pleine confiance de la papauté, les prêcheurs se virent confier, entre 1231 et 1233, l'office de l'inquisition, ce qui devait les orienter, mais non de façon exclusive, vers la poursuite et la répression des hérésies[20].

3. Diversité et unité des principaux ordres mendiants

Alors que les frères mineurs réunissaient des clercs et des laïcs sur un pied d'égalité et suivaient une règle tout à fait nouvelle, l'ordre des prêcheurs peut apparaître à première vue comme une formation moins originale, puisqu'il rassemblait des religieux vivant, comme les chanoines réguliers, selon la règle augustinienne. Cependant, par ses constitutions et ses structures, il se trouvait en prise directe sur la société de son temps. Comme François d'Assise, Dominique avait en effet compris l'importance fondamentale de la parole dans la transmission de la foi[21]. Le fait que les prêcheurs étaient dans leur grande majorité des prêtres leur permettait d'aller au-delà de la prédication purement exhortative que la papauté avait accordée à saint François et à ses disciples, parmi lesquels se trouvait, à l'origine du moins, une majorité de laïcs.

19. A.H. Thomas, *De Oudste Constituties van de Dominicanen*, Louvain, 1965.
20. Cf. W.A. Hinnebusch, *The History of the Dominican Order*, t. I, Londres, 1965.
21. Cf. J. Le Goff et J.C. Schmitt, *Au xiiie siècle, une parole nouvelle* » in J. Delumeau (éd.), *Histoire vécue du peuple chrétien* t. I, Toulouse, 1979, p. 257-279.

Mais tandis que le Poverello considérait avec une certaine méfiance les écoles et les études, craignant que la culture ne réintroduise de nouveaux clivages au sein de sa fraternité, les dominicains cherchèrent au contraire à s'appuyer sur elles pour rendre plus efficace leur ministère[22]. Ce pari sur la culture savante devait s'avérer payant : dans un monde où le savoir théorique retrouvait un grand prestige et où les universités allaient constituer le vivier au sein duquel se recruteraient les élites dirigeantes de la chrétienté, il y avait bien place pour un ordre de docteurs, dont la prédication s'enracinait dans l'étude de la théologie et de la philosophie[23].

Mais saint Dominique avait assez fréquenté les cathares et les vaudois pour savoir que la science des prédicateurs ne suffisait pas à entraîner l'adhésion de leurs auditeurs. Lui-même semble avoir été davantage un homme de prière que de culture, même si, à ses yeux, ces deux aspects de la vie de l'esprit étaient indissociables. Aussi rejoignit-il finalement saint François dans son option fondamentale qui consistait à refuser le pouvoir et la propriété de biens fonciers, tout en assignant à la pauvreté une place différente. Pour lui en effet, elle constituait avant tout une arme contre l'hérésie, une condition nécessaire, mais non suffisante, pour que le témoignage apostolique des prêcheurs catholiques soit reçu par ses auditeurs[24]. Mais il n'en faisait pas un absolu, comme François pour lequel elle s'identifiait véritablement à la vie évangélique. Aussi les dominicains devaient-ils se montrer plus souples que les franciscains dans ce domaine, acceptant sans scrupules de conscience de posséder les églises qui leur étaient données ainsi que les terrains sur lesquels étaient bâtis leurs couvents[25].

Au-delà de ces divergences qui ont certes leur importance mais qui tendront à s'atténuer au cours du XIIIᵉ siècle, les caractères communs aux nouveaux ordres étaient fondamentaux, et les contemporains ne s'y sont pas trompés qui ont vu en eux deux aspects d'un même phénomène[26]. Plus encore que par la mendicité à laquelle ils doivent leur nom, les ordres mendiants se définissent avant tout par leur attitude apostolique, c'est-à-dire le désir de se vouer corps et âme au salut des âmes en péril, qu'il s'agisse des simples fidèles, des hérétiques ou des païens[27]. Aussi, à la différence des ordres religieux antérieurs, se montrèrent-ils extrêmement ouverts sur le monde qu'ils se proposaient d'évangéliser. Tout en vivant dans des communautés conventuelles, ils ne demeuraient pas à l'abri du cloître mais le quittaient aussi souvent qu'il le fallait pour entrer en relation avec les hommes. Contrairement aux moines, les fils de saint François et de saint Dominique ne renonçaient à la vie profane que pour mieux se tourner vers ceux qui les entouraient et leur parler de Dieu. La vocation première du

---

22. Sur l'attitude de saint François vis-à-vis de la théologie, cf. le volume *Francescanesimo e cultura universitaria*, Assise, 1990, et D. BERG, *Armut und Wissenschaft, Beitrage zur Geschichte des Studienswesens del Bettelorder im 13 Jahrhundert*, Düsseldorf, 1977.

23. Cf. J.P. RENARD, *La formation et la désignation des prédicateurs au début de l'ordre des prêcheurs*, Fribourg, 1977.

24. Ch, THOUZELLIER, « La pauvreté, arme contre l'Albigéisme en 1206 », in *RHR*, 151, 1957, p. 79-92.

25. W.A. HINNEBUSCH, « Poverty in the Order of the Preachers », in *CHR*, 14, 1959/60, p. 436-453. Pour les frères mineurs, cf. M.D. LAMBERT, *Franciscan Poverty*, cité.

26. Cf. l'article de K. ELM, cité *supra*, note 3.

27. Un témoin au procès de canonisation de saint Dominique (Bologne, 1233) déclara à son sujet qu'« il paraissait avoir pour le salut du genre humain plus de zèle que tout autre », tandis qu'un second précisait que « sa charité et sa compassion ne s'étendaient pas seulement aux fidèles mais aussi aux infidèles, aux païens et jusqu'aux damnés de l'enfer ». Cf. M.H. VICAIRE, *Saint Dominique. La vie apostolique*, Paris, 1965, p. 75-91.

religieux mendiant n'était pas d'expier ses propres fautes ou ses manquements envers la règle, mais d'amener les fidèles à la pénitence et les infidèles à la vraie foi[28]. De ce fait, les mendiants n'étaient pas astreints à la stabilité, mais se caractérisaient au contraire par une grande mobilité. D'un couvent à l'autre, les déplacements étaient constants et les frères souvent sur les routes, où ils cheminaient par deux. Les études, qui se développèrent rapidement au sein des deux ordres, les amenaient à voyager, ne serait-ce que pour se rendre au *studium* auquel leurs supérieurs les avaient affectés pour étudier ou enseigner[29]. La réunion des chapitres provinciaux et généraux, les missions à accomplir auprès de la curie ou les ambassades que l'on ne tarda pas à leur confier, tant à l'intérieur qu'à l'extérieur de la chrétienté, étaient également l'occasion de contacts stimulants ainsi que d'échanges de nouvelles et d'idées. Les relations avec les laïcs étaient plus importantes encore : la mendicité, sous la forme de la quête, était déjà pour les frères l'occasion d'une rencontre avec ceux dont ils dépendaient pour leur subsistance matérielle[30]. Mais c'est évidemment la prédication qui était l'occasion principale de transmettre la bonne Parole aux fidèles. Cela pouvait se faire dans le cadre d'une église paroissiale, où le curé avait invité ou laissé venir les religieux, ou en plein air, sur les places publiques, lorsque le climat et les circonstances s'y prêtaient, ou encore dans le cadre des réunions de confréries ou autres groupes de dévots et dévotes qui les avaient choisis comme aumôniers ou gravitaient simplement dans leur sillage[31]. Par des voies très diverses, les mendiants ont donc cherché à influencer en profondeur le monde des laïcs en y créant des points d'appui et des réseaux de sympathisants, assurant par capillarité la diffusion du message pénitentiel et des thèmes spirituels dont ils étaient porteurs[32]. Aussi conçoit-on aisément que la papauté, qui connaissait mieux que quiconque les faiblesses du clergé séculier et la difficulté de faire évoluer ce corps sclérosé, ait accueilli comme un événement providentiel l'apparition de saint François et de saint Dominique ainsi que de leurs fils spirituels, et qu'elle ait été tentée d'utiliser cette milice pleine de zèle et d'ardeur pour faire face à ce qu'elle considérait comme les besoins urgents de l'Église, au risque de gauchir sur certains points les intentions de leurs fondateurs.

---

28. Sur la place très importante des missions dans le programme des mendiants au XIIIe siècle, cf. B. ALTANER, *Die Dominikanermissionen des 13. Jahrhunderts*, Breslau, 1924, et le volume *Espansione del Francescanesimo tra Occidente e Oriente nel secolo XIII*, Assise, 1979 (Convegni, 6). Voir aussi E.R. DANIEL, *L'Islam e Francesco d'Assisi*, Florence 1975.
29. CF. *Le scuole degli Ordini Mendicanti*, Todi, 1978, (Centro di studi sulla spiritualità medievale, Convegni, 17); C. DOUAIS, *Essai sur l'organisation des études dans l'ordre des Frères Prêcheurs*, Toulouse, 1884.
30. Cf. G. BARONE, *s.v.*, Questua, in *DIP*, VII, Rome, 1983, c. 1155/56.
31. Cf. M.H. VICAIRE, « La prédication nouvelle des Prêcheurs méridionaux au XIIIe siècle », dans *Le Credo, la morale et l'Inquisition*, Toulouse, 1977, (*CF*, 6), p. 21-84. 64, et R. RUSCONI, « Predicatori e predicazione in Italia », in *Storia d'Italia, Annali, IV, Intellettuali e potere*, Turin, 1981, p. 951-1039.
32. Sur les caractères originaux des mendiants, cf. G. BARONE, *s.v.*, Mendicanti, Ordini, in *DIP*, V. Rome 1978, c. 1163-1189, ainsi que I. De CANDIDO, *I Mendicanti, novità dello Spirito*, Rome, 1983, et M.H. VICAIRE, *Saint Dominique et ses Prêcheurs*, Fribourg, 1977.

II. EXPANSION ET ÉVOLUTION DES ORDRES MENDIANTS AU XIIIᵉ SIÈCLE

En quelques décennies, les deux principaux ordres mendiants — les frères mineurs et prêcheurs — connurent une expansion extrêmement rapide, à l'échelle de la chrétienté tout entière et même au-delà, puisqu'ils comptèrent bientôt des établissements

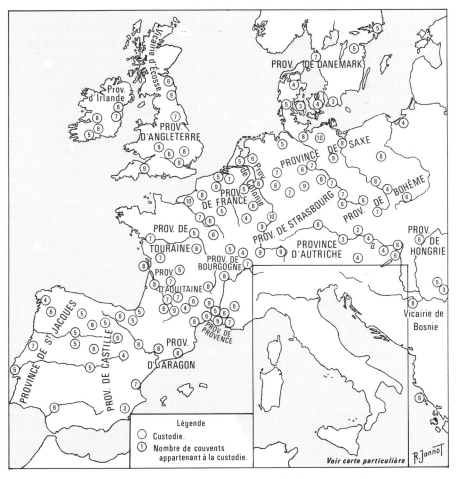

Les provinces de l'Ordre franciscain à la fin du XIIIᵉ siècle
(d'après *Francesco d'Assisi. Chiese e conventi*, Milan, Electa, 1982, p. 20).

en Orient et dans des pays de mission comme la Perse ou certaines parties de l'empire mongol. Vers 1300, les franciscains à eux seuls étaient au nombre d'environ 30 000, répartis entre 1100 couvents, ce qui représentait 40 % du total des maisons de mendiants. Mais ce succès remarquable ne manqua pas d'avoir des répercussions sur la physionomie de ces nouveaux ordres, en particulier des frères mineurs qui connurent alors une profonde mutation[33].

1. La normalisation de l'ordre franciscain

À la mort de leur fondateur, les frères mineurs, dont le nombre ne cessait de s'accroître, se trouvaient confrontés à de sérieux problèmes concernant le sens même de leur vocation : fallait-il, comme François l'avait demandé de façon pathétique dans son *Testament*, rester fidèle à tout prix au modèle de la fraternité évangélique des premiers temps ? Ou bien l'ordre devait-il s'adapter à l'évolution des temps et aux exigences d'un apostolat se développant en liaison étroite avec les institutions ecclésiastiques, en particulier avec la hiérarchie ? Le pape Grégoire IX mit fin rapidement à ces perplexités et lui-même ainsi que ses successeurs multiplièrent les efforts pour aligner l'ordre franciscain sur le modèle de l'ordre dominicain, quitte à éliminer les aspects les plus originaux — qui étaient aussi les plus « choquants » aux yeux des juristes — du genre de vie et de la spiritualité des frères mineurs. Par la bulle *Quo elongati*, en 1230, le pape dispensa les frères d'observer le *Testament* de saint François et affirma que, pour être un bon religieux, il suffisait d'observer la Règle[34]. Ainsi il n'était plus question d'avoir recours au travail manuel pour assurer la subsistance quotidienne, celle-ci devant être acquise uniquement par la quête, contrairement à la volonté expresse de saint François. L'année suivante, les mineurs obtinrent, par la bulle *Nimis iniqua*, le privilège de l'exemption qui — ici encore en contradiction avec les paroles mêmes de leur fondateur qui avait voulu qu'ils fussent « humbles et soumis à tous » —, les soustrayait à la juridiction des évêques, sauf en ce qui concerne la prédication et la fondation de leurs couvents. De ce fait même, ils devinrent totalement dépendants du Saint-Siège, qui multiplia alors les interventions pour les défendre et les recommander aux prélats et aux princes[35]. Ces mesures ne procédaient pas d'une intention de nuire à la mémoire du Pauvre d'Assise, en l'honneur duquel, au contraire, on construisait, dans ces mêmes années, à grands frais, l'imposante basilique d'Assise et dont le culte se répandait dans toute la chrétienté. Mais Grégoire IX voulait avant tout faire servir au bien de l'Église, tel qu'il le concevait, le capital de sainteté et d'enthousiasme religieux qui était l'héritage du Poverello.

---

33. Cf. R. Lambertini et A. Tabaroni, *Dopo Francesco : l'eredita difficile*, Turin, 1989.
34. L'importance de ce texte a été bien mise en évidence par H. Grundmann, « Die Bulle *Quo elongati* Gregors IX », in *AFH*, 54, 1961, p. 3-25.
35. Sur cette évolution rapide, cf. Th. Desbonnets, *De l'intuition à l'institution : les Franciscains*, Paris, 1983.

Les provinces de l'Ordre franciscain en Italie, à la fin du XIIIe siècle
(d'après *Francesco d'Assisi. Chiese e conventi*, Milan, Electa, 1982, p. 21).

Une dernière étape dans ce processus de normalisation fut franchie à la fin des années 30, à l'occasion du conflit qui opposa le ministre général des mineurs, Élie de Cortone (1231-1239) à un certain nombre de frères qui firent appel au Saint-Siège et, avec l'appui d'Innocent IV, obtinrent la tenue, en 1239, d'un chapitre général qui prononça sa déposition[36]. L'affaire est complexe à plus d'un titre : Élie avait gouverné l'ordre de façon extrêmement autoritaire et, pour accroître son influence, il avait multiplié inconsidérément le nombre des provinces. En outre, son souci d'achever le plus rapidement possible le grand chantier de la basilique d'Assise l'avait entraîné dans une politique financière peu reluisante et difficilement compatible, en tout cas, avec l'esprit de pauvreté, tandis que ses sympathies pour l'empereur Frédéric II, auquel il devait finalement se rallier, lui valaient l'hostilité de la curie romaine. Mais le fond du problème résidait sans doute dans le fait qu'Élie était un frère laïque et qu'il avait tout fait pour renforcer la position des laïcs au sein de l'ordre, à un moment où celle-ci était sérieusement menacée par l'accroissement du nombre des clercs issus des écoles et de leur influence dans ses structures. De fait, la coalition qui obligea Élie à démissionner en 1239 était menée par des frères qui appartenaient au milieu des théologiens universitaires et son successeur, l'anglais Aymon de Faversham, favorisa les clercs instruits et le développement des études au sein de l'ordre. Au terme de ce processus de cléricalisation, vers 1250, l'ordre franciscain ne se distinguait plus guère, de ce point de vue, de celui des prêcheurs, et les laïcs n'y étaient plus admis qu'en petit nombre et cantonnés dans un rôle subalterne[37]. D'ailleurs, dès la fin des années 30, des frères mineurs, comme Alexandre de Halès ou Jean de la Rochelle, occupaient des chaires de théologie à l'université de Paris, au même titre que les dominicains Albert le Grand et, plus tard, Thomas d'Aquin. Sauf chez les premiers compagnons de saint François, qui vivaient dans des ermitages retirés de l'Ombrie et des Marches, le souvenir du vrai visage et du message authentique du Poverello s'estompa dans son ordre avec une surprenante rapidité[38].

Le point d'aboutissement de cette évolution fut atteint sous le généralat de saint Bonaventure (1257-1274). Ce dernier s'efforça d'apaiser les controverses qui s'étaient développées, chez les mineurs, au sujet de saint François. Au chapitre général de Narbonne, en 1260, il fut décidé que la *Legenda major* dont il était l'auteur serait désormais la seule biographie officielle du fondateur admise dans l'ordre et que les exemplaires existants des Vies antérieures seraient détruits. En outre, il mit l'accent sur la signification eschatologique de sa stigmatisation, qui l'avait identifié à l'ange du sixième sceau, dont il est question dans l'Apocalypse, et faisait de lui un « second Christ » (*Alter Christus*). À travers ce miracle inouï, Dieu lui-même n'avait-il pas authentifié son message et reconnu par avance le rôle providentiel de la mission de ses fils spirituels[39] ?

Enfin Bonaventure, qui devint cardinal à la fin de sa vie, accentua encore

---

36. R. BROOKE, *Early Franciscan Government : Elias to Bonaventure*, Cambridge, 1959, et G. BARONE, « Frate Elia », in *Bisi*, 85, 1974-1975, p. 89-144.

37. Cf. L.C. LANDINI, *The Causes of Clericalization of the Order of the Friars Minors (1209-1260)*, Chicago, 1968, et R. MANSELLI, « La clericalizzazione dei Minori e San Bonaventura », in *San Bonaventura*, Todi, 1974, p. 181-208 (Centro di studi sulla spiritualità medievale, Convegni, 14).

38. Saint François d'Assise n'est jamais évoqué par saint Antoine de Padoue dans ses *Sermons*, ni par les docteurs universitaires parisiens comme Jean de la Rochelle. Sur ce silence, cf. A. RIGON, « S. Antonio e la cultura universitaria », in *Francescanesimo e cultura universitaria*, cité, p. 69-92.

39. Cf. G. MICCOLI, « San Bonaventura e Francesco », in *San Bonaventura*, cité, p. 47-73 et S. da CAMPAGNOLA, *L'angelo del sesto sigillo e l'« alter Christus »*, Rome, 1971.

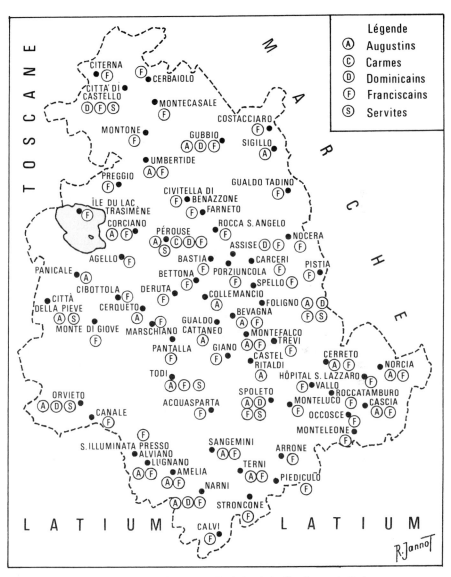

Les ordres mendiants en Ombrie, à la fin du XIIIe siècle
(d'après *Francesco d'Assisi. Chiese e conventi*, Milan, Electa, 1982, p. 22).

l'orientation prioritaire de l'ordre vers l'apostolat et l'action pastorale. À ses yeux, la vocation des frères mineurs était de se consacrer à la prédication et à la confession, de collaborer à la lutte contre l'hérésie et d'accepter des fonctions d'évêque ou d'inquisiteur, bref, de répondre aux besoins les plus pressants de l'Église. Tout le reste devait être subordonné à ses exigences fondamentales[40]. Aussi n'est-il pas surprenant que, sous son influence, les mineurs aient alors défini la perfection évangélique, qui était au centre du message franciscain, comme le refus de rien posséder, ni en propre ni en commun. Mais, en ramenant la pauvreté à une simple renonciation à toute forme juridique de propriété − définition qui fut ratifiée par la papauté en 1279 par la bulle *Exiit qui seminat* − les frères tournaient définitivement le dos à leurs origines, ce qui allait susciter en leur sein de nouvelles tensions, elles-mêmes génératrices, à terme, de crises graves[41].

2. La multiplication des Ordres mendiants

La croissance rapide que connurent alors les franciscains et les dominicains n'empêcha pas l'apparition d'ordres nouveaux qui optèrent pour la forme de vie des mendiants ou se la virent imposer. Ainsi, en 1244, le pape Innocent IV réunit en une seule congrégation tous les groupements érémitiques de Toscane, à l'exception des Guillemites, et chargea le cardinal Richard Annibaldi de réaliser la fusion de ces religieux qui prirent la règle de saint Augustin[42]. En 1255/56, d'autres groupes d'ermites italiens et ultramontains se joignirent à eux et l'ensemble forma dès lors un ensemble cohérent, désigné sous le nom d'Ordre des ermites de saint Augustin, dont le premier chapitre général se tint à Rome en mars 1256 et élut un prieur général, Lanfranc de Milan[43]. Dès les années 1270, les augustiniens comptaient 300 couvents répartis dans toute la chrétienté. Certes, dans un certain nombre de cas, en particulier en Italie, il ne s'agissait pas de fondations nouvelles mais de la transformation en couvents d'anciens établissements érémitiques. En France, Angleterre et Espagne, cependant, de nombreux établissements furent créés *ex nihilo* et l'ordre deviendra influent à partir de la fin du xiiiᵉ siècle, comme l'atteste le fait que l'un de ses membres, le théologien Gilles de Rome, fut élu en 1295 archevêque de Bourges[44].

Un autre ordre, celui des « frères de Sainte-Marie du Mont-Carmel », plus connus sous le nom de carmes, vint également, vers le milieu du xiiiᵉ siècle, grossir les rangs des mendiants[45]. C'était à l'origine une communauté d'ermites qui s'était développée

---

40. Cf. les histoires de l'ordre franciscain, les deux meilleures étant Gratien de Paris, *Histoire de la fondation et de l'évolution des Frères Mineurs au xiiiᵉ siècle*, Paris, 1928, et J. Moorman, *A History of the Franciscan Order*, Oxford, 1968. Sur les premiers évêques franciscains, cf. W.R. Thompson, *The Friars in the Cathedral. The First Franciscan Bishops, 1226-1261*, Toronto, 1974.

41. M.D. Lambert, *Franciscan Poverty...*, cité.

42. Cf. B. Van Luijk, *Gli eremiti neri nel Dugento, con particolare riguardo al territorio pisano*, Pise, 1968.

43. D. Gutierrez, *Los Agustinos en la Edad Media*, t. I, Rome, 1980.

44. B. Rano, s. v. *Agostiniani*, in *DIP*, I, 1974, c. 278-381.

45. L'histoire des débuts de l'ordre est encore à écrire, comme en témoigne l'article de L. Saggi, *Carmelitani*, in *DIP*, II, 1975, c. 460-476.

au XIIe siècle en Terre Sainte, sur les pentes du mont Carmel, pour suivre l'exemple du prophète Élie qui avait vécu là dans la solitude, près d'une source. Entre 1206 et 1214, le patriarche latin de Jérusalem, Albert, approuva leurs constitutions, qui furent confirmées par Honorius III en 1226. Mais les vicissitudes de la Terre Sainte et sa conquête par les musulmans après 1230 les obligèrent à se transférer en Occident, où Grégoire IX, puis Innocent IV leur donnèrent une nouvelle règle qui visait à faire d'eux des frères mendiants. Leur adaptation à ce nouveau genre de vie fut difficile, comme en témoigne le traité intitulé *Ignea sagitta* (« La flèche enflammée »), composée par le prieur général des carmes, Nicolas de France, en 1270/71, où s'exprime une profonde nostalgie de leur style de vie érémitique et contemplative antérieur[46]. Leur existence fut remise en question au concile de Lyon II, en 1274, mais ils survécurent grâce à l'appui de la papauté. À la fin du XIIIe siècle, l'ordre des carmes comptait 150 couvents répartis entre 12 provinces et ils ne se distinguaient plus des autres mendiants que par leur dévotion mariale très prononcée.

À côté des quatre « grands », il faut également faire une place à quelques « petits » ordres qui diffèrent des premiers par le fait qu'ils ne parvinrent jamais à s'étendre à l'ensemble de la chrétienté, ce qui n'empêcha pas certains d'entre eux d'avoir un important rayonnement dans certains pays ou milieux. Ce fut le cas, par exemple, de l'ordre de la Pénitence de Jésus-Christ, dont les membres étaient communément appelés frères du sac, ou sachets, en raison de l'habit en drap pauvre et rugueux qu'ils portaient[47]. Créés en Provence par des laïcs qui avaient été touchés par la prédication du franciscain joachimite Hugues de Digne, en 1248, ils connurent une extension rapide en France et en Angleterre, en particulier dans les milieux populaires. Ainsi, ils ne comptaient pas moins de 5 couvents en Flandre à la fin du XIIIe siècle — juste un de moins que les dominicains — leur apostolat ayant obtenu un impact particulier auprès des ouvriers du textile dans ces grands centres d'artisanat urbain qu'étaient les villes « drapantes » de cette région. En Italie, il faut faire une place particulière aux Servites de Marie, ordre créé vers 1240 par sept marchands florentins qui avaient décidé d'abandonner leurs activités professionnelles pour se consacrer à la vie religieuse[48]. D'abord guidée par des dominicains, la petite communauté religieuse devint autonome et ne tarda pas à essaimer en Italie centrale et septentrionale où les servites, très attachés eux aussi à la dévotion mariale, s'enracinèrent solidement. Ils furent reconnus comme un Ordre mendiant par la papauté en 1259 et réussirent à survivre à la menace de suppression qui pesa sur eux en 1274. À la même époque, à partir de Parme, se développa également, après 1260, le mouvement des Apostoliques, créé par un laïc, Gérard Segarelli, qui reprochait aux grands Ordres mendiants d'avoir trahi leur idéal de pauvreté[49]. Soutenus par le clergé séculier, ils furent durement critiqués par le

---

46. Cf. T. BRANDSMA, s.v. *Carmes*, in *DSp*, II, 1953, c. 156-171 et A. STARING, *Medieval Carmelite Heritage. Early Reflections on the Nature of the Order*, Rome, 1989.

47. Bonne mise au point par J. BURNS, *s.v. Penitenza di Gesu Cristo*, in *DIP*, VI, Rome, 1980, c. 1398-1403. Voir aussi K. ELM, « Ausbreitung, Wirkamseit und Ende der provençalischen Sackbrüder », in *Francia*, 1, 1973, p. 257-324.

48. F. DAL PINO, *I Frati Servi di Maria, dalle origini all'approvazione (1233 ca-1304)*, 3 vol., Louvain, 1972. Cet ouvrage contient plus que son titre ne l'indique et donne une bonne vue d'ensemble sur les mouvements religieux qui se sont développés en Italie au XIIIe siècle.

49. Sur les Apostoliques, cf. G.G. MERLO, *Eretici ed eresie medievali*, Bologne 1989, p. 99-105, et dans le présent ouvrage, *infra*, p. 835-836.

chroniqueur franciscain Salimbene, qui les traite de « ribauds » et s'écrie à leur propos : « Nous et les prêcheurs, nous avons appris à tout le monde à mendier! », déplorant que des indignes se permettent ainsi d'imiter les grands ordres et de leur faire concurrence[50]. Boutade polémique certes, mais qui posait un réel problème : celui de la prolifération des Ordres mendiants qui, après 1250, commença à susciter de vives inquiétudes au sein de l'église et de la société.

3. Les conflits entre les Ordres mendiants et le clergé séculier

Au cours de la seconde moitié du XIIIe siècle, on assista en effet à une détérioration sensible des relations entre les mendiants et le clergé séculier, qui devait conduire, dans certains pays comme la France et l'Allemagne, à des affrontements violents. Pourtant, dans un premier temps, la plupart des évêques avaient accueilli avec bienveillance les nouveaux venus et certains d'entre eux les aidèrent à s'implanter dans les villes de leur diocèse, comme par exemple Gautier de Tournai en Flandre ou Philippe Visconti à Pise, qui, dans ses *Sermons*, ne cesse de faire leur éloge et de les proposer en modèles à son clergé diocésain[51]. Mais ces bonnes dispositions du haut et même du bas clergé envers les frères disparurent quand ceux-ci, au lieu de se contenter de coopérer au ministère paroissial avec humilité, se mirent à réclamer des droits et des privilèges.

La première phase du conflit s'ouvrit à Paris et se situe au niveau de l'université[52]. Certains frères qui y enseignaient, surtout en théologie, se heurtèrent à l'hostilité de leurs collègues séculiers, qui leur reprochaient de ne pas se montrer solidaires de la corporation universitaire, en refusant en particulier de s'associer à ses grèves, et de faire une concurrence déloyale aux autres maîtres en donnant un enseignement gratuit. En outre, les mendiants avaient obtenu divers privilèges, comme celui d'être dispensés de la licence ès arts et d'accéder directement à la faculté de théologie, en raison de la formation préalable qu'ils avaient déjà reçue dans leurs couvents. Dans ce contexte, l'université de Paris décida donc, en 1252, qu'aucun membre d'un ordre religieux ne pourrait plus désormais avoir de chaire. L'année suivante, comme ils avaient continué à enseigner alors que l'université avait suspendu ses cours pour protester contre les sévices infligés à un étudiant par la police royale, les mendiants furent exclus de l'université et excommuniés! Le pape Innocent IV vola à leur secours et obligea l'université à les réintégrer. Toutefois, comme la crise avait révélé le mécontentement d'une large part du clergé contre le privilège qu'avaient obtenu les mendiants de faire du ministère pastoral dans les paroisses sans avoir à demander l'autorisation du desservant, il abolit ce dernier, en 1254, par la bulle *Etsi animarum*. Mais son successeur, Alexandre IV, abrogea cette décision dès 1255 et le conflit rebondit.

---

50. Salimbene, *Cronica*, ed. O. Holder-Egger, in *MGH.SS*, XXXII, Hanovre, 1913, p. 255. Cf. G.G. Merlo, « Salimbene e gli Apostolici », in *Società e Storia*, 39, 1988, p. 3-21.

51. Cf. A. Murray, « Archbishop and the Mendicants in Thirteenth Century Pisa », in K. Elm (éd.), *Stellung und Wirksamkeit der Bettelorden in der städtische Gesellschaft*, Berlin, 1981, p. 19-76.

52. On trouvera un bon résumé de la querelle chez Gratien de Paris, *op. cit.*, p. 200-220, et dans l'ouvrage de

La seconde phase de cette querelle se situa sur le plan dogmatique. Le franciscain joachimite Gérard de Borgo San Donino ayant dans son *Introduction à l'Évangile éternel* affirmé que les mendiants étaient appelés à remplacer le clergé séculier indigne dans l'Église spirituelle de l'avenir, un maître de l'université de Paris, Guillaume de Saint-Amour, en prit prétexte pour attaquer les ordres nouveaux dans son *De periculis novissimorum temporum*, composé en 1255[53]. Il leur reprochait de soutenir des idées hérétiques, d'être des hypocrites, avides de capter les testaments à leur profit sous couvert de pauvreté, et d'usurper les fonctions du clergé. Sur les instances du pape, saint Louis finit par prendre des sanctions contre Guillaume qui fut banni du royaume, mais nombre de ses confrères se déclarèrent solidaires de lui. En 1256, le dominicain Thomas d'Aquin et le franciscain Bonaventure lui donnèrent la réplique en faisant l'apologie du genre de vie des mendiants et en le déclarant supérieur à celui des clercs[54]. La controverse reprit de plus belle en 1268/70, quand Gérard d'Abbeville, Nicolas de Lisieux et Henri de Gand eurent soutenu l'idée que le pouvoir des curés — avec lesquels les mendiants étaient en conflit sur le terrain — était d'origine divine, puisqu'il dérivait de celui des 72 disciples du Christ, de la même façon que celui des évêques procédait des 12 apôtres. Thomas d'Aquin reprit la plume pour combattre cette thèse et soutint que, du fait de leur attachement à la pauvreté et à leurs vœux de chasteté et d'obéissance, les mendiants se situaient à un degré de perfection supérieur à celui qui pouvait découler de n'importe quelle fonction ou office dans l'Église[55].

Après 1270, ces querelles universitaires finirent par toucher un public plus large et l'épiscopat, au moins en France, en Allemagne et en Angleterre, fit cause commune avec son clergé contre les mendiants. Depuis 1255 en effet, il suffisait que ceux-ci soient autorisés par l'évêque d'un diocèse pour qu'ils puissent opérer librement dans toutes ses églises. En 1281, Martin IV accrut encore leurs privilèges, par la bulle *Ad fructus uberes*, en vertu de laquelle les frères étaient autorisés à exercer leurs activités pastorales (prêcher et confesser dans les paroisses, ensevelir les morts dans leurs propres églises conventuelles, ce qui était une source de revenus importante) sans avoir à demander aucune autorisation. À la suite de cette décision, une véritable fronde se développa au sein du clergé français, sous la direction, de l'archevêque de Reims et de l'évêque d'Amiens. Il s'ensuivit une bataille juridique au sommet et, à la base, une lutte âpre entre les frères et les curés, qui donna lieu à de nombreux incidents, parfois violents[56].

D.L. Douie, *The Conflict between the Seculars and the Mendicants at the University of Paris in the Thirteenth Century*, Londres, 1954.

53. Sur cette phase du conflit, cf. M. Dufeil, *Guillaume de Saint-Amour et la polémique universitaire parisienne, 1250-1259*, Paris, 1972, et A. Parivicini Bagliani, « Die Polemik der Bettelorden um den Tod des Kardinals Peter von Collemezzo (1253) » in *Aus Kirche und Reich. Festschrift für F. Kempf.* Sigmaringen 1983, p. 357-362.

54. M. Bierbaum, *Bettelorden und Weltgeistlichkeit an der Universität Paris*, Münster, 1920, et A. Zimmermann (éd.), « Die Auseinandersetzungen an der Pariser Universität im XIII. Jahrhundert », in *MM*, Berlin-New York, 1976.

55. Y. Congar, *L'Église de saint Augustin à l'époque moderne*, Paris, 1970, p. 246-252.

56. Sur les aspects juridiques du conflit, cf. H. Lippens, « Le droit nouveau des Mendiants en conflit avec le droit coutumier du clergé séculier », in *AFH*, 47, 1954, p. 241-292; sur l'action de l'épiscopat, cf. P. Glorieux, « Prélats français contre religieux Mendiants. Autour de la bulle *Ad fructus uberes* », in *RHEF*, 11, 1925, p. 309-331, et K. Schleyer, *Anfänge der Gallikanismus im 13. Jahrhundert. Der Widerstand des französischen Klerus gegen die Privilegierung der Bettelorden*, Berlin, 1937.

Au-delà de ses péripéties, il importe de considérer les enjeux réels de ce conflit. Si celui-ci éclata après 1250, c'est qu'à cette époque le niveau moyen du clergé séculier, au moins en ville, s'était sensiblement élevé par rapport au début du siècle. Vers 1270, les curés de Paris, de Cologne ou de Londres ne se considéraient pas comme inférieurs aux mendiants — certains d'entre eux avaient même fait des études universitaires — et ils voyaient avec une certaine amertume les laïcs fréquenter plus volontiers les églises des frères que leurs paroisses et faire bénéficier largement ces derniers de leurs donations[57]. Mais à ces raisons conjoncturelles et parfois terre-à-terre, s'en ajoutaient d'autres, plus fondamentales, qui étaient d'ordre ecclésiologique. Aux yeux des séculiers en effet, il existait un ordre ecclésiastique d'origine divine et donc fixé une fois pour toutes, fondé sur une hiérarchie à deux niveaux : les évêques et les curés. L'Église était structurée sur la base de communautés de plus en plus étendues (paroisse, diocèse, province, Église universelle). À chacune d'entre elles présidait un ministre de droit divin, possédant une juridiction ordinaire qui lui était donnée avec son office. Nul ne pouvait la lui retirer — sauf s'il s'en montrait indigne —, même le pape, dont personne ne contestait l'autorité suprême. Mais celle-ci ne lui donnait pas le droit de modifier la constitution même de l'Église en y introduisant des intrus, fussent-ils d'excellents religieux[58].

À ces arguments, les mendiants opposaient la mission apostolique qu'ils avaient reçue du pape, dont le pouvoir était universel. Si Thomas d'Aquin reconnaissait que les évêques étaient les maîtres dans leur diocèse, Bonaventure et certains polémistes augustiniens avancèrent l'idée que l'Église constituait en quelque sorte un unique diocèse dont le pape était le seul prélat, les évêques n'étant que ses « lieutenants » ou ses « vicaires » dans leur diocèse particulier. Cette ecclésiologie, qui majorait les prérogatives de l'Église romaine aux dépens de celles des Églises locales, ne prendra un caractère systématique qu'au début du XIV⁰ siècle, mais ses fondements se mirent en place dans les dernières décennies du XIII⁰[59].

L'acuité du conflit entre les deux clergés, qui se déchiraient au lieu de coopérer pour la réforme de l'Église, apparut clairement au concile de Lyon II, en 1274. Les évêques y manifestèrent un vif mécontentement face à la multiplication des Ordres mendiants et aux empiètements de ces derniers sur leurs prérogatives. Aussi tentèrent-ils d'obtenir leur suppression[60]. Leur offensive échoua face à la ferme résistance de Bonaventure, ministre général des frères mineurs et cardinal, et de Jean de Verceil, maître général des prêcheurs, mais surtout au refus du pape Grégoire X, trop

---

57. Même un clerc parisien aussi irénique que Ranulphe de la Houblonnière, qui fut évêque de cette ville de 1280 à 1288, ne peut s'empêcher de déplorer que ses fidèles se montrent plus généreux envers les frères qu'envers leur paroisse. Cf. N. BÉRIOU, *La prédication de Ranulphe de la Houblonnière. Sermons aux clercs et aux simples gens de Paris au XIII⁰ siècle*, t. II, Paris, 1987, p. 82/83 et 230.

58. Ces aspects ont été bien mis en valeur par Y. CONGAR, « Aspects ecclésiologiques de la querelle entre Mendiants et séculiers dans la seconde moitié du XIII⁰ et le début du XIV⁰ siècle », in *AHDLMA*, 28, 1961, p. 35-151. Pour la période antérieure, cf. M. GY, « Le statut ecclésiologique de l'apostolat des Prêcheurs et des Mineurs avant la Querelle des Mendiants », in *RSPT*, 59, 1975, p. 79-88.

59. Cf. B. TIERNEY, *The Origins of Papal Infaillibility, 1150-1350*, Leyde, 1972, et M. MOLLAT et A. VAUCHEZ (éd.), *Histoire du Christianisme*, t. VI : *Un temps de crises (1274-1449)*, Paris, 1990, p. 275-280.

60. J. LE GOFF, « Le dossier des mendiants », in *1274, Année charnière, mutations et continutés*, Paris, 1977, p. 211-222.

conscient de tout ce que l'Église devait aux frères et du rôle fondamental qu'ils y jouaient. Mais pour apaiser la colère de l'épiscopat, et avec l'accord des grands Ordres mendiants qui voyaient d'un mauvais œil la concurrence des petits, le concile décida, par la constitution *Religionum diversitatem*, de supprimer un certain nombre de ces derniers, dont le choix fut laissé au Saint-Siège[61]. Ce dernier décréta ensuite la dissolution des frères du Sac et des frères Pies, qui se soumirent, ainsi que des Apostoliques qui entrèrent dans la dissidence[62]. Mais cette mesure partielle n'avait rien réglé quant au fond, et le conflit entre les séculiers et les mendiants devait encore connaître de nombreux rebondissements jusqu'à la fin du Moyen Âge.

III. LES ORDRES MENDIANTS ET LES VILLES

Au XIIIe siècle, l'influence religieuse des Ordres mendiants s'est exercée essentielle-ment dans les villes et, même dans des régions où ils étaient très bien implantés comme la Toscane, elle ne se fit guère sentir dans les campagnes avant le XIVe siècle[63]. Cette priorité donnée dans leur apostolat à la société urbaine s'explique par plusieurs raisons. La première est évidemment l'essor démographique de l'Occident, au moins jusque vers le milieu du XIIIe siècle, et la place croissante qu'y occupaient les villes sur le plan politique, économique et culturel. Beaucoup plus que par le passé, c'est là que se situaient désormais les centres vitaux de la chrétienté. L'Église avait été lente à s'adapter à l'évolution en cours et demeurait dans l'ensemble attachée aux structures et aux valeurs de la société rurale, dans laquelle s'étaient épanouis la plupart des mouvements religieux des XIe et XIIe siècles, de l'érémitisme à Cîteaux. La ville n'était-elle pas en effet un lieu de perdition, où les occasions de péché étaient particulièrement nombreuses? On s'y enrichissait en général plus vite qu'à la campagne et l'argent y circulait davantage, procurant à ceux qui en avaient la possibilité de gains considérables par la pratique du crédit et du prêt sur gages. Aussi bon nombre d'hommes d'Église rigoristes, ou simplement exigeants sur le plan moral, réagirent-ils bientôt en jetant l'anathème sur certaines formes nouvelles de la vie économique et de la société urbaine. Au XIe siècle, un Pierre Damien — ermite puis cardinal — en Italie, au XIIe siècle les moines bénédictins comme Guibert de Nogent en France ou Rupert de Deutz en Allemagne, n'avaient pas eu de mots assez durs pour dénoncer l'immoralité de la vie citadine, où le brigandage et l'enrichissement illicite étaient de règle à tous les échelons de la société[64]. Non seulement les riches y étalaient

---

61. M. de FONTETTE, « Religionum diversitatum et la suppression des Ordres mendiants », in *1274, Année charnière*, p. 223-229.

62. Cf. J. de FONTETTE, « Les Ordres mendiants supprimés au 2e concile de Lyon, 1274 », in *Les Mendiants en pays d'Oc*, Toulouse, 1973, p. 193-216 (*CF*, 8), ainsi que R.W. EMERY, « The Friars of the Blessed Mary and the Pied Friars », in *Speculum*, 24, 1949, p. 228-238, et A. FRANCHI. s.v. *Beata Maria Madre di Cristo (Ordine della)*, in *DIP*, 1, Rome, 1974, c. 1143-1146. Sur les Apostoliques, cf. *infra*, p. 835-836.

63. Cf. Ch. de la RONCIÈRE, « L'influence des Franciscains dans la campagne de Florence au XIVe siècle (1280-1350) », in *MEFRM*, 87, 1975, p. 27-103.

64. Sur le contexte spirituel dans lequel s'inscrivent ces diatribes, cf. A. VAUCHEZ, *La spiritualité de l'Occident*

leur corruption mais les pauvres eux-mêmes, souvent des paysans fugitifs attirés là par l'appât du gain et le désir de liberté, y devenaient revendicatifs, n'hésitant pas à former avec les bourgeois des conjurations illicites et à se révolter parfois contre le pouvoir de l'évêque, maître de la cité ou seigneur d'une partie de celle-ci[65]. Plus tard les canons des conciles de Latran II (1123) et Latran III (1179) dénoncèrent pêle-mêle le rôle des usuriers dans la vie économique et leurs méfaits, les scandales provoqués par l'afflux des prostituées attirées par ces concentrations humaines, ainsi que le développement des hérésies dans les villes du Midi, tandis que saint Bernard accusait les étudiants qui s'y multipliaient de préférer les discussions oiseuses sur des thèmes philosophiques à la méditation sereine et respectueuse de la Parole de Dieu[66]. À l'agitation stérile des écoles urbaines, ce dernier opposait les joies austères de la contemplation au « désert », c'est-à-dire dans les monastères cisterciens situés au fond des bois, dans les lieux sauvages et reculés[67].

Telle était donc la situation au début du XIIIe siècle lorsqu'apparurent les premiers Ordres mendiants. Leurs fondateurs prirent vite conscience du fait que la ville était un domaine à reconquérir sur le plan religieux. En Ombrie, il fallait arracher les citadins à la fascination qu'exerçaient sur eux la richesse et le pouvoir dont ils étaient les maîtres dans le cadre des institutions communales, qui servaient trop souvent à écraser les pauvres et les paysans; dans les villes du Languedoc, le problème majeur était celui de l'hérésie à laquelle une bonne partie de la population avait adhéré par haine de l'Église et du clergé, sous l'effet de la prédication évangélique des Parfaits cathares et des vaudois. C'est donc essentiellement pour des raisons pastorales et en raison de leur désir de conduire au salut les citadins que saint François et saint Dominique ainsi que leurs compagnons orientèrent en priorité leur apostolat vers les villes où se trouvaient réunies des milliers d'âmes menacées de perdition, à leurs yeux, sur le plan moral et religieux[68].

Mais d'autres raisons attiraient également vers les villes les ordres nouveaux. La croissance rapide de leurs effectifs et leur refus de toute propriété foncière les obligèrent en effet à s'insérer dans la société urbaine, où l'argent était abondant, afin d'y trouver les ressources — aumônes mais bientôt aussi legs testamentaires et fondations pieuses — dont ils avaient besoin pour faire vivre leurs communautés[69]. Le fait qu'ils étaient extérieurs au régime seigneurial et à la féodalité les fit bien voir des populations, en particulier des bourgeois. Ces derniers, ayant gagné beaucoup d'argent par la pratique du prêt à intérêt et d'autres activités similaires, illicites aux yeux de l'Église, avaient assez mauvaise conscience pour éprouver le besoin d'en redistribuer

---

médiéval, Paris, 1975, p. 124-128, ainsi que B. ROSENWEIN et L. LITTLE, « Social Meaning in the Monastic and Mendicant Spiritualities », in *PaP*, 63, 1974, p. 4-32.

65. Cf. L.K. LITTLE, *Religious Poverty and the Profit Economy in Medieval Europe*, Londres, 1978.

66. J. LONGÈRE (éd.), *Le troisième concile de Latran (1179), Sa place dans l'histoire*, Paris, 1982.

67. Saint BERNARD, *Sermo in conversione ad clericos*, ch. XXI., in *PL* 182, c. 855.

68. En 1216, les mineurs résidaient encore en dehors des villes, au témoignage de Jacques de Vitry qui rencontra saint François et ses compagnons en 1216, pendant son séjour à Pérouse. Cf. Jacques de VITRY, *Lettres*, éd. R.B.C. HUYGENS, Leyde, 1961, p. 75 : « Ceux-ci vivent dans les ermitages où ils rentrent le soir ; la journée, ils vont en ville pour prêcher et travailler au salut des âmes. »

69. Ces problèmes ont été bien étudiés par M.D. LAMBERT, *Franciscan Poverty...*, Londres, 1961.

une partie à ces religieux qui avaient choisi de vivre dans la pauvreté et l'humilité[70]. En outre, les frères prêcheurs, qui étaient dès l'origine un ordre de clercs, choisirent de s'installer à proximité des écoles qui se trouvaient dans les grands centres urbains, et les frères mineurs ne tardèrent pas à les imiter.

Ainsi, vers 1230, les deux premiers Ordres mendiants avaient pris une orientation résolument urbaine qui ne devait plus se démentir et qui sera imitée par les suivants[71]. Mais, dans un premier temps qui dura jusque vers 1250 environ, leurs implantations s'effectuèrent surtout dans les quartiers périphériques des villes qui étaient situés en général à l'extérieur des murs d'enceinte. Ce choix leur fut dicté par plusieurs considérations : d'une part, ces nouveaux venus étaient encore assez mal connus au début, et les évêques ou les chapitres cathédraux, auxquels les papes les recommandaient, leur concédèrent souvent de modestes églises périphériques ou des terrains situés dans des zones en voie d'urbanisation[72]. Mais, par ailleurs, ces localisations correspondaient aux vœux des frères qui, dans ces banlieues, se trouvaient en contact avec des habitants récemment venus de la campagne à la ville, mal intégrés dans leurs structures paroissiales traditionnelles. Après 1250 en revanche, dans beaucoup de villes, on vit les mendiants changer d'emplacement et se faire construire — en général aux frais de la commune ou de quelque riche seigneur ou bourgeois — des couvents et de belles églises situées à l'intérieur des murs[73]. Ce faisant, les religieux répondaient certes aux vœux d'une bonne partie de la population, en particulier des classes dirigeantes — noblesse et aristocratie urbaine — qui appréciaient de plus en plus leur genre de vie et les soutenaient de leurs subsides. Mais cette urbanisation définitive et complète ne fut pas acceptée par tous, en particulier chez les frères mineurs, car elle s'accompagnait d'une fuite devant la précarité économique et l'insécurité qui constituaient un aspect fondamental de leur vocation. Aussi certains d'entre eux, en particulier les premiers compagnons de saint François encore vivants, préférèrent-ils se retirer dans des ermitages et ne dissimulèrent-ils pas leur hostilité aux évolutions en cours. On les appela les Spirituels[74].

Mais leurs protestations n'eurent guère d'échos dans l'immédiat et la hiérarchie des Ordres mendiants ainsi que la papauté mirent toujours davantage l'accent sur la mission pastorale des frères et sur le rôle qu'ils devaient jouer dans l'encadrement religieux des fidèles. La tâche fondamentale qui leur était assignée par la hiérarchie était la prédication, qui devait conduire les laïcs à la pénitence et à la confession

---

70. Sur les rapports étroits qui ne tardèrent pas à s'établir entre les mendiants et les usuriers, cf. L.K. LITTLE, *Religious Poverty*, p. 178-217.

71. Nombreuses sont les études qui ont été consacrées à cette question. Voir en particulier J. LE GOFF, « France du Nord et France du Midi dans l'implantation des Ordres mendiants » in *Mendiants en pays d'Oc*, Toulouse, 1973, p. 133-142 (*CF*, 8) ; M. de FONTETTE « Villes médiévales et Ordres mendiants », in *RHDF*, 1970, p. 390-407. A. VAUCHEZ (éd.), *Les Ordres mendiants et la ville en Italie centrale (v. 1220-v. 1350)*, *MEFRM*, 89, 1977, p. 559-573 : E. FÜGEDI, « La formation des villes et les Ordres mendiants en Hongrie », in *Annales ESC*, 25, 19-70, p. 966-981.

72. Cf. J. LE GOFF, « L'apogée de la France urbaine médiévale » *in* G. DUBY (éd.), *Histoire de la France urbaine*, t. II, Paris, 1980, p. 230/240.

73. Cf. J. FREED, *The Friars and German Society in the Thirteenth Century*, Cambridge (Mass.), 1977, p. 21-51 ; E. GUIDONI, « Città e Ordini Mendicanti. Il ruolo dei conventi nella nascita e nella progettazione urbana dei secoli XIII e XIV » in *Quaderni Medievali*, 4, 1977, p. 69-106.

74. Voir à ce sujet le volume *Chi erano gli Spirituali?*, Assise, 1976 (Convegni, 3).

sacramentelle. Où pouvait-on mieux que dans les centres urbains réunir des foules dans les églises ou sur les places publiques pour leur parler de Dieu et les inviter à la conversion[75]? En outre, surtout en Italie, l'hérésie était essentiellement un phénomène urbain. Or, à partir de 1233, les dominicains et, un peu plus tard, les franciscains furent officiellement chargés de l'inquisition. Leurs couvents devinrent donc, dans les régions contaminées par l'hérésie, des tribunaux où l'on procédait à l'interrogatoire des suspects et parfois des prisons[76]. Alors que leur vocation semblait les exclure des fonctions d'autorité, les frères se trouvèrent devenir des instruments du pouvoir ecclésiastique et même des agents de propagande politique au service du Saint-Siège, comme on le constata en Italie à l'occasion du grand conflit qui opposa l'empereur Frédéric II aux papes Grégoire IX et Innocent IV. Or, dans l'Europe du milieu du XIIIᵉ siècle, les villes étaient des enjeux fondamentaux qu'il était essentiel pour l'Église de contrôler[77].

Cette mainmise des Ordres mendiants sur la ville s'opéra de façon progressive et selon des modalités différentes selon les régions. En Italie septentrionale, dès 1233, on avait assisté à une tentative de la part de certains frères pour imposer leur loi à la société civile, à la faveur de la popularité qu'ils avaient acquise dans l'opinion. Ainsi le dominicain Jean de Vicence se vit confier les pleins pouvoirs sur le plan politique par des cités comme Bologne ou Vicence, ce qui lui permit d'y prendre des mesures en vue de ramener la paix entre les factions et de combattre l'hérésie[78]. Mais ce succès demeura sans lendemain car, une fois retombé l'enthhousiasme suscité par le prédicateur, les communes ne tardèrent pas à revenir à leurs querelles intérieures et à leurs conflits territoriaux. Instruits par l'expérience, les frères préférèrent par la suite s'appuyer sur les laïcs qui gravitaient dans leur sillage sur le plan spirituel et les organiser en mouvements, dont certains avaient des buts essentiellement religieux mais d'autres, comme la société de la Foi, créée à Florence et Milan par le dominicain saint Pierre Martyr, ou encore la Milice de Jésus-Christ, véritable ordre de chevalerie en milieu urbain, visaient à procurer à l'orthodoxie un soutien militant dans sa lutte contre les hérétiques et leurs protecteurs[79]. Plus largement, en Italie, les mendiants surent user de leur prestige auprès des laïcs et de l'influence qu'ils exerçaient sur de nombreuses confréries de pénitents (*Laudesi* qui chantaient des cantiques en langue vulgaire en l'honneur de la Vierge et des saints, *Disciplinati* ou flagellants qui se multiplièrent après 1260, tiers ordres structurés après 1280) pour regagner à l'Église la société communale qui, vers 1200, semblait en passe de lui échapper[80].

75. Cf. D. d'AVRAY, *The Preaching of the Friars. Sermons diffused from Paris before 1300*, Oxford, 1985, et « Sermons to the Upper Bourgeoisie by a Thirteenth Century Franciscan », in D. BAKER (ed.), *The Church in Town and Country* Oxford, 1979, p. 187-205 *(SCH, 16)*.

76. Cf. *infra*, p. 828-831.

77. Cf. G. BARONE, « Federico II e gli ordini mendicanti » in *MEFRM*, 90, 1978 p. 607-626.

78. A. VAUCHEZ, « Une campagne de pacification... », cité, et G. De SANDRE GASPARINI, « La pace in Antonio e nella "devotio" dei Mendicanti nel 1233 », in *S. Antonio di Padova tra storia e profezia*, éd. P. GIURIATI et P. MARANGON (= *Studia Patavina*, 28, 1981), p. 505 et suiv.

79. N.J. HOUSLEY, « Politics and Heresy in Italy. Antiheretical Crusades, Orders and Confraternities, 1200-1500 », in *JEH*, 33, 1982, p. 201-208.

80. Cf. H. HEFELE, *Die Bettelorden und das religiöse Volksleben und Mittelitaliens*, Leipzig, 1910, et surtout G.G. MEERSSEMAN, *Ordo Fraternitatis. Confraternite e pietà dei laici nel Medioevo*, Rome, 3 vol., 1977.

Au terme de ce processus, on peut dire que les Ordres mendiants, au cours des dernières décennies du XIIIe siècle, se sont profondément enracinés dans les villes et les ont marquées de leur influence. Leur pastorale d'insertion avait porté ses fruits et des liens souvent très étroits s'étaient établis entre eux et les pouvoirs municipaux, qui ne nourrissaient aucune méfiance vis-à-vis de ces frères dont ils n'avaient rien à craindre sur le plan politique. À Marseille comme à Bruges ou à Rome, l'église conventuelle des frères mineurs servait de lieu de réunion pour les organes dirigeants de la communauté urbaine et c'est là que les notabilités de la ville venaient chercher une sépulture honorable, ainsi que des prières et des suffrages pour affronter l'au-delà.

Cette solidarité entre les ordres mendiants et la ville qui les abritait reposait du reste sur un échange équilibré de services : la municipalité leur accordait des subsides réguliers sous forme de dons en argent et en cierges de cire, mais aussi d'offrandes régulières de bois et de vêtements. En contrepartie, elle avait souvent recours à leurs services comme messagers, médiateurs ou diplomates. Dans certaines cités italiennes, cette collaboration était si étroite que les dominicains gardaient précieusement les archives communales dans leur couvent, tandis que les franciscains et les autres mendiants ne jouaient pas un rôle moins utile en restituant à la commune l'argent des fraudes sur les deniers publiques que certains de leurs pénitents leur avaient remis sous le secret de la confession[81].

L'illustration peut-être la plus remarquable — et aujourd'hui la plus évidente — du succès rencontré par les Ordres mendiants est constituée par leurs églises. Alors que leurs fondateurs avaient souhaité que les frères se contentent d'édifices modestes, ces derniers ne tardèrent pas à se lancer dans la construction de couvents et d'églises qui nous frappent encore, là où ces édifices ont subsisté, par leur taille considérable[82]. Cette évolution fut très rapide chez les dominicains qui, dès l'origine, préférèrent s'installer dans les grandes villes et y édifier des couvents d'une certaine importance, tandis que les frères mineurs s'implantaient plutôt dans des agglomérations plus modestes. Mais même ces derniers finirent par se laisser entraîner dans des constructions somptuaires, sous la pression de grands laïcs comme la comtesse Jeanne de Hainaut à Valenciennes ou de saint Louis à Paris, qui obligèrent les frères à accepter que des architectes professionnels élèvent pour eux des édifices dans le meilleur style du temps, comme le couvent des Cordeliers (nom qu'on donnait en France aux frères mineurs) de Paris dont la nef, longue de 83 mètres, était la plus vaste de la cité[83]. Là encore, les entorses à l'esprit de la règle pouvaient se justifier par des arguments d'utilité et d'efficacité : la construction de ces grandes églises devait en effet permettre de réunir, pour y entendre des sermons édifiants, le plus grand nombre possible d'habitants de la ville et donc, indirectement, d'élever leur niveau religieux et moral.

Des recherches menées, au cours des dernières décennies, sur la relation existant

---

81. Cf. St. da CAMPAGNOLA, « Gli Ordini religiosi e la civiltà comunale in Umbria », in *Atti del VI convegno du Studi Umbri*, Pérouse 1971, p. 469-542, et A. VAUCHEZ, *Ordini Mendicanti e società italiana*, cité.

82. Cf. L. GILLET, *Histoire artistique des Ordres mendiants*, Paris, 1939 ; W. KROENIG, « Caratteri dell'architettura degli Ordini Mendicanti in Umbria », in *Atti del VI convegno...*, cité, p. 165-198.

83. L. BEAUMONT-MAILLET, *Le couvent des Cordeliers de Paris*, Paris, 1975.

entre le nombre de couvents de mendiants et l'importance des villes qui les abritaient, ont d'ailleurs montré que les fondations des mendiants n'avaient pas été faites au hasard, mais bien en fonction de certains critères démographiques et économiques[84]. Vers 1300, une agglomération qui possédait 4 ou 5 couvents de mendiants était considérée comme une ville importante, tandis que celle qui n'en avait qu'un ne devait pas compter beaucoup d'habitants. Notons, d'autre part, que la vague de constructions a commencé, au XIIIᵉ siècle, par les grandes villes (qui deviendront ensuite des villes à 4 ou 5 couvents de mendiants) pour descendre vers des cités plus modestes, qui n'auront ensuite que trois ou deux couvents. Enfin, il est certain que les régions les plus urbanisées de l'Occident — Italie du Centre et du Nord, Bassin parisien, Flandre, vallée du Rhin — ont été les premières touchées par le phénomène mendiant, alors que d'autres parties de la chrétienté, où l'essor urbain fut tardif et limité, comme la Bretagne ou la Pologne, n'entrèrent vraiment en scène qu'à l'extrême fin du XIIIᵉ siècle et surtout au XIVᵉ siècle[85]. Si l'on s'en tenait à ces observations, on serait fondé à considérer la carte de l'implantation des couvents de mendiants comme un reflet de celle des villes de l'Occident médiéval ainsi que de leur hiérarchie dans le réseau urbain[86]. Mais cette affirmation doit cependant être nuancée, car la règle que nous venons de définir souffre un certain nombre d'exceptions. Ainsi, dans plusieurs villes de France et non des moindres, l'opposition résolue des moines ou des chanoines du chapitre cathédral fit longtemps obstacle à l'établissement des mendiants ou ne laissa s'installer qu'un seul couvent, alors que la cité aurait logiquement dû en compter plusieurs. D'autre part, il ne faut pas oublier que les mendiants étaient des religieux qui se déplaçaient beaucoup sur les routes. Il était donc nécessaire pour eux d'avoir un gîte d'étape assuré tous les 30 ou 40 kilomètres sur les axes principaux, comme la *Via Francigena* qui menait d'Italie en France ou sur la route qui conduisait de Lombardie en Allemagne par le col du Brenner. Aussi certains ordres furent-ils amenés à établir des couvents dans les localités de taille médiocre mais qui étaient bien placées, compte tenu des contraintes de la circulation[87]. Enfin, à partir de 1300, la papauté interdit la création de nouveaux couvents sans son autorisation, pour éviter une concurrence trop vive entre les ordres à une époque où la conjoncture économique commençait à se dégrader et où le clergé séculier supportait de plus en plus mal la prolifération des mendiants.

Un exemple particulièrement intéressant et bien étudié, celui de la Flandre, nous permet de nous faire une idée assez précise de l'implantation des mendiants dans une région caractérisée par un haut degré d'ubanisation[88]. À la fin du XIIIᵉ siècle, les frères

---

84. C'est le mérite de J. LE GOFF d'avoir lancé cette problématique qui a reçu un large écho. Cf. *Id.*, « Apostolat mendiant et fait urbain dans la France médiévale », in *Annales ESC*. 23, 1968, p. 335-352, et « Ordres mendiants et urbanisation dans la France médiévale. État de l'enquête », *ibid.*, 25, 1970, p. 924-946. Cf. aussi J.C. SCHMITT, « Où en est l'enquête "Ordres mendiants et urbanisation de la France médiévale"? », in K. ELM, *Stellung und Wirksamkeit*, cité, p. 13-18.

85. H. MARTIN, *Les Ordres mendiants en Bretagne (v. 1230-v. 1530). Pauvreté volontaire et prédication à la fin du Moyen Âge*, Paris, 1975; J. KŁOCZOWSKI, « Les Ordres mendiants en Pologne », *APH*, 15, 1967, p. 5-38.

86. Cf. A. GUERREAU, « Observations statistiques sur les créations de couvents franciscains en France, XIIIᵉ-XVᵉ siècle », *in* A. VAUCHEZ (éd.), *Mouvements franciscains et société française, XIIIᵉ-XXᵉ s.*, Paris, 1983, p. 27-60.

87. L. PELLEGRINI, *Insediamenti francescani nell'Italia del Duecento*, Rome, 1984.

88. W. SIMONS, *Stad en Apostolaat. De vestiging van de Bedelorden in het graafschap Vlaanderen (ca. 1225-ca. 1350)*, Bruxelles, 1987.

n'y possédaient pas moins de 26 couvents, qui se répartissaient ainsi : 7 pour les mineurs, 6 pour les prêcheurs, 5 pour les frères du Sac, 4 pour les ermites de saint Augustin, 3 pour les carmes et 1 de frères Pies. On ne peut manquer d'être frappé par le nombre élevé de couvents dominicains, qui s'explique en partie par la faveur particulière que les comtesses de Flandre, Jeanne et Marguerite, manifestèrent envers cet ordre, et, d'autre part, par le nombre relativement faible de couvents franciscains (comparé à ce que l'on trouve dans d'autres régions), qui doit sans doute être mis en relation avec la rareté, dans ce pays, des villes moyennes et petites que ces religieux affectionnaient tout particulièrement. Dans l'ensemble, la fondation de ces couvents a été très précoce puisque presque tous existaient déjà en 1274. Si l'on considère maintenant la répartition par ville, on observe qu'elle est à peu près conforme à l'importance de leur population, à l'exception de Bruges, qui comptait 6 couvents de mendiants, alors que Gand, plus peuplée, n'en avait que 5, ce qui montre bien qu'aux yeux des frères, la richesse d'une cité avait davantage d'importance que le nombre de ses habitants. Suivent ensuite Ypres avec 4 couvents, Douai et Tournai avec 3, Lille avec 2, et 3 centres urbains mineurs avec un couvent chacun. On ignore malheureusement le nombre exact de religieux que cela pouvait représenter au total, mais il devait être élevé, surtout dans les grandes villes. Ainsi à Bruges, vers 1300, le couvent des dominicains n'en comptait pas moins de 90, tandis que les carmes étaient 70 et les franciscains 50. En revanche, les branches féminines y étaient peu florissantes : il existait seulement, en Flandre, 4 couvents de clarisses et 2 de dominicaines, dont celui de Lille, au recrutement très aristocratique, comme c'était également le cas en France, à Poissy par exemple pour ces dernières et à Longchamp pour les premières[89]. Les religieux, de leur côté, semblent plutôt issus de la moyenne bourgeoisie et du patriciat urbain flamand, du moins à la fin du XIIIe siècle. Comme ailleurs, ils étaient confesseurs et prédicateurs avant tout. Mais ils jouaient aussi le rôle d'administrateurs temporels et de directeurs spirituels des béguinages ainsi que de certains hôpitaux, et leurs liens avec les guildes de marchands et d'artisans semblent avoir été particulièrement étroits[90]. Il faudra toutefois attendre le XIVe siècle pour voir ces milieux, à commencer par les marchands italiens, fonder chez eux des confréries qui firent construire des chapelles dans leurs églises.

Au total, on peut donc parler sans exagération d'une implantation massive des Ordres mendiants en milieu urbain à la fin du XIIIe siècle ; leur succès tient à ce qu'ils apportaient aux fidèles ce que le clergé séculier avait longtemps été incapable de leur donner : l'exemple d'une vie morale irréprochable et d'une science suffisante, mise au service d'une meilleure présentation et transmission du message chrétien à travers la prédication. Les relations très étroites qu'ils entretenaient avec les laïcs leur permirent de bien comprendre leurs problèmes, en particulier ceux qui concernaient la vie économique des marchands ou des banquiers[91]. Aussi n'est-ce pas un hasard s'ils

---

89. Il en allait tout différemment dans les pays germaniques où les couvents féminins étaient nombreux ; cf. H. GRUNDMANN, *Religiöse Bewegnogen...*, p. 208-317.

90. Cf., G.G. MEERSSEMAN, « Les Frères Prêcheurs et le mouvement dévot en Flandre au XIIIe siècle », in *AFP*, 18, 1948, p. 69-130.

91. Sur les relations étroites ayant existé entre les Ordres mendiants et les laïcs, cf. A. VAUCHEZ, *Les laïcs au Moyen Âge. Pratiques et expériences religieuses*, Paris, 1987, et *Id. s.v.* « Pénitents au Moyen Âge », in *DSp*, 12, Paris, 1984,

furent à l'avant-garde de la réflexion théologique et canonique dans ce domaine. Il est possible cependant que, dans cet effort d'adaptation aux réalités de la vie urbaine, les frères soient allés parfois un peu loin. Dès le milieu du XIIIe siècle, le poète parisien Rutebeuf, qui avait pourtant commencé par chanter les louanges des Cordeliers, critiquait leur complaisance excessive pour les riches, en particulier les usuriers, et leurs liens trop étroits avec le pouvoir[92]. D'autres les accuseront d'hypocrisie, se moquant de leur empressement auprès des femmes[93]... et des mourants, ou leur reprocheront de transgresser leur règle et leur vœu de pauvreté en acceptant des rentes, ce qui fut bien souvent le cas après 1260. Mais ces faiblesses ou ces manquements ne doivent pas nous faire oublier qu'au total les Ordres mendiants ont atteint l'objectif que l'Église leur avait assigné, à savoir une nouvelle évangélisation de la société urbaine en Occident.

BIBLIOGRAPHIE

Sources

Acta capitulorum generalium ordinis Praedicatorum (1220-1498), éd. B.M. REICHERT, Rome, 3 vol., 1898-1900 (*MOPH*, III, IV et VIII).
Bullariums Franciscanum, éd. J. SBARAGLIA et C. EUBEL, Rome, 7 vol., 1759-1904.
Bullarium ordinis FF. Praedicatorum, éd. Th. RIPOLL, Rome, 8 vol., 1729-1740.
François d'Assise, *Écrits*, éd. Th. DESBONNETS *et alii*, Paris, 1981 (Sources chrétiennes, 285).
Iacobi a Voragine Legenda aurea (Jacques de Voragine, *Légende dorée*), éd. Th. GRAESSE, 3e éd., Breslau, 1890 (reprod. anast. Osnabrück, 1965).
Legendae sancti Francisci Assisiensis s. XIII et XIV conscriptae, in *Analecta Franciscana*, X, Quaracchi, 1926-1941.
Monumenta historica S.P.N. Dominici, éd. M.H.LAURENT, Paris et Rome, 1933-35 (*MOPH*, 15 et 16).
L. WADDING, *Annales Minorum*, 32 vol., 3e éd., Quaracchi, Rome, 1931-1964.

Études

F. DAL PINO, *I Servi di Maria dalle origini all'aprovazione (1233-ca. 1304)* 3 vol., Louvain, 1972.
D. D'AVRAY, *The Preaching of the Friars. Sermons diffused from Paris before 1300*, Oxford, 1985.
K. ELM (éd.), *Stellung und Wirksamkeit der Betterlorden in der stadtische Gesellschaft*, Berlin, 1981.
K. ESSER, *Die Anfänge und ursprüngliche Zielsetzungen des Ordrers der Monderbrüder*, Leyde, 1966 (trad. italienne, Milan, 1972).
Francescanesimo e vita religiosa dei laici nel 200, Assise, 1988 (Convegni della Società Internazionale di Studi Francescani, XIV).
Francescanesimo e vita universitaria, Assise, 1990 (Convegni SISF, XVI)
D. GUTTIEREZ, *Los Agostinos en la Edad Media*, t. I, Rome, 1980.
W.A. HINNEBUSCH, *A History of the Dominican Order*, Londres, 1965.

---

c. 1010-1023. Voir aussi J. LE GOFF, *La bourse et la vie*, Paris, 1986 et A. SPICCIANI, *Capitale e interesse tra mercatura e povertà nei teologi e canonisti dei sec. XIII-XV*, Rome, 1990.

92. RUTEBEUF, *Œuvres complètes*, éd. A. FARAL et J. BASTIN, Paris, 1959 en particulier p. 331/332, 398 et 405. Plus largement, cf. J. BATANY, « L'image des Frères dans les "revues d'États" du XIIIe siècle », in A. VAUCHEZ (éd.), *Mouvements franciscains...*, p. 61-74, et P. SZITTYA, *The Antifraternel Tradition in medieval Literature*, Princeton, 1986.

93. Sur l'impact du message des Mendiants dans les milieux féminin cf. *Movimento religioso femminile e Francescanesimo nel sec. XIII*, Assise, 1980 (Convegni 7).

M.D. Lambert, *Franciscan Poverty. The Doctrine of the Absolute Poverty of Christ and the Apostles in the Franciscan Order*, Londres, 1961.

R. Manselli, *San Francesco d'Assisi*, Rome, 180 (trad. française, 1981).

J. Moormann, *A History of the Franciscan Order, from its Origins to the Year 1517*, Oxford, 1968.

Movimento religioso femminile e francescanesimo nel secolo XIII, Assise, 1980 (Convegni SISF, VII).

P. Szittya, *the Antifraternal Tradition in Medieval Literature*, Princeton, 1986.

A. Vauchez, *Ordini mendicanti e societa italiana, XIII-XV secolo*, Milan, 1990.

M.H. Vicaire, *Histoire de saint Dominique*, 2 vol., Paris, 2e éd., 1982.

Chapitre III

L'essor des universités et de la théologie scolastique
par André Vauchez et Agostino Parravicini Bagliani

À partir des dernières décennies du XIIe siècle, les maîtres qui enseignaient dans les écoles et leurs étudiants, de plus en plus nombreux, éprouvèrent le besoin de se regrouper en « université » *(universitas)*, terme qui désigne, dans le vocabulaire latin de l'époque, toute association rassemblant les membres d'une même profession[1]. L'*Universitas magistrorum et scholarium*, comme on l'appellera à Paris, se considérait en effet comme une corporation ayant des intérêts communs et, pour les défendre, elle chercha à faire reconnaître sa spécificité par les pouvoirs en place, que ce soit la commune à Bologne ou le prévôt à Paris. Le fait que la plupart de ses membres étaient étrangers à la ville ou au royaume où ils étudiaient ou enseignaient, les plaçait en effet dans une situation particulièrement inconfortable, et ils n'eurent de cesse de se faire accorder et garantir par les plus hautes autorités — empereur ou roi — des privilèges qui les mettent à l'abri de l'arbitraire et même du contrôle des autorités locales. Mais le problème principal qui se posait à eux était celui de leurs rapports avec l'Église. Du fait même qu'ils revendiquaient pour eux les privilèges de la cléricature, les maîtres et leurs étudiants se trouvaient placés sous la juridiction de l'évêque du lieu ou de son représentant, le chancelier. Mais il était devenu évident, à la fin du XIIe siècle, que les universitaires ne pouvaient pas être traités comme les autres clercs d'un diocèse auquel ils n'appartenaient que par leur résidence et de façon provisoire. De plus, bon nombre d'entre eux ne se destinaient pas à la carrière ecclésiastique et, l'enseignement devenant de plus en plus spécialisé, les maîtres revendiquaient le droit de délivrer eux-mêmes et sans intervention extérieure la *licentia docendi* qui était indispensable pour ouvrir une école et donner des cours[2]. Il y avait là un problème majeur, qui sera résolu au cours des premières décennies du XIIIe siècle. Il est donc parfaitement exact de dire avec H. Grundmann, que la plupart des universités médiévales, à l'exception de celle de Naples, qui fut créée en 1224 par l'empereur Frédéric II, sont nées du développement spontané d'écoles préexistantes[3]. Mais il n'en reste pas moins que la

---

1. P. Michaud-Quantin, *Universitas. Expressions du mouvement communautaire dans le Moyen Âge latin*, Paris, 1970 ; G. Post, « Parisian Masters as a Corporation, 1200-1246 », dans *Id.*, *Studies in Medieval Legal Thought*, Princeton, 1964, p. 27-60.

2. Cf. *supra*, p. 443-444.

3. H. Grundmann, « La genesi dell'Università », in *BISI*, 70, 1958, p. 1-18, repris dans G. Arnaldi (éd.), *Le origini dell'università*, Bologne, 1974, p. 85-99.

papauté a joué un rôle décisif dans leur genèse en comblant de privilèges un certain nombre de centres d'excellence dans le domaine de l'enseignement, en particulier Paris et Bologne et en soutenant leur revendication d'autonomie par rapport aux autorités locales[4]. Dès lors, il ne sera plus guère question, dans les documents, des écoles canoniales ou cathédrales qui ne reçurent pas alors le statut d'université : non que celles-ci aient disparu comme par enchantement après 1200. Mais tout se passe comme si elles avaient été éclipsées par l'affirmation de quelques universités particulièrement prestigieuses, dont la fonction reconnue était de donner une formation intellectuelle de niveau supérieur.

I. LA PAPAUTÉ ET LES UNIVERSITÉS

1. L'UNIVERSITÉ DE PARIS

Les premiers indices d'une intervention directe de la papauté dans les affaires du *studium parisiense* semblent remonter au début du XIIIe siècle. Le 30 mars 1219, lors d'un conflit avec les maîtres parisiens, l'évêque de Paris, Pierre de Nemours, et le chancelier Philippe faisaient allusion à l'interdiction qu'avait lancée, en 1200, le cardinal Octavien contre toute *conspiratio, coniuratio, constitutio seu aliqua obligatio* de la part des étudiants sans l'accord de l'évêque, du chapitre et du chancelier[5]. Le texte de cette décision, qui ne nous est pas parvenu[6], coïncide chronologiquement avec le célèbre privilège promulgué en cette même année par Philippe Auguste[7], libérant les étudiants de la tutelle juridique de la royauté pour les placer sous la juridiction de l'évêque[8].

En 1208, une commission de huit professeurs de théologie, de droit canon et des arts libéraux avait rédigé un statut réglementant l'habit des maîtres, l'horaire des cours et des vacances ainsi que les funérailles des maîtres défunts. Le texte du statut ne nous est pas connu, mais nous savons au moins que la réadmission dans la corporation ne pouvait se faire sans l'accord du Siège apostolique. Innocent III profita d'un conflit entre les maîtres et le chancelier pour confirmer la validité de cette procédure. Sa lettre[9] acquit force de loi aux yeux des canonistes, puisqu'elle fut insérée, quelques mois après sa rédaction, dans la *Compilatio Tertia*[10].

4. P. CLASSEN, « La curia romana e le scuole di Francia nel secolo XII », *Le istituzioni ecclesiatiche della "Societas Christiana" dei secoli XI-XII*, Milano, 1974, p. 432-436; P. CLASSEN, « Rom und Paris : Kirche und Universität im 12. und 13. Jahrhundert », *Id.*, *Studium und Gesellschaft im Mittelalter*, Stuttgart, 1983, p. 127-169.

5. *Cartularium universitatis Parisiensis*, éd. H. DENIFLE et E. CHATELAIN, Paris, 1889/91, I, p. 97, n° 30.

6. Selon J. VERGER, « Des Écoles à l'Université. La mutation institutionnelle », *La France de Philippe Auguste*, Paris, 1982, p. 817-846, il aurait pu s'agir d'un faux.

7. *Cartularium universitatis Parisiensis*, I, p. 59, n° 1.

8. V. sur ce point MALECZEK, « Das Papsttum », p. 97. Il n'est pas exclu que ce privilège royal ait aussi eu l'objectif de faciliter les négociations avec le légat Octavien, en vue d'une solution du problème du divorce du roi et de la levée de l'interdit.

9. *Cartularium universitatis Parisiensis*, I, p. 67, n° 8.

10. Éd. K. PENNINGTON, *Johannis Teutonici Apparatus Glossarum in Compilationem Tertiam*, I, Cité du Vatican, 1980, p. 287 et suiv.

Dans l'histoire du *Studium* de Paris, l'année 1215 est une date importante. Le cardinal légat, Robert de Courçon[11], avait reçu un mandat du pape Innocent III pour réformer les écoles parisiennes; il promulgua alors un statut permettant, entre autres, aux maîtres et étudiants de se donner des constitutions[12], portant en particulier sur les agissements criminels contre les étudiants, les locations, les habits, les sépultures, les cours et les « disputations ».

Le statut de 1215 ne fut pas fabriqué tel quel à la curie romaine. Certains points pourraient cependant refléter le point de vue des milieux curiaux : l'interdiction de la lecture de la philosophie naturelle d'Aristote ainsi que certaines restrictions en matière d'habit et de cérémonies, l'âge des étudiants, les livres pour l'enseignement, la carrière des théologiens, l'obligation faite à chaque étudiant de se choisir un maître possédant sur son élève le pouvoir juridictionnel[13].

L'octroi du droit de se donner des statuts, élargi par le cardinal R. de Courçon aux maîtres et étudiants, fut constamment défendu par la papauté contre les attaques de l'évêque et du chancelier de Paris, avant tout par Grégoire IX dans la bulle *Parens scientiarum*[14].

Autonomie de la corporation et admission de nouveaux membres

La papauté aida les maîtres parisiens sur un autre point capital, celui de l'attribution de la *licentia docendi*. Selon un usage établi au XIIe siècle, tout maître désirant enseigner à Paris devait posséder une *licentia docendi* délivrée par le chancelier, dignitaire du chapitre de la cathédrale de Paris. Avant leur transfert sur la rive gauche (dès 1215/1220), placée juridiquement sous l'autorité de l'abbé de Sainte-Geneviève, les écoles se trouvaient dans la sphère juridictionnelle de l'évêque (île de la Cité, Petit-Pont). L'attribution de la *licentia docendi* était devenue une affaire lucrative. Alexandre III, désireux de faciliter le développement des écoles parisiennes, avait ordonné que toute *licentia docendi* soit accordée gratuitement[15]. Le chancelier gardait le droit d'examiner l'aptitude des candidats à l'enseignement et contrôlait de fait l'admission des maîtres. Ce système semble avoir fonctionné sans trop de heurts jusqu'en 1210; il ne pouvait cependant pas se concilier avec le désir d'autonomie et le mouvement corporatif des premières années du XIIIe siècle. Encore une fois, la papauté intervint avec des décisions favorables aux maîtres.

En 1209, le nouveau chancelier de Paris, Jean de Candelis, exigea de l'argent et un serment de fidélité pour l'attribution de la *licentia docendi*; il fit même jeter des étudiants en prison. Les maîtres recoururent au pape. Innocent III imposa un compromis[16]. Le chancelier renonça à ses exigences et promit de ne pas refuser une

---

11. Reconstitution biographique la plus récente : W. MALECZEK, *Papst und Kardinalskolleg von 1191 bis 1216*, Wien, 1984, p. 175-179, qui propose de l'appeler *Corson*.
12. *Cartularium universitatis Parisiensis*, I, p. 78, n° 20.
13. MALECZEK, « Das Papsttum », p. 99.
14. V. plus loin, p. 800.
15. G. POST, « Alexandre III, the "licendia docendi", and the Rise of Universities », *Anniversary Essays in Medieval History by Students of C.H. Haskins*, Boston-New York, 1929, p. 255-278.
16. *Cartularium universitatis Parisiensis*, I, p. 85, n° 27.

licentia docendi si le rapport des maîtres était favorable au candidat[17]. Quelques années plus tard, le pape Honorius III[18], répondant favorablement à des requêtes adressées par maîtres et étudiants, affaiblissait encore la position du chancelier en habilitant une commission de trois théologiens à accorder la *licentia*, après examen des candidats. Lorsque maîtres et étudiants décidèrent de s'établir sur la rive gauche, Honorius III donna tort au chancelier de Notre-Dame qui avait mis en doute la légitimité d'un tel transfert[19]. Les maîtres obtinrent pleine autonomie dans l'attribution de la *licentia docendi* en 1231, lorsque Grégoire IX déclara, dans la bulle *Parens scientiarum*[20], que le chancelier ne pouvait conférer de *licentia* contre leur volonté. Désormais, le chancelier de Notre-Dame ne remplissait plus que les prérogatives formelles de chef de l'université; il ne pouvait plus intervenir dans la procédure d'admission de nouveaux membres dans la corporation des maîtres.

La bulle *Super Speculam*

L'objectif principal de la papauté était de trouver un support efficace à l'étude de la théologie. La bulle *Super Speculam* (1219) joua à ce titre un rôle capital[21] : Honorius III permit en effet aux étudiants en théologie de recevoir intégralement le produit de leurs bénéfices pendant cinq ans, malgré leur absence pour cause d'étude. De ce fait, le pape renforçait le canon 11 de Latran IV qui stipulait que chaque « église métropolitaine doit entretenir un maître en théologie pour enseigner l'Écriture sainte aux prêtres et autres (clercs) et surtout les former à tout ce qui touche au ministère pastoral »[22]. L'intervention pontificale était de taille : le support matériel pour les clercs qui se destinaient aux études n'était plus assuré, comme dans Latran IV, par évêques et chapitres, mais par les églises elles-mêmes, propriétaires des bénéfices.

Dans cette même bulle, Honorius III confirmait également le décret du concile de Tours (1163), qui avait interdit aux chanoines réguliers d'étudier le droit romain et la médecine : cette interdiction était maintenant étendue à tous les archidiacres, doyens, prévôts, chantres et à tous les prêtres. Les clercs en général, et non plus seulement les religieux, étaient donc détournés des « sciences lucratives ». En particulier, l'enseignement du droit romain ne pouvait plus être dispensé à Paris.

Comme l'a bien montré S. Kuttner[23], cette dernière décision, à première vue surprenante, était un corollaire logique aux autres décisions de la bulle *Super speculam* et s'explique par le souci de la papauté de renforcer l'étude de la théologie à Paris, le maximum de forces devant être canalisé vers cette discipline. Dictée par des motivations pastorales (lutte contre l'hérésie) et disciplinaires, cette mesure n'était pas

---

17. *Ibid.*, p. 75, n° 16.
18. *Ibid.*, p. 85, n° 27; v. aussi les n°s 29, 30, 32 et 45.
19. *Ibid.*, p. 103, n° 45 : 1222 31 mai; Grégoire IX confirma cette décision peu de temps après le début de son pontificat (*ibid.*, p. 111, n° 55 : 1227 22 novembre).
20. *Ibid.*, p. 136, n° 79; v. plus loin, p. 800.
21. *Ibid.*, p. 90, n° 32.
22. *COD*, p. 240 : trad. FOREVILLE, *Latran I*, p. 352.
23. KUTTNER, « Papst Honorius III. », p. 79-101.

le fruit d'une animosité intellectuelle envers le droit romain de la part de la papauté. Quelques années plus tard, le droit civil sera enseigné dans les écoles curiales composant le *Studium Curiae*; Innocent IV en prévoyait l'enseignement dans la bulle de fondation de cette « Université pontificale » (1245 environ)[24].

L'interdiction faite aux clercs d'étudier la médecine consacrait la séparation de la figure du médecin de celle du clerc, en accord avec l'évolution générale de la société et de l'Église. D'une part, l'extension de la culture médicale et la naissance de nouveaux centres d'études (Montpellier, Paris, etc.) avait favorisé une valorisation sociale et professionnelle accrue de la figure de la médecine et du médecin; d'autre part, l'Église, dans ces premières décennies du xiiie siècle, à cause notamment des dangers d'hérésies, chercha à redessiner la figure même du clerc, le séparant encore plus nettement des laïcs[25]. Le médecin restait subordonné aux préceptes de l'Église, mais en devenait cependant le collaborateur privilégié. C'est dans ce sens que s'était exprimé le c. 22 de Latran IV : « Aux médecins des corps, quand ils sont appelés auprès des malades, de les avertir et de les exhorter par-dessus tout à appeler les médecins des âmes; ayant ainsi pourvu au salut spirituel des malades, on peut appliquer dans de meilleures conditions le remède corporel; supprimer la cause, l'effet cesse... L'âme étant infiniment plus précieuse que le corps, nous interdisons au médecin, sous peine d'anathème, de conseiller au malade en vue de sa guérison corporelle un remède susceptible de mettre son âme en danger[26]. »

Plusieurs personnes alors présentes à Viterbe, siège temporaire de la curie romaine, ont pu influencer la rédaction de la bulle *Super speculam* : Philippe le Chancelier, appelé à la curie romaine pour régler un conflit entre les maîtres et les étudiants; le cardinal Pierre de Capoue[27], qui s'était longuement occupé du *Studium* parisien en sa qualité de légat; peut-être même saint Dominique, dont le séjour à Viterbe est attesté de novembre au milieu de décembre 1219 : les objectifs généraux de la bulle *Super speculam* coïncident en tout cas avec les intérêts universitaires des frères prêcheurs, dont la communauté parisienne venait de s'enrichir de plusieurs maîtres prestigieux[28]. Cependant cette bulle reflète aussi directement la pensée du pape et de la curie romaine, chargée de la rédiger et de la diffuser. La thèse selon laquelle la bulle aurait été sollicitée par Philippe Auguste, pour empêcher, dans sa capitale, l'enseignement du droit romain (c'est-à-dire impérial), ce qui aurait porté atteinte à la dignité monarchique, est dénuée de fondement[29].

---

24. V. plus haut, p. 569.

25. J. AGRIMI-C. CRISCIANI, *Medicina del corpo e medicina dell'anima. Note sul sapere del medico fino all'inizio del secolo XIII*, Milano, 1978.

26. *COD*, p. 245; trad. FOREVILLE, *Latran I*, p. 358.

27. MALECZEK, « Das Papsttum », p. 113.

28. E. PITZ, *Papstreskript und Kaiserreskript im Mittelalter*, Tübingen, 1971, p. 171-191, attribue à saint Dominique une influence décisive; v. cependant les hésitations justifiées de MALECZEK, « Das Papsttum », p. 112, n. 97, et de P.O. LEWRY, « Papal Ideals and the University of Paris 1170-1303 », *The Religious Roles of the Papacy : Ideals and Realities 1150-1300*, éd. Chr. RYAN, Toronto, 1989, p. 368.

29. J. VERGER, « À propos de la naissance de l'Université de Paris : contexte social, enjeu politique, portée intellectuelle », *Schulen und Studium*, p. 94, n. 97; P. OURLIAC, « Glose juridique sur le troubadour Peire Cardenal », *Id.*, *Études d'histoire du droit médiéval*, Paris, 1979, p. 259-272 émet l'hypothèse, peu vraisemblable, que le roi de France voulut satisfaire le sentiment populaire, hostile au droit romain et au rôle croissant des légistes.

Promulguée pour le *Studium* de Paris, la *Super Speculam* fut commentée par les canonistes de Bologne déjà autour de 1220. Elle fait partie de la *Compilatio quinta* adressée par Honorius III aux *Studia* de Bologne et Paris le 2 mai 1226. Son insertion dans le *Liber Extra*, sous une forme adaptée aux nécessités des écoles, confirma son caractère de « charte universitaire » par excellence [30].

La bulle *Parens scientiarum*

Par une série de lettres officielles, publiées aux mois d'avril et de mai 1231, le successeur d'Honorius III, Grégoire IX, réussit à garantir la survie juridique du jeune *Studium* de Paris, secoué par des conflits et désordres qui incitèrent la plupart des maîtres et des étudiants à quitter la capitale du royaume et à se réfugier dans des villes universitaires voisines (Angers, Orléans). En particulier, la bulle *Parens scientiarum* (13 avril 1231) [31] a été considérée comme la « *magna charta* de l'Université » [32]. Deux maîtres parisiens − Guillaume d'Auxerre et Geoffroy de Poitiers − ayant séjourné au Latran au printemps 1231 semblent avoir joué un rôle majeur dans son élaboration [33].

Sur le plan universitaire, le changement le plus important concerna la fonction du chancelier, obligé désormais à prêter serment de n'accorder la licence, dans les facultés des arts et de médecine, qu'aux candidats jugés dignes par les maîtres. Pour les facultés de droit et de théologie, plus proches encore du *magisterium*, la bulle prescrivait une procédure plus complexe, comprenant une enquête sur la morale, les connaissances, l'éloquence et la carrière potentielle des candidats. Là aussi, les droits d'intervention du chancelier furent considérablement réduits. Après 1231, le pouvoir discrétionnaire dont le chancelier jouissait encore autour de 1200 avait pratiquement disparu. Grâce au soutien sans réserve offert par la papauté, qui avait en l'occurrence joué de ses prérogatives d'autorité d'appel en matière d'enseignement supérieur, les maîtres parisiens avaient gagné leur combat pour l'autonomie face au chancelier.

Les décrétales d'Innocent III, d'Honorius III et de Grégoire IX en faveur du *Studium* de Paris ont influencé durablement les canonistes. En accord avec le droit romain, ces textes fixèrent le principe selon lequel une *universitas* est permise si elle reçoit sa légitimité de l'autorité (du prince ou de l'Église) [34]. Le soutien reçu par l'Église dans la légitimation de la corporation universitaire fut d'autant plus important qu'en général les autorités ecclésiastiques et les synodes avaient été très restrictifs en la matière pendant le XIIe siècle et les premières décennies du XIIIe siècle. Il est vrai aussi qu'en ce qui concerne le concept lui-même d'*universitas*, le terrain avait été préparé par les canonistes, en accord avec l'évolution européenne des corporations et guildes,

---

30. V. surtout KUTTNER, « Papst Honorius III. », p. 80 et suiv.
31. *Cartularium universitatis Parisiensis*, I, p. 79, n° 136; cf. P.R. MCKEON, « The Status of the University of Paris as "Parens Scientiarum". An Episode in the Development of its Autonomy », *Speculum*, 39, 1964, p. 6.
32. H. DENIFLE, *Die Entstehung der Universitäten des Mittelalters bis 1400*, Berlin, 1885, p. 72.
33. MALECZEK, « Das Papsttum », p. 112.
34. C'est l'Église qui doit fournir une légitimité à la corporation universitaire : v. la glose de Jean le Teutonique (*Cartularium universitatis Parisiensis*, I, p. 82, n° 24), cité par *Id.*, « Das Papsttum », p. 92, n. 21.

d'une part, et les approfondissements ecclésiologiques, d'autre part[35], et malgré une relative pauvreté du décret de Gratien en la matière[36].

2. L'UNIVERSITÉ DE TOULOUSE

En décidant de fonder une université à Toulouse, la papauté ne faisait que poursuivre sa politique en faveur du *Studium* de Paris; elle voulut ainsi créer un centre de l'orthodoxie, capable d'affronter — par l'enseignement et la formation — les hérétiques du midi de la France[37].

Le traité de Paris du 12 avril 1229, qui scellait la soumission du comte Raimond VII de Toulouse à la royauté française, avait, entre autres, obligé le comte de Toulouse à entretenir les théologiens, juristes et artistes qui seraient venus enseigner à Toulouse. La somme prévue était considérable : 4 000 marcs. Le moment était en principe favorable, puisque le *Studium* de Paris traversait une grave crise depuis quelques mois. La propagande mise en œuvre par la papauté pour attirer à Toulouse le maximum de maîtres et étudiants échoua. Les trois maîtres parisiens qui acceptèrent de s'établir à Toulouse — Jean de Garlande, Hélinand de Froidmont et Roland de Crémone —, furent poursuivis par la population à cause de leur zèle dans la lutte contre les hérésies.

Malgré l'attribution d'importants privilèges de la part de Grégoire IX, pratiquement les mêmes dont jouissait l'université de Paris — *licentia ubique docendi*, institution d'une commission des locations, dispense du droit de résidence, soumission à la juridiction ecclésiastique —, Toulouse, première et unique fondation universitaire voulue par la papauté au Moyen Âge, ne connut pas de succès aussi longtemps que sa vocation resta liée à la lutte contre les hérésies[38]. Innocent IV essaya inutilement de relancer le *Studium* toulousain en lui accordant, le 22 septembre 1245, les mêmes statuts que Paris (*Parens scientiarum*). Le succès arriva seulement lorsque le *Studium* réussit à s'implanter localement, c'est-à-dire à se libérer de l'empreinte originale, trop liée à la lutte contre le catharisme.

3. L'UNIVERSITÉ DE MONTPELLIER

Les interventions de la papauté dans les structures du *Studium* de Montpellier montrent à l'évidence le désir de l'Église romaine de fixer des cadres institutionnels

---

35. Pour les textes du *Corpus iuris canonici* et de Gratien, v. W. MALECZEK, « Das Papsttum und die Anfänge der Universität im Mittelalter », *RöHM*, 27, 1985, p. 91.

36. A.E. BERNSTEIN, « Magisterium and License : Corporate Autonomy against Papal Authority in the Medieval University of Paris », *Traditio*, 9, 1978, p. 291-307.

37. C.E. SMITH, *The University of Toulouse in the Middle Ages. Its Origins and Growth to 1500*, Milwaukee, 1958; Y. DOSSAT, « L'Université de Toulouse, Raymond VII, les capitouls et le roi », *Les universités du Languedoc au XIIIᵉ siècle*, Toulouse, 1970, p. 58-91; P. BONNASSIE-G. PRADALIÉ, *La capitulation de Raymond VII et la fondation de l'Université de Toulouse, 1229-1979. Un anniversaire en question*, Toulouse, 1979.

38. *Cartularium universitatis Parisiensis*, I, p. 151, n° 99; cf. M. FOURNIER, *Les statuts et privilèges des Universités françaises*, Paris, 1890, p. 441 et suiv.

devant assurer une défense efficace de l'orthodoxie et de prévenir toute contamination de l'hérésie. Les écoles de médecine de Montpellier[39] jouissaient d'une réputation établie depuis le milieu du xiie siècle, grâce au croisement de cultures, arabe, judaïque et latine, et au support d'une ville économiquement et socialement prospère. Les écoles de droit avaient profité de la renommée européenne de Placentinus qui y enseigna jusqu'à sa mort en 1192[40].

La première importante intervention de la papauté dans la vie du *Studium* de Montpellier date de 1220. Le légat Conrad de Urach, l'un des plus influents cardinaux d'Honorius III, accorda aux écoles de Montpellier un statut[41] analogue à ceux qu'avaient reçu les universités de Paris en 1215 et d'Oxford en 1214[42] ; il était par contre profondément marqué par le problème le plus actuel dans le midi de la France au début de la troisième décennie du xiiie siècle : la lutte contre les hérésies.

Pour éviter que les médecins puissent aider les hérétiques en leur donnant, par ex., le *consolamentum* sur le lit de mort, le cardinal légat soumit les écoles au contrôle de l'évêque et de son représentant légal, le chancelier, désormais le seul responsable de la *licentia docendi*. Il s'agissait d'un renversement de situation par rapport à Paris, où les maîtres avaient reçu gain de cause, justement dans cette affaire, si importante pour leur autonomie intellectuelle et corporative[43]. Le cadre mis en place par Conrad de Urach semble avoir fonctionné tout au long du xiiie siècle. À part une ordonnance du légat pontificat, Guido de Sora, en 1239, qui ne concerne que des points mineurs (qualification des candidats à la licence et modalités d'examen)[44], la papauté n'intervint plus dans la vie des écoles de Montpellier avant la fusion des facultés des arts, de droit et de médecine en une université, confirmée par le pape Nicolas IV (1289).

4. L'université d'Oxford

L'université d'Oxford est mentionnée pour la première fois en 1208. La papauté intervint indirectement dans ses affaires par l'entremise du cardinal légat Guala Bicchieri, dont l'action a été sur ce plan aussi déterminante. Pour résoudre les problèmes institutionnels posés par le développement du *Studium*, Guala trouva le temps de visiter Oxford en novembre 1213 et en mai 1214 ; il promulgua ses décisions en juin 1214. Le légat voulut renforcer la juridiction ecclésiastique, afin de freiner les

---

39. M. BORIES, « Les origines de l'Université de Montpellier », *Les Universités du Languedoc au xiiie siècle*, p. 92-107, 308 et suiv.; E. DELARUELLE, « Théologie et médecine à Montpellier », *Ibid.*, p. 230-241.
40. A. GOURON, « Les juristes de l'École de Montpellier », *Ius Romanum Medii Aevi*, IV/39, Milan, 1970, p. 3 et suiv.; *Id.*, « Autour du Placentin à Montpellier : Maître Gui et Pierre de Cardona », *STGra*, 19, 1976, p. 337-354.
41. A.C. GERMAIN, *Cartulaire de l'Université de Montpellier*, I, Montpellier, 1890, p. 180-183, n° 2.
42. V. n. suivante.
43. C. THOUZELLIER, « La papauté et les universités provinciales en France dans la première moitié du xiie siècle », *Études médiévales offertes à A. Fliche*, Paris, 1953, p. 187-211 ; VERGER, « Des Écoles », p. 832 et suiv. ; MALECZEK, « Das Papsttum », p. 124.
44. *Cartularium universitatis Parisiensis*, I, p. 185, n° 4.

prétentions séculières : il se servit pour cela du seul instrument dont il pouvait disposer, l'autorité de l'évêque de Lincoln, dont dépendait Oxford. Cette décision devait se révéler sage pour l'avenir. Elle constituait une victoire pour les maîtres (l'évêque ne résidant pas dans la ville), mais aussi pour l'évêque, dont les prérogatives étaient désormais fixées de manière claire et définitive. Nul doute que le prestige d'un Robert Grosseteste, attesté à Oxford comme professeur dès 1225, puis évêque de Lincoln de 1235 à 1253, contribua fortement au succès de la formule institutionnelle imposée à Oxford par le légat pontifical[45].

5. L'UNIVERSITÉ DE BOLOGNE

Déjà Alexandre III avait pris des décisions importantes pour le développement du *Studium* de Bologne, en accordant à un maître anglais, étudiant dans la ville, la jouissance de deux prébendes anglaises, pendant son séjour dans la ville, en dérogation des normes canoniques qui imposaient l'obligation de résidence. Le pape s'adressa même au roi d'Angleterre Henri II afin qu'il en garantisse l'exécution. En envoyant en 1210 aux professeurs et aux étudiants de Bologne son recueil de décrétales – la *Compilatio Tertia*[46] –, Innocent III suivit l'exemple qui avait été inauguré par les empereurs souabes et inaugura un système qui sera suivi par tous les autres papes législateurs. C'est ainsi qu'Honorius III adressa à Bologne sa *Compilatio Quinta* en 1226 ; Innocent IV ses *Novellae* en 1253, Boniface VIII son *Liber Sextus* en 1298, et Jean XXII les *Clementinae* en 1317. Mais c'est Honorius III (1216-1227) qui intervint de manière décisive dans la vie institutionnelle du *Studium* de Bologne, en assurant sa protection contre les ingérences de la Commune. Le *Studium* finit par être étroitement lié à la papauté. En 1219, le pape décida que les diplômes n'avaient de validité que s'ils avaient été conférés par l'archidiacre de la cathédrale[47].

II. L'UNIVERSITÉ, INSTITUTION D'ÉGLISE

Pour quelles raisons, au total, les papes du XIIIᵉ siècle, à commencer par Innocent III, ont-ils choisi d'appuyer les efforts déployés par les maîtres et les

---

45. R.W. SOUTHERN, « From Schools to University », *The History of the University of Oxford*, I, Oxford, 1984, p. 26 et suiv. ; *Id.*, *Robert Grosseteste. The Growth of an English Mind in Medieval Europe*, Oxford, 1986.

46. Sur cette collection canonique, cf. *supra*, p. 607.

47. G. DE VERGOTTINI, « Lo studio di Bologna, l'impero, il papato », *Studi e memorie per la storia dell'Universita di Bologna*, I (1956), p. 19-95 (réimpr.), *Id.*, *Scritti di storia del diritto italiano*, II, Milan, 1977, p. 778-792 ; à propos de l'archidiacre v. maintenant surtout L. PAOLINI, « L'evoluzione di una funzione ecclesiastica : l'arcidiacono e lo Studio a Bologna nel XIII secolo », *Studi Medievali*, 3ᵉ s., 19 (1988), p. 129 et suiv. Sur le *studium* de Padoue, né d'une sécession de maîtres et d'étudiants de Bologne, cf. G. ARNALDI, « Le origini dello studio di Padova. Della migrazione del 1222 alla fine del periodo ezzeliniano », *La Cultura*, 4, 1977, p. 388-431.

étudiants en vue de se doter d'une organisation corporative et de s'émanciper de la tutelle des autorités locales, tant laïques qu'ecclésiastiques, dans les centres scolaires les plus dynamiques ? On a déjà évoqué leur volonté de doter l'Église de foyers d'études où l'on approfondirait la réflexion théologique et où l'on donnerait aux clercs une formation culturelle et doctrinale leur permettant de tenir tête aux hérétiques dans les controverses et de réfuter leurs erreurs[48]. Mais d'autres motifs ont également pu les pousser à agir comme ils l'ont fait, en particulier une volonté de centralisation, sensible dans bien d'autres domaines à la même époque, ainsi que le désir de mettre un peu d'ordre dans le domaine de l'enseignement.

1. Normalisation des milieux intellectuels et de l'enseignement

De fait, la reconnaissance des universités par le Saint-Siège s'est accompagnée un peu partout d'un effort pour structurer et régulariser des institutions et des pratiques qui étaient jusque-là demeurées coutumières. Ainsi les maîtres virent leurs privilèges reconnus, mais durent accepter en contrepartie une organisation et une discipline communes allant de la tenue vestimentaire aux cursus et aux programmes[49].

Les enseignements furent regroupés par facultés, même si les diverses universités étaient loin de les posséder toutes. Les Arts (grammaire, rhétorique et philosophie) constituaient une sorte de propédeutique de six années, obligatoire pour accéder aux autres facultés qui étaient, dans un ordre hiérarchique décroissant, la théologie, le droit canon ou Décret, le droit civil et la médecine[50]. Les étapes de la carrière universitaire furent également définies avec plus de précision et jalonnées par toute une série de grades : on commençait par devenir bachelier au bout de six ou sept ans. Si l'on allait au-delà, il fallait au moins six à huit années d'études (mais quinze en théologie !) pour obtenir la licence, tout en participant déjà à l'enseignement. Enfin seuls quelques-uns parvenaient à la maîtrise (maître-régent ou docteur). Pour accéder à chacun de ces niveaux, il fallait passer des examens et surtout faire la preuve de sa capacité à dominer une question et à défendre sa position à l'occasion d'une *disputatio*, en présence des autres membres de l'université[51]. En outre, comme toute corporation au Moyen Âge, celle-ci connaissait de nombreuses cérémonies collectives. Ainsi tous les maîtres devaient obligatoirement assister aux funérailles de leurs collègues et quelques-uns à celles des étudiants. Les recteurs, élus par leurs pairs, bénéficiaient de

48. Sur la place assignée par la papauté à la formation intellectuelle des clercs dans la lutte contre les hérésies, cf. *infra*, p. 805-808.

49. Cf. J. Miethke, « Der Zugriff der kirchlichen Hierarchie auf die mittelalterlische Universität (am Beispiel von Paris) », in *The Church in a Changing Society*, Uppsala, 1978, p. 197-202, et M.M. Mac Laughlin, *Intellectual Freedom and its Limitations in the University of Paris in the xiii-xivth Century*, New York, 1977.

50. Cf. J. Verger, *Les universités au Moyen Âge*, Paris, 1973, p. 47-78, et P. Glorieux, *La Faculté des Arts et ses maîtres au xiiie siècle*, Paris, 1971.

51. Cf. le catalogue de l'exposition *La vie universitaire à Paris au xiiie siècle*, Paris, 1974 ; P. Glorieux, « L'enseignement au Moyen Âge. Techniques et méthodes en usage à la Faculté de théologie de Paris au xiiie siècle », in *AHDL*, 35, 1968, p. 65-186, et L.J. Bataillon, « Les conditions de travail des maîtres de l'Université de Paris au xiiie siècle », in *RSPhTh*, 67, 1983, p. 353-370.

nombreux privilèges honorifiques et, à Paris, celui des Arts — de loin la faculté la plus nombreuse — était le véritable chef de l'université[52]. Institution de chrétienté, l'université était organisée sur la base des Nations, groupes ethnolinguistiques qui ne coïncidaient pas avec des États, au sens moderne du terme, mais rassemblaient les maîtres et les étudiants nés dans une aire géographique qui se définissait comme un tout au contact des autres groupes[53]. Ainsi, à Oxford, les *Boreales* (Anglais du Nord et Écossais) se distinguaient des gens du Sud, ou *Australes*, tandis qu'à Paris on comptait quatre Nations. Les conflits ne manquèrent pas entre ces groupements dont la configuration varia parfois au fil du temps, mais leur existence même, qui faisait obstacle à la prépondérance des ressortissants du pays hôte sur les étrangers, atteste le caractère réellement international de l'université, à cette époque.

2. LA CONTRIBUTION DES UNIVERSITÉS À LA RÉFORME DU CLERGÉ

L'université répondit-elle aux attentes que la papauté avait placées en elle? Il n'est pas douteux qu'au XIIIe siècle, la *litteratura*, c'est-à-dire le nouveau savoir théologique et juridique dispensé dans les *studia* devint un élément indispensable pour une carrière ecclésiastique et conduisit souvent ceux qui l'avaient reçu aux plus hauts niveaux de la hiérarchie. Des juristes et théologiens de renom, ayant obtenu des grades universitaires, accédèrent en nombre croissant à des postes clés de la curie et presque tous les papes de cette époque sont passés par des établissements d'enseignement supérieur. Nous le savons de manière explicite à propos d'Innocent III, Grégoire IX, Innocent IV, Clément IV et Grégoire X. L'entrée du collège des cardinaux était souvent due à une solide renommée académique. Certes, pour ceux d'entre eux qui appartenaient à des ordres religieux ou à d'importantes familles italiennes (Fieschi, Orsini, etc.), le qualificatif de *magister* n'est pas documenté; il se peut même qu'il ait été inutile, leur ascension ayant été facilitée par des attaches institutionnelles (Cluny, Cîteaux, etc.) ou des liens de parenté. Il n'en reste pas moins que, dans la majorité des cas, l'attestation d'études supérieures ou du titre de *magister* — qui ne peut être réduit, même en ce qui concerne les milieux de la curie, à un simple titre honorifique — signale parfaitement l'importance que la formation universitaire avait acquise dans les sphères dirigeantes de l'Église[54].

Au niveau de l'épiscopat, l'importance des études demeura cependant moins nette, la situation variant sensiblement d'une région à l'autre. Le pays où l'évolution fut la plus rapide et la plus poussée fut sans aucun doute l'Angleterre. Beaucoup d'évêques anglais de cette époque se signalèrent en effet par le niveau élevé de leur formation intellectuelle et, pour certains d'entre eux, par un goût très vif pour l'étude et la

52. P. KIBRE, *Scholarly Privileges in the Middle Ages. The Rights, Privileges and Immunities of Scholars and Universities at Bologne, Padua, Paris and Oxford*, Londres, 1961.

53. P. KIBRE, *The Nations in the Medieval Universities*, Cambridge (Mass.), 1948.

54. Cf. J. MIETHKE, « Die Kirche und die Universitäten im 13. Jahrhundert », in *Schulen und Studium im sozialen Wandel des hohen und späten Mittelalters*, Sigmaringen, 1986, p. 285-320.

recherche. Il suffira pour s'en convaincre d'évoquer des noms comme ceux de Robert Grosseteste, qui devint évêque de Lincoln après avoir été chancelier de l'université d'Oxford, ou du dominicain Robert Kilwardby archevêque de Cantorbéry de 1272 à 1279[55]. Mais ces grandes figures ne sont pas isolées : ainsi Thomas de Cantiloupe, qui devint évêque de Hereford en 1275, avait auparavant étudié les Arts, le droit canon et la théologie à Paris, ainsi que le droit civil à Orléans. De retour en Angleterre, il enseigna le droit puis la théologie à l'université d'Oxford, dont il fut à deux reprises le chancelier[56]. En France, le niveau culturel de l'épiscopat était un peu moins brillant, mais il s'améliora après 1240 et, sous le règne de saint Louis, un certain nombre de maîtres de l'université, comme Eudes Rigaud et Guiard de Laon, accédèrent à la direction de diocèses importants comme Rouen et Cambrai, tandis que Philippe Berruyer, ancien étudiant parisien, montait sur le siège primatial de Bourges[57]. On ne peut en dire autant pour des pays comme l'Italie, la péninsule ibérique ou l'Allemagne, où les prélats issus des universités demeurèrent l'exception, pour ne pas parler des pays slaves ou scandinaves où le cas d'un saint Brynolf († 1317), qui devint évêque de Skara, en Suède, en 1278, après avoir été l'élève de saint Thomas d'Aquin à Paris et fondé le collège de Skara en faveur des étudiants scandinaves, demeure isolé[58].

Comme on peut l'imaginer, il est encore plus rare de trouver, au XIIIe siècle, des curés ou de simples prêtres issus des universités. On en connaît cependant quelques cas dans les villes universitaires, comme le montre la carrière du prédicateur Ranulphe de la Houblonnière, qui fut étudiant puis maître en théologie à l'université de Paris avant de devenir curé de la paroisse Saint-Gervais (avant 1267), chanoine de Notre-Dame et finalement évêque de Paris en 1280[59]. Mais il s'agit là d'un cursus rarissime comme en témoigne la réputation de sainteté qui entoura deux « gradués » de Paris qui choisirent de retourner dans leur diocèse d'origine pour s'y vouer au ministère paroissial : il s'agit d'un prêtre normand, Thomas Hélye († 1257), qui finit ses jours comme curé de Biville, dans le Cotentin, et d'Yves Hélory de Kermartin, canonisé en 1347, qui avait été official du diocèse de Tréguier et recteur de Louannec, après avoir étudié le droit à Paris et à Orléans entre 1261 et 1279[60]. Mais la stupeur admirative qui entoura ces intellectuels revenus vivre au milieu des paysans suffit à montrer ce que ce fait pouvait avoir d'extraordinaire. Au total, si on laisse de côté le cas des mendiants dont beaucoup étudièrent ou enseignèrent la théologie dans les *studia*, il n'est pas exagéré de dire qu'au XIIIe, l'influence bénéfique des études universitaires ne fut guère sensible qu'au sein de la hiérarchie ecclésiastique, les gradués étant tout naturellement promus à des postes de responsabilité et à des fonctions d'autorité. En fait, il faudra attendre le XIVe et surtout le XVe siècle pour qu'une évolution comparable commence à se faire sentir au niveau du bas clergé séculier.

---

55. Cf. R. BRENTANO, *Two Churches : England and Italy in the Thirteenth Century*, Princeton, 1968.

56. A. VAUCHEZ, « Culture et sainteté d'après les procès de canonisation des XIIIe et XIVe siècles », in *Le scuole degli Ordini Mendicanti (sec. XIII-XIV)*, Todi, 1978, p. 157/8 (Convegni, 17).

57. A. VAUCHEZ, *La sainteté en Occident...*, p. 464.

58. A. GABRIEL, *Skara House at the mediaeval University of Paris. History, Topography and Chartulary*, Notre-Dame (Indiana), 1960.

59. Cf. N. BÉRIOU, *La prédication de Ranulphe de la Houblonnière...*, t. I, Paris, 1967, p. 19-25.

60. A. VAUCHEZ, *La sainteté en Occident...*, p. 359-364.

3. L'UNIVERSITÉ DE PARIS, AUTORITÉ EN MATIÈRE DE FOI

Parmi les universités qui se développèrent en Occident au XIIIᵉ siècle, celle de Paris, spécialisée dans l'étude de la théologie et bénéficiant à ce titre du soutien de la papauté, joua un rôle particulier dans la défense de l'orthodoxie. Le prestige de ses maîtres fit d'elle en effet une autorité dans l'Église, à laquelle fut reconnue — dans les faits, sinon en droit — une véritable fonction d'arbitrage et de contrôle sur le plan doctrinal[61]. Cela impliquait évidemment que ceux qui y enseignaient ne puissent pas être soupçonnés de déviation. Aussi Innocent III et ses successeurs veillèrent-ils de très près sur les opinions exprimées par les professeurs dans leurs cours et leurs écrits. Ainsi en 1204, l'un d'entre eux, Amaury de Bène, fut accusé d'erreurs théologiques et condamné après un rapport défavorable de ses collègues. Amaury fit appel au pape Innocent III, qui confirma le jugement des maîtres parisiens. Amaury fut révoqué et mourut peu après, sans doute en 1206. Son enseignement s'étant répandu, l'Église se lança dans la chasse aux « Amauriciens ». Les maîtres collaborèrent avec l'évêque de Paris qui les fit soit condamner, soit brûler. Lors du synode provincial de Paris, l'archevêque de Sens, Pierre de Corbeil, dont Innocent III avait été l'élève à Paris, établit des mesures encore plus restrictives, peut-être sous l'influence des théologiens[62]. Le synode de Paris de 1210 prit deux autres décisions dans le domaine doctrinal : il condamna les écrits « panthéistes » de David de Dinant, un maître parisien qui avait porté en 1206 le titre de chapelain du pape, et interdit l'enseignement de la philosophie naturelle d'Aristote. La curie romaine intervint également en 1215, par l'intermédiaire du statut promulgué par le cardinal-légat Robert de Courçon, qui confirmait les condamnations d'Amaury, de David de Dinant[63] et d'un mystérieux Maurice Hispanus[64], ainsi que la lecture des œuvres de métaphysique et de philosophie naturelle d'Aristote[65]. La même année, le concile de Latran IV, en réitérant (canon 2) la condamnation d'Amaury de Bène, appuya de fait les théologiens parisiens qui suspectaient l'existence de tendances hérétiques au sein de la faculté des Arts. Cette attention confirme qu'aux yeux de la hiérarchie ecclésiastique, le *studium* de Paris devait servir les intérêts de la chrétienté. Elle ne ménagea d'ailleurs pas ses efforts pour envoyer le plus grand nombre de clercs y faire des études. Ainsi, en 1245, Innocent IV incita les moines de Clairvaux à y envoyer des étudiants[66]; en 1246, il indiqua Paris comme modèle à Robert Grosseteste pour l'organisation des examens[67]

---

61. Cf. G. Leff, *Paris and Oxford in the Thirteenth and Fourteenth Centuries. A Institutional and Intellectual History*, New York, 1967; H. Grundmann, « Sacerdotium, Regnum, Studium, Zum Wertung der Wissenschaft im 13. Jahrhundet », in *AKuG*, 34, 1951; S. Menache, « La naissance d'une nouvelle source d'autorité : l'Université de Paris », in *RH*, 268, 1982, p. 305-327.

62. G.C. Capelle, *Autour du décret de 1210.III : Amaury de Bène. Étude sur son panthéisme formel*, Paris, 1932; M.Th. d'Alverny, « Un fragment du procès des Amauriciens », in *AHDL*, 25/26, 1950/51, p. 325-336.

63. *PL* 215, c. 901 et suiv.

64. À identifier peut-être avec un écrivain arabe ayant vécu au XIᵉ siècle : G.G. Hana, « Der Mauritius Hispanus in der Studienordnung der Pariser Universität aus dem Jahre 1215 », in *AKuG*, 55, 1973, p. 352-365.

65. *Cartularium Universitatis Pariensis*, I, p. 106, nᵒ 87, et M. Grabmann, *I divieti ecclesiastici di Aristotele sotto Innocenzo III e Gregorio IX*, Rome, 1941, p. 101 et suiv.

66. *Cartularium...*, I, p. 175-176, nᵒ 133.

67. *Ibid.*, I, p. 189, nᵒ 154.

et, trois ans plus tard, il décida d'envoyer dix jeunes clercs à Paris apprendre l'arabe et d'autres langues orientales[68]. Cette faveur de la papauté, qui ne devait pas se démentir au cours du XIIIᵉ siècle, en dépit de quelques désaccords au moment de la querelle entre les mendiants et les séculiers illustre bien la double fonction de l'université de Paris qui fut à la fois un lieu d'élaboration et de divulgation du savoir au plus haut niveau et l'instance suprême de la chrétienté latine en matière de contrôle et de censure sur le plan de la doctrine.

III. LE DÉFI ARISTOTÉLICIEN ET LES RÉPONSES DES INTELLECTUELS CHRÉTIENS

Le principal problème qu'eurent à affronter les intellectuels latins du XIIIᵉ siècle est traditionnellement défini comme le « défi aristotélicien ». Cette expression, exacte pour l'essentiel, ne rend cependant que partiellement compte de la réalité d'une contestation idéologique qui prit appui non seulement sur la philosophie du Stagirite, mais sur un ensemble complexe d'œuvres désignées sous le nom de « science arabe », dont une bonne partie, élaborées dans le monde islamique, avaient puisé aux sources de l'Antiquité et de la pensée juive[69]. L'irruption de ces savoirs en Occident, à partir de la fin du XIIᵉ siècle et tout au long du XIIIᵉ, y provoqua une véritable crise d'acculturation, qui obligea les intellectuels chrétiens à se remettre profondément en question.

1. LES « CRUES » SUCCESSIVES DE L'ARISTOTÉLISME ET LEURS RÉPERCUSSIONS

Jusqu'aux dernières décennies du XIIᵉ siècle, l'Occident ne connaissait que peu d'œuvres d'Aristote ; une partie de la *Logique* (que l'on nommera *Logica vetus* après 1200), deux opuscules placés au début de l'*Organon* (le *De interpretatione* et les *Catégories*), un court traité sur les universaux − en fait un résumé rédigé par Porphyre − intitulé *Isagogé*, et quelques textes traduits et commentés par Boèce. Mais, après 1150, de nouveaux écrits du Stagirite sur la physique et la métaphysique, la psychologie, l'éthique et la politique furent traduits de l'arabe en latin, en particulier en Espagne (à Tolède mais aussi dans les villes de la vallée de l'Èbre) par des juifs arabophones travaillant en collaboration avec des clercs castillans, comme l'archidiacre de Ségovie, Dominique Gundissalvi, et quelques intellectuels férus de science ou de philosophie, venus de l'Europe du Nord[70]. Ces premières traductions étaient très imparfaites et

---

68. *Ibid.*, I, p. 212, n° 180.
69. J. VERNET, *Ce que la culture doit aux Arabes d'Espagne*, Paris, 1986, et *L'Occidente e l'Islam nell'Alto Medio Evo*, Spolète, 1965 (*SSAM, 12*).
70. Cf. R. LEMAY, « Dans l'Espagne du XIIᵉ siècle : les traductions de l'arabe en latin », in *Annales ESC*, 18, 1963, et M.Th. D'ALVERNY, « Les traductions d'Aristote et de ses commentateurs », dans *RSyn*, 1968, p. 125-144.

les textes originaux du philosophe grec s'y trouvaient mêlés aux gloses de leurs commentateurs arabes, en particulier celles du philosophe maghrébin Averroès (Ibn Roshd, mort en 1198) qui avait interprété certaines de ses thèses dans un sens rationaliste extrême. Mais, avant même que ces écrits aristotéliciens ne parviennent à Paris, y circulaient déjà d'autres ouvrages comme ceux du théologien musulman Al-Gazali († 1111)[71], d'Al-Farabi († 950), un commentateur arabe d'Aristote[72], et surtout d'Avicenne († 1037), auteur à la fois d'un célèbre traité de médecine, le *Canon*, et d'une encyclopédie philosophique, le *Livre de la guérison*[73]. Dans ce dernier ouvrage figuraient certes des idées empruntées à Aristote, mais aussi aux néo-platoniciens et à d'autres courants de pensée proprement islamiques, comme le soufisme.

C'est d'Avicenne que l'Occident reçut le premier choc idéologique, sous la forme d'une métaphysique centrée à la fois sur le problème d'un Dieu transcendant et ineffable et sur celui de l'être en tant qu'être, ce qui explique pour une part l'orientation ontologique qu'y prit la théologie[74]. Son néo-platonisme le rendait en effet assez facilement assimilable par la pensée chrétienne, qui en était elle-même déjà largement imprégnée. La pensée d'Aristote fut en revanche beaucoup plus mal reçue quand elle parvint en France, autour de 1200, dans la mesure où, pour lui, Dieu n'est pas le créateur de l'univers — il affirmait en effet que la matière avait toujours existé — mais seulement son « premier agent », c'est-à-dire un simple principe moteur désormais immobile[75]. Ainsi provoqués, les intellectuels occidentaux se trouvèrent mis en demeure, soit d'avaliser ses thèses, au risque de se trouver en contradiction avec la doctrine chrétienne, soit de tenter d'y répliquer en définissant une théologie philosophique intégrant les acquis de la « science arabe », tout en rejetant ses prises de position lorsqu'elles étaient incompatibles avec les données de la Révélation. On se tromperait cependant sur la nature de cet affrontement, qui fut difficile et douloureux pour beaucoup, en voulant le réduire à un conflit entre la raison et la foi. Le drame intellectuel qu'a connu l'Occident au XIIIᵉ siècle n'est pas né, comme l'a bien vu A. de Libéra, « de la rencontre de la foi chrétienne avec la raison gréco-arabe, mais de l'intériorisation de contradictions du rationalisme religieux arabe »[76]. Les penseurs musulmans à travers lesquels la pensée d'Aristote parvint aux Latins n'étaient ni des athées ni même des libres penseurs. Mais ils avaient œuvré de leur côté pour apporter des solutions au rapport — également difficile à établir de façon harmonieuse — entre la philosophie hellénistique et la religion musulmane. Ce qu'on appelle en Occident l'averroïsme fut donc en fait une tentative parallèle à celle qui s'était développée

---

71. Cf. D.H. SALMAN, « Algizel et les Latins », in *AHDL*, 1936, p. 103-128.

72. Cf. FAKHRY, « Al Farabi and the Reconciliation of Plato and Aristotle », in *Journal of the History of Ideas*, 1965, p. 469-478.

73. Cf. *Avicenna nella storia della cultura medievale*, Rome, 1957 (*AANL*); A.M. GOICHON, *La philosophie d'Avicenne et son influence en Europe médiévale*, Paris, 1951.

74. Cf. P.M. de CONTENSON, « Avicennisme latin et vision de Dieu au début du XIIIᵉ siècle », in *AHDL*, 1959, p. 3-31, et les articles de M.Th. D'ALVERNY, *ibid.*, 1953, 1961, 1963 et 1964.

75. Bonne mise au point sur ces questions dans A. de LIBÉRA, *Penser au Moyen Âge*, Paris, 1991, en particulier, p. 101-104.

76. *Id., ibid.*, p. 114/15.

auparavant au sein du monde islamique pour résoudre un conflit interne à la rationalité. Averroès reprochait en effet aux théologiens de jeter le trouble dans les esprits en mettant en circulation des opinions mal fondées sur le plan rationnel et de présenter comme des certitudes ce qui n'était que des affirmations indémontrables. Selon l'heureuse formule d'A. Jolivet, « Averroès ne plie pas le philosophique au révélé pour bâtir une théologie, il fait droit absolument à l'un et à l'autre en les maintenant chacun dans sa sphère ; cet écart est la condition de leur accord et... laisse toute latitude au travail autonome du philosophe »[77]. On conçoit sans peine la séduction qu'une telle démarche intellectuelle a pu exercer sur les maîtres et les étudiants de la faculté des Arts, qui aspiraient à devenir de véritables philosophes, comparables à ceux de l'Antiquité, et à faire de leur discipline non une simple « servante de la théologie », mais une voie d'accès autonome à la vérité[78]. Il est d'ailleurs significatif que les intellectuels parisiens du XIIIe siècle ne se soient guère intéressés à l'œuvre scientifique d'Aristote. En privilégiant l'étude de sa philosophie et de sa métaphysique, ils ont marginalisé la « science arabe », encombrée certes d'excroissances et d'apports de valeur très inégale mais qui véhiculait cependant un savoir extrêmement précieux[79]. Ce dernier, pour l'essentiel, demeura en friche et sera progressivement rejeté du côté de l'occultisme et de la magie. Mais, ce faisant, ils se sont exposés aux critiques des théologiens qui ne tardèrent pas à les accuser d'empiéter sur leur domaine.

Face à cette « crue » de l'aristotélisme, les premières réactions de l'Église furent – nous l'avons vu – négatives : condamnation à Paris des tendances « panthéistes » de certains maîtres en 1210, interdiction d'enseigner les œuvres scientifiques et métaphysiques d'Aristote en 1215[80]. La plupart des théologiens parisiens étaient alors des conservateurs, comme Prévotin de Crémone, qui fut chancelier de l'université de 1201 à 1210. Jugeant sévèrement la « vaine sagesse » dans laquelle se complaisaient leurs collègues de la faculté des Arts, ils ne voyaient dans les écrits des philosophes que des « subtilités inutiles ». Il faudra attendre les années 1220/30 pour voir apparaître des esprits plus ouverts, qui entreprirent de relever le défi aristotélicien en appliquant à l'étude de la théologie les méthodes et les exigences du raisonnement philosophique. Pour Guillaume d'Auxerre, dont la *Summa aurea* date de 1220, Philippe le Chancelier et surtout Guillaume d'Auvergne, actif entre 1220 et 1240 environ[81], Aristote n'est plus seulement un auteur dont on peut accepter la *Logique* et l'*Éthique*, tout en rejetant sa *Métaphysique*. Son œuvre, dont on commençait à mieux comprendre l'unité, devait certes être expurgée des adjonctions adventices qui en dénaturaient le

---

77. A. JOLIVET, *s.v.* « Averroès », in *Encyclopedia Universalis*, 3, Paris, 1985, p. 92-95 ; A. de LIBÉRA, *Averroès et l'Averroïsme au Moyen Âge*, Paris, 1991.

78. F. Van STEENBERGHEN, *Aristote en Occident. Les origines de l'aristotélisme parisien*, Louvain, 1946.

79. F. Van STEENBERGHEN, « Qu'apportait la métaphysique d'Aristote aux penseurs du XIIIe siècle ? », in *BCLAB*, 1964, p. 331-343 ; A.C. CROMBIE, *Histoire des sciences de saint Augustin à Galilée*, Paris, t. I, 1959, p. 49 et suiv.

80. Cf. *supra*, p. 797.

81. Sur ces tentatives et celles qui suivirent pour faire de la théologie une science rigoureuse, cf. M.D. CHENU, *La théologie comme science au XIIIe siècle*, Paris, 1969, et S.P. MARRONE, *William of Auvergne and Robert Grosseteste. New Ideas of Truth in the Early XIIIth Century*, Princeton, 1983.

sens, mais pouvait devenir le fondement possible d'une philosophie chrétienne — qu'on appellera la scolastique — rendant compte à la fois du monde, de l'homme et de Dieu, en des termes rationnels ne contredisant pas les énoncés de la foi. La pensée du Stagirite se prêtait en effet particulièrement bien à la constitution d'un vaste système englobant toutes les connaissances, puisque on ne trouve pas chez lui la distinction moderne entre les sciences positives et la philosophie et qu'il n'existait à ses yeux qu'un savoir unique qu'il appelle tantôt science, tantôt philosophie.

2. Vers un aristotélisme chrétien : Albert le Grand et Thomas d'Aquin

Le premier théologien à employer l'ensemble de la philosophie aristotélicienne pour appuyer la doctrine théologique fut Alexandre de Halès, célèbre professeur de l'université de Paris qui entra chez les frères mineurs en 1236. Son œuvre principale, en plus de gloses sur les *Sentences* de Pierre Lombard, consiste en une *Somme de théologie* — restée incomplète — en quatre parties, ouvrage qui demeure très marqué par la pensée de saint Augustin et des Victorins, tout en faisant une large place à la méthode dialectique[82]. Plus original et plus profond, le dominicain Albert le Grand (v. 1205-1280), qui enseigna la théologie à Cologne et à Paris, était un esprit très éclectique, puisqu'il écrivit aussi bien des commentaires de l'Écriture Sainte que des traités de sciences naturelles, dans des domaines aussi variés que la zoologie, la géologie ou la botanique[83]. Parmi ses contemporains, il fut sans doute celui qui eut la connaissance la plus étendue des Pères grecs et il s'inspira largement du Pseudo-Denys l'Aréopagite ainsi que du néo-platonisme. Ses sources principales furent cependant Aristote et les auteurs philosophiques et scientifiques du monde arabo-islamique, en particulier dans sa *Somme des créatures* et sa *Somme théologique*, inachevée. Le projet fondamental d'Albert le Grand fut en effet de rendre Aristote intelligible aux Latins en incorporant dans la culture occidentale le vaste héritage scientifique que le monde musulman avait conservé et accru. Il était en effet convaincu que le savoir ne pouvait que s'accroître et l'humanité progresser en connaissance et en sagesse au fil du temps, ce qui impliquait qu'elle allât chercher la vérité où qu'elle se trouve pour en faire son profit[84]. Sans exclure la mystique — à condition qu'elle soit spéculative, c'est-à-dire illumination de l'intelligence —, l'illustre dominicain, qui eut Thomas d'Aquin comme élève puis comme assistant, affirmait que la raison a le droit et le devoir de démontrer tout ce qui est indémontrable par la foi et qu'en cette démarche réside le fondement même de la légitimité de la philosophie. Hostile à l'argument d'autorité, il fut sans doute un des esprits les plus ouverts de son temps.

---

82. Alexandre de Halès, *Summa theologica*, 4 tomes, Quaracchi, 1924/28, et F. Van Steenberghen, *Aristote in the West*, Louvain, 1965, p. 114-125.

83. En l'absence d'un ouvrage d'ensemble satisfaisant sur Albert le Grand, cf. A. Zimmermann (éd.), *Albert der Grosse. Sein Zeit, sein Werk, sein Wirkung*, Berlin, 1981 (*MM*, 14), et G. Meyer et A. Zimmermann (éd.), *Albertus Magnus Doctor Universalis, 1280-1980*, Mayence, 1981.

84. A. de Libéra, *op. cit*, p. 140/42, et A. Jolivet, « Émergences de la philosophie au Moyen Âge », in *RSyn*, 1987, p. 414 et suiv.

Il n'est pas abusif de rapprocher de lui son contemporain, le philosophe Robert Grosseteste, qui enseigna à l'université d'Oxford, puis fut évêque de Lincoln de 1235 à 1253. Dans ses nombreux écrits philosophiques, il manifesta, comme beaucoup d'intellectuels anglais de son temps, une tendance marquée à l'empirisme. L'un des premiers, il chercha à fonder la philosophie naturelle sur les mathématiques et sur l'expérience. Traducteur et commentateur des *Seconds analytiques* d'Aristote, il fut également influencé par la *Théologie mystique* du Pseudo-Denys et ses propres travaux sur la lumière marquèrent un progrès dans le domaine de la science optique en Occident[85].

Ainsi, en un demi-siècle, les intellectuels latins eurent le temps de se familiariser progressivement avec la pensée d'Aristote, dont la diffusion avait causé initialement un profond émoi et suscité des réactions de rejet. Dès les années 1230, la pensée du Stagirite était étudiée à l'université d'Oxford, grâce en particulier à Robert Grosseteste qui avait su éviter les condamnations parisiennes, ainsi qu'à Naples où le jeune Thomas d'Aquin put s'imprégner en toute liberté de sa philosophie naturelle et de sa métaphysique pendant ses années de formation (1239/45). À Paris, Guillaume d'Auxerre et d'autres maîtres travaillèrent, à la demande du pape Grégoire IX, à expurger ses œuvres des éléments adventices[86], si bien qu'entre 1252 et 1255, leur étude finit par être autorisée à la faculté des Arts. Albert le Grand, Robert Grosseteste et surtout le dominicain flamand Guillaume de Moerbecke, dans les années 1260/68[87], réalisèrent une nouvelle traduction latine des divers traités d'Aristote à partir des manuscrits grecs, ce qui permit d'aboutir à un corpus aristotélicien − *Aristoteles latinus* −, dans lequel l'apport personnel du Stagirite était désormais nettement distingué de celui de ses commentateurs[88]. Ainsi, vers le milieu du XIIIᵉ siècle, le projet caressé par les intellectuels latins les plus audacieux de jeter les bases d'un aristotélisme chrétien faisant la synthèse entre la philosophie antique et le dogme chrétien cessa d'être un rêve inaccessible. Ce fut le mérite de Thomas d'Aquin de se lancer dans cette vaste et périlleuse entreprise et d'y réussir dans une large mesure.

Né en 1224 ou 25 au château de Rocasecca, dans le comté d'Aquino situé entre Rome et Naples, le jeune Thomas, issu d'une grande famille aristocratique, devait, dans l'esprit de ses parents, faire une belle carrière ecclésiastique à l'abbaye, toute proche, du Mont-Cassin[89]. Envoyé à Naples en 1239 pour y faire des études, il décida d'entrer chez les frères prêcheurs de cette ville en 1244 et s'enfuit de la région pour

---

85. Sur ce dernier, l'ouvrage le plus complet et le plus à jour est celui de R. SOUTHERN, *Robert Grosseteste. The Growth of an English Mind in Medieval Europe*, Oxford, 1986; cf. aussi D.A. CALLUS « Introduction of Aristotelian Learning to Oxford », in *PRA*, 29, 1943, p. 229-281.

86. *Cartularium Universitatis Parisiensis* I, p. 143, nº 87.

87. Cf. G. VERBEKE, « Guillaume de Moerbecke et sa méthode de traduction », in *Medioevo e Rinascimento. Studi in onore di B. Nardi*, t. II, Florence, 1955, p. 779-800.

88. La publication des traductions latines d'Aristote effectuées au XIIIᵉ siècle à partir des manuscrits grecs a été entreprise à partir de 1939 sous le nom d'*Aristoteles latinus*, dans le cadre du *Corpus philosophorum Medii Aevi*. Sur cette réalisation encore inachevée, cf. L. MINIO-PALUELLO, « L'Aristoteles latinus », in *StMed*, 3ᵉ s., I, 1960, p. 304-327.

89. Le meilleur état de la question se trouve dans l'article de J.P. TORELL, « Thomas d'Aquin », in *DSp*, 15, Paris, 1991, c. 719-773 ; sur la personnalité et la carrière du « Docteur commun », voir aussi J.A. WEISHEIPL, *Friar Thomas of Aquino. His Life, Thought and Work*, Washington, 1983.

échapper à la pression des siens. Rattrapé et incarcéré jusqu'en 1246 dans le château familial, il persévéra dans sa vocation et finit par retrouver sa liberté. Étudiant à Paris (1245-1248), puis à Cologne, il fut l'élève et le collaborateur d'Albert le Grand. Bachelier sententiaire en 1252, il donna ses premiers enseignements, consacrés à des commentaires de l'Écriture Sainte, avant d'accéder à la maîtrise en théologie (avant l'âge réglementaire, à la faveur d'une dispense) en 1256. Admis à enseigner en 1257, après la fin de la première crise qui avait opposé les mendiants aux maîtres séculiers dont Guillaume de Saint-Amour était le porte-parole le plus virulent[90], il partagea dès lors son temps entre la *lectio*, la *disputatio* (tant sous la forme des séances publiques de *Quodlibet* que de discussions en petit comité avec les étudiants) et la prédication. En 1259, il quitta le *studium* parisien pour se rendre en Italie, où il écrivit la *Summa contra Gentiles*, démonstration de la foi chrétienne sur la base d'arguments rationnels, à l'usage des infidèles, c'est-à-dire principalement des musulmans[91]. En 1261, à la demande du pape, il composa l'office liturgique du Saint-Sacrement, dont la fête venait d'être instituée, et des commentaires sur les Évangiles, connus sous le nom de *Catena aurea*, dans lesquels il cite plus souvent les Pères grecs que les latins. Placé en 1265 à la tête du *studium* de Rome qui fut créé pour lui, il y entreprit la rédaction de son œuvre majeure, la *Somme de théologie* (1266/73), pour laquelle il utilisa la toute récente traduction latine d'Aristote que Guillaume de Moerbecke était en train d'achever. Envoyé par son ordre à Paris en 1268 pour contribuer à la défense des mendiants qui affrontaient alors une nouvelle offensive de la part des maîtres séculiers, il eut à faire face à l'hostilité à la fois des théologiens traditionalistes, surtout nombreux chez les frères mineurs, qui lui reprochaient de faire la part trop belle dans ses œuvres à la philosophie d'Aristote, et de certains maîtres de la faculté des Arts, séduits par les idées d'Averroès sur l'autonomie de la pensée philosophique. Rappelé à Naples en 1272 pour y créer un *studium generale* de son ordre, qui devait jouer le rôle de faculté de théologie dans une université — créée par Frédéric II en 1224 — qui n'en avait pas, il mourut en 1274 à l'abbaye de Fossanova, sur le chemin du concile de Lyon II auquel le maître général des dominicains lui avait demandé de participer comme expert.

Thomas d'Aquin a poursuivi l'œuvre entreprise par son maître Albert le Grand. Inférieur à lui par l'ampleur de ses connaissances et la hardiesse créatrice de ses conceptions, il le surpasse par la clarté et la précision de la spéculation théologique et la vigueur du système. Il fut le plus génial médiateur entre Aristote et saint Augustin (on trouve dans son œuvre 2 000 citations du premier contre 1 000 du second) et c'est à bon droit qu'on l'a qualifié en son temps de « docteur commun » et, à l'époque moderne, de « prince de la scolastique »[92]. Pour lui, « la théologie est bien le savoir suprême : elle est la sagesse parmi les sciences ». Mais tandis que pour Augustin, la sagesse révélée par Dieu dévaluait les sciences humaines, réduites à l'utilité temporelle

---

90. Sur cette crise et le rôle qu'y joua Thomas d'Aquin, cf. M.M. DUFEIL, *Guillaume de Saint-Amour et la polémique universitaire parisienne, 1250-1259*, Paris, 1972.

91. A. GAUTHIER, Introduction au « *Contra gentiles* » (*texte et traduction*), Paris, 1961, p. 7-123.

92. Sur ces deux personnages et leurs relations, cf. M.D. CHENU, *Introduction à l'étude de saint Thomas d'Aquin*, Paris, 1950.

et condamnées à la fragilité, Thomas d'Aquin leur reconnaît une densité propre ainsi qu'une méthode autonome : elles ont, à leur niveau, leurs « sages ». La sagesse théologique n'en est pas diminuée : son éminence provient simplement de ce que, dans la hiérarchie des savoirs, elle a pour objet Dieu. Mais la transcendance même de son objet est la raison de sa faiblesse sur le plan épistémologique car « devant l'insaisissable divinité, elle est suspendue à un assentiment de croyance, donné sur l'autorité de la Parole de Dieu »[93]. On ferait cependant fausse route en s'imaginant que l'œuvre de Thomas d'Aquin s'est imposée d'emblée et sans difficulté dans la chrétienté de la fin du XIIIe siècle. L'agitation intellectuelle qui se développa dans les années qui encadrent sa mort (1268/1277) démontre au contraire qu'il n'en fut rien et que le thomisme n'était pas encore, comme il le devint plus tard, la philosophie officielle du monde catholique[94].

3. L'AVERROÏSME LATIN ET L'AUGUSTINISME BONAVENTURIEN

À certains égards, l'entreprise intellectuelle de Thomas d'Aquin apparaît comme la recherche d'une voie moyenne entre deux courants qui se développaient alors en Occident sur le plan philosophique et théologique. Le premier est communément désigné sous le nom d'averroïsme latin. Il concerne ceux — particulièrement nombreux dans les facultés des Arts, à Paris et à Oxford — qui considéraient que la meilleure explication d'Aristote était celle qu'en avait donnée Averroès[95]. À la suite du philosophe maghrébin, ils considéraient en effet la philosophie comme un savoir total, englobant les sciences profanes. Le point de départ du conflit qui les opposa aux théologiens fut un certain nombre d'affirmations qui figurent bien chez Averroès, comme l'éternité du monde et l'unité de l'intellect, qui entraînaient logiquement la négation de l'immortalité personnelle et le rejet de la notion de providence divine. Les maîtres universitaires qui soutenaient ces thèses n'entendaient pas attaquer les dogmes fondamentaux du christianisme — pas plus qu'Averroès n'avait attaqué la religion musulmane —, mais ils affirmaient que « les conclusions des philosophes concernent ce qui est naturellement possible, au lieu que l'enseignement de la foi repose souvent sur des miracles, non sur des raisons »[96]. Les philosophes, ne pouvant démontrer ni l'éternité ni la création du monde, n'étaient pas en mesure de trancher la question sur le fond; ils se contentaient de souligner que la première solution était plus vraisemblable que la seconde, sur la base des arguments rationnels. Ainsi, entre la philosophie et la théologie, il n'existait pas de véritable contradiction, à condition que chacune reste dans son ordre et ne prétende pas empiéter sur le domaine de l'autre. De

93. M.D. CHENU, *Saint Thomas d'Aquin et la théologie*, Paris, 1959, p. 48.

94. Sur les courants de pensée dominants pendant cette période, cf. *1274 année charnière. Mutations et continuités*, Paris, 1977, (*Colloques internationaux du CNRS*, 558), et G. VERBEKE et D. VERHELST (éd.), *Thomas Aquinas (1274-1974)*, Louvain, 1976.

95. A. JOLIVET s. v. « Averroïsme », in *Encyclopedia Universalis*, t. 3, Paris, 1985, p. 95.

96. Boèce de Dacie, *De aeternitate mundi*, cité par A. de LIBÉRA, *Penser au Moyen Âge*, Paris, 1991, p. 123. Cf. J. PINBORG, « Zur Philosophie des Boethius de Dacia », in *Studia Mediewistyczne*, 15, 1974, p. 165-185.

telles prises de position contrastaient évidemment avec le projet thomiste de constituer un système philosophique et théologique rationnel fondé sur Aristote. Au-delà de débats souvent ardus et techniques, le fond du problème était de savoir si la philosophie pouvait être une voie d'accès à l'intelligence de la foi. Les averroïstes — dont le principal représentant à Paris fut Siger de Brabant, que Dante placera quelques décennies plus tard dans son *Paradis*[97]—, sans être pour autant des incroyants déguisés, rejetaient cette conception qui faisait de la philosophie la « servante de la théologie » et soutenaient que le philosophe est lui aussi un contemplatif, capable d'accéder à la béatitude qui constitue une véritable anticipation ici-bas de la vision béatifique de Dieu dans l'au-delà, comme l'affirma Boèce de Dacie dans son traité *De summo bono*. Thomas d'Aquin intervint dans ce débat en 1270 avec un important traité intitulé *De unitate intellectus contra Averroistas parisienses*, dans lequel il attaqua vigoureusement la thèse développée par Siger, d'après Averroès, selon laquelle il existait une seule intelligence commune à tous les hommes. Celle-ci pouvait en effet légitimer un affranchissement complet vis-à-vis de toute loi morale, en vertu d'un raisonnement selon lequel si l'âme des saints est sauvée, celle de tous les hommes le sera aussi puisque tous ayant la même intelligence, devraient logiquement partager la même destinée dans l'au-delà. Le Docteur commun s'inscrivit en faux contre cette affirmation spécieuse en montrant au contraire que, en chaque homme, le titre à être personne est une intelligence distincte, jetant ainsi les bases d'une métaphysique pluraliste et d'une morale personnaliste en plein accord avec la tradition biblique et chrétienne[98]. La même année, l'évêque de Paris, Étienne Tempier condamna 13 thèses averroïstes[99] et il revint à la charge en 1277, en frappant d'anathème 219 propositions contraires à la foi[100]. Cette dernière sentence revêtit une gravité particulière, car le prélat accusa les averroïstes d'adhérer à ce qu'on a appelé la doctrine de la « double vérité » : « Ils disent que certaines choses sont vraies selon la philosophie, qui ne le sont pas selon la foi catholique, comme s'il y avait deux vérités contraires, comme si la vérité des Saintes Écritures pouvait être contredite par la vérité des textes de ces païens que Dieu a damnés. »[101] L'attaque était rude, même si le censeur ne faisait pas preuve de bonne foi en attribuant aux maîtres parisiens une

---

97. Dante, *Divine Comédie, Paradis*, X, 136-138 :
« C'est la lumière éternelle de Siger,
Qui fut lecteur dans la ruelle au Fouarre
et se fit tort à syllogiser droit » (trad. A. PÉZARD, Paris, 1965, p. 1447).
   Sur les débuts de l'averroïsme latin, cf. R.A. GAUTHIER, « Notes sur les débuts du premier Averroïsme (1225-1240), in *RSPhTh*, 66, 1982, p. 322-330. Sur Siger, cf. F. Van STEENBERGHEN, *Siger de Brabant d'après ses œuvres indédites*, Louvain, 2 vol., 1931-1942, et *Id., Maître Siger de Brabant*, Louvain-Paris, 1977. Voir aussi R.A. GAUTHIER, « Notes sur Siger de Brabant », in *RSPhTh*, 68, 1984, p. 3-49.
98. Cf. A. AMARGIER, « Thomas d'Aquin », in A. VAUCHEZ (éd.), *Dictionnaire des saints et de la sainteté chrétienne*, t. VI, Paris, 1986, p. 253.
99. E.H. WÉBER, *La controverse de 1270 à l'Université de Paris et son retentissement sur la pensée de saint Thomas d'Aquin*, Paris, 1970, et *Id., L'homme en discussion à l'Université de Paris en 1270*, Paris, 1970.
100. R. HISSETTE, *Enquête sur les 219 articles condamnés à Paris le 7 mars 1277*, Louvain-Paris, 1977, et *Id.*, « Étienne Tempier et ses condamnations », in *RThAM*, 47, 1980, p. 231-270.
101. Sur la question de la double vérité, cf. E. GILSON, « Boèce de Dacie et la double vérité », in *AHDL*, 22, 1956, p. 84 et suiv., et A. de LIBÉRA, *op. cit*, p. 254/55.

attitude qui n'était pas la leur, et elle devait être lourde de conséquences. En effet, en affirmant que les deux chemins conduisant à la vérité ne sauraient être parallèles, l'évêque de Paris ne rejetait pas seulement les philosophes dans le fidéisme ; il condamnait aussi certains aspects de la démarche de Thomas d'Aquin qui estimait, en accord pour une fois avec Averroès, que « le vrai ne peut contredire le vrai ». Aussi n'est-il pas surprenant que certaines propositions typiquement thomistes aient figuré parmi celles qui furent censurées à Paris en 1277. Il est en effet probable que cet amalgame avec les thèses averroïstes fut volontaire et qu'il eut pour but de discréditer le théologien dominicain.

Dans les dernières années de son existence, ce dernier se trouva en effet en butte à l'hostilité des tenants de l'augustinisme traditionnel qui, après avoir perdu du terrain pendant les premières décennies du XIIIe siècle, opérait alors un retour en force. Parmi ces derniers, on trouve évidemment des franciscains, comme Jean Peckham, mais aussi des séculiers comme Henri de Gand, à Paris, qui combattit les « nouveautés » de Thomas d'Aquin et même quelques dominicains comme l'archevêque de Cantorbéry, Robert Kilwardby, qui condamna les thèses averroïstes en même temps qu'Étienne Tempier. Tous ces théologiens avaient en commun de privilégier le rôle de la volonté, c'est-à-dire de l'*affectus*, par rapport à l'*intellectus*. Mais le représentant le plus typique − et le plus remarquable − de ce courant de pensée est sans aucun doute Bonaventure de Bagnoregio (v. 1217-1274)[102]. Après des études à Paris où il devint maître-ès-Arts, il entra chez les frères mineurs en 1243. Nommé maître-régent en 1253, il se heurta, comme Thomas d'Aquin, à l'hostilité des séculiers qui voyaient d'un mauvais œil des mendiants occuper des chaires de théologie, et il joua un rôle important dans les polémiques universitaires des années 1256/60. Élu ministre général de l'ordre francis-cain en 1257, il le demeura jusqu'à sa mort survenue au concile de Lyon II, en 1274. Un an plus tôt, Grégoire X l'avait fait cardinal lui témoignant ainsi sa satisfaction pour l'œuvre qu'il avait accomplie au service de l'Église[103].

L'œuvre de Bonaventure peut se définir comme une théologie selon la piété[104]. Méfiant vis-à-vis de l'aristotélisme, dont il dénonça les dangers dans ses *Collationes in Hexaëmeron*, il est davantage orienté vers Platon et Augustin, tout en ayant été très marqué par l'influence de saint François d'Assise[105]. Il exalta la figure de ce dernier dans sa *Vita major*, qui devint la seule biographie du Poverello autorisée au sein de l'ordre en 1260, au chapitre général de Narbonne. Pour lui, en effet, la pensée scientifique n'a rien de définitif et la connaissance selon la raison ne peut à elle seule rendre compte de Dieu et du monde. Aussi préconise-t-il une démarche spéculative à l'empreinte fortement mystique : la recherche de l'union à Dieu dans une extase de

---

102. Sur sa vie et sa carrière, cf. J.G. BOUGEROL, *Saint Bonaventure, un maître, une sagesse*, Paris, 1966.

103. Il ne sera toutefois canonisé qu'à la fin du XVe siècle, alors que Thomas d'Aquin le fut en 1323. Cf. A. VAUCHEZ, « Les canonisations de saint Thomas et de saint Bonaventure. Pourquoi deux siècles d'écart ? », in *1274, année charnière...*, p. 753-758.

104. Sur sa pensée, cf. E. GILSON, *La philosophie de saint Bonaventure*, Paris, 1923, et J.G. BOUGEROL, *Introduction à l'étude de saint Bonaventure*, Paris, 1961.

105. Cf. S. VANNI-ROVIGHI, « La vision du monde chez saint Thomas et chez S. Bonaventure », in *1274, année charnière...*, p. 667-678.

l'intelligence et de la volonté. Celle-ci est décrite d'un double point de vue dans deux de ses principaux ouvrages, le *Breviloquium* et l'*Itinerarium mentis ad Deum*. Dans le premier, Bonaventure donne une explication du dogme chrétien en partant du principe premier, qui est Dieu, afin de montrer que la vérité de l'Écriture vient de lui, traite de lui et nous conduit à lui : dans le second, inversant la perspective, il décrit la remontée de la créature vers Dieu, qui a révélé son mystère aux hommes en Jésus-Christ. Le « docteur séraphique », comme on l'appellera bientôt, insiste sur l'identité de l'image — l'homme — et de l'exemplaire — le Christ. Dieu et l'homme sont faits l'un pour l'autre et ordonnés l'un à l'autre. Aussi toute créature est-elle « capable de Dieu », c'est-à-dire, selon saint Augustin, animée d'un élan fondamental vers l'exemplaire dont elle tient tout son être-image. Par la contemplation des souffrances et de la vie du Christ, cette orientation dynamique vers Dieu s'épanouira en une « recréation » de l'homme, qui pourra elle-même déboucher sur une participation vivante, dès ici-bas, à la nature divine dans le « rapt » mystique [106]. Le problème qui se situe au cœur de la théologie bonaventurienne est celui de la divinisation de l'homme. Dans ce domaine, loin d'être archaïque, elle s'est trouvée en accord avec l'aspiration, présente chez bon nombre de religieux et de laïcs — hommes et femmes — extérieurs aux milieux universitaires, à une expérience directe et transformante du divin.

BIBLIOGRAPHIE

Instruments de travail

A.B. EMDEN, *A Biographical Register of the University of Oxford to A.D. 1500* 3 vol., Oxford., 1957/59.
P. GLORIEUX, *Répertoire des maîtres en théologie de Paris au XIIIᵉ siècle*, 2 vol., Paris, 1933/34.
S. GUENÉE, *Bibliographie des universités françaises, des origines à la Révolution*, 3 vol. parus, Paris, depuis 1978.
C. VASOLI, *Il pensiero medievale. Orientamenti bibliografici*, Bari, 1971.

Études

J. BALDWIN, *The Scholastic Culture of the Middle Ages, 1000-1300*. Lexington (Mass.), 1971.
M.D. CHENU, *La théologie comme science au XIIIᵉ siècle*, Paris, 1969.
A.C. CROMBIE, *Histoire des sciences de Saint Augustin à Galilée*, t. I, Paris, 1959.
A. FOREST, F. Van STEENBERGHEN, M. de GANDILLAC, *Le mouvement doctrinal du XIᵉ au XIVᵉ siècle*, Paris, 1956 (*HE*, t. 13)
R.A. GAUTHIER, *Magnanimité. L'idéal de la grandeur dans la philosophie païenne et la théologie chrétienne*, Paris, 1951.
G. HANSENOHR et J. LONGÈRE (éd.), *Culture et travail intellectuel dans l'Occident médiéval*, Paris, 1981.
S. d'IRSAY, *Histoire des universités françaises et étrangères des origines à nos jours*, 2 vol., Paris, 1933-35.
E. JEAUNEAU *La philosophie au Moyen Âge*, Paris, 1976.
N. KRETZMANN (ed.), *The Cambridge History of Medieval Philosophy : from Rediscovery of Aristotle to the Desintegration of Scholasticism*, Cambridge, 1982.
J. LE GOFF, *Les intellectuels au Moyen Âge*, Paris, 1985².
–, *Pour un autre Moyen Âge*, Paris, 1977.

---

106. E. LONGPRÉ, *s.v.* « Bonavenure », in *DHGE*, Paris, 1937, c. 741-758, et *S. Bonaventura, 1274-1974*, 5 vol., Grottaferrata, 1975/78.

A. de Libéra, *Penser au Moyen Âge*, Paris, 1991.

A. Murray, *Reason and Society in the Middle Ages*, Oxford, 1978.

J. Paul, *Histoire intellectuelle de l'Occident médiéval*, Paris, 1973;

Schulen und Studium im sozialen Wandel des hohen und späten Mittelalters, Sigmaringen, 1986.

Le scuole degli Ordini Mendicanti (secoli XIII-XIV), Todi, 1978 (Convegni, 17).

J. Verger, *Les universités au Moyen Âge (XIIIe-XVe s.)*, Paris, 1975.

A. Zimmermann (éd.), *Die Auseinandersetzungen an der Pariser Universität in XIII Jahrhundert*, Berlin-New York, 1976 (*MM*, 10).

En Occident : la répression de l'hérésie et les nouvelles formes de dissidence

par André VAUCHEZ

La fin du XIIᵉ siècle et plus encore le XIIIᵉ siècle se caractérisent en Occident par un net durcissement de l'attitude de l'Église et de la société vis-à-vis des hérétiques, mais aussi des juifs et, de façon générale, de tous les déviants, le symbole de cette attitude nouvelle étant constitué par l'Inquisition, qui fut instituée en 1231/33 par le pape Grégoire IX. L'historien anglais R. I. Moore a parlé à ce propos de la « formation d'une société persécutrice », marquée par une intolérance accrue à l'égard des minorités ainsi que des marginaux, qu'il agisse des lépreux, des prostituées et des homosexuels[1]. Avant d'étudier les mesures prises par l'Église pour faire face à la montée de la contestation et affirmer son hégémonie sur la chrétienté, il convient de s'arrêter un instant sur cette interprétation.

I. NAISSANCE D'UNE SOCIÉTÉ PERSÉCUTRICE ?

Les faits sont en tout état de cause incontestables : après avoir longtemps hésité et fluctué, la papauté a choisi, à partir de la fin du XIIᵉ siècle et surtout au XIIIᵉ siècle, d'utiliser la manière forte contre toutes les formes de dissidence religieuse, qu'il s'agisse de la croisade contre les Albigeois, lancée par Innocent III en 1209, ou des sanctions extrêmement rigoureuses qui furent prises contre les hérétiques dans les années 1215/30[2]. Le même raidissement peut s'observer au niveau des relations entre chrétiens et juifs, l'Église multipliant les mesures pour limiter au strict minimum les contacts entre les deux communautés, et pour rappeler aux juifs leur infériorité. À la même époque, en effet, on voit se multiplier contre eux les accusations de meurtre rituel ou de profanation d'hosties consacrées qu'ils se seraient procurées à prix d'argent

---

1. R.I. MOORE, *The Formation of a Persecuting Society. Power and Deviance in Western Europe, 950-1250*, Oxford-New York, 1987.

2. La croisade contre les Albigeois fut la première croisade lancée par l'Église contre des hérétiques, à l'intérieur même de la chrétienté. Sur le contexte politique et religieux dans lequel fut prise cette très grave décision, cf. *Paix de Dieu et guerre sainte en Languedoc au XIIIᵉ siècle*, Toulouse, 1969, (*CF*, 4). Parmi l'abondante littérature consacrée à cette croisade, voir M. ROQUEBERT, *L'épopée cathare, 1198-1212*, Paris, 1970, et W.L. WAKEFIELD, *Heresy, Crusade and Inquisition in Southern France*, Oxford, 1974.

ou en abusant de la naïveté des chrétiens, et les pogroms deviennent fréquents dans de nombreux pays, de l'Angleterre à l'Allemagne, en passant par la France où, de Philippe Auguste à Philippe le Bel, ils furent l'objet de brimades et de persécutions sévères[3]. Enfin les lépreux, auxquels les hérétiques étaient souvent comparés parce qu'ils infectaient la chrétienté de leurs doctrines « pestilentielles », furent confinés dans des « maladreries », avec interdiction d'en sortir[4]. Pour les uns, cette dégradation de la situation des minorités serait liée à l'accroissement de l'autorité de l'Église romaine, naturellement intolérante[5]; selon d'autres, c'est le peuple qui serait devenu violent et intolérant et l'Église n'aurait fait que suivre le mouvement, avec un certain retard sur l'opinion et des réticences face à ces déchaînements de violence[6]. En fait, comme le dit à juste titre R. I. Moore, la nouveauté ne réside pas dans la violence, à laquelle on avait déjà souvent eu recours contre les déviants aux XIᵉ et XIIᵉ siècles, mais dans l'usage délibéré et systématique de celle-ci face à certaines catégories de personnes, avec la caution de la société et par l'intermédiaire des institutions en place sur le plan politique, judiciaire et social[7]. De flambées de violence occasionnelles, on passe, après 1180 environ, à une répression systématique de la dissidence dans laquelle l'appareil ecclésiastique et celui des États naissants coopèrent, quand ils ne rivalisent pas de rigueur. Cette évolution est à mettre en relation avec les changements intervenus dans l'Église entre le XIᵉ et le XIIIᵉ siècle : alors qu'elle se présentait encore vers 1050 comme une structure décentralisée, chaque évêque étant le maître dans son diocèse et la plupart des abbayes autonomes par rapport aux autres, il n'en allait plus de même un siècle et demi plus tard. La papauté avait en effet affirmé son autorité par rapport aux Églises locales et, par l'intermédiaire des légats et des ordres religieux comme les cisterciens et surtout − après 1230 − les ordres mendiants, elle était en mesure de transmettre à l'ensemble de la chrétienté des consignes et des directives. En outre, le renforcement des structures paroissiales qui, après le concile de Latran IV, devinrent le cadre obligé de la pratique religieuse et, en particulier, sacramentelle des fidèles, rendit possible la mise en place, progressive certes mais de plus en plus efficace, d'un véritable quadrillage permettant de repérer plus facilement les déviants et de les sanctionner. Dans ce nouveau contexte institutionnel, un dépistage et une répression systématiques de l'hérésie allaient, pour la première fois au Moyen Âge, devenir possibles.

Parallèlement à cette évolution de l'Église, on assiste en Occident à l'affirmation de l'autorité de l'État, en particulier dans le cadre des monarchies nationales, en particulier en France et en Angleterre. L'émergence de la notion de puissance publique s'effectua au détriment des pouvoirs locaux et des juridictions traditionnelles

---

3. R.I. MOORE, *op. cit.*, p. 27-44, et, dans le présent volume, *supra*, p. 701-707.

4. R.I. MOORE, *op. cit.*, p. 46-59.

5. H.Ch. LEA, *Histoire de l'Inquisition*, 3 vol., Paris, 1902 ; les textes pontificaux ont été étudiés par A.C. SHANNON, *The Popes and Heresy in the 13th Century*, Villanova, 1949.

6. W. SOUTHERN, *Western Society and the Church*, Harmondsworth, 1970, p. 19, et B. HAMILTON, *The Medieval Inquisition*, Londres, 1981, p. 57, cités par R.I. MOORE, *The Formation*, p. 3. Cf. aussi *Id.*, « Popular Violence and Popular Heresy in Western Europe, c. 1000-1179 », in W.J. SHEILS (éd.), *Persecution and Toleration*, Oxford, 1984, p. 43-50 (*SCH*, 21).

7. R.I. MOORE, *The Formation...* p. 5.

(seigneuries, villes, corps divers) qui ne connaissaient que des délits contre les personnes et les groupes et ne jugeaient que les hommes de leur ressort. La renaissance de l'État fut marquée à la fois par le développement d'un appareil répressif plus efficace que les justices locales et par l'apparition d'un nouveau type de délit : des crimes sans victimes, qui étaient commis contre des abstractions qui s'appelaient la majesté royale, la foi ou la morale. Ne voulant pas être en reste par rapport à l'Église — surtout qu'ils étaient souvent en conflit, pour des raisons morales ou politiques, avec la papauté —, de nombreux souverains, d'Henri II Plantagenêt à Philippe Auguste et à Frédéric II, firent preuve d'un zèle ardent dans la répression de l'hérésie, pour le châtiment de laquelle la peine de mort fut instituée par les rois d'Aragon dès 1197 et qui fut, dans l'empire, assimilée sur le plan juridique au crime de lèse-majesté, comme cela avait déjà été le cas dans la législation impériale de l'Antiquité tardive[8]. Ainsi le triomphe de la raison, du droit savant et de l'ordre monarchique, tant dans l'Église que dans beaucoup d'États, a incontestablement contribué à favoriser une persécution systématique et violente des dissidents et des déviants.

Il n'est pas évident cependant que cette attitude ait été aussi marquée vis-à-vis des marginaux. Certes, dès la fin du XIIe siècle, des mesures furent prises par les autorités ecclésiastiques et les pouvoirs civils pour isoler les lépreux et leur interdire d'errer librement, comme beaucoup le faisaient. Mais on peut aussi mettre l'accent sur l'effort qui fut fait, à cette époque, par les villes et les communautés rurales, pour créer des établissements où ces malheureux recevaient des soins médicaux et une aide spirituelle[9]. On peut en dire autant pour les prostituées, de nombreuses initiatives ayant alors été prises, tant par des individus que par des institutions religieuses, pour les arracher à leur genre de vie et les réhabiliter par le travail et le mariage[10]. Enfin, il n'est nullement évident que la répression de l'homosexualité ait été un thème majeur dans la chrétienté occidentale avant le XIVe ou même le XVe siècle[11]. Mais il est incontestable que l'accent mis par les théologiens du XIIIe siècle sur l'existence d'une « loi naturelle », caractérisant la conduite morale de l'être humain, a préparé le terrain à ce changement d'attitude, en définissant une normalité qui justifiera la persécution de ceux qui s'en écartaient de façon flagrante et dont les comportements seront dénoncés comme anormaux, voire monstrueux. Dans la même perspective, les prédicateurs de l'époque affirment l'existence d'un rapport étroit entre la déviance morale et la mauvaise croyance. Saint Antoine de Padoue n'hésite pas à soutenir, dans un de ses sermons, qu'« à cause de la fornication, on finit par perdre la foi[12] » et les

---

8. Le fait que l'hérésie soit devenue alors un concept juridique a été bien mis en évidence par O. HAGENEDER, « Der Häresiebegriff bei den Juristen des 12. und 13. Jahrhunderts », in W. LOURDAUX et D. VERHELST (éd.), *The Concept of Heresy in the Middle Ages (11-13 c.)*, Louvain-La Haye, 1976, p. 42-103.

9. Cf., par exemple, A. BOURGEOIS, *Psychologie collective et institutions charitables : lépreux et maladreries du Pas-de-Calais, Arras, 1972*, et J. AVRIL, « Le IIIe concile de Latran et les lépreux », in *RMab* 60, 1981, p. 21-76.

10. Dès son avènement, Innocent III publia une bulle (du 29 avril 1199) dans laquelle il invitait tous les fidèles à participer à la rédemption des prostituées, et le prédicateur populaire Foulque de Neuilly se rendit célèbre par l'œuvre qu'il accomplit en leur faveur à Paris dans les mêmes années. Cf. A. MARTINEZ CUESTA, *s.v. Maddalene*, in *DIP*, t. V, Rome, 1978, c. 801-812.

11. J. BOSWELL, *Christianity, Social Tolerance and Homosexuality*, Chicago, 1980.

12. « *Propter fornicationem amittitur fides* » : *S. Antonii sermones dominicales*, éd. F. LOCATELLI, Padoue, 1895-1903, t. III, p. 174, cité par A. MURRAY, « Piety and Impiety in 13th Century Italy », in G.C. CUMING et D. BAKER (éd.), *Popular Belief and Practice*, Cambridge, 1984, p. 100. Sur le même thème, voir aussi M. GOODICH, « Sexual Deviation and

pécheurs obstinés, en particulier dans le domaine sexuel, seront souvent dénoncés comme des hérétiques, lesquels sont eux-mêmes accusés de s'adonner à des vices honteux, en particulier lors de leurs réunions clandestines. Immoralité, adultère, fornication, sodomie, fourniront jusqu'à la fin du Moyen Âge la base d'accusations contre les mal-pensants de tout bord. Il est significatif à cet égard que les seuls hérétiques que Dante ait mis en enfer, dans sa *Divine Comédie*, soient les épicuriens, c'est-à-dire des hommes comme Farinata degli Uberti († 1264), chef des Gibelins de Florence, Frédéric II ou Manfred, dont le comportement moral avait donné à croire à leurs contemporains qu'il n'existait à leurs yeux d'autre monde que celui d'ici-bas[13].

En dernière analyse, et sans exclure le rôle des processus institutionnels et mentaux qui ont été évoqués précédemment, la cause principale du durcissement de l'attitude de l'Église et de la société occidentale vis-à-vis des déviants et des minorités réside surtout dans une nouvelle conception de l'unité chrétienne, assimilée à l'uniformité. Dès la fin du XIe siècle, cette évolution est sensible dans l'attitude de la papauté à l'égard des liturgies mozarabes ou slaves qui furent brutalement éliminées au profit du rite latin, et même, de plus en plus, romain[14]. Elle se traduit aussi par une hostilité croissante vis-à-vis des Grecs : la prise et le pillage de Constantinople par les croisés en 1204 sont la manifestation la plus évidente de l'arrogance et de la bonne conscience des Latins, persuadés d'être les seuls vrais chrétiens et ne concevant la réunification des Églises d'Occident et d'Orient que sous la forme d'un retour au bercail des brebis schismatiques égarées dans l'unique bergerie de l'évêque de Rome, comme on le verra à Lyon II, en 1274. Dans tous les domaines et à tous les niveaux, la chrétienté occidentale a été hantée, au XIIIe siècle, par une véritable obsession de la « *reductio ad unum* ». En matière de théologie et d'ecclésiologie, la préoccupation fondamentale de la plupart des clercs est de tout ramener à l'unité, la diversité étant assimilée au mal et bientôt à la déviance[15]. Cette option, qui peut nous paraître inhumaine, ne manque pas d'une certaine grandeur et la tentative de créer ici-bas une société chrétienne parfaite sous la conduite d'un chef unique, le pape, a constitué un projet à la fois utopique et fascinant. Mais le revers de la médaille a été non pas une intolérance accrue — car, à aucune époque de leur histoire, les sociétés médiévales n'ont fait de la tolérance une valeur, même si elles l'ont parfois pratiquée —, mais un rejet sans appel de ce que nous appelons aujourd'hui le droit à la différence.

Heresy in the XIII-XIVth Centuries », in M. YARDENI (éd.), *Modernité et non-conformisme en France*, Leyde, 1983, p. 138-163.

13. A. MURRAY, « The Epicureans », in P. BOITANI et A. TORTI (éd.), *Intellectuals and Writers in Fourteenth Century Europe*, Tübingen-Cambridge, 1986, p. 138-163.

14. Cf. A. GARCIA Y GARCIA, « Reforma gregoriana e idea de la "Militia Sancti Petri" en los reinos ibericos », » in *SGSG* XIII, 1990, p. 241-262.

15. A. VAUCHEZ, « Une normalisation sévère » in R. FOSSIER, *Le Moyen Âge*, t. II, Paris, 1982, p. 375-422, et H.G. WALTHER, « *Haeretica pravitas* und Ekklesiologie. Zum Verhältnis von kirchlichem Ketzerbegriff und päpstlicher Ketzerpolitik von der zweiten Hälfte des XII. bis ins erste Drittel des XIII Jahrhunderts », in A. ZIMMERMANN (éd.), *Die Mächte des Guten und Bösen*, Berlin, 1971, p. 286-314 (*MM*, 11).

II. LA CROISADE, L'INQUISITION ET L'EXTINCTION DU CATHARISME

Au début du XIIIe siècle, l'Église en Occident s'est trouvée confrontée à une montée de la dissidence religieuse qui l'a amenée à mettre au point et à appliquer des sanctions de plus en plus rigoureuses contres les hérétiques, compte tenu de la menace qu'ils faisaient peser précisément sur l'unité de la chrétienté. Jusque-là elle avait hésité, selon les cas, entre une certaine modération dans la répression, fondée sur la doctrine traditionnelle selon laquelle la foi est affaire de conviction personnelle et ne doit pas être imposée, et une sévérité croissante, se traduisant par l'excommunication des hérétiques et par l'appel au bras séculier pour leur infliger des sanctions pénale[16]. À partir du pontificat d'Innocent III, la tendance répressive l'emporta définitivement et le concile de Latran IV, en 1215, prit toute une série de mesures prescrivant le bannissement des hérétiques, la confiscation de leurs biens et leur exclusion de la vie civile[17]. L'appel à la croisade contre les Albigeois, lancée en 1209 par le pape, fut renouvelé et le comte de Toulouse déclaré déchu en raison de ses sympathies pour les cathares. Les dispositions conciliaires risquaient en effet de demeurer lettre morte si le bras séculier ne s'engageait pas à appuyer l'action de l'Église, comme on le vit après la mort, en 1218, de Simon de Montfort, le chef des croisés qui avait établi son pouvoir sur une bonne partie du Languedoc et dont le décès fut suivi par un retour en force du catharisme. Seule, l'intervention du roi de France, Louis VIII, en 1226, permit à l'orthodoxie de l'emporter finalement[18]. Les choses furent encore plus difficiles en Italie où les communes s'opposaient avec opiniâtreté à toute immixtion de l'Église dans leurs affaires et dans leur législation. Honorius III tenta de contourner l'obstacle en faisant promulguer, en 1220, par le jeune Frédéric II — alors le protégé de la papauté — lors de son couronnement, les canons de Latran IV contre les hérétiques en tant que constitutions impériales[19]. Ces dernières furent aggravées par l'empereur dans des textes promulgués en 1224 et 1232, qui précisaient la gravité juridique du délit d'hérésie, assimilé au crime de lèse-majesté et passible à ce titre de la mort sur le bûcher[20]. Parallèlement, le cardinal Hugolin — le future Grégoire IX — entreprit en 1221, avec saint Dominique, une grande légation en Lombardie pour y prêcher la croisade et obtenir l'insertion des constitutions frédériciennes dans les statuts communaux. Les deux hommes ne rencontrèrent qu'un succès limité, mais leurs efforts devaient être repris en 1233, lors du mouvement religieux de l'Alleluia, par le dominicain Jean de Vicence et un certain nombre de religieux mendiants qui réussirent dans plusieurs villes comme Vérone et Milan, à faire prendre des mesures législatives

---

16. Cf., dans le présent volume, *supra*, p. 468-469, et J. HAVET, « L'hérésie et le bras séculier au Moyen Âge jusqu'au XIIIe siècle », in *BEC*, 41, 1880, p. 488-517 et 570-607.

17. Concile de Latran IV, c. 2, *De haereticis (Excommunicamus...)*, in G. ALBERIGO (éd.), *Conciliorum Oecumenicorum Decreta*, Bologne, 1973, p. 231-233.

18. Bon exposé des faits par B. HAMILTON, *Monastic Reform, Catharism and the Crusades (900-1300)*, Londres, 1979, ch. VIII, (« The Albigensian Crusade »), ainsi que dans les ouvrages cités *supra*, note 2.

19. G. De VERGOTTINI, *Studi sulla legislazione imperiale di Federico II in Italia. Le leggi del 1220*, Milan, 1952.

20. Cf. U. SCHMINK, « *Crimen laesae majestatis*. Das politische Strafrecht Siziliens (1140-1231) », in *Untersuchungen zur deutsche Staats- und Rechtsgeschichte*, n.f., 14, 1970.

Les livres orthodoxes et hérétiques à l'épreuve du feu,
détail du tombeau de saint Dominique sculpté par Nicola Pisano
dans l'église San Domenico à Bologne (milieu du XIIIᵉ siècle).

contre les hérétiques, dont un certain nombre furent aussitôt arrêtés, condamnés et brûlés [21].

En 1229, le concile de Toulouse établit définitivement la manière de procéder dans la recherche et la punition des dissidents : ceux d'entre eux qui étaient découverts et convaincus d'hérésie devaient être livrés au bras séculier pour qu'il leur inflige le « traitement mérité » (*animadversio debita*) par leur crime. Celui qui accorderait sciemment refuge à des hérétiques perdrait ses biens et serait condamné à une peine corporelle. Sa maison devait aussi être détruite et l'emplacement de celle-ci confisqué. Aux hérétiques repentants, on ferait grâce de la vie, mais de lourdes peines de prison leur seraient infligées. Ceux qui se rétracteraient uniquement par peur de la mort devaient être incarcérés à perpétuité (peine dite du « mur »), cependant que les relaps, selon l'usage déjà en vigueur, ne pouvaient espérer échapper à la peine du feu. Quant aux simples croyants ou sympathisants, ils risquaient des peines infâmantes, en particulier le port à perpétuité de croix cousues sur leurs vêtements, permettant de les

---

21. A. VAUCHEZ, « Une campagne de pacification en Lombardie autour de 1233 », dans *Id.*, *Religion et société dans l'Occident médiéval*, Turin, 1980, p. 71-117.

identifier facilement lors de leurs déplacements[22]. Enfin, en 1252, le pape Innocent IV autorisa l'emploi de la torture, empruntée au droit romain, dans la répression de l'hérésie, alors qu'un de ses prédécesseurs, Nicolas Ier, l'avait condamnée, en 866, comme une violation de la loi divine et humaine[23]. Les théologiens les plus éminents de l'époque justifièrent ces châtiments : Thomas d'Aquin, à la suite de saint Bernard, rappelle bien la liberté de l'acte de foi et condamne l'emploi de la contrainte vis-à-vis des juifs et des païens, mais il souligne que le cas des hérétiques est différent : contre eux la violence est légitime, puisqu'il s'agit de baptisés qui ont choisi de renier leur religion. Or si l'on considère — et nul n'en doutait à l'époque — la foi comme le bien suprême, celui qui la rejette commet le pire des crimes et mérite la mort[24].

Il restait à mettre en application cet arsenal de mesures punitives. La papauté avait initialement compté sur les évêques et sur les souverains pour y parvenir. Ainsi, au traité de Paris, en 1229, qui marque la fin de la croisade contre les Albigeois, le comte de Toulouse, Raimond VII, s'était engagé à collaborer avec l'Église dans la poursuite et la punition des hérétiques et, dans l'empire, Frédéric II avait promulgué contre eux, nous l'avons vu, des textes particulièrement sévères. Mais les prélats étaient souvent trop liés aux grandes familles de leur diocèse pour pouvoir sévir efficacement et l'empereur, en conflit ouvert avec la papauté à partir des années 1230, se garda d'aller trop loin dans la répression de mouvements religieux dissidents qui, en Italie tout au moins, devenaient pour lui des alliés objectifs, même s'il ne semble pas avoir eu pour eux de sympathie particulière[25]. Ce fut aussi le cas de ses principaux partisans en Italie du Nord — Ezzelino da Romano, dans la région comprise entre Vérone et Padoue et Oberto Pelavicino à Crémone, villes qui, avec Vicence et Cuneo, étaient devenues des lieux de refuge pour les parfaits cathares languedociens[26]. Pour vaincre toutes ces résistances, le pape Grégoire IX institua, entre 1231 et 1233, l'Inquisition, un tribunal spécialement chargé de combattre l'hérésie, dont la responsabilité fut confiée à des membres de l'ordre des frères prêcheurs, ou dominicains, et plus tard, dans certaines régions comme l'Ombrie ou la Provence, aux frères mineurs ou franciscains[27]. En fait, cette action judiciaire ne peut être séparée de celle que les Ordres mendiants menaient à cette époque sur le plan pastoral, dont elle constituait un aspect particulier (*negocium fidei contra hereticos*). L'offensive des religieux se développa à un double niveau : d'une part, ils profitèrent de leur popularité qui allait croissant dans les villes, surtout en Italie, pour faire insérer les constitutions impériales réprimant l'hérésie dans la

---

22. H. MAISONNEUVE, *Études sur les origines de l'Inquisition*, Paris, 2e éd., 1961, et *Le Credo, la morale et l'Inquisition*, Toulouse, 1971, (*CF*, 6).

23. H. MAISONNEUVE, « Le droit romain et la doctrine inquisitoriale », in *Mélanges G. Le Bras*, t. II, Paris, 1965, p. 931-942, et E. PETERS, *Torture*, Oxford, 1985.

24. Saint THOMAS D'AQUIN, *Summa theologica*, II, II, q. 10, a.8, et II, ad 3.

25. Cf. G. VOLPE, *Movimenti religiosi e sette ereticali nella società medievale italiana. Secoli XI-XIV*, Florence, 1922. K.V. SELGE, « Die Ketzerpolitik Friedrichs II », in G. WOLF (éd.), *Stupor mundi*, Darmstadt, 1982, p. 449-493.

26. Pour une vue d'ensemble, cf. G. TESTAS, *L'Inquisition*, Paris, 5e éd., 1990; on trouvera de précieuses mises au point bibliographiques sur ce sujet très étudié dans E. Van den VEKENÉ, *Bibliographie der Inquisition. Ein Versuch*, Hildesheim, 1963, et *Id.*, *Bibliotheca bibliographica Historiae Sanctae Inquisitionis*, 2 vol., Vaduz, 1982/83, ainsi que chez G. GONNET, « *Bibliographical Appendix. Recent European Historiography on the Medieval Inquisition* », dans A. TODESCHI et G. HENNINGSEN (éd.), *The Inquisition in Early Modern Europe*, Dekalb, 1986, p. 199-223.

27. Cf. MARIANO D'ALATRI, *Eretici e inquisitori in Italia*, t. I, *Il Duecento*, Rome, 1986.

législation municipale de chaque cité ; de l'autre, pour s'assurer de l'appui d'un bras séculier, ils créèrent des associations ou confréries de catholiques dévots qui les assistaient dans leur lutte contre toutes les formes de dissidence religieuse et prenaient, au besoin par la force, le contrôle de la rue et des institutions communales pour en chasser les défenseurs des « Patarins ». Ce fut un travail de longue haleine, dans lequel s'illustra tout particulièrement le dominicain Pierre de Vérone — assassiné en 1252 par ses adversaires entre Côme et Milan —, mais qui finit par porter ses fruits, surtout après la mort de Frédéric II (†1250), quand la défaite définitive du parti gibelin (1266-1268) eut porté au pouvoir, dans la plupart des cités italiennes, les Guelfes, favorables à l'Église et à Charles d'Anjou, le nouveau roi de Sicile[28]. Ailleurs, les choses se passèrent plus vite et plus brutalement : il faut faire ici une place particulière à deux hommes dont l'action violente et arbitraire finit par susciter des récriminations au sein même de l'Église : en France septentrionale (Champagne, Artois, vallée de la Loire) le dominicain Robert le Bougre, un ancien cathare converti qui fit brûler, entre 1232 et 1239, plusieurs centaines d'hérétiques après un jugement sommaire, ce qui lui valut d'être désavoué par ses supérieurs, tant il avait manifesté de cruauté dans l'accomplissement de sa mission[29] ; en Allemagne, le clerc séculier Conrad de Marbourg qui alluma lui aussi de très nombreux bûchers, en vertu d'une commission pontificale, surtout entre 1231 et le 30 juillet 1233, date à laquelle il finit par être assassiné[30]. Comme, à la même époque, le dominicain Jean de Vicence fit exécuter de nombreux hérétiques dans les villes de la Marche de Trévise, on peut parler d'une phase hystérique et paroxystique de la répression, qui frappa profondément les esprits. Celle-ci semble en tout cas avoir eu des conséquences durables puisqu'on n'entendit plus guère parler des cathares ensuite dans les régions sur lesquelles la tempête s'était abattue, au moins au nord des Alpes.

Une fois passée cette crise initiale, au cours de laquelle les accusations lancées par Grégoire IX contre les hérétiques revêtirent un caractère proprement délirant, attesté par la célèbre bulle *Vox in Rama* du 11 juin 1233[31], l'Inquisition se stabilisa et son combat prit un tour moins tumultueux, sans perdre pour autant de son efficacité[32]. Celle-ci reposait sur plusieurs facteurs. Le premier était le caractère universel des Ordres mendiants, ainsi que leur subordination immédiate au Saint-Siège. La plupart des inquisiteurs étaient en effet nommés directement par la papauté et son soutien leur permettait de passer par-dessus la tête des évêques et ne pas laisser entraver leur action par la délimitation des ressorts de justice traditionnels. Ses tribunaux s'installèrent au

---

28. G.G. MERLO, *Eretici ed eresie medievali*, Bologne, 1989, p. 85-98. Suivant les chiffres fournis par l'inquisiteur dominicain Rainier Sacconi, il y aurait eu environ 4 000 parfaits cathares en Occident vers 1250, dont 2 500 en Italie. Cf. F. SANJEK, « *Raynerius Sacconi, Summa de catharis* », in *AFP*, 44, 1974, p. 31-60, et G. ZANELLA, *Itinerari ereticali : Patari e Catari tra Rimini e Verona*, Rome, 1986.

29. L'étude fondamentale sur ce personnage et sur son action reste celle de Ch. HASKINS, « Robert le Bougre and the Beginnings of the Inquisition in Northern France », dans *Id., Studies in Medieval Culture*, Oxford, 1929, p. 193-244.

30. R. KIECKHEFER, *Repression of Heresy in Medieval Germany*, Philadelphie, 1979, et A. PATSCHOVSKY, « Zur Ketzerverfolgung Konrads von Marburg », in *DA*, 37, 1981, p. 641-693.

31. Le texte, cité et commenté par A. PATCHOVSKY, *op. cit*, p. 653-657, est édité dans les *MGH.ER*, I, p. 433.

32. Ce qui ne signifie pas qu'elle n'ait plus connu de difficultés dans son fonctionnement, comme l'a bien montré Y. DOSSAT, *Les crises de l'Inquisition toulousaine, 1233-1273*, Bordeaux, 1959, et *Id., Église et hérésie en France*, Londres, 1982, chap. XX-XXVIII.

cœur des régions les plus touchées par les hérésies (Toulouse et Carcassonne par exemple, en Languedoc) et s'efforcèrent de rayonner à partir de là par le moyen de commissaires et, plus tard, de succursales[33]. Comme le tribunal, situé en général dans un couvent dominicain, possédait de bonnes archives et ne connaissait aucune prescription, cela lui permettait, au bout de plusieurs années ou même décennies, d'établir des liens entre des affaires ou des personnes dont les rapports avec l'hérésie n'étaient pas apparus avec évidence lors d'une précédente enquête, mais qui pouvaient être démasquées longtemps après, voire être châtiées à titre posthume, leurs restes étant alors exhumés et brûlés publiquement.

Mais la cause principale de l'efficacité de l'Inquisition réside sans doute dans la procédure qui lui a donné son nom, qui peut se définir comme une poursuite d'office, menée à l'initiative de l'inquisiteur contre des suspects qui ne bénéficiaient pas des garantis habituelles accordées aux accusés pour leur défense. Le secret était en effet de règle à toutes les étapes de la procédure et les accusés ignoraient sur la base de quelles dénonciations ils avaient été inculpés et de quelles preuves leurs accusateurs

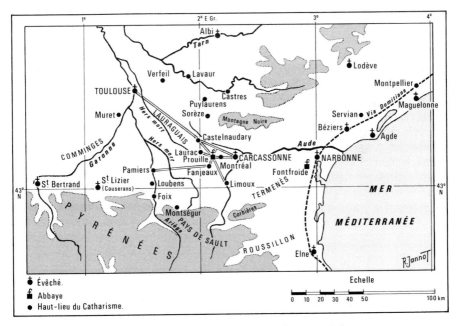

Le Languedoc cathare au début du XIIIᵉ siècle.

33. Cf. J. GUIRAUD, *Histoire de l'Inquisition au Moyen Âge*, 2 vol., Paris 1935/38, à complèter par R.W. EMERY, *Heresy and Inquisition in Narbonne*, New York, 1941, et L. KOLMER, *Ad capiendas vulpes. Ketzerbekämpf.ᴨg in*

disposaient contre eux[34]. Aussi ceux qui étaient cités à comparaître devant le tribunal de l'inquisiteur et n'avaient pas la conscience tranquille préféraient-ils souvent prendre la fuite et essayer de gagner des régions refuges, comme Montségur, dans le comté de Foix, — avant sa prise et sa destruction en 1244 —, le nord de la Catalogne ou les villes de Lombardie où, vers 1250, se trouvaient environ 150 Parfaits languedociens. Mais, ce faisant, ils devenaient ipso facto des « faydits » sur lesquels pesait une forte présomption de culpabilité et, s'ils revenaient dans leurs régions d'origine et s'y faisaient prendre, ils avaient bien peu de chances d'échapper à une condamnation. En cas de procès, la sanction dépendait à la fois du degré d'engagement de l'accusé dans l'hérésie — les Parfaits cathares étaient en principe plus sévèrement châtiés que les simples croyants — mais aussi de son comportement pendant le procès : s'il acceptait de collaborer et dénonçait les membres de la secte avec lesquels il avait été en relation, il pouvait espérer sauver sa tête ou même bénéficier d'une certaine indulgence. Car tout le système reposait sur la délation et l'une des premières choses que l'inquisiteur rappelait à l'accusé, au début de l'interrogatoire, était l'obligation morale qu'il avait de révéler l'identité de ses complices[35].

Nous connaissons assez bien la façon dont se déroulaient ces interrogatoires, à la fois grâce aux divers manuels qui furent composés à partir des années 1240 à l'usage des inquisiteurs, et à travers les procès-verbaux de l'Inquisition, postérieurs pour la plupart à 1250[36]. Ces sources éclairent bien le double objectif de la procédure inquisitoriale, qui visait à la fois à combattre le péril social que représentait l'hérésie, en mettant en évidence l'existence de réseaux plus ou moins clandestins, et à assurer le salut personnel de l'hérétique en obtenant sa rétractation et sa conversion[37]. Une confusion qui a été parfois opérée entre l'Inquisition espagnole du XVIe siècle et l'Inquisition médiévale, a fait souvent perdre de vue ce second aspect : sauf cas particuliers — par exemple dans les années 1231-1239, comme nous l'avons vu précédemment —, les inquisiteurs n'étaient pas des brutes sanguinaires cherchant à mettre à mort le plus grand nombre d'hétiques. La plupart d'entre eux étaient des religieux instruits et consciencieux qui désiraient avant tout amener la rebelle à se reconnaître coupable pour la transformer en pénitent. Comme dans la confession — même si le procès inquisitorial se situait au niveau du for externe et non interne — tout tournait autour

---

Sudfrankreich in der ersten Hälfte des 13. Jahrhunderts und die Ausbelgung des Inquisitionsverfahrens, Sigmaringen, 1982 (Beihefte der Francia, 19).

34. L. TANON, *Histoire des tribunaux de l'Inquisition*, Paris, 1893, ainsi que A.C. SHANNON, « The Secrecy of Withnesses in Inquisitorial Tribunals », in *Essays in honor of A.P. Evans*, New York, 1955, p. 59-69, et *Id., The Medieval Inquisition*, Washington, 1983.

35. Cf. H. SCHLOSSER, *s.v.* « Inquisitionsprozess », in *Handwörterbuch zur deutscher Rechtsgeschichte*, 2, 1972/78, c. 378-382, W.L. WAKEFIELD, *s.v. Inquisition*, in *Dictionary of the Middle Ages*, t. 6, 1985, p. 483-489.

36. La meilleure étude demeure celle d'A. DONDAINE, *Le manuel de l'inquisiteur (1230-1330)*, in *AFP*, 17, 1947, p. 85-194, repris dans *Id., Les hérésies et l'Inquisition, XIIe-XIIIe siècles*, Londres, 1990, chap. II, à compléter cependant par A. PATSCHOVSKY, *Der Passauer Anonymus Ein Sammelwerk über Ketzer, Juden, Antichrist aus der Mitte des 13. Jahrhunderts*, Stuttgart, 1968., bonne introduction à cette source allemande, dans l'attente de son édition. Les principaux procès conservés pour le XIIIe siècle sont ceux de l'Inquisition de Toulouse, ainsi que de Bologne en Italie. Sur les premiers cf. C. DOUAIS, *Documents pour servir à l'histoire de l'Inquisition dans le Languedoc*, 2 vol., Toulouse, 1900; sur les seconds, cf. L. PAOLINI et R. ORIOLI (éd.), *Acta S. Officii Bononie ab anno 1291 ad annum 1310*, 2 vol. Rome 1982.

37. Un bon exemple d'analyse du comportement inquisitorial a été donné par W.L. WAKEFIELD, « Heretics and Inquisition. The case of le Mas-Sainte-Puelles », in *CHR*, 69, 1983, p. 209-266.

de l'aveu que l'Inquisition cherchait à obtenir[38]. C'est la raison pour laquelle ce tribunal châtiait si lourdement les impénitents, c'est-à-dire ceux qui refusaient de reconnaître leur culpabilité ou leur complicité avec les hérétiques, alors même que des indices ou des preuves étaient accumulés contre eux. L'aveu en revanche, surtout s'il intervenait avant tout recours à la torture, ouvrait la voie à la réintégration de l'accusé dans la communauté ecclésiale et sociale. Encore fallait-il, pour que l'on crût en lui, qu'il prouvât la sincérité de son repentir en collaborant à la destruction de la secte à laquelle il avait adhéré. Le terme logique de l'interrogatoire et du procès était, non pas l'exécution de l'accusé, qui n'intervenait que s'il refusait d'abjurer et de « parler » mais son « retournement », qui lui permettait de sauver sa vie et son âme, dans la perspective de ceux qui le jugeaient. Aussi l'Inquisition a-t-elle, au XIIIe siècle (en dehors des « années terribles » 1231-1239) prononcé relativement peu de sentences capitales, alors qu'elle infligeait de nombreuses peines de prison − d'une durée très variable − et beaucoup de sanctions mineures, comme des pèlerinages expiatoires, et des peines infamantes comme le port de croix cousues sur les habits[39]. La meilleure preuve du succès − au moins à court terme − de cette politique réside peut-être dans le grand nombre d'inquisiteurs qui ont commencé par être eux-mêmes des hérétiques, avant de poursuivre avec acharnement leurs anciens compagnons de route. Parmi les plus connus, citons les noms, en Italie, de Moneta de Crémone, Rainier Sacconi et Pierre de Vérone − canonisé en 1253 sous le nom de saint Pierre Martyr − et, en France, de Robert le Bougre, Sicard Lunel et Armand Pradier, ces derniers étant des hauts dignitaires de l'Église cathare revenus à l'orthodoxie. Ainsi la société hérétique, minée par la délation, démoralisée par le retournement de certains de ses chefs et trahie par des renégats qui s'infiltraient dans ses réseaux pour le compte de l'Inquisition, finit par s'effondrer[40]. Les succès les plus spectaculaires furent enregistrés contre les cathares, dont la structure hiérarchique très stricte favorisa le déclin en permettant aux inquisiteurs de remonter des simples croyants aux Parfaits qui y occupaient une place fondamentale. Les vaudois, dont les communautés étaient plus égalitaires, réussirent mieux à se maintenir, mais au prix d'un repli dans certains « sanctuaires » comme les hautes vallées du Piémont et du Dauphiné ou certaines régions de l'Autriche[41].

Il serait cependant inexact d'attribuer l'effacement du catharisme, qui d'ailleurs ne

---

38. Cf. le volume *L'aveu. Antiquité et Moyen Âge*, Rome, 1981, en particulier J. CHIFFOLEAU, « Sur la pratique et la conjoncture de l'aveu judiciaire en France du XIIIe au XVe siècle, p. 341-380.

39. Comme l'a bien montré J. HENRIET, « Du nouveau sur l'Inquisition languedocienne », in *Effacement du Catharisme? (XIIIe-XIVe siècles)*, Toulouse, 1985, p. 159-173. (*CF*, 20). Sur les peines infamantes, cf. P. LANDAU, « Die Entstehung der kanonischer Infamiebegriffs von Gratian bis zur Glossa ordinaria » in *FKRG*, 5, 1966, p. 10 et suiv. et V. ROBERT, « Les signes d'infamie au Moyen Âge » in *MSNAF*, 45, 1888, p. 7-122.

40. Dans cette perspective, comme l'a bien vu G.G. MERLO, *Eretici*, p. 90, la canonisation de saint Pierre Martyr par Innocent IV est moins une glorification de l'Inquisition que celle d'un modèle de rédemption : le passage de l'hérésie à sa répression par un hérétique repenti.

41. Sur la désagrégation du catharisme languedocien, voir E. GRIFFE, *Le Languedoc cathare et l'Inquisition (1229-1329)*, et le volume *Effacement du Catharisme?*, cité. Sur les destinées des vaudois, cf. M. SCHNEIDER, *Europäisches Waldensertum im 13. und 14. Jahrhundert. Gemeinschaftsform, Frömmigkeit, soziale Hintergrund*, Berlin, 1981, et J. CHIFFOLEAU, « Vie et mort de l'hérésie en Provence et dans la vallée du Rhone du début du XIIIe au début du XIVe siècle », in *Effacement du Catharisme?*, cité, p. 73-93.

Les principaux foyers hérétiques en Italie au XIIIᵉ siècle.

disparut pas avant la fin du XIIIᵉ siècle dans les villes italiennes et survécut dans les hautes vallées pyrénéennes jusque vers 1330, à la seule action de l'Inquisition, si efficace qu'ait pu être le succès de son action psychologique sur les consciences. L'attitude des pouvoirs politiques fut également très importante dans ce processus de marginalisation et de réduction de l'hérésie, comme on le voit dans la France languedocienne où la dynastie capétienne — saint Louis dans les sénéchaussées royales de Beaucaire et de Carcassonne, et ses frères Alphonse de Poitiers, comte de Toulouse, et Charles d'Anjou en Provence — accorda un soutien sans faille à l'Église catholique et à l'Inquisition. Mais, à côté de ces facteurs qui relèvent de la coercition, il faut également faire une place à l'action des Ordres mendiants dans le domaine pastoral[42]. Certes, l'impact de cette dernière est difficile à évaluer et il faudrait distinguer entre les dominicains, souvent détestés et parfois agressés dans leurs couvents en raison de l'acharnement qu'ils mettaient à poursuivre les hérétiques et leurs familles, et les franciscains, plus populaires et qui, dans certaines régions comme le Languedoc, surent gagner la sympathie de milieux citadins qui s'étaient montrés favorables aux vaudois ou même aux cathares[43]. Mais beaucoup de laïcs n'avaient adhéré à l'hérésie que parce que l'Église catholique s'identifiait pour eux à un clergé cupide et corrompu. À partir du moment où, avec les mendiants, l'orthodoxie fut en mesure d'opposer aux parfaits cathares et aux prédicateurs vaudois une alternative crédible, ils n'avaient pas de raison de persister dans une attitude d'hostilité qui, de plus, mettait en danger leurs personnes et leurs biens.

En outre, le catharisme, au XIIIe siècle, allait à contre-courant des tendances générales de l'évolution : il devenait de plus en plus difficile de croire, dans une société en pleine croissance et où les famines étaient en voie de disparition, que le monde d'ici-bas appartenait au royaume de Satan et que la chair et la matière étaient fondamentalement corrompues et corruptrices. En outre, selon l'heureuse formule de G. Merlo, « l'extériorité du catharisme à la dynamique historique et sociale, qui avait été un facteur positif pour lui à l'origine, devint à la longue une faiblesse »[44]. À force de vouloir être étrangers au monde et à ses tensions, les « Bons hommes » ont été marginalisés par l'action pastorale de l'Église, en particulier celle des mendiants qui offraient des réponses aux problèmes concrets qui se posaient aux hommes de ce temps[45]. Il est significatif que les vaudois, qui étaient des chrétiens évangéliques et n'avaient jamais éprouvé de sympathie pour les tendances dualistes ni vu dans la création l'œuvre du Malin, se soient mieux maintenus, en dépit des persécutions dont ils firent également l'objet[46]. Enfin, le faible niveau intellectuel du catharisme, surtout en Languedoc, et sa prédilection pour les mythes s'opposaient à tout l'effort de rationalisation de la pensée qui caractérise non seulement la scolastique universitaire mais l'évolution générale de la culture du temps[47]. Incapables, sauf dans quelques traités italiens assez tardifs, de donner de leur doctrine une présentation logique et

---

42. Cf., supra, p. 785-792.
43. Comme l'a bien montré J.L. BIGET, pour le Languedoc dans son article « Autour de Bernard Délicieux. Franciscanisme et société au Languedoc entre 1295 et 1330 » in A. VAUCHEZ (éd.), *Mouvements franciscains et société française, XIIIe-XXe siècles*, Paris, 1983, p. 75-105 et *Id.*, « L'extinction du catharisme urbain : les points chauds de la répression », in *Effacement du catharisme?*, cité, p. 305-340. Pour l'Italie, cf. R. MANSELLI, *L'eresia del Male, Naples*, 1963, p. 271-333.
44. G.G. MERLO, *Eretici...*, p. 92.
45. Sur les relations entre les ordres mendiants et les milieux d'affaires, cf. J. LE GOFF, *La bourse et la vie*, cité.
46. Traqués par l'Inquisition dans le Sud de la France, les vaudois progressèrent au contraire dans les pays germaniques où on les trouve en grand nombre au début du XIVe siècle. Il faut cependant signaler la scission qui s'était produite en leur sein en 1210 quand la branche italienne — les Pauvres Lombards, plus radicaux et hostiles à l'Église romaine — avait rompu avec les vaudois « ultramontains ». Cf. G. GONNET et A. MOLNAR, *Les Vaudois au Moyen Âge*, Turin, 1974, p. 62-103.
47. Cette contradiction entre deux types de discours était déjà apparue à la fin du XIIe siècle : cf. A. CAZENAVE, « Langage catholique et discours cathare : les écoles de Montpellier », in *Mélanges M. de Gandillac*, Paris, 1983, p. 137-152. Il ne fit que s'accentuer par la suite comme l'a bien montré R. MANSELLI, « Évangélisme et mythe dans la foi cathare », in *Heresis*, 5, 1985, p. 5-17.

cohérente, ils furent soit entraînés dans des querelles intestines sans fin (en Italie), soit exposés à un processus de contamination par la culture folklorique ambiante, bien attesté par les interrogatoires de Montaillou[48].

III. LES FORMES NOUVELLES DE LA CONTESTATION

Au moment même où l'Église catholique, au prix d'une vigoureuse répression mais aussi d'un « aggiornamento » réussi, parvenait à relever le défi des hérésies nées en Occident au XIIe siècle, de nouvelles formes de contestation, plus subtiles et donc plus difficiles à affronter, firent leur apparition dans la chrétienté occidentale. Certaines concernaient surtout le monde des clercs et des intellectuels : il s'agit du joachimisme et de certaines tendances déviantes qui se développèrent alors dans les milieux universitaires. D'autres, en revanche, semblent plutôt se rencontrer dans les masses populaires, dont certaines pratiques religieuses, soumises à un examen plus attentif et soupçonneux que par le passé, révélèrent d'inquiétantes fissures idéologiques derrière l'apparence d'un conformisme généralisé.

1. JOACHIM DE FLORE ET LE JOACHIMISME

Il peut paraître paradoxal de faire figurer Joachim de Flore parmi les contestataires du XIIIe siècle, alors qu'il vécut pour l'essentiel au XIIe siècle (v. 1135-1202) et qu'il fut tenu en haute estime par les papes de son temps, qui ne lui ménagèrent pas leurs encouragements. Pourtant cet abbé calabrais, qui fonda, en 1188, l'abbaye de San Giovanni in Fiore, dans le massif sauvage de la Sila, a été de son vivant déjà et plus encore après sa mort, une figure controversée[49]. En 1192, il rompit avec l'ordre cistercien, qui le traita de « moine fugitif », pour fonder sa propre congrégation, l'ordre de Flore dont il voulait faire un modèle idéal d'observance monastique. Mais sa principale originalité réside dans son œuvre exégétique, qui exerça une très profonde influence après sa mort[50]. Joachim en effet ne se considérait pas lui-même comme un

---

48. R. MANSELLI, art. cité, p. 13, dit à propos du *Livre des deux principes*, composé vers 1230 par des disciples de Jean de Lugio, qu'il constitue « le seul véritable ouvrage (cathare) qui fasse preuve de la volonté d'établir une discussion polémique et éclairante pour l'affirmation d'une foi consciente d'elle-même et engagée dans l'éclaircissement de sa propre problématique ». Sur les déchirements internes du catharisme italien, cf. G.G. MERLO, *Eretici...*, p. 93-98, et A. DONDAINE, *Les hérésies et l'Inquisition...*, chap. III et IV. Sur les croyances des paysans de Montaillou, voir en dernier lieu, M. BENAD, *Domus und Religion in Montaillou. Katholische Kirche und Katharismus des 14 Jahrhunderts*, Tübingen, 1990.

49. Sur la biographie et la doctrine de Joachim de Flore, cf. C. BARAUT *s.v.* « Joachim de Flore », in *DSp*, 8, Paris, 1974, c. 1179-1201, et R. LERNER, *s.v.* « Joachim von Fiore », in *TRE*, 17, Berlin, 1987, p. 84-88, qui comportent tous deux de bonnes bibliographies. On trouvera un intéressant choix de textes de Joachim en traduction française chez C. CAROZZI et H. TAVIANI CAROZZI, *La fin des temps. Terreurs et prophéties au Moyen Âge*, Paris, 1982, p. 93-148.

50. L'ouvrage fondamental sur ce sujet reste celui de M. REEVES, *The Influence of Prophecy in the Later Middle Ages. A Study in Joachimism*, Londres, 1969. Cf. aussi D.C. WEST, *Joachim of Fiore in Christian Thought. Essays on the Influence of the Calabrian Prophet*, 2 vol., New York, 1975 et H. de LUBAC, *La postérité spirituelle de Joachim de Flore*, Paris, 1979.

prophète mais il estimait avoir reçu de Dieu le don d'interprétation des Écritures, lors d'une vision survenue au Mont-Tabor, en Terre Sainte. Son intuition fondamentale réside dans une prise de conscience de l'importance de l'Apocalypse pour la compréhension de l'histoire de l'Église et de l'humanité, en particulier lors de sa phase finale, dont de nombreux signes comme la prise de Jérusalem par les Sarrasins en 1187, l'échec des croisades et la prolifération des hérésies, lui faisaient pressentir l'imminence. Dans son dernier ouvrage, l'*Expositio in Apocalypsim*, entrepris vers 1200, il annonça l'approche d'une crise eschatologique majeure, qui serait suivie par une période de renouveau de l'Église, sorte d'âge d'or d'une durée indéterminée (mais sans doute assez brève à ses yeux), précédant le retour ultime et glorieux du Christ et la fin du monde[51]. Cette lecture historique de l'Apocalypse s'articule chez lui sur une compréhension particulière de la Trinité. Dans un ouvrage disparu, Joachim critiqua le théologien Pierre Lombard en l'accusant d'avoir professé la « quaternité » divine, c'est-à-dire d'avoir fait de la Trinité en elle-même une quatrième personne distincte de ses trois composantes, le Père, le Fils et le Saint-Esprit, ce qui lui valut d'être condamné − sur ce point précis − par le concile de Latran IV en 1215[52]. En fait, Joachim mettait pour sa part l'accent sur la distinction des personnes divines, chacune d'entre elles étant liée à une période de l'Histoire, et sur le caractère progressif de la Révélation sous l'influence de l'Esprit. Pour lui, en effet, l'évolution de l'humanité allait dans le sens d'une clarification croissante du message biblique et d'une meilleure compréhension de sa signification de la part de ceux qui en étaient les destinataires. Aussi distinguait-il un âge du Père, qui avait duré depuis Adam jusqu'au premier ancêtre connu du Christ, puis un âge du Fils, qui était le temps de l'incarnation et de l'Évangile; ce dernier, selon des calculs complexes inspirés par le *Livre de Daniel*, touchait à sa fin : après une crise violente marquée par l'avènement de l'Antéchrist devait commencer, vers 1260, l'âge de l'Esprit, point culminant de l'histoire de l'humanité. L'Église de Pierre, avec son clergé, ses structures hiérarchiques et ses lois, ferait alors place à l'Église de Jean, animée par une élite de *viri spirituales* et dans laquelle les chrétiens assimileraient dans toute sa plénitude le mystère divin. Ce serait le temps de l'« Évangile éternel », vécu en esprit et en vérité[53].

La doctrine de Joachim ne se présente pas comme une philosophie de l'Histoire révolutionnaire. Au contraire, l'ermite calabrais apparaît à bien des égards comme un traditionaliste, comme le montrent ses critiques très virulentes contre les vaudois de son temps et contre les mouvements qui cherchaient à accroître l'autonomie des laïcs dans le domaine religieux[54]. Il s'opposait aussi aux tendances rationalisantes de la théologie scolastique et n'a jamais essayé d'élaborer une idéologie présentant un caractère systématique et bien défini. Mais, à travers toute son œuvre, s'exprime une

---

51. Cf. B. Mc GINN, *Visions of the End. Apocalyptic Traditions in the Middle Ages*, New York, 1979.

52. Cf. *supra*, p. 546-549.

53. Cette idée du 3e âge, qui chez Joachim lui-même n'a rien de millénariste, a beaucoup intéressé les historiens en raison de l'influence qu'elle a exercée sur divers mouvements religieux de la fin du Moyen Âge. Cf. B. TÖPFER, *Das kommende Reich des Friedens. Zur Entwicklung Zukunftshoffnungen im Hochmittelalter*, Berlin, 1964, p. 48-103, et H. GRUNDMANN, *Studien über Joachim von Fiore*, Darmstadt, 2e éd., 1966. Plus récemment : *L'età dello Spirito e la fine dei tempi in Gioacchino da Fiore e nel Gioachimismo medievale*, San Giovanni in Fiore, 1986.

54. Cf. Ch. THOUZELLIER, *Catharisme et Valdéisme...*, p. 110-126.

La femme sur la bête, Apocalypse de Saint-Sever,
ms. lat. 8878 fol. 52 v (B.N.).

nouvelle conscience ecclésiologique, qui relativise les institutions et la hiérarchie ecclésiastiques. En effet, en situant dans l'avenir — pendant le troisième âge, celui de l'Esprit — la plénitude de la vie chrétienne, Joachim ruinait la prétention de la papauté de son temps à réaliser *hic et nunc* une chrétienté parfaite et soulignait la nécessité de changements, voulus par Dieu, pour régénérer l'Église. Au terme de ces derniers, qui devaient s'accomplir dans la douleur et les conflits à cause de la résistance opposée par l'Église « charnelle » à l'avènement de l'Église « spirituelle », les vieilles réalités institutionnelles ne disparaîtraient certes pas, mais seraient renouvelées et transformées par un esprit de charité fervente, à commencer par le Saint-Siège lui-même aux destinées duquel présiderait un pape angélique[55].

---

55. Ces thèmes ont été étudiés par E. Benz, *Ecclesia spiritualis. Kirchenideee und Geschichtstheologie der franziskanischen Reformation*, Stuttgart, 2ᵉ éd., 1984, et F. Baethgen, *Der Engelpapst. Idee und Wirklichkeit*, Leipzig, 1943.

Après sa mort, survenue en 1202, ces idées semblent s'être diffusées très rapidement dans toute la chrétienté puisqu'on en trouve déjà l'écho lors du procès des Amauriciens qui se déroula à Paris en 1210. À partir des années 1240, on assista à l'apparition de toute une littérature dite pseudo-joachimite. Il s'agit d'écrits qui circulaient sous le nom de Joachim de Flore, mais qui semblent avoir été rédigés les uns par des cisterciens, d'autres, plus nombreux, par des franciscains. On y trouve une violente critique de l'Église hiérarchique et une exaltation de la fonction salvifique de saint François d'Assise et de saint Dominique, dans la perspective de la venue imminente du Christ-Juge[56]. Les catastrophes qui menaçaient alors la chrétienté (invasion des Mongols, ou Tatars, en 1240, conflit sans fin entre la papauté et Frédéric II, échec des croisades de saint Louis, etc.) y sont présentées comme autant de châtiments infligés par Dieu à l'Église pour ses péchés ; l'accent était mis sur la nécessité de promouvoir la *renovatio* de la chrétienté, sous son double aspect ecclésial et social, sous l'impulsion des Ordres mendiants et en particulier des frères mineurs. Ces derniers en effet, en raison de leur attachement à la pauvreté absolue, n'étaient-ils pas les « hommes spirituels » dont Joachim avait annoncé la venue au troisième âge ? Certains allèrent même plus loin, comme le franciscain Gérard de Borgo San Donino qui, dans son *Introduction à l'Évangile éternel*, composée en 1254, n'hésita pas à affirmer que l'œuvre de Joachim était bien l'Évangile éternel, dont il est question dans l'Apocalypse (*Apoc.* 14,5) et que l'ordre franciscain avait reçu de Dieu la mission de régénérer l'Église[57]. Ce texte provocateur déchaîna une tempête, en particulier à Paris où les maîtres séculiers de l'université en tirèrent argument pour exclure les mendiants de l'enseignement de la théologie. La papauté intervint pour les protéger et obligea l'université à les réintégrer. Mais une commission pontificale, instituée par Innocent IV, condamna, en 1254, les thèses joachimites de Gérard de Borgo San Donino, qui mourut en prison quelques années plus tard[58].

Les idées, que ce frère avait exposées avec une brutale maladresse, continuèrent cependant à circuler au sein de son ordre et chez les laïcs qui y étaient liés. Elles renforcèrent chez nombre d'entre eux la conviction de l'imminence de la fin des temps, comme on put le constater en 1260, date qui, selon Joachim, devait marquer le passage du second au troisième âge. Des processions de flagellants apparurent alors en Italie : leur but était d'apaiser la colère divine en s'infligeant volontairement des souffrances, qui leur permettraient de faire leur salut en s'identifiant au Christ de la Passion. En quelques mois, le mouvement s'étendit aux pays germaniques et jusqu'à la Pologne, où les pénitents furent accusés d'hérésie pour s'être donné mutuellement l'absolution de leurs péchés, après s'être confessés les uns aux autres. Au bout de quelques mois, cette vague d'enthousiasme religieux retomba, mais le feu continua à couver sous la

---

56. Les textes les plus anciens sont le *Commentaire sur Jérémie* (v. 1243/48) et le *Commentaire sur Isaïe* (v. 1260/65). Cf. R. MOYNIHAN, « The Development of the Pseudo Joachim Commentary "Super Hieremiam". New Manuscript Evidence », in *MEFRM*, 98, 1986, p. 109-142. Sur la diffusion du joachimisme en Occident au XIIIᵉ siècle, cf. M.W. BLOOMFIELD et M. REEVES, « The Penetration of Joachism into Western Europe », in *Speculum*, 29, 1954, p. 772-793, à compléter par N. BÉRIOU, « Pierre de Limoges et la fin des temps », in *MEFRM*, 98, 1986, p. 65-107.

57. Sur cet ouvrage et ses répercussions, cf. M. REEVES, *op. cit.*, p. 59-70 et 187-190.

58. Le dossier établi par la commission a été édité par H. DENIFLE, « Das Evangelium aeternum und die Commission zu Anagni », in *ALKGMA*, 1, 1885, p. 49-142.

cendre[59]. En Italie même, un nouveau mouvement apparut après 1260, celui des Apostoliques, fondé à Parme par Gérard Segarelli, qui accusait les Ordres mendiants d'avoir trahi leur idéal de pauvreté et de simplicité et exaltait le rôle messianique des laïcs sur le plan religieux[60].

En France, quelques années plus tôt, le mouvement des Pastoureaux, venant après la croisade dite des Enfants de 1212, avait suscité de vives inquiétudes au sein de la société nantie[61]. Il s'agissait à l'origine de bandes de jeunes d'origine rurale qui parcoururent le pays en tous sens en 1251, sous la direction d'un chef charismatique appelé le Maître de Hongrie, et affirmaient vouloir se rendre en Terre Sainte pour y porter secours au roi saint Louis. Initialement bien accueillis, en particulier par la reine-mère et régente, Blanche de Castille, ils ne tardèrent pas à se rendre suspects aux autorités par leurs attaques contre les prélats auxquels ils reprochaient leur richesse et leur inaction, et par leurs violences contre les ecclésiastiques et les juifs. Dénonçant la trahison des clercs et des nobles, ils se croyaient investis par Dieu d'une mission de salut en raison même de leur pauvreté et de la modestie de leurs origines. Le triste aboutissement du mouvement − qui finit par être dispersé par les troupes royales − justifia l'appréciation pessimiste portée sur son compte par les chroniqueurs. Mais cette explosion de ferveur populaire, qui devait se répéter sous des formes presque similaires en 1320, révéla les fortes tensions eschatologiques et sociales qui travaillaient de l'intérieur la société chrétienne[62].

2. L'EFFERVESCENCE INTELLECTUELLE DANS LES MILIEUX UNIVERSITAIRES ET LES CONDAMNATIONS ECCLÉSIASTIQUES

Dès que l'essor des écoles et la renaissance intellectuelle qui caractérisèrent la fin du XIe siècle et surtout le XIIe siècle eurent ravivé les débats théologiques, l'autorité ecclésiastique fut amenée à prendre des sanctions contre certains intellectuels auxquels elle reprochait de professer des opinions trop hardies ou franchement dissonantes par rapport à la tradition. Ainsi Grégoire VII, en 1079, avait exigé de l'écolâtre Bérenger de Tours, qu'il rétracte l'interprétation symbolique qu'il avait donnée de la présence réelle du Christ dans les espèces eucharistiques, ce qui lui avait déjà valu d'être condamné par plusieurs synodes régionaux depuis 1050[63]. En 1121, Abélard avait été

59. Cf. *L'attesa dell'età nuova nella spiritualità della fine del Medio Evo*, Todi, 1962, et A. FRUGONI, « Sui flagellanti del 1260 », in *BISI*, 75, 1963, p. 211-237, ainsi que *Il movimento dei Disciplinati nel settimo centenario dal suo inizio*, Pérouse, 1962.

60. Cf. R. ORIOLI, *Venit perfidus heresiarcha. Il movimento apostolico-dolciniano dal 1260 al 1307*, Rome, 1988, et G.G. MERLO, *Eretici...*, p. 99-105.

61. Sur ces mouvements, cf. l'ouvrage, qui reste fondamental, de P. ALPHANDÉRY et A. DUPRONT, *La chrétienté et l'idée de croisade*, t. II, Paris, 1959, p. 135-148 et 258-264, ainsi que N. COHN, *Les fanatiques de l'Apocalypse*, Paris, 2e éd., 1983, p. 90-100. Sur la croisade des enfants de 1212, cf. P. RAEDTS, « The Children's Crusade of 1212 », in *JMH*, 8, 1977, p. 279-323 (bon inventaire des sources, mais interprétation discutable). Sur les Pastoureaux, cf. G. DICKSON, « The Advent of the Pastores », in *RBPH*, 71, 1988 p. 249-267, et M. BARBER, « The Pastoureaux of 1320 », in *JEH*, 32, 1981, p. 143-166.

62. Bien mises en évidence par G. DIKSON, « The Flagellants and the Crusades » in *JMH*, 15, 1989, p. 227-267.

63. O. CAPITANI, *Studi su Berengario di Tours*, Lecce, 1966, et J. de MONTCLOS, *Lanfranc et Bérenger. La controverse eucharistique au XIe siècle*, Louvain, 1971.

examiné par le concile de Soissons, présidé par un légat pontifical, s'il faut en croire son propre témoignage. Mais surtout ses efforts pour jeter les bases d'une théologie, c'est-à-dire d'un discours rationnel sur Dieu excluant le recours aux arguments d'autorité, inquiétèrent saint Bernard, qui le fit condamner au concile de Sens en 1140[64]. Il en alla de même, en 1148, pour Gilbert de la Porrée, évêque de Poitiers, auquel l'abbé de Cîteaux reprocha des erreurs au sujet de la Trinité et, de façon plus générale, une approche trop dialectique et philosophique du mystère divin[65]. Mais il faut remarquer que ces controverses doctrinales, même lorsqu'elles s'achevèrent par des condamnations, n'eurent pas de répercussions graves pour les personnes qui s'y trouvèrent mêlées : Abélard, par exemple, fut accueilli à Cluny, après le concile de Sens, par Pierre le Vénérable et il y finit ses jours en paix, tandis que Gilbert regagna son diocèse avec honneur, après s'être rétracté au concile de Reims. Ces questions ne concernaient en effet que des milieux restreints et étaient trop subtiles pour avoir des répercussions au sein de l'opinion publique, bien que saint Bernard ait affirmé à Sens que, sous l'influence pernicieuse d'Abélard, « on débattait maintenant de la Trinité à tous les carrefours ».

Les choses changèrent sur ce point au XIIIe siècle avec le développement des universités qui mettaient maintenant un public plus large et plus averti en contact avec les débats philosophiques et théologiques, ainsi qu'avec la diffusion, en Occident, à partir de 1200 environ, de traductions latines de certaines œuvres d'Aristote, en particulier sa *Métaphysique*, accompagnées des commentaires rationalistes du philosophe musulman Ibn Roshd, connu sous le nom d'Averroès (1126-1198)[66]. On y trouvait en effet des thèses incompatibles avec la doctrine chrétienne, comme l'affirmation de l'éternité du monde, qui s'opposait à la notion de création. Aussi la lecture de ces livres fut-elle interdite à l'université de Paris en 1210. La même année, dix clercs furent brûlés à Paris par la justice royale, après avoir été condamnés et dégradés par l'Église, tandis que quatre autres étaient condamnés à la prison à vie. On les appelle les Amauriciens, parce qu'ils étaient les disciples d'Amaury de Bène. Mais ce dernier, un maître de la faculté des Arts, qui était décédé en 1206, doit être distingué de ses élèves, même si leur condamnation rejaillit sur lui et entraîna l'exhumation de sa dépouille qui fut jetée aux ordures[67]. Certes il avait déjà eu, de son vivant, maille à partir avec les autorités ecclésiastiques pour avoir professé que, puisque Dieu est la forme de toute chose, « chaque chrétien doit se considérer lui-même comme un membre du Christ » et que « cette croyance est aussi indispensable au salut que de croire à la naissance et à la résurrection du Christ »[68]. Cette sorte

---

64. J. MIETHKE, « Theologenprozessen der ersten Phase ihrer institutionnellen Ausbildung. Der Verfahren gegen Peter Abelard und Gilbert von Poitiers », in *Viator*, 6, 1975, p. 53-116, étudie de façon très précise ces premiers procès contre des intellectuels déviants ou soupçonnés de l'être.

65. Cf. H.C. Van ELSWIJK, *Gilbert Porreta, sa vie, son œuvre, sa pensée*, Louvain, 1966, et J. MIETHKE, art. cité, p. 102-110.

66. Sur le choc provoqué par l'aristotélisme dans la pensée occidentale, cf., en dernier lieu, N. KRETZMANN (éd.), *The Cambridge History of Later Medieval Philosophy. From the Rediscovery of Aristoteles to the Desintegration of Scholasticism, 1100-1600*, Cambridge, 1982.

67. M. Th. d'ALVERNY « Autour du procès des Amauriciens », in *AHDL*, 25-26, 1950/51, p. 325-336 ; G. DICKSON, « The Burning of the Amalricians », in *JEH*, 40, 1989, p. 347-369.

68. G.C. CAPELLE, *Autour du décret de 1210. Amaury de Bène et son panthéisme formel*, Paris, 1932 ; Amaury a été présenté par des auteurs de la seconde moitié du XIIIe siècle comme un disciple de Jean Scot Erigène, philosophe

de panthéisme christocentrique semble avoir été assez proche de celui, purement intellectuel, de son contemporain David de Dinant et d'inspiration aristotélicienne[69]. Dans les deux cas, en effet, le problème posé était celui de la divinisation de l'homme, dont la possibilité était affirmée en dehors de toute référence à la grâce divine et sans tenir compte du péché originel. Les Amauriciens, pour leur part, allèrent plus loin que leur maître en soutenant des thèses d'inspiration joachimite et en adoptant des positions typiquement gnostiques, comme l'idée que l'on pouvait très bien se passer des sacrements pour faire son salut et que l'homme qui parvenait, par la connaissance, à retrouver l'innocence spirituelle était affranchi de toute loi morale[70]. Le fait que de nombreux auteurs ecclésiastiques de l'époque aient fait une large place à cette hérésie, qui avait touché également un certain nombre de femmes laïques, prouve que l'idée de l'affirmation d'une immanence divine dans l'âme humaine exerçait une réelle fascination sur les esprits, à une époque où l'Église insistait au contraire sur la nécessité de la pénitence pour être sauvé. Sans doute est-ce la raison pour laquelle la répression fut aussi brutale.

Les autres crises doctrinales du XIIIe siècle eurent des enjeux intellectuels plus considérables mais des répercussions moins lourdes pour les personnes. Il s'agit des condamnations lancées en 1270 et 1277 par l'évêque de Paris, Étienne Tempier, et par Robert Kilwardby, à Oxford, cette même année, contre diverses propositions doctrinales (13 en 1270, 219 en 1277) jugées erronées[71]. Elles visaient explicitement les maîtres de la faculté des Arts, en particulier Siger de Brabant et Boèce de Dacie, auxquels on reprochait leur averroïsme, c'est-à-dire un enseignement fondé sur les Libri naturales d'Aristote[72]. Malgré leur interdiction en 1210, ces derniers étaient cependant commentés, au moins depuis 1240, par les maîtres-ès-Arts parisiens, qui en tiraient argument pour affirmer l'autonomie de la philosophie par rapport à la théologie, au nom de l'unité de l'intellect, et la capacité de l'esprit humain de devenir participant de la divinité par son propre effort. Bien que saint Thomas d'Aquin ait condamné ces tendances, certains aspects de son œuvre furent également englobés dans ces condamnations qui s'accompagnèrent d'une épuration de l'enseignement universitaire[73]. Le Docteur angélique ne devait pas tarder à être pleinement réhabilité, mais Siger perdit sa chaire et dut se réfugier à la curie pontificale où il fut assigné à résidence jusqu'à sa mort, en 1284.

---

néo-platonicien du IXe siècle dont le De divisione naturae fut condammné par Honorius III en 1226. Mais cela paraît résulter d'une confusion, car il fut condamné pour son aristotélisme indu. Cf. P. LUCENTINI, « L'eresia di Amalrico », in W. BEIERWALTES (éd.), Eriugena redivivus, Heidelberg, 1987, p. 174-191.

69. Sur David de Dinant, cf. G. THÉRY, Autour du Décret de 1210. I : David de Dinant, Paris, 1925.

70. C'est ce que disent en tout cas les sources les plus proches de l'événement. Cf. E. DELABORDE, Œuvres de Rigord et de Guillaume le Breton, Paris, 1882, p. 230-233. La condamnation des Amauriciens fut renouvelée en 1215 par le concile de Latran IV, dans le même canon où est condamnée « l'erreur de l'abbé Joachim ». Cf. COD, p. 233.

71. J. WIPPEL, « The Condemnations of 1270 and 1277 at Paris », in JMRS, 7, 1977, p. 169-201.

72. F. Van STEENBERGHEN, Maître Siger de Brabant, Louvain, 1977. On notera que Dante, dans la Divine Comédie, place Siger au paradis.

73. R. HISSETTE, Enquête sur les 219 articles condamnés à Paris le 7 mars 1277, Paris, 1977, et F. Van STEENBERGHEN, Thomas Aquinas and Radical Aristotelianism, Louvain, 1980. Cf. supra, p. 815-817.

3. LA « RELIGION POPULAIRE » ET LES « ESPRITS FORTS »

Dans le cadre de leur action pastorale ordinaire et dans celui de la lutte contre les hérésies, les clercs du XIIIᵉ siècle se trouvèrent confrontés, surtout en milieu rural, à des croyances religieuses et à des rites qui suscitèrent chez nombre d'entre eux des réactions négatives. Il ne s'agissait pourtant pas d'une nouveauté, car ces pratiques remontaient souvent à un passé très ancien. Mais, dans le courant du XIIIᵉ siècle, le regard porté sur elles par les milieux ecclésiastiques se modifia sensiblement : alors qu'elles avaient été jusque-là tolérées ou considérées comme des manifestations de la simplicité des rustres, on se mit à parler à leur propos de superstitions et à les considérer a priori comme suspectes[74].

Les historiens depuis une trentaine d'années se sont beaucoup intéressés à ces questions, mais, en dépit de nombreux débats, ils ne sont toujours pas parvenus à trouver un vocable faisant l'unanimité pour désigner ces comportements[75]. Le mot de « superstition » est le plus commode, puisque c'est celui-là même que l'on trouve dans les documents de l'époque, mais il implique un jugement de valeur a priori négatif, et surtout l'idée que ces comportements religieux étaient une survivance du paganisme antique ou germanique. Or les choses avaient passablement évolué depuis l'époque mérovingienne ou carolingienne : au fil du temps, l'Occident était passé « d'une culture de tradition folklorique, composée de maints éléments païens, tant bien que mal christianisés, à une culture de tradition chrétienne adaptée aux structures folkloriques »[76]. Dans la plupart des pays de la vieille chrétienté, il n'était plus question d'une vénération rendue aux arbres ou aux sources, et même les rites liés à la fécondité de la terre ou des animaux se présentaient toujours sous une couverture orthodoxe. Ainsi, à l'occasion de la Saint-Jean, on allumait des feux et surtout on répandait dans les champs une poudre obtenue à partir d'ossements broyés afin d'en écarter les bêtes malfaisantes. On peut en dire autant à propos des relations entre les vivants et les défunts, en particulier de la croyance aux revenants, et des danses dans les cimetières et les églises. Celles-ci avaient pour but de refouler ces esprits vagabonds dans le royaume des morts, qui n'était pas nettement séparé du monde des vivants dans la mentalité commune. Cette culture immergée non seulement ne contestait pas le christianisme mais s'y était même assez bien intégrée[77]. Aussi vaut-il mieux parler à son propos de « religion populaire » que de culture folklorique, expression qui semble impliquer l'existence de deux univers antagonistes, celui des clercs instruits et celui des

---

74. Sur l'histoire du mot et son évolution de saint Augustin au Moyen Âge, cf. D. HARMENING, *Superstitio. Ueberlieferung und theoriegeschichtliche Untersuchungen zur kirchlichtheologischen Aberglaubensliteratur des Mittelalters*, Berlin, 1979.

75. Principales prises de position : E. DELARUELLE, *La piété populaire au Moyen Âge*, Turin, 1975 ; J.C. SCHMITT, « Religion populaire et culture folklorique », in *Annales ESC*, 31, 1976, p. 941-953, et A. VAUCHEZ, « La religion populaire dans la France méridionale », in *Id.*, *Religion et société dans l'Occident médiéval*, Turin, 1980, p. 345-378. Le débat historiographique a été bien résumé et ses enjeux clairement analysés par M. LAUWERS « Religion populaire, culture folklorique, mentalités. Notes pour une anthropologie culturelle du Moyen Âge », in *RHE*, 82, 1987, p. 228-258.

76. M. LAUWERS, art. cité, p. 236.

77. On trouvera une bonne étude de ces pratiques et croyances chez J.C. SCHMITT, « Du paganismes aux superstitions », in J. Le GOFF et R. RÉMOND, (éd.), *Histoire de la France religieuse*, t. I : *Des dieux de la Gaule aux papes d'Avignon*, Paris, 1988, p. 441-551.

illitterati, c'est-à-dire de ceux — et c'était le cas de presque tous les laïcs — qui ignoraient le latin et n'avaient pas accès à la culture savante. Mais, même incultes et exclus du monde de l'écrit, ces hommes et ces femmes recevaient cependant une forte imprégnation religieuse par des voies indirectes : images, dans les églises, paraliturgies, en particulier les processions et diverses bénédictions, hagiographie en langue vulgaire, récits de visions et de miracles, etc., et tout leur univers mental était marqué par le christianisme. Au XIIIe siècle, l'accent mis par l'Église sur la pratique sacramentelle favorisa le développement de nouvelles formes de superstition, comme l'utilisation des « chrémeaux » — c'est-à-dire d'objets qui avaient été en contact avec le saint chrême, dont le prêtre se servait pour le baptême et la confirmation — et surtout de l'eucharistie à des fins apotropaïques ou propitiatoires, qui alla de pair avec l'essor de la dévotion à la présence réelle.

Mais au fur et à mesure que les clercs devenaient plus savants, pour avoir fréquenté des écoles et les universités, et que le comportement chrétien était défini avec plus de précision, comme ce fut le cas à Latran IV, l'Église considéra avec une suspicion croissante ces pratiques traditionnelles ou ces nouvelles formes de magie. Dès la fin du XIIe siècle, certaines expressions de la culture profane furent qualifiées de fables par les clercs, tandis que diverses manifestations de la religion populaire étaient rejetées, parce qu'elles semblaient impliquer une intervention diabolique. Ainsi les êtres intermédiaires ou mixtes, qui fourmillaient dans le merveilleux folklorique (loups-garous, femmes-serpents comme Mélusine, hommes sauvages, etc.), cessèrent d'être considérés comme d'innocentes fictions, à partir du moment où la réflexion des intellectuels, au XIIe siècle, eut mis en relief la différence existant entre l'homme et le monde animal, en faisant du premier, plus nettement que par le passé, le centre de la création et le seul être vivant appelé par Dieu au salut. Rejetant toute ambivalence ou ambiguïté, les théologiens scolastiques du XIIIe siècle s'opposèrent aussi bien aux êtres hybrides du folklore, refoulés dans le monde de la sorcellerie, qu'aux hérétiques qui voulaient s'assimiler aux anges en refusant toute relation sexuelle[78].

Dans la pratique, cette évolution idéologique ne se traduisit pas par une persécution systématique contre la religion populaire. C'est seulement dans certains cas limites, comme celui de saint Guinefort, devenu justement célèbre grâce à l'ouvrage que lui a consacré J.C. Schmitt, que l'Église — représentée ici en l'occurrence par le dominicain Étienne de Bourbon — prit des mesures violentes et radicales pour extirper des dévotions suspectes, comme celle dont faisaient l'objet, dans un village de la Dombes, les restes d'un chien tué injustement par son maître à la suite d'un tragique malentendu, auxquels on attribuait la vertu de guérir les enfants malades[79]. Mais la destruction de la tombe de ce « saint lévrier », vénéré sous le nom de Guinefort, ne mit pas fin au culte populaire qui se prolongea jusqu'au XIXe siècle, ce qui montre bien les limites de la répression dans ce domaine. Cependant, la réflexion doctrinale et juridique sur ces questions connut un certain développement, qui révèle chez les clercs savants des préoccupations nouvelles. Ainsi Thomas d'Aquin se montre sensiblement

---

78. Cf. J.C. Schmitt, « Les traditions folkloriques dans la culture médiévale : quelques réflexions de méthode », in *ASSR*, 52, 1981, p. 5-20.

79. J.C. Schmitt, *Le saint lévrier. Guinefort guérisseur d'enfants depuis le XIIIe siècle*, Paris, 1979.

plus sévère que saint Augustin vis-à-vis des superstitions, en particulier dans le domaine de la divination. Il y voit en effet l'expression d'un pacte avec le diable, qui constitue un péché grave si la relation avec le Malin est explicite, car l'homme, dans ce cas, ne peut prétendre avoir été séduit puisqu'il a fait les premiers pas[80]. Dans le même sens, les décrétales publiées par Grégoire IX, en 1234, condamnent la divination si elle implique l'invocation des démons, tandis qu'en 1258, le pape Alexandre IV demanda aux inquisiteurs de ne poursuivre les magiciens que quand leurs activités avaient une saveur manifeste d'hérésie[81]. Ce dernier texte montre clairement qu'il serait anachronique de parler d'une chasse aux sorcières pour cette époque, mais l'idée même d'une association possible entre la magie et l'hérésie témoigne d'un nouvel état d'esprit face à ces phénomènes de la part de la hiérarchie ecclésiastique.

Plus inquiétante, dans l'immédiat, pour l'Église, fut la découverte faite par les clercs, lors des enquêtes et des procès d'Inquisition, qu'il existait chez un certain nombre de laïcs, aussi bien en ville qu'à la campagne, un fond de scepticisme et de matérialisme terre-à-terre que l'historien américain W.L. Wakefield a désigné sous le terme général de « Popular Unorthodoxy » et l'historien italien E. Dupré Theseider sous le nom d'« hérésie d'opinion »[82]. Il s'agit moins d'un système idéologique cohérent que d'observations et de remarques qui contestent certaines affirmations fondamentales de la foi chrétienne, en s'appuyant sur le sens commun et sur l'exigence d'une certaine rationalité. Ainsi, on trouve à plusieurs reprises, aussi bien en Languedoc qu'en Italie, des prévenus qui, sans être nécessairement liés à un groupe hérétique bien défini, affirmaient que, même si le corps du Christ était grand et haut comme une montagne, il y avait longtemps qu'il aurait dû être mangé par les fidèles, ou encore que la végétation pousse non avec l'aide de Dieu mais à cause de la décomposition qui s'opère dans le sol, ce qui prouvait bien que le pouvoir divin n'était pas aussi grand que le disaient les prédicateurs. Ces propos vont en général de pair, chez ceux qui les profèrent, avec des expressions d'anticléricalisme virulent telles que « les églises ne sont pas des lieux plus sacrés que les maisons », ou « la prière pour les morts est sans objet, mais permet au clergé de s'enrichir aux dépens des fidèles ». Il est difficile de parler à ce propos d'un véritable athéisme : il s'agit plutôt d'esprits forts et indépendants, portés au syncrétisme idéologique, comme ce marchand de Toulouse qui affirma devant ses juges sa croyance dans un paradis terrestre, situé en ce monde et très proche de la conception que s'en faisait l'Islam[83]. Dans certains cas cependant, l'anticonformisme pouvait aller jusqu'à une mise en cause de la foi, comme chez ce *scriptor* de Bologne qui n'hésitait pas à soutenir, à la fin du XIIIe siècle, que « la foi et

---

80. E. HOPKINS, *The Share of Thomas Aquinas in the Growth of the Witchcraft Delusion*, Philadelphie, 1940.

81. Cf. *Liber extra*, L. V, t. 21 (*sortilegium*), ouvrage composé par le dominicain Raymond de Peñafort à la demande de Grégoire IX, et Alexandre IV, *Quod super nonnullis*, insérée ensuite par Boniface VIII dans le *Liber sextus*, 5, 2, 8. Ces textes sont cités et commentés par E. PETERS, *The Magician, the Witch and the Law*, Philadelphie, 1978, p. 91-98.

82. W.L. WAKEFIELD, « Some Unorthodox Popular Ideas », in *Medievalia et Humanistica*, n.s., 4, 1973, p. 25-35 (étude menée à partir des procès-verbaux de deux inquisiteurs ayant opéré dans le Quercy et le Rouergue entre 1270 et 1275) ; des attitudes mentales similaires ont été relevées dans les procès d'inquisition de Bologne, à la fin du XIIIe siècle, par E. DUPRÉ THESEIDER, « L'eresia a Bologna nei tempi di Dante », in *Mondo cittadino e movimenti ereticali nel medio Evo*, Bologne, 1978, p. 261-315 en particulier p. 299, ainsi que dans les sermons du dominicain Humbert de Romans : cf. A. MURRAY, « Religion Among the Poors in Thirteenth Century France », in *Traditio*, 30, 1974, p. 285-324.

83. W.L. WAKEFIELD, art. cité, p. 30.

l'opinion sont une même chose » et que « l'on pouvait tout aussi bien dire de Merlin que du Christ qu'il était le fils de Dieu »[84]. Ces cas d'impiété caractérisée demeurent certes peu nombreux, du moins dans les sources dont nous disposons, mais suffisent à nous interdire de parler du XIIIe siècle comme d'un « âge de la foi », comme on l'a trop souvent fait[85]. Du reste, la lutte contre le blasphème commença à prendre à cette époque une importance considérable. Les théologiens insistèrent sur son extrême gravité et saint Thomas d'Aquin précisa qu'il s'agissait d'une hérésie abominable, et même, dans certains cas, d'une forme d'*infidelitas*, dans la mesure où celui qui le proférait semblait nier la nature morale de Dieu, qui est fondamentalement bon[86]. Aux yeux des moralistes en tout cas, le blasphème était une faute plus grave que l'hérésie car, comme l'écrit le dominicain Guillaume Peyraut, « dans ce péché, on inflige à Dieu un outrage dans sa propre personne », et l'on sait que saint Louis, en France, promulgua des peines sévères contre les blasphémateurs[87].

Vers 1274, le problème de la dissidence religieuse en Occident se posait donc autrement qu'au début du siècle. L'Église avait réussi à écarter la menace qui était pour elle la plus inquiétante : celle du catharisme. Et si les vaudois avaient dans une large mesure survécu aux persécutions dans les régions alpines et les pays germaniques, ils ne constituaient plus, en raison de leur marginalité, une menace sérieuse pour elle. Mais d'autres problèmes apparaissaient, comme celui de la magie, et surtout certaines formes de relativisme et d'incroyance, qui faisaient peser une menace sur l'avenir.

BIBLIOGRAPHIE

Pour les ouvrages généraux, on se référera aux titres indiqués à la fin du chapitre IV de la 3e partie, *supra*, p. 472.

Sources

C. CAROZZI et H. CAROZZI-TAVIANI (éd.), *La fin des temps. Terreurs et prophéties au Moyen Âge*, Paris, 1982.
C. DOUAIS, *Documents pour servir à l'Histoire de l'Inquisition dans le Languedoc*, 2 vol., Paris, 1900.
A. DONDAINE, *Les hérésies et l'Inquisition, XIIe-XIIIe siècles*, Londres, 1990.
ILARINO da MILANO, *Eresie Medievali. Scritti minori*, Rimini, 1983.
Ch. THOUZELLIER (éd.), *Livre des deux principes*, Paris, 1973 (Sources chrétiennes, 198).
F. LOMASTRO TOGNATO, *L'eresia a Vicenza nel Duecento. Dati, problemi e fonti* (avec édition des *Constitutiones sacrae Inquisitionis*, p. 157-244).

Études

Y. DOSSAT, *Église et hérésie en France au XIIIe siècle*, Londres, 1982.
E. DUPRÉ THESEIDER, *Medioevo cittadino e movimenti ereticali nel Medio Evo*, Bologne, 1978.

---

84. E. DUPRÉ THESEIDER, art. cité, p. 299-303. Cf. aussi L. PAOLINI, *L'eresia a Bologna fra XIII e XIV secolo*, t. I, *L'eresia catara alla fine del Duecento*, Rome, 1975.
85. Cf. A. MURRAY, « Piety and Impiety in 13th Century Italy » cité, *supra*, n. 12.
86. Cf. E. CRAUN, « "Inordinata locutio". Blasphemy in Pastoral Literature (1200-1500) », in *Traditio*, 39, 1983, p. 135-182. THOMAS D'AQUIN, *Summa theologica*, IIa, IIae, XXXII, 13, 1.
87. Guillaume PEYRAUT, *Summa de viciis et virtutibus*, Cologne, 1479, f° 3, v[o].

Effacement du Catharisme? XIIIe-XIVe siècles, Toulouse, 1985 (*CF*, 20).

H. MAISONNEUVE, *Études sur les origines de l'Inquisition*, 2e éd., Paris 1960.

G.G. MERLO, *Valdesi e Valdismi medievali*, Turin, 1984.

—, *Eretici ed eresie medievali*, Bologne, 1989.

R.I. MOORE, *The Formation of a Persecuting Society. Power and Deviance in Western Europe, 950-1250*, Oxford-New York, 1987.

Paix de Dieu et guerre sainte en Languedoc au XIIIe siècle, Toulouse, 1969 (*CF*, 4).

M. REEVES, *The Influence of Prophecy in the Later Middle Ages. A Study in Joachimism*, Londres, 1969.

J.C. SCHMITT, « Du paganisme aux superstitions », in J. LE GOFF et R. RÉMOND (éd.), *Histoire de la France religieuse*, t. I, *Des dieux de la Gaule aux papes d'Avignon*, Paris, 1988, p. 441-451.

B. TÖPFER, *Das kommende Reich des Friedens. Zur Entwicklung Zukunftshoffnungen im Hochmittelalter*, Berlin, 1964.

F. Van STEENBERGHEN, *Thomas Aquinas and Radical Aristotelianism*, Louvain, 1980.

E. WERNER, M. ERBSTÖSSER, *Kleriker, Mönche, Ketzer. Das religiöse Leben im Hochmittelalter*, 2e éd., Leipzig, 1992.

CHAPITRE V

L'accession des laïcs à la vie religieuse
par André VAUCHEZ

I. LA PLACE DES LAÏCS DANS L'ÉGLISE AUX XIᵉ ET XIIᵉ SIÈCLES

Au cours des XIᵉ et XIIᵉ siècles, la vie religieuse avait été pour l'essentiel réservée à une minorité d'hommes — les *oratores* du schéma tripartite développé par Adalbéron de Laon — voués au culte divin et à la prière, qui était alors considérée comme une fonction sociale fondamentale. Dans cette perspective, les clercs n'étaient pas seulement des intermédiaires indispensables pour assurer la communication entre l'ici-bas et l'au-delà, mais les détenteurs d'un véritable monopole du sacré. Parmi eux, les moines jouaient un rôle majeur et largement hégémonique : n'avaient-ils pas renoncé au monde et à ses joies — richesse, sexualité et pouvoir — pour l'amour de Dieu? Aussi considérait-on communément que leur existence austère et les mérites qu'ils s'étaient acquis par la pratique de la pénitence devaient valoir à leurs oraisons une efficacité particulière aux yeux de Dieu. Eux-mêmes d'ailleurs n'hésitèrent souvent pas à réclamer la première place dans l'Église et dans la société, convaincus qu'ils étaient de la supériorité de leur genre de vie, dans la perspective du salut, sur celui des fidèles certes, mais aussi des clercs séculiers dont ils déploraient la mondanité ainsi que la faiblesse sur le plan moral.

Les laïcs, pour leur part, étaient bien conscients de mener une vie pécheresse dans un monde profondément corrompu. La seule issue qu'ils pouvaient espérer, s'ils voulaient échapper à la médiocrité spirituelle et à l'oubli, était de s'associer aux monastères par des liens de *confraternitas*, de façon à bénéficier des « suffrages » des religieux pour eux-mêmes et pour leurs défunts. Dans le but d'assurer leur salut éternel, des seigneurs renonçaient parfois, à l'approche de la mort, à la vie conjugale avec l'accord de leur épouse et revêtaient l'habit monastique afin de « mourir sous le froc »[1]. À côté de cette *conversio ad succurendum*, il faut mentionner aussi la pratique de l'oblation, qui consistait pour un laïc à offrir tel ou tel de ses enfants à un monastère, en faveur duquel il faisait un legs pour subvenir à son entretien. L'entrée volontaire dans la dépendance d'une abbaye ou d'un prieuré était surtout fréquente dans les milieux modestes : des paysans mettaient ainsi soit leur force de travail

---

1. A. VAUCHEZ, *La spiritualité du Moyen Âge occidental (VIIIᵉ-XIIᵉ siècle)*, Paris, 1975, p. 34-74.

(convers), soit leurs personnes (oblats, donats), à la disposition d'une communauté religieuse au saint patron de laquelle ils se recommandaient, tout en conservant parfois, dans ce dernier cas, la jouissance de leurs biens à titre viager, moyennant paiement d'un cens recognitif. De Pierre Damien aux grands abbés de Cluny bien des religieux, aux XIe et XIIe siècles, ont ainsi rêvé de transformer le monde en un vaste monastère, en faisant entrer dans le cloître les meilleurs éléments du laïcat, et la société féodale n'a pas marchandé son adhésion à ce projet. À une époque où la religion se définissait avant tout comme un culte rendu à Dieu, les laïcs fortunés pouvaient aussi contribuer à l'« augmentation du culte divin » — selon l'expression consacrée qui figure dans les bulles d'indulgences — en fondant des établissements religieux ou en contribuant à l'embellissement des sanctuaires existants et de la liturgie, à travers laquelle s'opérait le salut du monde. D'où les innombrables donations d'objets sacrés faites par les souverains et les grands aux églises et aux communautés religieuses, dans le but de figurer en tant que bienfaiteurs sur leur nécrologe, considéré comme une sorte d'anticipation terrestre du « Livre de vie », dont parle l'Apocalypse, sur lequel étaient écrits les noms des élus.

Cette conception « vicariale » de la sanctification, en vertu de laquelle le soin d'assurer le salut du peuple chrétien était délégué à une minorité d'hommes spirituels, spécialistes de la prière et connaisseurs des rites, soutenus par la générosité de l'aristocratie, fut renforcée, dans un premier temps, par la réforme dite grégorienne. Celle-ci contribua en effet à creuser le fossé entre les clercs et les laïcs, en cherchant à cantonner ces derniers dans le domaine profane. Mais elle eut également des retombées positives pour eux, dans la mesure où elle s'accompagna d'une certaine réhabilitation de la vie active, qui remit en cause la primauté absolue de la contemplation, jusque-là universellement admise[2]. En distinguant le spirituel du temporel, les clercs grégoriens avaient permis paradoxalement à la société civile de prendre conscience de son autonomie; en appelant tous les chrétiens à participer au combat pour la réforme de l'Église et la dilatation de la chrétienté, ils mirent les laïcs en mesure de donner un sens religieux à leur condition, définie désormais en des termes moins négatifs. Ainsi Gratien, dans son *Décret*, affirme qu'il existe deux sortes de chrétiens, les clercs et les laïcs, ces derniers se distinguant des premiers par le fait que, n'étant ni moines ni prêtres, ils pouvaient légitimement avoir des propriétés et une épouse[3]. Ils n'étaient pas exclus du salut s'ils savaient faire un bon usage des choses temporelles : du mariage pour avoir des enfants; du travail et de la richesse pour se montrer généreux envers les églises et les pauvres. De fait, dès le XIIe siècle, certains clercs parlent des laïcs avec des accents nouveaux, comme Honorius *Augustodunensis* faisant l'éloge des paysans, « qui par leur sueur nourrissent le peuple de Dieu », et exaltant les *boni conjugati* — les bons époux — qui vivent chrétiennement dans les liens du mariage[4]. On voit donc s'esquisser à cette époque —

---

2. *Id.*, *ibid.*, p. 105-145, et *Les laïcs au Moyen Âge. Pratiques et expériences religieuses*. Paris, 1987, p. 37-60.

3. Gratien, *Decretum*, c. 12, q. 1, c. 7. Sur ce texte et sa portée, cf. L. Prosdocimi, « Lo stato di vita laicale nel diritto canonico », in *I laici nella « societas christiana dei secoli XI e XII »* (*La Mendola, 1965*), Milan, 1968, p. 56-77.

4. Honorius Augustodunensis, *Speculum ecclesiae*, PL 172. Cf. G.G. Meersseman, *Ordo fraternitatis*, t. I, Rome, 1977, p. 228-232.

Lauros-Giraudon

La cathédrale Saint-Étienne à Bourges, nef : vue latérale, 1200-1260.

et le mouvement s'accentuera par la suite − une prise en compte des *ordines* sociologiques, traduisant une nouvelle attitude vis-à-vis des réalités profanes que l'Église se fixe désormais pour objectif d'assumer et de sanctifier.

Mais il convient de distinguer entre la possibilité de faire son salut, qui était effectivement reconnue aux laïcs respectueux des lois de l'Église et généreux envers ces « pauvres du Christ » qu'étaient les religieux, et, d'autre part, la perfection chrétienne qui n'était guère accessible qu'à ceux qui avaient méprisé et fui le monde pour s'adonner à la vie contemplative à l'abri du cloître. Aussi la quasi totalité des saints de cette époque sont-ils des hommes ayant mené la vie monastique ou érémitique, ou exercé des fonctions épiscopales, à l'exception de quelques pieux rois ou grands seigneurs. Encore faut-il se souvenir que les souverains étaient considérés comme faisant partie de l'institution ecclésiastique, et non comme de simples laïcs[5].

---

5. Cf. A. VAUCHEZ, « La sainteté des laïcs dans l'Occident médiéval. Naissance et évolution d'un modèle hagiographique (xIIe-début xIIIe siècle) » in J. MARX (éd.), *Sainteté et martyre dans les religions du Livre*, Bruxelles, 1989, p. 57-66, ainsi que R. FOLZ, *Les saints rois du Moyen Âge en Occident (xIe-xIIIe siècle)*, Bruxelles, 1984, et *Id.*, *Les saintes reines du Moyen Âge en Occident (vIe-xIIIe siècle)*, Bruxelles, 1992.

La situation défavorable de ces derniers, dans le domaine de la sanctification, fut encore accentuée, au XIIᵉ siècle, par la renaissance de la culture savante dans les écoles cathédrales, dont certaines devinrent alors des foyers intellectuels très actifs. Or cette culture, dont les fondements étaient constitués par la Bible, les Pères de l'Église et quelques auteurs de l'Antiquité païenne comme Cicéron, Virgile et Sénèque, reposait sur la connaissance du latin et s'exprimait dans cette langue. Ceux qui ne la connaissaient pas — les *illitterati*, c'est-à-dire la plupart des laïcs — se trouvaient de ce fait exclus du monde de l'écrit et de la science[6]. Leur infériorité culturelle contribua à discréditer un peu plus leur état, que certains clercs n'hésitaient pas à assimiler à l'ignorance, mère de la sottise et de l'erreur. Ainsi, une étymologie fantaisiste, bien attestée au XIIIᵉ siècle mais sans doute plus ancienne, faisait dériver *laicus* du mot latin *lapis* (= pierre), « parce que le laïc est dur et étranger à la science des lettres[7] ».

Aussi la plupart des auteurs ecclésiastiques de l'époque n'ont-ils pas manqué de souligner que, si tous les baptisés étaient en principe appelés au salut, il existait entre eux de grandes différences selon le genre de vie qu'ils avaient choisi et que seul l'état monastique et, dans une moindre mesure, clérical pouvaient être considérée comme des états de perfection. Saint Augustin déjà avait proposé trois figures bibliques emblématiques, associées à des lieux symboliques, incarnant les diverses façons de vivre la vocation chrétienne : celles de Noé dans son champ (le clergé séculier), de Daniel dans son lit (les contemplatifs) et de Job au moulin (les laïcs). Ces distinctions furent reprises par Grégoire le Grand, qui, en les associant à la parabole évangélique des rendements décroissants (Mt. 13, 8), établit une hiérarchie allant des contemplatifs (*continentes* ou *virgines*), assurés de gagner cent pour un dans le royaume des cieux, aux prélats et clercs ayant charge d'âmes (*predicatores* ou *doctores*) méritant soixante pour un et aux laïcs mariés (*conjugati*), qui devraient se contenter d'un maigre trente pour un[8]. Reprise par Alcuin à l'époque carolingienne, cette taxinomie connut une large diffusion et on la retrouve chez la plupart des auteurs de notre époque, de Pierre Lombard à Alain de Lille et Innocent III, ainsi que dans l'iconographie. Les laïcs, enlisés dans les affections charnelles et les affaires temporelles, se trouvaient donc au degré inférieur de l'échelle ou, pour reprendre une autre image souvent utilisée par les auteurs spirituels de l'époque à propos de l'Église, à la base d'une pyramide, dont les religieux, déjà en contact avec le ciel, constituaient la pointe[9]. Leur condition même les maintenait dans une position subordonnée vis-à-vis des clercs dont ils recevaient la parole de vie et les sacrements. Encore à la fin du XIIIᵉ siècle, le dominicain Humbert de Romans écrivait à ce propos :

6. H. GRUNDMANN, « Litteratus, illitteratus. Der Wandel einer Bildungsnorm vom Altertum zum Mittelalter », *AKuG*, 40, 1958, p. 1-65.

7. Cité par Y. CONGAR, « Clercs et laïcs au point de vue de la culture » in *Studia medievalia et mariologica. Mélanges C. Balic*, Rome, 1971, p. 309-322.

8. Cf. l'étude fondamentale de Y. CONGAR, « Les laïcs et l'ecclésiologie des "ordines" chez les théologiens des XIᵉ et XIIᵉ siècles », in *I laici nella « societas christiana »...*, en particulier p. 85-89, et A. QUACQUARELLI. *Il triplice frutto della vita cristiana : 100,60 e 30*, Rome, 1954.

9. Gilbert de Limerick (v. 1100-1139), *De statu ecclesiae*, *PL*. 159, 997 c, cité par Y. CONGAR, *s.v.* « Laïcat », in *DSp*, IX, Paris, 1976, c. 79-93.

« Les laïcs ne doivent pas s'élever à scruter les mystères de la foi que les clercs détiennent, mais y adhérer implicitement selon le texte de Job (1, 14) : "Les bœufs labouraient et les ânesses paissaient à leurs côtés". Les ânesses sont les gens simples, qui doivent se satisfaire de l'enseignement des *majores*[10] ».

On ne saurait mieux dire que le salut des laïcs ne pouvait s'opérer que dans le sillage du clergé et à travers l'enseignement transmis par ce dernier.

II. LA RÉCEPTION DU MESSAGE DES CLERCS PAR LES LAÏCS : DES EFFETS CONTRASTÉS

L'Église a sans aucun doute accompli, au XIIIᵉ siècle, un gros effort pour éduquer la foi des fidèles et il est communément admis que, vers 1270, ces derniers possédaient en règle générale une meilleure connaissance des croyances fondamentales du christianisme que cent ans plus tôt. En fait, ce bilan est difficile à établir avec précision et l'efficacité de l'effort pastoral du clergé a sans doute été moins immédiate qu'on ne l'imagine parfois. Ainsi, on ne peut plus expliquer aujourd'hui le recul des hérésies, si menaçantes vers 1200, par le seul succès de la prédication orthodoxe : malgré toute sa flamme et son éloquence, saint Dominique n'a guère mieux réussi que saint Bernard, un demi-siècle plus tôt, dans ses efforts pour ramener les populations languedociennes au catholicisme romain, même s'il obtint quelques résultats du côté des vaudois et auprès de certaines femmes qui avaient adhéré au catharisme. Dans cette région, tout comme en Italie, la dissidence religieuse se résorba dans une large mesure sous l'effet de la contrainte exercée à la fois par les pouvoirs politiques et par l'Inquisition[11]. Dans d'autres parties de la chrétienté, l'échec est loin d'être aussi patent, mais la répétition inlassable des mêmes prescriptions par les statuts synodaux entre le XIIIᵉ et le XVᵉ siècle, − qu'il s'agisse de l'obligation d'entourer les cimetières d'un mur d'enceinte ou de la condamnation des mariages clandestins − suffit à montrer que nombre d'injonctions ecclésiastiques se heurtaient à une fin de non-recevoir de la part des laïcs[12]. Même lorsque ces derniers se conformaient docilement aux consignes que leur donnaient des clercs plus soucieux qu'auparavant d'enseigner les commandements de Dieu et de l'Église, les résultats demeuraient limités et parfois ambigus. Ainsi, à la fin du XIIIᵉ siècle, bon nombre de laïcs étaient capables de réciter le Pater Noster, l'Ave Maria et même le Credo, mais l'usage qu'ils en faisaient dans certains cas ne laisse pas de surprendre. Le Credo, par exemple, dont on disait que chacun des articles avait été rédigé par l'un des douze apôtres, était fréquemment récité pour chasser les démons, tandis que le prologue de l'Évangile de Jean passait pour avoir la vertu de purifier le ciel des orages et les femmes de l'impureté rituelle consécutive à leur

---

10. Humbert de Romans, *De eruditione praedicatorum*, L. 2, 1, c. 71, in *Maxima bibliotheca veterum Patrum*, t. XXV, Lyon, 1677, p. 491.

11. Cf. le chapitre sur les hérésies et leur répression au XIIIᵉ siècle, *supra*, p. 819-842.

12. Cf. G. MAILLET, *La vie religieuse au temps de saint Louis*, Paris, 1954, et P. ADAM, *La vie paroissiale en France au XIVᵉ siècle*, Paris, 1964.

accouchement, ce qui explique qu'il ait été dit par le prêtre au cours de la cérémonie liturgique des relevailles[13]. Même les nouvelles pratiques dévotionnelles recommandées par les statuts synodaux furent souvent déviées de leur sens par le magisme ambiant. Ainsi, en même tant que le rite de l'élévation, se propagea très vite la conviction que la contemplation de l'hostie consacrée, pendant la messe ou en dehors d'elle, constituait une garantie contre la mort subite[14]; et l'on ne compte plus les mentions des saintes espèces ou du saint chrême dérobés par des paysans pour s'en faire des talismans ou pour les enfouir dans le sol, afin de stimuler sa fécondité et obtenir d'abondantes récoltes[15]. Ainsi, par la voie d'un détournement qui pouvait aller dans certains cas jusqu'à la déviance, les pratiques les plus orthodoxes étaient ainsi intégrées à une culture populaire, qui avait d'autant moins de peine à les assimiler que les clercs eux-mêmes jouaient parfois sur ce registre pour mieux faire passer le message chrétien, ne reculant pas devant les usages prophylactiques ou apotropaïques des énoncés dogmatiques ou des formules liturgiques[16]. Même un homme aussi cultivé et engagé dans le mouvement pastoral que Jacques de Vitry n'hésitait pas à écrire, à propos de l'apprentissage des prières par les enfants : « S'ils ne comprennent pas bien la vertu des mots, ceux-ci leur sont cependant utiles; de même que le serpent ne comprend pas la force du chant et de l'incantation dont les mots lui font pourtant du tort, la vertu (des mots de la prière) agit pourtant chez ceux qui ne les comprennent pas[17]. » Il ne faut donc pas se faire trop d'illusions sur la profondeur du processus d'intériorisation de la foi, dont on crédite volontiers le XIIIe siècle. Il ne concerna guère, parmi les simples prêtres et les laïcs, qu'une élite restreinte, dont l'émergence mérite de retenir l'attention mais ne saurait dissimuler le caractère faiblement représentatif.

Certains religieux, en particulier parmi les cisterciens et les mendiants, s'efforcèrent de s'adapter aux capacités de leur auditoire et de l'apprivoiser, en émaillant leurs sermons d'anecdotes ou de récits pittoresques, empruntés à la tradition orale ou à la littérature profane et sacrée et utilisés par eux dans un but d'édification[18]. Ces *exempla*, comme on les appelle, connurent un énorme succès au cours du XIIIe et nombreux furent les prédicateurs qui y eurent recours, tandis que divers auteurs

---

13. J.C. SCHMITT, « Du bon usage du Credo », in *Faire croire...*, cité, p. 343-353, et E. CAILLIER, *Les relevailles en Occident dans la liturgie et les textes ecclésiastiques du XIIIe au XVe siècle* (Mémoire de Maîtrise, dactyl. Paris X-Nanterre, 1991). Voir aussi N. BÉRIOU, J. BERLIOZ et J. LONGÈRE (éd.), *Prier au Moyen Âge. Pratiques et expériences. (V[e]-XVe siècles)*, Turnhout, 1991.

14. Sur ces croyances, cf. A. FRANZ, *Die Messe in deutschen Mittelalter. Beitrage zur Geschichte der Liturgie und die religiosen Volksleben*, Fribourg/Br., 1902; E. DUMOUTET, *Le désir de voir l'hostie et les origines de la dévotion au Saint-Sacrement*, Paris, 1926; D. RIGAUX, *À la Table du Seigneur. L'eucharistie chez les Primitifs italiens, 1250-1497*, Paris, 1989, p. 277-281.

15. Au début du XIVe siècle encore, l'inquisiteur Bernard Gui écrit, à propos de la sorcellerie : « Item on s'enquerrera de cette pratique qui consiste à conserver l'eucharistie, à dérober aux églises le chrême ou l'huile sainte ». *Manuel de l'inquisiteur*, éd. G. MOLLAT, t. II, Paris, 1964, p. 23.

16. Sur ces questions, cf. *La religion populaire en Languedoc du XIIIe à la moitié du XIVe siècle*, Toulouse, 1975, (*Cahiers, de Fanjeaux*, 10); J.C. SCHMITT, « Religion populaire et culture folklorique », in *Annales ESC*, 1976, p. 941-953, et M. ZINK, *La prédication en langue romane...*, p. 341-357.

17. Jacques de Vitry, *Sermones ad viduas et continentes*, cité par J.C. SCHMITT « Du bon usage. », in *Faire croire...*, p. 353.

18. Un des recueils les plus utilisés fut le *Dialogus miraculorum*, éd. J. STRANGE, 2 vol., Cologne, 1851, du cistercien Césaire d'Heisterbach, composé au début du XIIIe siècle, qui comprend douze livres disposés dans un ordre logique.

établissaient des répertoires systématiques de ces historiettes à l'usage du clergé[19]. Mais il s'agissait pour eux d'un simple procédé de vulgarisation idéologique, fondé en dernière analyse sur une conception péjorative de la culture profane, plutôt que d'un effort authentique d'acculturation, si bien qu'il n'est pas exagéré de voir dans ces « clins d'œil » au public une simple « ruse du prêcheur »[20]. De plus, comme l'a bien montré M. Zink, lors même que les clercs prêchaient dans la langue du peuple et s'efforçaient de se mettre au niveau de leurs auditeurs, le message qu'ils transmettaient conservait un aspect écrasant. Les laïcs en effet étaient totalement tributaires de leurs discours, puisque, à l'exception de quelques souverains et hauts dignitaires qui étaient en mesure de s'en procurer des traductions, au moins sous la forme de florilèges, les ecclésiastiques étaient seuls à avoir accès à l'Écriture Sainte et aux textes sacrés, ce qui interdisait aux fidèles de contester ou de discuter leurs affirmations[21]. Certains d'entre eux, animés d'un zèle pastoral particulièrement vif, comme Honorius *Augustodunensis* au XIIᵉ siècle et surtout Jacques de Vitry au début du XIIIᵉ, tentèrent bien de pallier ce handicap en s'efforçant d'adapter la prédication en fonction des différents *status vitae*, c'est-à-dire de la situation socio-professionnelle de leurs auditeurs et des diverses étapes de leur existence[22]. Mais les efforts déployés par ces auteurs ou prédicateurs pour toucher les fidèles à travers les spécificités de leur état, si intéressants soient-ils, relevaient plus de la stratégie que d'une appréciation concrète et positive des réalités profanes. Ainsi, lorsque l'archevêque Frédéric Visconti, proposant l'exemple de saint François d'Assise aux négociants de Pise en les invitant à instaurer une confrérie en son honneur, leur déclara dans un sermon, en 1261 : « Qu'il doit être agréable aux marchands de savoir que leur confrère — c'est-à-dire saint François — fut un marchand et qu'il se sanctifia à notre époque ! », on ne peut manquer d'être sensible à la fois à la démarche du prélat et à l'incongruité de son propos, quand on sait que le pauvre d'Assise n'eut très tôt que mépris pour une profession qu'il abandonna immédiatement après sa conversion[23]. En fait, tout en honorant du bout des lèvres le travail des artisans et autres « gens mécaniques », la culture cléricale continuera longtemps à privilégier les valeurs de la civilisation rurale : même un grand prédicateur dominicain comme Humbert de Romans opposera encore, vers 1260, les paysans qui, par leur condition, se situent à l'écart de l'univers de la violence et de l'argent et rachètent leurs

19. Dans l'abondante littérature qui a proliféré ces dernières années autour des *exempla*, on retiendra surtout Cl. BRÉMOND, J. LE GOFF et J. Cl. SCHMITT, *L'exemplum*, Turnhout, 1982 (*TSMA*, 40) ; *L'exemplum et le modèle de comportement dans le discours antique et médiéval*, in *MEFRM*, 92, 1980 ; C. DELCORNO, *Exemplum e letteratura tra Medioevo e Rinascimento*, Bologne, 1989 ; J. BERLIOZ, « Les recherches en France sur les *exempla* médiévaux, 1968-1988 », in W. HAUG et B. WACHINGER (éd.), *Exempel und Exempelsammlungen*, Tübingen, 1991, p. 288-317.
20. Selon l'heureuse expression employée par J. BERLIOZ à propos du confesseur, dans son article : « Quand dire, c'est faire dire. *Exempla* et confession chez Étienne de Bourbon », in *Faire croire...*, p. 299-335, en part. p. 300-304.
21. M. ZINK, *op. cit.*, p. 304-334 ; voir aussi les premiers chapitres de l'ouvrage de V. COLETTI, *L'éloquence de la chaire. Victoires et défaites du latin entre Moyen Âge et Renaissance*, Paris, 1987, et P. RICHÉ et J. LOBRICHON, *Le Moyen Âge et la Bible*, Paris, 1984 (Bible de tous les temps, 4).
22. Sur Honorius *Augustodunensis*, cf. Y. LEFÈVRE, *s.v.*, in *DSp*, VII, Paris, 1969, c. 730-737, et *Id.*, *L'Elucidarium et les lucidaires*, Rome-Paris, 1954. Les sermons *ad status* de Jacques de Vitry n'ont été que partiellemment édités par J.B. PITRA, *Analecta novissima, spicilegii Solesmensis altera continuatio*, t. II, Paris, 1888. À propos de l'effort d'adaptation de la prédication à la mentalité des auditeurs, cf. A. FORNI, « Kerygma e adattamento. Aspetti della predicazione cattolica nei secoli XII e XIII », in *BISI* 89, 1980/81, p. 261-348.
23. Frédéric VISCONTI, *Sermones*, cod. Laurent. Plut. XXXIII, 1, fᵒ 83 rᵒ.

fautes par un rude labeur, aux marchands et aux bourgeois des villes, enclins au péché puisqu'ils vivent non d'un travail naturel mais de l'échange de biens et de richesses acquises sans effort, dans des conditions souvent douteuses[24].

En dernière analyse, l'offensive pastorale du XIIIe siècle n'obtint auprès des laïcs qu'un succès mitigé, en raison à la fois de l'attitude souvent méfiante du clergé vis-à-vis de ses ouailles et de son inaptitude à concevoir l'évangélisation autrement que comme la diffusion parmi les fidèles de pratiques religieuses et de modèles de comportement adaptés à la formation et au genre de vie des gens d'Église. De plus, les pasteurs les plus éclairés étaient sincèrement désireux d'arracher les fidèles à ce qu'ils appelaient leurs « superstitions », mais ils ne souhaitaient pas pour autant qu'ils devinssent trop savants, de peur qu'ils ne glissent alors dans l'hérésie et ne prétendent *plus sapere quam sapere oportet*[25]. Le niveau culturel des desservants de paroisse étant dans l'ensemble assez bas, il ne convenait pas en effet que « Gros Jean puisse en remontrer à son curé », c'est-à-dire que les laïcs se mettent à discuter sans guide des choses de la religion, comme on avait commencé à le faire au temps d'Abélard, s'il faut en croire saint Bernard qui se plaignait déjà qu'« on dispute publiquement... des mystères de la divinité, de l'incarnation du Verbe. L'indivisible Trinité est coupée en morceaux et mise en pièces aux carrefours. Autant de places publiques, autant de blasphèmes ! »[26]. Si l'on voulait qu'au sein de l'Église, les *minores* se montrent respectueux et soumis, comme il convenait, envers les *majores* il fallait certes leur enseigner les rudiments de la foi, mais il était inutile et dangereux de les initier à des « subtilités » qui risquaient d'égarer leur simplicité. Aussi l'Église médiévale a-t-elle limité au strict minimum les connaissances religieuses des fidèles et cherché plutôt à développer chez eux la dévotion. Pour le reste, il suffisait qu'ils s'en tiennent à la parole du prêtre et qu'ils s'abstiennent de suivre celle des devins, magiciens et autres *vetulae* (vieilles femmes) qui ne pouvaient que les entraîner à servir le Diable[27]. Cette conception assez restrictive de la catéchèse supposait une société laïque, dont le niveau culturel demeurait médiocre. Elle devait vite se révéler inadéquate face à l'évolution des esprits, en particulier en milieu urbain.

III. LE SOUCI DES DÉFUNTS ET LA CHRISTIANISATION DE L'AU-DELÀ

Si l'Église n'a remporté, semble-t-il, que des succès limités dans sa lutte contre les croyances et les pratiques « superstitieuses » et n'a pas toujours su proposer aux laïcs des modèles de comportement adaptés à leurs besoins et à la spécificité de leur état, ses

---

24. Humbert de Romans, *Opera*, t. II, éd. J. BERTHIER, Rome, p. 360-369, cité par C. CAROZZI, « Le ministère de la prédication chez les Prêcheurs de la province de Provence », dans *Les Mendiants en pays d'Oc au XIIIe siècle*, Toulouse, 1973, p. 344/48 (Cahiers de Fanjeaux, 8).

25. J.C. SCHMITT, « Du bon usage du Credo... », in *Faire croire...*, p. 341.

26. Cf. J. LE GOFF et J.Cl. SCHMITT, « Une parole nouvelle. », cité, p. 260 et suiv.

27. J.C. SCHMITT, « Du bon usage du Credo... », cité, p. 343 ; R. KIECKHEFER, *Magic in the Middle Ages*, Cambridge, 1990.

efforts ont été en revanche davantage couronnés de succès dans un domaine essentiel de la vie religieuse : celui du soin des morts et des représentations de l'au-delà. Le XIIIe siècle marque, sur ce plan, l'aboutissement d'un processus de longue durée, entamé depuis l'époque carolingienne, en vertu duquel la prière pour les défunts était devenue le point central de la relation entre les laïcs et les clercs, en particulier les moines, qui avaient su mieux que les autres répondre aux attentes des fidèles. Aux XIe et XIIe siècles en effet, à mesure que s'affirmait la prépondérance de l'aristocratie féodale et qu'une conscience lignagère se répandait au sein des membres des couches supérieures de la société, une osmose s'était opérée entre la conception profane selon laquelle les vivants devaient entretenir le souvenir de leurs ancêtres, c'est-à-dire des morts auxquels les unissaient des liens de parenté charnelle, et la pratique, traditionnelle au sein du christianisme depuis l'Antiquité, de la prière que l'Église adressait à Dieu pour tous les fidèles défunts[28]. À la faveur des liens étroits qui s'établirent entre les monastères et le monde seigneurial, les grandes abbayes et bientôt de simples collégiales castrales devinrent autant de « panthéons » dynastiques et familiaux où les religieux à la fois rendaient un culte à leur saint patron, ou à ceux dont ils possédaient les reliques, et commémoraient leurs fondateurs et bienfaiteurs laïcs[29]. L'Église toléra cet écart par rapport à sa doctrine en raison de la solidarité étroite qui l'unissait à la haute aristocratie et des avantages évidents qu'elle en retirait. En effet, les nobles et bientôt les simples chevaliers multiplièrent les donations en faveur des établissements religieux sous la forme de legs *pro anima*, faits avant ou après leur décès sous la forme de concessions irrévocables de terres, de droits ou de rentes, à charge pour les clercs, qui en étaient les bénéficiaires de célébrer des messes anniversaires et de prier à perpétuité pour les âmes des fidèles trépassés qui s'étaient recommandés à leurs suffrages, dont les noms étaient inscrits sur les nécrologes et obituaires de la communauté[30].

Ce système, qui acquit au fil du temps une cohésion et une efficacité croissantes, permit à l'Église de spiritualiser le culte des ancêtres en l'intégrant dans une perspective chrétienne, où la prière, l'aumône et l'offrande du sacrifice eucharistique devenaient les instruments obligés de l'intercession pour les défunts. À travers ces pratiques qui se diffusèrent progressivement du haut en bas de la société, elle put étendre son contrôle sur la mort, en la dépouillant de ses aspects profanes, qu'il s'agisse des veillées funéraires, du rituel de l'ensevelissement ou des cimetières qui demeurèrent longtemps le théâtre de rassemblements et de fêtes[31].

---

28. La plupart des ouvrages d'ensemble sur la mort au Moyen Âge concernent plutôt les XIVe et XVe siècles. On dispose cependant pour le Haut Moyen Âge des précieuses études de K. SCHMID et J. WOLLASCH, en particulier *Memoria. Der geschichtilche Zeugniswert des liturgischen Gedankens im Mittelalter*, Munich, 1984, et, pour la période suivante, de la thèse (dactyl., Paris, *EHESS*, 1992) de M. LAUWERS, *La mémoire des ancêtres. Fonction et usages du culte des morts dans l'Occident médiéval (diocèse de Liège, XIe-XIIIe siècle)*.

29. Cf. D. IOGNA-PRAT, « Les morts dans la comptabilité céleste des Clunisiens de l'an mil », in *Religion et culture autour de l'an Mil*, Paris, 1990, p. 55-69, et J. WOLLASCH, « les moines et la mémoire des morts », *ibid.*, p. 47-54.

30. Sur la pratique des dons *pro anima*, cf. St. WHITE, *Customs, Kinship and Gifts to the Saints. The "Laudatio parentum" in Western France (1050-1150)*, Chapel Hill-Londres, 1988. Sur les liens qui se nouèrent entre moines et laïcs autour du culte des morts, cf. J.L. LEMAÎTRE (éd.), *L'Église et la mémoire des morts dans la France médiévale*, Paris, 1986, et *Id.*, *Mourir à Saint-Martial. La commémoration des morts et les obituaires de Saint-Martial de Limoges du XIe au XIIIe siècle*, Paris, 1989.

31. Sur ces pratiques, cf. les études archéologiques de M. COLARDELLE, *Sépulture et traditions funéraires du Ve au*

Bien plus, les clercs en répandant chez les fidèles la croyance en un au-delà conçu comme un ensemble de lieux où chacun serait rétribué selon ses actions et en les invitant à vivre dès ici-bas dans la perspective de leur mort, contribuèrent à faire évoluer leurs comportements dans un sens conforme à la piété et à la morale chrétiennes. Au XIIIe siècle, les liens très étroits qui s'étaient établis entre le monachisme et la société laïque commencèrent à se relâcher et les moines, sans disparaître de l'horizon des fidèles, ne retrouveront plus jamais l'influence qu'avaient exercée à l'époque précédente les abbayes réformées. Mais, loin de diminuer, l'importance du culte des morts dans la piété et la dévotion des laïcs ne cessa de s'accroître, en vertu d'un processus de vulgarisation qui entraîna la diffusion des comportements aristocratiques dans de nouveaux milieux, en particulier au sein de la société urbaine. À une époque où les contraintes lignagères s'assouplissaient et où les individus, sans se détacher de leur groupe familial, revendiquaient une certaine autonomie, l'affinement de la sensibilité et du droit entraîna la redécouverte du testament, acte personnel et révocable, à la différence de la donation ou du legs. La diffusion de ce type d'acte juridique n'est pas seulement un phénomène important sur le plan culturel. Elle a constitué une étape importante dans l'évolution des attitudes religieuses, en permettant à toute personne majeure disposant de biens d'organiser par avance ses obsèques et de préparer son salut, à la fois en réparant ses torts envers le prochain et en prévoyant la distribution d'une partie de sa fortune aux pauvres et aux institutions ecclésiastiques après son décès. Ce n'est certes pas un hasard si, au XIIIe siècle, l'Église a revendiqué et obtenu que les testaments relèvent de la compétence de ses tribunaux − les officialités − et imposé progressivement à tous les chrétiens l'obligation de tester en présence d'un prêtre. Ce faisant, elle ne se comportait pas seulement en garante de la liberté des individus face aux pressions de la coutume et du groupe, mais elle visait à amener les fidèles à infléchir leur conduite en fonction de la considération de la mort, de façon à être aussi irréprochables que possible et à pouvoir compter sur le plus grand nombre de suffrages lorsqu'ils comparaîtraient devant le Dieu-juge[32]. Parallèlement, la valorisation croissante de la messe comme instrument d'intercession en faveur des défunts devait entraîner une affirmation de la fonction funéraire du sacerdoce, certains desservants de paroisse et altaristes offrant désormais tous les jours le sacrifice eucharistique pour les morts et trouvant dans les services funéraires et les revenus des chapellenies le moyen d'assurer leur subsistance.

Cette évolution des attitudes vis-à-vis de la mort ne peut se comprendre qu'à la lumière des transformations qui ont alors affecté la discipline pénitentielle et, de façon concomitante, les représentations de l'au-delà. Le système hérité de l'Antiquité chrétienne était en effet fondé sur deux notions centrales : la dilation de la rétribution

---

XIIIe s. dans les campagnes des Alpes françaises du Nord, Grenoble, 1983, et E. ZADORA-RIO et M. FIXOT (éd.), L'Église, la campagne et le terroir, Paris, 1990; à propos des cimetières, voir P. DUPARC « Le cimetière, séjour des vivants (XIe-XIIIe siècle) », in BPH, 1967, p. 482-504, et L. MUSSET, « Le cimetière dans la vie paroissiale en Basse-Normandie », in Cahiers Léopold Delisle, 12, 1963, p. 7-27.

32. Cf. A. PARAVICINI BAGLIANI, I testamenti dei cardinali nel Duecento, Rome, 1980. Ph. GODDING, « La pratique du testament en Flandre au XIIIe siècle » in Revue d'Histoire du Droit, 58, 1990, p. 281-1300, et Nolens intestatus decedere. Il testamento come fonte della storia religiosa e sociale, Pérouse, 1985.

éternelle, qui ne devait intervenir qu'après le Jugement dernier, et la bipartition de l'au-delà, les élus étant voués aux joies du Paradis et les réprouvés aux peines de l'Enfer. Le sacrement de pénitence ne pouvait être reçu qu'une fois, en général à l'approche de la mort, de façon à permettre au défunt de se présenter sans péché devant son juge. Sous l'influence des pénitentiels rédigés et diffusés par les moines irlandais, se répandit, pendant le Haut Moyen Âge, une nouvelle conception de la pénitence, réitérable et tarifiée, en vertu de laquelle les péchés pouvaient être absouts à tout moment, après avoir été confessés à un prêtre, moyennant l'accomplissement d'œuvres de « satisfaction », c'est-à-dire d'un ensemble d'exercices ascétiques extrêmement lourds, alliant les jeûnes prolongés aux pèlerinages expiatoires. Mais ce système rigoureux ne garantissait un espoir de salut qu'à ceux qui pouvaient en payer le prix, en particulier par le biais d'un processus de commutation qui permettait aux riches et aux puissants de faire accomplir par d'autres les pénitences qui leur avaient été infligées et de remplacer les privations personnelles par de généreuses aumônes en faveur des clercs et des églises[33]. À partir du XIIe siècle, cette conception se révéla inadaptée à l'état des mentalités et, plus largement, de la société occidentale où, sous l'effet de l'élévation du niveau de vie et de l'accroissement de la population, s'introduisaient de nouvelles formes de gouvernement et d'organisation. L'Église, enrichie par les restitutions d'autels et surtout de dîmes consenties par les seigneurs en sa faveur, ne dépendait plus uniquement de la bonne volonté des souverains et des grandes familles de l'aristocratie militaire, tandis que les couches populaires, surtout en milieu urbain, commençaient à sortir de leur passivité et à compter sur le plan économique. Enfin, dans les écoles, les clercs mettaient au point une éthique nouvelle, fondée sur le « Connais-toi toi-même » et sur la notion de responsabilité personnelle. Le système pénitentiel ancien, avec ses sanctions irrationnelles et ses exigences impraticables — à moins d'appartenir au cercle restreint des Grands ou de renoncer au monde pour entrer dans le cloître —, ne put donc être maintenu et, de fait, il connut entre le début du XIIe et le milieu du XIIIe siècle une évolution aussi rapide que profonde.

Avec l'éloignement des perspectives eschatologiques, le Jugement Dernier, tout en demeurant redoutable, paraissait bien lointain. Aussi l'idée, déjà exprimée par Grégoire le Grand, selon laquelle les âmes des défunts faisaient l'objet, immédiatement après leur décès, d'un jugement particulier, ne cessa-t-elle de gagner du terrain. Au XIIe siècle, les théologiens hésitaient encore sur ce point. Ainsi Richard de Saint-Victor soutint que, si tous les humains étaient jugés aussitôt après leur décès et si les méchants allaient directement en enfer, les justes, eux, devraient attendre le Jugement Dernier pour accéder à la gloire céleste, tandis que ceux qui n'avaient commis que des péchés véniels les expieraient par des souffrances appropriées, avant d'entrer à leur tour au paradis. Mais cela supposait, en tout cas, qu'il existait non seulement un enfer — que certaines visions apocryphes, qui connurent alors un vif succès, situaient au centre de la terre et décrivaient avec un luxe croissant de précision, comme en témoignent les représentations iconographiques de l'époque qui s'en sont

---

33. C. Vogel, *Le pécheur et la pénitence au Moyen Âge*, Paris, 1982.

inspirées —, mais encore un autre lieu où les chrétiens qui n'avaient commis que des fautes légères pourraient, en subissant divers tourments et si les vivants les y aidaient par leurs prières, se débarrasser de toutes leurs souillures[34]. Dans cette perspective, l'affirmation du Purgatoire, qui s'est faite progressivement à partir du début du XIIe siècle, même si la formulation du mot et son utilisation par les théologiens furent un peu plus tardives, constitue un élément important, qui s'insère au sein d'un système parfaitement fonctionnel[35]. On ne pouvait en effet inciter l'ensemble des fidèles, qui savaient bien qu'ils n'étaient pas parfaits, à la pratique de la pénitence, des dévotions et des œuvres de charité que si ces bonnes actions avaient de quelque façon des répercussions dans l'autre monde et que si les mérites qu'elles leur permettaient d'acquérir pouvaient aussi bénéficier à leurs défunts. Car s'il est un dogme auquel les laïcs adhéraient spontanément, c'était bien celui de la communion des saints, qui répondait à leurs convictions les plus profondes et à leurs espoirs[36]. L'Église le comprit et leur offrit, à travers la nouvelle conception de la pénitence et le Purgatoire, à la fois une vision plus optimiste de l'au-delà et la possibilité pour chacun de contribuer au salut de ses parents et autres « amis charnels ».

IV. LA RELIGION VOLONTAIRE

Jusqu'aux dernières décennies du XIIe siècle, les laïcs qui aspiraient à mener une vie religieuse n'envisageaient guère d'autre possibilité que d'entrer dans la vie monastique ou de s'associer à une communauté religieuse, afin de bénéficier des richesses spirituelles et des mérites accumulés à l'abri du cloître par les serviteurs de Dieu. Les modalités de cette association étaient extrêmement variables : les laïcs qui restaient dans le monde se contentaient le plus souvent de conclure avec une abbaye ou une collégiale un pacte de *fraternitas*, en vertu duquel ils devenaient les *consortes orationum* des moines ou des chanoines réguliers[37]. Parfois, c'étaient des groupes familiaux ou des communautés paysannes qui se plaçaient volontairement sous la protection d'un monastère, sans que leurs membres cessent de vaquer à leurs affaires temporelles[38].

Certains fidèles allaient plus loin et se mettaient au service d'une communauté religieuse en tant que frères convers, c'est-à-dire travailleurs manuels intégrés à une

---

34. Sur toutes ces questions, l'ouvrage de référence est celui de J.L. LE GOFF, *La Naissance du Purgatoire*, Paris, 1981, à relire à la lumière des observations de R.W. SOUTHERN, « Between Heaven and Hell », in *TLS*, 18 juin 1982, p. 651/2, et *Id.*, *La bourse et la vie*, Paris, 1986.

35. Cf. K. SCHMID et J. WOLLASCH, « Die Gemeinschaft der Lebenden und Verstorbenen im Zeugnissen des Mittelalters », in *FMSt*, 1, 1967, p. 365-405.

36. Comme l'a bien montré J. BASCHET dans sa thèse (dactyl., Paris, *EHESS*, 1989) : *Les justices de l'au-delà. Les représentations de l'Enfer en France et en Italie (XIIe-XIVe siècle)*. Cf. aussi C. CAROZZI, « Structure et fonction de la vision de Tnugdal », in *Faire croire...*, cité, p. 223-234.

37. Cf. K. SCHMID et J. WOLLASCH, « Societas et Fraternitas », in *FMSt*, 9, 1975, p. 1-45.

38. Cf. Bernold de Constance, *Chronicon*, in *PL* 148, c. 1402/3, et A. VAUCHEZ, *La spiritualité du Moyen Âge...*, p. 138/9.

abbaye ou prieuré, où ils partageaient dans une certaine mesure la vie des moines, tout en ayant un dortoir et un réfectoire distincts et en restant exclus du chœur[39]. Ainsi, au début du XIIIe siècle, un pieux chevalier de l'entourage de Philippe Auguste, Jean de Montmirail († 1217) demanda, vers l'âge de quarante ans, à être admis comme convers chez les cisterciens de Longpont, ce qui fut considéré comme un acte de grande humilité, les convers se recrutant en général dans les couches les plus modestes de la paysannerie. Son cas n'est cependant pas isolé puisque, peu après, le seigneur Gobert d'Aspremont, après avoir participé à la croisade contre les Albigeois en 1226, entra dans la *familia* (domesticité) de l'abbaye cistercienne de Villers, dans le Brabant, où il s'acquit une réputation de sainteté[40].

L'un des phénomènes les plus originaux du XIIIe siècle, du point de vue de l'histoire de la spiritualité, est cependant constitué par l'apparition, parmi les laïcs, d'une élite d'hommes et de femmes, qui cherchèrent à mener une vie authentiquement religieuse, indépendamment de toute relation institutionnelle avec le monachisme. Ce phénomène concerna au premier chef l'aristocratie chevaleresque qui, dès les années 1120/30, avait vu s'ouvrir à elle, à l'appel de saint Bernard, une voie de sanctification dans le cadre des ordres militaires : Templiers et Hospitaliers, bientôt suivis des Chevaliers Teutoniques et Porte-Glaive ainsi que des nombreux ordres du même type qui se développèrent en Espagne dans le cadre de la Reconquista[41]. Mais il s'agissait encore de moines-soldats, voués en règle générale au célibat, et leur forme de vie ne pouvait convenir au plus grand nombre. Des souverains mariés, comme Louis IV de Thuringe, l'époux de sainte Élisabeth de Hongrie, qui mourut sur le chemin de la Terre Sainte en 1229, ou encore le roi saint Louis, n'appartinrent jamais à aucun ordre de ce type. Cela ne les empêcha pas de mener une vie religieuse intense, dans le cadre de la spiritualité de la croisade[42]. On a en effet trop souvent tendance à ne voir dans ces dernières que des expéditions militaires, sortes de guerres saintes comparables au « Jihad » islamique. Cette dimension n'en était certes pas absente, mais il ne faudrait pas perdre de vue que « prendre la croix » était autre chose qu'un simple rite : cela impliquait pour le croisé l'adoption, parfois pendant des années, d'un style de vie ascétique et pieux qui, avant de conduire éventuellement au combat pour la foi, se traduisait, pour ceux qui avaient fait ce choix et pour leurs épouses, par des exigences accrues dans le domaine moral et religieux, comme l'illustre bien le comportement privé et public de saint Louis entre 1248 et sa mort devant Tunis, en 1270[43].

Un autre choix possible pour les hommes était l'érémitisme[44]. Tous les ermites ou les reclus n'étaient pas des laïcs et un certain nombre d'entre eux étaient issus des rangs

---

39. M. TOEPFER, *Die Konversen der Zistersienser. Untersuchung über ihren Beitrag zur mittelalterlichen Blüte des Ordens*, Berlin, 1983; *I laici nella « societas christiana »...*, p. 152-305.

40. M. PARISSE, « La conscience religieuse des nobles » in *La Cristianità dei secoli XI e XII in Occidente (La Mendola, 1980)*, Milan, 1983, p. 265-267.

41. *Id., ibid.*, p. 268-272, et A. DEMURGER, *Vie et mort de l'ordre du Temple*, Paris, 1989.

42. Cf. E. DELARUELLE, *L'idée de croisade au Moyen Âge*, Turin, 1980, et J. RICHARD, *L'esprit de la croisade*, Paris, 1969.

43. A. VAUCHEZ, *Les Laïcs au Moyen Âge...*, p. 55-76, et *Id.*, « Charité et pauvreté chez sainte Élisabeth de Thuringe d'après les actes du procès de canonisation », in *Religion et société dans l'Occident médiéval*, Turin, 1980, p. 27-38.

44. Cf. *L'eremitismo in Occidente nei secoli XI e XII (la Mendola, 1962)*, Milan, 1965, et O. REDON, « Les ermites des forêts siennoises », in *RMab*, n.s., 1, 1990, p. 213-240.

du clergé séculier. La hiérarchie ecclésiastique s'efforçait de les regrouper en communautés et faisait pression sur eux pour qu'ils adoptent des formes de vie de type monastique ou canoniale. Mais, surtout dans les pays méditerranéens et les régions montagneuses ou boisées, subsistaient encore au XIIIe siècle beaucoup d'authentiques solitaires, qui bénéficiaient d'un grand prestige auprès des populations au milieu desquelles ils vivaient en raison de leur extrême ascétisme et, parfois, de leurs pouvoirs thaumaturgiques[45].

Mais l'aspect sans doute le plus novateur que prit alors, de façon spontanée, l'aspiration de certains milieux laïques à une vie religieuse débordant le cadre des prescriptions ecclésiastiques, est constitué par le mouvement confraternel[46]. Sur le modèle des confréries sacerdotales, alors en plein essor, des laïcs se regroupèrent, sur une base territoriale – le village, le quartier – ou socio-professionnelle – le métier –, afin de pratiquer l'entraide mutuelle et prendre en charge les funérailles et le destin posthume de leurs morts. La dimension communautaire était en effet essentielle dans ces groupements qui, en Provence par exemple, se placèrent de façon significative sous la protection du Saint-Esprit[47]. D'une région à l'autre, les modalités de constitution et les objectifs de ces groupements variaient considérablement : certaines confréries restaient associées à des monastères ou à des couvents; d'autres étaient davantage autonomes et ne faisaient appel à des prêtres ou à des religieux que pour dire la messe ou pour une prédication occasionnelle. Mais toutes avaient en commun de s'administrer elles-mêmes et d'être composées en majorité – parfois même uniquement – de laïcs des deux sexes, adhérant volontairement à la fraternité[48]. Au XIIIe siècle, en dehors de l'Italie, la hiérarchie ecclésiastique vit souvent d'un mauvais œil ces associations sur lesquelles elle n'avait guère de prise et qu'elle soupçonnait d'être des foyers d'anticléricalisme ou de subversion, en particulier dans les villes où le pouvoir temporel était exercé par un évêque ou un abbé. Les clercs, pour leur part, se sentaient parfois menacés par ces associations, qui se développaient en marge des structures paroissiales et leur faisaient concurrence en prenant en charge les obsèques de leurs membres défunts. Aussi n'est-on pas étonné de trouver, dans les statuts synodaux de Bordeaux, en 1255, une sévère mise en garde dénonçant le fait que « l'usage des confréries, qui s'est instauré pour les œuvres pies, est tourné en abus par la malice de certains laïcs, qui font des statuts illicites par lesquels ils tentent d'affaiblir la liberté de l'Église et d'abolir les bonnes et pieuses coutumes des anciens »[49]. Tout au plus admettait-on que les fidèles prennent en charge, au niveau de chaque paroisse, l'administration temporelle de l'église ainsi que l'entretien des lieux de culte et du

---

45. A. VAUCHEZ, *La sainteté en Occident...*, Rome, 1988, p. 380-387, et *Id.*, « Frati Minori, eremitismo e santita laica », in *StMed*, IIIe s., 27, 1986, p. 353-381.

46. L'ouvrage fondamental sur la question est celui de G.G. MEERSSEMAN, *Ordo fraternitatis. Confraternite e pietà dei laici nel Medio Evo*, 3 vol., Rome, 1977; cf. aussi *Le mouvement confraternel au Moyen Âge : France, Suisse, Italie*, Rome-Lausanne, 1987, et A. VAUCHEZ, *Les laïcs au Moyen Âge...*, p. 95-124.

47. P. AMARGIER, « Mouvements populaires et confréries du Saint-Esprit à Marseille, au seuil du XIIIe siècle », in *La Religion populaire en Languedoc*, Toulouse, 1976, p. 305-319 (Cahiers de Fanjeaux, 11).

48. Cf. C. VINCENT, *Des charités bien ordonnées. Les confréries normandes de la fin du XIIIe au début du XVIe siècle*, Paris, 1983, et L.K. LITTLE, *Libertà, carità, fraternità. Confraternite laiche a Bergamo nell'età del comune*, Bergame, 1988.

49. Texte édité et traduit par O. PONTAL, *Les statuts synodaux français du XIIIe siècle*, t. II, Paris, 1983, p. 474/77.

cimetière dans le cadre des fabriques, qui, avec les encouragements de la papauté commencèrent à se multiplier à cette époque[50].

Mais certains fidèles, surtout nombreux dans les zones fortement urbanisées, comme les Pays-Bas et les régions méditerranéennes, n'admettaient pas de se cantonner dans des tâches de gestion et cherchèrent à créer des groupements dévots au sein desquels ils pourraient progresser sur le plan spirituel, sans avoir à renoncer à leur état[51]. Le principal obstacle qui s'opposait à l'accès des laïcs à une vie authentiquement religieuse était constitué par le mariage : même entre époux légitimes, l'acte sexuel comportait en effet, aux yeux des clercs, une souillure et la virginité était considérée comme l'état de perfection par excellence. À partir de la fin du XIIe siècle cependant, une évolution s'amorça dans ce domaine. Ainsi le pape Alexandre III, dans une importante bulle de 1175, adressée aux chevaliers de l'ordre militaire de Saint-Jacques de l'Épée qui venait de se constituer en Castille pour y favoriser la reconquête, affirma que l'état religieux n'était pas lié à la virginité mais à l'obéissance à une règle. Mariés ou non, les chevaliers qui entraient dans cet ordre pouvaient donc à bon droit être considérés comme des religieux, dans la mesure où ils avaient prononcé des vœux et où ils mettaient leur vie en danger pour la défense de la foi chrétienne[52]. L'importance de ce texte, qui fut confirmé par Innocent III en 1209, est considérable, dans la mesure où s'y fait jour une conception intériorisée de la « fuite du monde ». Celle-ci cesse en effet de s'identifier obligatoirement à un refus de la vie charnelle pour devenir une lutte contre la mal sous toutes ses formes, dans laquelle aucune catégorie de chrétiens n'était disqualifiée a priori du fait de son genre de vie[53]. Les canonistes tirèrent les conséquences de ce tournant quelques décennies plus tard, comme on peut le constater chez l'Hostiensis, qui écrivit dans sa *Summa aurea* (1253) : « Au sens large, on appelle religieux ceux qui vivent saintement et religieusement chez eux, non parce qu'ils se soumettent à une règle précise, mais en raison de leur vie plus dure et plus simple que celle des autres laïcs qui vivent de façon purement mondaine. »[54]

De fait, on assista, entre le début du XIIe et le milieu du XIIIe siècle, à l'éclosion spontanée de toute une série de formes de vie religieuse à l'usage des laïcs des deux sexes. C'est le cas des pénitents ruraux communautaires d'Italie du Nord, par exemple, qui se regroupaient autour d'une église ou d'un hospice pour exploiter des terres en mettant en commun leurs biens et leur travail, après avoir fait vœu de pénitence entre les mains d'un évêque ou d'un abbé[55]. Plus original encore était le tiers ordre des Humiliés de Lombardie, dont la règle fut approuvée par Innocent III en 1201. Ce groupement rassemblait des laïcs, mariés ou non, vivant en ville dans leur propre

---

50. Sur l'essor des fabriques au XIIIe siècle, cf. M. CLÉMENT, « Recherches sur la paroisse et les fabriques au commencement du XIIIe siècle d'après les registres pontificaux », in *MEFR*, 15, 1895, p. 387-418, et B. JACQUELINE, « Les paroisses rurales de Normandie au Moyen Âge », in *Parlers et traditions populaires de Normandie*, 13, 1980, p. 25-30.

51. Cf. A. VAUCHEZ, *La spiritualité du Moyen Âge...*, p. 141-45.

52. *PL* 200, 1024 ; E. GALLEGO BLANCO, *The Rule of the Spanish Military Order of St. James (1170-1493)*, Leyde, 1971.

53. L'importance de ce tournant a été bien marquée et analysée par M.D. CHENU, « Moines, clercs et laïcs au carrefour de la vie évangélique », in *RHE*, 49, 1954, p. 59-89, et H. GRUNDMANN, *Religiöse Bewegungen im Mittelalter*, 2e éd., Hildesheim, 1961.

54. Hostiensis, *Summa aurea*, L. III, Venise, 1570, p. 193.

55. Cf. G.G. MEERSSEMAN, « I penitenti nei secoli XI e XII », in *Ordo fraternitatis*, t. I, p. 265-304.

maison selon un « projet de vie » *(propositum)* qui leur permettait d'associer le travail et la vie familiale à la pratique de l'idéal évangélique[56]. Des constitutions très proches furent accordées par le même pape aux Pauvres Catholiques — d'anciens vaudois revenus à l'orthodoxie — de Durand de Osca et aux Pauvres Lombards de Bernard Prim dans les années 1208/10.

À la même époque, on voit se multiplier, dans les régions s'étendant de la Flandre à la Bavière en passant par le diocèse de Liège et l'Alsace, les femmes laïques appelées béguines, qui vivaient, seules ou en communautés, sous la direction de l'une d'elles, sans prononcer de vœux perpétuels mais en combinant le travail manuel, l'assistance aux pauvres et une vie de prière[57]. Chez certaines d'entre elles, la méditation assidue des souffrances du Christ déboucha sur la recherche volontaire de la souffrance et sur une aspiration au dépouillement total, comme on le constate dans le cas de Marie d'Oignies († 1213), bien connue grâce à la biographie que lui consacra en 1215 son directeur de conscience, Jacques de Vitry, futur évêque de Saint-Jean d'Acre et cardinal, qui obtint d'Honorius III l'approbation orale — mais jamais confirmée par un document solennel — du genre de vie des béguines[58].

En Italie, les groupements de *laici religiosi* les plus importants furent les fraternités de pénitents organisées en un *Ordo de poenitentia*[59]. Leur existence est attestée pour la première fois dans un document ponfitical en 1221, lorsque Honorius III prit sous sa protection les Pénitents de Faenza, en Romagne, mais leur apparition est sans doute antérieure à 1215. Le *propositum* des Pénitents, proche à certains égards de celui du tiers ordre des Humiliés, se présentait comme une promesse publique de consécration à Dieu. Les pénitents et pénitentes volontaires s'engageaient à porter des vêtements modestes : un habit de laine grise, non teinte, d'une seule pièce et d'une seule couleur. Le simple fait de revêtir cette tenue caractéristique était l'équivalent d'une profession religieuse. Ceux qui l'avaient pris devaient s'abstenir de participer aux banquets, aux spectacles et aux danses, et observer des jeûnes plus fréquents et plus rigoureux que les autres laïcs. Pendant certaines périodes de l'année liturgique, les époux étaient tenus de s'abstenir de relations sexuelles, d'où le nom de « continents » qu'on leur a parfois donné, qui doit être interprété dans le sens d'une continence périodique, non d'une interdiction des relations sexuelles entre époux. En matière de dévotion, les pénitents s'engageaient à réciter chaque jour les heures canoniales, quitte pour les illettrés à remplacer chacune d'elles par sept Pater et douze Ave à midi, auxquels s'ajoutaient le Credo et le Miserere à prime et à complies. Ils devaient se confesser et communier au moins trois fois l'an (Noël, Pâques et Pentecôte) et se réunir une fois par mois à l'église

---

56. Texte in H. Tiraboschi, *Vetera Humiliatorum Monumenta*, t. II, Milan 17-66, et R. Manselli, *s.v.* « Humiliés » in *DSp*, VII, Paris, 1969, c. 1129-1136.

57. Sur les béguins, l'ouvrage fondamental demeure celui de E.W. Mc Donnell, *Beguines and Beghards in Medieval Culture, with Special Emphasis on the Belgian Scene*, New Brunswick, 1954; pour la bibliographie plus récente, cf. A. Mens, *s.v.* « Beghine », in *DIP*, I, Rome, 1974, c. 1165-1180.

58. Sur Marie d'Oignies et sa biographie, cf. M. Lauwers, « Expérience béguinale et récit hagiographique. À propos de la *Vita Mariae Oigniacensis* de Jacques de Vitry (vers 1215) » in *Journal des Savants*, 1989, p. 61-103, et A. Vauchez, « Prosélytisme et action antihérétique en milieu féminin au xiiie siècle : la Vie de Marie d'Oignies († 1213) par Jacques de Vitry », in J. Marx (éd.), *Propagande et contre-propagande religieuses*, Bruxelles, 1987, p. 95-110.

59. G.G. Meersseman, *Dossier de l'ordre de la Pénitence au xiiie siècle*, Fribourg, 1982.

que leur indiquaient leurs « ministres », c'est-à-dire les responsables laïques, de la confrérie, pour y assister à la messe et écouter une exhortation faite par un religieux instruit dans la Parole de Dieu. Mais c'est sur le plan des rapports avec la société ambiante que le genre de vie des pénitents était le plus original : les frères et les sœurs n'étaient admis dans la communauté qu'après avoir restitué les biens mal acquis et renoncé aux activités déshonnêtes, s'ils en exerçaient ; en outre, ils refusaient de porter les armes et de prêter serment, par fidélité aux préceptes évangéliques, ce qui fut à l'origine, en Italie, de sérieuses difficultés avec les autorités communales. Ces incidents suscitèrent de fréquentes interventions des évêques et de la papauté en leur faveur et un compromis finit par être trouvé, sur la base d'une sorte de « service civil », les Pénitents accomplissant gratuitement certaines fonctions au service de la collectivité, de la visite des prisons à la surveillance des finances municipales.

Tous ces groupements laïques d'un type nouveau étaient animés d'une spiritualité qu'on peut qualifier de pénitentielle, à condition de bien préciser le contenu de cette notion[60]. Faire pénitence en effet, pour les chrétiens dévots de ce temps, ne consistait pas seulement à se repentir de ses péchés et à aller se confesser une fois l'an au prêtre de sa paroisse, selon les prescriptions de Latran IV. C'était, de façon à la fois plus large et plus profonde, prendre à la lettre la parole du Christ (Mat. 5, 17) : « Faites pénitence ; le royaume de Dieu est proche » et chercher à entrer dès ici-bas dans une expérience de conversion se manifestant par un changement de vie et par la renonciation au péché. Jusqu'au début du XIIIᵉ siècle, la forme la plus répandue de l'état pénitentiel avait été le monachisme. Mais, le développement des aspirations religieuses au sein des milieux laïques entraîna une évolution de la notion de pénitence, assimilée désormais à un style de vie pieux et relativement ascétique, mais néanmoins praticable par des fidèles vivant dans le monde et dans les liens du mariage.

À une époque où les moines succombaient souvent à la tentation de la richesse collective ou se laissaient accaparer par des tâches de gestion domaniale, de nombreux laïcs, sensibilisés par les prédicateurs qui leur parlaient de la pauvreté du Christ, devinrent plus attentifs au dénuement des déshérités et aux nouvelles formes de marginalité qui se développaient en milieu urbain[61]. Il en résulta une extraordinaire floraison d'initiatives, en particulier de fondations hospitalières et charitables dans tout l'Occident. Certaines donnèrent naissance à des ordres religieux comme les antonins — ou Hospitaliers de Saint-Antoine — fondés par un gentilhomme du Dauphiné et son fils pour lutter contre les ravages du « Mal des ardents » (l'ergotisme, transmis par les céréales avariées), l'ordre du Saint-Esprit, créé au début du XIIIᵉ siècle par Guy de Montpellier, ou les Hospitaliers de Saint-Lazare qui soignaient les lépreux ; d'autres conservèrent la forme de confréries ou d'associations laïques, comme celles qui, dans la vallée du Rhône, en Lombardie ou en Toscane, s'attachèrent à construire des ponts pour faciliter les déplacements des voyageurs et des pèlerins[62]. Mais, à côté de ces

60. A. Vauchez, s.v. « Pénitents au Moyen Âge », in DSp., XII, 1, Paris, 1984, c. 1010-1023.
61. Cf. La conversione alla povertà nell'Italia dei sec. XII-XIV (Todi, 1990), Todi, 1991, et G. Merlo, « Religiosità e cultura religiosa dei laici nel secolo XII », in L'Europa dei secoli XI e XII fra novità e tradizione (La Mendola, 1986), Milan, 1989, p. 197-224.
62. A. Vauchez, « Une nouveauté du XIIᵉ siècle : les saints laïcs de l'Italie communale », in L'Europa dei secoli XIᵉ XII..., cité supra, p. 57-80.

organisations structurées, on ne compte plus les établissements isolés — Maisons-Dieu, hospices ou léproseries —, fondés par des communautés d'habitants ou par des bourgeois aisés, où les pauvres et les malades étaient accueillis et soignés par des converses et des convers qui s'étaient mis volontairement au service des laissés-pour-compte de la société[63].

Dans d'autres contextes, le mouvement qui poussait les laïcs à s'associer pour faire leur salut prit une orientation différente, sous l'influence des conceptions eschatologiques d'un Joachim de Flore, relayées et propagées par les frères mineurs dans les régions méditerranéennes. Ce fut le cas en particulier avec les Flagellants, qui firent leur apparition à Pérouse en 1260, lorsqu'un pénitent local, Rainier Fasani, lut aux habitants de la ville une lettre qu'il avait reçue de la Madone lui ordonnant de se donner publiquement la pénitence et d'inviter ses compatriotes à en faire autant pour apaiser la colère de Dieu. Angoissés par l'imminence du châtiment divin, ces derniers répondirent en masse à son appel et commencèrent à se donner mutuellement la discipline à l'occasion de processions expiatoires, la flagellation permettant à ceux qui la pratiquaient de s'identifier au Christ en partageant ses souffrances[64]. Ce faisant, ils ne faisaient que s'approprier un rite pénitentiel privé qu'accomplissaient les moines, en lui donnant une dimension publique et communautaire. En même temps, les fidèles manifestaient leur désir de conversion, se réconciliant avec leurs ennemis et restituant les biens mal acquis, en particulier par la pratique du prêt à intérêt. Le mouvement des Flagellants ne doit pas être considéré en effet uniquement sous ses aspects paroxystiques ou macabres. Lorsque les « Battuti » ou « Disciplinati », comme on les appelait en Italie, se réunissaient ou allaient en procession de ville en ville, ils chantaient des laudes spirituelles en l'honneur de Dieu, de la Vierge Marie et des saints tout en marchant et en se flagellant. Et c'est dans le sein de leurs confréries, quand le mouvement eut été canalisé et institutionnalisé par l'Église, que devait se développer toute une poésie religieuses en langue vulgaire, jusque-là sans précédent[65].

V. L'ENTRÉE EN SCÈNE DES FEMMES

Une des innovations les plus remarquables qui marquèrent l'Occident fut la place importante que prirent les femmes, entre la fin du XIIe et celle du XIIIe siècle, sur le plan de la vie religieuse[66]. Celle-ci avait été jusque-là dominée de façon quasi exclusive par les hommes, parmi lesquels se recrutaient les évêques et les prêtres, les moines et

---

63. Cf. *Esperienze religiose e opere assistenziali nei secoli XII e XIII*, Turin, 1987, et G. MERLO, « La storia dei "senza nomi" nel secolo XII », in *NRS*, 75, 1991, p. 119-133.

64. Sur les Flagellants, cf. *Il movimento dei disciplinati nel settimo centenario dal suo inizio (Perugia 1260))*, Pérouse, 1962, et *Risultati e prospettive della ricerca sui disciplinati (Perugia, 1969)*, Pérouse, 1972.

65. Cf. A. VAUCHEZ, « La Bible des confréries et des mouvements de pénitence », in P. RICHÉ et G. LOBRICHON (éd.), *Le Moyen Âge et la Bible*, Paris, 1984, p. 581-595 et C. BARR (éd.), *The Monophonic Laude and the Lay Religious Confraternities in Tuscany and Umbria*, Kalamazoo, 1988.

66. Sur ce phénomène, voir les contributions de J. DALARUN, P. L'HERMITE-LECLERCQ et Ch. FRUGONI, dans

les ermites, bref toutes les figures qui comptaient dans ce domaine. Il existait certes, depuis le Haut Moyen Âge, des abbayes de femmes, mais elles étaient beaucoup moins nombreuses et prestigieuses que les monastères masculins et, à l'exception de quelques fondations princières, elles jouissaient en général d'une faible autonomie[67]. Selon des statistiques dont la validité pourra toujours être contestée dans le détail mais qui semblent globalement fiables, moins de 10 % des saints vénérés en Occident entre le Ve et le XIIe siècle appartenaient au sexe féminin. Les chiffres les plus bas se rencontrent entre 800 et 1150, après quoi s'esquisse une remontée qui devient tout à fait significative autour de 1250[68]. Ces chiffres n'ont certes qu'une valeur relative, mais ils sont confortés par d'autres indices concordants, dont le principal est l'absence d'un modèle spécifiquement féminin de sainteté dans l'hagiographie médiévale jusqu'au début du XIIIe siècle. Avant cette époque en effet, une femme ne pouvait accéder aux honneurs de la sainteté que si son comportement avait été caractérisé par des vertus viriles, la féminité étant liée dans la mentalité commune à la fois à la faiblesse et à l'animalité. Aussi n'était-ce que dans la mesure où elle avait été capable de vaincre sa nature et de se conduire comme un homme, de façon sage et raisonnable, qu'elle pouvait échapper à la suspicion qui pesait sur elle a priori. À cet égard, le jugement pessimiste que les clercs, à la suite de saint Jérôme, portaient sur les femmes rencontrait celui de la société féodale, qui leur accordait, en règle générale, une place restreinte et n'attendait d'elles qu'obéissance et soumission. Mineures perpétuelles, elles passaient en effet de la domination de leur père à celle de leur mari et seules certaines filles uniques ou veuves ayant charge d'enfants appartenant à la haute aristocratie étaient en mesure de prendre librement certaines initiatives[69].

À l'encontre de ce sombre tableau, on a souvent opposé une religiosité médiévale de plus en plus marquée, surtout à partir du XIIe siècle, par l'essor du culte marial. Le phénomène est indéniable et ce n'est certes pas un hasard si la plupart des cathédrales gothiques construites entre 1140 et 1260 furent dédiées à Notre-Dame. Mais il est important de préciser sa portée et les limites de son influence. Paradoxalement en effet, cette exaltation de la figure de la Vierge n'eut qu'un faible impact sur la sainteté féminine. La mariologie médiévale, qui connut un extraordinaire développement de saint Anselme à saint Bernard et à l'école spirituelle cistercienne, constituait en effet avant tout un discours masculin, à l'usage des clercs et des religieux que l'Église invitait alors fermement à la pratique de la continence. Marie, vierge et mère, ne représentait pas pour les femmes, qu'elles fussent mariées ou moniales, un modèle crédible et, du reste, les auteurs ecclésiastiques qui célébraient ses mérites et son pouvoir miraculeux

G. DUBY et M. PERROT (éd.), *Histoire des femmes en Occident*, t. 2 ; *Le Moyen Âge*, sous la dir. de Ch. KLAPISCH-ZUBER, Paris, 1991.

67. Cf. M. PARISSE, *Les nonnes au Moyen Âge*, Paris, 1983, et P. L'HERMITE-LECLERCQ, *Le monachisme féminin dans la société de son temps. Le monastère de La Celle, XIe- début du XVIe s.*, Paris, 1989.

68. J. TIBETTS-SCHULENBURG, « Sexism and the Celestial Gynaeceum », in *JMH*, 4, 1978, p. 117-133, et A. VAUCHEZ, *La sainteté en Occident...*, p. 315-318.

69. Comme l'a bien montré G. DUBY, *Le chevalier, la femme et le prêtre. Le mariage dans la France féodale*, Paris, 1981. Voir aussi R. METZ, *La femme et l'enfant dans le droit canonique médiéval*, Londres, 1985, et, pour un exemple précis et éloquent, A. AMARGIER, « Éloge d'une reine : Marie de Montpellier », in *Les femmes dans la vie religieuse du Languedoc (XIIIe-XIVe s.)* Toulouse, 1988, p. 21-36 (Cahiers de Fanjeaux, 23).

Vierge à l'Enfant en ivoire, vers 1270
(Museum für Kunst und Gewerbe, Hambourg).

l'ont rarement présentée comme telle. À la fois fille et mère de Dieu, elle apparaissait plutôt comme une figure transgressive dans l'ordre de la nature et, comme telle, inimitable[70].

En revanche, le culte marial a sans doute contribué à modifier la place de la femme dans l'imaginaire collectif, en mettant l'accent sur sa puissance, qui lui permettait de vaincre le démon et de venir en aide aux pécheurs jusqu'aux derniers instants, grâce à l'ascendant qu'elle exerçait sur son Fils, qui, disait-on de plus en plus, ne pouvait rien lui refuser. À partir de saint Bernard, on vit se développer, chez les auteurs spirituels, le thème de la double intercession du Christ et de Marie ; la mère de Dieu, incarnation d'une féminité rachetée par la grâce mais aussi figure de l'Église enseignante et

---

70. Il n'existe pas, à l'heure actuelle, d'étude d'ensemble satisfaisante sur le culte marial au Moyen Âge. On trouvera cependant beaucoup d'information utiles dans H. du MANOIR, *Maria. Études sur la Sainte Vierge*, t. II, Paris, 1952. Cf. aussi J. LECLERCQ, « Saint Bernard et la dévotion médiévale envers Marie », in *RAM*, 30, 1954, p. 361-375, et S. BARNAY, *Les apparitions mariales*, Paris, 1992.

triomphante, siégera désormais au portail des cathédrales. Elle finira même par y être représentée à côté du Christ, comme à égalité avec lui, dans les scènes du couronnement de la Vierge [71]. Et même si les théologiens hésitent encore à la formuler nettement, les œuvres d'art du XIIIe siècle expriment déjà la croyance des fidèles au rôle de Marie comme co-rédemptrice de l'humanité contribuant ainsi à faire de la femme la figure hypostatique du divin. C'est dans ce nouveau contexte mental et spirituel qu'il convient de situer une certaine évolution de l'attitude de l'Église vis-à-vis de la femme et de sa place dans la vie religieuse. Dès 1173, en effet, le pape Alexandre III rappelait − ce qui peut nous paraître une évidence, mais ne l'était pas alors pour tous − que « si notre Seigneur a voulu naître d'une femme, ce n'est pas seulement pour les hommes mais aussi pour les femmes », tandis que, quelques décennies plus tard, le saint évêque Hugues de Lincoln († 1200), un ancien chartreux, allait encore plus loin en déclarant que « s'il n'a été permis à aucun homme d'être appelé père de Dieu, une femme en revanche a pu être la mère de Dieu » [72].

La réhabilitation de la femme, de la part des hommes d'Église les plus ouverts, laissait cependant entière la question de leur sanctification. Affirmer qu'elle avait une âme et qu'elle pouvait être sauvée était une chose ; envisager qu'un être aussi enclin au péché − selon l'opinion commune − et en particulier au péché de chair, puisse accéder à la perfection chrétienne et éventuellement aux honneurs de la sainteté en était une autre. En fait, cet obstacle, qui n'était pas seulement psychologique, fut surmonté par les femmes elles-mêmes à travers la spiritualité pénitentielle. Celle-ci les conduisit à assumer volontairement, pour expier leurs fautes et se rapprocher de Dieu, l'existence renoncée et ascétique que l'Église avait, pendant les premiers siècles, imposée aux pécheurs publics réconciliés. L'incarnation la plus célèbre et sans doute la plus influente de cet idéal, dans le domaine hagiographique et dans l'iconographie, fut sainte Marie-Madeleine, escortée par quantité d'autres figures de pécheresses repenties d'origine orientale, comme les saintes Pélagie, Thaïs ou Marie l'Égyptienne, pour s'en tenir aux plus connues [73]. Dans tous les cas, il s'agissait de femmes qui, après avoir été le jouet du démon et s'être adonnées à la luxure, voire à la prostitution, de façon effrénée, s'étaient converties et rachetées par l'amour et les larmes, pour se vouer ensuite à la contemplation et même parfois à l'apostolat, comme la Madeleine dont la légende racontait qu'elle avait annoncé la foi chrétienne aux Marseillais, avant de se retirer pour y mourir dans la grotte de la Sainte-Baume [74]. Avec la diffusion de ces modèles anciens qui retrouvent toute leur actualité, se fait jour une conception de

---

71. Cf. Ph. VERDIER, *Le couronnement de la Vierge dans l'art gothique*, Rome, 1979. K.E. BORRESEN, *Anthropologie médiévale et théologie mariale*, Oslo, 1971 ; J. DALARUN, « Ève, Marie ou Madeleine ? la dignité du corps féminin dans l'hagiographie médiévale », in *Mediévales*, 8, 1985, p. 18-32.
72. Sur ce changement d'attitude des clercs vis-à-vis des femmes, cf. M.Th. d'ALVERNY, « Comment les théologiens et les philosophes voient les femmes » in *La femme dans la civilisation des Xe-XIIIe siècles*, in *CCM*, 20, 1977, p. 105-129, et A. VAUCHEZ, *La sainteté en Occident...* p. 428-438.
73. Cf. E. DORN, *Der sündliche Heilige in der Legenden des Mittelalters*, Munich, 1967, en part. p. 52-70, et P. PETITMENGIN (éd.), *Pélagie la pénitente*, 2 vol, Paris, 1981 et suiv.
74. V. SAXER, *Le culte de Marie-Madeleine des origines à la fin du Moyen Âge*. Auxerre-Paris, 1959 ; E. DUPERRAY (éd.), *Marie-Madeleine dans la mystique, les arts et les lettres*, Paris, 1989 ; G. DUBY et alii, « La Madeleine (VIIIe-XIIIe siècle) » in *MEFRM*, 104, 1992, p. 1-340.

la sainteté, qui se définit moins comme un ensemble de vertus privées ou sociales que comme le point d'aboutissement d'une expérience de « retournement », fondée sur le repentir et la mortification, consistant à vivre en ce monde à la façon des moines ou des ermites. Dans cette perspective, les femmes étaient d'autant mieux placées qu'elles partaient de plus bas — ce qui est la définition même de l'humilité — et que, n'ayant en général ni pouvoir ni savoir, elles n'avaient à offrir que leur capacité d'amour.

Ce nouveau climat spirituel, marqué par la redécouverte des valeurs évangéliques, favorisa la pénétration massive des femmes dans l'univers religieux, surtout après 1200. À côté de celles qui participaient à des confréries de pénitents ou autres avec leur époux, on vit en effet se multiplier, au cours du XIIIe siècle, les *mulieres religiosae*, qui, individuellement ou en groupe, développèrent hors des cloîtres des expériences de vie religieuse très variées, mais qui s'inspiraient toutes, à des titres divers, de l'idéal pénitentiel[75]. Cela pouvait aller de la réclusion dans une cellule attenante à un cimetière ou aux murailles d'une ville jusqu'à une sorte d'érémitisme urbain, qui permettait à des célibataires ou à des veuves d'associer une vie d'oraison, dans le cadre de la demeure familiale, à des activités charitables au-dehors, sous le contrôle de leur confesseur[76]. Cet état « semi-religieux », comme l'appellent certains historiens, prenait aussi parfois la forme d'un engagement au service des pauvres et des malades, dans un hospice ou une léproserie, ou d'une vie communautaire sans vœux permanents, comme c'était le cas pour les Béguines, les Filles-Dieu et autres Repenties[77]. Ces deux derniers termes désignaient sans doute d'anciennes prostituées qui avaient renoncé spontanément à leur commerce ou y avaient été arrachées par des prédicateurs enflammés, comme Foulque de Neuilly ou des évêques zélés, comme Guillaume d'Auvergne à Paris[78]. Si intéressantes que puissent être les distinctions existant entre ces divers groupements, elles n'ont cependant qu'une importance relative, dans la mesure où ceux-ci se caractérisèrent, tout au long du XIIIe siècle, par une grande instabilité institutionnelle. Ainsi, dans le Nord de la France et des Pays-Bas, le passage de communautés féminines de l'état béguinal au monachisme de type cistercien fut assez fréquent, tandis que, dans les régions méditerranéennes, les papes s'efforçaient, avec un succès relatif, de régulariser les *incluse* ou les *incarcerate*, en leur imposant des observances stables et en les plaçant sous le contrôle des ordres

---

75. B. Bolton, « Mulieres sanctae », in *Sanctity and Secularity. The Church and the World*, Oxford, 1973, p. 76-95 (*SCH*, 10), et *Ead.*, « Vitae matrum. A Further Aspect of the Frauenfrage », in *Medieval Women*, Oxford, 1978, p. 253-274 (« Subsidies », I).

76. P. L'Hermite-Leclercq, « La réclusion volontaire au Moyen Âge : une institution spécifiquement féminine », in *La condicion de la mujer en la Edad Media*, Madrid, 1986, p. 135-154 ; A. Benvenuti-Papi, « *In castro poenitentiae* ». *Santità e società femminile nell'Italia medievale*, Rome, 1990, en part. p. 59-100 et 263-416.

77. H. Grundmann, *Religiöse Bewegungen im Mittelalter*, Darmstadt, 1961 ; Cf. aussi K. Elm, « Die Stellung der Frau in Ordenwesen, Semireligiosentum und Haeresie zur Zeit der heiligen Elisabeth », in *Sankt Elisabeth, Furstin, Dienerin, Heilige*, Sigmaringen, 1981, p. 7-28, et B. Delmaire, « Les béguines dans le Nord de la France au premier siècle de leur histoire (vers 1230 - vers 1350) », in M. Parisse (éd.), *Les religieuses en France au XIIIe siècle*, Nancy, 1985, p. 132-176.

78. Sur les Filles-Dieu, cf. F. Chaube, « Les Filles-Dieu de Rouen aux XIIIe-XVe siècles », in *RMab*, n.s., 1, 1990, p. 179-211 ; voir aussi A. Simon, *L'ordre des Pénitentes de sainte Marie-Madeleine en Allemagne au XIIIe siècle*, Fribourg, 1918.

mendiants[79]. Les clercs craignaient en effet par-dessus tout de voir ces femmes, souvent passionnées, devenir « gyrovagues » et se livrer à l'errance ou à l'apostolat, à la façon de certains hérétiques. Car, si une certaine promotion religieuse de la femme était encouragée, encore ne fallait-il pas qu'elle remît en cause le rôle prépondérant des prêtres et des religieux, qui devaient rester les seuls détenteurs de l'autorité dans l'Église. Aussi, lorsque certaines de ces laïques furent proposées comme modèles de sainteté, comme Marie d'Oignies († 1213) et surtout sainte Élisabeth de Hongrie († 1231) − canonisée par Grégoire IX en 1235 −, mit-on l'accent non seulement sur leur charité et leur piété, mais aussi sur la soumission dont elles avaient fait preuve envers leur directeur de conscience, qu'il s'agisse de Jacques de Vitry ou du terrible Conrad de Marbourg[80].

Les femmes, laïques ou moniales, engagées dans la vie religieuse, ne tardèrent pas cependant à explorer des voies nouvelles, sur lesquelles elles précédèrent les hommes. Déjà au XIIe siècle, l'abbesse bénédictine Hildegarde de Bingen († 1179) avait été la première à inaugurer le courant du prophétisme visionnaire, appelé à connaître un grand développement aux derniers siècles du Moyen Âge, et saint Bernard, comme

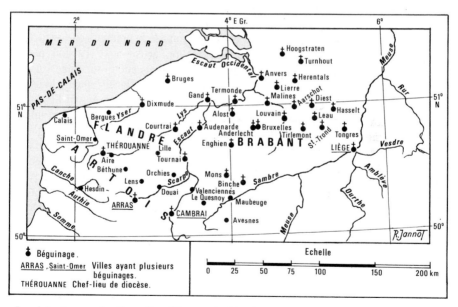

Les béguinages des Pays-Bas (France du Nord et Belgique) à la fin du XIIIe siècle.

---

79. Cf. R. Rusconi (éd.), *Il movimento femminile in Umbria nei secoli XIII-XIV*, Florence-Pérouse, 1984, et *Movimento religioso femminile e Francescanesimo*, Assise, 1980.

80. Cf. M. Werner, « Die heilige Elisabeth und Konrad von Marburg », in *Sankt Elisabeth...*, cité, p. 45-69.

son contemporain et ami le pape Eugène III, avaient approuvé l'inspiration et l'action de la « Sibylle rhénane », dont les messages furent condensés et diffusés vers 1200 par le moine Gébénon[81]. Au xiiie siècle, d'autres religieuses, comme celles du monastère de Hefta, en Saxe, privilégièrent l'expérience mystique, avec Gertrude de Hackeborn et Gertrude la Grande, en suivant les traces de Mechtilde de Magdebourg, auteur, vers 1250, d'un livre intitulé *Das fliessende Licht der Gottheit (La lumière ruisselante de la Divinité)*. Souvent d'origine aristocratique, ces moniales allemandes, affranchies des contraintes qui pesaient sur les femmes mariées, se lancèrent dans la quête de Dieu avec hardiesse et une liberté d'expression d'autant plus remarquable que la langue vulgaire qu'elles utilisaient dans leurs écrits passait, aux yeux des clercs, pour être inapte à rendre compte de toute la complexité et des nuances de l'expérience spirituelle. Elles pallièrent cette lacune en recourant au vocabulaire amoureux de la littérature courtoise, ce qui explique le nom de « Minnenmystik », parfois employé pour désigner ce courant[82].

Les mêmes aspirations et un vocabulaire identique se retrouvent également aux Pays-Bas, aussi bien chez des béguines comme Marie d'Oignies et Hadewijch d'Anvers que dans les *Sept degrés d'amour*, autobiographie spirituelle composée en flamand par la moniale cistercienne, Béatrice de Nazareth († 1268), qui célèbre la puissance du désir de Dieu qui l'animait[83]. Le point de départ de leur itinéraire mystique était la recherche de l'union aux souffrances du Christ. Ce thème spirituel n'avait rien de spécifiquement féminin : saint François d'Assise avait été le premier, en Occident, à pousser la compassion et le désir de participation active à sa Passion jusqu'à l'identification physique au Crucifié, lors de sa stigmatisation, survenue en septembre 1224, à l'ermitage de La Verna, selon la tradition franciscaine[84]. Mais son expérience − la seule de ce type qui fut alors reconnue et approuvée par l'Église − trouva surtout un écho auprès des *mulieres religiosae*, qui manifestèrent une intense dévotion aux cinq plaies du Christ. Pour elles, ces blessures béantes et sanglantes constituaient autant de voies d'accès au cœur même de Jésus et l'on voit apparaître, dans la *Vie* de sainte Lutgarde d'Aywières (1182-1246), le thème de l'échange des cœurs, qui devait connaître ultérieurement un extraordinaire succès dans la mystique occidentale[85]. La femme, exclue du monde de la culture savante et de la sphère du pouvoir, revendique désormais le privilège de voir le Christ selon la chair et de s'unir au Verbe incarné dans l'eucharistie certes, mais aussi, pour certaines d'entre elles,

---

81. Sur sainte Hildegarde de Bingen, cf. B. Newman, *Sister of Wisdom. St. Hildegard's Theology of the Feminine*, Berkeley, 1987, et S. Gouguenheim, « La place de la femme dans la création et dans la société chez Hildegarde de Bingen », in *RMab*, n.s., 2, 1991, p. 99-118.

82. Bonne présentation d'ensemble de ce courant, accompagné de traductions de textes en français, dans G. Epinay-Burgard et E. Zum Brunn, *Femmes troubadours de Dieu*, Turnhout, 1988, p. 67-98.

83. Béatrice de Nazareth, *Sept degrés d'amour*, éd. et trad. J.B. Porion, Genève, 1972 ; Hadewijch d'Anvers, *Écrits mystiques des béguines*, éd. et trad. J.B. Porion, Paris, 1954. Sur ces deux auteurs, cf. G. Epinay-Burgard et E. Zum Brunn, *op. cit.*, p. 99-173.

84. A. Vauchez, « Les stigmates de saint François et leurs détracteurs aux derniers siècles du Moyen Âge », in *Id.*, *Religion et société dans l'Occident médiéval*, Turin, 1980, p. 139-170.

85. Cf. A. Mens, « L'Ombrie italienne et l'Ombrie brabançonne. Deux courants religieux parallèles d'inspiration commune », in *EtFr*, Supplément, 17, 1967, p. 1-78, et C. Bynum, *Jesus as a Mother. Studies in the Spirituality of the High Middle Ages*, Berkeley-Londres, 1982.

dans la fusion amoureuse des volontés, au sommet de l'extase[86]. Cette relation intime avec Dieu à travers son humanité leur conféra une dignité et une autorité qui leur permirent de transcender les limites étroites à l'intérieur desquelles la société et l'Église tentaient de les enfermer, comme l'attestent le rayonnement spirituel d'une sainte Claire d'Assise, fondatrice du premier ordre religieux féminin autonome, ou de sainte Marguerite de Cortone († 1297), une pécheresse convertie dont les frères mineurs s'efforceront de faire la patronne et la figure de proue de leur tiers ordre[87].

Mais l'enjeu ultime était beaucoup plus important : à travers l'expérience mystique, les *mulieres religiosae*, retrouvant l'expérience des Pères grecs à travers les écrits de saint Bernard et de Guillaume de Saint-Thierry, ont cherché avant tout à parvenir à la déification, c'est-à-dire à se perdre et à s'anéantir pour se retrouver « Dieu avec Dieu », ou même « Dieu en Dieu »[88]. On comprend que cette ambition de « devenir par grâce ce que Dieu est par nature », qu'Hadewijch appelle « l'art du juste amour », ait suscité l'inquiétude de certains clercs, comme en témoignent ces quelques vers du prédicateur franciscain, Lamprecht de Ratisbonne :

> « Voici que de nos jours, en Brabant et Bavière,
> un art a pris naissance chez les femmes.
> Quel est donc cet art, Seigneur Dieu,
> Grâce auquel une vieille femme comprend mieux
> Qu'un homme docte et savant ? »[89]

Au cours du XIIIᵉ siècle en effet, les femmes n'avaient pas seulement acquis, dans le domaine de la vie religieuse, une place et une considération que les siècles précédents leur avaient refusées. Indifférentes aux distinctions entre les états de perfection et à leur hiérarchie, elles les mirent en cause, sans polémiques inutiles, par leur simple témoignage et engagèrent la spiritualité occidentale sur une voie nouvelle : celle de l'expérience vécue de la rencontre avec Dieu.

---

86. C. BYNUM, *Holy Fast and Holy Feast. The Religious Significance of Food to Medieval Women*, Berkeley, 1987.

87. Sur sainte Claire d'Assise, cf. A. VAUCHEZ, « Santa Chiara d'Assisi : una vita per la povertà », in *Id.*, *Ordini Mendicanti e società italiana, XIII-XV secolo*, Milan, 1990, et M. BARTOLI, *Chiara d'Assisi*, Rome, 1989 ; sur sainte Marguerite de Cortone, cf. A. BENVENUTI PAPI, *In castro poenitentiae*, cité, p. 141-168. Les textes les plus significatifs du courant mystique italien du XIIIᵉ siècle ont été édités par G. POZZI et C. LEONARDI, *Scrittici mistiche italiane*, Gênes, 1988, p. 61-134. Sur le phénomène de l'écriture féminine mystique, cf. D. RÉGNIER-BOHLER, in Ch. KLAPISCH (éd.), *Histoire des femmes*, t. II, p. 443-500.

88. P. DINZELBACHER et D.R. BAUER (éd.), *Frauenmystik im Mittelalter*, Ostfildern, 1985, et *Id.*, (éd.) *Religiöse Frauenbewegung and mystische Frömmigkeit im Mittelalter*, Cologne, 1988.

89. Lamprecht de Ratisbonne, *Tochter von Syon*, Paderborn, 1880, v. 2838 et suiv.

BIBLIOGRAPHIE

Instruments de travail et sources

G. Épinay-Burgard et E. Zum Brunn, *Les femmes, troubadours de Dieu*, Turnhout, 1988.

J.L. Lemaître, *Répertoire des documents nécrologiques français*, 2 vol., Paris, 1980.

G. Pozzi et C. Leonardi, *Scrittrici mistiche italiane*, Gênes, 1988.

A. Vauchez, « Histoire des mentalités religieuses », in M. Balard (éd.), *Bibliographie de l'Histoire médiévale en France (1965-1990)*, Paris, 1992, p. 137-149.

Études

P. Alphandéry et A. Dupront, *La chrétienté et l'idée de croisade*, 2 vol. Paris, 1954-59.

A. Benvenuti-Papi, *In castro poenitentiae. Santità e società femminile nell'Italia medievale*, Rome, 1991.

N. Bériou, J. Berlioz et J. Longère (éd.) *Prier au Moyen Âge. Pratiques et expériences*, Turnhout, 1991.

C. Bynum, *Holy Fast and Holy Feast. The Religious Significance of Food to Medieval Women*, Berkeley, 1987.

E. Delaruelle, *La piété populaire au Moyen Âge*, Turin, 1975.

P. Dinzelbacher et D.R. Bauer (éd.), *Religiose Frauenbewegung und mystische Frommigkeit im Mittelalter*, Cologne-Vienne, 1988.

G. Duby, *Le temps des cathédrales*, Paris, 1976.

Faire croire. Modalités de la diffusion et de la réception des messages religieux du XIIe au XVe siècle, Rome, 1981.

H. Grundmann, *Religiöse Bewegungen im Mittelalter*, 2e éd., Darmstadt, 1961.

La religion populaire en Languedoc du XIIIe à la moitié du XIVe siècle, Toulouse, 1975 (Cahiers de Fanjeaux, 11).

J.L. Lemaître (éd.), *L'Église et la mémoire des morts dans la France médiévale*, Paris, 1986.

Le mouvement confraternel au Moyen Âge : France, Suisse, Italie, Rome-Lausanne, 1987.

J. Le Goff, *La naissance du Purgatoire*, Paris, 1981.

G.G. Meersseman, *Ordo confraternitatis. Confraternite e pietà dei laici nel Medio Evo*, 3 vol., Rome, 1977.

R. Manselli, *La religion populaire. Problème de méthode et d'histoire*, Montréal-Paris, 1975.

E. Panofsky, *Architecture gothique et pensée scolastique*, Paris, 1967.

P. Riché et G. Lobrichon (éd.), *La Bible au Moyen Âge*, Paris, 1984.

B.N. Sargent-Baur (éd.), *Journeys towards God. Pilgrimage and Crusades*, Kalamazzo, 1992.

J.C. Schmitt, « Les superstitions », in J. Le Goff (éd.) *Histoire de la France religieuse*, t. I, Paris, 1988, p. 417-551.

P. Sigal, *Les marcheurs de Dieu*, Paris, 1974.

A. Vauchez, *La spiritualité du Moyen Âge occidental (VIIIe-XIIe s.)*, Paris, 1975.

–, *Les laïcs au Moyen Âge. Pratiques et expériences religieuses*, Paris, 1987.

–, *La sainteté en Occident aux derniers siècles du Moyen Âge d'après les procès de canonisation et les documents hagiographiques*, Rome, 2e éd., 1988.

C. Vogel, *Le pécheur et la pénitence au Moyen Âge*, Paris, 2e éd., 1982.

Conclusion

Vouloir dresser le bilan de plus de deux siècles de l'histoire des Églises chrétiennes répandues entre l'Irlande et l'Asie centrale, la Scandinavie et l'Éthiopie, constituerait sans nul doute une gageure : si le propos reste général, il court le risque d'être insignifiant ; s'il se fait plus précis, il ne peut prétendre à une pertinence universelle. On ne trouvera donc pas, dans le présent épilogue, autre chose que quelques remarques visant à faire ressortir certains traits caractéristiques ou lignes de force de la période étudiée, que des exposés nécessairement fragmentés n'ont peut-être pas permis de mettre en évidence avec une netteté suffisante.

On notera tout d'abord qu'entre le milieu du XIe et la fin du XIIIe siècle, l'extension géographique du monde chrétien s'est sensiblement modifiée et que le déséquilibre n'a cessé de s'accentuer entre une chrétienté occidentale en constante expansion et un Orient chrétien qui se réduisait progressivement sous la pression de l'Islam. Aux XIe et XIIe siècles, l'intégration des peuples balkaniques et danubiens dans le monde chrétien ainsi que la création des États latins d'Orient par les croisés purent donner l'illusion que le christianisme allait retrouver l'assise territoriale méditerranéenne qui avait été la sienne à la fin de l'Antiquité. Mais, dès les dernières décennies du XIIIe siècle, avec la chute définitive de la Terre Sainte et le début de la conversion des Mongols à l'Islam, il était devenu évident que l'on ne récrirait pas l'histoire. Au total, les principales Églises chrétiennes — celle de Rome et surtout celle de Constantinople — perdirent de plus en plus de terrain — et de fidèles — à l'est du Bosphore et de Chypre, et, avec les débuts de la poussée turque en Asie Mineure, ce recul n'allait pas tarder à se transformer en débâcle. Certes, le christianisme ne disparut pas toujours ni tout de suite de ces régions mais, dans le meilleur des cas, il demeura condamné à la survie discrète que l'Islam réservait aux autres religions du Livre. De ce fait, au fil de la période considérée, le centre de gravité du monde chrétien tendit à se déplacer vers l'Ouest et s'établit pour longtemps en Europe. Vers 1270, il ne subsistait plus en Occident de peuple païen en dehors des Lituaniens et l'Islam, refoulé de Sicile, ne se maintenait en Espagne que sous une forme résiduelle. Au nord et à l'est, tous les peuples scandinaves et slaves avaient fini par entrer dans l'orbite chrétienne, après avoir parfois longuement hésité entre Rome et Constantinople. En fonction des choix qui furent alors effectués en faveur de l'une ou l'autre Église, se mit en place une frontière invisible, courant des rivages de l'Adriatique jusqu'aux confins de la

Finlande. Sur le moment, le phénomène ne retint guère l'attention en raison des mouvements de flux et de reflux qui accompagnèrent sa stabilisation définitive. Mais, avec le recul du temps, nous percevons toute l'importance de cette ligne de démarcation qui, à la façon d'une faille, rejoue périodiquement au cœur de l'Europe, ramenant à la surface les incompréhensions et les antagonismes qui se sont accumulés dans ces régions depuis des siècles et que seule l'histoire permet d'expliquer.

Devenu plus « européen » qu'il ne l'avait jamais été au cours de son histoire, le chritianisme médiéval s'est trouvé du même coup déséquilibré en faveur de sa composante occidentale. Entre les deux chrétientés − l'une conquérante et agressive, l'autre sur la défensive −, on ne tarda pas à passer de l'éloignement au conflit ouvert. Il n'y a pas lieu, nous le savons bien maintenant, d'accorder à la date de 1054 une signification particulièrement dramatique. L'excommunication réciproque qu'échangèrent l'Église de Rome et celle de Constantinople était certes de mauvais augure pour leurs relations mutuelles, mais elle ne constituait, à tout prendre, qu'un nouveau rebondissement de la rivalité qui existait entre elles depuis des siècles. Cela n'empêcha pas le maintien de nombreux contacts entre chrétiens d'Orient et d'Occident, ni même la persistance d'une certaine solidarité, encore sensible lorsqu'Urbain II lança en 1095 l'appel de Clermont. Mais la montée en puissance de la papauté, les répercussions politiques des croisades en Orient et surtout l'agression injustifiée accomplie en 1204 par les « Francs », à l'instigation des Vénitiens, contre Constantinople, suivie du pillage de la ville et de ses églises ainsi que de la dispersion des trésors que constituaient leurs reliques, devaient creuser entre Grecs et Latins un fossé qui ne cessera de s'approfondir, en dépit des efforts déployés par certains théologiens ou hauts dignitaires des deux bords. Et, dans les années qui suivirent le concile de Lyon II, l'échec de la tentative de réunification des Églises, qui s'était développée en 1274 à l'instigation du pape Grégoire X et de l'empereur byzantin Michel VIII, allait manifester à quel point les fidèles et les moines « orthodoxes » étaient devenus fondamentalement hostiles à l'idée de tout rapprochement avec les Latins.

Le dynamisme de la chrétienté occidentale se manifesta également, avec des succès divers, par une expansion missionnaire remarquable en direction des païens et des musulmans, depuis les rives de la Baltique jusqu'aux profondeurs de l'empire mongol. Mais celle-ci connaissait également de nombreux problèmes. L'essor des hérésies, aux XIIe et XIIIe siècles, atteste l'existence en son sein d'un malaise réel, lié à la fois à l'alourdissement des contraintes ecclésiastiques et aux aspirations, souvent insatisfaites, de nombreux fidèles dans le domaine religieux. Loin de résulter d'un affaiblissement de la foi, la poussée hérétique administre en effet la preuve *a contrario* d'une christianisation en profondeur des masses. Mais le désir qui se fit jour dans certains milieux laïques de jouer un rôle spirituel plus actif se heurta dans bien des cas à l'opposition des clercs qui, à partir de la réforme dite grégorienne, eurent de plus en plus tendance à se comporter en maîtres dans l'Église. Animés par le souci de traduire en termes institutionnels et juridiques l'unité du peuple chrétien, ces derniers cherchèrent à faire prévaloir une réelle uniformité des croyances et des pratiques religieuses dans un monde où le particularisme avait été jusque-là la règle. C'est dans cette perspective de *reductio ad unum* qu'il faut se situer pour comprendre les mesures prises par la papauté, surtout à partir de Grégoire VII, afin d'éliminer en Occident les usages liturgiques non latins et de faire prévaloir le modèle sacerdotal romain, fondé sur le célibat. Dans un climat mental et intellectuel où le Bien était assimilé à l'un et le Mal au multiple, s'affirma une volonté de normalisation, qui fit reculer et même parfois disparaître le droit à la différence. Les hérétiques et les juifs furent les premiers à en faire les frais, mais les chrétiens mozarabes en Espagne ou de rite grec en Italie du Sud ne furent guère mieux traités. Faut-il pour autant, comme on l'a fait récemment, parler, à propos du XIIIe siècle, de la formation d'une « société persécutrice », de plus en plus dure à l'égard des minorités et des marginaux ? Les initiatives qui furent alors prises par l'Église et par de nombreux fidèles en faveur des lépreux, des pauvres et des prostituées interdisent, me semble-t-il, de faire cet amalgame et d'attribuer à la chrétienté d'Innocent III et de saint Louis un programme répressif aussi vaste. Mais il est indéniable qu'un raidissement se fit alors sentir dans tous les domaines vis-à-vis de ceux qui, par leur religion, leur culture ou de leur comportement moral s'éloignaient des modèles que l'Église cherchait alors à faire prévaloir.

Cette rigueur nouvelle vis-à-vis des schismatiques et des hérétiques, ces exigences accrues à l'égard des fidèles, ne peuvent être équitablement appréciées qu'au regard du grand dessein dont elles constituent les retombées les plus visibles : la volonté, clairement affichée et mise en œuvre avec constance par une élite de hauts dignitaires ecclésiastiques assistés par certains princes laïcs, de commencer ici-bas l'édification du Royaume de Dieu, d'abord dans le cadre restreint de l'institution monastique réformée, puis, par voie d'élargissement, dans celui d'une société chrétienne à la tête de laquelle le pape, en Occident, supplanterait l'empereur et dont il serait à la fois l'inspirateur et le juge suprême. Le développement de la monarchie pontificale, le programme théocratique d'Innocent III et d'Innocent IV, le conflit sans cesse renaissant entre le sacerdoce et l'empire, la centralisation croissante des institutions ecclésiastiques, tout cela procédait d'une même visée qui tendait à rassembler tous les hommes sous la conduite de l'Église romaine et de son chef, le pape, pour les conduire plus sûrement au salut. Il nous est facile aujourd'hui de souligner le caractère illusoire de cette entreprise, déjà dénoncé par Joachim de Flore à la fin du XIIe siècle et, quelques décennies plus tard, par ses continuateurs franciscains de tendance spirituelle, dans la mesure où elle semblait vouloir mettre un terme à l'histoire de l'Église et de l'humanité en instaurant ici-bas une société parfaite. Il est juste de reconnaître cependant que la tentative ne manquait pas d'ambition et que, si les résultats obtenus demeurèrent assez éloignés des espoirs affichés, elle fut loin de se solder par un échec. Des traces en ont subsisté jusqu'à nos jours, en particulier au niveau des structures d'encadrement paroissial − une église, avec son clocher, son cimetière et ses prêtres, par communauté d'habitants, en ville comme à la campagne − et de la pastorale sacramentelle, avec la délimitation des sept sacrements, parmi lesquels figure désormais le mariage, et la place éminente accordée à la pénitence ainsi qu'à l'eucharistie à côté du baptême.

Il convient de souligner également que, contrairement à une idée reçue, l'Église sut s'adapter sans trop de retard aux transformations économiques et sociales considérables qui affectèrent l'Occident entre le XIe et le XIIIe siècle. Avec le monachisme clunisien, puis cistercien et les chanoines réguliers, elle prit en main la société féodale, en particulier la nouvelle aristocratie dont elle s'efforça de christianiser les mœurs et les valeurs. Après une phase initiale marquée par une réelle incompréhension, elle prit la mesure des mutations provoquées par l'essor de l'économie monétaire et par l'émergence de nouvelles catégories sociales dans les villes alors en plein développement, qu'il s'agisse des artisans, des commerçants ou des intellectuels. Les chapitres et les évêques, à travers les cathédrales romanes et gothiques mais aussi leurs hospices et leurs écoles, et surtout les Ordres mendiants, dans le sillage de saint Dominique et de saint François d'Assise, s'efforcèrent de faire face aux problèmes nouveaux et de

L'expansion du style gothique en Occident au XIIIᵉ siècle
(d'après *Histoire artistique de l'Occident médiéval*, G. Démians d'Archimbaud,
Armand Colin, 1968, p. 183).

répondre aux attentes de la société urbaine. Les résultats furent inégaux, mais il convient de souligner le rôle particulièrement positif joué par l'Église dans le domaine culturel. Dans une société où seuls les clercs avaient un accès direct à la culture savante et à l'Écriture Sainte, il était certes logique qu'ils fussent à l'avant-garde dans des domaines comme la théologie ou le droit canonique. Mais ceux des XIIᵉ et XIIIᵉ siècles ne se limitèrent pas à ces disciplines et firent accomplir de grands progrès au savoir et à la réflexion dans les secteurs les plus variés. La papauté favorisa la multiplication des écoles et, plus tard des *studia* universitaires, dans l'espoir d'améliorer le niveau moral et la formation du clergé, mais aussi de favoriser une meilleure compréhension de la foi chrétienne en l'articulant sous la forme de propositions intelligibles. Une fois surmontée une première réaction de rejet, les intellectuels chrétiens, de Robert Grosseteste à Thomas d'Aquin, s'attachèrent à relever le défi aristotélicien et y parvinrent dans une large mesure, au prix d'un effort de rationalisation de la théologie et d'une acception des formulations et des modes de raisonnement philosophiques. E. Panofsky a souligné, dans un ouvrage célèbre, le parallélisme existant entre la démarche de la scolastique et celle des bâtisseurs des grandes cathédrales gothiques, marquées toutes deux par les mêmes exigences de transparence, c'est-à-dire de clarté et de lisibilité, déjà sensibles dans l'art cistercien qui avait rejeté la profusion exubérante de l'art roman et avait fait de la simplicité sa norme[1].

On ne saurait cependant s'en tenir à cette constatation désormais classique. L'imprégnation de la pensée religieuse par les exigences de la dialectique et de la rationalité est certes un phénomène important et sans doute décisif dans l'histoire de la pensée occidentale. Encore faut-il bien voir qu'elle a eu pour conséquence l'apparition d'une distinction, inconnue auparavant, entre la théologie et la spiritualité, la première, réflexion de type philosophique sur le donné révélé, perdant progressivement le contact direct avec l'Écriture Sainte, tandis que la seconde, dans le prolongement de l'exégèse monastique, privilégiait le retour sur soi, la contemplation et les élans de la dévotion la plus intime. Dès le milieu du XIIIᵉ siècle, apparaît une tension, encore maîtrisée mais appelée à s'exacerber ultérieurement, entre ceux qui, pour parvenir à la vérité et à Dieu, empruntent la voie de l'intellect et ceux qui, soulignant au contraire les limites et les faiblesses de la raison, privilégient celle de l'affectivité et de l'amour.

Nul n'oserait plus prétendre aujourd'hui que le XIIIᵉ siècle a marqué l'apogée du christianisme médiéval. Grâce aux progrès de la recherche, nous mesurons mieux que nos prédécesseurs combien les derniers siècles du Moyen Âge, en dépit des bouleversements et des catastrophes qui les ont marqués, ne constituent nullement une période de déclin succédant à l'âge d'or qu'aurait représenté le temps des cathédrales et des universités. À tout prendre, le siècle de saint Louis et de saint Thomas d'Aquin apparaît surtout comme une époque de stabilisation et de structuration de la vie et de la pensée religieuses dans des cadres institutionnels et intellectuels solides, après les grandes mutations du XIᵉ et l'effervescence créatrice du XIIᵉ. Mais cette impression de

---

1. E. PANOFSKY, *Architecture gothique et pensée scolastique*, Paris, 1967.

puissance et d'équilibre ne doit pas nous dissimuler les fissures qui commençaient à apparaître sur ce bel édifice et qui constituent les signes annonciateurs des crises de l'époque ultérieure : ainsi la papauté paraît au faîte de sa puissance spirituelle et temporelle, après avoir eu raison de Frédéric II et de ses descendants au terme de plusieurs décennies d'affrontements violents. Mais, à la faveur de ce conflit entre les pouvoirs à vocation universelle, les monarchies nationales, surtout en France et en Angleterre, avaient élargi leurs compétences et les interventions des clercs dans le domaine temporel se heurtaient à une résistance croissante de la part du pouvoir royal et de l'aristocratie laïque. À la même époque, les institutions ecclésiastiques atteignirent un degré de développement et de complexité inégalé. Mais cette organisation aux rouages complexes commençait à susciter des critiques : le juridique et l'administratif pesaient d'un poids écrasant sur la vie de l'Église, la rendant inapte, à partir des années 1250, à prendre en compte les aspirations des mouvements religieux populaires. Le niveau du clergé s'améliora vraisemblablement et son zèle pastoral semble s'être accru. Bien souvent cependant, ce dernier apparaissait comme un organisme pléthorique et peu efficace, où chaque catégorie cherchait surtout à préserver ses droits acquis et à obtenir de nouveaux privilèges. Dans les enquêtes préliminaires au concile de Lyon II s'exprime un certain accablement face à la prolifération incontrôlable non seulement des ordres religieux, mais des institutions ecclésiales que l'on commence à envisager de simplifier et de réformer. Pour les uns, une amélioration ne pouvait résulter que de l'extension des prérogatives du centre, c'est-à-dire de la papauté, tandis que d'autres, à la suite du grand évêque anglais Robert Grosseteste, dénonçaient la multiplication des interventions du Saint-Siège dans tous les domaines et ne voyaient de remède que dans le renforcement du pouvoir des Églises locales et de l'épiscopat.

Mais, derrière ces débats qui n'allaient pas tarder à accaparer le devant de la scène et sur lesquels s'est longtemps polarisée l'attention des historiens, s'accomplissaient des évolutions plus discrètes sans doute mais autrement profondes, comme l'achèvement du processus de christianisation de la mort, attesté par la diffusion et le succès de la croyance au Purgatoire, l'entrée en scène des femmes dans le domaine de la vie spirituelle, l'apparition — encore timide mais prometteuse — d'une littérature religieuse en langue vulgaire, et surtout la recherche tâtonnante par une élite de clercs et de laïcs d'une nouvelle définition de la vie religieuse, conçue moins comme un ensemble de pratiques cultuelles et de dévotions que comme une expérience intime et directe du Divin. Le XIIIe siècle, selon Jacques Le Goff, a été « l'époque où les valeurs sont descendues sur la terre »[2]. Cela est parfaitement exact, à condition d'entendre par là non les prodromes d'une laïcisation de la société ou de la morale, mais l'apogée du processus d'incarnation du christianisme, avec tout ce qu'une telle entreprise pouvait comporter d'ambiguïtés et de grandeur.

---

2. J. LE GOFF, *La bourse et la vie*, Paris, 1986, p. 70.

Chronologie

DATES	FAITS MILITAIRES ET POLITIQUES	FAITS ÉCONOMIQUES ET SOCIAUX	FAITS RELIGIEUX	CULTURE ÉCRITE	CULTURE NON ÉCRITE	ORIENT CHRÉTIEN ET MONDE MUSULMAN
1049			1049-1054. Léon IX pape : prémices de la réforme « grégorienne ». 1049-1109 : Saint Hugues abbé de Cluny.		1049. « Tournée de consécration » de Léon IX : église octogonale d'Ottmarsheim. 1040-1080 : Saint-Hilaire de Poitiers.	
1050			V. 1050. Controverse eucharistique autour de Béranger de Tours, négateur de la présence réelle.	V. 1050. Textes mystiques de Jean de Fécamp.	1050. Église romane de Morienval. V. 1050-1150 : cathédrale du Puy.	
1052					1052. Consécration de la crypte de Saint-Emmeran de Ratisbonne.	1052. L'invasion hilalienne ravage l'Afrique du Nord. Disparition des dernières communautés chrétiennes.
1054			1054. Schisme de Michel Cerulaire. Rupture entre l'Église grecque et l'Église romaine.			
1055						1055. Prise de Bagdad par les Seldjoukides.

1056	1056-1106. Henri IV empereur.			1056. Émeutes à Milan contre le clergé dépravé (Pataria). 1057-1072. Pierre Damien cardinal.		1056. Fin de la dynastie macédonienne.
1057						1057. Avènement de la dynastie des Comnène à Byzance.
1058			Ap. 1058. Rayonnement littéraire du Mont-Cassin. Sous l'abbatiat de Didier, Constantin l'Africain y traduit des œuvres de médecine arabes et grecques. Albéric y compose le premier traité de composition littéraire : *Liber dictaminum.*			
1059	1059. Le pape reconnaît la possession de l'Italie du Sud à Robert Guiscard.			1059-1062. Nicolas II pape. 1059. Affirmation du principe de la libre élection du pape par les cardinaux.		
1060	1060-1091. Les Normands conquièrent la Sicile. 1060-1108, Philippe Ier roi de France.				1060-1150. Saint-Sernin de Toulouse.	
1061	V. 1061. Le jeu d'échecs connu en Italie d'après une lettre de Pierre Damien.			1061. Fondation de l'abbaye de Tyniec, le « Cluny polonais », près de Cracovie.		

DATES	FAITS MILITAIRES ET POLITIQUES	FAITS ÉCONOMIQUES ET SOCIAUX	FAITS RELIGIEUX	CULTURE ÉCRITE	CULTURE NON ÉCRITE	ORIENT CHRÉTIEN ET MONDE MUSULMAN
1062					1062-1083. La Trinité de Caen.	
1063			1063. « Croisade » bourguignonne en Espagne. Prise de Barbastro.		1063. Consécration de San Miniato à Florence. Consécration de San Isidro de Léon (tour-porche du *Panthéon des rois* et chapiteaux, chefs-d'œuvre de la sculpture romane). 1063-1097. Saint-Étienne de Nevers. 1063-1119. Cathédrale de Pise.	
1064		1064. Ferdinand de Castille accorde des chartes de colonisation (région de Coïmbre). 1064-1069. *Usatges* de Catalogne, premier code féodal connu.				
1065				Entre 1065 et 1100. *La Chanson de Roland*.	1065. Consécration de Sainte-Marie de Cologne.	

1066	1066. Conquête de l'Angleterre par les Normands de Guillaume le Conquérant.	Entre 1066 et 1087 : la plus ancienne charte d'inféodation conservée (Angleterre).	1066. Réaction païenne dans les pays baltes.	1066. Portes de bronze d'Amalfi fondues à Constantinople.	1071. Les Seldjoukides écrasent les Byzantins à Mantzikert. Le Basileus Romain IV est fait prisonnier par les Turcs.
1067				1067-1108. Abbaye de Saint-Benoît-sur-Loire (Fleury).	
1069		1069. Manifestation communale du Mans.			
1070			Ap. 1070. L'archevêque Lanfranc réforme l'Église d'Angleterre.	V. 1070. Fresques de Berzé-la-Ville, près de Cluny.	
1071	1071. Robert Guiscard s'empare de Bari.		1071. Reliques de saint Nicolas apportées à Bari.	1071. Consécration de l'abbaye du Mont-Cassin décorée par des artistes s'inspirant des modèles byzantins.	
1072		1072. Apparition du contrat de *colleganza* à Venise.			
1073		1073. Révolte urbaine à Worms.	1073-1085. Grégoire VII pape.		

Dates	Faits militaires et politiques	Faits économiques et sociaux	Faits religieux	Culture écrite	Culture non écrite	Orient chrétien et monde musulman
1074		1074. Révolte urbaine contre l'évêque de Cologne. Grégoire VII ordonne au roi de France Philippe Iᵉʳ de restituer les marchandises confisquées par lui à des marchands italiens.	1074. Étienne de Muret fonde l'ordre de Grandmont, le premier des ordres retournant à la « vraie vie apostolique ». Décret de Grégoire VII condamnant la simonie, le nicolaïsme et l'investiture laïque.			
1075	Ap. 1075. Déclin du pouvoir royal et montée de la féodalité en France.		1075. Début de la Querelle des investitures : *Dictatus Papae* de Grégoire VII. V. 1075. Anselme de Lucques compose des prières pour la comtesse Mathilde de Toscane.		1075-1122. Cathédrale de Saint-Jacques de Compostelle.	
1076	1076. Boleslas le Hardi, dernier Piast couronné roi de Pologne.			1076-1078. *Monologion* et *Proslogion* (*Fides quaerens intellectum*) de saint Anselme : l'argument ontologique, preuve de l'existence de Dieu. *Histoire de l'Église de Hambourg* d'Adam de Brême.		1076. Les Seldjoukides prennent Jérusalem.

1077	1077. Henri IV s'humilie devant Grégoire VII à Canossa. Commune de Cambrai.	1077. Première mention de l'« hommage » en Allemagne.	1077. *Annales* de l'abbaye de Hersfeld.	1077. Consécration de Saint-Étienne de Caen (Abbaye aux Hommes).	1077. Les Seldjoukides s'installent en Asie Mineure.
1079		1079. Fondation de l'ordre de Hirsau, le « Cluny » germanique.		1079-1093. Cathédrale de Winchester.	
1080		V. 1080. Guilde de Saint-Omer.		V. 1080. Donjon de Houdan (Île-de-France).	
1081		1081. « Consuls » à Pise.			1081-1118. Alexis Comnène Basileus.
1082					1082. Importants privilèges économiques accordés aux Vénitiens dans l'Empire byzantin.
1084		1084. Saint Bruno de Cologne fonde la Grande-Chartreuse. Rome prise par Henri IV, puis par les Normands.			
1085	1085. Prise de Tolède par Alphonse VI de Castille.	1085. Mort de Grégoire VII en exil à Salerne. 1085. Guillaume le Conquérant fait établir un cadastre pour l'Angleterre, le *Domesday Book*. Cinq mille six cent vingt-quatre moulins à eau en Angleterre.			1085. Malik-shah unifie les possessions seldjoukides.

Dates	Faits militaires et politiques	Faits économiques et sociaux	Faits religieux	Culture écrite	Culture non écrite	Orient chrétien et monde musulman
1086		1086. Première mention d'un moulin à foulon en Normandie (Saint-Wandrille).				1086. La dynastie almoravide, maîtresse du Maroc et de l'Espagne musulmane.
1087	1087. Génois et Pisans font une expédition victorieuse contre les pirates musulmans de Mahdiya en Ifryqyja (Tunisie actuelle).	1087. Révolte de Sahagun contre les moines clunisiens et les chevaliers.			1087-1132. Saint-Nicolas de Bari.	
1088		1088. Première mention sûre d'un moulin à bière, dans la région d'Évreux.	1088-1099. Pontificat d'Urbain II.	Av. 1100. Irnerius enseigne le droit romain à Bologne. La chancellerie pontificale restaure l'usage du *cursus* dans les documents officiels.	1088-1130. Cluny III.	
1090		Fin XIᵉ s. En France du Nord, le cheval remplace le bœuf de labour. La distinction entre libres et non-libres s'estompe.				
1091				1091-1116. Épiscopat d'Yves de Chartres. Essor de l'école épiscopale chartraine.		1091. Constantinople assiégée par les Petchénègues.

1093		1093-1109. Saint Anselme archevêque de Cantorbéry.		1093. Début de la construction de la cathédrale de Durham : la première ogive. 1093-1156. Abbatiale de Maria-Laach.	
1094	1094. Prise éphémère de Valence par le Cid.		1094-1098. Saint Anselme, *Cur Deus Homo* : les problèmes théologiques et philosophiques des dogmes de l'Incarnation et de la Rédemption.		
1095	1095. Grande famine en Belgique.	1095. Urbain II prêche à Clermont la Ire Croisade.	Fin XIe s. Mode des cours d'amour en Aquitaine.	1095. Début de la construction de l'église Saint-Marc à Venise. « Tournée de consécration » d'Urbain II en France : Saint-Martial de Limoges, Cluny III. Fin XIe s. Wiligelmo : sculptures de la cathédrale de Modène.	1095. Alexis Comnène combat les Serbes de Rascie.
1096	1096-1097. Vague antisémite : pogroms des croisés populaires en marche vers la Terre sainte.	1096. Robert d'Arbrissel fonde Fontevrault.		1096-1132. Vézelay, église de la Madeleine.	1096. Les Seldjoukides exterminent la croisade populaire près de Nicée.

Dates	Faits militaires et politiques	Faits économiques et sociaux	Faits religieux	Culture écrite	Culture non écrite	Orient chrétien et monde musulman
1097	1097. Constitution du comté de Portugal.	V. 1097. Première image d'une herse (tapisserie de Bayeux).			V. 1097. Broderie de Bayeux dite *Tapisserie de la reine Mathilde*.	1097. La Ire Croisade passe par Constantinople.
1098	1098. Principautés d'Édesse et d'Antioche, en Syrie.		1098. Fondation de Cîteaux par Robert de Molesme.			
1099	1099. Prise de Jérusalem par les croisés. Fondation du royaume franc de Jérusalem.	1099. Formation de la *Compagna* à Gênes : les marchands et la politique urbaine. Manifestation communale à Beauvais.			1099. Lanfranc commence la cathédrale de Modène (finie en 1184), chef-d'œuvre de l'art roman en Italie. 1099-1118. Saint-Clément de Rome.	
1100	1100-1135. Henri Ier Beauclerc roi d'Angleterre.	1100. Convention commerciale entre Venise et le royaume de Jérusalem. V. 1100. Début de l'assèchement des marais en Flandre : polders. Début de l'essor des foires en Champagne. Début XIIe s. Premiers traités de droit	V. 1100. L'ordre de Cluny compte 1 450 maisons.	V. 1100. Études séculières à Montpellier (médecine). Poésie latine d'Hildebert du Mans : la renaissance poétique du XIIe s. Anselme de Laon († 1117) : *Livre des sentences*. V. 1100-1127. Chansons en langue d'oc de Guillaume de Poi-	V. 1100. Basilique romane de Saint-Ambroise à Milan : voûte sur nervure. Sculptures de Moissac.	

	Faits politiques	Vie économique et sociale	Vie intellectuelle et religieuse	Textes	Art
1100		feodal (« coutu- miers ») en Angle- terre. Entre 1100 et 1150. Période déci- sive de la conquête agraire. Progrès des céréales.		...ners, duc d'Aqui- taine. V. 1100-1110. *Elucidarium* d'Hono- rius *Augustodunen- sis*, le vulgarisateur de l'âge roman.	
1101	1101. Roger II roi de Sicile.				
1103			1103. Guillaume de Champeaux dirige l'école épiscopale de Paris. Que- relle des universaux.		
1104		1104. Premier moulin à fer mentionné en Occident (Catalogne).		Ap. 1104. Guibert de Nogent : *Histoire de la Ire Croisade (Gesta Dei per Francos)* ; *Autobiographie (De vita sua)* ; Traité (cri- tique) *Sur les Re- liques des saints*.	
1106	1106-1111. Succès al- moravides en Es- pagne. 1106-1125. Henri V empereur.				
1108	1108-1137. Louis VI le Gros roi de France.	1108-1109. Com- munes à Noyon et Beauvais.	1108. Fondation de l'abbaye de Saint- Victor à Paris, foyer culturel et religieux.		1108. La seconde église de Saint-Clément à Rome reproduit le style paléo-chrétien. Rénier de Huy : cuve baptis- male de Saint-Barthé- lémy de Liège, chef- d'œuvre de l'art roman.
	1108. Alexis Comnène oblige Bohémond à lui prêter hommage pour Antioche.				

Dates	Faits militaires et politiques	Faits économiques et sociaux	Faits religieux	Culture écrite	Culture non écrite	Orient chrétien et monde musulman
1110		Entre 1110 et 1140. *De diversis artibus* du moine allemand Théophile, premier manuel technique de l'Occident.			1110-1120. Sculptures de Saint-Sernin de Toulouse.	
1111	1111-1118. Louis VI détruit le château du Puiset et pacifie le domaine royal.	1111. Pise obtient des privilèges commerciaux dans l'Empire byzantin.				
1112		1112. Révolution communale à Laon. L'évêque est tué.	1112. Saint Bernard entre à Cîteaux.			
1113						1113-1125. Vladimir II prince de Kiev.
1114			1114. *Charte de Charité*: premier statut de Cîteaux.	1114-1126. Bernard, écolâtre et chancelier de Chartres.		
1116		1116. Soulèvement de la population de Saint - Jacques - de - Compostelle contre l'évêque Gelmirez, constructeur de la cathédrale romane.				

1117	L'abbé de Marmoutier (Alsace) remplace les corvées par des taxes en argent.				
1118	1118. Les Aragonais prennent Saragosse.	1118-1122. Abélard et Héloïse.		Av. 1118. *Chronique des ducs et princes de Pologne* de Gallus Anonymus.	1118-1142. Jean II Comnène Basileus.
1119		1119. Fondation de l'ordre du Temple.			
1120	1120-1150. Apparition des premiers statuts de métiers en Occident.	1120. Saint Norbert fonde l'ordre de Prémontré. V. 1120. Le bénédictin Rupert de Deutz défend le monachisme traditionnel.	1120. *Liber floridus*, encyclopédie illustrée de Lambert de Saint-Omer. 1120-1154. Enseignement de Guillaume de Conches à Chartres.	1120-1138. Façade de Saint-Zénon à Vérone. Ap. 1120. Saint-Front de Périgueux ; cathédrale d'Autun.	
1121			1121-1158. Traduction latine de la *Nouvelle Logique* d'Aristote (par opposition à la « Vieille Logique » transmise par Boèce).		
1122		1122. Concordat de Worms, fin de la querelle des Investitures. Suger abbé de Saint-Denis. 1122-1156. Pierre le Vénérable abbé de Cluny.			1122. Dynastie berbère des Almohades au Maroc.

Dates	Faits militaires et politiques	Faits économiques et sociaux	Faits religieux	Culture écrite	Culture non écrite	Orient chrétien et monde musulman
1123			1123. Ier concile de Latran. Ratification du concordat de Worms.			
1124	1124. Henri V attaque en vain Louis VI.	1124-1126. Grande famine en Occident, surtout en Belgique. Efforts du comte de Flandre pour la combattre.	1124. Mort de l'hérétique Pierre de Bruys.			
1125			1125-1155. Anselme, évêque de Havelberg : mise au point de l'offensive missionnaire ; conversations théologiques avec les Byzantins, théorie évolutive des états de l'Eglise. Entre 1125 et 1130. Le *Liber de diversis ordinibus* constate le pluralisme de la vie religieuse en Occident.	1125. Mort de Cosmas, « l'Hérodote tchèque », auteur d'une *Chronique de Bohême*. V. 1125. Hugues de Saint-Victor : *De sacramentis*, théologie des sacrements. 1125-1153. L'archevêque Raymond de Tolède fait traduire des textes arabes en latin.		
1127		1127. Les villes flamandes obtiennent des chartes de franchise.		V. 1127. Foulques de Chartres. *Histoire de Jérusalem* : les colons chrétiens en Terre sainte.		1127. Zenghi s'empare de Mossoul.

1128	1128. Commune à Marseille.			
1130	1130. Début de la série des comptes royaux à l'Échiquier d'Angleterre.	1130. Schisme d'Anaclet à Rome.	1130. Saint Bernard: *Éloge de la nouvelle chevalerie* (= l'ordre des Templiers).	V. 1130-1147. Cathédrale de Tournai. 1130-1147. Abbaye cistercienne de Fontenay.
1131		1131. Innocent II obtient l'appui des rois de France et d'Angleterre et de l'empereur Lothaire.		1131-1148. Cathédrale de Cefalù (Sicile).
1132				1132. Déambulatoire de Morienval (Oise): croisées d'ogives. 1132-1144. Reconstruction de Saint-Denis par Suger: début de l'art gothique.
1133		1133. Innocent II reprend possession de Rome. Couronnement de l'empereur Lothaire.		
1134	1134. Le chapitre général des cisterciens règle l'emploi des ouvriers agricoles salariés.			

Dates	Faits militaires et politiques	Faits économiques et sociaux	Faits religieux	Culture écrite	Culture non écrite	Orient chrétien et monde musulman
1135				V. 1135. *Didascalicon* de Hugues de Saint-Victor : programme élargi des arts libéraux. 1135. Geoffroy de Monmouth : *Historia regum Britaniae*, une histoire nationale anglaise.		1135-1204. Maïmonide, théologien juif du Caire.
1136				1136. Abélard : *Sic et non*, exposé de la méthode permettant de résoudre les contradictions entre les « autorités » par le raisonnement logique.		
1137	1137-1180. Louis VII roi de France. 1137. Louis VII épouse Aliénor d'Aquitaine.					
1138	1138. Début des rivalités entre Guelfes et Gibelins en Italie.			1138-1139. *De aedificio Dei* de Gerhoch de Reichersberg : toutes les professions mènent à Dieu.		

1139		1139. IIe concile de Latran. Fin du schisme d'Anaclet.	V. 1139. Guide du pèlerin de Saint-Jacques-de-Compostelle.		
1140	1140. Le Portugal royaume.	1140. Concile de Sens: saint Bernard fait condamner Abélard. Sermon de saint Bernard, *De conversione*, pour détourner les clercs des écoles urbaines vers le cloître.	V. 1140. *Décret* de Gratien, fondement du droit canon. Bernard de Ventadour *Chansons*. Castille: *El Cantar de mio Cid*. V. 1140-1150. *Liber Scivias* de Hildegarde de Bingen: science et mystique.	1140. Chapelle palatine de Palerme. V. 1140. Nef de la cathédrale de Sens: gothique à tribunes. Pieds de croix de Saint-Denis et de Saint-Bertin. V. 1140-V. 1175. Godefroy de Huy, orfèvre mosan.	
1141		1141. Pierre le Vénérable fait traduire le Coran en latin à Tolède. Essor du catharisme en Languedoc.	1141. Mort de Hugues de Saint-Victor.		
1142			V. 1142. Hugues « le Primat » prince des Goliards au Quartier latin. 1142. Ordéric Vital: *Histoire ecclésiastique*, l'histoire vue par un Normand. Mort d'Abélard à Cluny.		
1143	1143. Fondation de Lübeck.	1143. Traduction du *Planisphère* de Ptolémée.		1143. Église gréco-arabe de la Martorana à Palerme.	1143-1180. Manuel Ier Comnène Basileus.

Dates	Faits militaires et politiques	Faits économiques et sociaux	Faits religieux	Culture écrite	Culture non écrite	Orient chrétien et monde musulman
1144	1144. Geoffroy de Plantagenêt duc de Normandie.	1144-1146. Grande famine en Occident.				1144. Prise d'Édesse par Zenghi.
1145			1145. Eugène III, moine cistercien, élu pape. Saint Bernard prêche contre le catharisme à Albi et à Vézelay pour la IIe croisade.	1145. Robert de Chester traduit l'algèbre d'Al-Khwarizmi. *Lettre d'or* (lettre aux frères du Mont-Dieu), de Guillaume de Saint-Thierry : le dialogue mystique entre cisterciens et chartreux.	1145-1155. Sculptures du portail royal de Chartres. Première représentation de la Vierge à l'Enfant.	
1146	1146. Arnaud de Brescia, élève hérétique d'Abélard, fait triompher la révolution communale à Rome.		1146. Canonisation de l'empereur Henri II.			1146. Avènement de Nouraddin à Alep.
1147			1147. Croisade contre les païens dans les pays baltes.			
1148	1148. Échec de la IIe croisade devant Damas.		1148. Le concile de Reims condamne Gilbert de la Porrée, à l'instigation de saint Bernard.	1148. *Cosmographia* de Bernard Silvestre : vogue des thèmes pythagoriciens et platoniciens à Chartres.	1148. Mosaïques du chœur de la cathédrale de Cefalù.	

1149	1149. Louis VII quitte la croisade et rentre en France.	1149. Le comte de Flandre apporte à Bruges la relique du Saint-Sang.			1149. Nouvelle basilique du Saint-Sépulcre à Jérusalem.
1150	V. 1150. Progrès de la colonisation germanique à l'est de l'Elbe. Conquêtes d'Albert l'Ours. 1150. Otton de Freising, oncle de Frédéric Barberousse, voit avec stupéfaction les artisans et les commerçants honorés dans les villes italiennes. V. 1150. Première organisation des maîtres parisiens dans le domaine de l'enseignement. Seconde moitié du XIIᵉ siècle. Accélération de la circulation monétaire. Une redevance pécuniaire, l'« écuage », remplace le service militaire des vassaux de la couronne en Angleterre.		V. 1150. Otton de Freising : *Gesta Frederici*, le mythe impérial ; *Histoire de Deux Cités*, l'histoire à l'âge féodal. Jaufré Rudel chante son « amour de loin ». Essor du lyrisme occitan.	1150-1174. Nef de la cathédrale du Mans.	V. 1150. Fondation de Moscou.
1151	1151. Grande famine, surtout en Allemagne.				

Dates	Faits militaires et politiques	Faits économiques et sociaux	Faits religieux	Culture écrite	Culture non écrite	Orient chrétien et monde musulman
1152	1152. Aliénor d'Aquitaine, répudiée par Louis VII, épouse Henri II Plantagenêt.			1152. Pierre Lombard: *Livre des sentences*, manuel de base de la théologie scolastique.		
1153	1153-1184. Henri II Plantagenêt, roi d'Angleterre.		1153. Trois cent cinquante-trois monastères cisterciens en Occident.		1153-1220. Cathédrale gothique de Noyon. 1153-1191. Cathédrale gothique de Senlis.	
1154		1154. Frédéric Barberousse accorde des privilèges aux maîtres et aux étudiants de Bologne.				1154. Prise de Damas par Nouraddin.
1155	1155 à 1190. Frédéric Barberousse empereur.	1155. Adrien VI proclame le droit des serfs à se marier librement. Charte de franchise de Lorris.	1155. Le roi de France se rend en pèlerinage à Saint-Jacques-de-Compostelle.	1155. Wace: *Roman de Brut*. 1155-1170. Thomas: *Tristan et Iseut*.		
1158	1158. Révolte de Milan. Diète de Roncaglia.		1158. Fondation de l'ordre de Calatrava en Castille.			1158. Occupation d'Antioche par Manuel Comnène. 1158-1159. Révolte des Arméniens de Cilicie contre les Byzantins.

1159			1159-1181. Pontificat d'Alexandre III : lutte contre l'Empire et législation canonique.	1159 : Jean de Salisbury : *Polycraticus*, traité d'économique politique.		
1160		V. 1160. Début de l'exploitation des mines de fer dans le Dauphiné. La Hanse germanique ouvre un comptoir à Visby.	1160. Confrérie du Saint-Esprit à Montpellier.	1160. *Roman d'Éneas*. V. 1160. Les *Nibelungen*. Lais de Marie de France. 1160-1170. Pierre le Mangeur : *Historia scholastica*. Richard de Saint-Victor, *De Trinitate*.	1160-1207. Cathédrale gothique de Laon.	
1161			1161. Canonisation de saint Édouard le Confesseur par Alexandre III.	V. 1161-1167. L'Archipoète, prince des poètes goliards à Cologne.		
1162	1162. Prise et destruction de Milan par Frédéric Barberousse.	1162. Grande famine en Occident.	1162. Alexandre III se réfugie en France.			
1163			1163. Le concile de Tours interdit aux moines les études de médecine et de droit.		1163-1260. Notre-Dame de Paris.	1163-1165. Manuel Comnène vainc les Hongrois.
1164			1164. Constitutions de Clarendon : maintien du pouvoir royal sur l'Église en Angleterre.	1164. Mort d'Héloïse. Fondation au Danemark d'un monastère chargé d'écrire les annales du royaume.		

DATES	FAITS MILITAIRES ET POLITIQUES	FAITS ÉCONOMIQUES ET SOCIAUX	FAITS RELIGIEUX	CULTURE ÉCRITE	CULTURE NON ÉCRITE	ORIENT CHRÉTIEN ET MONDE MUSULMAN
1165	1165. Prise de Rome par Frédéric Barberousse.		1165. Canonisation de Charlemagne par un antipape. Conférence entre catholiques et cathares à Lombers.	1165. Benoît de Sainte-More : *Roman de Troie*.		
1167			Entre 1167 et 1175. Concile cathare à Saint-Félix-de-Caraman.			
1168				1168-1183. Activité littéraire de Chrétien de Troyes.		
1170			1170. Assassinat de Thomas Becket.	V. 1170. *Le Livre des manières* d'Étienne de Fougères, critique des « états du monde ». Ap. 1170. Guillaume de Tyr : *Historia* (Histoire de la Terre sainte). Entre 1170 et 1200. Le *Roman d'Alexandre*.	V. 1170. Portail du Couronnement de la Vierge à la cathédrale de Senlis. V. 1170-1180. Achèvement de Saint-Trophime d'Arles.	1170. Minaret de la Giralda à Séville.
1171					1171. Nef de la cathédrale de Tournai.	1171. Massacre des Vénitiens à Constantinople. Saladin supprime le califat fatimide.

1172	1172. Nef à trois voiles et galère à vingt-cinq rames à Venise.				1172-1189. Abbaye de Monreale fondée par Guillaume II de Sicile (portes de bronze de Bonnano de Pise).	
1173	1173-1196. Bela III, roi de Hongrie.		1173. Naissance du mouvement vaudois.			
1174	1174-1184. Beaudoin IV de Jérusalem, le roi lépreux.	1174. Le comte de Champagne, Henri le Libéral, crée des « gardes » des foires pour en assurer la police et le bon fonctionnement. Privilèges du pape Célestin III aux maîtres et étudiants de Paris.	1174. Canonisation de saint Bernard. Pèlerinage d'Henri II sur le tombeau de saint Thomas Becket, canonisé en 1173.	1174. Guernes de Pont-Sainte-Maxence : *Vie de saint Thomas Becket*.	1174. Campanile de Pise.	
1175	1175. Frédéric Barberousse vaincu à Legnano par les communes de la Ligue lombarde.	Ap. 1175. Apparition du contrat de *commenda* à Gênes. École communale à Gand.		1175. *Roman de Renart*. Gérard de Crémone traduit l'*Almageste* de Ptolémée.	1175. Cathédrale de Cantorbéry. V. 1175. Portes de bronze (probablement mosanes) de la cathédrale de Gniezno.	
1176						1176. Manuel Comnène battu par les Turcs à Myriokephalon. L'Asie Mineure tombe aux mains des Turcs.

Dates	Faits militaires et politiques	Faits économiques et sociaux	Faits religieux	Culture écrite	Culture non écrite	Orient chrétien et monde musulman
1177	1177. Entrevue de Venise entre Barberousse et Alexandre III.		1177. Raymond V de Toulouse expose le péril cathare dans une lettre au chapitre de Cîteaux.			
1178					1178. Antelami sculpte *la Déposition de la Croix* de la cathédrale de Parme. Abbaye d'Alcobaça au Portugal.	
1179		1179. L'Église réclame la sécurité pour les voyageurs, les paysans et les marchands, au concile.	1179. IIIᵉ concile de Latran. Nouvelles règles pour l'élection du pape.			
1180	1180-1223. Philippe Auguste roi de France.	1180. Frédéric Barberousse condamne Henri le Lion à la perte de ses fiefs d'Empire. V. 1180. Apparition du moulin à vent en Normandie et en Angleterre. Ouverture de l'avant-port de Damme (Bruges).		1180. Mort de Jean de Salisbury.	V. 1180. Herrade de Landsberg : miniatures de l'*Hortus deliciarum* (Alsace). 1180. Portes de bronze de Bonanno à la cathédrale de Pise.	

1182			1182. Chrétien de Troyes : *Perceval*.		1182. Massacre des Latins à Constantinople.
1183	1183. Paix de Constance. Frédéric Barberousse reconnaît la liberté des villes lombardes.			1183. Porche gothique de la Gloire de Saint-Jacques-de-Compostelle. 1183. Châsse de saint Annon à Siegburg.	1183-1184. Saladin sultan d'Égypte et de Syrie ravage la Galilée et s'empare d'Alep.
1184		1184. Saint Bénézet et ses compagnons construisent le pont d'Avignon.	1184. Condamnation des Vaudois et autres hérétiques par le pape et l'empereur.		
1185		1185. *L'Assise au comte Geoffroy* : la féodalité en Bretagne.	V. 1185. *Tractatus de Amore* d'André le Chapelain : théorie de l'amour courtois. Fin du XIIe s. Bertrand de Born : *Sirventes*.		1185. Prise de Thessalonique par les Normands. Mort d'Andronic Ier. Isaac Ange proclamé Basileus. 1185-1190. Révolte des Serbes et des Bulgares contre les Byzantins.
1186					1186. Ier patriarche bulgare à Trnovo.
1187	1187. Prise de Jérusalem par Saladin.	1187-1189. Glanvill : *Traité des lois et des coutumes du royaume d'Angleterre*.		1187-1208. Abbaye de Fossanova, importation du gothique cistercien en Italie.	

Dates	Faits militaires et politiques	Faits économiques et sociaux	Faits religieux	Culture écrite	Culture non écrite	Orient chrétien et monde musulman
1189	1189-1199. Richard Cœur de Lion, roi d'Angleterre.		1189-1191. IIIe croisade.			
1190	1190-1197. Henri VI empereur.	V. 1190. La boussole en Occident.		Entre 1190 et 1200. *Vers de la mort d'Hélinand de Froidmont.* V. 1190-1195. *De la misère de la condition humaine* par Lothaire de Segni, le futur Innocent III. V. 1190-1202. Joachim de Flore : *Concordia Veteris et Novi Testamenti, Expositio in Apocalypsim.*	1190-1274. Cathédrale de Bamberg.	
1191		1191. Première mention du sorgho en Italie.	1191. Fondation des Chevaliers Teutoniques. Fin XIIe s. Piétisme juif rhénan.			1191. Prise de Chypre par les croisés.
1192		1192. Émission de la monnaie de gros à Venise.	1192-1195. Cencius Savelli, *Liber Censuum* de l'Église romaine.		1192-1270. Cathédrale de Bourges.	
1194	1194. Henri VI roi de Sicile.	1194. Premiers traités de droit féodal (« coutumiers » et « Rechtsbücher ») en France et en Allemagne.			Ap. 1194. Chartres. Cathédrale gothique et vitrail de la Crucifixion.	

1196	1196-1197. Grande famine en Occident. 1196-1198. Philippe Auguste fait rédiger les premières chartes d'hommage des grands vassaux.			1196. Baptistère de Parme (bas-reliefs des mois d'Antelami).	
1198		1198. Saint Jean de Matha fonde l'ordre des Trinitaires. 1198-1216. Pontificat d'Innocent III.			1198. Le pape Célestin III accorde le titre de roi à Léon II de Cilicie. 1198. Mort d'Averroès, commentateur arabe d'Aristote.
1199	1199-1216. Jean sans Terre roi d'Angleterre.	1199. Canonisation de saint Homebon, marchand de Crémone († 1197).			
1200	1200 à 1350. Mille deux cents villages fondés par les colons allemands en Silésie. 1200. Fondation de Riga. « Charte féodale » du Hainaut. Privilèges de Philippe Auguste à l'université de Paris. Entre 1200 et 1225, Rouen brûle six fois.		V. 1200. Apogée des Minnesänger. Wolfram von Eschenbach: *Parzival*. Jean Bodel: *le Jeu de Saint-Nicolas*.	V. 1200. Autel émaillé de Klosterneuburg par l'orfèvre mosan Nicolas de Verdun. Reliquaire des rois mages de Cologne.	
1201		1201. Innocent III approuve la règle des Humiliés de Lombardie.			

DATES	FAITS MILITAIRES ET POLITIQUES	FAITS ÉCONOMIQUES ET SOCIAUX	FAITS RELIGIEUX	CULTURE ÉCRITE	CULTURE NON ÉCRITE	ORIENT CHRÉTIEN ET MONDE MUSULMAN
1202	1202. Philippe Auguste confisque les fiefs français de Jean sans Terre.		1202. Mort de Joachim de Flore. IVᵉ croisade.	1202. Leonardo Fibonacci de Pise. *Liber abbaci*: ce que le marchand chrétien peut utiliser de l'arithmétique arabe.	1202. Reconstruction du baptistère de Florence (« il bel San Giovanni ») dont la décoration sera l'école des principaux peintres italiens du XIIIᵉ s. 1202-1300. Cathédrale de Rouen.	
1203				Début du XIIIᵉ s. Robert de Boron: *Roman du Saint-Graal. Aucassin et Nicolette.*		
1204	1204. Prise et pillage de Constantinople par les croisés. Fondation de l'Empire latin d'Orient et de la Romanie vénitienne.	Ap. 1204. Les Génois fondent les comptoirs commerciaux de Caffa et Tana.				1204. Révolte de Constantinople contre Alexis III Ange et son fils Alexis IV. Alexis V Mourzouphle proclamé Basileus. 1204. Innocent III accorde le titre de roi à Jean de Bulgarie.
1205	1205. Bataille d'Andrinople: l'empereur latin de Constantinople prisonnier des Bulgares.					1205. Théodore Lascaris empereur grec à Nicée.

1206			1206. François d'Assise se retire du monde.	Ap. 1206. Robert de Clari: *Conquête de Constantinople.*	
1207			1207. Mission de saint Dominique en pays albigeois.		
1208			1208. Le pape frappe d'interdit le royaume d'Angleterre. Assassinat du légat pontifical Pierre de Castelnau, en Languedoc.		1208. Élection d'un nouveau patriarche orthodoxe à Nicée.
1209		1209. Le concile d'Avignon interdit les danses, courses et jeux dans les églises.	1209. Première communauté franciscaine. Début de la croisade contre les Albigeois.		
1210		V. 1210. Les consuls sont remplacés par des podestats dans les communes italiennes.	1210. Interdiction aux maîtres parisiens d'enseigner la métaphysique d'Aristote. Persécution à Paris des hérétiques panthéistes amauriciens.	V. 1210. Rédaction des *Miracles de Notre-Dame.* V. 1210-1240. Vulgarisation du Minnesang: Neidhart.	
1211					1211-1311. Notre-Dame de Reims.
1212	1212. Victoire des chrétiens d'Espagne à Las Navas de Tolosa.	1212. Philippe Auguste fait construire une enceinte autour de Paris.	1212. Fondation des Clarisses.	Av. 1212. Robert d'Auxerre: *Chronologie.* 1212-1218. Villehardouin: *Histoire de la conquête de Constantinople.*	

Dates	Faits militaires et politiques	Faits économiques et sociaux	Faits religieux	Culture écrite	Culture non écrite	Orient chrétien et monde musulman
1213	1213. Simon de Montfort vainqueur de Raymond VI à Muret. Jean sans Terre vassal du Saint-Siège. 1213-1276. Jacques le Conquérant roi d'Aragon.		Premier tiers du XIIIᵉ s. Apparition du nom de Cabale dans le foyer juif de Gérone.	1213. Guillaume de Tudèle : *Chanson de la croisade albigeoise*.		
1214	1214. Victoires françaises de La-Roche-aux-Moines et de Bouvines.	1214. Premiers privilèges accordés à l'université d'Oxford.				
1215	1215. La Grande Charte en Angleterre.	1215. Statuts de Robert de Courçon pour l'université de Paris.	1215. Quatrième concile du Latran : confession et communion annuelles obligatoires ; vêtement et signe distinctifs imposés aux Juifs ; sévères condamnations des hérétiques et de leurs défenseurs.			
1216	1216. Frédéric II roi des Romains. 1216-1272. Henri III roi d'Angleterre.		1216-1227. Honorius III pape. Approbation de l'ordre des Frères prêcheurs. V. 1216. Honorius III approuve les béguinages.			

1217	1217-1263. Haakon V le Vieux rend la monarchie héréditaire en Norvège. 1217-1218. Famine en Europe centrale et orientale.			Ap. 1217. Chœur de la cathédrale du Mans.	1217. Le pape Honorius III reconnaît Étienne Nemanja comme roi des Serbes.
1218	1218. Fondation de Rostock.	1218-1222. V^e croisade.		Ap. 1218. Mosaïques de Saint-Paul-hors-les-Murs à Rome.	
1219	1219. Grand raz de marée et famine en Frise.		1219-1223. Césaire de Heisterbach: *Dialogus miraculorum*.		
1220	V. 1220. Dessins de l'album de modèles d'architecture et de machines de Villard de Honnecourt. 1220-1250. Frédéric II empereur.	1220. Martyrs franciscains au Maroc. 1220-1221. Chapitre général des Frères Prêcheurs à Bologne.	1220. L. Fibonacci: *Pratique de la géométrie*. Ap. 1220. Eike von Repgow: *Sachsenspiegel*. 1220-1221. *Summa* de Paul de Hongrie, professeur dominicain de droit canonique à Bologne. 1220-1230. Gautier de Coincy: *Miracles de Notre-Dame*.	1220. Sculpture des mois de la cathédrale de Ferrare. 1220-1270. Vitraux de Chartres: Notre-Dame de la Belle Verrière.	
1221					1221. Autocéphalie de l'Église de Serbie reconnue par le patriarche byzantin. Saint Sava premier archevêque de Zica.

Dates	Faits militaires et politiques	Faits économiques et sociaux	Faits religieux	Culture écrite	Culture non écrite	Orient chrétien et monde musulman
1222	1222. André II de Hongrie doit concéder la Bulle d'or aux seigneurs.					1222-1254. Jean III Vatatzès empereur byzantin de Nicée.
1223	1223-1226. Louis VIII roi de France : acquisition du Poitou.		1223. Honorius III accepte la règle franciscaine.			
1224		1224. Le chapitre général des cisterciens autorise la concession à *cens* de toutes les granges. 1224-1226. Dernière famine générale en Occident au XIIIe s.	1224. Stigmates de saint François d'Assise. 1224-1235. Robert Grosseteste chancelier d'Oxford.	1224. Frédéric II fonde à Naples la première université d'État.	1224-1288. Abbaye de San Galgano, modèle gothique en Toscane.	
1225				V. 1225. Anonyme : *Lancelot du lac.*	1225-1240. Château de Coucy. V. 1225. Abbaye du Mont-Saint-Michel : parties gothiques.	
1226	1226-1270. Louis IX (Saint Louis) roi de France.		1226. Mort de saint François d'Assise. Confrérie des pénitents à Avignon.	1226. *Cantique du Soleil* de saint François d'Assise.	1226-1260. Cathédrale de Burgos.	

1227	1227. Le concile de Trèves renouvelle l'interdiction du prêt à intérêt. Venise : premier règlement organisant la navigation et le chargement des navires.	1227-1241. Grégoire IX pape. Excommunication de Frédéric II.	1227-1353. Cathédrale de Trèves. 1227. Cathédrale de Tolède.	
1228	V. 1228. *Liber de regimine civitatum* : traité de gouvernement urbain de Jean de Viterbe.	1228. Canonisation de saint François. Guillaume d'Auvergne évêque de Paris.	1228. Construction de la basilique d'Assise (église inférieure).	
1229	1229. Traité de Paris. Annexion du Languedoc au domaine royal. Frédéric II se fait céder Jérusalem par le sultan Al-kamil. Les Aragonais prennent Majorque.	1229-1231. Grève de l'université de Paris. 1229. Fondation de l'université de Toulouse pour lutter contre l'hérésie.	1229. Église des Jacobins à Toulouse.	
1230	V. 1230. Début de l'arrêt de l'expansion agricole dans la région parisienne.	V. 1230. Mort de Walther von der Vogelweide, le dernier des grands Minnesänger. 1230. Réception des commentaires d'Averroès sur Aristote en Occident. Michel Scot, *Liber physiognomiae*.	V. 1230. Le musicien Pérotin le Grand, maître de chœur à Notre-Dame de Paris. 1230-1240. Mosaïques de Saint-Marc à Venise.	1230. Manuel Ange se proclame empereur à Thessalonique.

DATES	FAITS MILITAIRES ET POLITIQUES	FAITS ÉCONOMIQUES ET SOCIAUX	FAITS RELIGIEUX	CULTURE ÉCRITE	CULTURE NON ÉCRITE	ORIENT CHRÉTIEN ET MONDE MUSULMAN
1231	1231. *Constitutions* de Melfi organisant le royaume de Sicile.		1231. Le pape Grégoire IX confie l'Inquisition aux ordres mendiants.			
1232				1232-1235. *Summa de poenitentia*: manuel de confesseurs du dominicain Raymond de Peñafort.		Ap. 1232. Alhambra de Grenade. 1232-1242. Invasion mongole en Europe orientale (Pologne, Russie, Silésie, Hongrie).
1234			1234. Canonisation de saint Dominique.	Av. 1234. Guillaume de Lorris: *Roman de la rose* (première partie). 1234. Raymond de Peñafort: *Décrétales*.		
1235			1235. Canonisation de sainte Elisabeth de Thuringe-Hongrie.	1235. Alexandre de Halès, *Summa theologiae*.	1235. Berlinghieri: portrait de saint François d'Assise (Pescia). V. 1235. Grande période des sculpteurs de Reims.	1235. Fin de l'union entre l'Église bulgare et Rome. Le patriarche de Nicée, Germain II, accorde le titre patriarcal à l'évêque de Trnovo.
1236		1236. Statut de Merton, début des « enclosures » en Angleterre.				

1237	1237. Frédéric II bat les forces des villes d'Italie du Nord à Cortenuova.	1237. Ouverture de la route du Saint-Gothard. Achèvement du pont Neuf à Florence.	V. 1237. Hugues de Saint-Cher, *Concordantiae Sancti Jacobi*, première concordance de la Bible.		
1238	1238. Prise de Valence par les Aragonais.				
1239	1239. Le Grand Conseil chargé de surveiller le roi d'Angleterre rappelle le Parlement.		1239. Grégoire IX lance l'interdit contre Frédéric II, convoque un concile général et prêche la croisade.		
1240	1240. Révolte des Prussiens contre les Chevaliers Teutoniques.	1240. La bourgeoisie commerçante s'empare du pouvoir à Sienne.	1240. Robert Grosseteste traduit l'*Éthique* d'Aristote.	1240. Frédéric II fait construire le Castel del Monte.	1240. Destruction de Kiev par les Mongols.
1241				1241. L'architecte Villard de Honnecourt travaille en Hongrie. Crucifix pathétique de Sainte-Marie-des-Anges à Assise.	1241. Destruction de Cracovie par les Mongols. 1241-1248. Règne de Güyük.
1242	1242. Saint Louis arrête une invasion anglaise. Victoires de Taillebourg et de Saintes.	1242. Première représentation d'un gouvernail d'étambot (sceau d'Elbing).			

DATES	FAITS MILITAIRES ET POLITIQUES	FAITS ÉCONOMIQUES ET SOCIAUX	FAITS RELIGIEUX	CULTURE ÉCRITE	CULTURE NON ÉCRITE	ORIENT CHRÉTIEN ET MONDE MUSULMAN
1243			1243-1254. Innocent IV pape.		1243-1248. Sainte-Chapelle de Paris : vers le gothique rayonnant.	1243. Écrasement des Seldjoukides par les Mongols.
1244	1244. Les chrétiens perdent définitivement Jérusalem.					
1245		Entre 1245 et 1275. Rédaction des coutumes paysannes dans la région parisienne. Abonnements de tailles. Affranchissements collectifs.	1245. Le concile de Lyon dépose Frédéric II.	V. 1245. Roger Bacon enseigne la physique à Paris. 1245-1246. Enseignement d'Albert le Grand à Paris.	1245. Abbaye de Westminster.	
1246	1246. Charles d'Anjou, comte de Provence.	Vers le milieu du XIIIᵉ s. Construction des Halles de Bruges.	1246. Le franciscain Jean de Pian Carpino à la cour mongole.	Entre 1246 et 1282. Helmbrecht le Fermier (Meier Helmbrecht) : les paysans, héros littéraires.		
1247			1247. Admission des Carmes parmi les ordres mendiants.		1247-1272. Cathédrale de Beauvais.	
1248	1248. Prise de Séville par les Castillans.	1248. Statut des menuisiers de Bologne (falegnami).	1248-1254. VIIᵉ croisade. Saint Louis en Égypte. Défaite de Mansourah.	1248. Thomas de Cantimpré : Bonum universale de apibus. 1248-1255. Enseignement de saint Bonaventure à Paris.	1248. Début de la construction de la cathédrale de Cologne.	

1249	1249. Statut des mines argentifères d'Iglau (Bohême).					
1250	1250. Mort de Frédéric II, début du Grand Interrègne (1250-1273). V. 1250. Constitution du Parlement de Paris.	V. 1250. Apogée des banquiers lombards (Asti et Plaisance). 1250. *Le Conte des vilains de Verson*, histoire de la révolte d'un village contre l'abbaye du Mont-Saint-Michel. *Housebondrie* de Walter de Henley, traité d'agriculture. Ap. 1250. Nouveaux affranchissements de serfs en France.	V. 1250. Onze cents couvents franciscains en Occident.	V. 1250. François Accurse: *La Grande Glose*. 1250. *Grand coutumier de Normandie*. 1250-1260. Bracton: *Lois et coutumes d'Angleterre*. Ap. 1250. *Speculum majus* de Vincent de Beauvais: vulgarisation encyclopédique de l'âge gothique.	1250-1325. Cathédrales de Sienne, d'Uppsala et de Strasbourg.	1250. Les Mamelouks prennent le pouvoir en Égypte.
1251		1251. Le *Paradisus magnus* transporte deux cents passagers et deux cent quarante tonnes de marchandises de Gênes à Tunis.				
1252	1252-1284. Alphonse X le Sage roi de Castille: code des *Siete Partidas*.	1252. Apparition de la monnaie d'or à Gênes et à Florence (florin).	1252. Innocent IV autorise l'Inquisition à utiliser la torture.	1252-1259. Enseignement de saint Thomas d'Aquin à Paris. Roger Bacon à Oxford.		

Dates	Faits militaires et politiques	Faits économiques et sociaux	Faits religieux	Culture écrite	Culture non écrite	Orient chrétien et monde musulman
1253		1253. Le plus ancien exemple d'escompte connu.			1253. Église supérieure d'Assise.	1253. Saint Louis envoie le franciscain Guillaume de Rubrouk chez les Mongols.
1254	1254. Saint Louis : enquêtes sur la gestion des baillis. 1254-1266. Manfred, roi de Sicile et prétendant à l'Empire.	1254. Ligue des villes du Rhin. Deuxième tiers du XIIIᵉ s. : Emploi des chiffres arabes et du zéro en Italie.	1254. Première condamnation des franciscains « spirituels ».	1254. Conflit entre réguliers et séculiers à l'université de Paris. Guillaume de Saint-Amour attaque les ordres mendiants dans le *De periculis novissimorum temporum*, réplique au traité joachimite du franciscain Gérard de Borgo San Donnino (*Introduction à l'Évangile éternel*).		
1255			1255. Canonisation de sainte Claire d'Assise († 1253).	1255. Jacques de Voragine : *Légende dorée*, encyclopédie hagiographique. V. 1255. Matthieu Paris : *Historia major*, l'histoire vue par un moine anglais.		

1256			1256. Mort de Thibaud IV de Champagne, auteur de *Chansons*.	1256. Miniatures du psautier de Saint Louis.	
1257	1257. Bologne affranchit tous les paysans du *contado*.	1257. Saint Bonaventure, ministre de l'ordre franciscain. Échec des tentatives des séculiers pour écarter les réguliers de l'université de Paris. Robert de Sorbon fonde à Paris un collège pour théologiens.			
1258	1258. Provisions d'Oxford.				1258. Michel VIII Paléologue empereur byzantin. Destruction du califat de Bagdad par les Mongols.
1259	1259. Traité de Paris : paix entre la France et l'Angleterre.		1259. Saint Bonaventure : *Itinéraire de l'esprit vers Dieu*, la mystique franciscaine et scolastique. *Le Dit des règles* de Rutebeuf attaque les ordres mendiants.		

DATES	FAITS MILITAIRES ET POLITIQUES	FAITS ÉCONOMIQUES ET SOCIAUX	FAITS RELIGIEUX	CULTURE ÉCRITE	CULTURE NON ÉCRITE	ORIENT CHRÉTIEN ET MONDE MUSULMAN
1260	1260. Saint Louis interdit le duel judiciaire, le port d'armes et la guerre privée.	Ap. 1260. Le moulin à vent est d'usage courant en Occident. Entre 1260 et 1270. Étienne Boileau : *Livre des Métiers de Paris.*		V. 1260. Rutebeuf : *Miracle de Théophile.*	1260. Nicola Pisano : chaire du baptistère de Pise (renouveau des reliefs antiques). V. 1260. Portail de la Vierge à Notre-Dame de Paris. Apogée de Bologne comme centre mondial de production des manuscrits : copie, enluminure, commerce.	V. 1260. Influence des nestoriens à la cour mongole. 1260-1294. Kubilaï roi des Mongols (khagan).
1261						1261. Manuel Paléologue s'empare de Constantinople et se proclame Basileus (Michel VIII, 1261-1282). Fin de l'empire latin.
1262	1262. Partage du royaume d'Aragon : naissance du royaume de Majorque.			1262. Adam de la Halle : *le Jeu de la feuillée.*	1262-1266. Saint-Urbain de Troyes : gothique rayonnant.	
1263		1263. Écu d'or en France. 1263-1264. Famine en Bohême, Autriche, Hongrie, Silésie.	1263. Émeute anticléricale à Cologne.			

1264	1264. Dictature de Simon de Montfort en Angleterre. Les Guelfes triomphent à Florence.			1264. Brunetto Latini : *Livre du Trésor*, encyclopédie écrite en français.	
1265	1265. Prise de Murcie par les Aragonais. 1265-1268. Charles d'Anjou conquiert le royaume de Sicile. 1265-1267. Henri III rétablit la prérogative royale en Angleterre.		1265. Clément V établit le droit du pape à disposer de tous les bénéfices ecclésiastiques.		
1266				1266. Roger Bacon : *Opera (opus majus, opus minus, opus tercium)*. 1266-1274. *Somme théologique* de saint Thomas d'Aquin.	
1267	1267. Expulsion des Gibelins et réorganisation du parti guelfe à Florence.				
1268	1268. Mort de Conradin, dernier descendant de Frédéric II.	1268. Moulins à papier à Fabriano (Italie).			1268. Nicola Pisano : chaire de la cathédrale de Pise.
1269				1269. Lettre sur l'aimant (*Epistola de Magnete*) de Pierre de Maricourt.	

Dates	Faits militaires et politiques	Faits économiques et sociaux	Faits religieux	Culture écrite	Culture non écrite	Orient chrétien et monde musulman
1270	1270. Mort de Saint Louis devant Tunis.	1270. Première mention d'une carte marine en Méditerranée (portulan génois pour le navire de Saint Louis).	1270. VIIIe croisade. Condamnation de Siger de Brabant et de l'averroïsme latin.	V. 1270. Rutebeuf : poésies. 1270-1290. *La Châtelaine de Vergy. Le Châtelain de Coucy.*	Ap. 1270. *Jugement dernier* au tympan de la cathédrale de Bourges.	
1271	1271. La France d'oc rattachée à la France d'oïl après la mort d'Alphonse de Poitiers.	1271-1273. Famine dans certaines régions allemandes.				
1272	1272-1307. Édouard Ier roi d'Angleterre.				Ap. 1272. Cimabue : portrait de saint François d'Assise.	
1273	1273-1291. Rodolphe de Habsbourg empereur.					
1274			1274. Concile de Lyon : union des Églises d'Orient et d'Occident. Décret instituant le conclave.	Le franciscain Gilbert de Tournai attaque les interprétations et la lecture en langue vulgaire de la Bible par les béguines (*De scandalis Ecclesiae*).		

Bibliographie générale

I. Ouvrages généraux

G. ALBERIGO, C. LEONARDI et *alii*, *Conciliorum Oecumenicorum Decreta*, Fribourg-en-Brisgau, 1973.

Y. CONGAR, *L'Église de saint Augustin à l'époque moderne*, Paris, 1970.

G. CONSTABLE, *Medieval Monasticism, a Select Bibliography*, Toronto, 1976.

E. DELARUELLE, A. LATREILLE, J.-R. PALANQUE, *Histoire du catholicisme en France*, t. I et II, Paris, 1957-1966.

G. DUBY, *Le temps des cathédrales. L'art et la société, 980-1420*, Paris, 1976.

A. DUCELLIER, *L'Église byzantine : entre Pouvoir et Esprit, 313-1204*, Paris, 1990.

R. FOLZ, *L'idée d'Empire en Occident du Vᵉ au XIVᵉ siècle*, Paris, 1953.

A. FOREST, F. VAN STEENBERGHEN, M. DE GANDILLAC, *Le mouvement doctrinal du XIᵉ au XIVᵉ siècle*, Paris, 1956 (*HE*, Fliche et Martin, t. 13).

R. FOREVILLE, J. ROUSSET DE PINA, *Du premier concile du Latran à l'avènement d'Innocent III*, 2 vol., Paris, 1953 (*HE*, Fliche et Martin, t. 9 et 10).

J. GAUDEMET, *Histoire du droit et des institutions de l'Église en Occident*, t. 8 : *Le gouvernement de l'Église à l'époque classique : le gouvernement local*, Paris, 1979.

L. GÉNICOT, *Le XIIIᵉ siècle européen*, Paris, 1968.

A. GRABAR, *L'art du Moyen Âge en Europe orientale*, Paris, 1968.

A. HAUCK, *Kirchengeschichte Deutschlands*, t. II et III, Leipzig, 1896-1903.

J.M. HUSSEY (éd.), *The Byzantine Empire*. Pt. 1 : *Byzantium and its Neighbours*. Pt. 2 : *Government, Church and Civilization*, Cambridge, 1966 (Cambridge Medieval History, t. IV, 2).

H. JEDIN, *Handbuch der Kirchengeschichte*, t. III : F. KEMPF (éd.) et *alii*, Fribourg-en-Brisgau, 1968.

—, J. MARTIN, (éd.), *Atlas zur Kirchengeschichte*, 2ᵉ éd., Fribourg-en-Brisgau, 1987 (trad. française : *Atlas d'Histoire de l'Église : les Églises chrétiennes hier et aujourd'hui*, Paris 1990).

D. KNOWLES, D. OBOLENSKY, *Nouvelle Histoire de l'Église*, t. II : *Le Moyen Âge*, Paris, 1968.

N. KRETZMANN, A. KENNY, J. PINBORG (éd.), *The Cambridge History of Medieval Philosophy*, Cambridge, 1982.

G. LE BRAS, *Institutions ecclésiastiques de la chrétienté médiévale, Préliminaires et Iʳᵉ partie*, Paris, 1959 (*HE*, Fliche et Martin, t. 12).

—, C. LEFÈBVRE, J. RAMBAUD, *Histoire du droit et des institutions de l'Église en Occident*, t. 7 : *L'âge classique (1190-1378). Sources et théories du droit*, Paris, 1965.

J. LECLERCQ, F. VANDERBROUCKE, L. BOUYER, *La spiritualité au Moyen Âge*, Paris, 1961.

J. LE GOFF, *L'imaginaire médiéval*, Paris, 1985.

—, et R. RÉMOND (éd.), *Histoire de la France religieuse*, t. I : *Des dieux de la Gaule à la papauté d'Avignon*, Paris 1987.

F. LEMARIGNIER, J. GAUDEMET, G. MOLLAT, *Histoire des institutions françaises au Moyen Âge*, t. III : *Institutions ecclésiastiques*, Paris, 1962.

A. DE LIBERA, *Penser au Moyen Âge*, Paris, 1991.

G. MICCOLI, *La storia religiosa*, dans *Storia d'Italia*, t. II : *Dalla caduta dell'impero romano al secolo XVIII*, Milan, 1974, p. 431-874.

M. MOLLAT, *Les pauvres au Moyen Âge. Étude sociale*, Paris, 1978.

R.I. MOORE, *The Formation of a Persecuting Society. Power and Deviance in Western Europe, 950-1250*, Oxford-New York, 1987.

C. MORRIS, *The Papal Monarchy. The Western Church from 1050 to 1250*, Oxford, 1989.

G. OSTROGORSKY, *Histoire de l'État byzantin*, Paris, 1976.

J. PAUL, *L'Église et la culture en Occident (Xᵉ-XIIᵉ siècles)*, 2 vol., Paris, 1986.

R.W. SOUTHERN, *Western Society and the Church in the Middle Ages*, Londres, 1970.

Le Temps chrétien de la fin de l'Antiquité au Moyen Âge (IIIᵉ-XIIIᵉ siècle), Paris, 1984.
A. VAUCHEZ, *La sainteté en Occident aux derniers siècles du Moyen Âge*, 2ᵉ éd., Rome, 1988.
C. VIOLANTE, *Studi sulla cristianità medievale*, Milan, 1975.
J. WIRTH, *L'image médiévale. Naissance et développement (VIᵉ-XVᵉ siècle)*, Paris, 1989.

II. Études particulières

G. ALBERIGO, *Cardinalato e collegialità. Studi sull'ecclesiologia tra l'XI e il XVII secolo*, Florence, 1969.
A.M. AMMANN, *Die Ostslavische Kirche im juridiktionellen Verband der byzantinischen Grosskirche (988-1453)*, Würtzbourg, 1955.
I. ANDERSSON, *Histoire de la Suède des origines à nos jours*, Paris, 1973.
L'Art byzantin, 9ᵉ exposition du Conseil de l'Europe, Athènes, 1964.
Assistance et charité (Cahiers de Fanjeaux, 13), Toulouse, 1978.
F. AVRIL, X. BARRAL Y ALTET, D. GABORIT-CHOPIN, *Le monde roman 1060-1220*, 2 vol., Paris, 1982-1983.

J. BALDWIN, *Masters, Princes and Marchants : the Social Views of Peter the Chanter and his Circle*, 2 vol., Princeton, 1970.
F. BARLOW, *The English Church, 1066-1154*, Londres, 1979.
G. BARRACLOUGH, *La papauté au Moyen Âge*, Paris, 1970.
A.L. BARSTON, *Married Priests and the Reforming Papacy*, New York, 1982.
H.G. BECK, *Kirche und theologische Literatur im byzantinischen Reich*, Munich, 1959.
—, *Geschichte der byzantinischen Volksliteratur*, Munich, 1971.
A. BECKER, *Studien zum Investiturproblem in Frankreich. Papsttum, Königtum und Episkopat im Zeitalter der gregorianischen Kirchenreform (1049-1119)*, Sarrebrück, 1955.
J. BECQUET, *Vie canoniale en France aux X-XIIᵉ siècles.*, Londres, 1985.
R.L. BENSON, G. CONSTABLE, C.D. LANHAM (éd.), *Renaissance and Renewal in the Twelfth Century*, Oxford, 1982.
C.T. BERCKHOUT, J.B. RUSSELL, *Medieval Heresies : a Bibliography 1960-1979*, Toronto, 1981.
N. BÉRIOU, J. BERLIOZ, J. LONGÈRE, (éd.), *Prier au Moyen Âge. Pratiques et expériences (Vᵉ-XVᵉ siècle)*, Turnhout, 1991.
Bisanzio, Roma e l'Italia nell'alto medio Evo, Settimane di Spoleto, nᵒ XXXIV, Spolète, 1988.
M. BLOCH, *Les rois thaumaturges*, 2ᵉ éd., Paris, 1975.
U.R. BLUMENTHAL, *Der Investiturstreit*, Stuttgart, 1982.
B. BOLTON, *The Medieval Reformation*, Londres, 1983.
J. BORSARI, *Il monachesimo bizantino nella Sicilia e nell'Italia meridionale prenormanna*, Naples, 1963.
L. BOYLE, *Pastoral Care, Clerical Education and Canon Law, 1200-1400*, Londres, 1981.
R. BOYER, *Le Christ des Barbares IXᵉ-XIIIᵉ siècle*, Paris, 1987.
L. BRÉHIER, *Le monde byzantin*, 3 vol., 2ᵉ éd., Paris, 1969-1970.
R. BRENTANO, *Two Churches : England and Italy in the Thirteenth Century*, Princeton, 1968.
G.P. BRIZZI, J. VERGER (éd.), *Le università dell'Europa*, Milan, 1990.
C.N.L. BROOKE, W. SWAAN, *The Monastic World 1000-1300*, Londres, 1974.
L. BUISSON, *Potestas und Caritas : die päpstliche Gewalt im Spätmittelalter*, 2ᵉ éd., Cologne, 1982.
C. BYNUM, *Jesus as a mother. Studies in the Spirituality of the High Middle Ages*, Berkeley, 1982.
—, *Holy Fast and Holy Feast*, New York, 1984.
Byzance et les Slaves. Études de civilisation. Mélanges I. Dujcev, Paris, 1979.

N.F. CANTOR, *Church, Kingship and Lay Investiture in England 1089-1135*, Princeton, 1958.
O. CAPITANI, J. MIETHKE (éd.), *L'attesa della fine dei tempi nel Medio Evo*, Bologne, 1990.
F. CARDINI, *Le crociate tra il mito e la storia*, Rome, 1971.
A. CARILE, *Per una storia dell'impero latino di Costantinopoli (1204-1262)*, Bologne, 1978.
J. CHATILLON, *D'Isidore de Séville à saint Thomas d'Aquin. Études d'histoire et de théologie*, Londres, 1985.
R. CHENEY, *From Becket to Langton : English Church Government, 1170-1213*, Manchester, 1956.
M.-D. CHENU, *La théologie au XIIᵉ siècle*, Paris, 1957.
—, *L'éveil de la conscience dans la civilisation médiévale*, Paris, 1969.
La Chiesa greca in Italia dall'VIII al XVI secolo, 3 vol., Padoue, 1972-1973.
E. CHRISTENSEN, *The Northern Crusades. The Baltic and the Catholic Frontier, 1100-1525*, Minneapolis, 1980.
Church and City, 1000-1500. Essays in honour of Christopher Brooke, Cambridge, 1992.
M. COCHERIL, *Études sur le monachisme en Espagne et au Portugal*, Lisbonne, 1966.
Y. CONGAR, *Études d'ecclésiologie médiévale*, Londres, 1983.
G. CONSTABLE, *Monastic Titles from their Origins to the Twelfth Century*, Cambridge, 1964.
—, *Cluniac Studies*, Londres, 1980.
—, *Monks, Hermits and Crusaders in Medieval Europe*, Londres, 1988.

D.J. CONSTANTELOS, *Studies in the Social and Religious History of the Medieval Greek World*, 2 vol., New Rochelle, 1992.

R. CORMACK, *Writing in Gold. Byzantine Society and its Icons*, Londres, 1986.

N. COULET, *Les visites pastorales (Typologie des sources du Moyen Âge occidental*, 23), 2e éd., Turnhout, 1985.

H.E.J. COWDREY, *The Age of Abbot Desiderius. Montecassino, the Papacy and the Normans in the Eleventh and Early Twelfth Century*, Oxford, 1983.

La Cristianità dei secoli XI e XII in Occidente : coscienza e strutture di una società, (La Mendola, 1980), Milan, 1983.

G. DAHAN, *Les intellectuels chrétiens et les Juifs au Moyen Âge*, Paris, 1990.

N. DANIEL, *The Arabs and Medieval Europe*, 2e éd., Londres-New York, 1979.

J. DARROUZÈS, *Recherches sur les offikia de l'Église byzantine*, Paris, 1970.

J. DAUVILLIER, *Histoire et institutions des Églises orientales au Moyen Âge*, Londres, 1983.

G. DEDEYAN (éd.), *Histoire des Arméniens*, Toulouse, 1982.

E. DELARUELLE, *La piété populaire au Moyen Âge*, Turin, 1975.

—, *L'idée de croisade au Moyen Âge*, Turin, 1980.

P. DE MEESTER, *De monachico statu juxta disciplinam byzantinam*, Cité du Vatican, 1942.

O. DEMUS, *Byzantine Mosaic Decoration. Aspect of Monumental Art in Byzantium*, Londres, 1948.

R. DE ROOVER, *La pensée économique des scolastiques. Doctrines et méthodes*, Montréal, 1971.

1274, année charnière. Mutations et continuités. (Lyon-Paris 1974), Paris, 1977.

K. DRAGANOVIC, *Croazia sacra*, Rome, 1963.

J. DUBOIS, *Histoire monastique en France au XIIe siècle Les institutions monastiques et leur évolution*, Londres, 1981.

G. DUBY, *Les trois ordres ou l'imaginaire du féodalisme*, Paris, 1976.

—, *Saint Bernard : l'art cistercien*, Paris, 1979.

—, *Le chevalier, la femme et le prêtre. Le mariage dans la France médiévale*, Paris, 1981.

—, X. BARRAL Y ALTET, S. GUTOT DE SUDUIRAT, *La sculpture au Moyen Âge*, Genève, 1989.

I. DUJCEV *et alii*, *Histoire de la Bulgarie des origines à nos jours*, Roanne, 1977.

—, *Medio Evo Bizantino Slavo*, 2 vol., Rome, 1965.

F. DVORNIK, *Les Slaves*, Paris, 1970.

—, *Byzance et la primauté romaine*, Paris, 1974.

Effacement du catharisme? XIIIe-XIVe siècle. (Cahiers de Fanjeaux, 20), Toulouse, 1985.

K. ELM (éd.), *Stellung und Wirksamkeit der Bettelorden in der städtischen Gesellschaft*, Berlin, 1981.

—, *Die Zisterzienser : Ordensleben zwischen Ideal und Wirklichkeit*, 2 vol., Cologne, 1980-1982.

R. ELZE, *Päpste, Kaiser, Könige und die mittelalterliche Herrschaftssymbolik*, Londres, 1982.

G. ÉPINAY-BURGARD, E. ZUM BRUNN, *Les femmes troubadours de Dieu*, Turnhout, 1988.

C. ERDMANN, *Die Entstehung des Kreuzzugsgedanken*, Stuttgart, 1935 (trad. anglaise mise à jour : *The Origins of the Idea of Crusade*, Princeton, 1977).

L'Eremitismo in Occidente nei secoli XI e XII (La Mendola, 1962), Milan, 1965.

L'Europa dei secoli XI e XII fra novità e tradizione : sviluppi di una cultura (La Mendola, 1986), Milan, 1989.

G. EVERY, *The Byzantine Patriarchate 451-1204*, Londres, 1962.

Faire croire. Modalités de la diffusion et de la réception des messages religieux du XIIe au XVe siècle (Rome, 1979), Rome, 1981.

G. FEDALTO, *La Chiesa latina in Oriente*, 2 vol., Vérone, 1973-1976.

G.P. FEDOTOV, *The Russian Religious Mind*, 2 vol., Cambridge (Mass.), 1966.

J. FERNANDEZ CONDE (éd.), *Historia de la Iglesia en Espana de los siglos VIII al XIV*, Madrid, 1982.

S.C. FERRUOLO, *The Origins of the University*, Stanford, 1985.

J.A. FINE, *The Late Medieval Balkan. A Critical Survey from the Late Twelfth Century to the Ottoman Conquest*, Ann Arbor, 1987.

J. FLECKENSTEIN, K. SCHMID (éd.), *Adel und Kirche. Gerd Tellenbach z. 65 Geburtstag dargebracht von Freunden u. Schülern*, Fribourg-en-Brisgau, 1968.

J. FLORI, *L'essor de la chevalerie XIe-XIIe siècle*, Genève, 1986.

A. FLICHE, *La Réforme grégorienne et la Reconquête chrétienne (1057-1123) (HE*, Fliche et Martin, t. 8), Paris, 1950.

C.D. FONSECA, *Medio Evo canonicale*, Milan, 1970.

M. DE FONTETTE, *Les religieuses à l'âge classique du droit canon*, Paris, 1967.

R. FOREVILLE, *Latran I, II et III et Latran IV*, Paris, 1965.

—, *Gouvernement et vie de l'Église au Moyen Âge*, Londres, 1979.

P. FOURNIER, G. LE BRAS, *Histoire des collections canoniques en Occident*, 2 vol., Paris, 1931.

G. FRANSEN, *Les décrétales et les collections de décrétales*, Turnhout, 1972 (Typologie des sources du Moyen Âge occidental, 2).

J. FRIED, *Die Entstehung des Juristenstandes im 12. Jht. Zur sozialen Stellung und politischen Bedeutung gelehrter Juristen in Bologna und Modena*, Cologne-Vienne, 1974.

J. Gaudemet, *Le mariage en Occident. Les mœurs et le droit*, Paris, 1987.
M.-M. Gauthier, *Les routes de la foi. Reliques et reliquaires de Jérusalem à Compostelle*, Rome, 1983.
P. Geary, *Furta sacra : Thefts of Relics in the Central Middle Ages*, Princeton, 1978.
J. Gill, *Byzantium and the Papacy*, New Brunswick, 1979.
Gli Slavi occidentali e meridionali nell'alto medio Evo, Settimane di Spoleto n° XXX, Spolète, 1963.
V. Gjuzelev, *Das Papsttum und Bulgarien (9-14 Jhdt)*, Vienne, 1985.
P.S. Gold, *The Lady and the Virgin : Image, Attitude and Experience in Twelfth Century*, Chicago, 1985.
M. Grabmann, *I papi del duecento e l'aristotelismo*, Rome, 1941.
F. Graus, *Die Nationenbildung der Westslaven im Mittelalter*, Sigmaringen, 1980.
H. Grundmann, *Religiöse Bewegungen im Mittelalter*, 2e éd., Darmstadt, 1961.
–, *Bibliographie zur Ketzergeschichte des Mittelalters 1900-1966*, Rome, 1967.
P.-M. Gy, *La liturgie dans l'Histoire*, Paris, 1990.

S. Hackel (éd.), *The Byzantine Saint*, Londres, 1981.
B. Hamilton, *The Latin Church in the Crusaders States. The Secular Church*, Londres, 1980.
C. Hannick, *Die Byzantinischen Missionen* dans *Kirchengeschichte als Missionsgeschichte*, Munich, 1978.
A. Haverkamp, *Aufbruch und Gestaltung, Deutschland 1056-1273*, Munich, 1984.
W.A. Hinnebusch, *The History of the Dominican Order*, 2 vol., New York, 1965-1973.
J. Hourlier, *L'âge classique (1140-1378) : les religieux*, Paris, 1971.
H. Hunger, *Die hochsprachliche profane Literatur der Byzantiner*, 2 vol., Munich, 1978.
J.M. Hussey, *The Orthodox Church in the Byzantine Empire*, Oxford, 1986.

J. Imbert (éd.), *Histoire des hôpitaux en France*, Toulouse, 1982.
Le Istituzioni ecclesiastiche della « societas christiana » dei secoli XI e XII : papato, cardinalato e episcopato (La Mendola, 1971), Milan, 1974.
Le Istituzioni ecclesiastiche della « societas christiana » dei secoli XI e XII : diocesi, pievi e parrochie (La Mendola, 1974), Milan, 1977.

H. Jakobs, *Kirchenreform und Hochmittelalter*, Munich-Vienne, 1984.
R. Janin, *La géographie ecclésiastique de l'Empire byzantin*. I : *Le siège de Constantinople et le patriarcat oecuménique*, Paris, 1969.
–, *Les Églises et les monastères des grands centres byzantins*, Paris, 1975.

E. Kantorowicz, *The King's Two Bodies*, Princeton, 1957 (trad. française : *Les deux corps du roi*, Paris, 1989).
A.P. Kazhdan, A. Wharton-Epstein, *Change in Byzantine Culture in the XIth and XIIth Centuries*, Berkeley, 1985.
H. Keller, *Zwischen regionaler Begrenzung und universalem Horizont. Deutschland und Imperium der Salier und Staufen*, Berlin, 1986.
M. Klimenko, *Ausbreitung des Christentums in Russland seit Vladimir dem Heiligen bis zum 17 Jhdt*, Berlin-Hambourg, 1969.
J. Kłoczowski (éd.), *Histoire religieuse de la Pologne*, Paris, 1987.
D. Knowles, *The Monastic Order in England 940-1216*, 2e éd., Cambridge, 1966.
H. Koch (éd.) *Den Danske Kirkes Historia*, t. II, Copenhague, 1950.
W. Kölmel, *Regimen christianum*, Berlin, 1970.
Z.J. Kosztolnyik, *Five Eleventh Century Hungarian Kings : their Policies and their Relations with Rome*, New York, 1981.
R. Krautheimer, *Rome : Profile of a City*, Princeton, 1980.
J. Kuttner, *The History of Ideas and Doctrines of Canon Law in the Middle Ages*, Londres, 1980.

G.B. Ladner, *Ad imaginem Dei : the Image of Man in Medieval Art*, Latrobe, 1965.
J. Lafontaine-Jodogne, *Histoire de l'art byzantin et chrétien d'Orient*, Louvain-la-Neuve, 1987.
I Laici nella « societas christiana » dei secoli XI e XII, (La Mendola, 1965), Milan, 1968.
M.D. Lambert, *Franciscan Poverty*, Londres, 1961.
–, *Medieval Heresy : Popular Movements from Bogomil to Hus*, Londres, 1977.
A.M. Landgraf, *Einführung in die Geschichte der theologischen Literatur der Frühscholastik*, Ratisbonne, 1948 (trad. française : *Introduction à l'histoire de la littérature théologique de la scolastique naissante*, Montréal, 1973).
M.S. Lausten, *Danmarks Kirkehistorie*, Copenhague, 1983.
C.H. Lawrence, *Medieval Monasticism. Forms of Religions Life in Western Europe in the Middle Ages*, New York, 1984.
G. Leff, *Paris and Oxford Universities in the Thirteenth and Fourteenth Centuries*, Londres, 1968.
J. Le Goff (éd.), *Hérésies et sociétés dans l'Europe préindustrielle, XIe-XVIIIe siècle*, Paris-La Haye, 1968.
–, *La naissance du Purgatoire*, Paris, 1982.
–, *Les intellectuels au Moyen Âge*, 2e éd., Paris, 1985.

P. LEMERLE, *Cinq études sur le xᵉ siècle*, Paris, 1977.
E. LESNE, *Histoire de la propriété ecclésiastique en France*, 6 vol., Lille, 1910-1943.
P. LINEHAN, *The Spanish Church and the Papacy in the Thirteenth Century*, Cambridge, 1971.
—, *Spanish Church and Society, 1150-1300*, Londres, 1983.
L. LITTLE, *Religions Poverty and the Profit Economy in Medieval Europe*, Londres, 1978.
D. LOHRMANN, *Kirchengut im nördlichen Frankreich*, Bonn, 1983.
J. LONGÈRE, *La prédication médiévale*, Paris, 1983.
M. LOOS, *Dualist Heresy in the Middle Ages*, Prague, 1974.
W.E. LUNT, *Papal Revenues in the Middle Ages*, 2 vol., New York, 1934.

M. MACCARRONE, *Vicarius Christi. : storia del titolo papale*, Rome, 1952.
—, *Romana Ecclesia, Cathedra Petri*, 2 vol., Rome, 1991.
J. MACEK, R. MANDROU, *Histoire de la Bohême des origines à 1918*, Paris, 1984.
H. MAISONNEUVE, *Études sur les origines de l'Inquisition*, 2 éd., Paris, 1960.
E. MÂLE *L'art religieux du xiiᵉ siècle en France. Étude sur les origines de l'iconographie du Moyen Âge*, Paris, 1922.
—, *L'art religieux du xiiiᵉ siècle en France. Études sur l'iconographie du Moyen Âge et ses sources d'inspiration*, 2ᵉ éd., Paris, 1924.
W. MALECZEK, *Papst und Kardinalkollegium von 1191 bis 1216*, Vienne, 1984.
R. MANSELLI, *L'eresia del male*, Naples, 1963.
—, *San Francesco*, Rome, 1981.
D. MANSILLA, *Iglesia castellana-leonesa y Curia Romana en los tiempos del Rey San Fernando*, Madrid, 1945.
I. MANTEUFFEL, *Naissance d'une hérésie : les adeptes de la pauvreté volontaire au Moyen Âge*, Paris-La Haye, 1970.
J. MATTOSO, *Le monachisme ibérique et Cluny*, Louvain, 1968.
H.E. MAYER, *Bibliographie zur Geschichte der Kreuzzüge*, Hanovre, 1960.
—, *Kreuzzüge und Lateinischer Osten*, Londres, 1983.
B. MC GINN, *Visions of the End : Apocalyptic Traditions in the Middle Ages*, New York, 1979.
J. MECERIAN, *Histoire et institutions de l'Église arménienne*, Beyrouth, 1965.
G.G. MEERSSEMAN, *Ordo Fraternatis. Confraternità e pietà dei laici nel Medio Evo*, 3 vol., Rome, 1977.
A. MERHAUTOVA, *Romanische Kunst in Polen, der Tschecheslowakei, Rumänien, Jugoslawien*, Vienne, 1974.
G. MICCOLI, *Chiesa gregoriana*, Florence, 1966.
L. MILIS, *Angelic Monks and Earthly Men. Monasticism and its Meaning to Medieval Society*, Bury St Edmunds, 1992.
Le Millénaire du mont Athos (963-1963). Études et mélanges, 2 vol., Venise et Chevetogne, 1964.
Il Monachesimo e la riforma ecclesiastica (1049-1122), (La Mendola, 1968), Milan, 1972.
J.R.H. MOORMAN, *Church Life in England in the Thirteenth Century*, Cambridge, 1945.
—, *A History of the Franciscan Order from its Origins to the Year 1517*, Oxford, 1968.
D. MORGAN, *The Mongols*, Oxford, 1986.
Le Mouvement confraternel au Moyen Âge : France, Suisse, Italie, Rome-Lausanne, 1987.
J. MULDOON, *Popes, Lawyers and Infidels*, Liverpool, 1979.

Naissance et fonctionnement des réseaux monastiques et canoniaux, Saint-Étienne, 1991, (*CERCOR, Travaux et recherches, 1*).
W. NORDEN, *Das Papsttum und Byzanz*, Berlin, 1903.
H. NOWAK (éd.), *Die Rolle der Ritterorden in der Christianisierung des Ostgebietes*.

O. OBOLENSKY, *The Byzantine Inheritance of Eastern Europe*, Londres, 1982.
V. ORTENBERG, *The English Church and the Continent in the Tenth and Eleventh Centuries*, Oxford, 1992.

M. PACAUT, *La Théocratie. L'Église et le pouvoir au Moyen Âge*, 2ᵉ éd., Paris, 1989.
—, *L'ordre de Cluny*, Paris, 1986.
Paix de Dieu et guerre sainte en Languedoc au xiiiᵉ siècle, (*Cahiers de Fanjeaux*, 4), Toulouse, 1969.
E. PANOFSKY, *Architecture gothique et pensée scolastique*, Paris, 1967.
A. PARAVICINI BAGLIANI, *I testamenti dei cardinali del duecento*, Padoue, 1972.
G. PARÉ et alii, *La renaissance du xiiᵉ siècle : les écoles et l'enseignement*, Paris, 1933.
M. PARISSE, *Les nonnes au Moyen Âge*, Le Puy, 1983.
P. PARTNER, *The Lands of St Peter*, Londres, 1972.
G. PENCO, *Storia del monachesimo in Italia dalle origini alla fine del medio Evo*, Milan, 1983.
—, *Medio Evo monastico*, Rome, 1988.
K. PENNINGTON, *Pope and Bishops : the Papal Monarchy in the Twelfth and Thirteenth Centuries*, Pennsylvanie, 1984.
J. PETERSOHN, *Der südliche Ostseeraum in kirchlichpolitischem Kräftspiel der Reiche Polen und Dänemark vom 10. bis 13. Jahrhundert. Mission, Kirchenorganisation, Kultpolitik*, Cologne-Vienne, 1979.
H.C. PEYER, *Gastfreundschaft, Taverne und Gasthaus in Mittelalter*, Munich, 1983.

Pievi e parrochie nel basso medio Evo (secoli XIII-XV), 2 vol., Rome, 1984.
B. Plongeron, A. Vauchez (dir.), *Histoire des diocèses de France*, 23 vol., Paris, 1974-1989.
G. Podskalsky, *Theologie und Philosophie in Byzanz*, Munich, 1978.
—, *Christentum und theologische Literatur in der Kiever Rus, 988-1237*, Munich, 1982.
O. Pontal, *Les statuts synodaux*, (Typologie des sources du Moyen Âge occidental, 11), Turnhout, 1975.
A. Poppe, *The Rise of Christian Russia*, Londres, 1982.
J. Prawer, *The Latin Kingdom of Jerusalem*, Londres, 1972.
L. Pressouyre, T.L. Kinder (éd.), *Saint Bernard et le monde cistercien*, Paris, 1990.

M. Reeves, *The Influence of Prophecy in the Later Middle Ages*, Oxford, 1969.
La Religion populaire en Languedoc du XIIIᵉ à la moitié du XIVᵉ siècle, Toulouse, 1976, (Cahiers de Fanjeaux, 11).
A.E. Reuter, *Königtum und Episkopat in Portugal im 13. Jahrhundert*, Berlin, 1928.
J. Richard, *L'Orient et l'Occident au Moyen Âge : contacts et relations (XIIᵉ-XIVᵉ siècle)*, Londres, 1976.
—, *La papauté et les missions d'Orient au Moyen Âge (XIIᵉ-XVᵉ siècle)*, Rome, 1977.
P. Riché, G. Lobrichon (éd.), *Le Moyen Âge et la Bible*, Paris, 1984.
La Riforma gregoriana e l'Europa, (Congresso internazionale, Salerno, 1985), 2 vol., Rome, 1989.
I.S. Robinson, *Authority and Resistance in the Investiture Context*, Manchester, 1978.
M. Rubin, *Corpus Christi. The Eucharist in Late Medieval Culture*, Cambridge, 1991.
C. Ryan (éd.), *The Religious Roles of Papacy : Ideals and Realities 1150-1300*, Toronto, 1989.

W. Sauerländer, *Le siècle des cathédrales 1140-1260*, Paris, 1989.
J.-M. Sauget, *Bibliographie des liturgies orientales (1900-1960)*, Rome, 1962.
Y. Schapov, *Church and State in Ancient Rus, from the Tenth to the Thirteenth Centuries*, New Rochelle, 1992.
K. Schatz, *La primauté du pape. Son histoire, des origines à nos jours*, Paris, 1992.
T. Schieffer, *Die päpstlichen Legaten in Frankreich vom Vertrage von Meersen (970) bis zum Schisme von 1130*, Berlin, 1935.
K. Schmid, *Reich und Kirche*, Sigmaringen, 1985.
J.-C. Schmitt, *Religione, folklore e società nell'Occidente medievale*, Rome-Bari, 1988.
P. Schmitz, *Histoire de l'ordre de saint Benoît*, t. I à III, Maredsous, 1949.
F. Seibt (éd.), *Bohemia Sacra. Das Christentum in Böhmen 973-1973*, Düsseldorf, 1974.
Septième centenaire de la mort de saint Louis. Actes des colloques de Royaumont et de Paris (1970), Paris, 1976.
J. Setton, *The Papacy and the Levant (1204-1571)*, t. I : *The Thirteenth and Fourteenth Centuries*, Philadelphie, 1976.
— (éd.), *A History of the Crusades*, 6 vol., Madison (Wisconsin), 1962-1985.
B. Smalley, *The Study of the Bible in the Middle Ages*, 3ᵉ éd., Oxford, 1983.
R.W. Southern, *Medieval Humanism and other Studies*, Oxford, 1970.
J. Starr, *The Jews in the Byzantine Empire*, Athènes, 1939.
U. Stutz, *Geschichte des kirchlichen Benefizialwesens*, t. I, Berlin, 1895.
R.F. Sugar, *A History of Hungary*, Bloomington, 1990.
J. Sumption, *Pilgrimage : an Image of Medieval Religion*, Londres, 1975.
R. Suntrup, *Die Bedeutung der liturgischen Gebärden und Bewegungen*, Münster, 1978.

D. et T. Talbot Rice, *Icons and their Dating. A Comprehensive Study of their Dating and Provenance*, Londres, 1974.
G. Tellenbach, *Libertas, Kirche und Weltordnung im Zeitalter des Investiturstreits*, Stuttgart, 1936.
J.P. Thomas, *Private Religions Foundations in the Byzantine Empire*, Washington D.C., 1987.
B. Tierney, *The Foundations of the Conciliar Theory*, Cambridge, 1955.
—, *Medieval Poor Law*, Londres, 1959.
—, *The Crisis of Church and State 1050-1300, with selected Documents*, 2ᵉ éd., Toronto, 1988.
H. Toubert, *Un art dirigé : Réforme grégorienne et iconographie*, Paris, 1990.
P. Toubert, *Les structures du Latium médiéval*, 2 vol., Rome, 1973.
H.F. Tournebize, *Histoire politique et religieuse de l'Arménie depuis les origines des Arméniens jusqu'à la mort de leur dernier roi (l'an 1393)*, Paris, 1910.

W. Ullmann, *Medieval Papalism. The Political Theories of Medieval Canonists*, Londres, 1940.

L. Vaccaro (éd.), *Storia religiosa dei popoli balcanici*, Milan, 1983.
F. van der Meer, *Atlas de l'ordre cistercien*, Paris-Bruxelles, 1965.
A. Vauchez, *La spiritualité du Moyen Âge occidental (VIIIᵉ-XIIᵉ siècle)*, Paris, 1975.
—, *Les laïcs au Moyen Âge. Pratiques et expériences religieuses*, Paris, 1987.
—, *La sainteté en Occident aux derniers siècles du Moyen Âge*, Rome, 2ᵉ éd., 1988.

W. Verbeke, D. Verhelst, A. Welkenhuysen (éd.), *The Use and Abuse of Eschatology in the Middle Ages*, Louvain, 1988.

J. Verger (éd.), *Histoire des Universités en France*, Toulouse, 1986.

P.E. Viard, *Histoire de la dîme ecclésiastique principalement en France*, 2 vol., Paris, 1909 et 1912.

M.H. Vicaire, *L'imitation des Apôtres : moines, chanoines et mendiants*, Paris, 1963.

—, *Histoire de saint Dominique*, 2 vol., Paris, 2ᵉ éd., 1982.

C. Violante, *Ricerche sulle istituzioni ecclesiastiche dell'Italia centro-settentrionale nel medio Evo*, Palerme, 1986.

La vita comune del clero nei secoli XI e XII, (La Mendola, 1959), Milan, 1962.

V. Vodoff, *Naissance de la chrétienté russe : la conversion du prince Vladimir de Kiev (988) et ses conséquences (XIᵉ-XIIᵉ siècle)*, Paris, 1988.

C. Vogel, *Le pécheur et la pénitence au Moyen Âge*, 2ᵉ éd., Paris, 1982.

S. Vryonis Jr, *The Decline of Medieval Hellenism in Asia Minor and the Process of Islamization from the Eleventh through the Fifteenth Century*, Berkeley, 1971.

C. Walter, *Art and Ritual of the Byzantine Church*, Londres, 1982.

B. Ward, *Miracles and the Medieval Mind*, Londres, 1982.

A.K. Warren, *Anchorites and their Patrons in Medieval England*, Berkeley, 1985.

E. Wellesz, *A History of Byzantine Music and Hymnography*, Oxford, 2ᵉ éd., 1961.

E. Werner, M. Erbstösser, *Kleriker, Mönche, Ketzer. Das religiöse Leben im Hochmittelalter*, Berlin, 2ᵉ éd., 1992.

J. Wollasch, *Mönchtum des Mittelalters zwischen Kirche und Welt*, Munich, 1973.

H. Wolter, H. Holstein, *Lyon I et Lyon II*, Paris, 1966.

K. Young, *The Drama of the Medieval Church*, 2 vol., Oxford, 1933.

B.Z. Zedar, *Crusade and Mission : European Approaches towards the Muslims*, Princeton, 1984.

P. Zerbi, *Tra Milano e Cluny : monumenti di vita e cultura ecclesiastica nel secolo XII*, Rome, 1978.

H. Zimmermann, *Das Papsttum im Mittelalter : eine Papstgeschichte im Spiegel der Historiographie*, Stuttgart, 1981.

M. Zink, *La prédication en langue romane avant 1300*, Paris, 1976.

Table des abréviations

BHF   *Bonner historische Forschungen*
BHG   *Bibliotheca hagiographica Graeca*
BIHR   *Bulletin of the Institute of historical research*
BISI   *Bollettino dell'instituto storico italiano per il medio evo*
BNGJ   *Byzantinisch-neugriechische Jahrbücher*
BPH   *Bulletin philologique et historique du Comité des travaux historiques et scientifiques*
BPhH   *Voir BPH*
BSAHL   *Bulletin de la société archéologique et historique du Limousin*
BSAM   *Bulletin (trimestriel) de la société académique des antiquaires de la Morinie*
BSAN   *Bulletin de la société des antiquaires de Normandie*
BSNAF   *Bulletin de la société nationale des antiquaires de France*
BSS   *Bibliotheca sanctorum*
BSSV   *Bollettino della società di studi valdesi*
ByF   *Byzantinische Forschungen*
BySl   *Bysantinoslavica*
ByZ   *Byzantinische Zeitschrift*

CAr   *Cahiers archéologiques*
CC.CM   *Corpus Christianorum. Continuatio Medievalis*
CC.SG   *Corpus christianorum – Series Graeca*
CCist   *Collectanea Cisterciensia*
CCM   *Cahiers de civilisation médiévale, X^e-XIIe siècles*
CCSSM   *Convegni del centro di studi sulla spiritualità medievale*
CF   *Cahiers de Fanjeaux*
CFr   *Collectanea Franciscana*
CH   *Cahiers d'histoire*
ChH   *Church History*
CHM   *Cahiers d'histoire mondiale*
CHR   *Catholic historical review*
CistS   *Cistercian studies*
CMH   *Cambridge medieval history*
COCR   *Collectanea Ordinis Cisterciensium Reformatorum*
COD   *Conciliorum œcumenicorum decreta*
Coth   *Collectanea theologica*

DHGE   *Dictionnaire d'histoire et de géographie ecclésiastiques*
DA   *Deutsches Archiv für Erforschung des Mittelalters*
DACL   *Dictionnaire d'archéologie chrétienne et liturgie*
DBI   *Dizionario biografico degli Italiani*
DDC   *Dictionnaire de droit canonique*
DIP   *Dizionario degli Istituti di perfezione*
DOP   *Dumbarton Oaks papers*
DSp   *Dictionnaire de spiritualité*
DT   *Divus Thomas*
DTC   *Dictionnaire de théologie catholique*

EcHR   *Economic history review*
EHR   *English historical review*
EL   *Ephemerides liturgicae*
ESAC   *Annales, Économie, Société, Civilisations*
EOr   *Écho d'Orient*
EtByz   *Études byzantines*
EtFr   *Études franciscaines*

FKRG   *Forschungen zur Kirlichen Rechtsgeschichte und zum Kirchenrecht*
FMS   *Voir FMSt*

FMSt	*Frühmittelalterliche Studien*
GAKGS	*Gesammelte aufsätze zur Kulturgeschichte Spaniens*
HE	*Histoire de l'Église*
HEG	*Handbuch der europaïschen Geschichte*
HisMun	*Historia Mundi*
HJ	*Historisches Jahrbuch*
HThR	*Harvard theological review*
HV	*Historische Vierteljahrsschrift*
HZ	*Historische Zeitschrift*
IMU	*Italia medioevale et umanistica*
IS	*Italia sacra*
IThQ	*Irish theological quarterly*
JAC	*Jahrbuch für Antike und Christentum*
JBAA	*Journal of the British archaeological association*
JEH	*Journal of ecclesiastical history*
JFLF	*Jahrbuch für fränkische Landesforschung*
JJS	*Journal of Jewish studies*
JL	*Jüdisches Lexicon*
JMH	*Journal of modern history*
JMRS	*Journal of medieval and renaissance studies*
JÖB	*Jahrbuch für österreichischen Byzantinistik*
JTbS	*Journal of theological studies*
KG	*Kirchengeschichte*
KHS	*Kirkehistoriske samlinger*
KLNM	*Kulturhistorisk Leksikon för nordisk middelalder*
La Mendola	*Atti della settimana di studio, La Mendola...*
LP	*Liber Pontificalis*
LQF	*Liturgiegeschichtliche Quellen und Forschungen*
LThK	*Lexikon für Theologie und Kirche*
MA	*Moyen Âge (Le)*
MANSI	*Sacroum conciliorum nova et amplissima collectio*
MD	*Maison-Dieu (La)*
MDom	*Memorie domenicane*
MEFRM	*Mélanges de l'École française de Rome − Série « Moyen Âge, temps modernes »*
MEH	*Mediaevalia et humanistica*
MGH	*Monumenta Germaniae historica*
MGH.B	*− Briefen der deutschen Kaiserzeit*
MGH.Const	*− Constitutiones*
MGH.SRI	*− Schriften des Reichsinstituts für ältere deutsche Geschichts Kunoe*
MGH.LL	*− Libelli de lite...*
MGH.SS	*− Scriptores*
MHP	*Miscellanea historiae pontificiae*
MIÖG	*Mitteilungen des Instituts für österreichische Geschichtsforschung*
MM	*Miscellanea mediaevalia*
MNHIR	*Mededeelingen van het nederlandsch historisch instituut te Rome*
MOFPH	*Monumenta Ordinis Fratrum Praedicatorum historica*
MS	*Mediaeval studies*
MSHAB	*Mémoires de la société d'histoire et d'archéologie de Bretagne*
MSHD	*Mémoires de la société pour l'histoire du droit et des institutions des anciens pays bourguignons, comtois et romands*

MSNAF	*Mémoires de la société nationale des antiquaires de France*
MSR	*Mélanges de sciences religieuses*
NA	*Neues Archiv der Gesellschaft für ältere deutsche Geschichtskunde*
NAWG	*Nachrichten der Akademie der Wissenschaften in Göttingen*
NRS	*Nuova rivista storica*
NZM	*Neue Zeitschrift für Missionswissenschafts*
ODCC	*Oxford dictionary of the christian church*
OrChaP	*Orientalia Chritiana periodica*
OrChr	*Oriens christianus*
OrChrA	*Orientalia christiana analecta*
OstKSt	*Ostkirchliche studien*
PaP	*Past and Present*
PBA	*Proceedings of the British Academy*
PG	*Patrologiae cursus completus – Series graeca*
PL	*Patrologiae cursus completus – Series latina*
QFIAB	*Quellen und Forschungen aus italienischen Archiven und Bibliotheken*
RAM	*Revue d'ascétique et de mystique*
RBen	*Revue bénédictine de critique, d'histoire et de littérature religieuses*
RDC	*Revue de droit canonique*
REArm	*Revue des études arméniennes*
REAug	*Revue des études augustiniennes*
REByz	*Revue des Études byzantines*
RechAug	*Recherches augustiniennes*
REG	*Revue des études grecques*
REI	*Revue des études islamiques*
REJ	*Revue des études juives*
RevSR	*Revue des sciences religieuses*
RHDF	*Revue historique de droit français et étranger*
RHE	*Revue d'histoire ecclésiastique*
RHEF	*Revue d'histoire de l'Église de France*
RHLR	*Revue d'histoire et de littérature religieuses*
RHR	*Revue de l'histoire des religions*
RHSp	*Revue d'histoire de la spiritualité*
RhV	*Rheinische Vierteljahrsblätter*
RIS	*Rerum italicarum scriptores*
RivAC	*Rivista di archeologia cristiana*
RMab	*Revue Mabillon*
RMAL	*Revue du moyen-âge latin*
RNord	*Revue du Nord*
ROC	*Revue de l'Orient chrétien*
RöHM	*Römische historische Mitteilungen*
RQ	*Römische Quartalschrift für christliche altertums kunde*
RQH	*Revue des questions historiques*
RSCI	*Rivista di storia della Chiesa in Italia*
RSDI	*Rivista di storia del diritto italiano*
RSPhTh	*Revue des sciences philosophiques et théologiques*
RSPT	*Voir RSPhTh*
RSR	*Recherches de science religieuse*
RSyn	*Revue de synthèse*
RTAM	*Recherches de théologie ancienne et médiévale*

SBAW	*Sitzungberichte du bayerischen Akademie der Wissenschaften*
SBAW.PPH	*– Philosophisch-philologischs und historische klasse*
SCGOC	*Statuta capitulorum generalium Ordinis Cisterciensis*
SCH	*Studies in church history*
SDHI	*Studia et documenta historiae et juris*
SE	*Sacris erudiri*
SGSG	*Studi gregoriani per la storia di Gregorio VII*
SCan	*Studia canonica*
StGS	*Studien zur Germania sacra*
SlMC	*Studies in medieval culture*
SMGB	*Studien und Mitteilungen zur Geschichste des Benediktiner-ordens und seiner Zweige*
SMH	*Studies in medieval history*
SSAM	*Sttimane di studio de centro italiano di studi sull'alto medioevo*
StAns	*Studia Anselmiana*
StGra	*Studia gratiana*
StMed	*Studi medievali*
StStor	*Studi storici*

THS	*Transactions of the r. historical society*
TLS	*Times literary supplement*
TMCB	*Travaux et mémoires du Centre de recherche d'Histoire et de Civilisation Byzantines*
TRE	*Theologische Realenzyklopädie*
TRG	*Tijdschrift voor rechtsgeschiedenis*
TRHS	*Transactions of the Royal Historical Society*
TSMA	*Texte der späten Mittelalters und den frühen Neuzeit*

VV	*Vizantijskij vremennik*

WdF	*Wege der Forschung*
WiWei	*Wissenschaft und Weisheit*
WRGA	*Wiener rechtsgeschichtliche Arbeiten*

ZKG	*Zeitschrift für Kirchengeschichte*
ZRG	*Zeitschrift für Rechtsgeschichte*
ZSRG.K	*Zeitschrift der Savigny-Stiftung für Rechtsgeschichte – Kanonische Abteilung*

Table des cartes

934

Table des illustrations

Index des noms de personnes

Table des matières

Deuxième partie
Le modèle romain (1123-1198)

Troisième partie
La foi vécue (XIe − XIIe s.)

Cinquième partie
« *Cura animarum* »
Une attention accrue aux laïcs

Achevé d'imprimer en avril 1993
dans les ateliers de Normandie Roto Impression s.a.
N° d'édition : 93002
N° d'imprimeur : I3-0642
Dépôt légal : avril 1993